{ ANDRÉ MATHIEU }

Le cœur de Rose

Tome 2

Les Éditions
Coup d'œil

Du même auteur, aux Éditions Coup d'œil :

La Tourterelle triste, 2012
L'été d'Hélène, 2012

La saga des Grégoire

1- La forêt verte, 2012
2- La maison rouge, 2012
3- La moisson d'or, 2012
4- Les années grises, 2012
5- Les nuits blanches, 2012
6- La misère noire, 2012
7- Le cheval roux, 2012

Docteur Campagne

1- Docteur Campagne, 2013
2- Les fleurs du soir, 2013
3- Clara, 2013

Rose

1- L'hiver de Rose, 2014
2- Le cœur de Rose, 2014
3- Rose et le diable, 2014
4- Les parfums de Rose, 2014

Aux Éditions Nathalie :

Plus de 60 titres offerts, dont *Aurore* et les Paula.

Couverture : Jeanne Côté et Bérénice Junca
Conception graphique : Jeanne Côté
Révision et correction : Pierre-Yves Villeneuve, Marilyne chartrand

www.facebook.com/EditionsCoupDoeil

Dépôts légaux : 1er trimestre 2014
Bibliothèque et Archives nationales du Québec
Bibliothèque et Archives Canada

Imprimé au Canada

ISBN : 978-2-89731-344-9

Le miracle est l'enfant chéri de la foi.
Goethe

Note de l'auteur

1. Quoique fondée sur des personnages réels, la tétralogie des Rose ne relève ni de la biographie ni du roman biographique. Beaucoup d'évènements sont authentiques. Beaucoup d'autres furent inventés. D'autres encore furent importés d'ailleurs, comme les soi-disant apparitions de la Vierge qui auraient eu lieu à Saint-Sylvestre début des années 1950.

Le lecteur d'un roman doit se laisser entraîner par l'imagination de l'auteur et non par une vaine recherche de la vérité historique. Par exemple, pour en revenir aux apparitions, je les ai utilisées pour en symboliser une autre tout aussi flamboyante : celle de la fée télévision qui abreuvera de merveilleux la soif des masses bien plus encore que la Sainte Vierge précédemment.

On retrouve dans le contenu de la série un mélange de réalité et de fiction concocté depuis les souvenirs d'enfance d'un romancier qui a fait ressurgir en lui le garçon de huit ans qu'il était en 1950. Par conséquent, les dialogues furent écrits par cet enfant d'alors, et les textes, par l'auteur de maintenant.

2. Cette réédition de la série Rose comprend quelques modifications de noms de personnes en regard aux éditions précédentes.

Gustave Martin devient Gustave Poulin.

Rose Poulin retrouve son nom de fille : Rose Martin.

Suzette Bureau devient Lorraine.

Juliette Grégoire devient Solange.

Pierrette Maheux devient Suzanne.

Paulette Bégin devient Pauline.

André Mathieu

Note

Le dernier chapitre du premier tome de la série Rose est reproduit au début de celui-ci en guise d'aide-mémoire.

Chapitre 1

Et tandis que la foule nocturne continuait à grouiller, qu'elle se dispersait et s'écoulait doucement, comme emportée par les courants d'une longue et brillante rivière de lumignons, Rose Martin se glissait, nue, sous un drap odorant qu'elle ne pouvait apercevoir dans la nuit profonde de sa chambre silencieuse.

Un souffle chaud rencontra le sien. Sa main gauche toucha involontairement à la hanche du corps de l'homme couché dans son lit. Elle qui possédait l'art de l'amour savait que ce sont les moindres effets de la spontanéité et de l'inattendu qui attisent le mieux les feux de la passion charnelle.

La femme eut un moment d'hésitation…

Elle se sentait observée par les gros yeux d'une société frileuse et scrupuleuse. Pas grand monde dans cette paroisse, et bien d'autres jusqu'en l'an 2000, ne serait capable de comprendre sa conduite, même si le partenaire choisi était venu chez elle de son plein gré.

Cet acte pour elle, c'était une victoire de la vie sur la mort, question d'oublier qu'au bout du compte, c'est la mort qui aurait le triomphe final et complet.

La main de l'homme toucha la sienne, et toutes les réserves de la raison féminine disparurent avec un lumineux éclairage balayant son âme comme la lueur salvatrice d'un phare qui rassure tout à fait le capitaine d'un bateau. Cette dernière pensée en dehors de la passion, mais qui lui donnait feu vert, fut:

« Le Créateur ne peut demander à sa créature de maltraiter sa propre nature, et, pour survivre, il est tout aussi naturel d'aimer que de boire et de manger… Et que le diable emporte le curé et ses sermons contre nature ! »

Son amant et elle-même préféraient le noir total pour se laisser aller entièrement à leurs sens. Pour chacun, c'était l'embarras pudique. Mais cette façon de faire décuplait le désir en débridant l'imagination et ses mille fantaisies.

Peut-être qu'elle avait dépassé les bornes avec toutes ces odeurs dans les draps et sur elle-même, mais on n'était pas dans un salon, et cet excès ouvrait la porte sur un enfer érotique qu'elle avait belle envie de visiter, d'explorer.

– C'est qu'on fait ? souffla la voix masculine incertaine sur un ton pointu situé juste derrière le rire nerveux.

– Donne-moi ta main…

Leurs mains se cherchèrent un court instant qui permit à celle de Rose de croiser fortuitement le sexe masculin déjà terriblement érigé. L'amant réagit fortement comme si toute sa chair avait été saisie d'un coup. Mais il ne fallait pas brûler les étapes et elle guida la main vers sa poitrine.

Il se déchaîna aussitôt.

– Pas si fort, là !

Il se calma trop.

– Ben un peu plus tout de même !

Il s'ajusta.

– C'est ça, entre les deux…

Elle se laissa caresser un moment puis l'enlaça.

– Un bon gros bec, ça se prendrait…

Les bouches se rencontrèrent, mais l'homme montra bien trop de voracité.

– Attention, pas une mordée, un bec, là…

Aussi malhabile que Gus l'avait toujours été sans doute, mais au moins il apprenait vite, lui et ne tardait pas à répondre à ses désirs particuliers à elle. Il se montra plus langoureux. Peu à peu, sans même en prendre conscience, elle écarta les jambes. Elle prit sa main obéissante et mit son doigt sur le point le plus sensible de sa chair.

– Frotte-moi, frotte-moi…

Il se montra docile comme un petit chien intelligent.

Elle continua de se retenir de le toucher. Sûr qu'il avait fait l'amour avec elle par avance avec son imagination, et il fallait éviter de lui donner un signal qui la rejette, elle et la cohorte de ses émotions et sensations, au fond du ravin, parce que l'homme irait trop rapidement… comme ce Gus énervé quand il était encore capable…

– Un peu plus fort, demanda-t-elle après quelques instants. Un peu plus fort. Un peu plus vite, dit-elle un peu plus tard alors que son sexe mouillait en abondance maintenant.

Quand elle fut inondée, noyée par le bonheur, brusquement, elle le saisit et il lui parut que la tige était plus solide qu'un grand érable… Mais elle saurait la prendre, elle voulait la prendre en elle.

C'était le signal que l'homme fébrile au corps frissonnant attendait. Comme s'il avait fait l'amour des milliers de fois déjà avec cette femme, il se hissa sur elle et trouva aussitôt la position parfaite pour que les corps se rencontrent à fond dans une fougue qui n'exclurait pas le confort et le plaisir total.

Elle ne pouvait plus désormais provoquer le désir sans l'exacerber; les rôles s'inversèrent et c'est le désir qui véhicula toute sa chair vers le sommet. Elle dirigea son amant en elle en répétant trois fois dans un souffle si puissant et chaud qu'à l'homme, il parut venir directement de son vagin volcan:

– Envoye, envoye, envoye…

Il plongea sans aucune retenue comme ils le voulaient tous les deux. La profonde cheminée mouillée l'avala tout entier. Et alors ils traversèrent le miroir de la réalité, comme peu de couples parviennent à le faire dans leur vie, encore que très rarement.

C'était comme si son corps de femme se transformait en énergie pure, brillante. Et quoi que fasse l'amant et quel que soit son rythme, elle n'était plus dépendante de lui pour voyager dans un univers immatériel où le temps n'existe plus.

Quand elle en émergea comme d'un songe ineffable, l'homme sur elle était encore agité toutes les deux ou trois secondes d'un soubresaut semblable aux secousses sismiques de plus faible intensité consécutives à un énorme tremblement de terre.

Elle s'imagina avoir été la mer, lui, un continent…

Pendant qu'ils se reposaient côte à côte, la femme repassa une fois de plus en sa tête la liste de ceux qu'elle aurait voulus dans son lit mais qu'elle avait fini par ne point choisir. En tout cas, comme premier amant…

Le professeur Beaudoin était bel homme certes, mais qu'un seul gamin venimeux comme le Gilles Maheux le surprenne à entrer chez elle et il y aurait scandale au village.

Le vicaire ? Il aurait fallu qu'il s'habille en maçon et qu'elle le rencontre à Saint-Georges ou même à Québec, loin des dangereux regards indiscrets.

Roland Campeau ? Quel empâté !

Laurent Bilodeau ? Quelle pièce de choix ! Un superbe chevreuil roux avec panache pour chasseresse à demi nue. Mais, malheureusement, trop bien appâté celui-là… pour le moment du moins.

Ernest ? Elle le réservait pour alimenter ses fantasmes les plus sombres, les plus enchaînés dans les basses-fosses de son âme… Et puis non, jamais aucun homme déjà pris, marié, engagé, ne la toucherait. Sinon, la gent féminine de toute la paroisse la honnirait. Mais quel plaisir que de les taquiner comme des truites affamées, tous ces grands parleurs !

Émilien Fortier et Raymond Rioux sentaient le sexe à plein nez, mais...

Et Fernand Rouleau recherchait visiblement quelqu'un de plus faible que lui, de vulnérable... Inquiétant, ce personnage à la mine patibulaire !

Il manquait d'audace et un bras au taxi Roy. Que lui manquait-il d'autre ?

Et comme il aurait fallu plus de courage et d'énergie à ce pauvre Gustave !

Dominique faisait déjà assez de peine aux siens par sa conduite dissolue. Et le Jean-Yves Grégoire, en raison de ses problèmes mentaux, n'exerçait sur elle aucune forme d'attrait. Pas plus que cet Eugène Champagne trop tourné vers lui-même et ses goussets. Encore qu'il donnait les signes de quelqu'un capable des plus heureuses surprises !

Martial Maheux et le Blanc Gaboury: ô horreur ! Quelle affreuse maladie les frappait tous les deux ! Pas même question de leur parler.

Non, le seul amant qu'elle avait pu prendre se trouvait là, entre les draps, à ses côtés, attendant qu'elle dise quelque chose. De prime abord, au premier examen sans profondeur, on l'aurait vue comme une criminelle ou presque. Ce garçon d'à peine 16 ans, venu vers elle de son plein gré, avait pour mère une femme séparée, tout comme elle-même. Qu'elle en vienne à apprendre cette liaison de son fils avec une femme plus âgée encore qu'elle, sans doute qu'elle n'aurait d'autre choix que celui de se taire... et de la comprendre !

On disait de Noëlla Ferland qu'elle vivait en concubinage à Montréal, et au surplus d'un commerce douteux qui la forçait à éloigner son fils. Tout était là...

Rose savait déjà de la bouche même de Jean d'Arc qu'il avait dénoncé Rioux et Émilien au presbytère, mais qu'il n'avait pas participé à leur « crime » contre nature, comme on le disait de l'homosexualité. Tandis que maintenant, il avait connu cette jouissance charnelle intense qui assomme bien des humains de culpabilité ; jamais l'adolescent ne confesserait cet acte, sinon dans le moins pire des cas, à un père de retraite paroissiale. Il en avait fait le serment. Mieux, elle l'emmènerait à croire qu'ils n'avaient fait aucun mal, ce que du reste, elle croyait dur comme fer.

– Tu reviendras ?

– Ben… ouais…

– À quelle heure que tu rentres le plus tard à maison quand tu vas pas à l'école ?

– Ben… à dix heures.

– Bon… tu viendras jamais me voir avant la noirceur pis tu repartiras jamais plus tard que dix heures. Et tu vas toujours passer par en arrière des hangars à Freddy. Ensuite, tu vas passer dans le clos de pacage derrière la grange, pis là, tu vas marcher le long de la ligne des cerisiers, tu vas traverser la décharge en faisant ben attention de pas te mouiller les pieds, parce que c'est de l'eau pas mal corrompue, hein. Pis tu vas te glisser le long de la corde de bois pour entrer par la porte de cave. T'as-tu compris tout ça, là ?

– Ben c'est ça que j'ai fait.

– Pis c'est ça que tu vas toujours faire.

– Même en hiver ?

– L'hiver, c'est encore loin.

– Pis quand est-ce que je vas revenir ?

– Quand tu vas voir de la lumière dans les trois châssis du haut en même temps.

– En avant de la maison ou ben en arrière ?

– En avant, en avant.

– OK, d'abord !

– Asteure, tu vas t'en aller avant que les gens reviennent du cap à Foley. Ça doit achever pas mal, leur affaire d'apparitions.

– Croyez-vous à ça, vous ?

– Pantoute ! Pas une minute !

– Tout le monde, ça croit à ça.

– Le jour où c'est que le chat va sortir du sac, ils vont dire : « Voyons donc, on n'a jamais cru à ça, nous autres. »

– Ah !

– Moi, j'vois pas c'est que la Sainte Vierge pourrait venir nous dire à nous autres de par ici, qu'on sait pas déjà. Faut aimer le Bon Dieu pis notre prochain : un point, c'est tout. Même pas besoin d'être catholique pour avoir ça dans le cœur. On appelle ça la « loi naturelle ». Les gens, ils deviennent meilleurs, ils se convertissent rien que le jour où c'est qu'ils mangent de la misère pis des claques en arrière de la tête. C'est comme ça, la nature humaine, pas autrement.

– Monsieur le curé pense que c'est vrai, lui.

– Il s'est jamais prononcé. Pis même s'il se prononce pour, quand il va revenir de Rome, moi, je croirai pas plus.

Elle soupira puis ajouta, autoritaire :

– Bon, ben remets tes culottes, là, pis va-t'en. Passe par le chemin que je t'ai dit.

***

Chapitre 2

Le lundi suivant, un jeune homme étrange descendit du train. En plein été, tout vêtu de noir et portant un chapeau et une petite valise sombre, il attirait l'attention sans pourtant chercher à le faire.

Il entra dans la gare et se rendit au guichet.

– Pour me rendre à Saint-Honoré.

– L'homme là, c'est le gars de la malle qui va justement à Saint-Honoré.

L'arrivant se tourna ; Blanc lui parut un spectre vivant. Il s'en approcha et le postillon confirma ce qu'avait dit le chef de gare.

– Dès que les sacs de malle seront sur le quai, on va partir. Vous allez au village ?

– C'est ça.

Le personnage avait un air si patibulaire que le Blanc lui-même ne lui adressa pas la parole et attendit que l'autre le fasse. Mais l'homme, dont le regard brun possédait une profondeur insondable, n'en posa qu'une concernant une chambre qu'il pourrait louer pour quelques jours au village. Blanc dit quelques mots sur l'hôtel Central puis se tut quand il vit que l'étranger tournait la tête vers ailleurs et ne s'intéressait plus du tout à lui.

Au même moment, l'avion dans lequel voyageait le curé Ennis se posait à Rome au cœur de la nuit. Le prêtre sortit de sa torpeur et chassa de sa tête la phrase belliqueuse et menaçante de Rioux: «J'enverrai à Saint-Honoré tous les démons de l'enfer réunis en une seule et même personne… »

***

Chapitre 3

Ce soir-là, il y avait exposition du corps d'Emmanuel à la salle paroissiale. Et ce n'était pas un événement commun. On meurt vieux d'habitude, si rarement à pareil âge. Et les soirées au corps ont toujours un côté sécurisant, relaxant. Mais s'il s'agit d'un accidenté ou d'un enfant, l'atmosphère est beaucoup plus grave.

Et voilà qu'il s'agissait non seulement d'un enfant, mais du fils de la misère, du seul garçon d'une veuve malheureuse et démunie, et qui s'était éteint tandis que toute la paroisse demandait au ciel des faveurs personnelles là-bas, sur le cap à Foley.

On ne se le disait pas trop entre gens de bonne réflexion, mais on avait un peu honte, et cela ajoutait à la lourdeur de la tragédie un malaise s'exprimant par le choix des chaises dans la salle mortuaire. Spontanément, on avait laissé les premiers rangs aux plus misérables de la paroisse. Il s'y trouvait, outre la pauvre veuve et ses trois enfants vêtus de noir, la veuve Lessard et ses enfants « miraculés », Clodomir et la Toinette, Elmire et Jos Page, de même que la muette Solange, pour qui les différences de fortune n'existaient pas. Et il y avait aussi Lucienne et Victor Drouin, les plus proches parents qui résidaient dans la même paroisse. La petite femme avait tout le mal du monde à tenir sur sa chaise tant sa grossesse débordait. Puis plusieurs chaises demeuraient libres au deuxième rang tandis que le reste de la pièce était occupé à peu près au complet par les paroissiens qui se parlaient à voix basse de maladies mortelles et d'apparitions miraculeuses, passant aisément de l'un à l'autre.

Vinrent deux sœurs du couvent. L'une avait enseigné au gamin. Elles marchèrent d'un pas rapide jusqu'à l'agenouilloir près du petit défunt blanc, et le parfum de leur savon de Castille fut soufflé sur les assistants par la voilure de leurs habits noirs.

Puis Esther Létourneau vint à son tour s'interroger sur la mort en priant pour le pauvre garçon. Elle serra la main de Marie; leurs yeux se croisèrent et de vraies condoléances passèrent par les regards pathétiques.

Fernand Rouleau, qui attendait le moment propice dans le couloir, pénétra dans la pièce quand la veuve fut occupée à recevoir les sympathies de quelques paroissiens; il était suivi de François Bélanger, que personne ne remarqua non plus tant on était habitué à son impossible faciès. L'homme suivait un plan bien pensé le lendemain après qu'il eut appris la mort de l'enfant. Il devait absolument faire oublier à Marie cette histoire de messe noire et surtout le rendez-vous manqué pour emmener le garçon mourant aux pieds de la Vierge sur le cap à Foley. Il agirait comme un bon paroissien et en voisin sensible et bienveillant. Il prierait longuement auprès du corps, hocherait la tête pour montrer à quel point il était désolé, et la veuve saurait, elle, que son geste comportait aussi du remords dans les apparences de la désolation.

Quand la dernière main du petit groupe fut serrée, avant que sa tête ne retombe en avant et que ses yeux ne fixent à nouveau le plancher, Marie aperçut les deux hommes qui se trouvaient à côté de la tombe. Pour un moment, toute sa douleur de mère en deuil se mua en colère noire, un sentiment confinant à la haine. L'attitude insincère de cet homme lui paraissait sacrilège. Son geste braillard s'apparentait aux larmes d'un crocodile, et cet individu valait moins qu'un serpent. Elle eût voulu crier, mugir, maudire, mais cela n'aurait pu qu'empirer le déchirement intérieur qui faisait d'elle deux êtres tordus, l'un par la souffrance, l'autre par la révolte.

Il devait s'en aller, disparaître de sa vue. Et sans qu'il n'y paraisse. C'était sa façon maternelle de protéger son fils dans la mort comme elle en avait pris bon soin de son vivant. Tout ce qu'il y avait en ce moment de détermination rageuse dans son âme, elle le fit passer par son regard et le lança comme un terrible projectile derrière la tête de cet homme cynique.

François était resté debout. Il jeta un petit coup d'œil en biais et vit que la veuve s'était rassise. Cette prière lui paraissant durer trop déjà, il se tourna pour faire quelques pas vers la femme. Fernand attendait ce moment. Il emboîta le pas à son ami afin de prendre Marie un peu par surprise ou du moins pour qu'elle soit distraite un instant puis que tout se fasse vite.

– Eee aaa daul... pptt rr... hen... de mmmaèmmm, marmotta François à la femme en lui serrant faiblement la main.

Il voulait dire: « C'est pas drôle partir jeune de même. » Mais Marie comprit ce qu'elle désirait entendre: « Mes meilleures sympathies, madame, pis Dieu vous aime... »

Sans que ni l'un ni l'autre ne le veuillent, l'infortuné François et ses mots inintelligibles servirent d'écran à Fernand, comme il l'avait prévu et souhaité. Il s'empara vivement de la main douloureuse qu'il serra entre les siennes, disant, l'œil faussement contrit:

– Vas-tu jamais me pardonner pour avant-hier soir? J'ai pris un coup fort... c'était la fête des Canadiens français... Pis j'ai été ben malade, pis j'ai pas pu venir...

La femme pensait s'évanouir. Il lui passait par la tête l'idée que son fils aurait peut-être obtenu un miracle si on l'avait conduit à la Vierge du cap à Foley le samedi soir.

Sa lèvre inférieure se mit à trembler, mais les mots s'éteignaient, se mouraient dans la bouche.

Depuis l'arrivée de Fernand, Dominique veillait discrètement du couloir. Il ne fallait pas que le scandale éclate. Cela nuirait à tous, surtout à Marie elle-même et à ses enfants. La veuve s'était confiée à lui quant à sa détresse du samedi soir et l'homme avait souffert devant une prise de conscience aiguë: l'égocentrisme généralisé et l'indifférence de tous face à la misère humaine. Chacun s'était rendu sur le cap à la recherche de quelque chose pour soi-même et personne au monde ne s'était préoccupé du sort d'une mère laissée seule à défendre sa maison contre le terrible assaut de la grande faucheuse.

Il entra dans la pièce de son pas le plus long et se dirigea droit à la veuve en disant:

– Madame Marie, aurais-tu une minute que je te parle un peu de certaines choses? Tu pourrais venir à la salle des Chevaliers? C'est pas des mauvaises nouvelles...

– Si j'peux faire quelque chose pour aider, lança Fernand de sa voix la plus sirupeuse.

Marie lui lança un regard meurtri et meurtrier à la fois, mais elle ne dit mot. Elle se leva et suivit Dominique qui la supporta en lui prenant un bras. Les trois fillettes se tortillèrent sur leur chaise mais se résignèrent à affronter seules les prochaines condoléances dont elles ne sauraient pas trop quoi faire.

Dominique avait à lui dire qu'il venait d'obtenir le meilleur tarif pour elle, le rabais d'exception consenti aux pauvres gens par la maison funéraire qu'il représentait. Il referma la porte de la salle sur eux et le lui annonça.

– En plus qu'ils vont attendre le retour de monsieur le curé. Pis j'suis persuadé que la Fabrique va payer pour l'enterrement.

– Moi, j'voudrais de toutes mes forces que j'serais pas capable, fit-elle honteuse, la tête basse.

– T'inquiète pas, Marie, d'une manière ou d'une autre, je vas tout arranger ça.

Elle soupira :

– C'est pas la reconnaissance qui va me manquer.

L'homme s'appuya à une table de billard et croisa les bras.

– J'aurais peut-être quelque chose à te suggérer pour t'aider… Ta plus vieille, elle est en masse capable de garder les deux autres à la maison. J'pourrais ben te faire travailler du côté de la manufacture. Tu pourrais peut-être travailler sur la cloueuse, l'étampeuse pis même des fois sur la bouveteuse. On te donnerait un bon cinq piastres par jour.

– J'pensais que vous preniez rien que des hommes.

– Ouais… jusqu'à aujourd'hui, mais pourquoi pas une femme, hein ? Pis surtout une femme qui a besoin de gagner la vie de sa famille. Ça te sortirait de tes dettes un peu… J'dis ça comme ça… Peut-être que tu dois rien à personne. J'sais pas pourquoi c'est faire que j'parle de même…

– J'en ai, j'en ai, des dettes, craignez pas.

– Pense à ça, là. Moi, j'vas en parler à mon frère Raoul. Il va être plus sensible vu que t'es en deuil…

– J'sais pas si j'serais capable de faire ça, moi.

– Comme disait le président des États : « Y'a pire que de pas réussir, c'est de pas essayer. »

Malgré sa pâleur et les cernes autour de ses yeux, son visage s'éclaircit. Mais aussi vite, son front se rembrunit.

– Le Fernand Rouleau, après ce qui s'est passé…

– Lui, il va juste prendre son trou. Autrement, il va se faire mettre dehors. C'est un bon employé, ben vaillant, mais il va pas te déranger si tu viens travailler chez nous. Remarque que c'est pas une job à l'année, là, c'est rien que pour jusqu'au mois d'octobre. On a cinquante mille boîtes à beurre à faire ; ça prend de la main-d'œuvre pis des bras qui ont pas peur de l'ouvrage.

– Ben je vas y aller le lendemain de l'enterrement.

– Ce qui veut dire mercredi. J'serai là pour te montrer ce qu'il faut faire. Peut-être que tu vas te faire une couple de cent piastres avant l'automne.

Profondément touchée en même temps qu'écrasée par la fatigue et la douleur, Marie éclata soudain en sanglots. Dominique la prit par les épaules; elle se jeta contre lui. L'homme prit conscience de la valeur du geste qu'il venait de poser pour elle et, bien que surpris de cette réaction puisque Marie était si peu démonstrative de nature, il lui frotta doucement le dos pour aider à la soulager. Fernand Rouleau ouvrit la porte sans frapper et dit aussitôt en tournant les talons:

– Excusez-moi, j'pensais pas que y'avait du monde icitte…

– Tu le savais, tu le savais, lança Dominique.

Mais la scène prit fin là, l'arrivant ayant déjà refermé la porte derrière lui.

Au fond de la salle mortuaire, quelques femmes assises en cercle se parlaient à voix retenue. On se passait des commentaires sur un jeune visiteur qui venait d'entrer dans la salle et qui, en ce moment même, priait auprès du défunt, le regard sincèrement désolé.

– C'est lui qui travaille pour la Shawinigan pis qui reste à l'hôtel, dit Ti-Noire.

– Y s'appelle Jean Béliveau, enchérit Bernadette. Paraît qu'il vient de Victoriaville.

– Le curé avait peur que ça soit un fifi, vu qu'il fait courir ses balles de tennis par les petits gars du village, glissa Lorraine Bureau.

– Si un beau gars de même, c'est un fifi, moi, j'suis la Sainte Vierge, souffla Ti-Noire avec un regard moqueur.

– C'est beau de sa part de venir au corps, après tout, il fait juste passer dans la paroisse.

– On voit ben que c'est un monsieur d'homme.

La veuve venait de retrouver sa place. Béliveau se présenta à elle et lui offrit ses condoléances.

– Heu... je vous espère... je... vous présente mes... sympathies...

Pendant ce temps, d'autres personnes se présentaient à la salle et parmi elles, Rose Martin. Après sa prière, elle se rendit à Marie et offrit ses condoléances puis occupa la place libre près d'elle pendant un moment.

– Ça se parlait, mais on pensait pas qu'il s'éteindrait aussi vite.

– Et il a beaucoup souffert jusqu'à la fin.

– Si on avait donc eu un docteur...

– C'est pas un docteur qu'il aurait fallu, c'est le Bon Dieu. Si au moins j'avais pu l'emmener voir la Sainte Vierge...

Rose fronça les sourcils.

– Tout le monde meurt. Pis on meurt à notre heure. C'est pas ça qui aurait changé grand-chose.

– Vous avez pas la foi, vous, madame Rose?

– La foi, oui, mais pas la naïveté. Y a pas d'apparitions, y a pas de miracles. Si chacun qui demande sa petite ou grosse faveur personnelle était exaucé, y aurait plus de destin. La vie va comme c'est écrit. On prend les meilleures décisions pis c'est les circonstances qui se chargent du reste.

– À quoi ça sert de prier?

– Ça libère, ça soulage, ça donne de l'espoir, ça donne une bouée pour nous accrocher, mais ça apporte rien d'autre. Qu'on dise tous les chapelets qu'on voudra, ton petit gars, il est là où c'est qu'il doit être. Pis c'est une belle place. Parce qu'il l'a gagnée par ses souffrances.

Marie sourit faiblement puis elle dut se lever afin de recevoir d'autres condoléances. Cela lui permit de se laisser pénétrer par la pensée de Rose et elle se rassit pour exprimer son réconfort.

– Même si j'suis pas d'accord avec tout ce que vous m'avez dit, ça m'aide de l'entendre. En tout cas, ça fait baisser un peu le remords.

Il ne leur fut pas possible de s'en dire plus. Les assistants se levaient au commandement de la voix de Bernadette qui lançait la récitation d'une autre dizaine de chapelet.

La fin de la prière constituait aussi le signal de départ des visiteurs, et la salle se vida en quelques minutes. Bientôt, il ne resta plus devant la tombe que Marie et ses enfants.

Dominique demeura en retrait dans le couloir à parler à voix retenue avec Gustave et il donna tout le temps à la veuve de se recueillir auprès de son fils, et peut-être pour la dernière fois voir sa petite famille si cruellement amputée réunie sans autre présence aux alentours.

– On va aller le voir toutes les semaines au cimetière, dit la mère comme pour réduire l'importance de la rupture. On va faire pousser des fleurs sur sa fosse : des pensées, des mimosas, des tulipes. On va lui parler pis il va nous entendre. Pis il va nous aider, nous protéger… On dit que le malheur unit les familles.

– Des fois, on pourra y aller en sortant de l'école, suggéra faiblement Yvonne.

– Pis si je travaille à la *shop*, je vas acheter un monument en pierre, ça, c'est certain.

Alors il se fit une longue pause. Depuis le couloir, on put clairement entendre les sanglots de Marie et les voix timides des filles qui se disaient n'importe quoi pour sortir leur mère de son chagrin tout en le respectant.

– C'est pas drôle pour d'aucuns, la vie, hein, Dominique ? T'en penses quoi, toé ?

– Quant à moé, Gus, si j'avais été le manufacturier de la vie sur Terre au lieu qu'un fabricant des boîtes à beurre, j'pense que c'est pas tout à fait de même que j'aurais arrangé ça. Mais… c'est rien qu'une idée de même. Ça vaut ce que ça vaut…

– Moé itou, j'aurais arrangé ça pas tout à fait de même…

***

Chapitre 4

Le jeune homme se leva à la barre du jour. En fait, il s'était éveillé avant l'aube et avait attendu dans son lit moelleux, mains croisées sous la tête, que les premières lueurs entrent par sa fenêtre donnant vers l'est, un point cardinal qui se trouvait au fond du ciel entre l'église et le couvent.

Il se sentait d'équerre avec la vie. Prêt à se dépouiller du vieil homme en lui, à se glisser comme un serpent hors de sa peau usée pour vivre dans la neuve, et se fondre dans le décor pour mieux agir, pour mieux accomplir l'œuvre pour laquelle il se trouvait dans ce petit village de la Beauce.

Son regard foncé commençait à briller. Pour la centième fois, il se répéta sa devise, cette phrase qui lui servirait de guide tout le temps qu'il vivrait dans cet endroit: « Voir sans être vu. » Rester à l'affût, aux aguets, en retrait, attendre et n'agir que le moment venu, lorsque son maître intérieur lui ferait signe.

Ce n'était pas un hasard s'il avait voulu s'établir pour quelque temps dans cette paroisse. Un article du journal *La Presse* avait guidé son choix. On y parlait de ces apparitions de la Vierge, des enfants miraculés… Le journaliste, dans sa collaboration spéciale, montrait les choses, les personnes, mais se gardait de tout commentaire personnel, et son choix de mots et les tournures de phrases empêchaient son opinion de suinter. Il signait « R. Lévesque ».

Alors, le jeune homme avait consulté une carte routière pour y situer Saint-Honoré et il avait fait ses minces bagages. Nulle part au pays canadien, il ne pourrait moissonner autant que là où il se passait des choses extraordinaires, là où les âmes seraient à découvert à cause des événements hors du commun qui s'y déroulaient depuis quelques semaines. Il pourrait bien mieux se mesurer à la force de Dieu là qu'ailleurs au Canada français, puisque la foi de ce peuple avait toutes les chances d'atteindre des sommets sur le cap des apparitions.

Cette pensée lui injecta un puissant stimulant et il se dressa sur son lit. Le drap coula devant lui et son torse apparut, velu comme celui d'une bête, et il tourna lentement la tête comme pour défier la pureté du matin blême. Puis il se mit en position assise sur le bord du lit et son regard alors tomba sur un crucifix qu'il n'avait pas vu la veille au soir, et qui se trouvait au-dessus d'une commode brune. Le sourire que l'homme esquissa était habité par une foule de nuances souvent opposées les unes aux autres, se heurtant et s'entremêlant, et qui allaient de l'incertitude à la détermination la plus farouche, de la crainte à la passion tout juste muselée, de l'hésitation débilitante à la fureur d'un loup affamé.

Il sentit le besoin d'un bain d'air matinal, d'un bain d'eau fraîche et d'un bain de réflexion; mais tout d'abord, il voulut examiner les environs pour bien reconnaître les lieux sans se laisser distraire par les humains, car à cette heure il ne verrait sans doute pas âme qui vive dehors.

Ce qu'il aperçut en premier quand il se mit à la fenêtre fut un dalmatien hésitant qui paraissait perdu, là, trois étages plus bas, de l'autre côté de la petite rue en gravier, au coin de la rue principale au macadam usé et grisâtre. L'animal renifla le pied d'un poteau téléphonique avant d'y uriner vivement. Puis il courut en direction d'un garage bâti en travers plus loin, guidé, semblait-il par son errance et sans grand instinct cheminant à l'avant de son museau.

Encore sombre, la façade de l'église se dressait comme un rempart à l'impiété dans son revêtement de tôle bosselée gris noir. Et son perron en reconstruction parlait du labeur des paroissiens, de leur obéissance routinière et d'une cohésion peut-être trop belle. Un ciment neuf, sans doute, mais déjà fragile. Ce chien moucheté qui rebroussait chemin pourrait bien y imprimer sa marque. Sans même s'en rendre compte, les fidèles useraient le béton et les apparitions elles-mêmes, amenant là mille fois les pieds foulant de coutume ces sols dévotieux. Ils auraient tôt fait de gruger le ciment de la bonne entente paroissiale. L'argent avait-il déjà commencé à chanter quelque *De profundis* sur le futur cercueil des vertus villageoises qu'était en train de fabriquer de ses propres mains la Vierge des apparitions ?

Et le couvent habillé d'amiante beige, cette fourmilière de jeunes esprits endormie pour l'été, cachait le lever du soleil tout en l'absorbant pour le rendre dans un halo sombre.

En cette époque de l'année et à cet étage de la bâtisse, il faisait une chaleur pesante que seule la fraîche de la nuit parvenait à réduire. Et le moment était plaisant. Il entrait de l'air doux par le treillis de la moustiquaire et le jeune homme s'en gorgea sans réserve pendant quelques minutes, ce qui figea aux commissures de ses lèvres un sourire énigmatique.

Bel homme, ce n'était pas là que la récompense de son jeune âge, car les traits réguliers mélangeaient les airs bon enfant à ceux d'une puissante virilité. Au bord de sa trentième année, ou du moins ayant toutes les apparences de cet âge, il portait une chevelure foncée et possédait un regard profond, insondable, comme si, tel un chat, il eut recouvert ses yeux d'une seconde paupière, intérieure et invisible.

Forte musculature, muscles des bras et des épaules qui saillaient et bandaient sporadiquement, peau bistrée, son corps tout entier dégageait la force du fauve se préparant à l'attaque.

Un bruit se fit entendre dans la chambre voisine. Quelqu'un d'aussi matinal que lui, on dirait. Ce qu'il savait de la clientèle de l'hôtel, c'est qu'elle occupait les douze chambres de l'établissement puisqu'il avait eu la toute dernière. On lui avait signalé la chance qu'il avait eue de se trouver une place. Le propriétaire et sa fille avaient parlé devant lui à son arrivée, certainement pour qu'il entende et ne discute pas sur les prix.

Il y avait une équipe travaillant sur les lignes électriques, un journaliste, des visiteurs venus des États, une famille de Waterloo avec un enfant handicapé, des frères des Écoles chrétiennes de Saint-Raymond, deux Juifs de Montréal venus rencontrer des gens du village pour, semble-t-il, ouvrir une manufacture de chemises. Quant aux autres, il n'en savait rien encore. Et peut-être n'en saurait-il rien plus tard, puisqu'il n'avait pas l'intention de moisir à l'hôtel. Dès huit heures, il se mettrait à la recherche d'un logis, d'une maison à louer, si cela était seulement trouvable en un si petit endroit.

Il lui vint l'idée puis le goût de sortir sur le balcon avant afin d'y faire quelques exercices physiques au grand air. Ensuite, il se rendrait à la chambre de bains de l'étage avant que d'autres clients ne commencent à l'occuper.

Il enfila un pantalon, des bas et sortit de la chambre en se disant qu'il manquerait déjà à sa devise. Faire de l'exercice sur un balcon aussi exposé, ce ne serait pas trop « Voir sans être vu », ça. Encore qu'à pareille heure…

Il sortit en se faisant le plus discret qu'il put et regarda dans les trois directions qui s'offraient. Rien vers le bas du village. Rien non plus vers le haut. Et personne devant jusqu'à la salle paroissiale et le cimetière.

Alors il se lança dans une série d'exercices, qu'il fut sur le point d'interrompre quand il entendit la porte s'ouvrir dans son dos. Une voix égale dit :

– Heu… c'est une bonne idée… heu… de s'emplir les poumons comme ça, le matin.

– Surtout quand on vieillit…

– Va faire beau aujourd'hui.

– Le soleil annonce ça, on dirait.

– Heu… la dernière semaine de juin, c'est rare qu'il… que…

– Qu'il mouille à siau.

– C'est ça, oui.

– Es-tu un gars de la Shawinigan ?

– C'est ce qu'ils disent, oui.

– Moi, je m'appelle Verville, Jean-Louis Verville, dit le jeune homme qui poursuivait ses flexions avant en expirant bruyamment.

– Moi, c'est Béliveau.

– D'où je viens, y'en a, des Béliveau.

– Pis moi, d'où je viens… heu… y'en a, des Verville.

– Je viens d'Arthabaska.

– Ça parle au démon, moi je viens d'à côté.

– D'à côté ?

– D'à côté d'Arthabaska.

– Victoriaville ?

– En plein ça.

– Le monde est petit.

Verville s'arrêta et se tourna. Il fut étonné de la taille imposante de son interlocuteur qu'il toisa de pied en cap. Béliveau demanda :

– Êtes-vous venu à cause des… heu, des apparitions ?

– Pour ainsi dire, oui.

Béliveau montra du doigt.

– C'est là-bas que ça se passe… Là, sur le cap… vous voyez entre le magasin général pis la salle paroissiale, au fond…

– Ah! c'est donc ça, le cap à Foley. Ça pourrait devenir aussi connu que le Cap-de-la-Madeleine.

– En tout cas, j'suis allé… samedi… et tout ce que j'ai vu… ben c'est… heu… des sapins, des épinettes pis ben du monde.

Verville dirigea la conversation sur un autre sujet et il apprit que le grand échalas était sportif dans l'âme. Béliveau parla de sa ville natale, mais l'autre ne montra pas le moindre intérêt et conduisit l'échange à sa manière, comme s'il n'avait voulu écouter que certaines choses et pas d'autres. De plus, il mit fin à leurs propos et rentra. Quelques instants plus tard, il s'enfermait dans la salle de bains commune à tous ceux de l'étage.

Il fut le premier à la salle à manger pour y prendre le petit déjeuner. Jeannine servait. Il se montra poli et froid. Bientôt, Fortunat vint le saluer en passant et le jeune homme l'interpella:

– Vous devez connaître toute la paroisse, monsieur Fortier, vous?

– Tu parles, dit l'autre, qui se tenait debout, bras croisés, devant son interlocuteur. Maire, à vrai dire ex-maire, commerçant de terres, hôtelier. Un vrai Séraphin Poudrier mais pas ménager comme lui… j'espère.

– C'est pas que j'aime pas être chez vous, mais j'aimerais me trouver une maison à louer quelque part dans la paroisse.

– Dans le village ou la paroisse?

– Je vas prendre ce que je vas pouvoir trouver.

– C'est quoi ton nom déjà?

– Beauchesne. Roger Beauchesne.

– Ben Roger, je vas y penser. À brûle-pourpoint, il me vient rien dans la tête.

– Vous m'en direz quelque chose à midi peut-être ?
– Peut-être ben, oui.

Apprenant que le marchand était maire, Verville alias Beauchesne se rendit au magasin après déjeuner. Il y trouva Bernadette et Freddy, chacun occupé derrière son comptoir et ses lunettes. Le jeune homme choisit de s'adresser d'abord à la vieille fille, à qui il parla à voix retenue :

– Moi, je m'appelle Germain Bilodeau…

Elle coupa :

– Je gage que vous êtes de la parenté à monsieur Jos Bilodeau. Laurent, c'est votre cousin pis la belle Claudia, ben c'est votre cousine.

– Disons que c'est des cousins éloignés.

– Je l'aurais juré. Vous ressemblez à Claudia, c'est frappant. Ah ! une belle fille à plein ! Pis ça se dit qu'elle va se marier pas plus tard que dans un an. Ça fait un bout de temps qu'elle sort avec son grand Roger Bureau. Elle a jamais sorti avec personne d'autre.

– Y aurait-il des maisons vides dans la paroisse ?

– Je pense, dit-elle la tête en avant et les yeux par-dessus ses lunettes. Y en a une dans la rue des Cadenas voisin des Ferland. Une autre au bord de la Grande-Ligne voisin d'Arthur Quirion. Vous le connaissez pas, Arthur ? Un pauvre homme qui passe sa vie à réparer des vieux bazous. Clodomir Lapointe est toujours rendu là avec sa machine.

Elle tendit le cou et cria :

– Freddy, en connais-tu des maisons vides dans la paroisse ?

– Pas beaucoup à part de ceuses-là que tu viens de dire.

– Ben, ça doit être à peu près tout.

– Y en a une dans le rang Neuf. L'ancienne maison des Page, ajouta le gros marchand.

– Es-tu fou, on va pas envoyer monsieur là. Même les rats trouvent pas ça assez… assez… disons à leur goût.

– Saleté ?

– Plutôt oui.

– Y a rien qui se lave pas.

Freddy intervint :

– Mon petit monsieur, peut-être que vous pourriez en parler avec Lucien Boucher qui arrive justement à dos de cheval à la boutique de forge de l'autre côté du chemin. Il reste dans le Neuf, lui. Il va en savoir plus que nous autres.

– C'est bien, je vous remercie, dit Bilodeau alias Beauchesne alias Verville qui tourna les talons.

Mais Bernadette était insatisfaite. Elle en avait appris trop peu à son sujet.

– C'est-il vous qui êtes arrivé avec le postillon hier soir pis qui s'est installé à l'hôtel ?

Il s'arrêta, se tourna à demi.

– C'est bien ça.

– Pis vous voulez vous installer par icitte ?

– C'est bien ça.

– Comme ça, si on reçoit de la malle pour vous, ben ça sera Germain Bilodeau, le nom dessus.

Le nom était faux mais l'homme répondit par l'affirmative. Il trouverait une solution plus tard. Dès qu'il aurait trouvé un gîte, il ferait venir d'autres bagages de son lieu d'origine et demanderait qu'on les adresse à ce nom inventé. « Voir sans être vu », cela supposait aussi une fausse identité. Mais pour éviter d'intriguer, il devrait s'en tenir à un seul nom et non plus jouer le jeu de multiplier les alias comme il l'avait fait ce matin-là.

– Allez-vous avoir votre famille avec vous ? lança-t-elle avant qu'il n'arrive à la porte.

– Seul, tout fin seul.

– Ah ! bon !

– C'est peut-être vous le nouveau mesureur de bois qui va travailler au moulin à scie ?

L'homme se retourna, sourit à peine et dit d'une voix profonde et lourde :

– Madame, moi, je suis celui qui mesure les âmes, pas les arbres.

Bernadette en eut le frisson tant les mots tombaient comme le marteau d'Ernest sur un fer rougi au feu.

En traversant la rue, le jeune homme décida de changer son nom une dernière fois afin d'éviter d'être associé aux Bilodeau de la place. Il entra dans la boutique par la porte laissée ouverte à pleine grandeur, fit un vague signe de salutation à l'endroit de Lucien Boucher et s'approcha du feu de forge qu'il fixa un moment. Ernest ne lâcha pas la manivelle du soufflet et se contenta d'un mouvement de la tête pour montrer qu'il serait bientôt à son visiteur. Mais le jeune homme laissa dériver son regard hors des flammes dansantes et il parla par-dessus le feu jaune et bleu et le grondement de l'appareil :

– Mon nom, c'est Bédard. Je me cherche une maison dans la paroisse.

– Dans le village, je peux te renseigner ; dans la paroisse, demande à Lucien Boucher qui est là.

Lucien s'avança et dit :

– Pourquoi pas la vôtre dans le bas de la Grande-Ligne d'abord que votre locataire vous paye mal ?

– Qui c'est qui t'a dit ça, toi, Lucien ?

– C'est vous l'hiver passé.

– Bah ! le Clodomir, il va ben finir par me payer. J'peux toujours pas le sacrer dehors avec sa trâlée d'enfants.

– Je paye vingt piastres par mois.

– Moé, je loue cinq piastres à Clodomir pis il me paye même pas.

– Je vous la prends, vot' maison.

Mais le forgeron éluda la question et dit plutôt :

– Y en a pas une dans le Neuf, Lucien ?

– Ouais, la vieille maison des Page.

– Tu vas avoir ça pour une bouchée de pain, mon ami.

– À qui dois-je m'adresser ?

– Ben aux Page. Ils restent dans la rue des Cadenas, pas loin d'icitte. C'est pas la rue de l'hôtel, c'est la suivante. Mais à ben y penser, je te conseille pas d'aller vivre dans le Neuf, c'est le rang des haïssables…

– Huhau, huhau, Ernest, poussez mais poussez égal ! protesta Lucien.

Le forgeron se mit à rire et posa sur l'enclume un fer à cheval rougi qu'il tenait entre les mâchoires de longues pinces. Et il commença à marteler le fer en parlant entre les coups :

– J'en connais une dans le rang Dix.

Le coup fit voler des étincelles.

– C'est l'ancienne maison à Polyte Boutin.

Le coup suivant sonna amorti.

– Mais c'est à l'abandon.

Le marteau frappa l'enclume et non le fer.

– En plus que c'est à au moins sept, huit cents pieds du chemin, en plein bois. On la voit même pas du rang.

– C'est loin du village ?

– Ben à pied, je dirais quarante-cinq minutes.

Le forgeron tourna le fer et en frappa une extrémité sur le côté de l'enclume pour rajuster l'angle droit.

– En bicycle ?

– Si je te dis quarante-cinq minutes à pied, mon gars, t'as rien qu'à compter ça selon ton pas pis ton coup de pédale. C'est toé qui sait ça le mieux, pas moé.

Germain aimait bien la façon brutale dont s'exprimait cet homme. Mieux peut-être que la gentillesse servile de cette femme à son comptoir pour dames au magasin général. Et puis ces étincelles, ce charbon, ces flammes, ce fer rougi : quel tableau fascinant ! S'il avait été grand peintre, il aurait parqué son chevalet pour un moment dans un coin de cette boutique à côté d'une toile d'araignée, les pieds dans le bran de scie, la moulée de vers et la paille sèche pour y créer un chef-d'œuvre noir…

Lucien Boucher était venu avec sa pouliche morelle. Une fois de plus en arrivant, il avait critiqué le précédent ferrage et une fois de plus Ernest lui avait fait une faveur, non sans grommeler intérieurement. « Il passe son temps à me faire ferrer la moitié de son ch'fal pour rien pantoute. Un bon jour, si son ch'fal est pas mort, il va finir par marcher rien que sur une patte… pis lui avec… »

Et la dernière fois que ça s'était produit, un étranger était venu, ce quêteux de Saint-Éphrem qui lui avait jeté un sort par lequel l'infortuné Ernest avait perdu presque tous ses cheveux, ce qui le rendait terriblement honteux, surtout le dimanche à l'église quand il devait s'y présenter avec cette fausse crêpe de poils à l'origine douteuse qui ne méritait même pas le nom de perruque et qui lui avait coûté les yeux de la tête pour ne pas dire un bras du corps…

Quel était donc cet autre visiteur étrange qui venait juste au moment où Lucien apparaissait ? En tout cas, mieux valait le traiter avec politesse. Sauf que le respect d'Ernest pour les autres avait des dehors plutôt rugueux.

– J'pense à ça, si tu veux attendre, y a la maison du vieux France Jobin qui va se vider ça sera pas trop long. Le bonhomme, il se meurt d'un chancre de pipe. Il a déjà toute la face écharognée. Il pourrit vivant, comme on pourrait dire.

Et le forgeron travailla l'autre branche du fer pour lui donner sa forme tandis que Lucien chassait le frisson que le terrible discours lui donnait.

Le visiteur demanda :

– Polyte Boutin, lui, il reste au village ou quoi ?

– C'est ça, oui, sur la côte là-bas, dit Ernest avec une lueur jaune au fond de l'œil.

– Dans la rue de…

– Sa maison, elle a six pieds de long, six pieds de creux pis deux pieds de large… C'est plus petit que le vieux coqueron à Baptiste Nadeau.

Le visiteur sourit et insista :

– Sa maison appartient à qui ?

– Son garçon Georges qui reste au bord du chemin, lui. C'est la deuxième maison du rang, c'est pas compliqué…

Le forgeron plongea le fer dans une cuve d'eau, et la vapeur monta en même temps qu'un sifflement se fit entendre.

Lucien intervint :

– Elle doit être ben maganée, la maison du vieux Polyte. Pis c'est loin du village. Monsieur Bédard va se trouver loin de l'église, du magasin pis même de son ouvrage… si il vient par chez nous pour travailler… ça serait sûrement au moulin ou à la manufacture de boîtes…

– Comment ça, Lucien, tu veux pas que les arrivants s'installent dans la paroisse ? Te v'là rendu à prêcher pour le village ? Ben ça parle au diable !

– Quand je dis que j'veux que le village se sépare de la paroisse, c'est pas à moi ou à mon bien que je pense. C'est au bien commun, comme ils disent. Le bien de la paroisse… pis le bien du village. Pis la séparation… on mettra pas des barrières autour du village, il va rester des liens importants, le commerce, la religion pis même des services communs. Pas besoin d'un dictionnaire pour comprendre ça !

Le visiteur buvait le propos des deux hommes. Lucien reprit :

– En réalité, on va se séparer pis ensuite, on va se réunir pour les affaires qui vont faire notre affaire autant à la paroisse qu'au village…

Le forgeron ricana un peu en se dirigeant vers la pouliche pour essayer le fer sur le sabot.

– Le curé va finir par t'excommunier, mon Lucien, parce que c'est pas son idée pantoute, lui, la séparation.

– Que le curé s'occupe donc des âmes pis que nous autres, les citoyens, on s'occupera du reste, c'est tout !

Ernest s'arrêta devant son jeune visiteur étranger et le dévisagea.

– Mon gars, la maison à Polyte est pas si pire que ça. C'est une maison pièce su' pièce pis les arbres la protègent des gros frettes d'hiver. J'sus pas sûr mais j'pense qu'il reste des vieux meubles dedans. Ça fait que tu peux réparer ça avec le p'tit Georges Boutin. Au prix que tu veux payer ton loyer, y'a pas de soin.

L'étranger avait le regard qui brillait. Il sentait que cette maison l'attendait. Et les germes de discorde politique l'intéressaient au plus haut point. Il questionna Lucien.

– Allez-vous faire un référendum sur la séparation ?

– Quand on va avoir assez de monde de notre idée pis qu'on va espérer pouvoir le gagner.

– Même contre l'idée du curé ?

– Monsieur le curé – que je respecte beaucoup soit dit en passant – aura pas le choix de se rallier à l'opinion de la majorité.

– Ça, moé, j'sus pas sûr de ça, mon Lucien, dit Ernest, qui agrippa la patte du cheval par le poil et se la mit entre les jambes.

– Monsieur le curé est un homme de progrès capable de comprendre le bon sens…

– Pas sûr de ça non plus, là, moé ! C'est une tête d'Irlandais, oublie pas ça, mon Lucien.

– Il reste qu'au-dessus de lui, y a l'archevêque de Québec pis le pape à Rome…

– Il est justement là, à Rome, notre bon curé Ennis ; j'sais pas si il va parler au pape… On sait jamais avec ce qu'il se passe par icitte… C'est que tu penses de ça, les apparitions, toi, mon Lucien ? Pis toé, mon gars, c'est-il pour ça que t'es venu par icitte ? Peut-être ben que t'es envoyé par monseigneur Roy pour faire une enquête ?

– Non, non, absolument pas !

– On peut-il savoir pourquoi c'est faire que tu veux t'installer dans notre paroisse ? Pas de la contrebande de cigarettes américaines comme le cousin de la voisine icitte à côté toujours ? Pis ça serait une bonne place, la maison à Polyte pour se faire un alambic…

– Non plus, non plus, dit le visiteur, qui releva un seul sourcil.

Lucien avait la même curiosité qu'Ernest, mais il semblait que l'étranger ne voulait pas parler de lui-même et de sa raison de vouloir se trouver un logis.

– C'est disons… pour me reposer. Une convalescence…

– Te serais-tu fait opérer pour les poumons ? Y aurait pas de honte à ça. Mon gars, Martial, le plus vieux, il s'est fait faire un trou gros comme le poing dans le thorax, pis à l'automne, ils vont l'ouvrir une autre fois pour couper le poumon pis ôter le morceau pourri.

Le forgeron posa le fer sur le sabot puis le mit à terre avec la pince ; il sortit un couteau à corne de sa poche et entailla le sabot pour l'égaliser.

– Non, non…

– T'es pas malade dans la tête, toujours? Comme le gars d'en face qui devait se marier avec ma fille. Il a disparu pis personne sait où c'est qu'il est rendu.

– Non, non... j'sus juste un passant comme ça... Un «survenant», comme ils disent dans le bout de Sorel...

Au-dessus de leur tête, en biais, par l'entrée du grenier laissée ouverte, des yeux les observaient tous les trois. Deux paires d'yeux silencieux roulant dans des orbites petites et rondes. Gilles Maheux et son ami Clément Fortin s'étaient cachés là-haut juste après le petit déjeuner pour jaser des filles, et à l'arrivée d'Ernest, ils avaient décidé de se tenir tranquilles et d'écouter en silence.

Lucien lança:

– Ça nous dit pas ce que tu viens faire par icitte.

– Me reposer. J'ai pas besoin d'un permis pour ça?

– Ah! nous autres, c'est pas de nos affaires pas une miette, dit le forgeron qui taillait généreusement dans le sabot. D'abord que tu payes ton loyer... pis même si tu le payes pas, ça nous regarde pas pantoute.

– C'est vrai, c'est vrai, on est dans un pays libre, enchérit le cultivateur. Pis on dit bienvenue aux étrangers sans poser de questions... disons sans trop poser de questions.

– J'ai rien à cacher sauf que j'ai rien à dire: j'suis un personnage sans odeur et sans saveur, comme ils disent. Et vous, monsieur Maheux, êtes-vous pour ça, la séparation?

– Moyennement, disons!

– Moyennement?

– De la manière que Lucien voudrait faire ça, moé, j'sus pas contre. Chacun nos outils, c'est normal. Moé, j'ai une terre pis une maison dans les rangs, pis j'ai une maison pis un commerce au village, sans compter le commerce de ma femme. Le plus important là-dedans, c'est que le monde, ils peuvent dire leur idée...

– Un esprit démocrate ! s'exclama le visiteur.

– Un quoi ?

– Vous croyez dans la voix du peuple. Que l'opinion de la majorité l'emporte, pas celle du curé de la paroisse.

– En plein ça, mon gars, en plein ça.

Lucien intervint :

– N'empêche que y'a des gens plus éclairés que d'autres.

Ernest s'opposa :

– Y'a pas une seule opinion qui vaut plus que celle de deux ou trois cents personnes. Tu les additionnes pis ça te donne la réponse que tu cherchais.

– C'est pour ça qu'il nous faudra un référendum.

– Sauf qu'une votation veut pas dire que celui qui est élu a raison pour tout le temps par après… On a assez de Duplessis qui se conduit en dictateur parce qu'il a l'appui du peuple.

L'échange se poursuivit et intéressa le visiteur au plus haut point, d'autant qu'il n'avait plus à y prendre part. « Voir sans être vu », se disait-il en les écoutant.

Mais en ce moment, la devise s'appliquait aussi à son égard. Allongés dans le bran de scie et dans le noir, les gamins continuaient de surveiller ceux d'en bas, surtout ce mystérieux personnage venu d'on ne savait où.

Bédard consulta sa montre et, malgré l'immense plaisir qu'il retirait des propos entendus, il jugea qu'il avait trop à faire pour rester plus longtemps. Il voulait visiter le cimetière, le cap à Foley et surtout se rendre dans le Dix pour voir et peut-être louer la maison abandonnée du vieux Polyte Boutin.

Le visiteur se déplaça pour les écouter et se mit presque sous l'échelle qui menait au grenier ; une sorte de sixième sens lui fit lever la tête pour voir là-haut. Les yeux des enfants cessèrent de bouger tandis que les cœurs s'accéléraient. Des reflets de la flamme du feu de forge passèrent par le regard du visiteur étranger et dévièrent vers le trou noir. Terrifié, Clément ferma les yeux mais Gilles ne se déroba point. N'avait-il pas plein droit de se trouver là ? N'était-il pas chez lui dans cette boutique de forge ? Néanmoins, il fut troublé par ces yeux froids. Il parut que l'homme ne vit pas les enfants. Quand il se produisit une accalmie dans le discours, il annonça son départ et montra sa reconnaissance.

– Merci pour les renseignements. Je dois partir. Salut bien !

On lui répondit par des mots tronqués, mais au moment où le jeune homme traversait le chambranle de la porte, une voix puissante lui dit dans le dos :

– Coudon, t'es pas un fifi, toujours, là, toé ? Parce que le curé surveille ça de ben proche, là, lui.

Bédard se tourna à demi et lança, défiant :

– Ce n'est pas la chair qui m'intéresse, monsieur le forgeron, c'est l'esprit.

– Comme un prêtre, on pourrait dire.

– Comme un prêtre…

Quand il fut parti, Ernest dit à Lucien :

– Ça me paraît d'un bon homme… mais je me trompe pour juger un crapaud rien qu'à le voir sauter une fois devant moé…

Alors même qu'il parvenait à la hauteur de l'escalier menant dans la maison, une jeune fille énervée sauta les marches et fut sur le point de heurter l'étranger. Elle s'arrêta net et marmonna des excuses niaises :

– Je pensais que vous étiez quelqu'un d'autre…

Un chien brun frisé qui la suivait montra ses crocs à Bédard et se mit à gronder. Elle le fit taire :

– Le Bum, tranquille, tranquille ! Assis, assis le Bum ! Assis-toé là…

L'animal obéit.

L'homme dit sur un ton morne :

– Celui que tu attends reviendra, mais ça ne sera plus jamais le même.

Elle en fut profondément troublée. Qui donc était ce prophète de malheur ? Quel nuage d'étrangeté baignait donc la paroisse de ce temps-là ? Des fiancés qui disparaissaient, des apparitions de la Vierge, de noirs inconnus qui avaient l'air de savoir autant le passé que l'avenir. Cet homme était-il un médium ? Elle se contenta d'un petit rire nerveux et sans signification, et poursuivit son chemin vers la boutique pour annoncer à son père que le Ti-Paul venait de téléphoner à sa mère et lui dire qu'il se trouvait à Sherbrooke où il avait trouvé du travail chez un marchand de pneus.

Ernest haussa les épaules.

– Sacrer son camp de la maison à 15 ans pis la veille des sucres comme il l'a fait, pis rappeler rien que trois mois plus tard pour dire qu'il vend des *tires* de chars à Sherbrooke, y a pas grand-chose à son épreuve, celui-là…

L'étranger quitta les lieux. Il se rendit droit au cimetière où il marcha d'un pas assuré dans toutes les allées en lisant les épitaphes sur les monuments. Il se familiarisait avec les noms de famille et il mémorisa les noms des personnes décédées à moins de quarante ans, supposant qu'il s'agissait de gens morts par accident ou maladie contagieuse mortelle comme la tuberculose. Il s'arrêta plus longuement devant l'enclos non béni réservé aux enfants morts sans baptême. Et à ceux qui étaient morts sans avoir fait leurs Pâques. Enfin, il s'arrêta un moment devant un trou fraîchement creusé, moins long, moins large et moins profond qu'une fosse normale. C'était là que reposerait ce garçon mort de leucémie dont on avait parlé un peu devant lui la veille au soir et dont il avait pu lire le nom sur la marquise à la porte de la salle paroissiale : Emmanuel Jobin, fils de feu Lucius Jobin et de dame Marie Sirois.

L'homme leva ensuite la tête et il regarda au loin en direction du cap à Foley. Et il se remit en marche pour s'y rendre tout droit, quitte à devoir enjamber une clôture séparant le cimetière du champ voisin lequel aboutissait au fameux tertre rocheux.

Rendu sur le point le plus haut, il examina les environs. Son regard fut accroché par ces marques dans le roc, dont il saurait plus tard qu'on les appelait depuis longtemps «pistes du diable». Un sourire rempli de mystère anima son visage…

***

Chapitre 5

Accident heureux, coup de pouce du ciel, importance de la nouvelle combinée à la rareté des communications en ce temps-là ou bien tout cela à la fois, toujours est-il que le pape Pie XII prit le curé Ennis à part lors d'une audience papale et lui demanda de sa petite voix flûtée et roulée :

– Il nous a été donné d'apprendre qu'il se passe un phénomène particulier ayant toutes les apparences… d'apparitions à l'ombre de votre clocher paroissial. Voulez-vous nous en parler ?

Jamais de toute sa vie le lent prêtre n'avait eu à prendre une décision d'une telle importance aussi rapidement. Il devait donner une opinion plutôt favorable ou plutôt défavorable à cette histoire encore si récente survenue à Saint-Honoré et toujours en cours.

Favorable et l'Église enverrait ses enquêteurs. Défavorable et on lui demanderait de casser et classer l'affaire. S'il se montrait favorable à la possibilité réelle d'un phénomène surnaturel et que les enquêteurs eux la condamnaient, il perdrait un peu la face aux yeux de sa paroisse ; et sa paroisse qu'il aimait tant ferait rire d'elle dans tout le Canada français. S'il se montrait défavorable et que les événements miraculeux en venaient à démontrer qu'il avait eu tort, il perdrait aussi la face, et la paroisse vivrait de la discorde entre les pour et les contre. Il y avait bien assez de ce vent de séparation du village et de la paroisse dans l'air.

Ah ! damné Lucien Boucher qui n'attendait que le vent favorable pour semer la zizanie ! S'il se montrait défavorable et que l'on intervenait depuis Rome par l'entremise de l'évêché pour empêcher les événements de se produire, la Vierge Marie choisirait d'apparaître ailleurs, si tant est qu'elle se manifestait vraiment, et sa chère paroisse y perdrait grande gloire.

Enfin, ces apparitions, réelles ou imaginaires, pourraient protéger la paroisse dans des moments cruciaux pour son avenir. Certes, neutraliser Lucien Boucher et ses séparatistes. Mais aussi tenir le diable à distance...

Une seule seconde avait suffi pour réunir tous ces arguments qu'il avait déjà mijotés longuement tout le voyage durant dans cet avion instable et détestable.

Mais comment pareille nouvelle avait-elle donc voyagé si vite jusqu'à le précéder dans les officines du Vatican pour finir par atteindre le très Saint-Père en personne ? Et comment le pape avait-il donc pu l'identifier ? À son seul signalement ? Impossible ! Tout cela se produisait-il miraculeusement ou bien finirait-il par remonter le fil des événements et des explications raisonnables et raisonnées ?

Il saurait plus tard.

L'évêque du diocèse de Québec, monseigneur Maurice Roy, alerté par les médias, surtout les journaux, et mis au fait par une lettre du curé Ennis même à la mi-juin, avait fini par envoyer un long télégramme à Rome dans lequel il avait fortement conseillé aux responsables de ces questions d'interroger le curé, qui serait bientôt de passage à Saint-Pierre-de-Rome. La puissance des découpures de journaux avait permis au dossier de remonter depuis les caves du Vatican jusqu'à Pie XII lui-même, que ce lointain Canada de neige et de glace, de pieux autochtones et de Canadiens français, intéressait au plus haut point.

Comment le pape pouvait-il s'empêcher de penser que ce dévotieux village perdu dans les terres près des frontières américaines pourrait constituer un autre important foyer de foi catholique en terre d'Amérique, une sorte de quatrième antenne céleste permettant de diffuser la seule bonne religion, après l'oratoire Saint-Joseph, desservant Montréal, Cap-de-la-Madeleine, rayonnant sur les Trois-Rivières, et Sainte-Anne-de-Beaupré, fierté chrétienne de la vieille région de Québec ?

Devant la longue hésitation du curé, Pie XII finit par reprendre lui-même, ce qui n'entrait pas dans ses habitudes :

– Allons donc, ne soyez pas si réservé ! Dites-nous librement le fond de votre cœur. On nous a dit que vous êtes un curé hautement respecté de vos paroissiens. Nous vous écoutons.

Debout devant le trône pontifical, en fait à côté, le prêtre raconta les faits comme il les connaissait. Froidement, sans montrer la moindre émotion.

– Ce n'est pas là le fond de votre cœur, c'est une simple chronique.

– Les enfants sont de bonne souche et honnêtes.

– Ne pourraient-ils avoir été abusés, bernés à leur insu même ?

– Par qui, je vous le demande ?

– Vous y croyez ?

– J'attendrai la décision de notre mère l'Église de Rome.

– Ne tournez pas autour du buisson et dites-nous sincèrement si vous y croyez.

– Je veux bien éplucher les mots du mieux que je pourrai, mais je ne peux pas vous livrer un oui ou un non.

– Nous vous écoutons.

– Le mieux est de laisser les choses évoluer à leur rythme. Elles auront leurs propres limites et ne sauraient aller trop loin. J'y verrai en tout cas.

– Nous croyons que le ciel inspire ces propos remplis de sagesse. Laissez-nous maintenant vous bénir et vous permettre de baiser notre anneau papal.

– Et bénissez aussi ma paroisse…

– Cela va de soi, cela va de soi…

À cinq mille kilomètres de là, au même moment, celui qui disait maintenant s'appeler Germain Bédard et venir d'Arthabaska arrivait à pied près de la maison de Georges Boutin dans le rang Dix. Sûr des renseignements obtenus du forgeron, il ne voulut même pas se rendre vérifier l'identité du propriétaire à la lecture de son nom inscrit sur la grosse boîte aux lettres luisant sur son perchoir de cèdre sous le chaud soleil du midi, juste à côté de la table d'expédition des bidons de crème.

Le net tracé d'un chemin longeait une clôture de perches sans doute mitoyenne et une digue de pierres, attestant du travail des vivants et des morts pour dérocher ces terres, et il pénétrait le boisé un peu plus haut, d'abord se perdant dans des bosquets d'aulnes puis continuant son invisible progression vers la maison à Polyte, tout aussi cachée à la vue encore.

L'homme voulut d'abord reconnaître les lieux avant de frapper à la porte de leur propriétaire et il s'engagea dans les traces que séparait un espace planté de foin à sa pleine hauteur, et qui, comme celui des prairies, n'attendait plus que la faucheuse.

Le chemin montait régulièrement en pente fort douce. Il serait aisé de le parcourir à bicyclette en dehors de l'hiver et du temps du dégel printanier. Le rang, lui, serait plus malaisé à cause de la poussière et des collines assez raides. Mais un simple quart d'heure l'emmènerait au village. La distance idéale. Le coin parfait. Fallait voir la demeure sans faute.

Il sentit qu'on le regardait depuis la maison des Boutin. On le prendrait pour un pêcheur. Un pêcheur transportant sa ligne et ses vers dans ses poches, et qui se fabriquerait une canne à même un aulne une fois rendu au ruisseau. Car il devait bien se trouver un ruisseau poissonneux quelque part dans cette forêt si verte.

Il portait une chemise à fond blanc et carreaux jaunes délimités par de fines lignes foncées. Et un pantalon beige sur des souliers de toile blanche. Le soleil resplendissant, aidé par la couleur foncée de sa peau basanée, faisait briller ses vêtements et ses yeux.

Il entra distraitement dans l'épais feuillage qui habillait les grands arbres, des érables, des hêtres et des bouleaux, mais aussi les petits qui tapissaient le sol de la forêt. De nouvelles odeurs le visitèrent. Il sentit la fraîche des bois l'environner. À part le bruissement léger du vent dans le feuillage, tout était silence et paix. Quoi de mieux pour voir sans être vu !

Le moment venu, il leva la tête et ce fut tout un choc. Qu'elle était magnifique, là, devant lui, cette maison, dans son revêtement de bardeaux gris noir usés par les années, ses trois yeux crevés portant des bandages de planches en travers, ses formes bizarres empruntant vaguement au style victorien par une tour à pignon, et à la rusticité des constructions du début du siècle par ses lignes carrées en hauteur. Même l'hiver, elle devait se perdre à la vue parmi les arbres dénudés et gris comme un ciel de pluie. Elle lui allait déjà comme un gant.

Comme l'avait affirmé le forgeron, elle était sans doute bâtie pièce sur pièce, car son corps était bien droit et semblait construit pour durer des siècles.

Plus il approchait, plus elle lui tendait ses bras inventés tandis qu'il espérait ne pas se heurter à un cadenas afin de pouvoir pénétrer à l'intérieur. Il ne trouva qu'une cheville de bois réunissant deux crampes d'acier noir et aussi les marques détestables de l'impact d'une balle de fusil, laquelle avait fait voler les éclats de bois et brisé porte et chambranle. Quelqu'un avait déjà fait sauter la barrure et le propriétaire, pour éviter d'autres bris, se contentait d'un verrou moins draconien. Tant mieux pour les visiteurs et tant mieux pour lui !

Il entra.

L'image d'ordures et de désordre lui sauta à la vue. Des gens négligents étaient venus, chasseurs ou squatters de quelques jours, et ils avaient laissé leurs laides épîtres sur le plancher que jonchaient leurs restes de papiers, boîtes et boîtes de conserve vides. Douilles de balles, vêtements troués, gossures de bois, bouts de branches et même des pierres étaient dispersés çà et là parmi des chaises empaillées et des bancs de bois renversés.

Des chasseurs s'y embusquaient l'automne. Et Georges, une fois par année ou par deux ans, venait y faire un ménage que les bêtes humaines ne respectaient guère. Miracle pourtant, au milieu de la pièce, près du mur extérieur, se trouvait un poêle intact, si ce n'était des tuyaux de raccord à la cheminée qu'on voyait dispersés autour, certains écrasés comme par des coups de pieds. Curieux qu'il n'ait pas aperçu de cheminée quand il était dehors. Son extrémité pouvait être démolie.

Dans une chambre voisine, il trouva une haute armoire à la porte arrachée de ses pentures de cuir. Une vraie belle antiquité pas trop maganée et réparable. Un lit de bois à moitié démonté, à fonçure de ressorts rouillés, mais ni matelas ni paillasse. L'autre chambre du bas donnait sur la pleine forêt : elle était étroite et complètement vide.

Une trappe indiquait l'entrée de la cave. Une cave basse visiblement, mais qui devait contenir une fournaise. Il repéra vite une grille le démontrant et une autre dans le plafond pour conduire l'air chaud au deuxième étage.

Cette maison avait plus d'un demi-siècle, visiblement, mais il ne faisait aucun doute qu'on l'avait modernisée quelque part dans les années 1930 ou 1940. Hippolyte Boutin était mort en 1937, il l'avait lu sur son monument au cimetière ce matin-là, mais – il le saurait plus tard – des déserteurs de l'armée y avaient trouvé refuge entre 1942 et la fin de la guerre. À vrai dire, la maison était complètement abandonnée depuis seulement cinq ans.

Une voix plus collante que de la mélasse le fit sursauter :

– Ça serait-il que je pourrais vous aider, monsieur ?

L'étranger se tourna. Il se retrouva face à face avec un petit homme dans la jeune quarantaine, maigre comme un bicycle, menton en galoche.

– Vous êtes monsieur Georges Boutin, dit l'étranger sur le ton de l'affirmation.

– Vous parlez au diable ou ben… vous l'êtes, le diable.

Le visiteur regarda droit dans les yeux son interlocuteur qui restait debout dans l'embrasure de la porte et dit :

– Au village, le forgeron m'a dit que c'était la maison à Polyte Boutin, votre grand-père, et que vous restiez dans la maison d'en bas… et que votre nom, c'est Georges Boutin… Moi, c'est Germain Bédard ; j'ai 29 ans ; je me cherche un logis dans votre paroisse. Ça ferait mon affaire ici. C'est au moins pour estiver, peut-être pour hiverner. Je paye vingt piastres par mois. En espèces sonnantes et trébuchantes.

– Vous faites quoi, vous, dans la vie ?

– Comme c'est là, rien du tout. Mais j'suis ni un évadé de prison ni un déserteur de l'armée. Vous entendrez jamais parler de moi excepté quand je vas aller vous payer le loyer deux mois d'avance le premier de chaque deux mois. Quarante piastres en billets du roi comme ceux-là.

Le visiteur sortit une liasse. Les yeux du propriétaire s'agrandirent considérablement. Tirer un tel montant de cette cambuse et, en même temps, la protéger des vandales et des intempéries, et l'empêcher de pourrir par trop d'humidité, comment refuser cela quand on n'est pas riche et qu'on a une trâlée d'enfants à nourrir ?

– Pis si vous m'aidez à faire les réparations qu'il faut, je vas payer pour les vitres, le mastic, les tuyaux qui manquent, la brique… tout.

– Mais pourquoi c'est faire que vous voulez vous installer icitte pis pas au village, mettons ?

– Pas de contrebande, pas d'alambic, si c'est ce que vous craignez. Je répondrai à votre question dans quelque temps et vous ne regretterez pas de m'avoir loué la maison, vous verrez… Faites-moi confiance !

En même temps, l'homme prenait deux billets de vingt dollars et les tendait à Georges qui sentit dans ses doigts une sorte de courant électrique en les prenant.

– Voudriez-vous signer un petit papier ?

– Je peux si vous voulez, mais je signe par un X… Dites-le à personne, mais j'sais pas écrire.

– Ça va-t-il vous prendre un reçu pour l'argent ? demanda le cultivateur en mâchonnant ses mots.

L'étranger répondit d'une voix très douce et calme :

– Moi, je vous fais entière confiance, monsieur, entière confiance.

Au magasin général, pendant ce temps, quatre femmes se parlaient de l'arrivant.

– J'ai su par Jean Béliveau qu'il s'appelle Jean-Louis Verville, affirma Ti-Noire.

– Ben moi, il m'a dit Germain Bilodeau… Hein, Freddy, qu'il m'a dit qu'il s'appelait Bilodeau, le nouveau venu ?

Mais le marchand n'entendit pas et poursuivit son travail au bureau de poste au fond du magasin.

– Ben moi, y a Jeannine Fortier qui m'a parlé d'un Beauchesne, dit Rose Martin.

– Il dit n'importe quoi, enchérit Rachel Maheux. À mon père, il a donné le nom de Bédard, Germain Bédard.

– Autrement dit, il veut pas dire son nom, reprit Ti-Noire. Ou ben il veut se moquer de nous autres.

– Va ben falloir qui s'appelle quelque chose pour recevoir sa malle, reprit Bernadette que ce jeu de l'étranger embêtait.

– Non, mais il est beau comme ça se peut pas, dit Ti-Noire. Encore mieux que Jean Béliveau. C'est que t'en penses, toi, Rachel ?

– J'ai pas trop remarqué, répondit l'autre, troublée.

– Moi, je l'ai pas vu, dit Rose, également troublée.

– En tout cas, mon père dit qu'il avait l'air ben intéressé par la maison du vieux Polyte Boutin.

– Il est pas vieux, il est mort, dit Bernadette.

– Mort vieux, il paraît.

– En 1937, reprit la vieille fille. Je m'en rappelle comme si c'était hier. Le bonhomme, qui était pus rien qu'un vieux tout écarté, est mort tu seul dans sa maison, gelé comme un coton. Le jour du service, on voyait ni ciel ni terre. La pire tempête que j'ai jamais vue. On était trois personnes dans l'église. Y en a qui disent qu'ils ont vu son fantôme dans sa maison abandonnée. Les gars qui sont restés là le temps de la guerre ont souvent raboudiné quelque chose comme ça. L'étranger, c'est peut-être lui, le fantôme du vieux Polyte…

– Un sapré beau fantôme en tout cas !

Les quatre femmes se regardèrent l'une l'autre avec des yeux complices et elles éclatèrent de rire. Bernadette les ramena sur le plancher des vaches :

– On rit ben, mais il avait l'air pas mal étrange, l'étranger, pas mal étrange… Un petit peu fantasque mais… étrange… Sûr de lui mais pas insultant… pis ben étrange…

Rose s'exclama :

– C'est mourant d'entendre ça. Voyons donc, c'est un homme comme un autre !

– Attends, attends de le voir pis de l'entendre parler…

– Nous autres qu'on allait toujours aux framboises dans ce boutte-là, on osera pas cette année, dit Bernadette en parlant d'elle et de sa nièce Solange.

Ti-Noire plissa les yeux :

– Ben, j'en connais qui vont peut-être oser, moi…

***

Chapitre 6

– Une fleur de lys sur une jalousie, y a rien de plus beau!

Ernest s'adressait à son ami Louis Grégoire qui se tenait en bas de la galerie, sur le trottoir, mains dans les poches, retenant vers l'arrière les revers de son veston brun, mâchouillant un brin de foin comme il le faisait toujours l'été, brindille qu'une allumette de bois remplaçait entre ses dents les autres périodes de l'année.

Le forgeron en avait taillé une à la scie à découper, une fleur de lys, d'après le modèle du drapeau du Québec, et malgré la certitude de sa façade d'homme fort et dur, il cherchait inconsciemment l'approbation de l'entourage pour orner toutes les jalousies de la maison de ce symbole de la patrie canadienne-française.

Il l'avait mise sous sa chaise berçante après l'avoir essayée à l'endroit où il la destinait. L'homme fumait sa pipe, se reposant du labeur du jour, pieds accrochés à la rampe et croisés.

– Je vas te montrer ça...

Il prit l'ornement et le tint un moment sur la jalousie blanche.

– Pis je vas la peinturer en bleu.

– Ah! toi, y a pas de soin, même avec une scie à découper, tu travailles toujours à l'équerre.

– Si jamais t'en veux pour ta maison, je t'en ferai pour rien pantoute...

Ernest ne voulait pas être seul à décorer sa maison ainsi. Mais son ami avait une autre opinion.

– Sais-tu, c'est ben beau, mais moi, vu que ma maison est sur une côte pis que quand on la regarde d'en bas, on voit le ciel itou dans le fond, j'pense que je mettrais un quartier de lune sur mes jalousies. C'est que t'en penses, toi? Pis toi, Éva?

La femme se trouvait plus loin, assise un moment sur le bout d'un banc, attendant le moment de servir le souper. Elle dit:

– Ça serait ben beau ça itou… N'empêche que moi, mon goût, c'est des fleurs de lys…

Content de l'idée de sa femme, mais déçu de celle de son ami, Ernest remit l'ornement sous sa chaise et reprit la position qu'il avait avant l'arrivée de Louis devant lui.

Sans le savoir, le forgeron réagissait aux derniers événements qui lui avaient remué le nationalisme jusqu'aux tréfonds de l'âme. Les apparitions qui attiraient l'attention de tout le pays et amenaient des milliers d'étrangers dans la paroisse, et surtout, la vantardise des visiteurs américains, les gars à son beau-frère Fred, retourné aux États avec son cancer et ses espérances, le neveu Philippe, surtout, qui faisait l'empereur en parlant tout le temps de son pays, « *the greatest nation in the world* ». Ne leur en déplaise, il leur avait fait sentir que des miracles, ils avaient rien qu'à s'en faire chez eux, bons comme ils se pensaient… Et puis… capables de faire sauter des bombes atomiques, ils devaient pouvoir trouver moyen de guérir le cancer.

C'était l'heure du souper et il avait faim, mais le hachis n'était pas encore tout à fait cuit et son fumet s'échappait de la cuisine par la moustiquaire de la fausse porte. Suzanne sortit du magasin général avec une boîte de Corn Flakes et une bouteille de ketchup dans les mains et elle s'élança pour traverser la rue et revenir à la maison, mais elle s'enfargea dans son ombrage et tomba en pleine face sur le macadam. Un gros rire éraillé se fit entendre :

– Jhuwa, jhuwa, jhuwa, jhuwa, jhuwa…

C'était Jos Page qui retournait chez lui après une journée de travail à la beurrerie.

Ernest bondit de sa chaise en disant :

– Maudit torrieu, cours donc pas comme un ouragan, là, toi !

– Jhuwa, jhuwa, jhuwa, jhuwa, jhuwa…

C'était un rire nerveux de Jos Page, un rire fourre-tout par lequel il exprimait n'importe quoi, joie, peur, douleur… Il arrivait près de l'adolescente, qui se relevait en hurlant de douleur, le visage en sang, du sang plein sa robe et ses mains.

– Tornon de Jos Page, ferme donc ta boîte, criait Éva en se précipitant en bas de la galerie par l'escalier pour aller au devant de sa malheureuse fille.

Ernest s'adressa à Louis :

– Des plans pour se faire une détorse ! C'est pus un enfant pis c'est pire qu'un enfant !

Et à Éva qui courait, il lança :

– À l'avenir, envoye donc le Gilles faire les commissions : il se tient debout, lui…

Louis se tenait coi. La jeune adolescente pouvait être gravement blessée par un éclat de verre. Revenue sur ses jambes, elle se regardait les mains et les bras et criait à l'épouvante. Dès qu'Éva fut auprès de sa fille, elle se rendit compte aussitôt que le sang ne coulait pas et qu'il ne s'agissait que d'éclaboussures de ketchup. À nouveau, Jos se fit copieusement tancer :

– Tornon de Jos Page, pourquoi c'est faire que tu ris de même ? Elle aurait pu se tuer… On voit ben que t'en as pas d'enfants, toi, vieux snoreau !

– Jhuwa, jhuwa, jhuwa… non, c'est pas drôle pantoute, jhuwa, jhuwa, jhuwa…

Il ramassa la boîte, mais la femme la lui ôta des mains et menaça de lui en donner un coup par la tête :

– Touche pas à ça avec tes pattes sales…

– Jhuwa, jhuwa, jhuwa…

Ernest cria :

– Hey, Jos, vas-tu pouvoir venir faire les foins la semaine prochaine ?

Le vieil homme en guenilles traversa lentement la rue en disant :

– J'peux tchisiment pas… ça force trop à beurrerie de c'te temps-là…

– C'est ben ce que j'pensais… Je vas m'arranger avec les p'tits gars. Le Gilles est rendu aussi bon que Ti-Paul était… Avec Léo pis toute…

– En seulement, pour battre l'avoine pis récolter les pétaques, j'pourrais ben…

– Engage-toi pas ailleurs, j'vas te prendre pour l'avoine pis les pétaques au mois de septembre…

– Tu me le diras pis tu vas me voir arriver dret-là…

Éva avait déjà pris en main l'incident du ketchup et les pleurs se transformaient en rechignages. Pour émerger de son sentiment de culpabilité, Suzanne lança avant d'entrer dans la maison, sûre d'obtenir l'approbation de ses parents :

– Mange de la marde, torvice de Jos Page…

– Jhuwa, jhuwa, jhuwa, jhuwa…

Aussitôt à l'intérieur, Éva cria :

– Ernest, le souper est prêt, là…

Il finit sa conversation avec les deux hommes puis entra et se mit à table. Il ne s'y trouvait que Suzanne et l'homme demanda où se trouvaient les deux gamins.

– Sont partis charger un voyage de boîtes à beurre. Pis Léo s'est fait une couple de beurrées pis est allé rejoindre sa Francine.

– La fille à Léon Paradis ? Un peu jeune, lui, pour commencer à sortir avec les filles…

– S'en va sur ses 15 ans.

– Pis l'autre à Sherbrooke, là, j'sais pas si il court la galipote. Maudit torrieu, des fois j'ai envie de mettre la police après lui pour le ramener à maison…

Éva portait le chaudron de hachis sur la table.

– On envoye pas un chien à chasse malgré lui, tu sauras.

– Pas besoin de me l'dire, je l'sais… Pourvu que Léo pense pas à faire pareil avant les foins !

– Ben, la p'tite Paradis, ça le retient par icitte !

– Y a ça de bon !… Malgré que pour les foins, si j'ai pas Jos Page pour m'aider, j'pourrais toujours prendre Zoël Poulin…

– J'te dis que ces deux-là, Jos Page pis le Zoël Poulin, ça doit pas défoncer les murs dans une journée. Jos, c'est la mort, pis Zoël, il branle dans le manche autant que mon frère Fred.

L'homme se vida une profonde assiettée de Corn Flakes qu'il arrosa de lait puis de sucre blanc.

– Pas de nouvelles de Fred ?

– Vient juste de venir…

Éva prit place au bout de la table, dos au comptoir de l'évier.

– Pis la Rachel, elle mange pas, elle ?

– Elle mange pas beaucoup de ce temps-là.

– Ça lui donne rien de se laisser mourir de faim.

– Elle mange un peu entre les repas.

– Elle veut pas venir à table avec nous autres ?

– Elle veut pas entendre parler de ce qui est arrivé.

– Elle serait mieux d'en parler, ça nettoie le dedans. Autrement, ça reste là pis ça fait du pus, comme un abcès.

Depuis sa chambre d'en haut, la jeune fille entendait ses parents par la grille de chaleur, vu l'absence de tout autre bruit que celui de leurs voix. Étendue sur son lit, elle portait attention à la conversation.

Ernest faisait exprès de parler fort pour que sa voix porte loin :

– C'est ben de valeur, mais le Jean-Yves, elle ferait mieux d'arrêter de penser à lui.

– Ces affaires-là, ça se commande pas au piton comme ta drille électrique, tu sauras.

– Y est peut-être ben allé se jeter dans le fond du lac Saint-Benoît comme le Jean-Robert Campeau pis le p'tit Louis Pelchat. Deux jeunesses de 20 ans morts nèyés… Des lacs, ça manque pas…

– Ben voyons donc, Jean-Yves s'est pas suicidé !

– C'est tout ce que tu peux dire… Y a quelqu'un qui l'aurait vu quelque part. Ou ben il est parti avec la Sainte Vierge du cap à Foley…

Éva soupira et se tut. Et elle se servit du hachis dans une assiette creuse.

– Pis moi, maman ? fit Suzanne.

Sa mère la servit et se mit à manger tandis que son mari parlait tout en mastiquant les flocons de maïs.

– Je repense des fois à la fête à tire de ce printemps, pis j'me dis que Rachel, elle serait ben mieux de sortir avec le Cook Champagne. C'est un petit gars pas feluette, travaillant, qui s'occupe de ses affaires, pas gaspilleux, pis on peut pas dire que… qu'il ressemble à François Bélanger… Ça y ferait quelqu'un de fiable, de fidèle pis qui sait faire la *cookerie*. Pour une fille qui travaille, c'est pas à dédaigner, ça…

En haut, Rachel roula les poings. Le dernier gars au monde qu'elle eût voulu voir en ce moment, c'était le Eugène Champagne. Sa jeune sœur parla pour elle sans le vouloir.

– Peuh ! ricana Suzanne en regardant sa mère, Rachel, elle dit que le Cook, c'est un morpion… non, un morviat…

Ernest monta sur ses grands chevaux :

– Veux-tu ben fermer ta trappe, toi, mon écœurante! On est après souper, là…

Pour détourner l'attention de son mari et prendre la défense de Rachel, Éva enchérit:

– Tu vois le collant à mouches que y a au plafond, là, ben Rachel, c'est comme ça qu'elle voit le Cook Champagne. Elle est pas une mouche pis elle aime pas les collants à mouches…

L'homme se tut. Il se versa du hachis en se disant en lui-même: «Que le tonnerre les emporte avec leur braillage d'amour!» Il avait mis au monde cinq gars, cinq filles et cinq filles de trop.

Léo et Francine jouaient à la main chaude dans une cabine du restaurant sous le regard embêté de Ghislaine Fortier, que la conduite de son amie déroutait depuis quelque temps. Car Francine riait pour rien, parlait constamment de Léo et fumait comme un soupirail de cabane à sucre.

Leur amitié ne tenait plus qu'à un fil.

Par l'entrée de la salle arriva Germain Bédard qui s'installa au comptoir et se commanda un Pepsi. Émilien le lui servit et tenta vainement de nouer la conversation. L'homme avait lissé ses cheveux à l'aide de brillantine, ce qui lui conférait un air encore plus particulier. Il finit par pivoter sur son siège et à regarder en direction de la seule cabine occupée. Seule Francine pouvait l'apercevoir. Et elle l'aperçut aussitôt. On lui avait parlé d'un nouveau venu qui pensionnait à l'hôtel, mais elle le voyait pour la première fois. Et en fut galvanisée pendant un long moment.

Il possédait un regard si pénétrant qu'il se rendit fouiller dans les tréfonds de sa jeune âme. Par les paroles entendues et les réactions de Francine, Léo put en déduire qu'il se produisait dans son dos quelque chose de peu favorable à son amitié amoureuse avec la jeune fille.

L'étranger avait-il la faculté d'un simple coup d'œil d'user d'un sortilège, d'hypnotiser, d'ensorceler et même de circonvenir sans rien avoir à dire ?

Ghislaine se pencha sur Léo et lui souffla à l'oreille ce qu'il savait déjà :

– C'est l'étranger, c'est l'étranger.

– On devrait jouer aux cartes, dit Léo pour distraire son amie qui devenait de plus en plus agitée.

Francine se moqua :

– Voyons donc, on joue pas aux cartes dans les grosses chaleurs d'été !

Léo pensa qu'il devrait neutraliser l'étranger dont tout le monde parlait tant, parlait trop… Il demanda à Ghislaine de le laisser passer pour aller aux toilettes.

Et il se retrouva devant le personnage et encore un peu et ses cheveux se seraient dressés sur sa tête. Car l'image qu'il reçut lui était si familière ! Comme s'il avait connu l'étranger depuis de nombreuses années. Mais il ne parvenait pas à comprendre. Aux toilettes, il pensa à tous les gens qu'il connaissait, chercha tous les airs de famille : ce fut peine perdue.

De retour à table, il fut estomaqué de voir l'indésirable debout dans l'allée parlant avec les deux jeunes filles.

– Tiens, le p'tit Léo qui sent la B.O., dit Bédard pour faire rire tout le monde.

Et tout le monde rit à part Léo.

Il n'y avait pas de bain chez les Maheux et la journée avait été chaude.

Bédard savait qu'il avait humilié l'adolescent ; il finit vite son Pepsi et disparut.

Léo se montra d'une humeur de chien. Ghislaine s'en alla, sûre que la chicane éclaterait entre lui et son amie. Et pas mécontente de ça. Francine décida de s'en aller à la maison. Léo la reconduisit jusqu'au milieu de la rue des Cadenas en maugréant, et alors la chicane éclata. Ils se laissèrent sur des gros mots…

Quand il se sentait mal, qu'il devait faire face à de grandes difficultés, qu'il était triste ou en colère, Léo se réfugiait dans la chambre qu'il occupait seul maintenant depuis le départ de Ti-Paul et il plongeait dans l'univers fascinant des bandes dessinées qu'il fréquentait depuis nombre d'années grâce au *Soleil*, au *Petit Journal* et à *Photo-Journal*.

Mais cette fois-ci, alors même qu'il parvenait un peu à oublier les incidents récents, une main émergea d'une page et lui assena une mornifle en plein nez.

C'est que l'étranger qu'il avait eu l'impression de bien connaître depuis longtemps ressemblait à s'y méprendre, à l'exception de la moustache fendue, à l'un de ses héros du journal, Mandrake le Magicien.

La différence entre les deux dépassait la simple moustache pourtant puisque Mandrake était un héros justement, bon magicien au service des causes belles et nobles tandis que ce « survenant », qui portait trois ou quatre noms, n'avait qu'à ouvrir la bouche pour semer la bisbille.

Oh ! il reverrait Francine et pas plus tard que samedi soir, à la prochaine apparition de la Vierge sur le cap à Foley. Elle était si croyante et si fervente comme tous ceux de sa famille qu'elle ne manquerait pas de venir prier à deux mains là-bas…

Malgré tout, Léo demeura nerveux, inégal, vindicatif, mais tout ce qu'il pouvait combattre pour l'heure, c'étaient des fantômes. Il fuma sept cigarettes l'une après l'autre et sa petite chambre devint plus enfumée que l'enfer.

***

Chapitre 7

Assis de côté dans une cabine du restaurant, les pieds allongés dans l'allée, le Cook était penché en avant et se roulait une cigarette sans prendre trop de soin. Il colla le papier. Un fil de tabac lui resta dans la bouche, il le cracha de travers du bout de la langue.

Après le départ de Francine et Léo, il n'était resté personne dans cette partie de l'hôtel, et même Émilien, qui avait la responsabilité du restaurant, se trouvait dans le bar à tuer à jaser avec Fernand Rouleau, se fiant à son ouïe pour savoir s'il entrait un client dans l'établissement. De toute façon, on ne connaissait pas le vol et encore moins les voleurs à Saint-Honoré. Personne n'aurait jamais osé aller derrière le comptoir et se servir sans payer. Il arrivait à d'aucuns comme le taxi Roy de se servir eux-mêmes d'un Coke, mais ils prenaient toujours soin de mettre la monnaie requise sur le comptoir avant de boire une seule goutte.

Le Cook se déplaçait sans bruit, avec la discrétion d'une souris. Comme un Indien, il feutrait ses pas. Mais dès qu'il se trouvait devant un interlocuteur, il avait tôt fait d'attirer l'attention par son rire pointu qui aidait à empourprer davantage son visage sanguin et rosé.

Il remit son paquet de tabac dans sa poche de chemise, se remit droit dans la cabine et s'alluma après avoir craqué une allumette avec son ongle du pouce.

Eugène espérait voir Rachel, mais il n'était pas venu pour cette raison-là. Pour le moment, la jeune femme était inconsolable de la disparition de son fiancé à quelques semaines seulement de leurs noces ; et lui faire des avances eût été courir non seulement à l'échec mais au rejet de sa part. Sa grande peur à lui était qu'elle se tourne à nouveau vers sa vieille idée de prendre le voile. Tout le favorisait : chagrin d'amour, vacances et surtout cette présence sentie de la Vierge Marie dans la paroisse.

Ce sont les maîtres mots qui font les maîtres hommes, et les siens pour l'heure se disaient « attendre » et « veiller ». Et si la devise de l'étranger était « Voir sans être vu », la sienne aurait pu se formuler ainsi : « Voir sans être vu directement ». Pour le moment, le bateau de Rachel s'en allait un peu à la dérive ; mais à lui de ramer pour que le sien reste en travers du vent.

Il posa sa cigarette dans un cendrier, puis sortit d'une poche de pantalon un petit sac brun plus froissé qu'un parchemin contenant visiblement quelque chose de lourd. Il défit un lacet de cuir qui enserrait la gueule, ouvrit le sac dans lequel il se plongea la main en souriant, et en sortit de la monnaie qu'il mit sur la table. Il répéta le geste, puis tourna le sac à l'envers et le vida finalement de tout son contenu. Le bruit alerta Émilien qui s'amena tandis qu'Eugène commençait à classer les pièces par piles de cinq pour les mieux compter ensuite.

– Ah ! c'est toi, le Cook ! vint dire Émilien qui regardait l'argent d'un air souriant un peu dubitatif.

– Crains pas, j'ai pas pris ça dans tes tiroirs, là !

– Un Coke pour le Cook ?

– Non, j'ai pas d'argent sur moé…

– C'est de la fausse monnaie, ça ?

– Ah, ça ? C'est la paye du petit Maheux. Le Gilles, il travaille pour moé pis j'y donne des bonnes gages… En réalité, une commission. C'est mieux qu'un salaire. Il va venir chercher son argent, ça sera pas long. C'est un bon petit travaillant pis en plus un bon vendeur.

– Un bon petit gars d'une bonne famille ! approuva Émilien. Si tu veux boire un Coke, un Pepsi ou n'importe en quoi, je peux te le marquer pis tu paieras quand tu reviendras. Ton crédit est bon…

– Sais-tu, j'ai pas soif pantoute, là. J'suis venu en bicycle, mais une fois la côte des Talbot montée, ça descend tout le long.

– Comme tu voudras. Y a de l'eau, si t'aimes mieux. Je te laisse avec ton argent. Là, je retourne dans le bar à tuer ; si quelqu'un arrive, voudrais-tu frapper sur la table avec un vingt-cinq cents ?

Eugène faisait partie de la moitié des gens qui n'avaient pas appris le petit scandale homosexuel auquel avaient été mêlés Rioux de Rimouski et Émilien, et que Jean d'Arc avait dénoncé dans le bureau du curé, ce qui avait valu au mesureur de bois de se faire chasser impitoyablement de la paroisse par un pasteur de toutes les vigilances.

Mais Émilien s'imaginait que tout le monde savait et ça le rendait presque servile envers la clientèle. Il revint avec un Coke et le posa sur la table en disant :

– Aux frais de la maison.

Eugène examina un instant le visage osseux de l'adolescent puis la bouteille à couleur délicieusement brune et s'exclama :

– Dans ce cas-là, moé, j'dis : « À la santé de la maison ! »

Il prit la bouteille et cala une copieuse gorgée. Émilien s'en alla.

Absorbé par son prenant travail, Eugène ne porta guère attention aux pas qui conduisaient quelqu'un dans le restaurant depuis la grande salle de l'hôtel. Mais il entendit des mots échangés qui le ramenèrent à la réalité :

– Euh ! Dites donc, votre nom, là… euh… c'est Verville ou Beauchesne ou ben… euh !… Bilodeau ?

Un rire malin éclata.

– En réalité, je m'appelle Bédard, Germain Bédard. Les autres noms sont pas les bons.

Eugène étira le cou et vit venir ce personnage singulier à la peau si brune, aux cheveux lisses et foncés et dont le regard perçant rencontra le sien.

L'étranger prit place à la cabine voisine. Son interlocuteur, que le Cook connaissait déjà, demeura debout dans l'allée. Bédard reprit :

– Disons que c'est une expérience que j'ai faite comme ça. J'ai voulu voir combien de temps ça prendrait à une nouvelle pour faire le tour du village… et je dois dire que c'est pas mal vite.

– J'ai su par… euh… Émilien que vous jouez au tennis. Je me cherche justement… un bon adversaire.

– Et toi, Jean Béliveau, t'es un joueur de hockey l'hiver, je le jurerais.

– C'est le diable qui… vous a dit ça : j'en ai parlé à personne pourtant.

– Je sais déjà que t'es un sportif dans l'âme et… un sportif dans l'âme qui possède ta grandeur peut pas faire autrement que de jouer du hockey l'hiver… à moins qu'il reste dans un désert d'Afrique.

– Euh…

– Quant à jouer au tennis, ça se pourrait quand je vais recevoir mes bagages. Là, j'ai pas grand-chose avec moi. En plus qu'il va me falloir une bicyclette pour voyager parce que je vais vivre dans un rang à quinze minutes de distance… en bicycle…

Le Cook écoutait le moindre détail. Qui était ce personnage mystérieux ? Que venait-il faire dans la paroisse vu qu'il n'avait pas l'air de travailler sur les lignes électriques comme Béliveau ? Dans quel rang vivrait-il ? Peut-être pourrait-il lui vendre sa bicyclette ? Pourrait-il s'avérer un rival ? Il avait une tête à séduire les jeunes filles…

– Euh… quand vous serez prêt pour le tennis, je le serai itou.

– Je te le ferai savoir…

Béliveau tourna les talons, hésita, se retourna.

– Pas parent avec Robert Bédard, toujours ?

– Le champion de tennis de Sherbrooke ? Non, pantoute. Je peux tenir une raquette, mais j'suis pas un gros joueur…

– À plus tard !

– C'est ça…

Et Béliveau quitta les lieux en courbant la tête pour ne pas s'assommer dans les embrasures de porte.

Le Cook s'enhardit, étira le cou une autre fois et encore plus pour apercevoir l'homme à qui il s'adressa :

– Monsieur Bédard, j'voudrais pas vous déranger, là, mais ça adonne que j'ai un bicycle à vendre… on sait jamais, ça pourrait faire votre affaire. Je l'ai justement avec moé, là, dehors…

– Oui, je l'ai vu. Les pneus sont pas mal usés.

– Je vas aller voir Roland Campeau qui pourrait en mettre des flambant neufs…

– Viens t'asseoir ici…

– J'peux pas, j'ai de l'argent à finir de compter. Venez donc, vous.

Bédard accepta l'invitation. Il bougea lentement, examinant le moindre détail, du regard mielleux de son interlocuteur jusqu'à ses piles de cennes noires en passant par ses vêtements et sa rouleuse.

– Qui c'est, Roland Campeau ?

– Un gars à l'autre bout du village. L'hiver, il fait des bâtons de hockey, pis l'été, pour passer son temps, il loue des bicycles. Il en arrange quand ils sont brisés, pis même, il en vend. Mais un neuf, ça vous…

– Dis-moi donc tu, OK. C'est quoi ton nom?

– Moé, c'est Eugène Champagne. Y en a qui m'appellent «le Cook» parce que je sais faire à manger.

– Es-tu banquier ou quoi?

– Non, non, c'est la paye d'un engagé que je compte. Y s'en vient. Comme je disais, un neu', c'est pas moins de quarante piastres tandis que le mien en parfait ordre, ça serait la moitié moins cher.

– Gageons que tu l'as payé rien que dix piastres pis que tu me le vends vingt.

Comme l'avait dit Béliveau, cet homme parlait sûrement au diable. Car c'était la vérité vraie. Le Cook s'emberlificota en cherchant à badigeonner les faits:

– Je l'ai eu, il était quasiment neu'. J'ai eu ça du gars à Freddy Grégoire, le Jean-Yves qui a disparu dernièrement. Disons que lui, il l'a vendu à Campeau qui me l'a refilé… Ça revient au même. Jean-Yves, il a dû donner un bon montant de rechange.

– Écoute, fais poser deux *tires* neufs et je te le donne, ton vingt piastres.

– Sûr?

– Garanti.

– On pourrait-il… signer un petit papier là-dessus?

– Pas besoin, j'sais pas signer mon nom.

Et l'étranger sortit de sa poche un billet de vingt qu'il jeta sur la table.

– Tiens, je te fais confiance. Quand t'auras fait poser les pneus, tu m'apporteras la bicyclette. Soit devant la porte de l'hôtel, si j'y suis encore, soit dans le rang Dix, à la maison à Polyte Boutin…

– Hein ! s'écria Eugène. Moé, je reste sur la Grande-Ligne, quasiment au coin du Dix.

– Comme ça, ben tu vas pouvoir retourner chez toi à pied sans misère.

– J'en reviens pas… C'est que tu vas faire dans la maison à Polyte ?

– Rester.

– Rester ?

– C'est ça : habiter.

– Ah ! bon !

Il se fit une pause au cours de laquelle Bédard empila des pièces pour Eugène. Et il dit :

– Comme ça, le gars à Freddy a disparu. Freddy, c'est le marchand de l'autre côté de la rue ?

– Oui. Le Jean-Yves devait se marier avec Rachel Maheux, pis il s'est envolé comme un oiseau sans avertir personne. Une affaire curieuse. J'pense qu'il a un problème entre les deux oreilles… comme sa mère un peu.

– Rachel Maheux, c'est la fille du forgeron ?

– Comment tu le sais, toi ? La connais-tu ?

– J'ai fait un tour à la boutique et je l'ai rencontrée.

Eugène fronça les sourcils. Il sentait une menace.

– C'est pas beaucoup le temps d'y parler, elle est en grosse peine d'amour.

– Elle m'a paru normale.

– Elle le fera pas voir, c'est sûr !

L'étranger, qui lisait dans les regards et les gestes, comprit aussitôt que le Cook était épris de cette Rachel. Il se pencha et dit sur le ton de la confidence :

– Le grand innocent de tantôt, là, le Jean Béliveau, j'pense qu'il a un œil sur cette fille-là.

Dans un sens, cette phrase rassurait Eugène. Le rival en puissance n'était pas celui qu'il craignait. Et l'étranger avait l'air de tout comprendre et de prendre parti pour lui…

– Non… Il est plus jeune pas mal… Pis gêné qu'il a de la misère à parler.

– Une belle fille, la Rachel Maheux! Jeannine Fortier est pas mal non plus, hein?

– C'est pas les belles qui manquent dans la paroisse.

– On s'ennuiera pas à vivre par ici, hein!

Eugène redevint soucieux. Au point de se demander s'il devait lui vendre sa bicyclette. Et puis, il en achèterait une autre…

Ils ne purent se parler davantage. Un gamin entra et courut à la table d'Eugène où il demeura interdit un moment à la vue de l'étranger.

– Tiens, mon petit Maheux, si tu veux compter, tout ça, c'est pour toé.

– T'as une sœur qui s'appelle Rachel, hein, toi? s'enquit Bédard en appuyant son regard dans celui de l'enfant.

– Il s'appelle Gilles pis c'est mon employé, dit fièrement le Cook.

– Pis? insista l'étranger auprès de l'enfant.

– Ouais… C'est que ça fait?

Bédard sourit. Il avait du caractère, ce jeune garçon au nez retroussé. L'argent l'intéressait et il semblait ne pas avoir froid aux yeux.

– Ça fait rien!

L'enfant se glissa sur le banc en regardant la monnaie empilée. Eugène fit glisser les piles dans le sac, et quand elles y furent toutes, il le tendit au garçon qui le prit sans que son plaisir ne transparaisse dans son visage.

– Tu seras là samedi?

– Sûr et certain!

Et Gilles repartit aussi vite qu'il était venu. Bédard le détailla des cheveux aux chevilles…

– Veux-tu une rouleuse ? dit le Cook au nouveau venu.

– Je ne fume pas… Un cigare par année, pas plus.

– Un Coke pour te rincer la luette ?

– C'est pas de refus.

Eugène se mit à frapper sur la table avec une pièce de monnaie pour héler le serveur qui s'amena.

– Un Coke pour mon bon ami Germain Bédard… un monsieur d'homme, comme on dit.

Surpris par une telle largesse, Émilien repartit en hochant la tête. L'étranger lui parla de loin.

– Tant qu'à faire, apporte-moi donc une Caravan. J'ai ravaudé pas mal aujourd'hui et j'ai presque rien mangé.

Il se tourna vers Eugène en disant :

– En veux-tu une ? Je te la paye…

– Ben…

– Deux Caravans, lança Bédard.

Émilien resta debout. Il se mêla à la conversation en attendant un signal de s'en aller, qui ne vint pas dans les gestes ou les mots.

Et l'étranger put en apprendre beaucoup sur diverses personnes de la paroisse ainsi que sur la dernière journée des apparitions de la Vierge, telle que perçue par deux jeunes gens pas très convaincus.

À un moment donné, il fut question de Rose Martin.

– Une femme de cinquante ans, séparée de son mari cet hiver, dit Émilien. Elle nous a donné tout un show un soir juste icitte dans l'allée. Elle jouait à la Mae West. Si vous l'aviez vue se déhancher…

Le Cook apprenait ce fait en même temps que l'autre homme et ses yeux se mirent à loucher…

L'étranger manœuvra de manière à savoir, sans qu'on ne remarque sa curiosité trop intéressée peut-être, où vivait cette Rose Martin rebelle, sexy et mature…

***

Chapitre 8

Rose s'était assise devant son miroir avec l'intention de se pomponner, mais voilà qu'elle arrivait tout au plus à se maquiller sans grande conviction. Son esprit n'était pas dans l'image qu'elle avait dans le regard.

Une sorte de remords maturait en son âme. Elle ne craignait nullement que le jeune homme la dénonce. L'eût-il fait qu'elle aurait nié jusqu'au bout. L'eût-il fait que sa mère, à l'adolescent, la Noëlla Ferland, aurait cherché à tout enterrer, croyant enfouir ainsi sa propre conduite sous six pieds de tolérance.

De plus, elle ne se sentait pas en faute. Le péché de la chair, s'il existait, c'était bien plus d'enchaîner sa passion en l'emboîtant que de lui emboîter prudemment le pas.

C'est un péché de culture qui la tenaillait dans ses suggestions coupables. Aux yeux remplis de malice des coutumes et de la tradition, ce ne pouvait être que luxure et vice pour une femme de cinquante ans que de se laisser aimer par un adolescent. Dix années de différence d'âge entre deux personnes, c'était déjà suspect. Vingt, c'était répréhensible. Trente, c'était honteux et inavouable. Qu'on y ajoute le fait que l'adolescent n'ait pas ses 18 ans et que le femme soit mariée, on ne saurait parler que de fornication quasiment criminelle.

« Et dans un demi-siècle, ce sera pareil ! » lui disait une voix intérieure à côté de sa nature fiévreuse et passionnée.

Insensiblement, d'une heure à l'autre, depuis sa grande folie du samedi précédent, depuis qu'elle avait laissé la bride sur le cou à cette autre elle-même, éprise de liberté celle-là, en rébellion contre les tabous, séduite par les plaisirs que sa propre nature pouvait lui prodiguer sans qu'il ne soit fait de mal à quiconque, le doute s'était réinstallé dans son cœur. Et ce lit de roses où elle s'était étendue avec tant de certitude et de bonheur n'arrivait plus à camoufler dans son édredon floral les épines que toute beauté cache.

On ne se sent jamais tout à fait bien avec soi-même plus de quelques heures d'affilée. En prenant un amant, elle avait pénétré dans un autre monde, celui de l'autre elle-même et cela s'avérait encore plus difficile que prévu.

Elle ne craignait pas pour le jeune homme. Il ne serait pas marqué laidement par tout ça. Au contraire, il en sortirait meilleur. La nature humaine étant irrésistible, les jeunes gens doivent se répandre d'une façon ou d'une autre. Et l'occasion que présente une femme d'âge mûr ne peut que les prédisposer à une plus grande tendresse et compréhension envers celle qui plus tard partagera leur vie, au contraire du plaisir solitaire égocentrique et le plus souvent imprégné par la peur de l'autre, surtout de la femme.

C'était bel et bien un péché de culture qu'elle avait commis. Et rien d'autre…

Si quelqu'un voyait l'adolescent aller chez elle en se cachant, et surtout si la chose se répétait, la médisance et peut-être même la calomnie auraient tôt fait de la crucifier. Les proches voisins ne parleraient pas. Bernadette ne colportait que les belles choses. Les Poirier se montraient toujours d'une discrétion à toute épreuve. Et de l'autre côté du chemin, l'aveugle et sa femme se tairaient par charité. Mais il y avait les petits Maheux, un peu plus loin, avec leurs énormes yeux qui fouinaient tout partout; et leur père qui avait une grande gueule et une voix qui résonnait loin entre ses coups de marteau sur son enclume. Une histoire entre une femme mariée de son âge et un si jeune homme, ça mettrait du piquant sur bien des langues. Et par chance que la paroisse ne comptait pas un romancier peu miséricordieux, car il aurait vite fait par paresse créatrice d'en nourrir l'imagination de sa plume.

Elle était en brassière et corset, douloureusement penchée vers ses rides un peu déprimées en se demandant comment elle s'y prendrait pour encager l'ensorcellement que lui valait sa liberté neuve sans pour cela devoir maquiller le doute en le chloroformant.

Subitement, elle se leva et se rendit à la salle de bains où elle imbiba une débarbouillette d'eau tiède, et revint vite s'asseoir devant la glace où elle se dépoudra sans compromis. Quand toutes les substances furent effacées et qu'il ne resta plus que ses cinquante ans pour lui dire quoi faire, elle prononça des mots clairs et bien mordus :

« À chaque journée sa vérité ! Amen. »

Et elle recommença à enduire sa peau mate d'une nouvelle couche de bien-être et de lumière. Ce prochain samedi, elle aussi se rendrait sur le cap à Foley.

Tôt le matin, le Cook était venu livrer la bicyclette qu'il avait pris soin de dépouiller de tous ses accessoires. Et aussitôt après, il s'était rendu chez Roland Campeau pour s'en procurer une autre, si possible usagée et pas chère.

Après déjeuner, Bédard se rendit à sa maison et prit les mesures de tous les carreaux à vitrer, les mémorisa puis il revint au village et se rendit au magasin général. Il faudrait une heure au moins pour tailler tout ça, et, pour le moment, Freddy tenait seul l'établissement.

– Je vas me faire remplacer par ma fille, Ti-Noire, qui est pas encore levée. Parce que la Bernadette, aujourd'hui, elle s'occupe de j'sais pas trop quoi qui a rapport aux apparitions. Pis mon gars, ben lui…

– Croyez-vous à ça, vous, les apparitions de la Vierge Marie ? demanda l'étranger en s'asseyant sur un siège pivotant près du comptoir.

– Ben dur à dire, hein !

– C'est dur à dire si c'est vrai ou pas, mais c'est pas dur à dire si vous y croyez, vous ou non.

Le marchand, qui était à peser et ensacher du sucre, plongea sa petite pelle dans une cuve de fer-blanc contenant le sucre et la remplit. Il la tint immobile un moment, les cristaux s'écoulant de chaque côté du récipient. L'homme donnait l'air de réfléchir profondément.

– Pas le diable, si tu veux le fin fond de mon idée.

– Paraît que y'aurait eu un miracle.

– Paraît…

Et le marchand jeta le contenu dans un sac brun qu'il mit dans le plateau de la balance.

– On dit que la foi peut soulever des montagnes…

– Faut des poids pour que le plateau relève pis c'est pas rien qu'à y croire que ça va se faire.

– Comme ça, vous êtes pas croyant ?

– J'ai pas dit ça.

– Ça ressemble à ça.

– Mais c'est pas ça.

Et Freddy se mit à rire par à-coups qui soulevèrent sa bedaine et rougirent encore plus son visage. Il planta sa pelle dans le sucre en disant :

– J'suis un catholique pratiquant pour la vie, ce qui veut pas dire que je vas me garrocher à genoux sur le cap à Foley parce que deux enfants pieux s'imaginent que la Sainte Vierge leur apparaît. Y a rien qu'eux autres qui la voient. Personne d'autre, pas même le petit Gilles Maheux qui se trouvait là la première fois que c'est arrivé. Pourquoi eux autres pis pas lui, c'est curieux, ça, tu trouves pas, toé ?

– Le petit Maheux était là, lui ?

– C'est ce qu'il s'est dit… Bon, je vas aller voir qu'est-ce qui se passe avec la Ti-Noire, autrement t'auras pas tes vitres avant midi.

Pendant son absence, Bédard promena son regard sur les étalages de boîtes de conserve et il répéta mentalement à plusieurs reprises pour chaque sorte le nom et le prix. Jus de tomates : dix cents. Pois verts : quinze cents. Macédoine : quinze cents. Tomates en boîte : douze cents. Soupe aux légumes : dix-huit cents. Soupe aux pois : vingt cents.

Il allait passer au secteur sucre en poudre, *corn starch*, poudre à pâte, soda à pâte quand Freddy revint, marchant de son pas légèrement inégal, suivi de la jeune femme qui, elle, avançait la nuque un peu raide comme toujours. Elle avait aperçu l'étranger à travers les vitrines du magasin et les vitres de la porte mais pas face à face. De plus, il avait alors une chevelure à la Tyrone Power, lissée sur la tête et voilà que maintenant, ses cheveux se présentaient par vagues épaisses. Elle dit franchement :

– Bonjour, monsieur.

– C'est vous, Ti-Noire.

– Les nouvelles volent.

– Comme les filles qui les portent.

– Ça, c'est vous qui le dites.

– C'est quoi déjà votre nom ? demanda Freddy. On entend dire ben des choses.

– Bédard, Germain Bédard. Fiez-vous là-dessus !

– On va en tenir compte au bureau de poste. Comme ça, vous allez rester dans la maison à Polyte Boutin.

– C'est une bonne maison solide. Réparable. Je vas la radouber.

– Allez-vous travailler pour les Blais ?

– Les Blais ?

– Moulin à scie, *shop* de boîtes à beurre…

– Ah oui ! Non, c'est pas mon intention.

Ti-Noire écoutait, mains sur les hanches, attendant le bon vouloir de son père. Elle coupa dans leur échange :

– Je vas la faire, la pesée.

– Pis nous autres, on va aller tailler de la vitre.

Bédard se leva. Il détailla la jeune fille sans se gêner en la balayant du regard, de ses cheveux noirs à sa poitrine généreuse, puis en descendant le plus qu'il pouvait derrière le comptoir. Déjà, le marchand se dirigeait vers la porte qui menait dans les hangars. Ti-Noire ne se laissa pas impressionner.

– Avez-vous l'intention d'acheter chez nous pour vos besoins ? Y a-t-il des choses que je pourrais vous préparer le temps que mon père taillera vos vitres ?

– Je vas lui donner mes chiffres : mesures, quantité, et je reviens pour une commande.

Elle ne l'avait pas laissé paraître, mais Ti-Noire se sentait pas mal remuée par cette forte présence. Veut veut pas, son cœur battait plus vite. Elle regrettait de l'avoir provoqué, mais en même temps, sentait depuis le tout premier moment où elle avait su quelque chose de cet homme qu'il exercerait sur son esprit une fascination singulière. Et pas forcément souhaitable.

Il revint en sifflotant. Et se comporta comme s'il la connaissait depuis toujours. Revêtu d'un jean en denim et d'une chemise blanche à manches courtes, ouverte sur deux boutonnières de la poitrine, ce qui laissait voir sa toison noire et brillante, il arborait un sourire un brin mystérieux. Elle ne put s'empêcher de jeter un coup d'œil sur son estomac et il le remarqua. Et pourtant, il ne s'imagina aucunement que la sensualité soit le talon d'Achille de cette jeune femme.

Précisément à cause de son regard qui trahissait sa curiosité bon enfant et un côté défiant.

Il mit son pied sur un banc en disant :

– Ça sera pas compliqué : je vais prendre une boîte de chaque chose… mais pas plus que douze boîtes en tout, étant donné que je suis à bicyclette et que j'ai pas de panier… Ben justement, c'est le vélo de votre frère que m'a vendu Eugène Champagne.

Ti-Noire planta la pelle dans le sucre et se tourna vers les tablettes, devinant qu'il l'examinerait sans se priver. Brusquement, elle se retourna, prit le crayon sur son oreille et le mit devant lui en poussant un cahier sur le comptoir.

– C'est pour faire votre liste de ce que vous prenez pis de ce qui vous manquera.

Il prit le crayon puis le posa aussitôt. Elle se tourna à nouveau vers les tablettes, disant :

– Y avait un gros panier noir sur le bicycle.

– Jusqu'à hier soir, oui. Mais le Cook, il l'a déshabillé net, le vélo…

– Il changera pas, celui-là.

– Proche de ses poches, ça se voit au premier coup d'œil.

– Je vous donne quoi ?

– Les boîtes que tu voudras.

– Va-t-il falloir que vous retourniez dans le rang Dix avec vos vitres sur le bicycle ? Des plans pour les casser avant d'arriver et de vous couper ben comme il faut.

– Ah ! on va les attacher, les emballer pis si faut que je revienne, ben je reviendrai.

Il se fit une pause au cours de laquelle Ti-Noire mit une après l'autre une douzaine de boîtes sur le comptoir. Chaque fois qu'elle se retournait, il semblait regarder ailleurs, mais elle sentait ses yeux sur son corps et faisait exprès pour se déhancher.

– Avez-vous un ouvre-boîtes toujours ?

– Non, mais tu vas m'en vendre un si c'est possible.

– C'est bien possible qu'on trouve ça dans… ce tiroir.

– Tu me demandes pas comme tous les autres ce que je viens faire par chez vous ?

– J'essaie de pas me mêler des affaires des autres.

– Par curiosité.

– J'essaie de rester en contrôle de ma curiosité.

– C'est beau.

– C'est ça.

– Je vais te le dire, mais faudra que tu le répètes à personne.

– J'aime autant pas le savoir, comme ça, je pourrai pas le dire à personne.

– Je te le dis quand même. Suis venu me reposer. Je serai ici jusqu'à l'hiver, pas plus. Ensuite, je vais retourner là d'où je viens…

– C'est-à-dire Victoriaville, comme Jean Béliveau.

– À côté… Arthabaska.

– Dites donc, vous n'avez pas fait votre liste ?

– Je le voudrais que je ne le pourrais pas.

– Ah ?

– Malheureusement, j'sais pas écrire. Je peux lire les prix, mais j'peux pas écrire. À mon âge, c'est une honte, mais c'est comme ça.

Elle en fut fort étonnée. Un tel handicap ne correspondait pas à sa personne. Il possédait le vocabulaire et les tournures de phrases de quelqu'un d'instruit, de même que la certitude d'une âme bien trempée. Décidément, ce désavantage ne l'habillait aucunement. Mais qui aurait pu savoir qu'elle-même était affligée d'un handicap important, qu'elle pouvait, comme son frère, à tout moment, sombrer dans le gouffre infernal de la psychose ?

– Pis du savon, ça va vous en prendre? dit-elle pour détourner le propos. Du savon du pays pour la planche à laver pis du savon de toilette peut-être?

– Savon de toilette. Un pain ou deux, là…

Elle regarda dans une armoire vitrée sur le comptoir.

– Le savon de toilette, j'ai du Camay et du American Beauty… Tiens, non, j'ai pas de American Beauty, j'ai vendu le dernier au petit Léo Maheux à matin.

– Le petit Léo?

– Le gars du forgeron de l'autre bord de la rue… Il commence à sortir avec une petite jeune fille pis ça le rapproche un peu du savon de toilette…

L'étranger souleva un seul sourcil:

– Deux barres de Camay, ça va faire pour moi… pour quelques jours en tout cas…

***

Chapitre 9

Le bureau de la compagnie occupait le premier étage au complet d'une étroite maison à deux étages, recouverte de papier brique rouge. Il y avait une pièce servant de vestibule à l'entrée et dans laquelle se trouvaient des bancs où les employés du moulin et de la manufacture pouvaient s'asseoir durant leur pause de dix minutes de la mi-journée les jours pluvieux. Ils venaient s'y acheter du Coke et des Jos Louis ou autres petits gâteaux Vachon d'une sorte moins populaire. Jouxtait cette pièce une autre servant de bureau où se tenaient les réunions des quatre frères propriétaires et directeurs de la compagnie. Et enfin, il y avait le bureau du commis comptable au milieu duquel se trouvait une truie, qui, par saison froide, réchauffait les trois pièces.

Les murs intérieurs étaient tous vitrés et les châssis donnant sur l'extérieur se faisaient nombreux sur trois faces, de sorte qu'on pouvait assister aux chicanes fréquentes qui s'y déroulaient sans pour autant les entendre, mais par la simple observation d'une gestuelle éloquente et des expressions des visages de ceux qui parlaient ou bien écoutaient en se renfrognant.

Après le départ de Rioux, on avait engagé un petit jeune homme du village voisin pour agir comme mesureur de bois et commis. C'était lui qui avait pour tâche de conduire les assemblées ordinaires et extraordinaires.

Un constant état de guerre existait entre Dominique et Raoul, entre Ovide et Raoul, et entre Dominique et Marcel. Dominique et Ovide ne se grafignaient pas trop et parfois faisaient front commun. Raoul et Marcel ne s'entendaient guère, mais ils votaient toujours de la même manière pour faire contrepoids aux deux autres, qui votaient le plus souvent de la même façon. En politique, Raoul était bleu, Dominique rouge. Ovide penchait rouge et Marcel penchait bleu. Quatre as réunis et ça bardait chaque fois.

Ce midi-là, on se réunit pour l'assemblée du mois. Quelques questions mineures furent expédiées, puis Raoul jeta sur le tapis un sujet qui le chicotait depuis le matin, l'engagement par Dominique de Marie Sirois pour travailler à la manufacture.

Maigre, le geste lent, arborant l'image du parfait contrôle de soi, l'homme lança :

– La *shop*, j'pense que c'est pas trop la place pour une femme, ça.

Dominique s'insurgea aussitôt et lui coupa la parole :

– À la *shop*, c'est moé qui engage, pas toé. Occupe-toé du moulin si tu veux, pis le reste, laisse faire.

– Engager un homme ou un autre, tu peux le faire même si ça laisse à désirer des fois, là, quand t'es sur la brosse… On en dira pas plus. Mais se mettre à engager des femmes, ça, c'est une toute autre histoire.

– Une femme, un homme, c'est la même boîte à beurre qu'on fait.

– Sauf qu'avec rien que des femmes en haut, c'est pas mille boîtes qu'on sortirait dans la journée mais sept cents.

– C'est que t'en sais ? demanda Ovide, qui n'était pourtant pas très favorable lui non plus à cette nouvelle façon de faire inventée par Dominique.

Raoul hocha la tête en disant, le ton à l'évidence :

– Parce qu'une femme, ça vaut pas un homme pour la grosse ouvrage, c'est tout.

– Arrive en ville, tabergère, dans les usines de guerre, qui c'est qui travaillait ? À quatre-vingts pour cent, c'étaient des femmes. Pareil en Europe pis aux États durant la Première Guerre.

– Justement, dit Raoul triomphant, parce que y avait pas d'hommes disponibles. Après la guerre, c'est les hommes qui ont pris les places parce que la production est d'un tiers de plus avec des mains d'hommes dans le secteur manufacturier. C'est connu, ça...

Dominique ricana :

– La Marie Sirois, elle peut pas aller moins ou plus vite que le violon. L'étampeuse, un enfant est capable de suivre. Elle pourra travailler sur la botteuse, une des cloueuses, au sablage autant que sur la paraffine.

– Vas-tu l'envoyer déligner dans le trou ?

– On a Pit Saint-Pierre qui fait l'affaire, pourquoi l'envoyer elle déligner dans le trou ?

Marcel intervint doucement, sur le bout de la langue :

– Un homme dans la *shop* devrait savoir tout faire. Déligner, botter, embouveter, masser, faire des tenons, sabler, clouer, étamper, paraffiner.

– C'est pas vrai, Marcel, s'écria Dominique. On est rien que trois pour amancher les boîtes : moé, toé pis Ti-Paul Larochelle. Même Pit Roy, que ça fait des années pis des années qu'il travaille dans la *shop*, il sait pas amancher. Pas capab' de le faire.

– Pit Roy, il est gauche des deux mitaines, rétorqua aussitôt Marcel.

– C'est toujours ben lui le meilleur sur la cloueuse des fonds. Il se fait pas souvent passer des clous de travers pis il est vite en crime sur ses patins.

Raoul devint sarcastique. Il n'appelait jamais Dominique par son prénom et son frère faisait pareil. Souvent, il lui parlait à la troisième personne en s'adressant même alors aux deux autres en ricanant :

– L'engagement de la veuve, ça serait-il pas que ça ferait personnellement l'affaire de certains ? Vu qu'elle vient d'enterrer un enfant, ça fait un beau prétexte. Pis un enterrement, ben, ça rapporte à d'aucuns…

Piqué au vif, Dominique jura :

– Tabarnac de tabarnac ! Tu sauras mon gars que l'enterrement du petit gars à Marie Sirois, moé, j'ai pas fait une maudite cenne avec ça…

– Justement, ça prouve que y a des raisons plus personnelles encore…

Dominique bondit et jeta son doigt menaçant à deux pouces du nez de son frère en hurlant :

– Toé, le jour que tu vas tomber sur ta grand-scie pis que tu vas te faire couper en deux, demande-toé pas pourquoi.

Ovide se révolta à cette idée :

– Jamais personne icitte doit souhaiter un accident à un autre, jamais, jamais…

Ovide avait été gravement blessé par une éclisse de bois lancée par une scie et qui l'avait piqué dans le cou ; il en était demeuré infirme pour la vie par un bras paralysé. De plus, il avait eu un œil crevé par une autre éclisse, et comble de malheur, une scie lui avait écharogné la main gauche. Éclopé de trois manières, moins que la moitié d'un homme, il ne pouvait tolérer, même venant de son frère allié, toute velléité du moindre contentement devant la moindre blessure faite à qui que ce soit dans son travail pour la compagnie.

– J'y souhaite pas de mal, c'est lui qui s'en prépare pis qui s'en souhaite, se défendit Dominique en se rasseyant.

Raoul se montra faussement conciliant :

– Ce qu'on voudrait savoir, c'est pourquoi qu'on voit une femme dans la *shop* à matin tandis que des bons hommes attendent qu'on les engage ?

– Qui ça ?

– Y a Gérard Campeau…

Marcel intervint :

– Voyons donc, Raoul, Gérard Campeau, c'est un infirme qui est pas capable de rien faire.

Il se dépêcha d'ajouter pour ménager la susceptibilité d'Ovide :

– Pas comme toi, Ovide… Tu fais une journée d'homme tandis que le Gérard, il a de la misère à mettre son chapeau.

Raoul ironisa :

– Voyons donc, il se promène tous les jours en Weezer.

– Mener un Weezer, c'est pas travailler, ça.

– Pis qui c'est que y a d'autre de disponible pour travailler dans la *shop*, hein ?

– Rosaire Nadeau.

– Il embarque dans ses foins dans trois, quatre jours. Pareil pour le petit Léo Maheux. Marie Sirois, elle pourra être là tant qu'on en aura de besoin…

– Pourvu qu'elle se fasse pas écraser dans les coins.

Dominique bondit une fois encore :

– T'es rien qu'un maudit sans cœur ! Une veuve sur le secours direct…

– C'est pas avec du cœur qu'on fait des boîtes à beurre.

De guerre lasse, Dominique lança lourdement :

– Passons ça au vote, ça vaut pas la peine de discuter avec les imbéciles.

– Je propose : « Pas de femmes à la *shop* ! » dit vivement Raoul qui y tenait mordicus, surtout pour faire obstacle à son frère aîné.

– On vote sur le cas à Marie Sirois, s'objecta Dominique, pas sur le cas de l'engagement des femmes à la *shop*.

– Ça revient au même, fit Raoul sans trop se rendre compte qu'il risquait davantage de perdre si le vote portait sur le cas de Marie.

Car Marcel était peu enclin à voir des femmes travailler à la manufacture tout en étant sensible aux malheurs de la veuve. Il l'avait vue à l'ouvrage depuis le matin et la femme s'était montrée d'un bon vouloir exceptionnel. Et puis elle avait appris sans problème à exécuter correctement les tâches qu'on lui avait assignées et enseignées.

– Ovide, pense donc que la veuve est pauvre raide pis que ses enfants ont pas toujours à manger plein leur ventre.

– J'en ai itou, des enfants, dit Raoul. Pis les veuves dans le besoin, c'est pas ça qui manque dans la paroisse, à commencer par la veuve Lessard...

– Eux autres, les Lessard, ils vont faire de l'argent avec les apparitions de la Sainte Vierge, ironisa Marcel.

Excédé de tout ça, Raoul, se sachant déjà battu, lança :

– Ceux qui sont pour garder Marie Sirois, levez la main.

Les trois autres s'exécutèrent.

– Pis ceux qui sont contre, levez la main, blagua Marcel.

Raoul haussa les épaules et s'en alla, suivi des rires de ses trois frères. Il était midi et cinquante. Dans dix minutes, le sifflet de la manufacture se ferait entendre.

Marie Sirois arrivait à bicyclette. Elle aperçut Raoul et ramassa toutes ses forces pour ne pas baisser la tête et surtout pour le saluer d'un signe de tête. L'homme allait traverser la rue pour se rendre au moulin, mais il se dirigea plutôt vers elle qui appuyait son vélo contre le mur du bureau.

– Une nouvelle travaillante à matin !

– Han han...

– As-tu trouvé ça dur avant-midi ?

– Pantoute, j'ai ben aimé ça.

– Tant mieux pour toi…

Il hésita puis rajouta :

– Pis c'est ben tant mieux pour nous autres itou.

– En tout cas, c'est pas moi qui vas retarder les autres dans la *shop*.

– Ah ! j'ai pas peur pour ça pantoute. Comme tu sais, on a un magasin de meubles et de cadeaux, pis ma femme travaille dedans en plus qu'elle joue de l'orgue à l'église.

– Une femme, quand ça veut, ça peut.

– C'est ça que j'disais à mes frères tantôt.

À l'intérieur, de sa voix chevrotante, Ovide confia aux deux autres et au commis :

– C'était rien que pour se chicaner tantôt. Regardez-le faire de la façon à la veuve Sirois, là, lui, fin finaud qu'il est !

Pit Roy était un vieux garçon qui portait toujours son chapeau sur le derrière de la tête ou bien une calotte légèrement de travers avec la palette cassée vers le haut. Il n'avait apparemment qu'une seule passion : la grande politique, c'est-à-dire provinciale ou fédérale. Les deux députés du comté, les frères Poulin de Saint-Martin, étaient ses hommes à vie. Le docteur Poulin surtout, député indépendant à Ottawa. Mais son idole entre tous les politiciens, c'était Maurice Duplessis. On disait qu'il lui ressemblait, ce qui le rendait particulièrement fier. Et quand il s'endimanchait, il faisait tout pour qu'on l'appelle « monsieur le premier ministre ». Et s'il portait ce maudit chapeau derrière la tête, c'était pour une raison fort simple : la pointure ne lui allait pas et c'était la seule façon de le faire tenir comme ci comme ça.

Il vint prendre place sur un banc en avant du bureau, à deux sièges de Marie Sirois.

– On dit que y a un nouvel homme qui vient s'installer dans la paroisse. Dans le Dix, dans la maison à Polyte Boutin. Je l'ai vu passer en bicycle avant-midi… Il a acheté le bicycle à Jean-Yves Grégoire qui l'avait lui-même revendu au Cook Champagne…

L'homme s'arrêta. Il attendait un commentaire qui ne vint pas. Alors il se forgea un rire fêlé pour dire ensuite :

– Il vient peut-être pour travailler avec nous autres à la *shop*. On est assez de monde comme c'est là… Un de plus, ça voudrait dire un de moins… Ah ! moé, j'ai pas peur pour ma job. Ça fait des années…

Marie ne broncha pas. Dominique l'avait engagée et Raoul venait de l'encourager. Dans l'avant-midi, Marcel l'avait mise à l'aise par toutes sortes de simagrées et grimaces destinées à la faire rire. Et elle avait bien fait ce qu'elle avait eu à faire. Non, elle ne serait pas immolée de sitôt.

– Peut-être qu'ils vont renvoyer Fernand Rouleau, marmonna Pit en retenant les mots par sa main collée sur la bouche.

C'est que Fernand arrivait à bicyclette et aurait pu entendre ce dire désagréable.

Marie ne tourna pas la tête. Elle ne le regardait pas, ne le saluait pas et s'arrangeait pour l'éviter. Il vint s'appuyer contre un gros poteau de lignes électriques s'élevant à quelques pieds du coin de la bâtisse et déclara sans gêne :

– Ben Marie, j'suis ben content de voir que tu travailles avec nous autres. Comme ça, on va moins s'inquiéter pour toé pis tes enfants.

– Y a assez d'occasions asteure, pontifia Pit, que quand une personne veut, elle finit toujours par nourrir sa famille sans le gouvernement pis le secours direct. Même si monsieur Duplessis est ben généreux pour le pauvre monde…

Marie se sentit humiliée par les deux personnages. Et elle n'avait pas envie de parler.

– À Valleyfield, les moulins de coton, ça vire au coton, dit Pit. C'est pas l'ouvrage qui manque depuis qu'on a un bon gouvernement à Québec.

– J'pourrais m'en aller à Montréal, pis j'aurais des jobs de même, enchérit Fernand. Mais c'est la guerre qui a mis le monde à l'ouvrage, pas le gouvernement.

– C'est justement. Les libéraux ont eu de la chance que ça soit la guerre tandis que monsieur Duplessis a repris le pouvoir quasiment à la fin de la guerre en 1944. Depuis six ans... ben disons cinq ans, c'est fini, la guerre en Europe...

Marie frappa son pantalon pour en chasser un résidu de poussière de l'avant-midi. Puis elle rajusta sur sa tête un petit casque de marin qui enfouissait trop peu de chevelure. Qu'importe, chaque soir, elle se la brosserait et chaque samedi, elle se laverait la tête deux fois plutôt qu'une.

Fernand avait le regard perdu. Sa pensée voguait au loin dans la réserve indienne du nord de l'Ontario, où il avait vécu et qu'il avait quittée précipitamment pour revenir au Québec après y avoir commis un crime de viol et de voies de fait sur une femme de la tribu, et avoir de plus battu sa propre femme, une Indienne elle aussi. Il n'entendit pas l'automobile qui arriva très lentement derrière lui et tourna dans la cour de la manufacture, où elle s'immobilisa.

Servile et curieux, Pit Roy se leva et accourut. C'était une voiture de la Police provinciale et l'on connaissait bien l'agent qui la conduisait, un personnage du village voisin du nom de Pit Poulin.

– Salut, Pit, dit Pit.

– Salut, Pit, répondit Pit.

C'est tout ce que Marie put entendre. Et Fernand paraissait toujours dans les limbes. Le grand policier blond descendit de son véhicule et Pit Roy le précéda. Quand Fernand l'aperçut soudain, il devint extrêmement agité, et Marie le remarqua.

Les deux hommes entrèrent dans la bâtisse puis dans le bureau, dont on referma la porte. Ovide, Marcel et le commis changèrent de pièce et il n'y resta que Dominique de ceux de l'assemblée du midi.

Visiblement, Pit Poulin faisait une enquête.

– Je me demande ben quoi c'est qu'il vient faire icitte, là, lui, dit Fernand à voix inquiète.

Deux autres travailleurs étaient assis de l'autre côté de l'escalier. Ils attendaient le signal pour rentrer au travail tandis que le reste du groupe arrivait des deux directions, les uns après les autres.

Marie resta muette. Elle aurait pu le rassurer en parlant d'une enquête possible sur le nouvel arrivant qui s'installait dans la maison à Polyte Boutin ou encore sur les apparitions du cap à Foley, mais elle le laissa se torturer les méninges.

– J'me demande pourquoi c'est faire que Pit Roy est enfermé avec eux autres.

Un homme immensément maigre, au visage parcheminé et à la pipe fumante venait d'arriver de son pas à ressorts. Penché en avant, il dit :

– C'est peut-être un de nous autres qui a fait un mauvais coup.

– Voyons donc, Pit Saint-Pierre, dit Fernand. Y a rien que du bon monde qui travaille à la *shop*.

Pit Roy aperçut Pit Saint-Pierre et lui fit signe d'entrer.

Et alors même que la discussion s'amorçait entre les trois Pit, le sifflet de la manufacture retentit. Fernand fut le premier à obéir au signal. Marie le suivit en souriant intérieurement. Elle savait, elle sentait que cet homme était coupable de quelque chose d'important.

Comme agent de la Police provinciale, Pit Poulin devait couvrir trois paroisses. Il avait reçu pour mandat des plus hautes autorités politiques d'enquêter sans trop de profondeur et de faire un rapport sur l'affaire des apparitions. En entrant dans le village et en apercevant les employés de la manufacture, le policier s'était dit qu'il pourrait obtenir là pas mal de renseignements et d'opinions intéressantes. Pit Roy et Dominique Blais seraient d'excellentes sources. Pit Roy avait jugé bon de faire entrer Pit Saint-Pierre, qui demeurait voisin de la veuve Lessard. En fait, ce n'était pas une enquête méthodique, mais menée à la bonne franquette avec la certitude de résultats plus proches de la réalité.

Quand il eut terminé, Pit Poulin demanda à tous la plus grande discrétion, qui lui fut promise. Et dans les jours suivants, Fernand Rouleau vivrait sur des ronces et des épines. Et Marie Sirois le regarderait souffrir sans grande pitié à son égard…

***

Chapitre 10

Le soleil arrivait à son zénith. Et Germain Bédard, du moins l'homme qui affirmait s'appeler ainsi, atteignait le sommet de la première et plus haute colline qu'avait à franchir le rang Dix avant de le conduire sur un plateau où se trouvait la maison basse des Boutin et la montée menant à celle, haute, du vieux Polyte, ce personnage disparu sans l'être tout à fait.

Il s'arrêta, ôta sa calotte blanche à longue palette verte qu'il s'était procurée le matin même au magasin, la remit sur sa tête, et demeura un moment debout à califourchon sur son bicycle dépourvu de barre transversale, puisqu'il s'agissait d'une bicyclette dite de fille avec pneus ballon. Très dur de monter les côtes avec ça! soupira-t-il en chemin. Comment donc n'y avait-il pas mieux réfléchi avant d'acheter cette bécane? Par contre, cette transaction lui avait permis de connaître mieux les chemins menant à l'âme du Cook, et cela comptait bien davantage que cette sueur perlant à son front et même que la chaleur brûlante courant dans ses veines comme de la lave.

Et pour l'instant, ce n'était pas le point focal de sa préoccupation. Il s'intéressait à une planche de labour dont la terre était gercée, poussiéreuse, fendillée. Certains se plaignaient de plus en plus souvent du manque de pluie. Il avait entendu dire que d'aucuns même pensaient se rendre sur le cap à Foley ce prochain samedi pour offrir à la Vierge des apparitions une dizaine de chapelet de groupe assortie d'un grand appel à la pluie.

Il jeta un coup d'œil sur le contenu du gros panier noir devant lui. Tout parut normal. Au fond, il y avait ses vitres soigneusement emballées dans un veston. Par-dessus, il avait mis une planchette pour supporter la boîte d'épicerie.

Il sourit. Et haussa les épaules à la pensée qu'il avait dû se rendre chez Roland Campeau avant de charger la bicyclette des effets achetés au magasin et dont le transport ne pouvait se passer d'un contenant, pour s'y voir installer le même panier dont Jean-Yves Grégoire avait doté le vélo mais que le Cook avait dévissé et ôté le matin même pour s'en faire rabattre la valeur sur son nouvel achat. Ça s'était monté à trois piastres, installation comprise. À n'en pas douter, cet Eugène Champagne marchait, en fait pédalait, sur le chemin de la richesse. Mais il lui semblait évident aussi que ce garçon aimait sans l'avouer cette Rachel éplorée. Comment donc arriverait-il à marier son amour de la jeune fille à celui de l'argent ? Quelle âme intéressante à surveiller, à scruter !...

L'homme regarda la route gravoiteuse devant lui et se remit en selle. Le bruit caractéristique du gravier qui se fait écraser, compacter sous les pneus servit alors d'accompagnement à un fredonnement étrange et saccadé qui émana de sa gorge profonde, quelque chose qui ressemblait à un chant indien incantatoire...

Au-dessus de la troisième et dernière colline, il vit la maison des Boutin, et pas très loin, il tourna dans la montée conduisant au bois. Il ferait le reste à pied à côté de la bicyclette pour ne pas risquer de frapper une pierre perdue et de verser. Au bout de vingt, trente pas, il tourna brusquement la tête vers la maison. Aux fenêtres, des regards reculèrent. Un chien malin jappa au loin. L'homme s'arrêta, rajusta sa calotte, promena son regard sur les environs, surtout sur le foin immature recouvrant les prairies immobiles du cultivateur. La récolte s'annonçait bonne… et le serait sans doute, à moins que la bienveillance du soleil ne se transforme, comme le craignaient déjà d'aucuns, en un petit feu vicieux sans flammes, qui gèlerait les racines des plantes dans un sol trop sec et en brûlerait les tiges jusqu'à leur extrémité, suçant le meilleur pour le transformer en poussière.

L'homme se remit en marche en se félicitant d'être venu s'installer en un lieu aussi fertile où les cœurs se livreraient sans méfiance pourvu que lui « puisse voir comme il faut sans être trop vu »…

De chez lui, Georges le surveillait, attendant qu'il disparaisse derrière le feuillage des aulnes pour le suivre et lui vendre ses services, comme il avait été quasiment convenu la veille.

Rendu à la maison, l'étranger appuya son vélo contre le mur et entra. Sa première tâche fut de jeter par une fenêtre tout ce qui traînait à l'intérieur. Il achevait lorsque Georges se présenta dans la porte en s'exprimant avec son éternelle patate chaude en bouche :

– J'sus venu pour vous aider, comme on l'avait dit. J'ai mon sac d'outils pour poser les vitres. Pis des fournitures, tout' c'est qu'il faut…

– Entrez, entrez, entrez, chantonna Bédard. Le père Polyte va mieux m'accepter dans sa maison si c'est de sa parenté qui m'aide à m'introduire pis qui met la main à la pâte pour la réparer.

– Ah ! vous serez pas le premier après lui à vivre icitte. Comme je vous le disais, y a eu des mobilisés le temps de la guerre qui se sont cachés là-dedans. J'ai couru les avertir une couple de fois que la police militaire rôdait dans les environs.

Le travail alla bon train, et chaque fois que Georges voulait faire parler l'autre sur lui-même, l'étranger détournait le propos vers son interlocuteur, sa famille, les gens de sa paroisse.

Du Cook Champagne, il apprit ce qu'il savait déjà ; de Rachel Maheux, qu'elle pourrait entrer au couvent si son fiancé ne reparaissait pas ; de Jean-Yves Grégoire, qu'il souffrait d'un problème mental hérité de son côté maternel ; du curé, qu'il était un personnage solide comme le roc et paternaliste comme le Bon Dieu ; des Bureau, qu'ils faisaient partie de la haute gomme du village ; des Bilodeau, qu'ils fréquentaient aussi bien les plus riches que les plus pauvres ; de Marie Sirois, qu'il ne connaissait pas, qu'elle était une misérable meurt-de-faim marquée par un destin tragique.

– Et madame Rose Martin, vous la connaissez bien ? demanda-t-il tandis que chacun posait du mastic dans des fenêtres voisines.

– Ouais… comme n'importe qui du village ou ben de la paroisse.

– Une belle personne ?

– Ah ! ça, oui, mon ami ! Ben potelée à part de ça.

– Vous aimez ça rond, vous ?

– Ah ! oui ! Ah ! oui ! Ben rond comme du pain de ménage.

– Mais c'est juste pour parler, là, vous. D'abord que vous êtes marié et père de famille.

– Ça va tu seul ! Mais on a des yeux pour voir…

Et Georges éclata de son rire endormant.

Puis on parla des foins qu'il faudrait bientôt faire.

– Si vous voulez, j'aimerais y travailler deux ou trois jours.

– J'ai du monde en masse pour ça… avec ma trâlée de grandes filles, là…

– Je ne vous chargerai rien, pas une vieille cenne noire. Et ça m'empêchera pas de vous payer votre temps quand j'aurai besoin de vos services, si jamais ça arrive. Non, c'est que j'ai jamais travaillé aux foins de ma vie parce que je restais dans une ville. Mais j'aurais ben aimé ça juste pour… sentir les odeurs.

– Vous allez trouver ça pas mal poussiéreux. Pis on travaille toujours au gros soleil écrasant.

– Le soleil, moi, j'ai pas de misère à endurer ça.

L'étranger leva la tête, son attention attirée par une présence humaine dehors. Il vit s'approcher deux jeunes filles, l'une brune de pas beaucoup plus que vingt ans, et l'autre blonde de pas beaucoup moins. Rondes. Portant chacune un chapeau de paille dont s'échappaient leurs cheveux longs. Des robes en coton fleuri, imprimé de jacinthes miellées.

– Tiens, dit Georges, les filles qui viennent me porter mon marteau. C'est rare que j'oublie pas quelque chose…

En effet, la plus vieille avait l'outil en main. Tout ça faisait partie d'une entente tacite comme il s'en concluait souvent entre gens de cette famille. L'homme avait oublié exprès son marteau qu'il avait laissé à la vue à la maison, sachant que ses curieuses de filles viendraient le lui porter. Comme sa femme, elles étaient fort intriguées par ce bizarre personnage désireux de vivre dans le bois dans une maison grise abandonnée et peut-être hantée.

Et puis leur père en avait pas mal à distribuer, des filles, et le Dix était un petit rang à seulement cinq maisons, dont pas une encore ne possédait de jeunes gens à marier. Il devait donc leur aider, à ses filles, à regarder ailleurs.

– Papa, c'est nous autres, dit une voix chaude par la porte. On vient vous porter votre marteau.

– Rentrez… venez connaître notre locataire…

– On est venu pour porter le marteau.

L'étranger se rendit à la porte. Il les invita lui-même à entrer. Elles obéirent, confuses, intimidées. D'emblée, il les trouva toutes deux plutôt jolies et grava les visages dans sa mémoire pour étude ultérieure plus approfondie.

– Ça, c'est deux de mes filles, mes plus vieilles, Solange pis Simone. C'est monsieur Bédard qui vient de…

– Arthabaska…

– Pis qui travaille de son métier…

– Sans emploi pour jusqu'aux neiges…

– Bonjour ! firent les jeunes filles en chœur.

Et leurs regards nerveux se mirent à se promener sur la pièce qui paraissait déjà plus vivante avec son plancher débarrassé de son désordre.

– On aurait dû emporter un balai avec nous autres.

– Ben… retournez en chercher un, dit leur père.

Elles se regardèrent. Bédard pensa qu'il vaudrait mieux les diviser en dépêchant l'une à la maison et en gardant l'autre pour aider.

– Je vous engage toutes les deux pour tout l'après-midi. Toi, Simone, tu vas retourner à la maison. Ou toi, Solange… Tiens, on va tirer ça à pile ou face.

Il sortit une pièce. Le sort désigna Solange pour servir de commissionnaire. On lui demanda d'apporter des guenilles et un plat pour mettre de l'eau.

Au moment de la location, les deux hommes avaient discuté du problème de l'eau courante et de l'électricité. L'électrification rurale ne datait que de deux ans et il aurait fallu planter trois ou quatre poteaux le long de la digue de roches de la montée pour amener des fils électriques. Trop coûteux pour le temps qu'il serait là, avait dit l'étranger. Quant à l'eau, il ne manquait qu'une pompe à bras raccordée à un tuyau d'amenée déjà là et qui jadis acheminait dans la cave l'eau d'un puits situé derrière la maison. Georges avait toujours dans son hangar la vieille pompe ôtée au départ du dernier occupant, mais Bédard préférait en acheter une neuve à la ferronnerie du village voisin où il se rendrait avec le Blanc Gaboury un de ces jours prochains.

En attendant de l'avoir et de l'installer, on pourrait toujours puiser de l'eau dans le puits en y plongeant un seau retenu par une broche à clôture. Mais on n'avait même pas de seau et Simone cria à Solange, qui s'en allait déjà, d'en rapporter un avec elle.

– Ramène une chaudière à graisse de vingt livres.

– Et on lui fait faire quoi en attendant sa sœur ? dit Bédard à Georges, mais aussi à la jeune fille indirectement.

Simone le regarda. Elle fit une moue, mais ne brava pas son regard insistant.

– Pas de chaudière, pas de plat, pas de guenilles, pas de balai, on peut pas faire grand-chose, nous autres, les femmes.

– Tu peux nous aider à poser des vitres, dit son père. T'as les doigts fins pis habiles quand tu veux.

– Certain, je l'ai déjà fait !

Et sans attendre, elle se pencha, se prit un gros morceau de mastic à même le paquet posé à terre et commença à le manipuler avec fermeté et délicatesse sous le regard intéressé mais insondable de l'étranger…

***

Chapitre 11

Le temps se graissait. De chez le Cook, par la fenêtre, on pouvait apercevoir au fond de l'horizon l'église de Saint-Évariste et au-dessus, mais à des dizaines de milles, des nuages noirs que zébraient parfois des éclairs silencieux.

Le jeune homme regarda sa montre. Il avait le temps de se rendre au village grâce à sa nouvelle bicyclette, bien plus rapide que l'autre, la précédente, dont il aimait penser qu'il s'en était débarrassé non seulement à bon compte mais avec un profit intéressant.

Il avait fricoté du manger pour son père et ses frères. Qu'on se serve au besoin, lui, il reviendrait dans une heure ou deux. Il allait se plaindre à Roland Campeau de ce que les poignées du vélo neuf auraient dû être parfaitement alignées avec la fourche et les tubes du châssis tandis qu'elles déviaient du plan. Peut-être que cela lui vaudrait une surremise, qui sait. Mais surtout, il avait affaire à Freddy Grégoire et se rendrait au magasin ensuite…

Une puissante voix le suivit par la porte menant à l'extérieur :

– Va mouiller à siau que ça sera pas trop long, là, toé…

– J'aurai moins besoin de me laver…

Il mit des serres autour de ses pattes de pantalon et enfourcha son vélo blanc et rouge qui brillait malgré l'absence de soleil. Avant de se mettre en route, il regarda une fois encore l'horizon menaçant. La côte des Talbot fut aisée grâce aux pneus fins et aux trois vitesses du pédalier. Ensuite, il donna quelques coups de pédale et se laissa emporter dans la longue descente vers le village, cœur joyeux sous son paquet de tabac à rouler…

Et il se sentit fier de lui-même quand il aperçut Fernand Rouleau à une fenêtre puis les enfants à Marie Sirois. On admirait son vélo nouveau, donc lui aussi forcément, qui en était l'heureux propriétaire.

Personnage timide à la voix faible et peu sûre, il était facile de lui parler, à Roland Campeau, de négocier avec lui, d'en tirer le maximum. Au fond de lui-même, le Cook se croyait meilleur barguineux que lui, et les deux récentes transactions de bicyclettes le démontraient bien. Il tourna dans la cour, appuya son vélo contre le mur du garage où travaillait le jeune commerçant et entra par la porte grande ouverte.

Roland l'entendit marcher sur le ciment et se détourna d'un établi pour dire avant même que son visiteur n'ait eu l'occasion d'ouvrir la bouche :

– L'homme que je voulais voir aujourd'hui… Viens donc, j'ai quelque chose à te montrer.

Campeau rajusta ses lunettes puis marcha vers la porte donnant sur l'arrière de la boutique. Une fois le seuil franchi, il resta un moment devant son client puis fit un pas de côté et lui offrit l'image d'une vieille automobile grise.

– La connais-tu ?

– Certain, c'est le bazou au père Thodore Gosselin.

– Bazou ! Bazou ? Quasiment pas d'usure, tu sais ça.

Le Cook haussa les épaules et il émit un bref rire nerveux. Il lui fallait lever le nez sur la chose :

– Un vieux modèle en maudit. Une quoi, 1930, guère plus…

– Chevrolet 1929. Je l'ai achetée après-midi. Je peux te la vendre à soir…

Eugène fit claquer un long rire faux.

– J'ai un bicycle neuf, je ferais quoi avec un vieux char de même, moé ?

– C'est la chance de ta vie. Le char est en ordre comme un neu' pis je te le vends le prix d'un bazou.

– Va donc voir Arthur Quirion ou ben Clodomir Lapointe avec ça.

– Sont déjà greyés, eux autres.

– Pis moé, tu voudrais m'atteler avec ça.

– Tu commerces de la râche, tu commerces des objets de piété, t'as besoin d'un char. Tout ce que tu peux mettre là-dedans. Tu pourrais monter à Québec, plus besoin du taxi Roy. Tu pourrais aller à Saint-Évariste, plus besoin du Blanc Gaboury…

– C'est un char qui dépense, ça. Du gaz, c'est pas donné de nos jours ! C'est rendu à vingt-huit cents le gallon. Pis à ce prix-là, c'est du jaune, parce que le rouge est encore plus cher, hein !

– Assis-toi dedans.

Roland ouvrit la portière.

– C'est dangereux, ces portes-là qui ouvrent par en avant. Si ça ouvre sur le chemin, le vent poigne là-dedans pis ça vire à l'envers pis peut-être ben toé avec.

– Embarque, embarque…

– Pouah ! C'est pas ça qui va me le faire acheter.

Et Eugène s'assit gauchement derrière le volant.

– Le père Thodore, on lui voyait quasiment juste la tête quand il passait.

Et c'était pareil pour le Cook lui-même, qui toutefois ne s'en rendait pas compte.

Roland sentait que l'autre mordait sans même s'en apercevoir. Pas encore du moins. Il fit le misérable.

– Je parle de te le vendre comme ça, mais dans le fond, j'en ai pas trop envie. Je l'ai eu pour une chanson. Cent cinquante piastres. Le père Thodore, il s'est acheté une Pontiac flambant neuve de quasiment deux mille piastres.

– Il va la promener, sa bonne femme, avec ça… Ah ! y a pas de soin, le bonhomme, il a de l'argent, ça y sort par les oreilles. C'est un vieux bonhomme proche de ses cennes en maudit, hein !

Roland sourit d'entendre ces mots dans la bouche du Cook.

– Ah, si j'avais pas déjà ma Mercury 1947, moi, je la garderais. Y a aucune pourriture après. Le père Thodore, il traitait ça comme un enfant. Ça a quasiment valeur d'antiquité. Dans dix ans, ça va pouvoir se vendre aux Américains le prix d'une neuve. Non, mais te vois-tu en 1960, changer ça pour une Pontiac flambant neuve avec pas une cenne de retour…

– Parlant de retour, serais-tu prêt à racheter mon bicycle au même prix qu'à matin ?

– Certain, mon ami, certain…

– J'suppose que tu vas me demander deux cents piastres au-dessus…

– Je l'ai payée cent cinquante ; je te la vends cent soixante-quinze, pour dire que je me prends un petit profit. Pis ton bicycle, je le reprends au même prix.

Le Cook émit un rire de doute. Il se tourna sur le côté sans sortir de l'auto et sortit son paquet de tabac en disant :

– Ça vaut ben une rouleuse, hein !

Roland sortit vivement son paquet de Player's et en offrit une toute faite en disant :

– Aujourd'hui, faut se moderniser pis aller vite ! Avec un char de même, tu vas sauver du temps à plein. Pis le temps, ben c'est de l'argent en maudit.

Eugène se laissa allumer.

– Y a une odeur de vieux là-dedans…

– Ça, tu mettras du parfum… Va voir madame Rose, elle en a du bon.

Eugène rit nerveusement et laissa échapper :

– Je te donne cent soixante piastres pis tu me donnes les clés.

– Je savais que ça t'intéresserait pas. Tu me fais une offre que je peux pas accepter. Ça voudrait dire que je commerce sans faire de profit. Ferais-tu ça, toi ?

– Ben non, ben non… Je l'achète à cent soixante-quinze si tu reprends mon bicycle au prix d'à matin. C'est ça ma condition.

– Fais comme tu voudras, mais tu devrais le garder, le bicycle. Ça pourrait te servir quand même. Des fois tu pourrais sauver du gaz au lieu que de toujours prendre ton char. Pis tu pourrais le louer.

– Quant à ça…

Eugène expulsa une longue poffe et jeta :

– Mais j'ai pas d'argent sur moé pour te payer ça à soir.

– On va signer un papier, ça va être assez pour à soir, pis tu viendras me payer ces jours-citte…

– J'sais ben pas c'est que le père va dire de me voir partir en bicycle pis arriver en bazou.

– C'est un char honorable pis vénérable, mon ami, pas un bazou pantoute, ça.

– On pourrait signer ça demain, le papier.

Roland força la vérité :

– Si tu changes d'idée pis si je perds la vente… Si tu veux signer demain, faudra que tu le prennes demain. Pis à soir, j'aime autant te le dire, j'attends le nouveau venu à qui c'est que t'as vendu ton vieux bicycle. Il est venu se faire poser un panier, mais le char, ça le tentait pas mal… Pour lui, venir au village quand il va mouiller comme ça s'annonce…

– Je pensais que tu l'avais eu rien qu'après-midi, le char à Thodore.

– Ben… sur le coup du midi, vois-tu… Coudon, t'as déjà mené ça, un char, toi ?

– Ben sûr !

– Il te reste à signer le contrat…

– OK, d'abord, je vas te signer ça… L'étranger, il est même pas capable de signer son nom, lui.

– Ouais, il m'a dit ça, mais ça me surprendrait pas mal. Il a la tête assez meublée, on dirait.

– Pourquoi c'est faire qu'il se vanterait d'être cruche ?

– C'est justement ce que je me suis dit, moi. Mais… y a toutes sortes de monde dans le monde.

Le Cook devint songeur. Il cracha du bout de la langue un fil de tabac que lui avait laissé sa Player's sans filtre.

Une demi-heure plus tard, il se mettait au volant de la Chevrolet 29, bicyclette entre les deux sièges, sourire entre les lèvres, chaleur entre les fesses, rouge entre les oreilles, flammèches de bonheur entre les yeux.

Souventes fois, durant le processus de vente, il avait pensé à Rachel, qu'il pourrait reconduire au village ou bien inviter au théâtre le moment venu… Et c'est le cœur chaviré qu'il prit la route, les deux mains sur le volant et le regard rivé sur le macadam.

Il s'arrêta devant le magasin général, sur la gauche du chemin, comme le faisait toujours Blanc Gaboury. Et il entra en se dandinant après avoir jeté un coup d'œil rapide sur la maison des Maheux sans y voir Rachel qui, comme souvent, restait enfermée dans sa chambre.

C'est avec surprise que Freddy, à travers ses lunettes et la vitrine, l'avait vu émerger de l'auto à Thodore.

– Tu t'es greyé d'un char, constata le marchand, l'œil rieur.

– Bah ! quand on fait de l'argent, faut ben le dépenser.

– J'ai su que Thodore en avait acheté un flambant neuf.

– Le bonhomme est riche comme…

– … Le roi Midas !

– C'est ça.

– C'est que j'peux faire pour toé à part de ça ?

– Me louer un espace.

– T'as pas besoin d'une place pour un cheval d'abord que t'as un véhicule automobile. Pis si tu veux le parquer, ton char. Dans la cour du hangar, c'est gratis.

– Je veux un espace sur le cap à Foley pour vendre des petits articles religieux. Le vicaire est d'accord.

– Tu l'as déjà fait pis je t'ai pas chargé une maudite cenne.

– Seulement, je voudrais payer pour une place.

– Ben là, laisse-moé te dire que tu me fais tomber en bas de ma chaise. Tu veux me payer ce que je t'offre pour rien en toute. Tu t'achètes un char. J'pensais pas que t'avais une nature de gaspilleux. T'es-tu fait piquer par une guêpe, le Cook Champagne ?

– J'voudrais un espace assorti d'un droit d'exclusivité de vente. Pis je vous donne dix piastres par semaine. En espèces sonnantes.

Il posa un papier sur le comptoir.

– Regardez ça, tout est écrit là-dedans.

– Je peux te donner l'exclusivité si ça te fait plaisir, pis l'espace que tu veux, mais j'te chargerai pas une maudite cenne plus pour ça.

– J'aimerais autant payer. Les bons comptes font les bons amis. Vous me signez ça, pis je vous donne dix piastres chaque semaine que y aura des apparitions pis que je ferai des ventes sur le cap.

Freddy prit son crayon sur son oreille et signa sans voir en disant à travers un rire étouffé :

– Tout un Cook, toé… J'voudrais voir ceux-là qui disent que t'es rien qu'un torrieu de fesse-mathieu…

Quand ce fut signé, ils se dirent quelques mots encore puis le marchand annonça qu'il allait prendre son repas du soir. Ti-Noire le remplacerait un bout de temps, ce qui plaisait fort à Eugène.

Il se rendit à la porte d'entrée du magasin et regarda tout d'abord son auto puis la maison des Maheux, où il aperçut dans une véranda du deuxième étage une silhouette qu'il reconnut : c'était Rachel qui s'y berçait en regardant passer les automobiles et les camions sur la rue principale. Son cœur ne fit qu'un bond, mais il se comporta comme s'il n'avait rien vu, se demandant si c'était pareil pour elle.

Elle ne le vit pas, surtout ne s'imaginait pas que l'auto appartenait à ce fatigant de Cook Champagne, qui avait heureusement fini par comprendre de la laisser tranquille.

Une voix douce le fit sursauter :

– T'es un petit qui, toi ? blagua Ti-Noire, qui arrivait derrière lui, bras croisés et regard espiègle.

– Salut, toé, comment ça va ? Viens voir ma nouvelle minoune. Le char du père Thodore Gosselin, je viens de l'acheter de Roland Campeau. Il m'a vendu ça pour des *peanuts*…

– J'espère ben parce que le père Thodore lui a vendu cinquante piastres. Il avait de la misère avec, elle voulait plus partir la moitié du temps.

Ti-Noire regretta aussitôt ce qu'elle avait dit et que Freddy savait aussi mais s'était abstenu de révéler au jeune homme. Et elle reprit :

– Non, non, c'est des farces.

Le Cook éclata de rire.

– Fais-moi pas des peurs de même !

– Pis comment ça va, toi ?

– Sur des roulettes.

– C'est tant mieux.

– Pis toé ?

– On s'inquiète pour Jean-Yves, mais quoi veux-tu ?

– Pis toé personnellement, là ? Sors-tu encore avec ton petit Américain ?

– Jamais sorti avec un Américain. Celui que t'as vu à la cabane des Maheux, c'était un visiteur pas plus.

– Connais-tu le nouveau qui est arrivé dans la paroisse ?

– Jean Béliveau ?

– Non, non, l'autre…

– Bédard… Ben oui, il est venu avant-midi se faire tailler des vitres pis acheter des effets.

– Comment tu le trouves ?

– Ben… assez curieux, hein !

– Sait ni lire ni écrire, pis il a pas l'air de ça, hein !

– C'est vrai qu'il a pas l'air de ça. Comme dirait papa, faut pas se fier aux apparences.

Ils se parlaient face à face et Rachel, de son perchoir, pouvait les apercevoir de profil. Son premier mouvement à voir qu'il s'agissait du Cook avait été de s'en aller puis elle s'était ravisée. Elle n'avait pas à changer sa vie, pas à changer un iota de son existence à cause de ce monsieur…

Elle regarda un moment dans une autre direction en tâchant de chasser aussi bien l'image du Cook que celle de son fiancé disparu, tout autant que celle de son cavalier du temps des fêtes, Laurent Bilodeau. Et elle songea à ce très mystérieux personnage venu habiter Saint-Honoré pour une raison tout aussi obscure que sa personne et ses agissements.

De la véranda, elle l'avait vu venir à la boutique de forge, ce matin-là, pour se prendre un bout de planche et de la broche afin d'installer ses effets dans son panier. Il l'avait saluée de la main en passant près de la maison, mais par un geste si exceptionnel, une sorte de salut à la mousquetaire ou... à la Casanova, qu'elle l'avait imaginé en personnage de théâtre, en Scaramouche ou en bourgeois gentilhomme. Encore qu'il lui soit apparu plutôt gentillâtre que bourgeois...

Tout en jasant, le Cook se roula une cigarette qu'il alluma. On se parla des apparitions, des rumeurs d'enquête sur la question, d'une possible déclaration par l'archevêque.

– Moi, je crois que ça se peut, dit Ti-Noire. Toi?

– Moé, je dis tout le temps «pourquoi pas?» Nos enfants valent ben ceux de Fatima.

– C'est justement...

Et la jeune fille se mit à rire en même temps qu'elle touchait le jeune homme au bras. Il en fut remué. D'un côté, il ne voulait pas que Rachel pense qu'il faisait la cour à Ti-Noire, mais d'autre part, il espérait que cette attitude la dérange et la fasse réagir en sa faveur.

Le temps était venu, croyait-il, de s'en aller. Il salua et sortit. Sur le perron, il regarda à gauche et à droite puis fit semblant de voir Rachel pour la première fois. Et il lui adressa un signe gauche avant de monter dans sa voiture qu'il fit aussitôt démarrer.

La jeune fille se dit qu'il s'était acheté une *machine* et qu'il cherchait à se faire voir...

Il embraya, tourna le volant pour faire demi-tour par la cour des Maheux mais, relâchant trop sèchement la pédale, le moteur étouffa et la voiture s'arrêta en travers, au beau milieu de la rue. Le jeune homme tenta à maintes reprises de remettre en marche mais sans succès; et les passants n'eurent d'autre choix que de le contourner.

La pluie approchait à grands pas et le temps s'assombrissait à chaque seconde. Il lui fallut descendre, s'arc-bouter et pousser le véhicule par le côté tout en le dirigeant par le volant. Une tâche rude qui le fit rougir. Ti-Noire sortit et vint pousser en riant. L'auto dut être laissée dans la cour des Maheux. À nouveau, il essaya de faire tourner le moteur mais en vain. Alors il sortit sa bicyclette et partit vers chez lui.

Rachel riait. Retournée sur le perron, Ti-Noire lui fit des signes de la main et l'autre ouvrit une fenêtre.

– Le Cook, il s'est fait avoir avec le bazou du père Thodore Gosselin.

– Il doit ben avoir le feu au cul.

– En plus qu'il va se faire mouiller en s'en allant.

De gros grains de pluie, lourds comme des clous, commençaient à tomber.

En pédalant comme un fou, Eugène pestait contre l'étranger venu s'installer dans la paroisse. Sans ce Bédard de ses deux fesses, il n'aurait pas vendu son bicycle. Et il n'en aurait pas acheté un neuf. Et il ne serait pas allé chez Campeau. Et il ne se serait pas fait fourrer avec un bazou moribond.

***

Chapitre 12

« Pourquoi c'est faire que t'as donc loué la maison à un parfait inconnu ? » avait dit et répété à son mari la femme de Georges, une grasse personne qui posait toujours ses poings roulés sur ses hanches pour parler et exprimer mieux son autorité fière.

« Ben arrange-toé pour l'emmener souper pis je vas l'avertir moé-même que si quoi que ce soit arrive de pas chrétien, il va se faire sacrer dehors, pis par Pit Poulin si faut… »

Georges n'avait pas eu besoin d'insister. Après que le soleil se soit caché derrière une couverture nuageuse épaisse, que l'éclairage du jour se soit considérablement amenuisé sous les arbres, que l'on ait entendu les premiers grondements de l'orage fort lointain, Simone et Solange furent dépêchées auprès de leur mère pour lui annoncer qu'il y aurait un invité à table pour souper.

La femme s'y était déjà préparée en doublant la quantité de gibelotte au mouton concoctée à partir des restes d'un gigot copieux qui avait fait les délices de sa tablée le dimanche précédent, et qu'elle avait conservé dans la glacière, une pièce jouxtant la maison dans laquelle de la glace en gros cubes enfouis dans du bran de scie durait jusqu'au mois d'août.

– Ton bicycle, tu peux le mettre là, à côté de la glacière. Y a personne qui va y toucher, dit Georges à Bédard, qui fit comme proposé.

Il ressentit de la fraîche venir du mur. L'ayant exprimé, son hôte lui parla de la glacière et de sa grande utilité. Elle allait parfois, mais pas très souvent tout de même, jusqu'à servir de salle à manger certains midis de chaleur excessive.

– Les plus jeunes aiment ben ça, quand on mange là-dedans.

– Y a toujours un côté excitant à briser des accoutumances, c'est bien certain.

– Tu parles donc comme un livre ouvert.

– J'ai pas pris ça dans les livres étant donné que je sais pas lire.

– Arthabaska, c'est pas le pays de Sir Wilfrid Laurier, l'ancien premier ministre du Canada ? Il doit y avoir des grandes écoles par là…

– Moi, j'ai fini en troisième année, pis j'étais pas capable d'écouter les maîtresses comme il faut, ça fait que…

– Y a ma fille Solange qui va à l'École normale pour faire une maîtresse d'école. Elle pourrait peut-être t'aider…

– Elle se ferait la main, comme on pourrait dire.

– C'est justement !

L'étranger regarda les collines boisées qui bouchaient l'horizon de l'autre côté du rang. Elles avaient le dos rond et sombre, donnant l'air de bêtes accroupies et résignées devant la venue de l'orage. Le tonnerre gronda. Les yeux de l'homme brillèrent.

– Rentrons donc tu suite, d'abord que y a envie de commencer à mouillasser.

– J'aurais mieux fait de monter au village avant l'orage.

– Tu monteras plus tard.

– J'ai pas de dynamo après mon bicycle. Le Cook a tout ôté, l'animal, lui. Monter de noirceur, va falloir que je marche à côté…

– Je te prêterai un fanal… Mais le mieux de tout', tu resteras à coucher chez nous.

Georges gravit les trois marches de l'escalier et souleva son chapeau brun cabossé pour lisser sa chevelure sur sa tête humide.

– Vingt-huit juin 1950, une journée que j'sus pas prêt d'oublier.

– Bon, et comment ça ? demanda Bédard qui s'était arrêté au pied de l'escalier.

– J'sais pas, il m'semble que c'est une journée pas comme une autre...

– Sont toutes différentes.

– Quant à ça...

La porte s'ouvrit brusquement et une voix autoritaire jeta dehors :

– Rentrez, vous autres, là, avant que le tonnerre vous tombe sur la tête !

Bédard ne vit pas la femme restée en retrait mais il l'imagina en montant l'escalier. Et quand il fut dans la cuisine à se faire présenter par Georges, il se rendit compte qu'il ne s'était pas trompé. Il avait devant lui la grosseur et la taille de personne que la voix annonçait, l'épaisseur de sourcils que le ton disait, l'accoutrement que les mots laissaient deviner.

Debout, au milieu de la place, dans sa robe fleurie et des bas roulés sur ses chevilles, la femme dont l'âge pouvait être évalué quelque part entre 35 et 50 ans regarda l'étranger droit dans les yeux et attendit tant que Georges ne l'eut pas présenté.

– C'est lui, monsieur Bédard, notre nouveau locataire.

– Madame Marie-Ange, la mère de huit filles, dit Bédard en saluant d'un geste de la main.

– Il vous a déjà tout dit ça, lui, le placoteux. Il vous aura dit itou que j'sus disputeuse. Ben c'est vré pis c'est comme ça que ça va rester...

L'homme promena son regard sur la pièce. Il aperçut un gros poêle luisant avec un grand chaudron dessus, une table mise et quatre fillettes assise autour, une chaise haute avec un bébé qui devait certes marcher, tt beaucoup d'objets de piété sur les murs et sur les tablettes : du rameau tressé, une croix noire de tempérance, une statue de la Sainte Vierge, une image sainte encadrée, un grand chapelet brun, qui devait avoir appartenu à quelque religieuse morte ou défroquée, et deux petits vases jaunes contenant des chandelles, posés devant une horloge à balancier à chiffres romains.

– Pis ça, c'est nos enfants, à part de ceuses que vous connaissez déjà pis qui sont en haut… Pis il manque la Yvette. Elle est toujours tu seule dans son coin, celle-là… Là, vous pouvez vous assire au bout de la table. C'est la place à Georges. Pis toé, Georges, tu vas t'assire là, à côté d'Huguette. Tasse-toé, Jeannette, tasse-toé d'une place vers Denise. Louisette, bouge pas…

Bédard tâchait de mémoriser les prénoms et les visages, de les caractériser, de les imprimer afin de pouvoir les fouiller plus tard, de pénétrer au-delà de la carapace charnelle.

Marie-Ange fit deux pas et poussa la chaise haute en disant :

– C'est notre bébé. Suzanne, qu'elle s'appelle. Toutes des filles comme vous pouvez voir. Huit enfants, huit filles : ça arrive une fois sur dix mille familles, il paraît. En tout cas, c'est ça que le curé Ennis nous a dit quand on a fait baptiser la dernière v'là deux ans. Hein, Georges ?

L'homme était à suspendre son chapeau à un crochet d'acier près de la porte. Il approuva :

– C'est ça, ouais…

– Ben retardez pas, assisez-vous.

Et pendant que tout le monde s'attablait, la femme se rendit au poêle où elle mit son nez dans son chaudron.

– On a de la fricassée de mouton, mangez-vous de ça ?

– As-tu des pétaques à l'éplure, sa mère ?

– Voyons donc, on mangera toujours pas du chiard de mouton pas de pétaque pour aller avec.

Les fillettes se regardaient sagement les unes les autres, intimidées par leur mère comme toujours, mais surtout par cet homme, dont on ne faisait que parler depuis la veille.

Marie-Ange revint à la table et se pencha derrière le visiteur. Elle prit son assiette en disant :

– Vous aimez ça, toujours, du mouton, là, vous ?

– Pourquoi pas du mouton ?

– Parce qu'il est frais de samedi passé. On a acheté ça de Boutin-la-viande qui passe par les portes toutes les semaines. Je l'ai fait cuire la même journée. Ensuite, on l'a gardé dans la glacière…

Avant de retourner au chaudron, elle cria en regardant le plafond :

– Les filles, descendez souper, vous autres.

Puis à l'étranger :

– Paraît qu'elles ont fait de la belle ouvrage chez vous après-midi. Elles m'ont dit ça en revenant…

– Envoye, sers-nous, dit Georges.

– Dans deux ou trois jours, avec de l'aide comme ça, je vas être prêt à m'installer pour de bon dans la maison, dit Bédard en regardant l'une après l'autre Jeannette, Huguette et Denise alignées de l'autre côté de la table longue.

– C'est ben tant mieux ! chanta Marie-Ange.

Quelques instants plus tard, la plupart étaient servis de fricassée et les mains pigeaient dans un plat de pommes de terre en robe de chambre. Et les grandes filles, suivies d'une fillette de cinq ans, descendaient dans l'escalier, redevenues timides et réservées, car elles avaient beaucoup ri ensemble au cours de l'après-midi dans leur entreprise de ménage. Bédard se montra discret et ne leur jeta qu'un simple coup d'œil et un sourire fugitif.

Le tonnerre se rapprochait. Il faisait de plus en plus sombre. Marie-Ange demanda à Simone « d'allumer la lumière » et la jeune femme se rendit à la porte près de laquelle se trouvait le commutateur qu'elle tourna. Une ampoule jaune brilla au-dessus de la table, colorant la pièce en une sorte de mezzo-tinto, qui eut pour effet de modifier aussitôt les ondes circulant.

– Il s'en prépare toute une, dit Bédard à voix forte et peu rassurante.

– Ça va faire pousser le foin pis tout c'est qu'on a semé, opina Marie-Ange, qui mangeait tout en s'inquiétant moins du temps qu'il allait faire que de ce que l'étranger venait faire dans leur bois et leur maison.

– Allez-vous rester longtemps par icitte ?

– Jusqu'aux neiges, jusqu'à Noël, ça va dépendre.

– De votre ouvrage ?

– De l'imprévu…

Elle reprit :

– C'est pas qu'on veut se mêler de vos affaires, mais on voudrait savoir à qui c'est qu'on a affaire. Vous avez droit à vos secrets, mais le métier d'un homme, c'est ça qui nous en donne la meilleure idée, qui nous dit un peu quelle sorte de confiance qu'on doit lui donner… Ça nous rassurerait de savoir…

La mère ne put finir sa phrase. Un éclair blanc fut perçu et le terrible claquement d'un coup de tonnerre suivit une fraction de seconde après. Et la lumière s'éteignit, revint puis s'éteignit à nouveau. On ne se voyait quasiment plus qu'en ombres chinoises autour de la table. Suzanne se mit à rechigner dans sa chaise. Simone se leva en disant qu'elle allumerait les cierges de la tablette de l'horloge. Bédard la regarda faire qui s'étirait, une flamme au bout des doigts, la ligne de la poitrine bien accusée, la chevelure fraîchement brossée flottant sur ses épaules.

Chacun se remit à son alimentation malgré le malaise général. Quand elle se retourna pour revenir à sa place, Simone hésita un moment. C'est que son regard croisait celui de l'étranger et qu'il lui semblait y déceler les ondes d'un être déréel, autistique, et les ombres du deuil. Des yeux d'absence, des yeux d'un autre monde.

La pluie drue s'abattait par rages sur la maison, cognant dans les vitres, tambourinant sur les murs de bardeaux, et les éclairs se succédaient, amenant avec eux des éclatements secs et cinglants comme des coups de fouet géants qui n'avaient plus grand-chose à voir avec le tonnerre qu'une certaine distance assourdit.

Solange put apercevoir comme des lueurs traverser la pièce depuis les yeux de sa sœur et de l'étranger, se croisant comme des épées de feu, miroitant jusque dans la vitre de l'horloge, figeant l'un et l'autre dans l'incertitude ou peut-être dans la certitude. Avaient-ils donc tous les deux été mordus par le diable ?

– Ouais, ça tonne en pas ordinaire ! dit Georges, qui achevait son repas.

– C'est un bel orage, dit Bédard en détachant ses yeux de la jeune fille qui regagna sa place.

– Moi, j'aime pas ça quand il tonne, dit la fillette de 8 ans.

– Ben voyons, c'est pas épeurant, rétorqua Huguette, celle de 13 ans.

Un coup encore pire que tous les précédents claqua et l'on put apercevoir par la fenêtre comme une gerbe de feu qui courait dans un arbre ou plus probablement sur la ligne électrique.

– Je crois que le transformateur vient d'être frappé par le tonnerre, supposa Bédard.

Georges se leva en marmonnant :

– Je vas aller voir sur la galerie, c'est qu'il se passe.

– Reste en dedans! ordonna Marie-Ange. C'est pas le temps pantoute d'aller dehors.

Mais l'étranger, lui, se leva. Il avait la belle occasion de cesser de manger de ce ragoût pas tout à fait ragoûtant et il ne voulut pas la manquer.

– Ça serait mieux de savoir ce qui se passe, dit-il en se rendant à la fenêtre.

Et il s'y tint pendant un long moment, silhouetté par les éclairs, regardé par toute la tablée silencieuse et tenue en haleine par le spectacle fantasmagorique et le fracas incessant de la foudre.

Solange se sentait très émue, impressionnée et attirée par ce personnage que le décor et les circonstances lui rendaient presque satanique. Mais Satan lui-même n'est-il pas le dieu des ténèbres?

Cet enfer, qui semblait fait pour durer l'éternité, n'avait-il pour fondement que les seules forces de la nature ou bien Saint-Honoré, touché par la grâce de la Vierge immaculée, subissait-il en ce moment les assauts de l'empire du Grand chaudron?

– Ça va faire des dégâts dans la paroisse, une tempête de même, pontifia Marie-Ange.

– En plus que monsieur le curé est pas là, enchérit Georges.

Comme si le prêtre à lui tout seul eût pu faire un rempart de sa volonté aux fâcheux desseins du Malin pour les transformer dès leur manifestation en projets mort-nés aussi ridicules qu'éphémères.

L'étranger tourna la tête et, cette fois, en pénétrant le regard de Solange, il demanda entre deux coups de tonnerre:

– Le curé Ennis a-t-il des pouvoirs spéciaux?

– Y en a qui l'ont vu arrêter un feu, affirma Marie-Ange. Pis moi, je dis que c'est pas pour rien si la Sainte Vierge a choisi notre paroisse pour apparaître. Des bons enfants comme ceux-là à Maria Lessard, y'en a partout, mais des curés comme le nôtre, y'en a quasiment rien que chez nous…

– Un homme instruit qui sait lire et écrire… écrire des sermons…

Emportée par son élan de fierté paroissiale, Marie-Ange entra dans un élan de fierté familiale et lança avec persuasion dans la pénombre déchirée par les éclats brutaux de la foudre:

– Ben y a ma fille Solange qui va à l'école normale pis qui pourrait vous montrer à écrire, ça c'est certain, hein Solange?

– Ben… oui…

L'étranger pénétra encore plus profondément le regard de la jeune fille et, fort maintenant du consentement voire de la suggestion des deux parents, il déclara:

– Si elle peut me montrer à écrire, je lui en serai reconnaissant… à elle et à cette maison… pour l'éternité…

Alors un bizarre phénomène se produisit dans tous les esprits y compris l'âme des plus jeunes: il sembla que l'orage soudain s'effondrait sur lui-même sans toutefois perdre de sa puissance, qu'il s'assourdissait et cessait de tout éclabousser de ses sèches lumières, qu'il devenait une sorte de trou noir capable d'aspirer les corps, les âmes et les choses, mais mis sous verre. En fait, il passait sous le contrôle de cet homme, dont il définissait avec tant de précision tous les contours et les grandes lignes du visage, révélant le moindre stigmate de sa vie.

La petite Yvette s'imagina que l'homme était Jésus réincarné.

On n'avait plus peur de la force de l'étranger et la force de l'étranger subjuguait la peur en chacun.

***

Chapitre 13

– Si tu me crés pas, Freddy, demande-lé à Rosée !

C'était, depuis bon nombre d'années, l'homme de confiance du marchand, un personnage au visage parcheminé, osseux de partout, maigre plus qu'un jour de mi-carême, le dos déprimé aux airs de génuflexion, malbâti des pieds qui restaient toujours ouverts, le rendant incapable de courir, et d'humeur généralement hâbleuse.

Pit Veilleux parlait du grand orage de 1917 qui les avait surpris, lui et Rosée, sa nouvelle épousée, dans les collines de Saint-Benoît aux quatre vents sous le pire déchaînement de la nature de mémoire de Beauceron.

Quand quelqu'un de la place racontait quelque chose, le plus souvent, il finissait par la phrase célèbre de Pit Veilleux. Mais ce jour-là, c'était lui-même qui l'avait dite devant Freddy Grégoire, le marchand ventru.

– Ah ! j'en ai entendu parler en masse, moé itou. En 1917, j'avais une trentaine d'années si je me trompe pas. Ben oué, j'sus v'nu au monde en 1887… Pis cette fois-là, en 1917, ben j'étais icitte dans le magasin, je regardais ça tomber par les vitres… Des clous qui tombaient, comme tu dis.

– C'est pas pareil, r'garder ça d'en dedans. Nous autres, on était en voiture fine pis quand on montait une côte, l'eau qui s'était ramassée dans le carré de la fonçure se répandait comme un ruisseau par en arrière. Des bouts, on pensait qu'on était pour se nèyer rien qu'à cause de la grosse plie serrée. On avait de la misère à respirer… Ah! on avait chacun une toile cirée sur le dos, mais on avait la couenne mouillée jusqu'aux os. Le ch'fal, je m'en rappelle comme si c'était à soir, il avançait la tête entre les deux pattes d'en avant, sans pus trop savoir où c'est qu'il s'en allait… Y marchait d'instinct comme la nuitte noire…

– Justement, où c'est que t'allais donc de ce train-là en voiture dans l'orage? T'aurais été ben mieux dans une chambre à coucher avec ta Rosée.

– Nous autres, on s'était mariés le matin dans l'église de Saint-Benoît. Pis on a mangé sur les beaux-parents, qui restaient dans le bord du rang Six, eux autres. Quand j'ai vu que le temps annonçait pas trop beau, j'ai dit à Rosée: «Embarque, on s'en va tu suite à Saint-Georges…» Su' notre voyage de noces, tu comprends…

Pit était assis à côté de la balance sur le comptoir et il avait joint les mains autour de son genou, tandis que Freddy fumait sa pipe, engoncé dans sa chaise droite à dos en U qu'il laissait, même l'été, près de la grille noire de la fournaise, dont il se servait comme d'un crachoir.

Dehors, on était au pire de l'orage. Ti-Noire était retournée dans sa chambre après le départ du Cook, et Freddy avait repris sa tâche au magasin, puis Pit était arrivé par la voie des entrepôts hangars, comme le plus souvent, venant de la grange, où il avait fait le train.

Car l'homme voyait à tout ce qui concernait la culture des terres à Freddy. Traite des vaches, saillies, vêlages, tonte des moutons, soin des porcs; il faisait les foins et les récoltes. Et le printemps, sur une autre terre que possédait le marchand loin dans le rang Petit-Shenley, il faisait les sucres. L'homme préférait travailler ainsi à salaire plutôt que d'être lui-même cultivateur, d'autant que Freddy ne lésinait jamais pour lui payer des aides, soit, le plus souvent, les frères de Pit, Omer et Aurèle, et parfois même Adjutor, un homme à chevaux qui n'allait pas dans les chantiers l'été.

– Ça va faire pousser le foin, pourvu que ça le nèye pas, dit Freddy songeur.

– En 1917, les foins étaient finis, une chance, mais les jardins, ça a fait de la marde de chien en verrat. Y avait pas eu une maudite pétaque cet automne-là. On sortait ça de la terre molle : c'était pus rien que de la foire morveuse...

– Pis la rivière à Saint-Georges, avais-tu vu ça, toé ?

– J'te cré, Freddy. C'était pus une rivière, c'était le fleuve Saint-Laurent dans le p'tit moins. Un mille de large à des places. Les ponts, les granges, des maisons : la pire inondâtion jamais vue...

Freddy bâilla. Il savait déjà tout ça et l'avait entendu des milliers de fois. Pour l'heure, la disparition de son fils le préoccupait tous les instants de sa vie malgré ses efforts pour n'y pas trop songer. Pit devinait son véritable état d'âme et il aurait voulu faire quelque chose, autant parce qu'il aimait bien son patron bienveillant que parce qu'il aurait voulu se valoriser à ses yeux et à ceux de sa famille voire même de sa belle éplorée.

Il avait sa petite idée sur l'endroit où devait se trouver Jean-Yves mais n'avait pas osé la dire à son père jusque-là afin de ne pas tourner le fer dans la plaie. C'est Freddy lui-même qui, entre deux coups de tonnerre, mit le sujet sur le tapis.

– Veux-tu me dire, Pit, où c'est que mon gars peut ben être allé ?

– Oui, je m'en vas te le dire ; je pense qu'il a trouvé refuge à ta cabane à sucre dans le Petit-Shenley. Il sait que personne va aller là avant le printemps prochain pis il aura pensé que c'est une ben bonne place pour réfléchir, pour se parler à lui-même comme on pourrait dire. C'est pas une bonne idée ?

Freddy cracha dans son spitoune de fortune et agrandit les yeux, ce qui les montra encore plus rouges.

– Il mangerait quoi ?

– Si je me mets à sa place, c'est ben simple. Je viendrais de nuitte dans tes hangars qui sont jamais barrés, pis je me prendrais du cannage, des biscuits, du Corn Flakes, des œufs… Qui dit qu'il se prend pas du lait des vaches directement dans le clos de pacage, hein ? As-tu remarqué si y'a rien de dérangé en quelque part ?

– Bah ! ça fait des années que les enfants du village, les petits Maheux surtout, viennent éventrer des boîtes de biscuits aux fraises pis au chocolat pour fouiller dedans.

– Oui, mais ils vont pas partir avec des boîtes de pois verts pis des œufs. Les enfants, ça court les biscuits, pis pour le reste, ça mange chez eux.

– C'est vrai qu'avec de la farine, des œufs pis de la graisse, on peut vivre aux crêpes durant des mois.

– Malgré que je l'vois pas non plus monter au Petit-Shenley avec un cent livres de farine sur le dos. Faire trois milles avec ça… Pis si y en prend un peu à la fois, tu verrais un sac ouvert quelque part dans les hangars. En as-tu vu un ?

– Non. À moins que…

– Que quoi ?

– Il pourrait l'avoir emporté dans le haut du hangar à moulée pis là, s'en prendre une petite quantité chaque fois… si ben entendu on n'est pas en train de se conter des peurs. C'est la manière pour pas que ça paraisse en tout cas.

– Laisse-moi m'occuper de ça pas plus tard que demain. Je vas commencer par fouiller dans tous les hangars pis même si je trouve rien, je vas monter au Petit-Shenley.

– Tu monteras pas là-bas avant de m'en parler.

– Quoi, y a-t-il quelque chose qui te chicote ?

– J'sais pas jusqu'où que ça serait bon de le prendre par surprise si jamais il se trouvait là.

– On pourrait le ramener pis le faire soigner.

– Le faire soigner où ? À Saint-Michel-Archange où c'est que sa mère a passé dix ans de sa vie ? Sans trop savoir si ils nous les ramènent ou ben si y nous les rempirent…

– Freddy, j'veux pas te faire peur, maudit verrat, mais on sait pas ce qui peut arriver si on le laisse vivre pis agir tu seul. Il peut aussi ben se pendre après une branche d'arbre comme le bonhomme Omer Veilleux de Saint-Benoît… pas de parenté avec nous autres, ça, tu le sais. J'dis pas ça pour passer un jugement, là… celui qui se pend, ça le regarde pis ça regarde le Bon Dieu qui nous éclaire.

– Il nous éclaire pas mal à soir dehors.

– Imagine ton gars dans le bois à soir avec un orage de même su' la cabane.

– Même quand il fait beau, il a de l'orage dans la tête. Ça fait longtemps que j'ai vu ça qu'il se préparait quelque chose avec lui. Quand il a décidé de se marier, j'ai pensé qu'il était sauvé pour le reste de sa vie, mais c'est justement ça qui l'a fait troubler…

Un coup de foudre claqua. Il fut suivi d'un énorme bruit de dégringolade. Tout un empilage de boîtes de pois verts s'effondra sur la tablette du haut derrière Pit et il en grêla sur la portion de comptoir mural du bas, et jusque sur le plancher.

Pit sursauta et se tourna pour voir.

– *Christmas*, le tonnerre nous tombe sur la tête, on dirait ben… En tout cas, il vient de tomber pas loin d'icitte…

Et à trois milles et demi de là, en plein bois, à la fenêtre de la cabane à sucre de Freddy, Jean-Yves regardait la nuit déchirée en cherchant dans son esprit des réponses à une foule de questions disparates. Et parmi elles, la quête d'un sens à la vie… Mais le plus souvent des questions concrètes sans suite…

« Que faisait-il en ce lieu ? »

« La farine à vache, c'est quel prix qu'il faut vendre ça ? »

« Pourquoi qu'ils ont donc déménagé le cimetière sur le cap à Foley ? »

« Pourquoi qu'ils m'aident pas à pousser la rondelle sur la glace de la patinoire ? »

« Où c'est qu'il est donc, mon bicycle ? »

« Ti-Noire, où c'est, la maison rouge ? »

« Rachel ? Qui, ça ? Rachel… »

Il se vit sur le cap à Foley en train d'ensacher du sucre avec un ostensoir en guise de pelle, et les grains qui coulent entre les rayons d'or, et le sac qui ne se remplit jamais, et lui qui commence à pleurer et à gémir, et madame Rose qui promène son gros buste sur le trottoir, et le vicaire prêchant sur le coq de l'église, et le petit Gilles Maheux qui boit de l'Opéra, et le père Lambert qui sonne les cloches de l'hôtel à Fortunat…

Chaque éclair mettait une nouvelle image devant son regard fixe. Le tonnerre ne l'intimidait nullement : il ne l'entendait même pas. À côté de lui se trouvait une table sur laquelle diverses choses avaient été mises, alignées soigneusement. Même avec un cerveau aussi perdu et désordonné, il gardait son vieux sens de l'ordre quant aux choses matérielles l'entourant. Seule sa barbe de plusieurs jours ne disait pas le Jean-Yves de toujours. Il voyait même à son hygiène corporelle, puisqu'il avait trouvé moyen de se laver chaque matin et chaque soir depuis qu'il avait pris refuge en cet endroit en y entrant d'abord par le soupirail pour ne pas devoir arracher le cadenas de la porte principale puis en le fréquentant par la porte arrière qu'il avait déverrouillée de l'intérieur.

Dans son délire traversaient cent visages et cent noms, mais dans deux cas, le nom et le visage ne correspondaient pas à la réalité : celui de sa mère et celui de sa fiancée. Quand le visage était là devant lui, le nom était absent et quand le nom se trouvait là, il n'y avait pas de visage. Comme dans un rêve. Tout comme dans un rêve échevelé…

***

Chapitre 14

Rose se rendit au restaurant lorsque l'orage fut passé. Quelque chose l'y conduisait. La curiosité. L'espoir de le voir enfin, cet étranger tout juste arrivé dans la paroisse et que tout le monde avait rencontré, semblait-il, à part elle-même.

De sa chambre, Ti-Noire l'aperçut entrer à l'hôtel et le goût de sortir lui vint. Elle se mit du rouge aux lèvres et partit.

Il faisait une lourde humidité dans l'espace étroit du restaurant. Jeannine était de service et, après avoir servi un Pepsi à l'arrivante qui se plaignait de chaleur, elle fit le tour des fenêtres afin d'ouvrir les carreaux qu'elle avait fermés au début de l'orage. Un léger courant d'air naquit, réduisant la sensation d'étouffement.

– La vieille madame Jolicoeur, malade au lit comme elle est, ça doit être dur pour elle, un temps de même, dit Jeannine en retournant derrière son comptoir contre lequel sa cliente était installée.

– Sais-tu, il fait une belle fraîche dans la maison.

– Entouré d'arbres comme vous êtes, c'est sûr.

On ne put poursuivre sur le sujet puisque Ti-Noire arrivait à son tour, et marchait entre les cabines de son pas lent, les bras croisés, sourire épanoui.

– Ah ! la génération présente, fit Rose en soupirant. Aucun souci. De l'argent à pelletée dans leurs poches. La tête remplie de projets d'avenir.

– L'argent : modérément. Les projets : faut le dire vite. Les soucis : encore curieux, ça !

Ti-Noire prit place à deux bancs de Rose, qui lui dit :

– Voyons donc, t'es pas une jeune fille heureuse, toi ?

– Dire qu'on n'est pas heureux, c'est quasiment dire qu'on est coupable de quelque chose, pis moi, je me sens coupable de rien. Jeannine, donne-moi un Pepsi avec une paille dedans.

Jeannine blagua en servant la bouteille :

– La vie est belle quand on boit du Pepsi avec une paille.

– Toi, Jeannine, nous fais-tu des fiançailles aux fêtes ?

– On vient de se connaître, Laurent pis moi.

– Voyons donc, vous vous connaissez depuis que vous êtes au monde quasiment, dit Rose.

– Se voir de loin, c'est pas connaître quelqu'un, ça.

Rose rit en tirant sur sa paille :

– Voilà pas quinze ans, ça se voyait deux, trois fois, pis ça se mariait. C'est à peu près ça qui m'est arrivé… mais on peut pas dire que le violon pis la musique à bouche étaient faits pour s'accorder, par exemple.

La femme portait une blouse de soie blanche et une jupe noire serrée. Son maquillage léger et ses gestes de jeune fille lui conféraient dix ans de moins, et Jeannine, à l'idée qu'elle-même avait les cheveux ébouriffés, l'œil fatigué et la peau terne, se félicita de ce que l'on soit mercredi soir et que par conséquent son ami de cœur ne vienne pas. Sitôt née, cette idée fut refoulée, jetée aux vidanges. Madame Rose n'aurait jamais fait de l'œil à un jeune de 20 ans qui fréquentait une jeune fille pour le bon motif… comme on disait.

– Avez-vous su qu'il se fait une enquête sur les apparitions ? demanda Jeannine.

– Pas entendu parler, se surprit Rose.

– Ni moi non plus.

– C'est ça qu'ils disent. Pit Poulin aurait questionné ben du monde pour faire une sorte de rapport aux hommes de monsieur Duplessis à Québec.

– Que ça soit vrai ou pas, y a rien de criminel là-dedans.

– D'aucuns parlent de fraude. Ça serait forgé tout ça.

– Fraude, fraude ! Qui c'est qui fait de l'argent avec ça excepté le Cook Champagne ? dit Ti-Noire. Ben moi, je les ai vus, les enfants Lessard, quand ils tombent en transe, pis laissez-moi vous dire qu'ils ont pas l'air pantoute de petits vendeurs de poudre de perlimpinpin. S'ils leurrent tout le monde, ils se leurrent eux autres même les premiers, ça, c'est sûr.

– Ben moi, j'pense que tout ça pourra devenir infamant pour la paroisse, opina Rose.

– Si la Sainte Vierge a dit aux enfants de Fatima « Pauvre Canada », qui pourrait prétendre qu'elle pourrait pas venir essayer de sauver le Canada en parlant du Canada au monde du Canada au Canada pis pas à Fatima ? dit Ti-Noire.

Il y eut un éclat de rire général.

– Ça prend Ti-Noire pour nous sortir des affaires de même, s'écria Jeannine.

– N'empêche que y a pas mal de vérité au fond de ça, dit Ti-Noire le plus sérieusement du monde.

Rose fit un coq-à-l'âne :

– Sais-tu que t'es rendue avec une belle peau bronzée ?

Ti-Noire sourit.

– Je me fais griller tous les jours en arrière de la maison rouge depuis qu'il fait beau. Pis vous savez pas c'est que le petit Gilles Maheux m'a fait, hein, vous autres. Ah ! le petit venimeux ! Pas surprenant que la Sainte Vierge lui apparaisse pas, à celui-là. Il a pris une feuille de rhubarbe pis il m'a mis ça sur le ventre le temps que j'étais à moitié endormie au gros soleil la semaine passée. Quand je me suis réveillée, j'ai crié, je pensais que c'était une bibitte, pis là, je l'ai entendu rire comme un fou... Il s'était caché avec le petit Clément Fortin en arrière du remblai de la terrasse, mais j'ai reconnu sa petite voix de souris.

– Ah! mais il est assez beau, ce petit gars-là qu'on peut lui en passer pas mal, dit Rose. Le dernier de la famille, lui, est moins attirant avec ses grandes oreilles décollées pis ses yeux de Chinois. Ben moi, je vas t'en conter une bonne par rapport au petit Gilles. L'hiver passé, j'étais au magasin de sa mère pis lui, il s'était caché derrière un divan dans la chambre d'essayage. Je l'ai vu... mais trop tard. Moi, j'avais essayé une brassière cinq minutes avant. Si Elmire Page, qui, elle, se trouvait au magasin, avait su ça, elle serait morte sur place, étouffée par le scandale. Bah! moi, je m'en fais pas trop avec ça: un petit gars de même, c'est curieux comme une belette; ça veut tout savoir pis c'est normal...

Jeannine fit une moue. Elle songeait à ce qui était arrivé à son frère avec Rioux et il lui semblait que la pudeur et la modestie demandaient de discipliner davantage les gamins.

– Ben moi, j'trouve ça un peu exagéré.

– Éva, elle en a plein les bras. Une grosse famille avec pas mal de jeunes gars. Un tuberculeux qui va peut-être mourir sur la table d'opération avant la fin de l'année. Son magasin avec une grosse clientèle. Pis quand son mari est pas là, faut qu'elle fasse un train. Ils ont des vaches, des chevaux, des poules, des moutons... Elle chôme pas pis elle doit se fier que le monde, dans un village, sont tous un peu les parents des enfants des voisins, pis qu'ils vont intervenir si les enfants vont trop loin... Dans une ville, un enfant qui traîne est au risque de se faire pourrir par quelqu'un, mais dans un village, c'est le contraire.

Ti-Noire aima la sagesse qu'elle trouvait dans ces arguments de Rose. Mais Jeannine y percevait du laisser-aller qu'elle verrait à éviter si elle devenait mère de famille un jour.

Arrivèrent deux fillettes de 11 ans qui venaient s'acheter un Revel. L'une, Paula Nadeau, délurée, le coton raide, la poitrine qui commençait à pointer, salua par des bonjours répétés à l'intention de chacune des trois adultes. Quand elle fut partie, on se passa des commentaires.

– Elle a pas trop froid aux yeux, la Paula, suggéra Rose.

– Elle va aller loin dans la vie, dit Jeannine.

– C'est vrai qu'elle a du toupet, enchérit Ti-Noire.

Les trois femmes ignoraient que les jeunes adolescentes s'étaient arrêtées et installées dans la dernière cabine près de la sortie pour manger leur crème glacée. Et Paula entendit tout ce qu'on disait d'elle tout en signalant par gestes à son amie de se taire afin qu'elle puisse tout capter, tout savoir…

Peu après l'arrivée de Rose à l'hôtel, Émilien descendit du troisième étage jusqu'à la sortie du premier et se rendit sur la galerie d'en avant avec deux chaises pliantes, l'une pour lui-même et l'autre pour qui viendrait…

Des pensionnaires ou clients de passage de l'établissement voudraient certes quitter leur chambre à l'atmosphère trop lourde pour mieux respirer l'air quelque peu tiédi du soir en déclin.

Il s'attendait à voir Bédard, pensant que l'étranger avait remisé sa bicyclette dans un hangar derrière l'hôtel, comme cela avait été convenu avec Fortunat. Mais peut-être qu'il n'était pas encore de retour de sa future maison.

Ce fut Jean Béliveau qui apparut bientôt, annonçant qu'on venait de recevoir un appel téléphonique de gens du rang Dix, signalant que la foudre avait endommagé un transformateur.

– Euh… on va aller réparer ça demain, dit le jeune homme en s'asseyant à son tour.

– Je pensais que votre ouvrage, c'était rien que de poser des nouvelles lignes dans les rangs qui sont pas encore électrifiés comme le Quatre du sud pis le Six du sud ?

– Euh… on nous paye pour jouer dans les fils… les vieux comme les autres…

– Notre électricien de coutume, c'est Léonard Beaulieu…

– Je le connais : il a travaillé quasiment une journée avec nous autres la semaine passée.

– Un poteau, il grimpe ça, c'est pas long, lui. Un vrai singe.

Après un sujet, ce fut un autre. Et celui des sports ne tarda pas à être mis sur le tapis. Le jeune homme de Victoriaville apprit à son interlocuteur qu'il était sur le point de signer un contrat avec l'équipe des As de Québec et que par conséquent, il jouerait dans le nouvel amphithéâtre la saison prochaine. Modeste, il n'en avait pas dit un seul mot jusque-là et l'autre en fut agréablement étonné. Et celui à qui il voulait le dire d'abord arrivait justement devant l'hôtel dans sa Chevrolet noire lui servant à colporter les vêtements tout faits qu'en compagnie de son père il vendait par les rangs et villages des paroisses avoisinantes.

– Tiens, le chum à Jeannine qui s'ennuyait de sa blonde.

– Paraît que… c'est un bon joueur de hockey, suggéra Béliveau.

– Le meilleur de la région, mais pas de calibre à jouer avec les As de Québec.

Le jeune homme blond descendit de voiture. Émilien lui dit aussitôt :

– Laurent, viens jaser avec nous autres, j'ai une grosse nouvelle à t'apprendre.

L'arrivant gravit les marches de l'escalier :

– Tu me dis pas que tu remplaces Bernadette pour colporter les nouvelles comme moi mes guenilles…

– Je te présente Jean Béliveau.

– On se connaît déjà.

– Pas au complet, reprit Émilien avec un large sourire. Jean Béliveau, un as au hockey!

Laurent montra de la surprise, de la joie et une certaine hauteur:

– Joues-tu dans une ligue à Victoriaville?

– Tu parles, s'écria Émilien, il va jouer pour les As.

– Ça peut être les As de Thetford, les As de Saint-Samuel... Des As du hockey, y en a pas mal dans la province de Québec.

Laurent redoutait qu'on lui dise les As de Québec, et pourtant, il s'y attendait maintenant à cause des manières d'Émilien et du gabarit bardé d'humilité de ce Béliveau. Il reprit aussitôt en sautant littéralement sur la parole:

– Les As de Québec, pas moins, avec une musculature et une taille comme la tienne. Disons que j'ai le nez pour sentir les bons joueurs... Comme Dick Irvin des Canadiens...

– J'ai su que t'étais... euh! pas mal bon...

– Lui, c'est le champion compteur de la ligue Beauce-Frontenac.

Laurent pencha la tête puis la releva en souriant:

– Mais pas de taille pour les As de Québec.

– On sait pas, dit Béliveau. As-tu été évalué... par un expert déjà?

– De toute façon, dit Laurent en montrant son auto, mon avenir, c'est dans la guenille, pas dans le hockey.

– C'est plus payant... dans le vêtement... euh... à moins de jouer pour les Canadiens de Montréal ou les Red Wings de Détroit... pis encore...

Pour reprendre de l'ascendant et du vernis, Laurent fit bifurquer la conversation:

– La guenille, c'est encore plus payant, la faire. Au bout de la rue, là, à côté du restaurant, y a une bâtisse qui a servi comme manufacture de *peanuts*... des *peanuts*, c'est des manches à balai qu'ils fabriquaient là. Mais c'est tombé en faillite, pis nous autres, on veut en faire une manufacture de chemises. On part ça avec des Juifs de Montréal.

Béliveau commenta sans hésiter:

– L'argent est à un Juif ce qu'une rondelle de hockey est au Rocket Richard. Tous les deux, ils savent mettre ça dans le but.

Laurent s'adressa à Émilien:

– Ta grande sœur est au restaurant?

– C'est elle qui sert à soir.

En fait, le jeune homme aurait voulu voir Fortunat, non pour lui parler de quoi que ce soit en particulier mais pour préparer le terrain pour le faire investir dans son projet.

– Y a du monde?

– J'pense, oui. Des petites jeunes filles…

Le jeune homme salua du geste et entra. Il croisa Paula et son amie. Il se croyait maintenant seul avec Jeannine, mais dut vite se détromper quand il vit Ti-Noire et Rose au comptoir.

Jeannine ne savait plus où mettre la tête. Son rire était celui du malaise et d'une certaine joie retenue. Il bredouilla des salutations et resta debout entre les deux buveuses de Pepsi.

Rose se sentit la responsabilité de faire progresser les choses à l'avantage des amoureux.

– Jeannine te le dira pas, mais elle se plaignait justement de ce qu'on soit pas jeudi soir au lieu de mercredi.

– C'est vrai, c'est vrai, approuva Ti-Noire.

– Écoute-les pas trop, elles disent n'importe quoi.

Il entra dans le jeu des deux autres:

– T'aimerais mieux pas me voir à soir?

– Ben non, c'est pas ça, mais… Ah! j'suis toute mêlée…

Et elle remit en place nerveusement une couette molle qui lui tombait sur le front, mais sans succès.

– J'ai travaillé dans le bout de Courcelles, mais avec l'orage, j'ai fini ça avant mon temps.

– As-tu soupé au moins ?

– Non.

– Je te fais préparer un sandwich.

– Bonne idée… Ton père est-il à l'hôtel ?

– Parti à Saint-Georges. Tu voulais le voir ? Il va revenir dans le courant de la veillée.

– J'ai pas affaire à lui spécialement, là.

– J'pense que y'a une bonne nouvelle qui s'en vient pour toi de sa part…

Et elle quitta le restaurant pour aller à la cuisine.

Laurent craignait cette nouvelle qu'il devinait. Fortunat achèterait un hôtel pour Jeannine et lui, mais ce n'était pas le genre de commerce qui l'intéressait, maintenant que s'ouvrait devant lui la perspective de se lancer dans l'industrie du vêtement. Il chercherait à canaliser les élans de son futur beau-père dans une autre direction. Mais les occasions de lui parler se faisaient clairsemées.

– Dis donc, mon noir, demanda Ti-Noire, le nouveau venu qui s'installe dans la paroisse, le connais-tu, toi ?

– Tout le monde en parle : j'ai jamais vu quelqu'un se faire connaître aussi vite.

– Ben moi, je le connais pas, dit Rose.

– Vous devez être la seule.

– Il est pas comme tout le monde, hein ?

– Ça vient de Victoriaville, ce gars-là, comme le grand Béliveau, là, dehors. Du monde bizarre un peu, on dirait, dans ce bout-là, vous trouvez pas ?…

Rose et Ti-Noire devinrent songeuses.

***

Chapitre 15

Ils étaient prêts à y croire. Ils se préparaient aussi à n'y pas croire. Tout dépendrait du vent. Voilà où se situait l'élite paroissiale en l'absence du guide.

Une élite en mutation. D'aucuns y entraient, d'autres la quittaient. Cette portion du cœur du village était distincte. D'un côté de la rue, il y avait les Bilodeau, des commerçants de prêt-à-porter, obligés de jouer sur les deux tableaux. Le père et Laurent faisaient peuple tandis que la mère et les filles préféraient se distinguer des gens ordinaires, entre autres par leur culture et leur allure. Puis il y avait la maison du docteur, maintenant vide, et qui attendait son prochain occupant, lequel après le départ des Savoie au début du mois, tracassait par son absence bien du monde, et jusqu'au curé à l'autre bout de ses distances géographiques de sa chère paroisse.

Puis un garagiste vendait ses compétences à tout ce beau monde et au grand public. L'homme, un veuf prénommé Philias, affichait deux visages, et pourtant, il n'était pas hypocrite pour deux sous. Il se considérait lui-même simplement comme un magasin à deux façades, l'une pour les bourgeois et l'autre pour le commun. Bien qu'il lui arrivât souvent de bêtiser, de jurer comme un charretier, de se conduire en ostrogot, il possédait un don pour rendre heureux sa clientèle bien nantie, particulièrement le curé avec qui il partageait une passion sans frein pour l'automobile. Et dont, bien sûr, il entretenait la voiture.

Et pour finir, du côté sud, Joseph Boutin dit Boutin-la-viande. Le père ne serait jamais un homme d'élite à cause de ses racines trop agricoles et de son alcoolisme trop évident, mais le bonhomme servait de souche à son fils et surtout sa belle-fille qui, dès son arrivée dans la paroisse, s'intégra aux meilleurs…

Du côté nord, quatre voisins s'aimaient bien dans un même esprit. D'abord le notaire, personnage bienveillant et aussi discret que sa femme. Puis les Boulanger qui opéraient l'autre magasin général de la paroisse. Là, on rêvait en secret de détrôner Freddy en tête. C'était une famille nombreuse où on s'adonnait en piochant fort pour obtenir des résultats, à l'apprentissage du piano et de la comptabilité. Puis il y avait les Bureau, gens d'argent avant l'heure. À la fois nationalistes et fédéralistes en politique en une époque où le Québec était le Canada et les Québécois des Canadiens, les seuls Canadiens puisque les Ontariens n'étaient somme toute que des Anglais. À qui d'autre la fédération des Caisses populaires aurait-elle pu confier l'opération de sa succursale de Saint-Honoré ? Qui, mieux qu'eux, pourrait canaliser l'épargne publique vers les causes les plus sûres et les plus nobles ? Avant-garde, ambition, progrès, consommation : tout ça avait comme premier nom les Bureau. Mais là comme dans les autres familles de bourgeois, c'était la femme de la maison la plus grande source du snobisme, une façon pour elle d'échapper à l'incontournable autorité et toute-puissance masculine.

Le clan finissait chez les Beaudoin, qui s'y trouvaient associés malgré eux et bien plus par la proximité que par l'esprit. Et pas un à part l'aîné ne quitta jamais la paroisse pour aller au collège classique ou commercial, et tous, après un stage de formation dans la fabrication des boîtes à beurre – en fait du travail de journalier –, se dirigèrent vers des métiers dits ordinaires comme la plomberie, le travail du bois, la construction. Mais des bons vivants, grands amis des brasseries, et hockeyeurs émérites. Une maison sans jeunes filles. Des parents très croyants.

Jean-Louis Bureau et sa nouvelle blonde Pauline, originaire du village voisin, se trouvaient au presbytère dans le bureau du curé en compagnie du vicaire, à discuter de la prochaine apparition prévue par le ciel pour dans trois jours.

Le vicaire ne tarda pas à se plaindre.

– J'ai une douleur lombaire lancinante. Pelleter du gravier, soulever des sacs de ciment, transporter des brouettées lourdes, c'est plutôt éreintant, tout ça.

– Mais, monsieur le vicaire, comment vous, un prêtre…

Jean-Louis ne put finir. L'abbé posa sa cigarette dans un cendrier et lança en expulsant la fumée :

– Tout est là, justement ! Les gens, quand ils me voient en salopettes, pensent et disent : « Il est comme nous autres. » Les barrières entre le peuple et ses dirigeants doivent être abaissées. Et cela, d'ailleurs, est obligé avec l'arrivée de la télévision.

– La télévision n'est pas là tout de même, dit Pauline.

– Elle frappe à nos portes, intervint Jean-Louis. Les Américains l'ont, donc nous l'aurons d'ici à deux ans au plus tard. Tout ça se prépare à Radio-Canada.

– Des événements comme ceux qui se produisent ici, je parle des enfants Lessard, eh bien, le temps n'est pas loin où ça pourra se voir aux quatre coins du pays. Ce ne sont pas les gens d'autorité qui vont passer la rampe, mais les gens d'image.

Le vicaire fut interrompu par Jean-Louis qui, grand sourire dehors derrière sa fine moustache, mit un papier sur le bureau et reprit vivement sa place en jetant un coup d'œil à son amie. Le prêtre rajusta ses lunettes rondes et lut.

Le papier portait deux chiffres 3, donc 33.

– Bon quoi ?

– Trente-trois ans, c'est ça que ça veut dire. Les apparitions de Lourdes ont eu lieu en 1850, celles de Fatima en 1917 et les nôtres en 1950. De 1850 à 1917, ça fait deux fois trente-trois ans. De 1917 à 1950, ça fait une fois trente-trois ans. C'est-à-dire l'âge de Jésus-Christ. C'est-à-dire le temps qu'il a fallu à Jésus sur la Terre pour assurer la rédemption du monde. La Vierge choisit d'apparaître de trente-trois ans en trente-trois ans. Bon, de 1850 à 1917, ça fait soixante-sept ans, mais Jésus est mort à trente-trois ans et quelques mois donc le compte est bon à soixante-sept ans pour deux fois trente-trois …

– C'est vrai ! s'exclama Pauline avec un grand ton et de grands yeux. Puis c'est-il assez curieux ?

Jean-Louis se racla la gorge pour y laisser de l'espace à sa fierté. Un sentiment teinté d'un peu d'ironie puisque le prêtre aurait dû songer à cela.

– Y a un problème avec les chiffres, soupira le vicaire. Les apparitions de Lourdes, ça s'est plutôt passé en 1858, pas en 1850.

– Mais non, mais non, mais non ! protesta Jean-Louis. Vous errez…

– Je pense bien que c'est toi, Jean-Louis, qui se trompe. On va chercher dans l'encyclopédie, tiens.

L'abbé se rendit à une armoire vitrée qu'il ouvrit pour y prendre un livre relatant les événements de la décennie 1850-1860. Il trouva vite ce qu'il cherchait et vint le montrer au jeune homme qui en douta tout de même en regardant le nom de l'éditeur sur la couverture.

– C'est Grolier, ça, on serait pas mal plus certain avec Larousse.

Le prêtre regagna sa place en souriant légèrement. Il écrasa sa cigarette et ajouta :

– En plus que Jésus serait mort sur la croix plutôt à 36 ans qu'à 33, qu'il ne serait pas né le 25 décembre selon trois évangélistes, et selon plusieurs historiens, y compris Flavius Josèphe, et qu'il ne serait pas mort au printemps.

– Mon Dieu, mon Dieu, la religion, ça change, ça change, dit le jeune homme sur un ton détaché qui trahissait son désir d'enterrer ses erreurs et sa méconnaissance, quand même un peu grossières pour quelqu'un qui se targue d'avoir fait une grande découverte pour se retrouver l'instant d'après Gros-Jean comme devant.

L'abbé Gilbert reprit :

– Les faits, qu'importe, si la foi nous emporte ! C'est un peu comme ce « pauvre Canada » qui aurait été dit par la Vierge de Fatima. Les papes n'ont jamais confirmé cela, mais si on y croit, on prie plus fort pour notre pays et au fond, c'est le résultat qui compte.

À ce moment, on entendit le tonnerre recommencer à gronder dans le lointain.

– Quel désastre pourrait donc s'abattre sur le Canada ? réfléchit tout haut la jeune femme.

– La bombe atomique, la bombe atomique, répliqua Jean-Louis. Le pays est situé entre les deux puissances atomiques, les États-Unis et la Russie. Si la guerre éclate, c'est sur nos têtes que les bombes vont tomber.

– C'est exact, confirma le vicaire.

Et les deux hommes se sentaient fiers de pouvoir en montrer à cette jeune fille brillante et de bonne culture, mais sans grandes notions de la politique internationale.

– Pour faire écho à ce « pauvre Canada », peut-être bien que nous devrions souligner de manière spéciale la fête du Canada, samedi. Parler de sa beauté, de ses richesses, de la chance incroyable qu'ont les Canadiens de vivre dans un si beau pays et exhorter les fidèles à célébrer dans l'allégresse la fête de leur patrie et celle de la reine du ciel et de toute la terre.

Jean-Louis approuva avec conviction :

– Excellente idée, monsieur le vicaire ! Et moi, de mon côté, j'en ai une aussi à vous proposer : une quête spéciale sur le cap à Foley pour le perron de l'église. On organise une équipe, Ti-Paul Lapointe, Laval Beaudoin, Lucien Boucher, Léonard Beaulieu, des bons hommes fiables comme ceux-là qui vont circuler parmi la foule avec un panier, une boîte, tiens, pourquoi pas une boîte à beurre vu que c'est un produit local et bien de chez nous, pis qui vont ramasser… On pourrait écrire sur les boîtes quelque chose qui sonne bien comme : « Vos dons pour le nouveau béton de notre perron »… Qu'est-ce que vous en dites ?

– Il y a Eugène Champagne qui nous verse dix pour cent sur ses ventes d'objets religieux…

– Ça prend pas mal de temps avant de chiffrer, dix pour cent. Je me demande, moi, si le profit de ces ventes-là ne devrait pas appartenir en entier à la fabrique ? Je le trouve un peu fantasque, le Cook, de s'être approprié le commerce des objets de piété. Après tout, la Vierge, c'est pour tout le monde, pas rien que pour d'aucuns.

– Mais non, Jean-Louis, lui dit son amie, la Sainte Vierge en favorise certains et pas les autres : les miracles, ça arrive pas à tout le monde.

– Elle a raison, dit le vicaire, elle a raison. Mais cet arrangement avec Eugène est le meilleur que nous puissions avoir. On ne saurait nous accuser de profiter de l'occasion pour empocher puisque c'est quelqu'un de l'entreprise privée qui ramasse les sous. Quant à recevoir un don de l'entreprise privée, rien ne pourrait s'y opposer. Je crois bien que cette politique est la bonne.

Une fois encore, Jean-Louis était mis dans son tort. Il revint à son idée de collecte spéciale.

– Qu'est-ce que vous en dites, monsieur le vicaire, d'une équipe pour ramasser des fonds ?

– J'ai la même réserve que dans le cas de la vente d'objets de piété par le presbytère ou la fabrique…

Le front de Jean-Louis se rembrunit.

– Mais une fois n'est pas coutume, reprit le vicaire. Pour en pas être trop ostentatoires, nous ferions bien de prendre des… paniers moins voyants que des boîtes à beurre…

– Ou des boîtes à fromage : c'est plus petit, c'est plus plat pis c'est rond. C'est pas mal moins voyant…

– Allons-y donc pour des boîtes à fromage. Monsieur Dominique Blais en a sûrement en réserve dans le bas de son moulin à scie. C'est une fort bonne suggestion.

Jean-Louis enfin trouvait de la satisfaction dans l'échange de propos. Et ça lui redonna un nouvel élan.

– Pauline, tu pourrais chanter *a cappella* le *Ô Canada* samedi soir comme samedi passé.

Le tonnerre se rapprochait.

– Un nouvel orage s'en vient, dit le vicaire.

Même si le bureau était éclairé par des lampes et si les tentures recouvraient les fenêtres, il parut que le temps dehors s'assombrissait. On était au milieu du soir et par temps dégagé, il aurait continué de faire clair.

Le prêtre se rapprocha soudain du bureau en revenant vers l'avant sur sa chaise à bascule. Les boutons de sa soutane cliquetèrent en frôlant le bois. Il dit, sourire rouge et dents blanches :

– Ah ! que c'était beau ! Ah ! que c'était beau ! Ce serait extraordinaire de t'entendre nous chanter le *Ô Canada* ici et maintenant, rien que pour nous deux, Jean-Louis et moi…

– Envoye donc, fit le jeune homme.

Mais la jeune fille protesta:

– Voyons donc, qu'est-ce que mademoiselle Esther va dire à m'entendre faire la cantatrice au presbytère par un grand soir d'orage? Elle va se demander si on a pas pris un coup…

Un coup de tonnerre éclata bien plus près. Il y eut une courte pause et le prêtre reprit:

– Mais non, je lui expliquerai de même qu'à sa mère, madame Létourneau. Chante-nous ça, mademoiselle Pauline, et je vais trouver une prière pour toi dans mon bréviaire qui te vaudra une indulgence d'au moins trois cents jours…

– Pour trois cents jours, ça vaut la peine, dit Jean-Louis.

La jeune femme se leva et regarda tout autour. Le vicaire lui dit:

– Tiens, va te placer devant l'horloge grand-père, là.

Ce qu'elle fit.

– Il me semble que pour chanter le *Ô Canada*, il faut quelqu'un debout qui écoute. Sais pas, ça fait plus patriotique, vous trouvez pas? C'est comme de chanter *J'irai la voir un jour* et de rester assis, ça se fait pas…

Jean-Louis se leva aussitôt et invita le vicaire à en faire autant, mais le prêtre était dans un état d'érection solide et il craignait que ça ne paraisse à travers sa soutane.

Sans poser son regard directement sur la poitrine de Pauline, l'abbé s'y était abreuvé tant qu'il avait pu par sa vision périphérique, celle qui permet de voir sans regarder. Et surtout d'imaginer… Et maintenant, c'est tout le corps de la jeune femme qui rebondissait dans sa jupe rouge et sa blouse blanche en fin tissu luisant…

Un hymne national demande qu'on se tienne bien droit pour l'écouter et voilà donc qui peut trahir un état d'âme et de chair bien mieux que toute chose…

Le tonnerre éclata fort près. Le prêtre le prit pour un avertissement du ciel et pour moins réagir sexuellement, il banda tous ses muscles en se mettant sur ses jambes.

Le regard humble de la cantatrice était bas, mais la jeune femme était trop émue pour le poser sur quoi que ce soit. Et après le coup de tonnerre suivant, elle entonna avec toute la force et la chaleur de sa voix le chant patriotique. Son visage si beau, déjà lumineux, parut devenir céleste.

Les éclats de voix et ceux du tonnerre se répondirent.

Jean-Louis se campa dans sa fierté, le vicaire dans sa rigidité.

À la fin du chant, l'horloge sonna les huit heures.

***

Chapitre 16

Ils étaient agenouillés, les bras en croix, les yeux fermés, devant la statue de la Vierge Marie que Maria avait reçue en cadeau l'avant-veille de la part de Bernadette Grégoire.

Leur mère priait fervemment avec ses deux enfants miraculés dans la cuisine qu'embaumaient encore des odeurs d'oignons frits et d'œufs à la coque, mélangées à celle de la cire qui brûle.

On était au plus fort de l'orage et tandis que Pauline Garneau entamait le deuxième couplet de l'*Ô Canada* devant l'horloge grand-père du presbytère pour le plus grand plaisir du vicaire Gilbert, une vraie prière, s'élevait, légère, de la chaumière surchauffée.

Le nez long, les lunettes lourdes, le sourire à peine esquissé, figé dans l'extase, Maria se laissait distraire parfois par les souvenirs du temps passé, de sa jeunesse joyeuse que malgré sa trentaine tout juste entamée, elle voyait de loin déjà, de si loin.

Tout cela n'était-il qu'un rêve ou bien le présent se trouvait-il en dehors du réel et s'éveillerait-elle bientôt pour se plonger dans le quotidien de leur terre, à elle et Clément, son mari ? Les images passaient derrière ses yeux clos, se bousculaient et basculaient, tombaient pêle-mêle les unes sur les autres.

La jeune femme avait connu la pauvreté dans son enfance et son adolescence, mais pas la misère. Et sa famille d'origine n'avait pas plus souffert que les voisins ou d'autres du même milieu. En fait, des millions de par le monde avaient dû vivre dans l'indigence la plus sordide durant les années de la dépression, mais pas elle ni les siens. Un jeune homme bon pour elle l'avait mariée et deux enfants étaient venus au monde, puis Clément avait été emporté par un mal foudroyant que le docteur n'avait jamais pu identifier autrement qu'en parlant de pneumonie double.

Maintenant, la pauvreté était plus grande qu'au temps jadis, et pourtant, elle ne parvenait jamais à décrocher du visage de la femme son sourire incertain à la Mona Lisa.

C'est à sa foi en Dieu et surtout en la Vierge qu'elle attribuait son bonheur de vivre malgré les vicissitudes des jours coulés dans cette maison basse et verte, accroupie, en train de se caler dans la terre, de se noyer dans la végétation.

Que faire seule sur une terre quand on est femme et mère en une époque où les muscles sont de première importance? Elle avait dû vendre le bien et régler l'hypothèque. La somme restante lui avait servi à l'achat de cette cambuse aux murs isolés au papier mâché, si chaude l'été et si froide l'hiver.

Mais voilà que les événements s'emparaient de sa vie, ce qui n'était pas sans l'inquiéter. Et c'est à la Vierge maintenant qu'elle confiait son incertitude nouvelle après des années de dévotion à saint Joseph. Pourtant, les joies se faisaient abondantes. Il y avait cette formidable aventure passant par les enfants et la transportant tout entière dans un monde différent. Sa spiritualité croissait de jour en jour.

Les gens qui passaient saluaient, même quand ils ne pouvaient voir quelqu'un à la fenêtre ou dehors; et quand elle sortait seule pour aller au magasin ou chez Boutin-la-viande, on l'entourait, et plusieurs trouvaient un prétexte pour la toucher faute de pouvoir toucher aux enfants.

Chez Pit Saint-Pierre, le téléphone sonnait souvent pour elle et quelqu'un se rendait lui faire la commission ou la chercher. Elle en conçut un certain malaise de déranger ainsi son voisin à toute heure du jour jusqu'à la fermeture du central téléphonique, le soir.

« Si j'étais plus riche, je me ferais poser le téléphone », répétait-elle chaque fois qu'elle raccrochait.

« Quand on voudra plus vous voir, on dira à ceux qui appellent de téléphoner ailleurs », lui répondait chaque fois la femme à Pit Saint-Pierre.

Et le courrier abondait. La femme arrivait tout juste du bureau de poste avant le déclenchement de l'orage, et une vingtaine de lettres qu'elle était anxieuse d'ouvrir jonchaient la table. Mais rien ne saurait faire attendre le chapelet, ni la curiosité ni l'espérance d'autres petits dons, comme elle en trouvait dans une lettre au moins sur dix.

Elle espérait seulement que le courant électrique ne vienne pas à manquer totalement, car il baissait souvent et parfois se mourait tout à fait pour revenir quelques secondes plus tard comme si le village était victime d'une panne intermittente.

Déjà, un couteau l'attendait sur la table pour lui servir de coupe-papier. Et il ne restait maintenant plus qu'une dizaine d'avés à franchir pour atteindre le *Gloire soit au Père* qui mettrait un terme à leur exercice de piété.

Pour clore les prières, elle récita à même un livre un acte de repentir en appuyant fortement sur certains mots déjà soulignés pour ajouter au poids du texte.

– « Me voilà, Seigneur, tout couvert de confusion et pénétré de *douleur à la vue de mes fautes. Je viens les détester* devant vous, avec un vrai déplaisir d'avoir offensé un Dieu si bon, si aimable et si digne d'être aimé. Était-ce donc là, ô mon Dieu, ce que vous deviez attendre de ma reconnaissance, après m'avoir aimé jusqu'à répandre votre *sang* pour moi ? Oui, Seigneur, j'ai poussé trop loin ma malice et mon ingratitude. Je vous en demande très humblement *pardon*, et je vous conjure, ô mon Dieu, par cette même bonté dont j'ai ressenti tant de fois les effets, de m'accorder la grâce, d'en faire dès aujourd'hui, et jusqu'à la mort, une sincère *pénitence*. Bénissez, ô mon Dieu, le repos que je vais prendre pour réparer mes forces, afin de mieux vous servir. Vierge Sainte, Mère de mon Dieu, et, après lui, mon unique espérance, mon bon Ange, mon saint Patron, intercédez pour moi, *protégez-moi* pendant cette nuit, tout le temps de ma vie, et à l'heure de ma mort. Ainsi soit-il. »

– Ainsi soit-il, dirent en chœur les enfants qui baissèrent les bras avec des soupirs de soulagement et de contentement.

– On ouvre-t-il les lettres ? demanda aussitôt Nicole.

– C'est maman qui les ouvre, dit le garçon.

– On va les ouvrir ensemble, déclara la mère pour la plus grande joie de tous.

Et ils s'attablèrent.

– Celle-là nous vient de Québec, dit Nicole. On commence par elle.

– La mienne itou, dit Yvon en la tendant à sa mère.

Elle se les mit toutes les deux dans une main et les ouvrit avec son coupe-papier improvisé puis en sortit le contenu qu'elle tendit respectivement à l'un et l'autre.

– Tiens, vous allez lire chacun votre tour. Comme ça, pas de chicane.

– On veut pas se chicaner, affirma Nicole.

– Ben non, maman, on se chicane jamais nous autres, dit son frère qui lut le premier.

Madame Lessard,

J'ai un enfant ben malade. J'ai lu dans L'Action catholique *que vos enfants à vous voient la Sainte Vierge. Pouvez-vous leur demander de demander pour moi qu'elle ramène à la santé mon petit Jean qui pourrait ben se mourir cette année si ça continue de même. Le docteur dit qu'il a le cancer du sang…*

– Comme Emmanuel Jobin, s'écria Nicole.

... Moi, j'ai pas grand argent pour vous en envoyer, mais je mets un timbre de deux cennes dans ma lettre pour avoir une réponse. Faites juste me retourner ma lettre dans une enveloppe. Mais pour l'amour de la Vierge Marie, que vos petits enfants touchent ma lettre de leurs mains pour que je mette la lettre dessour de l'oreiller de mon petit gars. Avec ça, il va revenir sur ses pieds, moi, je le sais. Je suis une veuve comme vous pis je vas prier pour vous tous les jours de ma vie si vous me faites la faveur que je vous demande... Merci ben gros là.

– C'est quoi son nom ?

– Madame Jos Garon, rue Desjardins, Lévis. C'est pas fini, c'est écrit itou :

P.-S. Mon petit Jean, il est ben intelligent pis je voudrais faire un député avec lui.

– Vous allez écrire tous les deux votre nom dans le dos de la lettre pis on va lui maller comme elle veut.

Les enfants s'appliquèrent. Ils achevaient sous le regard tendre de leur mère quand on cogna à la porte. C'était Pit Saint-Pierre, une poche de jute sur la tête, mais qui n'en était pas moins trempé jusqu'aux os et essoufflé comme une baleine.

– Rentrez vite ! lança Maria qui courut ouvrir une porte qui s'ouvrait déjà.

– C'est quelqu'un qui veut vous parler au téléphone. Aimez-vous mieux pas vu qu'il fait tout un orage dehors ?

– Ah ! je vas y aller. J'ai un bon capot ciré.

Elle ouvrit une porte sous l'escalier qui menait en haut et y prit un manteau noir en toile.

– Mais le central du téléphone est-il pas fermé à cette heure ?

– On dirait pas. Ah ! quand c'est pour vous, madame Jacques, elle plogue la ligne chez nous pareil. Faut crère qu'elle se tient pas loin du tableau.

Resté un pied dehors et l'autre dedans, Pit semblait souffrir. Les rides de sa peau, surtout celles du front, exprimaient une douleur intense. Il appuya sa tête contre le chambranle.

– Y a-t-il quelque chose qui marche pas ?

– On dirait, ouais…

Et l'homme ne put en dire plus. Il glissa doucement, tomba à genoux puis s'effondra sur le plancher.

– Mon doux Seigneur, c'est qui vous arrive ? dit Maria qui se pencha sur lui, l'observa, lui prit le poignet et trouva un pouls déprimé.

L'homme avait perdu connaissance. Les bras le long du corps et un genou un peu replié, il gémissait.

Maria se releva et courut à l'évier où elle imbiba d'eau froide une serviette pendant que Nicole s'agenouillait près de l'homme et lui touchait le front, et que le garçon joignait ses mains pour prier. La fillette sentit comme un fluide partir de sa tête, descendre dans son bras, de sa main, et enluminer un point du front du malade. La femme revint et frotta le visage avec son linge : l'homme reprit conscience. Il promena son regard dans le vague. Aperçut les deux visages dans le brouillard, murmura :

– C'est qu'il se passe donc ?

– Vous avez perdu connaissance, monsieur Saint-Pierre.

– On dirait ben, hein ! Pourtant… de coutume, j'sus pas trop gesteux… J'sais pas c'est qui m'a pris de m'éjarrer de même.

Et il se rassit tant bien que mal.

– Ça vous arrive-t-il souvent ?

– Une faiblesse. Ça va revenir…

Alors, il regarda Nicole droit dans les yeux et lui dit sur un ton étrange :

– J'étais dans un tunnel ben brillant, quasiment autant que le soleil, pis toé, tu m'as touché pis tu m'as fait revenir…

Maria s'émerveilla :

– Ça veut dire qu'elle a un don de guérisseuse.

– Ça doit être ça, dit l'homme en se relevant.

Il rajusta sa poche sur sa tête et reprit :

– Parle pas de ça à ma femme Marie-Jeanne, pour pas la rendre nerveuse pour rien. D'abord que j'sus guéri déjà…

– Comme vous voudrez !

– La pluie diminue, on ferait mieux d'y aller…

Une chambre fut libérée pour l'étranger.

Il y monta tôt pour, dit-il, réfléchir à son vieux passé.

On lui donna la meilleure lampe qu'il posa sur un petit meuble étroit à quatre tiroirs. Un coup d'œil sur la pièce lui révéla que la religiosité s'y exprimait en abondance par des rameaux, un crucifix, des images saintes et même, au bord de la porte, un bénitier avec une éponge humide dedans.

Les rages du ciel se poursuivaient.

En bas, un chapelet fut dit. Puis Marie-Ange fit des recommandations aux plus vieilles :

– Si jamais il veut vous parler, rouvrez-y pas votre porte. Demandez-lui c'est qu'il veut à travers la porte.

– Ben voyons, maman, on va pas le laisser venir dans notre chambre, vous savez ben.

– Ben voyons donc, maman !

Bédard abaissa la mèche de la lampe de sorte que la ligne de feu soit le plus fin possible au milieu du globe. Et il s'assit sur le bord du lit, le regard dehors, plongé dans la profondeur de la nuit orageuse. D'immenses paquets de lumière tassés les uns sur les autres s'écrasaient sur les choses battues, sans cesse frappées par la pluie. Il en ramassa toutes sortes d'images fantastiques dans sa tête et souvent leur donna d'autres dimensions que celles de la réalité par les forces de son imagination puissante.

Des ornières et des rigoles creusaient la route de plus en plus et parfois l'eau charriait de gros cailloux qu'à force de laver, elle avait délogés de leur prison de terre compacte. De chaque côté, les clôtures brillaient comme des fils d'araignée et, à l'occasion des éclairs, les courbes mouillées des fils téléphoniques se laissaient parcourir par de longues dégouttières que dispersait aussitôt la mitraille du vent.

Quand la nuit noire reprenait ses droits, l'homme déplaçait son regard et un nouvel éclair lui prodiguait de nouvelles visions insolites. Celle qui le fascina le plus lui montra un bocage de sapins et d'épinettes dans lequel on pouvait apercevoir des taches blanches chaque fois que le ciel s'allumait. Des vaches immobiles et résignées subissaient le temps avec la consolation de n'avoir pas à se battre les flancs de leur queue lourde pour en chasser les moustiques détestables. Ce qu'il y avait d'intéressant pour lui dans cette scène aux airs de nature presque morte, c'était la proximité d'une force agissante énorme, celle de la foudre, et de cette passivité de l'animal le plus docile de la création, l'opposition entre une puissance débridée et une existence inerte, l'incomparable beauté de la violence qui tue juxtaposée à la minable fadeur de la servitude non moins mortelle.

Parfois, des petits danseurs de feu couraient sur la ligne électrique : on eût dit que le transformateur n'était pas tout à fait mort, comme on l'avait fait savoir aux gars de la Shawinigan à l'heure du souper.

L'étranger se perdit dans son passé, son futur, son monde, et il en émergea longtemps après, alors que l'orage n'était plus qu'un souvenir s'éloignant et qu'il ne restait plus d'adversaire aux ténèbres autre que cette flamme fine et tranquille de la lampe des Boutin. Et pourtant, il vit une autre lueur quand il tourna la tête ; elle était bien mince et accroupie sous sa porte. Des demi-voix et des chuchotements lui parvinrent. Il se leva et marcha sur la pointe des pieds jusqu'au mur intérieur et s'y colla l'oreille, mais rien de clair ne lui parvint. Pendant ce temps, forte d'une lampe de poche aux piles faibles, et de son droit de propriété, Marie-Ange se rendait à l'étage pour se rendre compte par elle-même de l'ordre nécessaire dont elle avait la responsabilité. Le plancher craqua sous son poids. De chambre en chambre, elle éclaira les sommeils, les somnolences, les paupières qui faisaient semblant d'emprisonner les consciences pour la nuit. Rendue à la porte de l'étranger, elle s'arrêta pour écouter. Lui croyait qu'il s'agissait d'une des grandes filles, Simone ou Solange. Elle regarda la poignée de la porte un long moment, tandis que de son côté, Bédard faisait de même, comme si leurs ondes s'étaient entendues sans se rencontrer ni se connaître.

***

Chapitre 17

L'homme s'éveilla, sachant bien avant d'ouvrir les yeux qu'il faisait jour. Mais depuis combien de temps ? La lampe sur le bureau avait disparu. Pourtant, sa porte était fermée. On était venu la prendre. Sans doute pour économiser l'huile. Ou bien on en avait eu besoin. Quel besoin ?

Il se rendit écouter à la porte, cherchant à entendre des ronflements, les craquements d'un sommier ou d'une paillasse de paille. Silence. Silence de mort. Silence de matin. Silence de dimanche.

On n'était encore que le jeudi. Il hocha la tête pour mieux brasser ses idées et donner pleine maîtrise à son esprit sur cette carapace de chair et de sang qu'il lui fallait bien faire dormir, alimenter, vider de ses trop-pleins et apaiser parfois de ses pulsions charnelles.

Il retourna enfiler ses pantalons et revint à la porte qu'il entrouvrit doucement. Personne dans la chambre du fond. Personne dans la chambre d'à côté. Pas âme qui vive dans la troisième par laquelle il devrait passer pour descendre à la cuisine. Mais alors, il aurait dû entendre quelque chose par une petite grille qui donnait sur la table en bas.

« Le train ! » lui dit soudain le souvenir des vaches blanches du bocage noir. Il avait oublié qu'il se trouvait dans une maison de cultivateur et que c'était l'heure de la traite des vaches, lesquelles en arrivaient maintenant au sommet de leur production laitière annuelle.

Il mit sa chemise, ses chaussures et quitta la chambre.

Mais il ne trouva pas que silence et absence dans la cuisine qu'il apercevait mieux à chaque marche descendue : la fillette de 5 ans s'y trouvait assise à côté d'un ber sur cerceaux contenant sa sœurette encore endormie, et il put entendre le léger roulis provoqué par le mouvement qu'elle imprimait au lit pour garder la petite le plus longtemps possible dans les vapeurs de son inconscience enfantine.

– Bonjour, Yvette.

Elle sursauta bien qu'elle l'ait entendu marcher puis descendre.

– onjou…

– Sont tous à l'étable ?

Elle fit signe que oui. Puis regarda sa petite sœur, puis l'homme comme pour lui dire de se montrer plus discret.

Il se mit un doigt en travers de la bouche, comme pour lui montrer qu'il avait compris son désir et passa son chemin pour se rendre aux toilettes, où il trouva un lavabo qui lui permit de se laver un peu et de se peigner.

Il retourna dans la cuisine, décrocha sa calotte, la mit et sortit. Le matin était bas, humide et inquiet. Une odeur de ce qui pouvait ressembler à de l'ozone circulait dans l'air lourd. Ça sentait l'orage encore. Mais l'homme vibrait à tout ça. Il renifla en tournant la tête à droite et à gauche, vit apparaître une fourgonnette grise sur la côte du rang et se dirigea vers l'étable sans plus attendre, espérant qu'il pourrait peut-être essayer de tirer d'une vache ce qu'elle abandonnait au premier venu sans considération pour sa propre progéniture…

Alors que l'homme s'apprêtait à pénétrer dans l'étable par la porte ouverte, le véhicule tourna dans l'entrée et l'on fit entendre un léger coup de klaxon qui attira son attention et le retint dehors un moment encore. Le conducteur descendit, salua de la main puis disparut devant la maison. À n'en pas douter par son accoutrement d'électricien, il s'agissait d'un réparateur de lignes venu constater les dégâts de la nuit.

L'odeur de l'étable était constituée d'un mélange de senteurs fortes : celle du fumier de vache, du vieux foin sec de l'année d'avant, du purin de porc et de la crotte de poule. L'étranger répondit à cet appel puissant et entra. Son premier regard tomba sur Simone qui, tête appuyée dans le ventre d'une vache, en manœuvrait les pis d'habile façon, dans des mouvements fermes, cadencés et drus qui faisaient jaillir le jet chaud et blanc s'écrasant dans un bruit riche en pleine épaisseur de lait dans le seau de métal.

Elle s'arrêta un moment. Leurs yeux se rencontrèrent. Elle sourit et il salua de la main puis marcha derrière les vaches. Jeannette, qui trayait la suivante, ne s'arrêta pas pour lui, d'autant qu'elle traversait l'âge des grandes réserves et timidités. Huguette commençait à traire la suivante, puis Denise s'affairait à une plus loin, la plus brune du troupeau de douze bêtes. Au fond, une porte ouverte donnait sur la laiterie où Marie-Ange actionnait la manivelle d'un séparateur, duquel les jets de lait et de crème coulaient, l'un lent et lourd et l'autre léger mais puissant, dans deux seaux voisins.

– Vous auriez pas une vache de trop ? demanda-t-il en passant sa tête dans l'entrebâillement de la porte.

– Ah ! c'est vous, ça ! Savez-vous tirer une vache, vous ?

– Non.

Cette réponse plut à la femme qui rajusta sa casquette.

– Ben on va vous le montrer. Entrez pis prenez la chaudière qui se trouve là sur l'établi. Pis allez l'autre bout, là-bas, au fond, pis demandez à Georges de vous donner une vache. Celle à Solange, tiens, la Barrette, qu'on l'appelle. Elle donne une bonne traite pis elle a les trayons tendres…

– Oui, mais Solange…

– Elle, elle s'occupe de faire boire les veaux dans le clos de pacage. Vous comprenez, on leur donne du lait écrémé pas du lait naturel. Pis ça fait pareil pis on vend la crème à beurrerie… Vous avez pas l'air connaissant beaucoup sur une terre, vous…

– Oui pis non…

– En tout cas, faites comme je vous dis pis dans une demi-heure, vous saurez tirer une vache. C'est quasiment aussi important que de savoir écrire étant donné qu'avec du lait, tu peux t'arracher la vie tandis qu'avec des écrits, tu te nourris pas fort… Une page de livre, ça fait pas un steak trop trop épais…

– Pourquoi faites-vous instruire vos enfants ? Solange va à l'École normale et les autres à la petite école…

– Parce que savoir tirer une vache pis savoir écrire en plus, c'est pas méchant pantoute, ça, monsieur. Soit dit sans vous offenser… Tiens, à partir d'asteure, je vas te dire tu. Après tout, t'es plus jeune que moé de quelques bonnes années. Ce qui t'empêchera pas, toé, de continuer à me dire vous… comme mes enfants…

Bédard sourit légèrement, prit le seau désigné et partit sans dire un mot. Au moment où il tournait les talons, Solange entrait dans la laiterie par la porte extérieure, venue chercher la prochaine chaudiérée de lait écrémé.

– Il s'en va tirer une vache, lui dit sa mère en riant. Ça doit être un petit monsieur de la ville.

– Il va-t-il prendre la Barrette ?

– Oui.

– Tant mieux, ça va me faire moins d'ouvrage… Mais il sera peut-être pas capable.

– Moé, j'pense que oui. Il est plus débrouillard qu'il le fait voir, ça c'est certain. C'est loin d'être un sans-génie… mais il nous cache des affaires, ce monsieur-là, ça, c'est sûr itou…

– Dans le châssis hier soir, durant l'orage, il me faisait penser à Lucifer…

– Dis pas des affaires de même, là !

Bédard se présenta à Georges, qui comprit aussitôt et délaissa sa vache pour montrer à l'autre quoi faire et comment s'y prendre.

– Prends le banc à Solange, tiens, pis assis-toé à côté de la Barrette, icitte, là…

Quand ce fut fait, l'homme prit un linge mouillé posé sur un rebord de fenêtre et vint nettoyer les pis. Et dit :

– C'est le pouce qui fait foi de tout. D'abord, mets la chaudière entre tes genoux pis serre pour pas qu'elle tombe…

Bédard obéit.

– Mets ta main comme ça, tu vas sentir l'enflure… ben c'est pas de l'enfle, c'est du lait, pis pour le faire sortir, tu pèses comme ça su' le trayon.

Georges fit faillir le jet qui s'écrasa en chantant au fond de la chaudière. L'étranger l'imita, mais en vain et en vain. Georges tendit son linge.

– Tiens, mouille-toé les mains mais rien qu'un peu.

Et l'homme réussit enfin à faire sortir du lait. La vache à ce moment donna un coup de queue qui le frappa au visage mais ne le pinça pas. Georges protesta mollement :

– Voyons, toé, la Barrette, de coutume, tu te tiens tranquille. Asteure, faut que tu fasses marcher tes deux mains une après l'autre. Si t'es capable avec une, tu vas pouvoir avec l'autre. Moé, je te laisse, faut que je finisse ma vache pis que je donne de la drague aux cochons… Pis tu vas apprendre mieux tu seul…

La meilleure manière de pénétrer ces gens-là jusqu'au fond de l'âme sans trop rencontrer de résistance, c'était de partager leurs tâches, se disait l'étranger en poursuivant son travail. Il le fit si bien qu'il ne tarda pas à emprunter toutes leurs attitudes.

Il s'arrêta un court moment, mit la palette de sa casquette vers l'arrière et appuya sa tête contre le flanc dur de la Barrette qui se montra nerveuse tout le temps de la traite mais pas trop…

Quand les pis parurent taris, il se releva, se composa un regard de fierté et se rendit à la laiterie où Marie-Ange, qui l'avait observé de loin, l'accueillit avec emphase :

– Je le savais que tu te débrouillerais, je l'ai dit à Solange. Apporte-moi ta chaudière que je passe le lait au centrifuge.

Depuis un moment, Bédard était chicoté par une idée, celle de voir l'électricien travailler. Cet homme lui apporterait quelque chose, il le savait. Tout nouveau personnage ne pouvait signifier que de la nouveauté.

– Là, je vas aller voir l'électricien qui est…

– C'est-il Léonard Beaulieu ?

– Moi, j'connais pas trop le monde. J'sais que c'est un électricien ; il porte une ceinture à outils avec des éperons pour grimper dans les poteaux.

– Je pensais que c'est les gars de la Shawinigan qui viendraient arranger ça.

– Faut croire que non…

– C'est quelqu'un d'autre que nous autres qui aura appelé le petit Beaulieu. Ah ! pourvu que la ligne électrique soit arrangée, c'est tout ce qui compte !

Et l'homme quitta en se disant que la seule personne de la famille Boutin qu'il n'avait pas encore vue depuis son lever, c'était la Solange, qui devait toujours être à nourrir les veaux du printemps derrière la grange.

Il sortit, suivi par l'odeur de l'étable, et marcha jusque devant la maison où une surprise l'attendait. Beaulieu ne travaillait pas sur la ligne électrique mais de l'autre côté de la route, sur la ligne téléphonique qu'il avait aussi la responsabilité d'entretenir. Alors il se rendit jusqu'à lui. Beaulieu, un jeune homme très sociable, sourit et lança au pied du poteau en haut duquel il se trouvait :

– Salut ben, mon cher monsieur ! J'vous connais pas mais si vous me dites votre nom, j'vas vous connaître…

– Germain Bédard.

– Moé, c'est Léonard Beaulieu, électricien pis réparateur des lignes du téléphone.

– On pensait que t'étais venu pour travailler sur la ligne électrique. On a manqué de courant avant sept heures hier soir…

– Je finis ça pis ensuite je traverse…

Beaulieu, personnage un peu grassouillet, possédait une voix très douce, un ton enjoué. Bien ancré sur ses éperons, large ceinture de cuir attachée autour du poteau, il était à dégager le cuivre d'un fil pour le mieux enter avec une autre extrémité.

– Madame Boutin, elle a averti la Shawinigan hier soir…

– Pourtant, me v'là le premier ! C'est ça la différence entre une grosse compagnie pis un particulier. Un nain, ça a les pattes courtes, mais ça finit par se déplacer plus vite qu'un géant.

– On a eu tout un orage hier soir.

– Pis un autre aux petites heures de la nuitte.

– Ça, j'ai pas eu connaissance.

– Es-tu de la parenté de la famille Boutin ?

– Non, moi, j'ai loué la maison du vieux Polyte…

Léonard leva les yeux.

– J'en vois le pignon là-bas… non, à ben y penser, ça sera plutôt quand y'a pas de feuilles que je le vois. L'électricité se rend pas là, ça changeait pas grand-chose pour toé que le transformateur soit sauté.

– Ah ! mais j'ai couché icitte…

Maintenant marié, Beaulieu avait déjà fait les yeux doux à Simone et il esquissa un sourire.

– T'as dû trouver qu'y a de la belle popeye dans la maison à Georges Boutin.

– De la quoi ?

– De la popeye… des filles…

– Huit… mais y en a qui sont pas hautes sur pattes encore. Ça va venir un jour, mais…

– Tu viens d'où, toi ?

– Dans le bout de Victoriaville.

– Pas loin de Drummondville.

– C'est ça.

– Quand on va à Montréal, on se trouve pas à passer par là, hein ?

– Plessisville, Princeville, Drummondville, mais pas Victoriaville.

– Vas-tu travailler quelque part ?

– Pour tout de suite, je vas plutôt me refaire des forces.

– Tu t'es fait opérer ?

– C'est ça… oui, c'est ça…

– Une grosse opération ?

Les questions étaient si drues et directes que l'étranger avait du mal à les esquiver. Et il devait mentir pour y arriver.

– Y en a-t-il des petites ?

– Ben… ouais… se faire opérer pour les amygdales, pour l'appendicite, pour un ongle incarné…

Bédard sourit :

– C'est comme les opérations sur les lignes de téléphone…

– J'dirais plutôt les lignes électriques. Quand t'as un gros transformeur qui brise au coin du rang Six, c'est pire que si c'est un fil endommagé… Bon, ben, c'est fait…

La réparation achevait. Bédard avait une fois de plus échappé à un interrogatoire en règle et il sourit intérieurement. De plus, il lui semblait que l'autre aurait tôt fait de montrer ses faiblesses si à son tour, il était questionné.

– Es-tu du village ?

– De la paroisse, mais je travaille aussi souvent au village que dans les rangs.

– Il faut quoi pour être bon dans ce que tu fais ?

– Bon pied, bon œil, comme dans n'importe quoi.

– Pour grimper…

On disait souvent de lui qu'il était meilleur qu'un écureuil pour monter dans un poteau et en descendre ; et Beaulieu voulut le démontrer. Il prit sa ceinture à deux mains pour la contrôler à sa guise, se redressa un peu pour la dégager de la pression en l'exact instant où il dégageait les éperons de leur emprise dans le cèdre mou, et il descendit d'un coup sec de trois pieds, et il répéta la manœuvre de sorte qu'en deux temps trois mouvements, il fut à terre à côté de son interlocuteur, ceinture détachée qui pendait à son côté…

– J'en reviens pas, s'étonna Bédard, t'es meilleur qu'un gars de la B.C.

– Ah ! maudit non, eux autres en Colombie-Britannique, ils descendent ça par coups de six pieds. En tout cas, selon Alzyre Poulin, un gars de par icitte qui travaille par là.

Beaulieu aimait le défi et son humilité était trop apparente pour ne pas être qu'apparente.

– Moi, j'aime autant marcher sur le plancher des vaches…

Une coïncidence voulut que les vaches commencent à passer et à traverser la route pour retourner à leur pacage. Elles étaient reconduites par Simone et Huguette, toutes deux armées d'un petit fouet inoffensif qui leur servait non à frapper les animaux mais à les diriger.

– Salut, Simone, ça va ben ? lança Beaulieu par-dessus le troupeau.

– Ah, oui, pis toé ?

– Comme tu vois, c'est pas l'ouvrage qui manque. Après la ligne du téléphone, c'est la ligne électrique.

La jeune fille avait été en amour avec lui, mais leurs fréquentations avaient tourné au vinaigre, la mère du jeune homme préférant pour lui une fille du rang Neuf dont elle aimait le caractère semblable au sien. Simone avait risqué la rupture en s'imaginant qu'il lui reviendrait, mais la vie en avait décidé autrement.

Bédard put lire quelque chose de particulier dans leurs regards. Il saurait bien par les parents de Simone ce qui les réunissait. Ou les avait réunis.

– Bon, asteure, allons voir les dommages…

Les deux hommes traversèrent la route. Beaulieu s'élança à l'assaut du poteau supportant deux fils électriques et le transformateur. Ses pieds éperonnaient le bois créosoté à une vitesse étonnante que Bédard observait avec insistance, comme pour s'en pénétrer à jamais. Un écureuil n'aurait pas fait mieux.

Rendu à la hauteur du transformateur, le grimpeur entoura le poteau de sa ceinture de sûreté qu'il attacha à sa pleine longueur afin de travailler plus aisément.

– T'as l'air ben outillé pour travailler, dit l'étranger.

– Comme tu vois, ça prend pas grand-chose: une petite hache, des pinces, un vilebrequin…

– Vas-tu ouvrir le transformateur ?

– Ben non. Quand ça brise, on le change au complet. C'est de l'huile qu'il y a là-dedans.

– Y a-t-il du courant dans les fils ?

– Certain.

– Pourquoi c'est faire qu'on n'en a pas dans la maison ?

– Parce que y'a une *fuse* de sautée dans le *cut-out*.

– Je pensais que c'était le transformateur qui était brisé.

Léonard dit sur le ton de l'évidence :

– Il est protégé par les *fuses* du *cut-out*.

Il y avait une boîte fermée par une petite trappe, et qui contenait une cartouche dans laquelle se trouvait un fusible. La tâche du jeune homme consistait à ouvrir la trappe à l'aide d'un bâton isolé et à remplacer le fusible afin que le courant de 6 600 volts puisse se rendre au transformateur par le fil d'alimentation pour que là, le voltage soit réduit à 240 volts.

– L'électricité, c'est pas compliqué, pense à un tuyau qui conduit de l'eau, tout simplement. L'eau peut circuler plus vite, moins vite, avec plus ou moins de pression, le tuyau peut être à moitié rempli, mais là, y aura aucune pression. Ou encore, comme asteure, y aura pas d'eau du tout dans le tuyau… ou si tu veux le fil…

Et il toucha le fil menant le courant à la maison.

Alors sa main se mit à secouer et sa tête à bouger violemment. Simone qui revenait dans la cour s'arrêta et se mit la main devant la bouche pour ne pas crier. Beaulieu, lui, paraissait crier mais aucun son ne sortait d'entre ses lèvres qu'il mordait alternativement.

L'étranger ne bougeait pas d'une ligne et il semblait avoir les yeux rivés sur Beaulieu qui soudain cessa de bouger, devint rigide le temps d'une pause puis éclata d'un long rire :

– Ce fil-là est aussi mort que moé, j'sus vivant.

– Fais pas le fou de même, lança Simone, qui le menaça de sa hart tenue à bout de bras.

Bédard restait muet et droit comme une statue. Beaulieu reprit en s'adressant à lui tout en regardant la jeune femme :

– Si tu penses comme je te l'ai expliqué, tu vas tout comprendre sur le transport du courant électrique.

– Intéressant.

– Simple comme bonjour !

– Dangereux ? s'enquit Bédard qui haussa un seul sourcil.

– Surtout pour les vieux de la vieille qui ont trop d'expérience dans leur métier. Ça devient une routine, pis ben c'est là qu'ils se font prendre. Mais la plupart travaillent toute leur vie dans l'électricité sans jamais avoir d'accident.

L'étranger se tut et regarda fixement son interlocuteur juché à quinze pieds du sol. Simone héla sa petite sœur et commença à lui marmotter des insignifiances, car elle voulait flâner un moment sur place et se faire voir et parler par Bédard. Beaulieu, pendant ce temps, allongea le bras avec le bâton qu'il tenait et ouvrit la trappe, mais il se trouva un peu trop loin de son objectif pour avoir dû attacher sa ceinture sous le transformateur.

Il raccrocha son bâton sur lui, décrocha la ceinture et monta de deux pieds. La distance le séparant des fils à haute tension ne présentait aucun problème. Il se rattacha au poteau.

– Les gars de la Shawinigan, ils font quoi sur les lignes, eux autres ? demanda Bédard.

– De l'entretien.

– Sont pas venus ?

– Se lèvent plus tard que moé…

L'électricien fut sur le point de reprendre son bâton isolé quand la voix de Simone se fit entendre :

– Ma mère demande si vous voulez déjeuner avec nous autres.

– Qui, moé ? s'étonna Beaulieu.

– Non, monsieur Bédard.

Léonard rit de sa méprise et allongea le bras pour prendre la cartouche, oubliant de reprendre d'abord son bâton isolé. L'étranger fronça les sourcils. La chance aurait pu fort bien se trouver là et empêcher la distraction de l'électricien de tourner à la tragédie, mais elle brilla par sa totale absence. Et au lieu de cela, c'est une boule de feu qui enveloppa la tête du jeune homme.

Simone en fut témoin. Cette fois, un cri bref sortit de sa bouche qui resta ouverte. Bédard hocha tout légèrement la tête et juste deux fois.

Aucune commotion apparente, aucun tremblement, aucun son, pas de frémissements, rien de spectaculaire à part ce feu éphémère, ne se produisit. Beaulieu resta les jambes droites bien fixées sur les éperons. Son bras conducteur avait été projeté sur lui-même, mais on ne l'avait pas vu d'en bas. Sa tête tomba sur le côté dans un mouvement très lent. Bédard l'aperçut : le visage était noirci.

– Cet homme vient de se faire tuer, dit-il calmement.

Simone accourut, suivie de sa jeune sœur. Son visage questionnait et pourtant, elle savait déjà que la mort venait de parler en haut du poteau.

– Il vient de se faire tuer, répéta froidement Bédard.

Simone poussa sa sœur en parlant nerveusement :

– Va chercher maman, va chercher maman…

– Et ton père, ajouta l'étranger.

Huguette détala.

– Mais c'est sans bon sens, mais c'est sans bon sens, ne cessait de répéter la jeune fille.

Puis elle fit son signe de la croix et commença à prier tout haut à train d'enfer sans penser à ce qu'elle disait :

– Je vous salue Marie, pleine de grâces, le Seigneur est avec vous. Vous êtes bénie entre toutes les femmes et Jésus…

Bédard demeura figé, sans cesse regardant ces yeux à demi clos qui avaient l'air de le narguer et de lui dire : « Eh ben, mon ami, je sais tout' su' toé, asteure. »

Arrivèrent des filles en courant puis Marie-Ange qui jacassait comme une pie :

– De quoi c'est qu'il se passe ? C'est qu'elle nous chante, celle-là encore ?

Et Georges accourait avec une échelle.

Solange fut la dernière à venir mais pas de la même direction que les autres. Elle se glissa le long de l'autre extrémité de la maison et resta muette sur le coin à la seule vue de l'étranger, fixant la funeste image que lui donnait le mort.

– C'est qu'on va donc faire, mon Dieu, mon Dieu, gémissait la mère ?

– Allez téléphoner aux gars de la Shawinigan qui sont peut-être encore à l'hôtel Central.

Se rendant compte qu'elle pouvait y faire quelque chose, la femme s'empressa d'entrer dans la maison.

Georges vint appuyer son échelle contre le poteau. Bédard lui prit un bras.

– Montez pas là ! Toucher un homme électrocuté, c'est comme toucher des fils à haute tension.

– On est pas pour le laisser là. S'il est pas mort, hein ?

– Regardez sa face, monsieur. Plus mort que ça, ça s'est jamais vu. Faut attendre les gens de la Shawinigan.

Le père crut bon renvoyer les enfants dans la maison et il le leur ordonna. Elles obéirent mais se rivèrent aux fenêtres de la cuisine et des chambres du haut tandis que Marie-Ange téléphonait au village, à l'hôtel et au presbytère. Leur mère sortit bientôt. Elle annonça que l'équipe de la Shawinigan n'était plus à l'hôtel mais qu'on avait entendu le contremaître Parenteau dire au déjeuner qu'ils se rendaient justement dans le Dix pour réparer le transformateur endommagé.

On entendit le bruit d'un véhicule. Marie-Ange mit ses mains sur ses hanches pour dire :

– Ça me surprendrait pas pantoute que ça serait eux autres qui s'en viennent.

– Ils auraient donc pu arriver un quart d'heure avant, gémit le père qui tournait en rond.

DOMNICA RĂDULESCU

De trein naar Triëst

SIJTHOFF

Oorspronkelijke titel: *Train to Trieste*
Vertaling: Mariëtte van Gelder
Omslagontwerp: Nico Richter
Omslagfotografie: Reunion Images Limited

ISBN 978 90 218 0099 8
NUR 302

www.boekenwereld.com

Voor Alexander en Nicholas

Deel een

Oranje manen

Ik heb de Zwarte Zee achter me gelaten, met een goudkleurige, zilte huid en warrig haar dat is opgelicht door de zon, om de trein te nemen die langs de violetblauwe wateren en de gele velden met zonnebloemen door de bergen het naar hars geurende woud in trekt.

Ik ben zeventien. Elke zomer verruilen mijn ouders en ik de benauwde straten van Boekarest twee weken voor het strand van de Zwarte Zee, waarna we twee zomermaanden doorbrengen bij mijn tante in Braşov, de stad aan de voet van de Karpaten. Ik haast me elke zomer naar de bergen, verlangend naar de koele, geurige lucht en sprankelende zonsopkomsten.

Dit jaar ben ik alleen met mijn moeder gegaan. Op de avond dat ik aankom vanaf de zee, wil ik meteen een wandeling door de buurt maken. Mijn tante Nina zegt dat ik beter eerst kan rusten dan er helemaal verhit en bezweet op uit te trekken. Ze geeft haar adviezen altijd op een timide, zachte manier, alsof ze bang is je van streek te maken, in tegenstelling tot mijn moeder, die haar meningen er uitflapt met een zo schrille stem dat je wel moet luisteren.

Mijn jongere nichtjes Miruna en Riri willen dat ik met ze kom spelen. Miruna, die bijna tien is en de blauwste ogen heeft die ik ooit heb gezien, barst in tranen uit en zegt dat ik nooit meer met ze wil spelen en dat ze me haat. Riri, die pas vijf is en ogen zo donker als bosbessen heeft, gooit een houten speelgoedkistje naar mijn hoofd. Ik zeg dat ik later met ze kom spelen. De enige die er niet om maalt wat ik doe is mijn oom Ion, die op de bank in de keuken ligt te ronken, te moe van zijn werk om zelfs maar naar bed te gaan.

Ik wil mijn zonverbrande lichaam verkoelen in de frisse berglucht en de marmeren trap af vliegen, de koele avondlucht in, voordat mijn moeder of haar zus nog iets kan zeggen. Tegen juni snak ik naar het vertrek uit Boekarest met zijn vermoeide mensenmassa's, warme stoepen, lompe, grijze gebouwen in Franse stijl en trage trolleybussen. De omweg langs de Zwarte Zee is als een korte duik in een sprookje. Wanneer ik 's ochtends door de volmaakt witte zuilen langs de rand van het strand naar de smaragdgroene zee kijk, sprankelend in de ochtendzon, waan ik me altijd terug in de tijd van Ovidius, die hier ooit als balling leefde. Ik stel me graag voor dat ik een najade ben die dromerig over het brandende zand loopt en langzaam tussen de ragfijne algen en parelmoeren schelpen in het water glijdt. Tegen het eind van de tweede week doet mijn lichaam pijn van de zon en van de horden mensen uit Boekarest die elke vierkante meter van het strand in beslag nemen met hun provisorische tenten en kleurige badlakens. Dan begin ik te verlangen naar dennen en verkoelende schaduw.

Hier voel ik me eindelijk thuis; niet als in een sprookje, niet als op een plek die ik wil ontvluchten, maar als op een plek waar mijn lichaam compleet is en mijn hart gestaag klopt. Vanachter de dikke stenen muren langs de straten klinken kinderstemmen. In de perken langs de stoepen groeien bloedrode klaprozen en oranje goudsbloemen. Vlak om de hoek is de grote markt en ik hoor zwakke echo's van boerenstemmen die tomaten en radijs, watermeloenen en lenteaardappels aanprijzen. De zomerse openluchtmarkt is de enige plek waar je nog eten kunt kopen zonder uren in de rij te hoeven staan. 's Zomers eten we beter in Roemenië.

Ik kom mijn jeugdvriendin Cristina tegen. Ze draagt haar kastanjebruine vlechten om haar hoofd gewonden en ze vertelt me ademloos het nieuws, zonder enige inleiding of een begroeting, alsof ze erop had gerekend mij hier vanavond tegen te komen.

'Heb je het gehoord van Mariana? Mihai heeft haar vermoord,' zegt Cristina. 'Eind april gingen ze samen drie dagen weg. Ze hadden de Rots van de Prins beklommen en wilden voor het donker bij hun tent terug zijn. Hij liep achter haar en schopte per ongeluk een steen los. Die raakte haar hoofd en toen was ze dood, zomaar.'

Cristina barst in snikken uit. Ze was een goede vriendin van Mariana, van wie ze alles over zoenen en vrijen leerde, wat ze vervolgens aan mij doorgaf. Ik probeer Mariana voor me te zien. Ik keek tegen haar op. Ik was jaloers op haar hese stem en de manier waarop ze rookkringetjes blies. Ik vond het prachtig om te zien hoe ze, zwierend met haar zigeunerrokken, achteloos bij haar vriendje op schoot plofte. Ik zie nu vooral dat vriendje voor me, Mihai Simionu. Hij heeft groene ogen en lange wimpers, en hij tokkelde op zijn gitaar en zong weemoedige liederen. Cristina's nieuws over het ongeluk is verschrikkelijk, maar op de een of andere manier kan ik niet om Mariana huilen.

Mihai en Mariana zijn vier jaar ouder dan Cristina en ik, en zij beiden en hun liefde waren fascinerend voor ons. Soms volgden en bespioneerden we hen. Ik keek stiekem naar Mihai wanneer hij fluitend en hand in hand met Mariana op straat liep. Ik zie hem weer gaan, alleen houdt niemand zijn hand meer vast.

In plaats van door te lopen naar de boulevard gaan we terug naar onze buurt. Cristina wil niet dat iedereen haar ziet huilen. We lopen langs een rij strak in het gelid staande gele, perzikkleurige en blauwe, stenen huizen naar het park aan het eind van de straat en zien Mihai in kringetjes in de schaduw rond de houten bank lopen waarop Mariana en hij tot 's avonds laat zaten te kussen en te zingen. Hij is ongeschoren en hij draagt een geruite broek zoals ze die dragen in de Karpaten, laarzen en een gekreukt overhemd met korte mouwen. Als Cristina hem ziet, begint ze weer te huilen. Ik zeg dat ze naar huis moet gaan en mij met hem alleen moet laten.

Ik zie hem die Roemeense sigaretten zonder filter roken die *Carpaţi* heten, Karpaten, wat bijna een wrede grap is. Ik heb nooit begrepen waarom die stinksigaretten vernoemd zijn naar ons mooiste natuurgebied. Roemeense sigaretten zijn de slechtste van de wereld, bitter en zuur. Ik zie hem roken en verwoed ijsberen met de pijn van zijn verdriet en opeens gaat mijn hart naar hem uit. Ik loop regelrecht naar hem toe en ga schaamteloos voor hem staan, zodat hij me niet kan ontwijken. Hij moet wel naar me kijken. En dat doet hij ook. Hij laat zijn woede even varen en glimlacht naar me, zijn groene ogen dichtknijpend tegen de rook. Ik vraag of hij met me wil wandelen. Hij knikt.

De volle maan hangt laag. Mihai loopt snel, met zijn hoofd gebogen. Ik kan hem niet bijhouden. Mijn gezicht brandt nog van de zon aan de Zwarte Zee, en van de zomeravond, van de volle maan en zijn groene ogen. Ik gloei als sintels. Ik geef licht in het donker.

Er is geen vlees meer in de winkels en geen wc-papier. Bloem, olie en suiker zijn op de bon. De mensen zeggen dat het nu, in 1977, net zo erg is als onder het stalinisme. Het ergste is nog wel dat er op elke hoek mannen in een zwartleren jack met kleine ogen op de uitkijk staan, op elke verdieping van elk gebouw, en die alle telefoonlijnen afluisteren. Ze willen weten of je klaagt, of je grappen maakt, of je met buitenlanders praat, of je van plan bent het land te verlaten en hoe je aan je Kent-sigaretten bent gekomen. Veel mensen slagen er op de een of andere manier in het land uit te vluchten. Bijna dagelijks hoor je nieuws over zus-en-zo die niet is teruggekomen van een toeristische reis naar Duitsland, of naar Joegoslavië ging, maar in Italië belandde. Ze boffen maar, zeggen we dan altijd. Slim gedaan, gelijk hebben ze, zeggen we ook.

Op school bestuderen we tussen de lessen organische scheikunde, vergelijkende literatuurwetenschappen of westerse filosofie door ook de socialistische vijfjarenplannen van de agrarische coöperaties en de productie van gereedschap en tractors, en we leren over die utopie van socialistisch geluk in een niet al te verre toekomst, waaraan de mensen naar vermogen zullen bijdragen en waarin men naar behoefte zal delen. We lijken ons in een soort overgangsfase te bevinden waarin niemand, behalve dan de belangrijke partijleiders en de geheime politie, die hun inkopen doen in speciale, geheime regeringswinkels, ook maar in de buurt komt van het bevredigen van de meest basale behoeftes. De supermarkten zijn leeg en de stalen schappen zijn zo blinkend schoon dat je je gezicht langwerpig weerspiegeld ziet in het metalen oppervlak. Als je geluk hebt, kan er op de gekste momenten van de dag een transport kaas of kippenvleugels in je buurt aankomen, en dan vormen zich prompt lange rijen. De achtersten in de rij maken meestal een moedeloze indruk; ze weten dat er tegen de tijd dat zij aan de beurt komen, niets meer over zal zijn. Ze vertrekken met hun lege tassen en proberen andere rijen in de stad te vinden, ergens waar zij misschien vooraan kunnen staan voor boter, sardines of wc-papier. De gangbare grap is dat de Roemenen geen wc-papier meer nodig hebben omdat ze niets meer hebben om uit te poepen.

Deze zomer, mijn zeventiende, bloei ik op tot vrouw en geef ik niets om lege winkels en suiker- en bloemrantsoenen. Mijn blauwe ogen vonken. Mijn lange ledematen zijn gespannen en rusteloos. Ik heb wild, korenblond haar dat alle kanten op vliegt en een razende hunkering in mijn lijf. Het enige wat voor mij belangrijk is, is dat die man die rouwt om zijn dode geliefde, zijn blik op me richt, mijn door de zon gebleekte haar, mijn gloeiende gezicht en mijn schouders ziet, en dat hij een van zijn weemoedige liedjes voor me op zijn gitaar speelt. Voor mij alleen. De geur van aarde en dood die in zijn hart gist, maakt me gek van verlangen. Ik wil daar in de kern van zijn hart zijn, waar het naar onbewerkte aarde ruikt. Ik wil hem als mijn eerste minnaar: verbitterd, razend, ruikend naar Roemeense sigaretten zonder filter en treurend om een dood meisje.

Dit is het jaar van de grote aardbeving, en het lijkt alsof er bloed en roze bloemen tegelijk uit de gebarsten aarde opbloeien. Die gulzige, meedogenloze zwarte aarde! Ik vraag me af of Mariana nog tijd heeft gehad om na te denken, bang te zijn, naar adem te snakken bij de gedachte aan haar naderende dood. Ik vraag me af of Mihai gewoon niet nadacht toen hij die steen van de heuvel schopte of dat Cristina iets voor me heeft verzwegen, of het zelf niet wist. Ik weet dat er meer mannen verliefd waren op Mariana. Ik weet dat ze in grote groepen de bergen in trokken. Misschien had Mariana iets te veel geflirt met Mihais beste vriend Radu, want zo was ze soms. Misschien werd Mihai gek van jaloezie. Misschien was het een moord uit hartstocht. Ik herinner me hun onstuimige ruzies 's avonds laat aan de rand van het park waar alle jongeren uit de buurt bij elkaar kwamen. Mariana barstte altijd in huilen uit, rookte de ene sigaret na de andere en stond met wervelende, kleurige rokken op om weg te gaan. Dan hield Mihai haar ruw tegen, zijn stemming sloeg op slag om van boos naar teder en dan begonnen ze te fluisteren en te kussen. Ik keek er gefascineerd naar, met een voorgevoel van een verrukkelijke pijn.

Terwijl ik naast Mihai loop, valt het me in dat er nog nooit zo'n volle, oranje maan is geweest, of zo'n verse, rauw ruikende plek in iemands hart waarin ik me als een hebberige koningin kan nestelen.

'Ze hebben haar hoofd kaalgeschoren,' zegt hij. 'Ze had een groot gat in haar achterhoofd. Ze hebben haar prachtige bruine krullen afgeschoren om het gat in haar achterhoofd te kunnen zien. Waar was dat nou voor nodig?'

Hij gooit zijn peuk weg, zet zijn voet erop en staart in de verte. We lopen nog een stukje en de maan zwelt voor ons op, oranje, rond, verdorven. Ik wil zijn hand pakken en hem dwingen naar me te kijken.

Ik struikel op mijn dunne, versleten sandalen. Ik heb blaren op mijn voeten van het zand en het zout die ik op het strand in mijn sandalen heb gekregen. Mijn voeten branden bij elke stap alsof de aarde kookt. Ik houd me in evenwicht door me aan hem vast te klampen en hem te laten stilstaan. Zijn vingers op mijn arm verzengen mijn huid.

'Laten we iets gaan drinken,' zeg ik. 'Het is 15 augustus, Maria-Hemelvaart. Mijn naamdag.'

'Ik dacht dat je een heiden was,' zegt hij.

'Dat ben ik ook, maar ik drink graag op mijn naamdag. Ik vier mijn naam.'

'Heet je dan Maria? Je tante Nina noemt je altijd Mona.'

'Mijn tante Matilda, de zus van mijn vader, bad tijdens mijn geboorte tot de Maagd Maria, dus moest ik haar naam ook krijgen, ter bescherming. Mona Maria.'

'Mona Maria.' Hij glimlacht en zegt dat hij de alliteratie grappig vindt. Hij zegt dat het net de naam van een filmster is.

We komen langs het huis van mijn tante. Mijn moeder roept vanaf het balkon dat het laat is en dat ik binnen moet komen. Ik roep naar boven dat ze me met rust moet laten, dat ik oud genoeg ben en zo lang buiten kan blijven als ik wil. We lopen door.

Mihai zegt dat er een drankzaak naast het station zit. We lopen een tijd door zonder iets te zeggen. We zien een trein die zich het station uit rookt en een zoenend stelletje op de hoek. Ik ben jaloers op alle geliefden, dood of levend. Ik ben dorstig en duizelig, kijk naar Mihais profiel met de dikke, zwarte wimpers en trieste, groene ogen en word met elke stap die ik naast hem zet verliefder. Vanavond, op mijn naamdag, geef ik niets om suiker- en bloemrantsoenen, als er maar wodka in de winkel is, en dat is er altijd.

We kopen goedkope wodka, *ţuică*, van gegiste pruimen, en lopen terug naar onze buurt, maar net als we op het punt staan de straat over te steken naar het gebouw waarin mijn tante woont, pak ik Mihais hand en trek hem een zijstraat in. Het donker ruikt naar mijn speciale bloem, de *regina nopţii*, koningin van de nacht. We drinken midden op straat uit de fles ter ere van mijn naamheilige.

Ik lach zo hard dat de tranen me in de ogen springen. De manen vermenigvuldigen zich. Het is heerlijk om al die manen als sterren boven je hoofd te hebben, de koningin van de nacht te ruiken en de hand van die droevige man vast te houden die zich nu al afvraagt hoe hij me zal kussen. Ik leef. Ik sta hier, voor hem, lachend, goud gloeiend en met vele manen voor mijn ogen. Ik ga op de groenstrook naast de stoep liggen, onder een rij jonge populieren, naast het ijzeren hek dat de straat scheidt van het park voor het huis van mijn tante. De onderbuurvrouw van mijn tante loopt met een zak aardappels langs. Ze schudt haar hoofd en prevelt iets over stadsmeisjes.

Mihai komt naast me liggen en we kijken naar de lucht en de talloze manen in hun oranje stralenkransen. De tijd staat stil. De tijd doet er niet meer toe, zoals wanneer Faust de duivel vraagt een moment te bevriezen omdat het zo mooi is. Ik heb *Doctor Faustus* net gelezen voor het vak vergelijkende literatuurwetenschappen. Ik zit op een speciale literaire middelbare school in Boekarest. We lezen alle boeken van de wereld. Ik heb vrienden op de Engelse, Franse en Italiaanse school. Mijn vader en zijn dichters- en kunstenaarsvrienden denken dat het een soort foutje in het systeem moet zijn. De Partij heeft het zo druk met het verwoesten van al het andere dat ze de dreiging van lessen in vergelijkende literatuurwetenschappen over het hoofd heeft gezien.

Ik houd niet van *Doctor Faustus*, maar wel van die zin over het moment dat voort moet duren omdat het zo mooi is!

Ik lig op de grond en wil dat dit moment, nu, deze Roemeense zomer in een stadje in de Karpaten, eeuwig blijft duren. Ik zie het midden in Mihais hart en de omgewoelde aarde: ik zie mezelf bloeien, de koningin van de nacht, geurig en rond.

Ik weet niet wat er daarna gebeurt. Ik word wakker in het huis van mijn tante, in bed, naast mijn twee nichtjes. Mijn tante en oom en mijn moeder zijn allemaal boos op me. Er gaan een paar dagen voorbij zonder dat ik Mihai zie. Het lijkt of ik slaapwandel.

Dan is het 23 augustus, de nationale Roemeense feestdag, de communistische feestdag waarop mensen met rode partijvlaggetjes moeten marcheren terwijl ze *Nicolae şi poporul, Nicolae şi partidul* scanderen, 'Nicolae en het volk, Nicolae en de Partij'. Als je niet hard genoeg scandeert, kan iemand in een leren jack het zien. Mijn oom en tante moeten meedoen aan de optocht. Alle volwassenen zijn weg, mijn nichtjes zijn bij een van de buren en ik ben alleen.

Ik loop naar zijn straat, twee huizenblokken verder aan het eind van de rij pastelkleurige huizen. Zijn huis is groter dan de andere en grijs, niet perzikkleurig, niet limoengroen. Het is een stenen huis met een rood pannendak. Het is opgedeeld in drie appartementen, maar het lijkt toch op een huis, en de voortuin wordt van de straat gescheiden door een baksteenkleurig, ijzeren hek. Ik weet dat hij op de eerste verdieping woont, want in voorgaande zomers zag ik, wanneer ik met Cristina door de buurt liep, Mariana en hem altijd door de open ramen, dicht bij elkaar. Soms begluurden we hen en dan zagen we hen met de hoofden aan elkaar geplakt kussen. Hij speelde ook wel eens gitaar voor haar en dan dartelde het geluid van zijn snaren door het raam en verspreidde zich als een zwerm grillige mussen door de buurt. Een sentimenteel liedje over de bergen in het maanlicht.

Ik loop heen en weer door zijn straat en begluur zijn huis. Er loopt een vrouw langs die blijft staan en vraagt of ze me kan helpen, of ik verdwaald ben. 'Nee, dank u,' zeg ik. 'Ik wacht op iemand.' Dan, alsof het waar is, gaat de zware glazen deur van het gebouw open en komt Mihai naar buiten, nog in hetzelfde gekreukte overhemd en de geruite broek van de vorige week, maar hij heeft zich nu geschoren. Hij loopt een beetje scheef, alsof hij kreupel is. Ik loop naar hem toe. We blijven staan en kijken elkaar aan.

'Kom, dan laat ik je een plek in de bergen zien,' zegt hij alsof hij me verwachtte. 'Een plek waar je nog nooit bent geweest.'

'Ik ben niet op bergbeklimmen gekleed,' zeg ik. Ik draag een dunne, blauwe jurk en weer die versleten floddersandalen.

We nemen een bus naar het eindpunt van de lijn, de voet van de berg, en worden dan door een lift tot halverwege de berg gebracht. Hij leidt me naar een bospad. Er groeien knalgroene varens en blauwe klokjes op de bosgrond, en het middaglicht wordt gefilterd door het gebladerte van de berken en de machtige eiken. Onze stappen dreunen in de stilte van het bos, die alleen wordt verbroken door nerveuze spechtgeluiden of de smekende roep van een koekoek. Er dansen spikkels licht in de lucht. Dan wordt het pad steiler.

Ik strompel omhoog. Ik krijg kiezelstenen in mijn sandalen. De blauwe jurk die mijn moeder uit een oud gordijn heeft gemaakt, is nat van de modder. Hij blijft haken in de struiken die het pad aan het oog onttrekken. Ik laat me rood en zweterig door hem omhoogtrekken, steeds hoger.

We zien wilde frambozen en hij leunt ernaar over om ze te plukken. Hij voert ze me, een voor een. Ik proef de zure vruchten samen met de hars op zijn hand. Ik weet dat de frambozen mijn lippen rood maken en dat hij ze wil kussen.

We horen een donderslag. Plotseling regent het zo hevig dat het water van de grond omhoogspat. Hij neemt een scherpe bocht naar een ander pad en opeens zijn we onder een houten afdak. We zijn doorweekt. Mijn blauwe jurk plakt aan mijn lijf. Ik zie mijn tepels door de stof. Mijn hele lichaam is duidelijk te zien door de dunne, kletsnatte jurk. Hij haalt een dikke, witte doek uit de zak van zijn Karpaten-broek. Hij knipoogt naar me en zegt: 'In de bergen moet je op alles voorbereid zijn.'

Hij wrijft mijn gezicht, haar en hals droog met de witte doek, die op wonderbaarlijke wijze het water opneemt. Hij doet het nauwgezet en secuur. De doek glijdt naar mijn schouders, mijn borsten en mijn buik, en elk lichaamsdeel krijgt evenveel aandacht. Ik voel dat mijn lichaam een vreemde hitte uitstraalt. Ik ben gehypnotiseerd. Ik wil dat hij nooit meer stopt met me af te drogen met de witte doek.

‘Zo, dat is beter. Je mag niet lang nat blijven in de bergen, dan kun je longontsteking krijgen.’

Ik weet dat ik, wanneer ik oud, afgetakeld en ziek ben, zelfs nog op mijn sterfbed, terug zal denken aan dit moment in de zomerregen waarop ik kijk naar de lippen van deze man, die de bergen kent en die mijn lichaam heeft afgedroogd met een witte doek.

We kijken elkaar aan, maar kussen elkaar niet. Ik voel zijn adem in mijn hals. Hij trekt me tegen zich aan, houdt me vast en streelt mijn haar. Ik adem in zijn borst, beschut tegen de regen.

‘Het is droog. We kunnen verder,’ zegt hij, en hij pakt mijn hand weer.

Als we weer op het pad zijn dat langs de berg omhoogvoert naar een mythische rots die hij kent, zien we roze, blauwe en violette wolken uit de valleien oprijzen. We worden erdoor omhuld. De valleien beneden zijn in oogverblindende, veelkleurige nevelen gehuld, de donkergroene bergketens van de Karpaten omsluiten ons als een magische cirkel. Door een opening in de wolken kunnen we een stuk van de stad zien, als door een betoverd sleutelgat.

‘Het is een zeldzaam verschijnsel,’ zegt hij. ‘De wolken trekken door terwijl de zon probeert tevoorschijn te komen. De zon wordt weerspiegeld in de wolken.’

Ten slotte bereiken we de grote rots. Het is een witte, puntige rots met een grot onderin. De honden blaffen in de vallei en we horen de klokken van de Zwarte Kerk, de Angelsaksische kerk die eeuwen geleden een grote brand heeft doorstaan. We kunnen de omtrekken van de kerk ook bijna door de violette wolken zien, de rechte, zwartgeblakerde gotische muren en oprijzende torens. De klokken weergalmen helemaal tot waar wij zijn, en terwijl we tegen de witte rots geleund naar de roze wolken in de vallei en de zonsondergang boven de stad kijken, zegt hij tegen me dat ik sterretjes in mijn ogen heb. De kerkklokken blijven maar luiden.

Ik proef de frambozen op zijn lippen. Ik wil versmelten met de roze wolken en deze kus, die smaakt naar de wildste vruchten van de wereld. De kerkklokken luiden en mijn lichaam neemt de vorm van de volle maan en de geur van de wilde frambozen aan.

De regen heeft de banieren voor de viering van 23 augustus naar beneden gehaald. Bij terugkeer van de berg zien we dat de straten vol liggen met duizenden gescheurde, natte roodpapieren vlaggetjes. Mensen lopen in elkaar gedoken en doorweekt door de plassen en over de rode vlaggen. Het doet me niet veel. Ik heb opeens het gevoel dat ik niet meer in dit land woon. Vlak bij ons appartementencomplex geeft hij een kneepje in mijn hand. Hij vraagt me of ik de volgende ochtend vroeg naar hem toe wil komen.

Vanaf die dag glip ik 's ochtends vroeg de trap af, voordat de anderen opstaan. Ik was mijn haar in ijzig water, want we hebben maar een uur per dag warm water, of om de dag twee uur, en worden geacht het niet te verkwisten. Soms hebben we 's ochtends vroeg of 's avonds laat helemaal geen water. De Partij wil ons altijd op iets laten bezuinigen, warmte of energie, in haar verwoede pogingen ons naar de utopie te drijven die nu elke dag een aanvang kan nemen. Ik was mijn haar met wasmiddel boven de wastafel in de badkamer, zo snel en stil als ik kan, en ik hoop maar dat het lusteloze straaltje kraanwater niet ophoudt en mij met klef haar vol wit sop laat zitten. Het is 's ochtends altijd koud; ik ren rillend de marmeren trap af, met natte slierten haar in mijn nek en over mijn schouders.

Hij speelt Grieg voor me. Hij blaast eerst de stofjes van de plaat, legt hem dan behoedzaam op de draaitafel en laat de naald met een snelle, behendige beweging neerkomen. Hij luistert een paar seconden roerloos en met een voldane glimlach op zijn gezicht naar de muziek.

'Luister, het is net de regen. *Peer Gynt.* Ik vind het schitterend, en jij?' zegt hij zo trots alsof het zijn eigen muziek is.

'Ja, het is heel mooi. Ik heb dit nog nooit gehoord.'

'Je beeft,' zegt hij. Hij legt zijn handen op mijn schouders.

Druppels geluid dringen in elke porie van mijn lichaam door. Zijn lakens zijn gesteven en koel. Als ik mijn blauwe jurk uittrek, de jurk die ik ook in de regen op de berg aanhad, zie ik door het open raam de portretten van Marx, Engels, Lenin en Nicolae Ceauşescu, de *Vader van de Natie*, op het gebouw aan de overkant hangen. Het zijn lelijke mannen en ze maken me bang.

Het lijkt alsof ik het allemaal al weet, elk detail van elke streling van mijn lichaam precies begrijp. Ik ben niet verlegen. Golven van hitte en geluid rijzen in mijn lichaam op. Ledematen, fluisteringen. Hij bijt in mijn schouder, ik bijt in de zijne. Ik ben in een roes en nieuwsgierig naar wat er gebeurt. Ik hoor recht onder ons raam kinderen spelen, een bal die koppig en monotoon de stoep raakt.

De baardige gezichten van Marx, Engels en Lenin en het baardloze gezicht van Nicolae Ceauşescu kijken naar ons vanaf het gebouw aan de overkant van de straat. Vanaf de plek waar ik lig, kan ik ze door het raam zien. Ik doe mijn ogen dicht en denk aan niets. Grieg speelt. Heldere noten, als regen. Mihais lichaam is pezig en gespannen en het ruikt naar dennenhars, alsof hij alle geuren van de bergen in zijn olijfkleurige huid heeft opgezogen. Ik verlies mezelf in de wirwar van armen en benen, het versmelten van vlees met vlees. Elke vezel van mijn lichaam wil schreeuwen en kreunen als hij me vasthoudt. Tinten paars en rood spatten uit elkaar achter mijn gesloten oogleden en schieten door de aderen en spieren in mijn lichaam. Als hij zwetend en trillend naast me ligt, pak ik zijn hand.

De vitrages bewegen in de bries. Daardoorheen, boven onze hoofden, kijken de drie marxistische leiders en de vierde, onze eigen *Vader van de Natie*, naar ons. We lachen en trekken een gezicht naar hen, we zeggen dat ze naar de hel kunnen lopen. Hij trekt de gordijnen dicht, komt weer naast me liggen en fluistert in mijn oor dat ik zijn wilde framboosje ben en dat hij me helemaal op gaat eten. Hij zegt dat hij me gaat ontvoeren, dat hij me naar het bos zal brengen, waar niemand ons kan vinden, en dat we daar voorgoed zullen blijven, als wilden, levend van bessen en wortels. Dan rollen we lachend tussen de koele lakens.

Ik zwier de zomer door, zonder oog voor iets of iemand om me heen, en elke ochtend haast ik me de trap af, altijd met nat, stiekem gewassen haar. We liggen in de vele bossen die hij kent, onder bomen en op geheime weides aan een geheime rivier, en ik voel de geur van dennen en aarde op mijn huid. 's Nachts word ik gewekt door de maan, en een gouden koord lijkt mijn gedachten aan de zijne te binden, mijn verlangen aan het zijne. Ik sluip midden in de nacht het huis van mijn tante uit en klim als een dief door zijn raam in zijn bed. Ik houd zijn warme, naar hars ruikende lichaam vast. Ik bijt in zijn nek, zijn schouders en zijn lippen. Altijd zijn lippen.

Wanneer het tijd wordt om terug te keren naar Boekarest en aan het nieuwe schooljaar te beginnen, miezert en mist het op de bergen en onze witte rots. De zomer eindigt meestal plotseling in de bergen. Binnen een paar dagen waarin de nachten kouder worden, het ochtendlicht een dieper gouden gloed heeft en de lucht sidderend lijkt te zuchten in angstige afwachting van het gure weer, gaat de zomer over in de herfst. Ik begin aan mijn derde jaar van de middelbare school en aan het eind van het volgende jaar doemen de toelatingsexamens voor de universiteit dreigend op. Ik heb het gevoel dat ik vannacht volwassen moet worden, gerijpt net als het licht van de zomer, dat overgaat in de herfst. De toekomst lijkt zo vaag als de door witte mist bedekte bergtoppen.

De dag voor mijn vertrek wordt Mihai somber. Hij praat over Mariana, over haar kiespijn en de wodka die ze op haar zere kiezen smeerde. Hij herinnert zich hoe ze die middag over het rotspad rende, zorgeloos en blij. Hij herinnert zich dat zijn voet per ongeluk een grote steen losmaakte die over het pad naar beneden viel. Hij zegt 'per ongeluk' met een speciale nadruk, alsof de woorden hem moeite kosten. Het is alsof hij in schaduw is gehuld. Hij maakt me bang. Hij zit op de rand van het bed, met zijn hoofd in zijn handen. Misschien heeft hij Mariana wel vermoord. Misschien was die steen helemaal geen ongeluk? Misschien ben ik verliefd op een moordenaar. Ik schrik op uit mijn duistere gepeins. Het idee is vreemd opwindend. Misdaden uit hartstocht fascineren me. Ik heb nooit gedacht dat iemand een ander echt zou kunnen vermoorden uit jaloezie of liefde, behalve dan in romans. Toch wil ik de herinnering aan Mariana voorgoed uit zijn hart wissen. Ik vind het vreselijk hoe haar afwezigheid zich tussen ons dringt. Ik kom in een vlaag van jaloerse woede van het bed en wil weglopen zonder afscheid te nemen. Hij heeft spijt van zijn verdriet, pakt mijn hand en likt de palm en elk topje van elke vinger. Hij zegt dat hij me niet kwijt wil.

'Als je doodgaat, vermoord ik je,' zegt hij.

Dan omhelst hij me vurig en blijft me vasthouden tot ik naar lucht hap.

'Ik ben als de distels in het veld. We gaan door en door, zonder ooit te sterven,' zeg ik lachend terwijl ik me uit zijn greep bevrijd.

Ik zet mijn nagels in zijn armen en nek om te bewijzen dat ik net een wilde, woekerende distel ben. Hij glimlacht. Hij is Mariana vergeten.

Ik droom dat we 's nachts samen over straat lopen met de oude koffer die mijn oudoom Ivan bij zich had toen hij, vijfentwintig jaar nadat hij door iedereen was opgegeven, terugkeerde en vervolgens weer in de Sovjet-Unie verdween. We gaan op de koffer zitten, er hangen twee manen aan de lucht en Mariana doemt op uit de mist. Ze komt glimlachend naar ons toe. We zien dat ze tandeloos is, dat ze een angstwekkende, tandeloze glimlach heeft. Ik voel een verdriet zo bodemloos als de dood.

Overstromingen, oorlog en de spiegel van overgrootmoeder

In de zomer dat ik zeventien ben en verliefd word op Mihai, voel ik me aangetrokken tot de zilveren spiegel van overgrootmoeder. Hij staat al zolang als ik me kan herinneren op het mahoniehouten dressoir in de woonkamer van mijn tante Nina. Ik kijk naar het afgebroken hoekje en de dikke houten achterkant waarin ooit een speeldoos heeft gezeten, maar ik kijk vooral in de spiegel zelf, naar mijn gezicht, alsof ik naar een ander kijk: mijn ovale, blauwe ogen, lange manen, puntige kin, smalle neus en rode lippen die gezwollen zijn door Mihais kussen en beten. De rode plek in mijn lange hals.

In deze betoverde zomer met een met manen bezette hemel en de smaak van verse aarde en frisse regen dwing ik mijn familieverhalen vorm te krijgen in de mysterieuze spiegel. Net als het meisje Lucille uit een miniatuurboekje met Franse sprookjes waaruit mijn moeder me vroeger voorlas. Lucille kon alles zien wat ze wilde in de toverspiegel die ze van een fee had gekregen: haar gestorven familieleden, mensen van wie ze hield die ver weg waren, en haar eigen toekomst. Alleen durf ik mijn toekomst niet te zien. Dat vraag ik de spiegel van overgrootmoeder niet. Kijkend naar mijn eigen gezicht in de spiegel wil ik het verleden zien, me voorstellen dat de mensen uit mijn familie door het zilverige glas heen zweven en hun lange armen naar me uitstrekken.

Ik ben bang voor Mihais broedende stilte wanneer hij het over Mariana heeft. Ik ben bang voor de droom die ik heb gehad waarin we samen 's nachts op een oude koffer op straat zitten en Mariana met haar tandeloze mond naar ons lacht. Ik herinner me de verhalen van mijn moeder over de grote liefdes in onze familie, de vrouwen die de man van hun leven vonden en bij hem bleven. Voorgoed. Bij de gedachte aan een ochtend zonder Mihai in mijn leven snak ik naar adem, krijg ik geen lucht meer. Mijn adem stokt gewoon bij het idee. Ik haast me naar Mihai toe om me ervan te verzekeren dat hij er nog is, op de eerste verdieping van het grijze stenen gebouw met het rode pannendak. Ik zeg tegen hem dat ik altijd van hem zal houden. Ik kus hem tot hij geen lucht meer krijgt. Ik bid en smeek mijn overleden vrouwelijke familieleden mijn liefdesrelatie met Mihai te beschermen. Op de een of andere manier lijken zij me betrouwbaarder dan de God of de Moeder van God over wie mijn tante Matilda het altijd heeft. Ik wil zo zijn als de vrouwen in mijn familie, de sterke vrouwen met geluk in de liefde.

Mijn overgrootmoeder overleefde de grote overstromingen van 1918 door op een grote houten deur de rivier de Nistru af te drijven. Ze hield een zilveren spiegel aan haar borst geklemd met een speeldoos erin die Beethovens 'Für Elise' speelde. Dat was in Cetatea Albă, de Witte Citadel in Moldavië in de regio Bessarabië, voordat die van de Sovjet-Unie was.

Ze drijft op de gestaag stromende rivier die kleerkasten, moestuinen en kippenhokken meevoert. Haar lange blonde haar wappert in de wind en ze houdt de vierkante, zilveren spiegel tegen zich aan gedrukt en luistert telkens opnieuw naar de muziek; zodra die zwijgt, windt ze de speeldoos weer op. Pas na uren botst de deur waarop ze drijft tegen een boom. Op de een of andere manier slaagt ze erin met spiegel en al in de boom te klimmen en daar wacht ze, vrijwel bewusteloos, veilig tussen de dikke takken tot iemand haar vindt.

Tegen zonsondergang, als het water nog woest voorbij stroomt en de lucht onheilspellende violetrode tinten aanneemt, vaart een man in een reddingsboot langs de boom en hoort een zwakke melodie, alsof iemand een vreemd instrument bespeelt. Hij vindt mijn overgrootmoeder tussen de knoestige takken, met de spiegel in haar armen geklemd en noten fluisterend alsof ze een wiegeliedje zingt.

Vania Golubof laat haar in zijn boot zakken. Hij wikkelt haar in dekens, maakt een bedje voor haar en roeit dan met kracht naar de oever in de verte. Hij probeert erachter te komen wie ze is, wat er met haar familie is gebeurd en uit welk deel van de stad ze komt, maar het enige wat hij uit haar krijgt, is haar naam, die ze telkens herhaalt: Paraschiva Dumitrescu. Ze fluistert haar naam als een lied, een wiegelied, net als het deuntje van de speeldoos.

Hij draagt haar naar het huis waar hij met zijn moeder woont, legt haar in de woonkamer en vraagt zijn moeder hem te helpen haar uit te kleden en droge kleren voor haar te pakken. Ze wonen in een klein, witstenen huis aan de rand van de stad, waar het water niet kan komen.

Terwijl het verdwaalde meisje met het blonde haar in en uit haar delirium zweeft, ijlend over wilde paarden en soldaten die op de rivier drijven, geeft hij haar slokjes water te drinken om de koorts te laten zakken en wordt verliefd op haar. Op een avond, als ze drie dagen koortsachtig heeft liggen ijlen, vreest hij dat ze hem zal ontglippen. Haar polsslag wordt trager en ze gloeit zo hevig dat de lucht om haar heen erdoor opwarmt.

Zijn moeder helpt hem haar in koele lakens te wikkelen en geeft haar koude thee van Russische kruiden. Hij praat onafgebroken tegen het meisje, alsof zijn woorden, die tegen het ochtendgloren net zo onsamenhangend en inhoudsloos zijn als de hare, haar uit haar koorts en buiten het bereik van de dood kunnen trekken. Dat doen ze ook. Op een ochtend, wanneer Vania's moeder bij zonsopkomst eindelijk naar haar kamer gaat om te slapen, kijkt Paraschiva Vania plotseling aan. Het is voor het eerst in een week dat ze rustig is. Ze kijkt naar Vania alsof ze hem al haar hele leven kent. De ontdekking dat ze, na dagen op woelige wateren te hebben gedreven, nu in het huis van een man is, in het bed van een man, beangstigt noch verbaast haar. Ze vraagt om haar spiegel; heeft hij haar spiegel met de speeldoos achterop gevonden? Hij laat hem aan haar zien. Hij is nog heel, zie je wel? Alleen een beetje vies, zegt hij en hij veegt hem schoon met zijn mouw. De speeldoos doet het nog, zegt hij, en hij wil hem opwinden, maar ze legt zacht haar hand op de zijne om hem tegen te houden.

Hij legt de verdwaalde noten het zwijgen op en geeft haar de spiegel. 'Je moet hem bewaren,' zegt hij. 'Hij zal je geluk brengen. Hij heeft me naar jou geleid.'

Ze lacht. Hij lacht mee. Wanneer Vania's moeder binnenkomt, schateren ze. Ze ziet hen lachen en beseft dat Paraschiva zal blijven leven, en dat ze haar schoondochter zal worden. Ze is blij voor haar zoon, die zijn bruid eindelijk heeft gevonden.

Het is 1918. De oorlog heeft duizenden jonge mannen op de slagvelden opgeslokt en de overstromingen hebben drassige dorpen en nog meer levens opgeslokt. Nu begint de hongersnood. Als je geluk hebt, vind je je levensgezel op het dieptepunt van die ellende; je redt iemand en wordt zelf gered. Zo vinden mensen hun zielsverwant, uitgehongerd, roekeloos, tussen de rottende lijken op het snijvlak van leven en dood. Nu haar ouders bij de overstroming zijn omgekomen, rekent Paraschiva zichzelf tot de gelukkigsten. Ze is gevonden door iemand met een witstenen huis aan de rand van de stad, waar het water niet komt, een huis met een moestuintje, een maïsveldje en een paar witte kippen.

Ze trouwen in de zomer in het tuintje. De dorpsaccordeonist speelt zijn twee wijsjes keer op keer voor hen, een blij en een droevig lied. Ze drinken ţuică, pruimenbrandewijn. Ze eten *mămăligă*, de brij van maïsgries die boerenmensen eten in plaats van brood en soms in plaats van alles, en ze dansen tot in de kleine uurtjes op dezelfde twee wijsjes. Die nacht wil ze de speeldoos opwinden en weer naar 'Für Elise' luisteren in hetzelfde bed waarin ze lag toen Vania haar met koele kompressen en Russische kruidenthee uit haar delirium en buiten het bereik van de dood trok.

De zomer met de vele oranje manen waarin ik de gulzigheid van mijn eigen lichaam ontdek, ben ik ook mijn overgrootmoeder die naar de uit de overstroming geredde speeldoos met Beethoven luistert. Ik wil Paraschiva zijn die in extase in Vania's schouder bijt en haar nagels in zijn rug zet. Ik wil haar zijn in het krakende bedje in het witstenen huis aan de rand van de stad die niet door de grote overstromingen is geteisterd, en ik ruik en lik het lichaam van die jonge man in dit bed waarin ik dagen tegen de dood heb gevochten, ondergedompeld in de koorts waarmee de rivier me heeft besmet.

Paraschiva en Vania krijgen twee zoons, Ivan en Victor. Ivan zal vermist raken in de Tweede Wereldoorlog en na vijfentwintig jaar, als zijn moeder al dood is, door het Rode Kruis worden gevonden. Victor zal mijn grootvader worden, de zachtaardige man die altijd blijft treuren om het verlies van zijn broer. Ze zeggen dat Paraschiva, toen ze ouder werd, op sommige koele en zonnige middagen haar mooiste kleren aandeed en haar groene vilten hoed opzette en zei dat ze de stad in ging. Maar in plaats daarvan verstopte ze zich in de grote bruine kleerkast, die de familie meegebracht had toen ze verhuisden naar het appartement naast het station. Na een paar uur kwam ze eruit en zei dan dat alles in de stad zo duur was geworden. Op een dag vonden ze haar dood in de bruine kast tussen oude jassen, avondjurken en mottenballen, met een van Ivans jasjes, van toen hij nog klein was, tegen haar borst geklemd. Zo blijven de verhalen in onze familie behouden: een paar grote gebeurtenissen, ernstige rampen en een of twee toneeltjes, soms bedacht aan de hand van bewaarde sepiafoto's, soms door de jaren heen overgeleverd en telkens opnieuw verteld, tot ze zo vaag en nevelig zijn geworden als sprookjes.

Mona Maria Manoliu's jeugd in Boekarest

Ik ben geboren in de zomer, in het oude Boekarest, waar zo'n zware, zoete lindegeur in de straten hing dat je telkens opnieuw in zo'n zomernacht geboren zou willen worden.

Het is drie uur 's ochtends, het wolfsuur van geboorte, dood, ongelukken en gedaanteverwisselingen. Mijn moeder zit in haar ene zwarte jurk op haar knieën op de rand van het bed in de huurkamer, met een tasje dat ze heeft gepakt voor het ziekenhuis. Haar vliezen zijn net gebroken. Ze is stil. Ze rouwt om haar moeder Vera, die een maand geleden dood op straat is gevallen door een beroerte, en om haar tante Nadia, die aan het begin van het jaar dood is neergevallen in het oude huis in de met kastanjes omzoomde straat, met in haar hand een briefkaart die haar echtgenoot Matei haar had geschreven uit de politieke gevangenis.

Mijn vader is net naar de telefooncel op straat gelopen om een ziekenwagen, het ziekenhuis of een taxi te bellen. Ze wonen aan het plein met het standbeeld van de beroemde koning Michaël de Dappere die vierhonderd jaar eerder de Turken versloeg en de vorstendommen Walachije, Moldavië en Transsylvanië voor het eerst verenigde. Hij zit te paard met zijn machtige zwaard geheven voor de strijd. Mijn vader kijkt naar het standbeeld vanuit de telefooncel die vlak naast het majestueuze regeringsgebouw van grijze steen staat, met daarop de gezichten van de communistische leiders groter dan levensgroot bij de ingang. De straten zijn uitgestorven, op een dronken man na die na zijn werk niet naar huis is gegaan, maar uren pruimenbrandewijn in het café op de hoek heeft gedronken. Mijn vader is geagiteerd en probeert een sigaret op te steken terwijl hij opbelt en de broek dichtknoopt die hij over zijn pyjama heeft aangeschoten. Zijn aansteker doet het niet, dus vraagt hij de dronken voorbijganger om een vuurtje, want hij heeft de telefoon nog in zijn hand en zijn broek zakt af. Hij slaagt erin het gesprek te voeren en een uur later wordt mijn moeder door een ziekenauto opgehaald.

Ik ben in de vroege ochtend geboren, in de geur van linden, met het geluid van de snikken van mijn moeder. Ik ben geboren in de onbeteugelde wanorde van pijn en rouw in mijn familie, hunkerend naar het leven en de borst van mijn moeder. Na mijn geboorte ligt mijn moeder op de zaal nog steeds te huilen. De artsen weten niet wat haar scheelt en ze gaat nog uren door. De geur van de linden stroomt door de open ramen naar binnen. Ze zeggen dat ik rood en verfrommeld was en dat er een dikke bos blond haar aan mijn hoofd plakte. Een paar uur na de bevalling mag mijn vader de zaal in. Mijn vader Miron Manoliu, die nog nooit van zijn leven een pasgeboren kind heeft gezien, zegt dat ik lelijk ben. Dan lacht mijn moeder, Dorina Golubof, eindelijk door haar tranen heen.

Ze noemen me Mona Maria. Mona naar een personage uit een Roemeense roman die mijn moeder tijdens haar zwangerschap heeft gelezen, een liefdesverhaal dat speelt in een Roemeens vakantieoord in de bergen waar de jonge actrice Mona en de aankomende schrijver Cipriano het stof en het gewemel van het zomerse Boekarest willen ontvluchten. Mona werkt aan een nieuwe rol en de schrijver probeert een nieuw stuk te schrijven. Ze praten tot diep in de nacht op de voorveranda van hun villa en kijken naar de galactische reis van de ochtendster. Mijn moeder denkt dat die naam geluk zal brengen. Niemand in onze familie heeft een kind ooit zo'n eigenaardige naam gegeven, dus kan ik mijn leven met een schone lei beginnen. Ik moet ook Maria worden genoemd, want dat is belangrijk voor mijn tante Nina. Op 15 augustus 1959, op Maria-Hemelvaart, vingen tante Nina en mijn moeder Dorina een glimp op van oom Matei die vanuit de politieke gevangenis in Jilava de rechtbank van Boekarest binnen werd geleid. Ik weet niet waarom mijn naam moet herinneren aan een familietragedie, maar mijn tante Nina staat erop. Daar komt nog bij dat mijn tante Matilda van vaderskant, de vrome tante, zegt dat ze de hele dag tot de Maagd Maria heeft gebeden toen mijn moeder van mij beviel, een bevalling die een heidense zevenentwintig uur heeft geduurd. Ik moet dus de naam van de Heilige Maagd dragen, want het schijnt aan de gebeden van mijn tante te danken te zijn dat ik gezond ter wereld ben gekomen, al was ik een tikje blauw doordat de navelstreng om mijn nek gewikkeld zat.

Ik groei op in een piepklein appartement met uitzicht op de zonsondergang en het vierhonderd jaar oude kerkje waar mijn ouders in het geniep zijn getrouwd, want in de communistische staat mag je niet voor de kerk trouwen. Vlak achter mijn raam staat een seringenboom die ons hele appartement in het voorjaar vult met haar zoete geur en me ernaar doet verlangen altijd buiten te blijven spelen.

Mijn ouders zijn altijd ongerust om het een of ander. Ze fluisteren. Mijn vader wordt 's nachts wakker en dan vervloekt hij de geheime politie en hoest tot ik bang ben dat hij uit elkaar zal springen. Als de dokter op een avond komt en ziet dat mijn vader hoest terwijl hij zijn sigaret zonder filter rookt, wordt hij boos en vertrekt zonder mijn vader te onderzoeken. Mijn vader zegt dat hij te veel heeft geleden; eerst de oorlog, toen de hongersnood na de oorlog en daarna het stalinisme. Om het af te maken, is er nu ook nog eens een man die hem overal volgt en controleert hoe hij zijn colleges geeft.

Als de dokter weg is, vervloekt mijn vader hem ook. 'Het is

te veel. Ze willen me dood hebben. Is het nog niet genoeg dat mijn arme moeder in de oorlog knollen uit de grond moest wroeten om ons te voeden, dat ik schedels van soldaten heb zien verbrijzelen door dynamiet en dat ik als student op bier en beschimmeld brood moest leven, is dat nog niet genoeg, hm?' Mijn moeder, die uitgeput is door het slaaptekort en het drama dat mijn vader aanhoudend van zijn leven maakt, zegt tegen hem: 'Ja, dat is genoeg. Kalmeer nu Miron, en ga slapen, in godsnaam!'

Wanneer mijn moeder afscheid van me neemt op school, heb ik altijd het gevoel dat ik moet huilen. Bij mijn schooluniform horen een witte strik op mijn hoofd, een blauwe blouse en een blauw-met-witte trui. Ik haat die grote witte strik op mijn hoofd. Als ik 's ochtends naar school loop, voel ik me net een groot ei.

Ik ben dol op het leesboek met het plaatje van het meisje Lina dat in het korenveld werkt. Ze draagt een rode pionierssjaal en ze snijdt de korenaren af met iets wat op een nieuwe maan lijkt, en de lucht is helemaal blauw met maar één wit wolkje in de hoek. Er staat bij: *Lina is blij omdat ze onder de blauwe hemel van de Partij leeft.* Ik wil ook zo'n ding in de vorm van een nieuwe maan, net zo een als Lina op het plaatje vasthoudt.

Er zijn vaak tot 's avonds laat mensen bij ons thuis, dichters, docenten en kunstenaars. Een van de kunstenaars tekent Sneeuwwitje en de zeven dwergen, die uit de Walt Disney-film waar mijn tante Matilda me mee naartoe heeft genomen, in de grote bioscoop naast de banketbakker waar ze de lekkerste soezen en eclairs van de wereld hebben. Ik had nog nooit een tekenfilm in de bioscoop gezien. Tante Matilda werkt bij de filmstudio's in Boekarest en ze had al kaartjes voor de film gekregen voordat mijn schoolkameraadjes ernaartoe konden. Het lijkt alsof de vriend van mijn vader de zeven dwergen en Sneeuwwitje met een enkele polsbeweging tekent. Hij leert het mij ook. Als al die mensen bij ons thuis zijn, roken ze veel en drinken wijn, bier en ţuică. Ze praten over Ceauşescu en de slechte dingen die hij doet, zoals de censuur en mensen volgen zodat ze niet kunnen praten, hun vrienden naar de geheime politie sturen, de Securitate, en mensen straffen die goed zijn en alleen maar veel willen praten.

'Ze weten alles: ze weten wat je zegt, wat je eet en wat je kakt. En het wordt binnenkort nog erger, wacht maar af!' zegt mijn vader tegen iedereen, en dan neemt hij nog een glas ţuică.

'Ze willen ons gewoon intimideren, zodat we niets meer durven te zeggen, ze willen ons wijsmaken dat ze altijd luisteren, maar ik geloof niet dat het waar is. Er zitten imbecielen bij die Securitate. Laten we ze die eer niet gunnen,' zegt de kunstenaar met de baard die Sneeuwwitje zo goed kan tekenen. Tegen die tijd heeft hij al behoorlijk wat ţuică op.

Zijn schilderijen worden tentoongesteld in het grote museum in het centrum van de stad, bij de bioscoop, maar het zijn alleen maar gekleurde cirkels en vierkanten die mijn ouders 'abstract' noemen. Ik begrijp niet waarom hij zijn tekeningen van Sneeuwwitje en de zeven dwergen niet laat zien. Hij zegt dat de Partij hem heeft gevraagd niet meer abstract te schilderen, maar inspiratie te putten uit de mensen die in de textielfabriek werken.

'Onzin,' zegt mijn vader, die nog een sigaret opsteekt, en mijn moeder wordt boos en zegt dat hij niet de hele avond moet roken en drinken: 'Dit kind moet slapen en ze moet morgen naar school.'

Ik wacht tot iedereen weg is, want dan komt mijn moeder bij mij slapen, behalve wanneer ze midden in de nacht weggaat omdat ze hoofdpijn heeft en bij mijn vader moet liggen.

'Baarlijke nonsens!' zegt mijn vader weer. 'Wie zegt er dat de Securitate uit intellectuelen bestaat? Stalin heeft zijn terreurregime toch zeker niet op filosofen en kunstenaars gebouwd? Het gaat om het proletariaat, weten jullie nog? Maar ze zijn net geslepen genoeg om alles over iedereen aan de weet te komen. Je kunt er gerust op zijn dat ze van ons allemaal een leuk dossiertje bijhouden. Zeker van de intellectuelen.'

'Nou, ze behandelen hun eigen proletariaat ook niet zo goed, immers? Hoe dan ook, ze kunnen allemaal mijn rug op,' zegt de kunstenaar. Mijn vader is het met hem eens en zegt iets nog ergers over lichaamsdelen en mijn moeder geeft hem een standje omdat hij vulgair en walgelijk doet.

Het is augustus en ik ben acht jaar geworden. We zijn net terug van onze vakantie in de bergen, na onze vakantie aan zee. Iedereen is ongerust: de Russen zijn net met hun tanks tot het centrum van Praag gereden. Er zijn mensen midden op straat neergeschoten en een student heeft zichzelf op het Wenceslausplein in Praag in brand gestoken bij wijze van protest. Iedereen fluistert dat ze ook naar Boekarest zullen komen. Ik ben verlamd van angst voor de tanks die ongetwijfeld bij ons zullen binnenvallen. Ik teken heel veel zeven dwergen en Sneeuwwitjes die ik aan de muur hang om mezelf iets minder bang te maken. Ik blijf maar aan die student denken, een jongen die als een menselijke fakkel in lichterlaaie staat, midden op dat enorme plein in Praag.

Mijn moeder gaat met me naar het park met het meer en de zwanen in Boekarest en ze koopt een maïskolf voor me van een vrouw die met gekruiste benen op de grond zit. Daarna koopt ze een suikerspin voor me bij de man van de suikerspinkraam. Ik kijk naar het witte suikerdons dat in cirkels ronddraait en hoop dat het niet allemaal op is tegen de tijd dat we aan de beurt zijn. Ik vraag mijn moeder naar de Russische tanks, en ze trekt rimpels in haar gezicht zoals ze ook doet wanneer mijn vader haar zenuwachtig of boos maakt met zijn gerook en gevloek, en ze zegt dat de tanks niet naar Boekarest zullen komen, Praag is ver weg, en onze president zal de tanks ons land niet in laten komen. Ik ben helemaal bezweet doordat het in augustus zo benauwd is in Boekarest en mijn voeten doen pijn van de knellende lakschoenen die ik aanheb. De suikerspin smaakt raar na de maïs en ik word misselijk. 'Had ik het niet gezegd?' zegt mijn moeder, maar ze heeft niet echt aandacht voor me. In gedachten is ze ergens anders. Ik vraag of ze een flesje Coca-Cola voor me wil kopen bij het restaurantje aan het meer, maar ze zegt dat haar geld op is en dat ik geen suikerspin had moeten nemen als ik Coca-Cola wilde. Dan drink ik maar water uit de stenen fontein in het park en mijn jurk met blauwe cirkels en ruches wordt helemaal nat van de waterstraal. Ik wil huilen omdat mijn moeder boos is en alles zo verkeerd lijkt vandaag nu de Russen met hun tanks Praag binnen zijn gereden. Dan gaat mijn moeder met me in het reuzenrad van waaruit je de hele stad Boekarest kunt zien, of bijna, niet helemaal tot waar wij wonen, maar tot aan het standbeeld van Michaël de Dappere. Ik houd de hand van mijn moeder vast, en wanneer we helemaal bovenin zijn, geeft mijn moeder me een zoen en zegt dat het wel goed komt, dat ik niet bang moet zijn voor de tanks en dat ik Coca-Cola krijg als we weer beneden zijn. Ik wil niet dat we weer naar beneden gaan, ik houd de hand van mijn moeder stevig vast en bewonder haar knappe profiel en haar grijze jurk van tafzijde met de roze margrieten.

Kort voor Kerstmis lopen er allemaal studenten met brandende kaarsen door de straat om te demonstreren. Ik weet niet wat demonstreren is, maar ik wil met een brandende kaars naar al die studenten buiten. Mijn ouders zijn heel opgewonden en blij over de demonstratie en ik wil ook demonstreren, om mijn ouders blij te maken. Mijn vader zegt dat de studenten heel moedig zijn. Na de demonstratie krijgt iedereen kerstvakantie, want de studenten die met kaarsen de straat op gingen, hebben om een kerstvakantie gevraagd. Ik krijg een reusachtige bal en een pop van Sneeuwwitje voor Kerstmis, en ik ben ook blij met de demonstraties. Blij en opgelucht: geen enkele student heeft zichzelf in brand gestoken, zoals in Praag.

Mijn moeder heeft de naaister die haar kleren maakt, een grijze jurk voor me laten maken van de speciale, dunne wollige stof die tergal heet. Het is mijn herfst- en winterjurk en de tergal kriebelt. In september heb ik het te warm en in december te koud. Als ik later groot ben, draag ik nooit meer jurken van tergal, neem ik me voor. Mijn moeder draagt een wit-met-grijze jurk, ook van tergal, en haar blonde haar is opgekamd als een ballon. Ik vraag me af waarom mijn moeder de naaister heeft gevraagd een witte strik op mijn grijze jurk van tergal te zetten. Ik wil een jurk met violette en limoengroene cirkels erop en geen witte strikken. Ik houd van violet en limoengroen bij elkaar. Ik heb ze een keer bij elkaar gezien in de bijzondere snoepwinkel naast het conservatorium waar mijn moeder de muziekstudenten vreemde talen leert zodat ze opera's in het Italiaans en het Frans kunnen zingen. Er was snoep met violette en limoengroene strepen, en het maakte dat ik niet bang meer was. Ik wil een jurk die me een dapper gevoel geeft.

Soms praat mijn vader na mijn middagdutje met me over de Roemeense grammatica en dat er meer woorden van de Romeinen afkomstig zijn dan uit welke andere taal ook en dat onze taal daarom Roemeens heet. Maar er zijn nog veertien woorden van de mensen die hier voor de Romeinen woonden, de Daciërs. Die waren blond met blauwe ogen. Die Dacische woorden zijn *copil*, *moşneag*, *barză*, *târnăcop*. Kind, grijsaard, ooievaar, schoffel... en de rest weet ik niet meer. Ik vind de Dacische woorden heel mooi, en ik wil een Daciër van voor de Romeinen zijn. Ik houd niet van de Romeinen, want die hebben de Daciërs overmeesterd en gedood en al hun woorden gestolen, op veertien na.

Ik wil een gedicht schrijven met mijn nieuwe gekleurde pennen die *carioca* heten. Ik wil een gedicht in het paars schrijven. Ik ga aan het grote zwarthouten bureau met snijwerk zitten dat mijn vader van zijn vader heeft gekregen, uit de tijd dat ze het huis met de boomgaarden hadden, voordat de Russische soldaten hun stopcontacten stalen en mijn vaders hond aan stukken sneden. Ik ga zitten en voel het koele glas dat het blad bedekt onder mijn ellebogen en armen. Ik kijk naar de foto van Nora op het bureau.

Nora is de oude schoolvriendin van mijn moeder, al haar beste vriendin sinds ze zo oud was als ik nu. Nora is drie jaar geleden naar Amerika gevlucht. Ze heeft ons een foto gestuurd waarop ze in Amerika in een sinaasappelboom zit. Ze draagt een spijkerbroek en een wit T-shirt, ze heeft een sinaasappel in haar hand en ze lacht zo breed als ik nog nooit iemand heb zien lachen. Ik kijk naar de foto en vind Nora heel mooi, met haar zwarte haar en groene ogen. Ik word er vrolijk van hoe ze daar gewoon met die sinaasappel in die boom zit.

Ik probeer heel snel te schrijven, net als mijn vader wanneer hij zijn artikelen schrijft over Roemeense dichters en hun taalgebruik. Ik trek allemaal cirkels en golvende lijnen met mijn paarse pen op het witte papier. Soms schrijf ik een woord dat ik al kan spellen, zoals copil, een Dacisch woord, en *pasăre*, een Romeins woord, en ik schrijf een gedicht waarin ik een vogel vraag naar me toe te komen aan de Donau, zodat ik hem te eten kan geven. Ik wil mijn gedicht naar Nora in Amerika sturen waar ze in de sinaasappelboom zit met de breedste lach die ik ooit heb gezien. Amerika is heel ver weg, zegt mijn moeder, en ik vraag me af hoe lang het zou duren voor mijn gedicht bij Nora was.

Over oom Ivans terugkeer en mijn tante Ana Koltzunov die in de USSR *is geweest*

Na de studentendemonstraties heeft iedereen kerstvakantie gekregen en nu gaan we twee keer per jaar naar de bergen. Wanneer we in de nieuwe kerstvakantie bij mijn tante Nina in de bergen aankomen, slachten de buren een varken, een heel, levend varken. Ik vind het vreselijk om het varken zo hard te horen krijsen waneer ze het in stukken snijden om worst te maken. De volgende dag is het ijs op het achtererf rood van het bevroren bloed, en we glijden over de bevroren bloedplassen en doen alsof we schaatsen. Soms drentelt de blinde violist in zijn versleten rokkostuum 's middags ons achtererf op en speelt de *Kreutzer Sonate* zo klaaglijk dat ons hart smelt van verdriet en vreugde terwijl de winterse zonsondergang rood uitloopt en wij over het bloedige ijs glijden.

Als ik in de zomer weer bij mijn tante in de Karpaten ben, komt het zigeunermeisje met haar mand vol verse bessen ons achtererf op. Mijn nichtjes en ik smeken onze moeder of we alsjeblieft een beker van het sappige, zure fruit mogen van het zigeunermeisje met de ketting van munten op de zwartfluwelen band om haar hals. We wachten terwijl ze de tinnen beker vult met de bessen, en we kijken naar de lokken zwart haar die onder haar rode hoofddoek uit over haar voorhoofd vallen. Ik wil het zigeunermeisje zijn dat met een mand vol donkere bessen over de achtererven van de mensen loopt. Ik maak stiekem een zwartfluwelen band die ik om mijn hals bind wanneer ik met de buurtkinderen ga spelen.

Op een keer als we 's zomers bij mijn tante en oom in het huis in de Karpaten zijn, hoor ik dat oudoom Ivan, die tijdens de oorlog vermist is geraakt en vijfentwintig jaar dood is gewaand, gevonden is en ons komt bezoeken. Als kind heb ik de verdwijning van oudoom Ivan in de enorme Sovjet-Unie nooit helemaal kunnen bevatten, maar ik heb het me altijd zo voorgesteld: de zon valt schuin over een veld met in de modder gezakte lijken. De ene broer zoekt de andere. De moeder, die allebei haar zoons zoekt, trekt zich de haren uit het hoofd. Haar zoon Victor vindt ze wel, maar de andere niet. Haar hart breekt in tweeën in de schemering die naar vers bloed en vlees ruikt. Ivan is weg. Hij zal vijfentwintig jaar dood blijven.

Mijn grootvader Victor vertelt me dat hij zijn lang verloren gewaande broer heeft gevonden. Wanneer hij me vertelt dat hij hem via het Rode Kruis heeft gevonden, stel ik me voor dat een verpleegster in het Rode Kruis-uniform mijn grootvader overal heeft gezocht, en dat ze, toen ze hem had gevonden, terug is gerend naar zijn broer Ivan in Rusland om hem te vertellen dat ze zijn broer had gevonden. Mijn grootvader gaat bleek en zenuwachtig naar het station om zijn broer af te halen. We gaan allemaal met hem mee. De trein komt in een wieling van witte rook het station in gedenderd. Ik mis het moment dat oudoom Ivan uit de trein stapt, maar opeens zie ik iedereen naar een man met een lange witte baard rennen, huilend en lachend tegelijk.

Dan ziet oudoom Ivan mij en zegt: 'Je bent *krasivaya devochka*, een mooi meisje. Kom eens bij je oom Ivan!'

Hij tilt me met een arm op en geeft me een zoen op mijn wang. Ik schrik als ik zie dat oom Ivan een arm kwijt is, dat zijn rechtermouw leeg is, dat hij gewoon naar beneden hangt zonder arm erin.

Die bijzondere avond maakt mijn oom Ion een fles ţuică

open, en een fles met een sterkere pruimendrank die *pălincă* heet. Mijn grootvader Victor en mijn oudoom Ivan doen niet anders dan lachen, huilen en elkaar omhelzen. Dan kijken ze naar de zilveren spiegel, de spiegel die hun moeder uit de overstromingen van 1918 heeft gered, en huilen allebei weer. De bloemen van de koningin van de nacht staan in volle bloei en hun geur zweeft op de frisse avondbries door de open ramen naar binnen. Ik hoor het fluiten van komende en gaande treinen. Het gepraat en gelach, de sigarettenrook en de geur van de koningin van de nacht omhullen me en de lege mouw van oudoom Ivan jaagt me geen angst meer aan.

Ivan blijft twee weken bij mijn tante Nina logeren. Nina maakt reusachtige pannen koolsoep, is vrolijk en praat meer dan ooit, blij als ze is haar hele familie om zich heen te hebben. Het is rumoerig in het appartement en het is zo vol dat alle bedden en banken 's nachts bezet zijn, zelfs de bank in de keuken. Mijn vader, die ook uit Boekarest is overgekomen, drinkt veel pălincă met Ivan, grootvader Victor en oom Ion. Ze zitten tot diep in de nacht in de keuken van mijn tante te vloeken op de communisten, de Sovjet-Unie, de president van Roemenië, de Russische president en de Amerikanen, die na de oorlog de invloedszones met de Russen hebben verdeeld; ze roken Carpaţi-sigaretten en eten ingemaakte tomaten uit de potten van mijn tante in de proviandkast. Ivan vertelt iedereen dat het leven in de Sovjet-Unie zo moeilijk is dat er daar wel vier gezinnen in een appartement zo groot als dit zouden wonen. En ze eten nooit iets anders dan *cartofeli*, aardappels. Maar Rusland is nu zijn vaderland, hoe slecht het er ook gaat.

Wanneer oudoom Ivan teruggaat naar Moskou, huilt mijn grootvader Victor op het station en omhelst zijn broer heel lang. Oudoom Ivan tilt me op en zoent me op beide wangen, net als toen hij aankwam. Daarna horen we nooit meer iets van oudoom Ivan. Grootvader Victor zegt dat hij blij is dat ze elkaar nog een keer hebben gezien, dat Ivan zijn leven in Moskou wel weer zal hebben opgepakt, dat heel anders is dan dat in Roemenië, en dat hij zich hier niet meer thuis voelt, na vijfentwintig jaar.

De zomer na de hereniging van grootvader Victor en zijn broer Ivan ga ik naar zee met mijn ouders en mijn tante Ana Koltzunov. Ze is mijn oudtante, de dikke zus van Matei, de man van Nadia. Ik houd van mijn tante Ana en denk dat ze mijn oudtante is omdat ze ouder is dan tante Nina. Ze praat veel, maar heel langzaam en met een zwaar Russisch accent, dus alle verhalen die ze vertelt, duren heel lang. Mijn ouders hebben haar meegenomen om haar op te fleuren na de dood van Matei aan alvleesklierkanker toen hij zo verdrietig was om het overlijden van zijn vrouw Nadia.

Ik houd van de Zwarte Zee, wat voor weer het ook is. Op een middag neemt tante Ana me mee naar een Russische vriendin van haar die in een witgepleisterd huis woont en een abrikozenboom in haar achtertuin heeft. De vrouwen zitten lang op de voorveranda in het Russisch te praten en te fluisteren. Alle vrouwen in mijn familie, behalve tante Matilda van vaderskant, spreken Russisch, nog uit de tijd toen overgrootmoeder Paraschiva en overgrootvader Vania in het voormalige Bessarabië woonden, voordat de Russen het weer afpakten vanwege het Molotov-Ribbentrop-pact, zoals iedereen in mijn familie het noemt. Ze spreken Russisch omdat ik het niet mag weten en ik herhaal de woorden Molotov-Ribbentrop telkens, als een dreun, en dan staken de grote mensen hun gesprek, kijken me angstig aan en zeggen dat ik die woorden niet meer mag uitspreken. Het zal wel iets slechts zijn, zoals Stalin.

Mijn tante Ana is erg van streek en ze huilt omdat haar zoon Petea last heeft met de geheime politie. Wanneer mensen last krijgen met de geheime politie, bijvoorbeeld als ze iets lelijks over de president zeggen of niet naar de demonstraties op de grote pleinen gaan om te juichen en over de Partij en de *Vader van de Natie* te schreeuwen, verdwijnen ze spoorloos. Ana's zoon Petea heeft de president belachelijk gemaakt tijdens een demonstratie, hij imiteerde zijn manier van praten en zijn gewoonte zijn hand op en neer te bewegen. Een man kwam hem halen, Ana zag hem een week niet en toen kwam hij bont en blauw geslagen en met een gebroken arm terug. Ik heb mijn ouders over Petea horen praten, maar tante Ana weet niet dat ik weet dat ze Petea in elkaar hebben geslagen en zijn arm hebben gebroken voordat hij weer verdween. Ze huilt zo hard dat haar vriendin haar omhelst en haar wiegt en allemaal Russische woordjes zegt die kalmerend klinken doordat ze veel *sj-* en *tsj-*klanken hebben.

Terwijl mijn tante en haar vriendin handenwringend om Petea huilen, eet ik zoveel abrikozen dat ik er misselijk van word. De wind steekt op en de abrikozenboom wordt heen en weer geschud. De zware vruchten vallen op de grond en spatten open.

Mijn tante grijpt me bij de hand, vertrekt gehaast en verdwaalt in de straten van de stad aan de Zwarte Zee. Ik ben bang voor de wind en de donder. Het onweer komt plotseling, en ik raak doorweekt van de regen en mijn eigen tranen. Dan pakt mijn tante me midden op straat beet en zegt tegen me dat ik haar kleine krasivaya devochka ben. Ze gebruikt dezelfde woorden als oudoom Ivan toen hij na vijfentwintig jaar dood te zijn geweest uit de trein stapte. Ze zegt dat ze haar zoon Petea zo graag zou willen vinden.

Ik voel dat er iets heel belangrijks gebeurt, en dat het vreselijk is om moeder te zijn en zoveel van je zoon te houden dat je de weg naar huis vanaf een vriendin niet eens meer weet.

Op elke hoek duikt de zee aan het eind van de straat op, groenig zwart en woest. Ik houd van de zee als van een zus. Ik wil naar het onweer aan zee kijken, maar mijn tante trekt me mee en slaat een kruis. 'Wees maar niet bang, Monichka, we vinden onze straat wel,' zegt ze telkens, maar elke keer als ze denkt hem te hebben gevonden, is het weer een andere straat die alleen maar op de onze leek, in de regen en het donker. Na twee uur in kringetjes te hebben gelopen in het onweer, komen we eindelijk doorweekt en rillend thuis aan.

Mijn tante Ana Koltzunov zegt tegen me: 'Monichka, Monichka van me, hoe kon je denken dat we in zo'n klein stadje verdwaald zouden raken? Wist je niet dat je tante Ana helemaal naar de Sovjet-Unie en terug is geweest, helemaal in haar eentje?'

Ze is doorweekt van de regen en de tranen. Ik spring in haar armen en zeg dat ik weet dat ze dapper is en dat ik natuurlijk nooit heb gedacht dat ze verdwaald was. Ik zeg dat het goed komt met Petea en ze houdt me vast en huilt nog wat.

Voordat we naar zee gingen en verdwaalden in het onweer, had mijn tante Ana een keer een grote pop met lange blonde vlechten uit de USSR voor me meegebracht. Ik noemde haar Tania. Mijn moeder kreeg een ketting van amber die ze had geruild voor Roemeense paardensalami en een Roemeense panty. Ik vind het heel onbevreesd en moedig van mijn tante dat ze zo'n lange reis heeft gemaakt naar een land dat zo groot is dat de hele Zwarte Zee erin past, en dan is er nog plaats voor een stad of twee.

In de herfst, als we terug zijn van onze vakantie aan zee met tante Ana, hoor ik mijn ouders zeggen dat Petea gedwongen is voor de geheime politie te werken, dus dan vergeven ze hem dat hij midden in een demonstratie de president belachelijk heeft gemaakt. Maar nu is hij weer verdwenen. Tante Ana wacht elke avond met het eten op hem en wordt steeds dikker tot ze doodgaat aan een hartaanval doordat ze Petea nooit meer heeft gezien en al het eten voor Petea op heeft gegeten. Elke avond voor het slapengaan zet ik Tania, de grote Russische pop die tante Ana voor me heeft meegebracht uit de Sovjet-Unie, op de hoek van mijn bed, zodat ik haar kan zien voordat ik in slaap val.

Drie sterfgevallen, een dierenbloem en het woord dor

De winter na Petea's verdwijning is de droevige periode waarin iedereen in mijn familie doodgaat. Mijn grootvader Victor, die me op zijn schoot neemt en me verhalen vertelt over Romeinse keizers en viaducten, gaat dood. Mijn grootmoeder Virginia, de moeder van mijn vader, die me het verhaal vertelt over de gouden appels en de prins die ze zo listig plukt, gaat ook dood. En oom Matei, de man van Nadia, die als politieke gevangene in de gevangenis in Jilava zat waar ze alle mensen die het niet eens zijn met de nieuwe regering opsluiten en martelen, is een paar maanden geleden ook doodgegaan, in het mooie huis met de kastanjes en lindebomen in Boekarest.

Ik verstop me in de kleerkast van mijn tante en knip met een schaar in mijn lelijke, blauwe maillot omdat die verschrikkelijk kriebelt en omdat al die mensen die doodgaan me bang maken. Ik denk dat als er nog meer mensen doodgaan, onze familie gewoon van de aardbodem zal verdwijnen en ik alleen achterblijf. Ik omklem mijn blote knieën in de kleerkast van mijn tante waarin overgrootmoeder Paraschiva speelde dat ze naar de stad ging, en waarin ze haar dood hebben gevonden. Ik wieg heen en weer en hoop dat er niemand anders van onze familie doodgaat, of in elk geval pas over een heel lange tijd.

Ze gaan de dode grootmoeder en de dode grootvader in de grond stoppen, in diepe kuilen. Iedereen kleedt zich mooi aan en we gaan naar een feest waar wel eten is, maar waar je niet mag lachen. Ik krijg mijn nieuwe nichtje Miruna te zien, de eerste baby in onze familie sinds mijn geboorte. Ze is twee jaar en haar blauwe ogen zijn zo groot dat het lijkt alsof ze de helft van haar gezicht in beslag nemen. Als ze loopt, is ze net een opwindspeeltje dat snel beweegt, met kleine pasjes. Dan valt ze op haar gezicht en krabbelt weer overeind. Ze had de tas van haar moeder te pakken gekregen en de hele lippenstift opgegeten. Ze zouden geen lippenstift bij Miruna in de buurt mogen laten komen. Ik houd mijn grote Russische pop Tania vast. Die gaat niet dood. Ze heeft lange gele vlechten.

Ik kijk naar mijn nichtje Miruna, die nog klein is. Die gaat ook niet dood, ze krijst en ze is net zo rond en knap als mijn pop. Het verdwaalde jonge poesje dat achter de deur miauwt, is ook niet dood. Het wil naar binnen, maar mijn moeder, mijn tante en de anderen jagen het weg en zeggen tegen me dat ik het niet binnen mag laten. Ik wil het verdwaalde poesje zo graag binnenlaten.

De buren van mijn grootvader maken voor zijn begrafenis de speciale chocoladetaart die *televizor* heet, televisie. Mijn tante maakt het speciale eten voor de doden, *colivă*, dat gevuld is met balletjes tarwe, romig is en helemaal is bedekt met poedersuiker. Ik vind de televizor zo lekker dat ik een stuk voor later in een hoek van de kleerkast van mijn tante verstop. De mannen die de doden naar het kerkhof brengen, spelen een heel droevig lied op hun trompet en het is zo droevig dat ik denk dat iedereen zal smelten, sterven en verdwijnen. Ik ga de taart helemaal alleen opeten.

Mijn lichaam voelt de hele tijd alsof het vol mieren zit en de mensen slapen 's nachts niet. Ik vind het akelig dat iedereen in onze familie doodgaat en ik vind het akelig dat iedereen over Stalin praat. Iedereen heeft het over Nicolae Ceauşescu, onze nieuwe president die helemaal vanaf het Paleisplein in Boekarest tegen de Russische president heeft gezegd dat hij niet zal toestaan dat hij met zijn tanks naar Roemenië komt. Mijn vader wordt geschaduwd door een slechte man, en er zijn meer slechte mannen die iedereen schaduwen, en we gaan vaak naar het kerkhof. Mijn vader zegt dat die man naar het amfitheater in de universiteit komt, waar mijn vader zijn colleges geeft, en aantekeningen maakt van wat mijn vader zegt. Hij zegt dat die 'criminele klootzak' wil uitzoeken of hij zijn studenten 'gevaarlijke kapitalistische invloeden', 'metafysische ideeën' en 'verboden schrijvers' aanpraat. Dan zegt mijn vader dat die slechte man naar de hel kan lopen, dat hij 'hem er niet van kan weerhouden zijn beroep op de juiste manier uit te oefenen'. Mijn moeder geeft hem weer een standje omdat hij lelijke woorden heeft gebruikt waar ik bij ben.

Ik vind het kerkhof mooi. Er zijn altijd bloemen. Soms mag ik het eten dat is neergezet voor de doden opeten, de zoete colivă van de begrafenis van andere mensen. Op het graf van mijn grootmoeder staat een bijzondere bloem die 'de achtuurbloem' wordt genoemd omdat hij elke avond om acht uur met een *plop*-geluidje opengaat. Mijn vader en ik wachten altijd tot acht uur om de bloem te zien opengaan. Ik let heel goed op. De bloemblaadjes bewegen langzaam, en als het kwart over acht is op het horloge van mijn vader, is de hele bloem open, knalgeel met een zacht, zwart steeltje in het midden.

De gele achtuurbloem maakt dat ik niet meer overal jeuk heb en dat ik moet lachen. Ik vind het leuk om het graf van mijn grootmoeder op het kerkhof te bezoeken. Mijn vader herinnert me altijd aan grootmoeder Virginia, die een rond brilletje droeg en tijdens de oorlog knollen uit de grond wroette om mijn vader en zijn zus Matilda te eten te kunnen geven, want anders zouden ze verhongeren. En we herinneren ons dat Virginia met me speelde dat we bezoek hadden en dat we het bezoek ingemaakte walnoten presenteerden, en die keer dat ik tegen alle denkbeeldige gasten zei dat ze weg moesten gaan omdat grootmoeder moe was en wilde slapen, waarop ik alle denkbeeldige walnoten zelf opat. En toen at ik een halve pot echte ingemaakte walnoten en werd misselijk. Ik denk dat zij de bloem elke avond laat opengaan omdat ze met me wil praten maar het niet kan. Ze kan wel met me praten via de gele bloem, die volgens mij een dierenbloem is omdat hij beweegt en *plop* zegt. Ik wil zelf ook een dierenbloem hebben.

Als ik tien ben, moet ik een opstel schrijven over waarom ik van mijn land houd. Ik kijk en kijk naar het witte papier en kan me er niet toe zetten op te schrijven waarom ik van mijn land houd. Ik weet dat ik van mijn land houd: de schitterende bergen, en de zee, en de oude gebouwen, en de universiteiten, en de korenvelden, maar dat zegt iedereen natuurlijk al. Zo staat het in alle literatuurboeken; die vertellen ons waarom we van ons land houden, en ze vertellen ons hoe mooi en rijk ons land is, en dat we er allemaal van houden.

Dan weet ik het opeens. Ik houd van mijn land omdat ik mijn land mís, net zoals ik mijn moeder mis als ze weg is. Maar ik woon in mijn land. Waarom zou ik het missen als ik er altijd ben? Toch weet ik het zeker. Ik mis het land dat ik ooit in de ogen van mijn vader zag toen hij mijn moeder en mij vertelde over zijn jeugd vóór de oorlog, over de kersenboomgaard waar hij in rende met zijn hond die door de Russen aan stukken is gesneden en in de voorkamer gelegd om te rotten, zodat ze hem vonden toen ze na de oorlog terugkwamen van hun onderduikadres. Het was mijn vaders lievelingshond, een wolfshond die Nera heette, mijn vader overal volgde en 's nachts altijd naast zijn bed sliep. De Russen hadden zelfs de stopcontacten van de muren gehaald, en ze hadden de honden vermoord, en ze hakten mensen hun handen af om hun horloge van hun pols te pakken. En grootmoeder Virginia was twee hele dagen bezig met het opruimen van de rommel van de Russen en toen was het huis nog een puinhoop. 'Ons huis heeft er nooit meer hetzelfde uitgezien,' vertelde mijn vader altijd, 'die Sovjetklootzakken.'

'Ik heb een keer gezien hoe ze op het perron de handen afhakten van mensen die uit de trein stapten,' zei hij. 'Ze hakten mensen hun handen af.'

Toen vertelde hij hoe mooi alles vóór de oorlog was. Er ging niets boven de boomgaarden in de lente, als alle appel- en kersenbomen in bloei stonden: paradijselijk was het. 'En er was vrijheid,' zei mijn vader, en hij sloeg met zijn vuist op tafel. Zijn ogen vulden zich met tranen en hij huilde met verstikte snikgeluidjes.

Ik geneerde me voor hem, en ik begreep het niet en ik had veel medelijden met mijn huilende vader. Ik benijdde hem die jeugd in zijn kersenboomgaarden.

Het enige wat ik nog heb, is de stoffige stoep voor ons appartementencomplex in Boekarest waar ik uren hinkel of verstoppertje speel, me verstop achter geparkeerde auto's. Mijn moeder roept altijd vanaf het balkon naar me dat ik me niet achter geparkeerde auto's mag verstoppen omdat het gevaarlijk is en een kind uit de buurt op die manier is overreden. Het leukste vind ik de wedstrijden touwtjespringen, als we kijken wie de meeste kunstjes kan en wie het langst kan springen zonder over het touw te struikelen of erin verstrikt te raken.

Dat kan ik allemaal niet in mijn opstel zetten, maar ik weet dat ik er iets van kan zeggen zonder het echt te zéggen. Ik kan dat land beschrijven, en zeggen dat ik van mijn land houd omdat ik het mis, zonder te vertellen over de Russen die mensen hun handen afhakten en de hond van mijn vader aan stukken sneden. Ik klamp me vast aan een woord, dat ene woord waar de Roemenen zo trots op zijn omdat het naar hun zeggen in geen enkele andere taal vertaald kan worden. Het woord *dor*. Mijn vader legt me de betekenis vaak uit.

'Het betekent zoiets als een verlangen, een smachten dat je niet kunt verklaren. Je weet ook niet waarom je het hebt. Het overkomt je wanneer je naar bepaalde landschappen kijkt en naar bepaalde muziek luistert, bijvoorbeeld muziek die op speciale Roemeense instrumenten met onvertaalbare namen wordt gemaakt, fluiten met veel pijpen en grote hoorns. Dan zie je de bergen voor je waar je voorouders woonden en tegen de Turken, de Hunnen en de Visigoten vochten, en waar ze naar de lucht keken en droomden zoals jij nu naar de lucht kijkt en droomt. Dat zie je allemaal voor je, en je wordt weemoedig en smacht naar iets. Dat is wat *dor* betekent.'

Als ik mijn vader iets vraag, krijg ik een klein college van hem. Ik luister altijd gefascineerd en probeer de beste leerling te zijn die hij ooit heeft gehad.

Ik klamp me vast aan dat ene woord dat de sleutel lijkt te zijn tot waarom ik van mijn land houd. Ik schrijf over alle dingen die me dat bijzondere, verlangende gevoel zouden geven, dat gevoel van een onbevredigde hunkering als ik mijn land ooit zou verliezen; zo zou ik me ook voelen als ik mijn moeder ooit verloor. Ik schrijf over het land dat ik in de ogen van mijn vader zag, vol kersen- en appelboomgaarden en sneeuwvlaktes, zo uitgestrekt en wit dat het blauw wordt. Ik doe mijn best om niets te zeggen over de aan stukken gesneden hond en de stopcontacten, hoe graag ik het ook wil. In plaats daarvan stel ik me de kleur van de boomgaarden voor en beschrijf ik de heuvels en valleien. Ik schrijf wel over de Turken en de Visigoten, een beetje maar, en over onze moedige voorouders die vochten om ons land te bevrijden en ons vrijheid te brengen. Ik schrijf dat 'onze onbevreesde voorouders ons land bevrijdden van de invasies van stammen en volkeren die ons van onze vrijheid wilden beroven, ons wilden onderwerpen en ons onze groene weides en glooiende heuvels wilden afnemen. Maar onze voorouders waren moediger en sterker omdat ze ons moederland boven alles liefhadden.' En als ik 'vrijheid' schrijf, weet ik dat ik de vrijheid bedoel die ik in de ogen van mijn vader zag, want ik heb die vrijheid zelf nooit met eigen ogen gezien. Ik heb er alleen maar over gehoord van mijn familie en mijn vader, alsof het een mythisch wezen is met wild haar dat wappert in de wind. Ik schrijf alleen het woord vrijheid en alleen de witte bladzij weet waar ik allemaal aan denk wanneer ik het opschrijf.

Ik win de eerste prijs met mijn opstel over waarom ik van

mijn land houd. Dit is de gelukkige periode in ons land waarin je zelfs dadels, bananen en kaviaar in de winkels kunt vinden, zonder in de rij te staan, en waarin mijn moeder haar grijze jurk met witte en fuchsia margrieten draagt die telkens als ze zich draait wervelt en opbolt als een ballon.

'Het wordt straks weer slechter, let op mijn woorden,' zegt mijn vader. 'Ze nemen ons maar in de maling, en het Westen erbij. Ze willen ons laten geloven dat we vrij zijn. Ze zeggen dat dit een periode van liberalisering is, maar eigenlijk is het gewoon een zwendel om de westerse landen te laten zien hoe liberáál onze president wel niet is omdat hij zich tegen de Russen verzet. Maar in werkelijkheid,' zegt hij terwijl hij dicht naar me over leunt, 'zitten de Russen ook in het complot. Ceauşescu gooit ons net zoveel kliekjes toe dat we het niet op een janken zetten. Die liberalisering is een schijnvertoning, let op mijn woorden.'

Ik weet niet wat een schijnvertoning is, of liberalisering, maar ik ben bang voor die schijnvertoning. Misschien betekent het dat de zwarte bus voor ons gebouw zal stoppen en mijn vader en moeder zal meenemen, of dat de Russen honden aan stukken gaan snijden en mensen op straat hun handen gaan afhakken, en dat we weer zonder stroom komen te zitten, met grote gaten in de muren in plaats van stopcontacten, net als in de oorlog. Ik ben zo bang voor die schijnvertoning dat ik ook geen liberalisering meer wil. Ik beef als ik 's nachts vliegtuigen hoor, in de zomernachten van Boekarest, die naar lindebloesem en verschroeid asfalt ruiken. Ik ben pas weer blij als ik mensen op straat hoor praten en lachen. Bij het inslapen denk ik dat dit de gelukkige periode van mijn land is en voel ik het verlangen in het woord *dor*.

Tante Matilda en de aardbeving

Wat ik me het levendigst herinner uit mijn jeugd tot aan mijn tijd als jongvolwassene, zijn de zondagochtenden die zich uitstrekten als een lang kralensnoer. Ik meet de tijd af aan de nieuwe jurken die ik om de paar jaar krijg als de oude zo klein zijn geworden dat mijn armen er als dunne takken uit steken, en aan de nieuwe leerboeken die ik op school krijg, waarin geen plaatjes meer staan over Lina die simpele zinnetjes zegt onder de blauwe hemel van de Partij, maar echte teksten van Roemeense schrijvers en ingewikkelde literaire analyses.

Op zondagochtend ga ik naar het Roemeense Atheneum aan het Paleisplein in Boekarest om naar klassieke concerten te luisteren. We gaan er met de middelbare school naartoe in het kader van onze muzieklessen. We trekken onze mooiste kleren aan en verzinken in lange, kleurrijke dromen op de roodfluwelen stoelen terwijl Chopins etudes hun weemoedige noten in onze ziel laten druppelen, terwijl de symfonieën van Mozart door ons hart razen en Beethovens Zevende in een krankzinnige maalstroom door ons lijf dendert.

Op een van die zondagen ga ik na het concert naar mijn tante Matilda, die wilde dat ik Maria genoemd zou worden omdat ze op de dag van mijn geboorte de hele dag tot de Heilige Maagd had gebeden. Ze woont dicht bij het Atheneum in een zijstraatje met kastanjebomen. Ze schrijft toneelstukken en maakt de verrukkelijkste ingemaakte walnoten van de wereld. Mijn tante Matilda heeft een rond, blank gezicht met fluweelbruine ogen en heel donker haar dat in golven over haar rug valt. Als ze lacht, gooit ze haar hoofd in haar nek, als een actrice. Ze is niet getrouwd. Ze zegt dat ik haar 'enige grote liefde' ben, maar ik weet dat ze gewoon geen geluk heeft gehad in de liefde. Ik weet dat ze door mannen is belogen en bedrogen. Ik weet dat ze diep vanbinnen zo droevig is als een treurwilg. Ze schrijft kinderverhalen en toneelstukken die ze moeilijk uitgevoerd of gepubliceerd kan krijgen omdat de regisseurs en uitgevers haar niet 'hedendaags' genoeg vinden. 'Waar moet ik dan precies hedendaags over doen?' vraagt ze na elke afwijzing. 'Elena Ceauşescu soms?' Ze lacht om haar eigen grap, met haar hoofd in haar nek en haar prachtige tanden bloot.

Op hetzelfde moment zie ik de pegels van de kristallen kroonluchter tinkelend deinen. Die kroonluchter komt uit hetzelfde huis als dat waarin het zwarte mahoniehouten bureau stond dat mijn vader heeft geërfd en waarop de foto van Nora in de sinaasappelboom staat.

Tante Matilda heeft ook een Griekse icoon van de Maagd Maria met bloeddruppels op haar gezicht. Het is echt bloed, zegt ze. Ze zegt dat de icoon in het water is gevonden door een Griekse soldaat die zijn mes in het gezicht van de Maagd stak om haar te redden, en toen kwam er echt bloed uit. Opeens tinkelen de pegels harder en schudt het hele huis als een boot. Een soort gejank als van het eind van de wereld vult de lucht. Gebulder van metaal, aarde en vreemde wilde dieren doet pijn aan onze oren en maakt ons duizelig. We vliegen elkaar midden in de kamer in de armen. Ik druk mijn hoofd in de geurige zachtheid van mijn tantes boezem terwijl zij verwoed tot de bloedende Maagd Maria van de Griekse icoon bidt.

Ik verwacht elk moment dood te gaan, te verdwijnen, de ergste pijn van mijn leven te voelen. Het huis schudt nu zo hevig dat we amper rechtop kunnen blijven staan. Mijn tante houdt me vast en bidt. Ik knijp uit alle macht mijn ogen dicht en mijn hoofd vult zich met een witte leegte, het felle licht van het onmogelijke lawaai. Ik denk dat de Russen eindelijk zijn binnengevallen en heel Boekarest bombarderen. Over een paar minuten zijn er alleen nog maar bergen stenen over van het huis van mijn tante. Wij liggen eronder met alles wat we hebben en alles wat we denken, met de muziek en de dromen over muziek... Het zal allemaal instorten en verbrokkelen als het definitieve einde, het definitieve einde van de wereld.

Als het voorbij is, grissen we allebei onze jas van de kapstok en haasten ons naar de marmeren trap. Er liggen gevallen bakstenen, er zitten barsten in de muren en er spuit heet water uit gesprongen leidingen. Honderden mensen, gekleed en half gekleed, rennen alle kanten op. Het gebouw aan de overkant van de straat is veranderd in een grote hoop bakstenen en specie. Van alle kanten klinkt geschreeuw en gejammer. De lucht hangt vol wit stof en alles daarachter lijkt onwezenlijk, grijs en waterig. Een vrouw rent schreeuwend en aan haar haar trekkend onze kant op. We lopen over de boulevard naar de universiteit, maar de mensenmassa wordt zo dicht dat we amper nog vooruitkomen. We moeten ons tussen de mensen door wringen en onze ellebogen gebruiken. Aan weerszijden van de boulevard zijn gebouwen ingestort en overal klinkt geschreeuw.

Daar is het gebouw waar ik de speciale soezen met mijn vader at: een berg wit pleisterwerk. De kruidenierszaak waar ze soms boter of kaas hebben, is half ingestort. De helft die nog staat, gaapt open. Ik zie een wc aan een leiding hangen, een kleerkast die op het punt staat over een verzakte vloer naar beneden te glijden. Een verbrijzeld been met een schoen eraan piept onder een ingestorte stenen muur uit. Ergens anders zwaait een arm, roept iemand, ligt iemand stil en zwijgt. We lopen in de richting van het appartement van mijn ouders. Ik wil niet aan ons huis denken, aan mijn vader onder een berg stenen en mijn moeder languit op straat. Waarom zouden ze oorlogen hebben overleefd, de bommen van de Russen, de Duitsers en de Amerikanen, om nu bij een aardbeving om te komen?

'Een aardbeving is het laatste waar deze mensen behoefte aan hebben,' zegt mijn vader zodra hij ons ziet aankomen.

'Zijn jullie allebei ongedeerd? Goddank!' zegt mijn moeder, die zich naar me toe haast en me in haar armen sluit.

'Ik dank God en de Maagd Maria!' zegt mijn tante. 'God sta ons bij, en de Heilige Maagd helpe ons!' jammert ze, en ze slaat een kruis.

Mijn ouders staan allebei op de hoek van de straat. Ons appartementencomplex staat nog overeind, maar dat ernaast is ingestort, net als het gebouw tegenover het huis van mijn tante. Mijn moeder omhelst me snikkend en al knijpt ze zo hard dat het pijn doet, ik wil niet dat ze me loslaat.

Het is hier vreemd stil op straat. Iedereen is naar de grote boulevards gevlucht, en wij staan alleen in een straat waar een grafstilte heerst. Er kringelt dicht wit stof om ons heen en het ruikt naar bloed, metselspecie en hyacinten. Het is lente, de lentenachtevening, en de dood hangt zo zwaar om ons heen dat er geen woorden voor zijn, maar wij leven nog.

'We zijn echte geluksvogels,' zegt mijn vader. Hij draait zich om, zet een paar passen in de richting van ons huis, blijft staan en kijkt naar het gat waar een ander gebouw heeft gestaan.

'Het ziet er net zo uit als na de oorlog,' zegt hij in zichzelf. 'Op oorlog volgt honger. Als we genoeg brood bij elkaar kunnen sprokkelen om onze buik enigszins te vullen, volgt de terreur. Net als we een beetje hoop beginnen te krijgen, komt dit... als een vuistslag.'

Het is de lente voor de zomer waarin ik mijn eerste liefde vind, ontsproten aan rauwe aarde, rauw vlees, ellende en dood. Mijn liefde groeide in de rotsachtige, donkere Karpaten als een koppige plant, als een wild dier, als de kleur roze midden in een regenboog, als de gele hyacint die opbloeit uit de gebarsten, bloedende aarde.

Geheime activiteiten en typemachines

In het jaar waarin ik verliefd word op Mihai, raakt mijn vader betrokken bij geheime bezigheden waar hij alleen fluisterend met mijn moeder over praat. Ik mag geen vriendje hebben, want *je weet het maar nooit.* Val dood, denk ik en ik klamp me vast aan mijn groenogige jongen uit de bergen. Telkens als we in Mihais kamer vrijen en ik een glimp opvang van de monsterlijke portretten van Marx, Engels, Lenin en Ceauşescu die ons vanaf het gebouw aan de overkant van de straat bespioneren, zeg ik tegen ze dat ze kunnen verrekken.

We mogen geen typemachines meer hebben. Ze zijn verboden. Op een avond belt er een politieman bij ons aan om te vragen of we er een hebben.

'Goedenavond, kameraad Manoliu,' zegt de politieman beleefd. 'We komen controleren of u een typemachine hebt. Het is een routineonderzoek.'

Ik zie dat mijn vader zijn kaken op elkaar klemt van woede. Zijn ogen schieten vuur. Hij wacht even, neemt een trek van zijn sigaret en probeert zijn woede te bedwingen.

'Wat ik me afvraag,' zegt hij dan, 'is waarom u zulke routineonderzoeken moet uitvoeren?'

De politieman staat met zijn mond vol tanden. Roemeense

politiemannen zijn berucht om hun stomheid en ongeletterdheid. Deze kan geen uitzondering zijn, denk ik bij het zien van zijn gewichtige houding en zijn lage voorhoofd vol denkrimpels.

'Uitvoeren?' herhaalt hij alsof hij zich beledigd voelt.

'Ja,' zegt mijn vader. 'Waarom moet u zulke routineonderzoeken uitvoeren?'

Hij legt opzettelijk nadruk op het woord uitvoeren.

'We voeren niets uit, meneer, we controleren alleen maar,' zegt de politieman fier.

Mijn moeder kijkt naar mijn vader, knippert met haar ogen en knipoogt dan alsof ze wil zeggen: *zeg nou gewoon nee, dan is het maar gebeurd, hou op met die nutteloze praatjes.*

'Wij hebben geen typemachine,' zegt mijn vader alsof hij haar zwijgende aansporing heeft gehoord. 'Maar u mag best zelf kijken,' voegt hij eraan toe.

'Kijkt u maar, zoek onder onze matrassen, onder onze bedden, in onze wc-pot. Kijk zelf maar of we een typemachine hebben.'

De politieman kijkt gegeneerd en loopt naar de deur alsof hij aan de uitval van mijn vader wil ontkomen.

'Nee, meneer, doet u geen moeite. Maar als u iemand kent die er een heeft, wilt u dan zo vriendelijk zijn het ons te vertellen?' vraagt de politieman alsof het hem net te binnen schoot.

Nu probeert mijn vader niet eens meer zijn minachting te maskeren. Hij blaast een sliert Kent-sigarettenrook in het gezicht van de politieman.

Die maakt wat aantekeningen in een notitieboekje, mogelijk het clandestiene-typemachineboekje, draait zich op zijn hakken om en vertrekt met een gepreveld: 'Ja, meneer, tot ziens, meneer.' Na zijn vertrek is mijn vader helemaal in zijn nopjes met zijn eigen slimheid en moed.

Ik ga naar de oven waarin mijn moeder onze Zinger een paar dagen geleden heeft verstopt, toen het nieuws rondging dat er naar typemachines werd gezocht. Ik pak hem tussen de potten en pannen vandaan, draag hem naar het mahoniehouten bureau met de foto van Nora, die glimlachend in die glorieuze sinaasappelboom in Amerika zit, en schrijf een brief aan het vriendje dat ik niet mag hebben, op de typemachine die we niet mogen hebben.

Nu de vakantie voorbij is en ik weer in Boekarest zit, smachten Mihai en ik naar elkaar zoals bedoeïenen in de woestijn naar water en een oase smachten. De dochter van een vriend van ons is 'per ongeluk' op de stoep overreden. Ik begrijp niet waarom al die mensen steeds op de stoep rijden.

'Het is erg,' zegt mijn vader keer op keer. 'En het wordt nog erger, let op mijn woorden,' zegt hij starend in zijn sigarettenrook.

Het moet wel erg zijn, want je bent nergens meer veilig. Je mag niet eens meer een sneue, oude Zinger-typemachine hebben, en je wordt doodgereden als je op de stoep loopt. Je kunt beter midden op straat lopen. Ik kijk uit naar Kerstmis, ik verheug me op de witte sneeuw in de stad van mijn tante. Ik verlang ernaar met Mihai over dezelfde paden te lopen als afgelopen zomer en op de verse, glinsterende sneeuw te liggen.

In december staat Mihai me op het station op te wachten, somber en ongeschoren, tegen een muur geleund, rokend en in een zwartleren jack. Ik schrik en wil weglopen, maar hij pakt mijn arm en loodst me door de mensenmassa op het perron heen. De manier waarop hij beweegt en de leiding over me neemt heeft een nieuw soort zelfverzekerdheid, arrogantie bijna, en zijn zwartleren jack ergert me. Ik probeer mijn intuïtie het zwijgen op te leggen. Niet alle leden van de geheime politie dragen een zwartleren jack, houd ik mezelf voor, en niet alle mannen die een zwartleren jack dragen, zijn van de geheime politie. Dat zou er zelfs voor zo'n stom dictatuurtje als het onze te dik bovenop liggen.

Als we het drukke station zijn ontvlucht en buiten onder de winterlucht en de lichte sneeuwvlokken staan, omhelst hij me stevig en kust me midden op de stoep. Ik beantwoord zijn kus zonder me iets aan te trekken van de mensen die erlangs willen en ons aangapen. Ik geef niets meer om Zinger-typemachines en mijn vaders geheime dissidente bezigheden. Hoe langer we lopen, hoe donkerder en stiller de straten worden. Ze doen me denken aan de nacht van de vele manen, mijn droom van Mariana, die tandeloos naar ons lachte. Ik stop alle boze dromen en verontrustende gedachten zo ver weg dat ik ze niet meer kan horen roepen en concentreer me op Mihais profiel en hoe de sneeuwvlokken blijven hangen in zijn zwarte wimpers en smelten op zijn rode lippen.

Ik hervat mijn pendeldienst over de trap, heen en weer tussen Mihais huis en het huis van mijn tante. Zijn lichaam lijkt warmer en verrukkelijker dan ooit tussen de gesteven lakens, dus al snel kan zijn zwartleren jack me geen moer meer schelen. Hij speelt weer Grieg voor me, en soms dansen we in zijn kamer op westerse muziek, Ella Fitzgerald en Nat King Cole, Elvis Presley en The Beatles. Hij leert me danspassen. We zwieren, botsen tegen zijn meubilair en tuimelen lachend en zweterig van lust op zijn bed. De Amerikaanse jazz sijpelt mijn Roemeense aderen in. Goddank is het winter en zijn de ramen dicht, zodat ik niet hoef te zien hoe de drie baardige communistische goden en de *Vader van de Natie* grotesk vanaf hun gebouw aan de overkant naar ons kijken.

Op een avond praten we over politiek en maak ik onze *Geliefde Leider* zo belachelijk met mijn imitatie van zijn domme, lijzige stem dat de tranen me in de ogen springen van het lachen.

Mihai wordt kwaad. 'Zo mag je echt niet praten, Mona,' zegt hij.

Zijn toon is scherp, vermanend. Ik schrik ervan en de manen en de tandeloze Mariana doemen weer voor me op.

We maken zwijgend een wandeling. Ik ga midden op straat in de sneeuw zitten. Ik ga midden op straat liggen bij wijze van protest. Hij kijkt naar me en schiet in de lach.

'Ik vind het absoluut niet grappig als iemand een tiran en een ongeletterde misdadiger verdedigt,' gil ik midden op straat.

Ik denk aan mijn vaders zorgelijke gezicht, aan de minachtende blik die hij de politieman die naar de typemachine vroeg, toewierp. Ik lig op mijn rug in de sneeuw onder de wintersterren en proef gal in mijn keel. Dan komt Mihai opeens naast me liggen en pakt mijn hand.

'Nee, het is niet grappig,' zegt hij. 'Ik plaagde je maar.'

Nu snap ik er niets meer van en ik weet niet of ik hem moet zoenen of slaan. Hij plaagt me maar, denk ik. Hij luistert naar Ella Fitzgerald en The Beatles. Ik kan hem wel vertrouwen. Ik mag wel van hem houden. Ik hoor de fluit van een trein. Iets als een nadering van de dood fladdert in mijn binnenste terwijl ik op mijn rug in de sneeuw lig.

Ik sta op en hijs hem ook overeind. Als hij tegenover me staat, zie ik hem weer zoals ik hem die middag bij de witte rots zag, boven het verschijnsel van de roze en violette wolken: wild, donker, trots en met zinnelijke, rode lippen.

De volgende ochtend belt mijn vader uit Boekarest om te zeggen dat ik onmiddellijk naar huis moet komen, dat het dringend is, maar ik luister niet. Niets is dringend in mijn leven, behalve Mihai. Ik blijf de trappen op en af rennen. Ik houd zijn warme lichaam 's ochtends vroeg en 's middags tegen me aan. Ik loop aan zijn arm door de sneeuw, met een blauwe, zijden baboesjkasjaal om mijn hoofd, net als Katherine Hepburn in die film waarin ze met betraande ogen in iets als een koets of een door paarden getrokken slee naast Spencer Tracy zit. Van vijf tot zeven uur 's avonds worden er soms buitenlandse films op de Roemeense nationale televisie uitgezonden, ingeklemd tussen nieuwsberichten over de laatste verworvenheden van onze *geliefde leider en zijn echtgenote*. Op datzelfde tijdstip staan er ook rijen op straat voor rundvlees, bakolie, bananen en maandverband. Het is tenslotte een rijk land. We lopen langs de rijen en glimlachen uit de hoogte. Wij hebben die dingen allemaal niet nodig. Wij kunnen van de lucht leven. We vrijen, we lopen in de sneeuw. Soms drinken we wodka, zó uit de fles, en eten veel brood. We mijden politiek. Ik vergeet mijn boze dromen een tijdje.

Tot die middag een week later als mijn moeder me belt en met vreemd beverige stem zegt dat ik meteen thuis moet komen. Nu ben ik bang. Ik koop een treinkaartje terug naar de hoofdstad.

We vrijen tot een halfuur voordat de trein vertrekt. Ik kan mijn kousen niet vinden en moet mijn Bulgaarse laarzen om mijn blote voeten en benen dragen. Op weg naar het station heb ik koude, pijnlijke voeten. We volgen dezelfde route als toen ik aankwam en hij me midden op straat kuste, onder de sneeuwvlokken en de afkeurende blikken van vreemden. Hij doet het nu weer, vlak voor het station. Hij blijft staan en kust me voor het oog van conducteurs die hun dienst erop hebben zitten, zigeuners met zware zakken op hun rug en oude mensen die enorme, met touw dichtgebonden, koffers met zich meezeulen.

Het is een overweldigende wirwar in mijn hoofd. Roze mist vermengt zich met blauwe sneeuw, tandeloos gegrijns, enorme koffers en auto's die voetgangers op de stoep overrijden. Immense rode manen staan als sterren aan de lucht en voedselrijen kronkelen als lelijke slangen om elk gebouw in elke straat in elke stad. Ik ben bang dat ik gek word. Dan besef ik dat ik moet hollen als ik mijn trein wil halen. Ik weet dat ik in die trein moet stappen en Mihai midden op het perron moet achterlaten, somber en ongeschoren. De trein komt langzaam in beweging, ik zie hem in zijn eentje op het perron staan en probeer terwijl ik naar hem wuif zijn steeds kleiner wordende gestalte zo precies mogelijk in mijn geheugen te prenten: zijn hoofd, schuin, zijn ene hand in zijn zak en de andere die gestaag naar me zwaait.

Geheime politie en symbolistische dichters

Ik kom terug in Boekarest, nog vol verdriet over de recente scheiding van Mihai, en tref mijn moeder in een vreemde stemming aan, samenzweerderig en ongewoon kalm voor haar doen. Haar hoofd gaat schuil onder roze krulspelden. Ze zegt dat mijn vader al drie dagen weg is.

'Hoe bedoel je?' vraag ik. Ik begrijp niet hoe mijn moeder zo kalm kan zijn. Het idee dat mijn vader een van de mensen kan zijn die zijn 'opgehaald' door de Securitate, schrikt me op uit mijn verliefde dromerigheid.

Dan, alsof ze zichzelf wil afleiden, begint ze over de vrouwen in haar familie te bazelen, die van de Slavische tak, hartstochtelijke vrouwen die overstromingen, hongersnoden en bombardementen hebben doorstaan. Ik voel ze in mijn bloed: Nadia, en Vera, Ana en Nina en de felle Paraschiva. Mijn overgrootmoeders, grootmoeders, tantes en oudtantes. Vrouwen die leefden voor de liefde en op slag dood waren, die hun huis verpulverd zagen worden door Amerikaanse of Russische bommen, die niet bang waren voor de nazi's of de Sovjets. Zijn wij net zo? vraag ik me af. We zullen die felle moed weer nodig hebben.

Ik denk vooral aan Nadia, de glamoureuze, tragische oudtante wier verhaal mijn moeder altijd aan het huilen maakt. Ik ben weer in de beangstigende jaren vijftig, met de beruchte, zwarte busjes van de geheime politie die bij een huis stoppen, waarna iedereen binnen van de eettafel wordt gesleurd, van zijn bed wordt gelicht, van het ziekbed van zijn kind of stervende moeder wordt weggesleept en om ondoorgrondelijke redenen wordt opgesloten: de baan die iemand vóór de oorlog had, een losse uitspraak op een feest, een grapje tegen een vriend, een houding, een gebaar, iets wat een ander over hem heeft gemeld of helemaal niets. Zo is Matei Varniţchi, de zwierige officier met wie Nadia getrouwd was, op een avond weggehaald tijdens een van hun elegante feesten in Boekarest, in het prachtige huis met marmeren schouwen aan de straat met de kastanjes.

Nadia praat met een van de gasten en drinkt champagne. Het is een of twee uur 's nachts. Opeens krijgt ze het akelige gevoel dat er iets aan de hand is. Ze ziet Matei in de deuropening staan, geflankeerd door twee onbekende mannen. Vlak voordat hij verdwijnt, kijkt hij haar aan en glimlacht. *Niet bang zijn*, mimet hij. Het laatste wat ze ziet, is een kleine, dikke man die aapachtig naar haar grijnst en de kale kop van de ander, die haar man het huis uit duwt. Door het glas in de voordeur ziet ze de lelijkerd langzaam weglopen. Ze wil het uitschreeuwen, maar het geluid blijft in haar keel steken; ze wil rennen, maar haar voeten zitten vast aan de glanzende vloer. Door het zijraam van de erker ziet ze het busje de hoek omslaan en uit het zicht verdwijnen. Matei is weg en ze begrijpt niet hoe het feest door kan gaan alsof er niets is gebeurd. Alles rondom haar verstomt en vertraagt: de dronken gasten die walsen en struikelen, de gasten die luidkeels op hun oorlogservaringen pochen, de ingetogener gasten die zacht over de nieuwste ontwikkelingen in de poëzie converseren. Dan staat alles echt stil en klinkt er geen geluid meer.

Ik stel me Nadia voor tijdens de lijdensweg die volgt. Ik heb altijd gedacht dat zij net de enige van de familie had kunnen zijn die de rampen had kunnen ontlopen en ongedeerd een gelukkig leven had kunnen leiden. Ik zie Nadia in de eenzame jaren na Mateis arrestatie. Ik zie haar langzaam door het mooie huis lopen, zwevend, als in een droom. Ze strijkt met haar hand over de glanzende kersen- en mahoniehouten meubels en laat 's avonds haar jurk en onderjurk van haar lichaam glijden voordat ze in het eenzame bed stapt. Zo verstrijken er twee jaar, drie, vijf. Dan trekt mijn tante Nina bij haar in om haar gezelschap te houden in het lege huis met de trieste balzaal. Op een dag ziet Nadia Mateis handschrift op een gekreukte, gele briefkaart tussen de post. In gedachten zie ik haar koortsachtig naar het papier kijken en hoop telkens op een andere afloop. Ik hoop dat er op de briefkaart staat: *kom volgende week thuis, Matei*, in plaats van wat er echt staat: *maak het goed. Schrijf binnenkort meer. M.*

De briefkaart kan Nadia niet troosten of geruststellen. De dubbelzinnigheid van die paar woorden is ondraaglijk voor haar en de incomplete ondertekening jaagt haar angst aan. Hij heeft nog nooit een kattebelletje of een brief met iets anders dan zijn hele naam ondertekend. Ze had samen met hem oud willen worden. Ze is nog jong, maar haar leven is voorbij. Ze staart naar de woorden op de briefkaart tot de schemering haar in het lege huis omhult. De geur van de linden komt door alle open ramen het huis binnen. Ze haat de zomer en de geur van de linden. Matei is op net zo'n avond als deze opgehaald, denkt ze. Later die avond vindt mijn tante Nina haar dood op de vloer, onder de kristallen kroonluchter, met de briefkaart van Matei nog in haar hand en haar Siamese kat miauwend op haar schouder.

'Die groep waarbij je vader zich heeft aangesloten,' zegt mijn moeder bedachtzaam, 'probeert een opstand te organiseren. Ik vermoed dat iemand je vader heeft aangegeven. Hij is gearresteerd.' Ik kijk mijn moeder ongelovig aan. Nadia's verhaal fladdert als een panische vogel door mijn hoofd. Die twee vrouwen, mijn moeder en haar tante, lijken in elkaar over te gaan. Misschien zal mijn vader jaren wegblijven, net als oudoom Matei, en zal mijn moeder midden in ons minuscule appartement dood neervallen.

'Je vader zit in de nesten, Mona. Hij heeft dingen gedaan...'

'Dingen? Wat voor dingen?'

'Dat zeg ik toch, luister je niet? Een opstand, een soort coup, ze willen dat Ceauşescu aftreedt.'

'Hoezo, opstand? Hoezo, coup?' zeg ik. 'Waar heb je het over?' Het lijkt allemaal zo onwezenlijk. 'Hoe kun je nou zo stom zijn om een coup voor te bereiden,' zeg ik schril van ongeloof, 'als je al in de gevangenis kunt worden gegooid voor het hebben van een typemachine?'

'Precies,' zegt mijn moeder. 'Die typemachines zijn van cruciaal belang.' Haar gezicht staat gespannen en ik zie nu pas de twee diepe rimpels in haar voorhoofd, maar door de krans roze krulspelden om haar hoofd lijkt haar ernstige, fronsende gezicht bijna zielig. Ze zit er handenwringend bij, zoals wel vaker wanneer ze nerveus is, en ze draait aan de brede, gouden ring om haar middelvinger, de ring die van grootvader Victor is geweest. Ze kijkt even naar de deur alsof ze verwacht dat die open zal gaan en dat mijn vader binnen zal komen, en dan kijkt ze mij weer indringend aan. Ik heb medelijden met haar. Ze lijkt zo klein, komisch en triest tegelijk, zoals ze daar midden op de bank zit en langzaam haar benen naar voren en naar achteren zwaait. Haar ogen lijken groter en ronder dan anders.

Ze vertelt dat de manifesten tegen de regering duizenden keren worden vermenigvuldigd op typemachines. De politie vergelijkt het lettertype van de manifesten met dat van de typemachines die bij de regering geregistreerd staan.

'Die oude Zinger,' zegt mijn moeder. 'Je vader had hem van de universiteit meegenomen. Hij dacht dat niemand hem wilde hebben. Wat hij niet besefte toen hij hem leende, was dat hij geregistreerd stond.'

Het duizelt me. Het is nog maar een kwestie van dagen voordat we 'per ongeluk' worden doodgereden terwijl we in zo'n stomme rij voor boter of wc-papier staan. Of voordat er een grote, lelijke bus voor ons complex stopt en mijn moeder en ik ook worden meegenomen. Ik ben ervan overtuigd dat mijn moeder meer over de arrestatie van mijn vader weet dan ze mij vertelt. Misschien vermoorden ze hem, of laten ze hem heel lang in de gevangenis zitten, net als oudoom Matei. En dan te bedenken dat wij na Ceauşescu's grote, moedige toespraak op het Paleisplein in 1968 het idee hadden dat hij een verbetering zou zijn, dat hij ons van de Russen zou bevrijden. Mijn vader had destijds gelijk toen hij zei dat het allemaal een schijnvertoning was om het Westen wijs te maken dat Roemenië naar een soort liberalisering toe werkte en zich losmaakte van de Sovjet-Unie. Ik heb geen idee waarom mijn vader denkt dat dit het juiste moment is om manifesten tegen de regering te schrijven. Zijn woorden van al die jaren geleden, toen ik nog geen idee had wat ze inhielden, staan me nu helder en onheilspellend voor de geest, en het gezicht van mijn moeder vertoont een vreemde gelijkenis met dat van Nadia op die ene sepiafoto die we van haar hebben. De schemering kruipt traag naar binnen. De kamer is in schaduwen gehuld. Ik zucht en de as in de asbak van mijn vader stuift alle kanten op. Ik doe mijn mond open en wil iets zeggen, maar mijn stem wordt afgeknepen. Uiteindelijk besluit ik haar over te halen me de hele waarheid te vertellen.

'Waar is hij?' vraag ik. 'Waar is vader? Hoe weet je dat hij is opgepakt? Hoe weet je dat hij niet al dood is? Heb je iets van hem gehoord? Zeg op,' gil ik.

'Vraag niet zoveel,' zegt mijn moeder ijzig. 'Zijn vriend Darius van de universiteit is me komen vertellen dat hij hem maandag na zijn colleges vlak voor de universiteit in een grote zwarte auto zag stappen. Er zaten nog twee mannen in de auto. Hij zei dat je vader kalm was en naar hem zwaaide toen hij instapte. Darius zit ook bij de groep... Ik vertrouw hem. Hij is veilig. Hij wordt binnenkort vrijgelaten. Denk ik,' besluit ze zwakjes. Ze staat op van de bank en ordent de voorwerpen op het kleine bureau van mijn vader: zijn Pelikan-vulpen, een paar slingerende boeken en wat vellen wit papier. Ze begint de rest van de kamer op te ruimen, al is dat niet echt nodig.

Ik kan al die informatie niet goed verwerken. Het lijkt alsof ik alles in zwart-wit op een scherm zie, van een afstand. Ik heb hier niets mee te maken. Het gaat me niet aan.

'Op dit moment kunnen we alleen maar afwachten,' concludeert mijn moeder vreemd kalm. Ze legt haar gevouwen handen licht op haar schoot. Dan verandert ze weer van toon en vraagt: 'Je hebt het toch aan niemand verteld?'

'Wat? En aan wie? Wat valt er te vertellen?'

'Dat vriendje van je,' zegt ze, en ze prutst aan de krulspelden. Dan kijkt ze me recht aan. 'Pas op. Hij zou erbij kunnen horen.'

'Waarbij?' vraag ik woedend. 'Wie, moeder? Waar heb je het over? Wie is "hij"? En waar kan hij bij horen?'

Voornaamwoorden hebben geen betekenis meer. Namen zijn te gevaarlijk, dus vervangen we ze door vage voornaamwoorden, tot niemand meer weet wie wie is en wie wie volgt. Ik schreeuw weer en mijn moeder kijkt me met koppig op elkaar geklemde lippen aan.

'Je vríénd,' zegt ze. 'Ik heb een gevoel... ik denk... dat Mihai misschien... ben je wel zeker van hem?' Dan leunt ze achterover en haalt een paar keer diep adem om zichzelf te kalmeren. Als ze weer iets zegt, klinkt ze vriendelijker. 'Weet je, toen je vader en ik elkaar leerden kennen, in de jaren vijftig, waren we heel zeker van elkaar... We zouden onze hand voor elkaar in het vuur hebben gestoken, en toen was het nog erger dan nu. Ik wist dat je vader liever doodging dan iets te doen, je weet wel, mij te verraden of te bedriegen.' Haar ogen vinden de mijne weer en houden ze vast. 'Mona, ik vraag alleen maar of jij hetzelfde kunt zeggen van die Mihai van jou. Trouwens,' vervolgt ze iets bitser, 'ik hoop dat je geen... nou ja, domme of gevaarlijke dingen doet... Dat zou me heel veel verdriet doen.'

Gek word ik ervan, zoals mijn ouders hem altijd 'die Mihai van jou' noemen en hoe tragisch mijn moeder het kan laten klinken dat Mihai en ik geliefden zouden kunnen zijn. Is ze echt zo naïef dat ze het nog niet weet? Maar waar ik vooral gek van word, is dat ik niet volmondig ja kan zeggen op de vraag of ik net zo zeker ben van Mihai als mijn moeder van mijn vader was. Ik vervloek mijn twijfel en ik vervloek mijn moeder omdat ze het nog erger maakt. Ik zie Paraschiva en Nadia voor me, die zeker waren van hun geliefde tot diens plotselinge dood. Ik smeek ze me over mijn knagende onzekerheid heen te helpen, me te helpen me ervan te verzekeren dat Mihai dapper en eerlijk is en geen verrader, maar dan besef ik dat ik ook van hem zou houden als hij echt een verrader was. Bij die misselijkmakende gedachte trekt mijn maag zich samen.

Die avond in bed span ik me in om het voor me te zien en dan zijn we er opeens, in een zee van wolken, naast onze witte rots, wij tweeën, Mona Maria en Mihai, terwijl we elkaar omhelzen boven de stad met de Zwarte Kerk. We kussen elkaar terwijl de geschiedenis, met al haar deprimerende voedselrijen, ongelukken op stoepen en typemachines, zich blijft ontrollen.

Wonderbaarlijk genoeg komt mijn vader de volgende dag thuis, ongeschoren, vuil en moe en met een verwilderde blik in zijn ogen. Hij heeft een lelijke blauwe plek vlak onder zijn rechteroog en hij hinkt. Mijn moeder, die er gedurende de lange nachten van zijn afwezigheid in is geslaagd een hele bundel sombere gedichten te schrijven, leeft op wanneer ze hem ziet. Ze kookt aardappels en wortels, het enige wat we nog in de voorraadkast hebben. Mijn vader vertelt koortsachtig wat er is gebeurd: een van zijn ondervragers, Petrescu, bleek bij hem te hebben gestudeerd. 'Hij is nu een hoge piet, een kolonel,' zegt mijn vader met een minachtende glimlach. Het verhoor draaide dus uit op een discussie over de romantische en de symbolistische poëzie. Ze hebben mijn vader eerst geslagen en bedreigd, vertelt hij, maar uiteindelijk hebben ze hem laten gaan.

'Weet je, die Petrescu,' begint hij op een toon alsof hij een anekdote van zijn werk vertelt, 'is onder mijn begeleiding gepromoveerd op de invloed van het Franse symbolisme op de Roemeense dichtkunst. Het was eigenlijk wel een goed proefschrift. Over symbolen van leegte in de poëzie van George Bacovia,' vervolgt hij, alsof het er iets toe deed.

'Leegte,' zegt mijn vader met een lach. 'Kun je het je voorstellen?'

Hij kijkt even voldaan, alsof hij een college heeft gegeven voor een amfitheater vol leergierige studenten, maar dan verandert zijn gezichtsuitdrukking weer. Ik kijk hem ongelovig aan. Wat denkt hij te bereiken met die manifesten van hem? vraag ik me af, maar hoe kan ik hem duidelijk maken dat hij ermee moet ophouden? Zijn gezichtsuitdrukking verontrust me. Hij staart angstig in de verte, alsof hij in de greep is van een verschrikkelijke herinnering. Ik denk aan oudoom Matei en hoe tante Nina en mijn moeder altijd zeiden dat hij keek op die 15e augustus van 1957 toen hij naar de rechtbank in Boekarest werd gebracht voor zijn proces wegens politiek verraad: zijn gezicht was ingevallen en hij staarde verwilderd naar iets wat alleen hij kon zien. Nadia was toen al dood neergevallen onder de kroonluchter van hun voorname huis, met de briefkaart in haar hand.

Ook al kent mijn vader een oud-student bij de geheime politie die hem deze keer uit de brand heeft geholpen, hij mag er niet van uitgaan dat hij eeuwig bescherming zal genieten. Dan dringt het plotseling tot me door: mijn vader zou vermoord kunnen worden. Hij denkt in zijn verheven idealisme dat hij de regering omver kan werpen door wat manifesten te schrijven en die over het universiteitsplein uit te strooien. Hij denkt dat hij zal blijven ontsnappen omdat een student van hem die toevallig van de symbolisten hield, hem genadig heeft behandeld nadat zijn mensen hem al hadden afgetuigd. Als andere mensen om minder zijn verdwenen of op de stoep overreden, moet hij binnenkort wel op gewelddadige wijze aan zijn eind komen.

Aan de eettafel barst mijn vader in huilen uit boven de hutspot, weer met die verstikte snikgeluidjes als toen hij ons over de boomgaarden van zijn jeugd en zijn door de Russische soldaten aan stukken gesneden hond vertelde. Mijn moeder haalt de krulspelden uit haar haar in plaats van te eten, legt ze netjes op haar schoot en staart naar de muur. Ik krijg mijn aardappel niet weg en mis mijn land niet meer zoals ooit in mijn opstel. Ik kijk naar de tranen van mijn vader en het haar van mijn moeder dat voor haar gezicht valt en wil weg uit dit land. Ik wil met ons allemaal naar een andere plek waar het veilig is en waar we gezonder kunnen eten. Ik haat die manifesten.

Gevaarlijke anjers

Ze komen samen in kelders en op zolders: arbeiders, studenten en kunstenaars. Ze komen samen op plekken met ratten en kakkerlakken waar de wind door de kapotte ramen giert en deuren niet sluiten, plaatsen waar het naar urine en braaksel stinkt. Het zijn de nieuwe flatgebouwen bij de Bucur Obor, de markt die geen markt meer is omdat er nooit iets is. Soms maken de bouwvakkers de kelder- of zolderverdieping niet af en dan wordt het een rottende verzamelplaats voor ongedierte, zuiplappen en misdadigers. Of voor zogenaamde revolutionairen. De groepsbijeenkomsten worden ook wel eens bij iemand thuis in de oude Turkse en Griekse wijk van Boekarest gehouden, met de kleine boetiekjes en de gebouwen in achttiende-eeuwse Brancovanstijl: wit stucwerk met opengewerkte bruine balkons en houtwerk. Ik weet van die samenkomsten, want ik ben mijn vader naar twee verschillende plaatsen gevolgd en heb in een hoek achter een glazen deur gewacht, en in de hal van een oud gebouw met een krakende trap, tot ze klaar waren met vergaderen. Het was 's avonds laat, ik volgde mijn vader van een afstandje en voelde me net een speurder uit een roman van Agatha Christie, al klopte mijn hart in mijn keel. De groep komt een paar keer per week bijeen en de ontmoetingsplaats wordt vaak veranderd, soms van de ene dag op de andere. Iedereen heeft een boek van een van onze klassieke schrijvers zoals Sadoveanu of Arghezi bij zich voor het geval hij wordt gepakt; dan kan hij bewijzen dat hij alleen op weg was naar een bespreking van onze onsterfelijke klassieken.

Ze houden zich voornamelijk bezig met het opstellen van manifesten, het praten over gecensureerde poëzie en het voorbereiden van iets; wát is niet duidelijk. Ze hebben het zelfs over wapens, al schijnt niemand te weten hoe die werken of hoe je eraan kunt komen. Ze hebben het erover dat ze de manifesten (niet meer dan folders eigenlijk) van alle steigers in Boekarest willen gooien. Sinds de aardbeving staan er veel steigers. Ze hebben het er ook over dat ze Radio Vrij Europa informatie willen toespelen over de schending van de mensenrechten in Roemenië, 'opdat het Westen het ook kan horen, opdat de hele wereld weet wat wij doormaken'. Het grote nieuws is dat Ceauşescu's rechterhand, generaal Pacepa, uitgeweken is naar Amerika waar hij politiek asiel gekregen heeft. Mijn vader zegt dat dit een enorme slag is voor het systeem en dat het nu het juiste moment is om iets te doen. Ik hoor het mijn vader met zijn sonore stem zeggen tijdens de vergadering in het nieuwe flatgebouw bij de markt. Dan hoor ik mensen zeggen dat hij zachter moet praten, stel dat er iemand luistert. Anderen beginnen over Pacepa en zeggen dat hij vast zal proberen dissidente bewegingen vanuit het buitenland te steunen. En om via Radio Vrij Europa met degene hier te communiceren. Op dat moment sluip ik zo stil als een kat naar buiten.

De herfst daalt traag over Boekarest neer. De populieren voor onze ramen schudden hun puntmuts en geven zwermen dwarrelende gele bladeren aan de wind mee. Als ik in bed lig, ril ik altijd bij de gedachte aan de naderende kou en het toenemende gevaar. Mijn vader wordt steeds uithuiziger en ziet er verbetener en tobberiger uit dan ooit. Aan tafel staart hij naar zijn bord alsof hij iets zoekt en na het eten zit hij vaak met zijn hoofd tegen de Grundig-radio aan terwijl hij probeert Radio Vrij Europa storingsvrij te ontvangen. Het geknetter is meestal niet te harden. '*Zet dat ding uit!*' schreeuwt mijn moeder dan, maar heel af en toe komen de stemmen duidelijk door, met een echo alsof ze uit een andere wereld komen: diep, samenzweerderig, met vermeldingen van dissidente schrijvers en hun verzetsdaden of interviews met geëmigreerde schrijvers over de wandaden van de Roemeense Partij en het leiderschap. Mijn vaders gezicht klaart op en hij luistert extatisch. Mijn moeders gedichten gaan over de dood en denkbeeldige, met sneeuw bedekte plekken.

Op een middag als ik net uit school ben hoor ik mijn vader op gedempte toon aan mijn moeder vertellen dat zijn oude vriend Dumitru Iordache, een elektricien, is gearresteerd op grond van Artikel 166 wegens het gooien van manifesten van een steiger in de wijk Lipscani met de Turkse bazaars, waar de zigeuners hun blikken pannen, houten lepels en geroosterde pompoenpitten verkopen. Het manifest is een oproep aan het volk om Ceauşescu af te zetten als leider van de staat en de Partij. 'Ze zullen hem wel vermoorden,' zegt mijn vader op berustende, maar toch verdrietige toon.

Mijn moeder zegt niets en ik hoor de woede in haar zwijgen, in haar gejaagde ademhaling en haar gezucht. 'Jullie zijn een stel idioten,' flapt ze er dan uit. 'Besef je niet dat je Mona in gevaar brengt?'

Mijn moeder huilt en mijn vader steekt weer een sigaret op. Als de ramen worden dichtgeslagen door een windvlaag, schrik ik zo dat ik van de stoel val waarop ik stiekem naar het gedempte gesprek van mijn ouders zit te luisteren. Mijn vader duwt de deur van onze provisorische woonkamer open en ziet mij overeind krabbelen met een gezicht alsof er geen vuiltje aan de lucht is. Hij drukt me tegen zich aan, zegt dat ik mijn ouders niet mag afluisteren en lacht dan met me om hoe ik eruitzag toen ik van de stoel viel.

Ik wil niet meer denken aan Iordache, die manifesten over de Turkse bazaars in Lipscani uitstrooit, en ga naar de bibliotheek van de Amerikaanse ambassade om Engelse boeken te lenen. Ik verslind alles met een kritiekloze gretigheid: John Steinbeck, Emily Dickinson, Eugene O'Neill, Arthur Miller, Virginia Woolf en James Joyce. Ik lees gefascineerd hoe Stephen Dedalus alles in een moment van dwaasheid opgeeft, met een enkel groots gebaar: vaderland, familie, religie, liefde. Hij wil vrij zijn, zichzelf zoeken.

Ik wil een vogel worden, net als het meisje dat hij op het strand ziet. Ik wil de vogel uit James Joyce' metafoor zijn. Naar mijn geliefde in de Karpaten vliegen, hem bij zonsopkomst verrassen, wegvliegen over de bergen en de uitgestrekte zeeën. Ik wil zij aan zij met mijn geliefde de hemelen doorkruisen.

De Roemeense soldaten bij de Amerikaanse ambassade kijken me met lege ogen aan. Ik kijk ongegeneerd terug, alsof ze zich moeten schamen voor wat ze moeten doen: de naam doorgeven van iedere burger die de ambassade betreedt. Ik ga zelfs een keer naar een filmvertoning in de Amerikaanse bibliotheek: *One Flew over the Cuckoo's Nest.* Ik knoop een gesprek aan met de Amerikaanse bibliothecaris over de film en Jack Nicholsons acteertalent, al worden we niet geacht ons met buitenlanders te onderhouden. Een man die geen soldaat is, maar beslist de spion van de bibliotheek moet zijn, kijkt naar me met zijn rechterhand in zijn blazer, alsof hij naar zijn pistool reikt. De bibliothecaris, een lange man met een grijze snor, geeft me een complimentje voor mijn 'uitstekende Engels' en ik bedank hem blozend. Op weg naar huis voel ik me opgetogen over het gesprek in het Engels, en bedreigd door de man met zijn hand in zijn blazer.

Politiek gevaarlijke mensen worden in gestichten gezet die nog erger zijn dan die in de film. Er verdwijnen om de haverklap mensen in een gesticht, als ze niet op de stoep worden doodgereden. Ze worden zo vol medicijnen gestopt dat ze niet meer weten wie ze zijn en alles zeggen wat je wilt horen. Meestal wordt er nooit meer iets van die mensen gehoord of gezien.

Mihnea, mijn vaders vriend die psychiater is, verzet zich tegen de opname van verdachten van *politiek verraad.* Hij wordt gearresteerd en na een maand vrijgelaten met het dreigement dat hij veel langer zal komen vast te zitten als hij zich blijft verzetten. Hij wordt geacht zijn patiënten met tranquillizers te injecteren, maar soms gebruikt hij water. Hij zegt tegen de patiënten dat ze moeten doen alsof ze versuft zijn en geen belastende dingen moeten zeggen, maar soms verdwijnen ze uiteindelijk toch nog. Als puntje bij paaltje komt, kan hij weinig doen, zegt hij tegen mijn vader.

Ik heb nu mijn eigen agent van de geheime politie, een jonge, lange man die altijd een pak met een das aanheeft en zelfs bij me in de buurt woont. De geheime politie is écht efficiënt. Het moet komen door mijn frequente bezoeken aan de Amerikaanse bibliotheek en mijn gesprekken met Ralph, de Amerikaanse bibliothecaris. Ze denken zeker dat ik hem wil verleiden om zo naar Amerika te ontsnappen, ook al draagt hij een brede trouwring en heeft hij me over zijn vrouw Sally verteld. Ik wil niet naar Amerika en ik wil al helemaal niet met een Amerikaan trouwen om het land uit te komen. Ik wil gewoon mijn Engels oefenen en Ralphs verhalen over Chicago horen. Hij woont in Chicago, of eigenlijk in de buurt, in iets wat hij een voorstad noemt. Hij vertelt me over de skyline van Chicago en Lake Michigan en het hoogste gebouw van de wereld, de Sears Tower. Ik kan me de stad Chicago aan het grote meer maar moeilijk voorstellen. Ik heb het me altijd voorgesteld als een beangstigende stad waar het krioelt van de gangsters en waar auto's elkaar met honderd kilometer per uur achtervolgen. Ralph lacht hartelijk om mijn verhalen over de gangsters en autoachtervolgingen en zegt dat niet heel Chicago zo is. De man met de hand in zijn blazer zit ons altijd in een hoek van de leeszaal van de bibliotheek af te luisteren. Soms doet hij alsof hij een boek leest.

Mijn eigen agent van de geheime politie woont tegenover ons, zodat ik het 'geluk' heb vierentwintig uur per dag geobserveerd te worden. Als ik naar buiten kom, staat hij bij zijn eigen voordeur te wachten. Soms volgt hij me, soms knikt en glimlacht hij naar me.

Op een avond komt hij bij ons thuis. Hij heeft een groot boeket rode anjers bij zich. Hij belt aan en wacht achter de deur met zijn bloemen. Mijn ouders en ik staan in de deuropening naar hem te kijken.

Hij schraapt zijn keel. 'Goedenavond, ik ben sergeant Dumitriu, uw overbuurman. Ik stoor toch niet, hoop ik? Mag ik even binnenkomen?'

'Waarom?' vraagt mijn vader.

'Gewoon, om even te praten. Als het niet schikt, kan ik later terugkomen. Ik heb deze bloemen meegebracht voor uw lieftallige dochter.'

Hij tuurt over hun hoofd naar mij en reikt me de enorme bos rode anjers aan.

'Het komt nu niet gelegen,' zegt mijn vader.

Mijn moeder en ik kijken elkaar paniekerig aan.

'Komt u toch binnen. U stoort helemaal niet,' zegt mijn moeder.

Ik houd de anjers zover mogelijk van me af, alsof ze giftig zijn. Ik pak de kristallen vaas van het mahoniehouten bureau en zet de bloemen erin, zonder water.

Sergeant Dumitriu komt binnen en mijn moeder biedt hem een stoel aan. Hij laat zich in de stoel van mijn moeder zakken. Mijn vader blijft midden in de woonkamer staan en ik ga tegenover de sergeant zitten.

'Kameraad Manoliu, excuses, maar ik moet u... lastigvallen met een paar vragen,' zegt Dumitriu. Hij vraagt mijn vader of die iets weet over de *lasterlijke* manifesten die op de universiteit en in de wijk Lipscani rondgaan. '*Naïef, reactionair gebazel,*' noemt hij het. '*Opruiend*'. Hij zegt dat zijn collega's zich afvragen of mijn vader iemand kent die erbij betrokken is, want hij is immers professor? Studenten, of zelfs...

'En wie zijn die collega's van u?' vraagt mijn vader.

Sergeant Dumitriu lacht alsof hij het een geslaagde grap vindt. 'Mijn collega's. U weet wel... van mijn werk.'

'Meneer Dumitriu, wilt u wat ingemaakte walnoten? Een glas

koud water?' biedt mijn moeder aan.

Ze gaat naar de keuken om de walnoten te pakken die tante Matilda voor ons heeft ingemaakt.

Mijn vader klemt zijn kaken op elkaar. Hij steekt een sigaret op. Sergeant Dumitriu ontspant zich een beetje in zijn stoel, blij dat hij van onderwerp kan veranderen. 'Ja, graag. Ik ben dol op ingemaakte walnoten. Mijn grootmoeder maakte ze ook.'

Ik kijk van mijn vader naar sergeant Dumitriu, doodsbang dat hij me een strikvraag zal stellen waarop ik geen antwoord heb. Iets over Ralph de bibliothecaris, bijvoorbeeld.

Er valt een onbehaaglijke stilte die alleen wordt onderbroken door het krachtige inhaleren van mijn vader. Hij kijkt door een rookwolk naar de sergeant en zegt: 'Kunt u me zo'n manifest laten zien?'

'Nee, meneer. Nee, ik heb ze niet bij me, maar ik heb er een paar gezien. Rommel is het, zuivere rommel.'

Mijn moeder komt terug met de ingemaakte walnoten en een glas water. Sergeant Dumitriu eet met kleine hapjes en maakt mijn moeder een compliment. Precies de walnoten van zijn grootmoeder, zegt hij. Mijn vader drukt zijn sigaret uit in de asbak op het mahoniehouten bureau en steekt een nieuwe op.

'Uw dochter, mejuffrouw Mona,' zegt sergeant Dumitriu met een glimlach naar mij. 'Misschien hebt u er iets over gehoord van uw vrienden op school?'

Hij kijkt me vreemd glimlachend aan. De rillingen lopen me over de rug. Als die gek maar niet verliefd op me is. Ik beantwoord zijn blik bijna gefascineerd.

Als mijn vader mijn naam uit Dumitriu's mond hoort komen, laait er plotseling woede in zijn ogen op. Zijn familiariteit staat mij ook tegen.

'Mijn dochter weet niets van manifesten, behalve dan dat van kameraad Marx en Engels natuurlijk,' zegt mijn vader. 'Ze bestudeert de poëzie. Ze heeft pas het Manifest van de Symbolisten uit 1886 gelezen. Zeg eens, sergeant,' vervolgt hij. 'kent u de Franse symbolisten?'

‘Niet bepaald, professor. Ik ben politieman. Ik vrees dat we geen tijd meer hebben voor deze symbolische mensen, zoals u ze noemt.’

‘Nee, natuurlijk niet. En toch is een oud-student van me nu ook politieman, hij is kolonel, geloof ik, en een echte liefhebber van het symbolisme. Ik heb kortgeleden nog een heel levendige discussie met hem over dat onderwerp gehouden. Misschien kent u hem? Kameraad Petrescu?’

De glimlach besterft de sergeant op de lippen. ‘Mevrouw Manoliu, dank u wel voor de uitmuntende, ingemaakte walnoten. Misschien heb ik binnenkort weer het genoegen u te bezoeken, maar nu moet ik weg.’

Sergeant Dumitriu staat op, geeft mijn moeder een handkus en bedankt haar nog eens voor de walnoten. Hij wil mijn vader een hand geven, maar die blijft gewoon staan roken met zijn obstinate glimlach. De sergeant doet alsof hij niet opmerkt dat mijn vader hem geen hand wil geven, knikt naar me en wenst me een goede avond. Zijn ogen blijven weer te lang op mijn gezicht rusten en zijn mond verbreedt zich tot een glimlach.

‘Ze houden hun verhoren in stijl, vandaag de dag,’ zegt mijn vader zodra Dumitriu de deur uit is. ‘Nu brengen ze nog bloemen mee ook!’ Hij ploft in zijn aftandse stoel, waarbij hij de kap van de leeslamp scheef slaat. Zijn hand trilt zo hevig dat hij moeite moet doen om zijn sigaret uit te drukken in de overlopende asbak naast zijn stapel boeken. Hij kijkt naar de anjers, die obsceen rood oplichten in de gloed van de bureaulamp. Hij kijkt er zo gefascineerd naar alsof het een brand is. Ik ga aan het mahoniehouten bureau met het glazen blad zitten en kijk naar het schilderij van een oude man die door een besneeuwd veld loopt aan de wand tegenover me. Het hangt er al zolang ik me kan heugen en het heeft altijd een kalmerende uitwerking op me gehad met die blauwe sneeuwvlakte en die vermoeide oude man in een zwarte jas met een stok die al een eeuwigheid dat veld lijkt over te steken. Het glazen bureaublad is verfrissend onder mijn armen en de sneeuw op het schilderij ziet er verrukkelijk koel uit. Dumitriu's bezoek heeft me warm en bezweet gemaakt.

'Waarom bloemen?' fluistert mijn vader.

Opeens worden we alle drie gegrepen door het idee dat er een microfoon tussen de bloemen zit. In een gezamenlijke vlaag van krankzinnigheid trekken we het boeket blaadje voor blaadje en stengel voor stengel uit elkaar, net zolang tot er alleen nog maar een hoopje rode bloemblaadjes en geknakte stelen op de vloer ligt. We hebben geen microfoon gevonden, maar mijn vader weet zeker dat hij er moet zijn, dat we hem gewoon niet herkennen.

'Ze kunnen alles, tegenwoordig,' fluistert mijn vader.

We praten fluisterend en met gebarentaal. We scheuren zelfs het papier waarin de bloemen zaten aan snippers. We zeven de gekneusde bloemblaadjes en snippers door onze vingers en laten ze naar de vloer dwarrelen. Terwijl de rode sneeuw zich aan onze voeten ophoopt, horen we een metalig geluidje. We kijken elkaar even aan en duiken dan in de berg bloemblaadjes, stelen en papier, die we met onze handen omwoelen.

'Aha! Dit is 't. Ik wist het wel!' zegt mijn vader triomfantelijk.

Hij pakt een metalen dingetje dat op een naald lijkt, maar dan fijner, als een stukje zilverdraad. We kijken er verwonderd naar. Mijn vader probeert het eerst onder zijn voet fijn te stampen en draait het dan tussen zijn vingers om het doormidden te breken. Mijn moeder zegt tegen hem dat hij gek is, dat het vast gewoon een nietje is of iets wat ergens uit is gevallen, een sieraad, zijn aansteker, wat dan ook.

Mijn vader is rood aangelopen. 'Jíj bent gek,' fluistert hij fel. 'Jij weet niet hoe ver ze gaan. Ik wél.'

Hij pakt het ding tussen zijn vingers, loopt ermee naar de wc en trekt het door.

'Zo, laat ze nu maar luisteren!' zegt hij voldaan.

We kijken naar de troep op de vloer. Mijn moeder loopt naar het raam om te zien of de gordijnen wel goed dicht zijn. We blijven fluisteren en gebaren, want we kunnen het gevoel dat er iemand meeluistert niet afschudden.

Mijn vader kijkt naar mijn moeder, die door haar knieën zakt en het afval met stoffer en blik opruimt. Zijn gezicht staat uitgeput.

'Het waren zulke mooie bloemen,' zegt hij.

We kijken elkaar aan en schieten in de lach. Mijn moeder is zo mooi, schuddebuikend van het lachen. Ik zie haar zo zelden vrolijk, met haar mooie tanden bloot, haar donkerblonde haar met de rode gloed los over haar schouders en haar sprankelende blauwe ogen. Mijn vader, die ook schudt van het lachen, pakt haar bij de schouders en deint met haar heen en weer. We weten alle drie dat we lachen omdat we hopen dat ze ons ergens kunnen horen, die lui van de geheime politie die met hun pincet stiekem microfoontjes tussen bloembladeren verstoppen. Ik lach, doe mijn ogen dicht, denk aan de violette wolken boven de stad met de Zwarte Kerk en verbeeld me dat ik erboven zweef in de gedaante van een groot, wit wezen met veren.

'Say it's only a paper moon...'

De muziek begint, we hebben onze mooiste kleren aan en we dansen langzaam. Ik voel zijn hand stevig op mijn rug. Elke spier sterk en gespannen. Ik voel me gelukkig. Ik draag een perzikkleurige satijnachtige jurk, het is oudejaarsavond. Hierna breekt een nieuw decennium aan: de jaren tachtig. We hebben hoop. We hebben gekleurde confetti. Misschien gaat onze president dood en wordt de wereld anders. Al onze ouders hebben eten klaargemaakt waarvoor ze hele dagen in de rij hebben gestaan, zoals de beroemde *piftie*, bevroren gelatine met knoflook en varkensvlees, *sarmale*, kool- en druivenbladeren gevuld met rijst en vlees, en ingelegde appels en tomaten. Wie zegt dat de Roemenen verhongeren? Ik vind de muziek het belangrijkst. Hebben we wel genoeg dansmuziek? Ik vind die vette, drillende gelatine trouwens toch walgelijk. Het enige waar ik me druk om maak, is het dansen en of we wel genoeg wijn hebben. Het feest is nog maar net begonnen en we zijn al aangeschoten van de murfatlar, een rode wijn die over de hele wereld wordt geëxporteerd, maar in Roemenië zelf moeilijk te krijgen is omdat de staat onze wijn, ons leer en onze tractors omzet in harde valuta.

De ramen staan wijd open en Ella Fitzgerald zingt ons liedje: '*Say it's only a paper moon, sailing over a cardboard sea. But it wouldn't be make-believe if you believed in me...'* De drie reusachtige koppen van de bebaarde marxisten en de vierde, de *Vader van onze Natie*, hebben vandaag bijna iets menselijks, want we zijn dronken van de kostelijke Roemeense wijn die op de een of andere manier aan een vrachtschip naar Amerika is ontsnapt. De vier gigantische gezichten hoog aan het gebouw aan de overkant lijken weemoedig op ons neer te kijken terwijl wij ontaard op kapitalistische muziek dansen.

Iedereen kust elkaar, raakt elkaar aan en danst. Nu dansen we op Roemeense muziek van Maria Tănase, de beroemde zangeres van het levenslied. Ze zingt haar lied over alle geschenken die ze van haar geliefde krijgt: oorbellen, een sjaal en een parelsnoer. Dan ontdekt de geliefde haar zonder de geschenken en vervloekt degene die ze heeft gekocht: hij zal zich verhangen aan de sjaal en de parels. Ik vind het een vreemde geschiedenis, want de geliefde vervloekt zichzelf en niet degene die de spullen koopt. Ik spring op de snelle nummers en zwier op de langzame, en ik stoot tegen stoelen en tafels. Dan komt er een nummer over weer een grote liefdesvloek: een man die zijn geliefde verlaat, moet kronkelen als een slang, de last van de mier torsen en dan weer kronkelen als een slang. Alle Roemeense liefdesliedjes gaan over vervloekingen; geen wonder dat we altijd zo boos zijn.

Iedereen deint en zingt lallend met de muziek mee. De frisse winterlucht glipt door de open ramen naar binnen en verkoelt ons bezwete, opgewonden lijf. Het is middernacht en we gooien confetti. Mihai en ik kussen elkaar midden in de kamer. Goddank is dat nummer over die vervloeking afgelopen! Er klinkt nu een drinklied over hoe goed het is om met een mooi iemand te drinken. Rode, borrelende wijn en drinken met een mooi iemand. We staan nog te kussen en zeggen tegen elkaar dat we altijd en eeuwig van elkaar zullen blijven houden. Er is zelfs kleurig vuurwerk! We zijn nog zo jong – ik voel onze jeugd, onze hoop en ons lichaam, bezweet en vol verlangen. We blijven toch wel altijd van elkaar houden? Ja, altijd.

We vertellen moppen, allerlei soorten moppen. We vertellen

politieke moppen over de stomheid van Ceauşescu. Hij gaat op jacht, vangt een konijn, zet zijn voet erop en zegt: 'Geef het maar toe! Je bent een everzwijn!' We vertellen schunnige moppen over Bulă, de nationale volksheld, die gaat trouwen en niet weet wat hij met zijn vrouw moet doen. Zijn vader zegt tegen hem dat hij 'zijn langste lichaamsdeel in het gat moet stoppen'. Twee uur later vinden ze Bulă op de wc met zijn been in de pot. Dan vertelt iemand over Bulă's grootmoeder, die zich na de aardbeving heel kranig hield voor haar leeftijd, zoals ze stijf aan een balk hing.

Ik dans op tafel. Ik dans de charleston op de keukentafel tussen de gelatine en de ingelegde appels en tomaten. We koesteren deze oudejaarsavond zoveel hoop dat het op de een of andere manier beter zal worden, dat alles zo mooi en geurig zal worden als de kristallijnen winterlucht die naar sneeuw ruikt en besprenkeld is met sterren, en dat Mihai en Mona ondanks alles gelukkig zullen worden. Onze vrienden praten over mensen die het land uit willen en mensen die al zijn gegaan, mensen die wij kennen, mensen die Mihai kent. Ze ontsnappen naar Turkije of Joegoslavië, ze zwemmen de Donau over, steken 's nachts de grens over of verstoppen zich in goederentreinen. Ik wacht tot Mihai kwaad wordt. Hij wordt altijd kwaad als hij zulke verhalen hoort. Hij zegt: 'Wie moet hier in godsnaam nog wonen als iedereen vertrekt?' Hij schudt vertwijfeld zijn hoofd. We trekken ons terug in zijn kamer.

We maken toekomstplannen als nooit tevoren. Hij wordt straks ingenieur. Volgend jaar krijgt hij zijn diploma en dan wil hij proberen een baan te krijgen in Boekarest. Ik ben verdwaasd van blijdschap. Hij wil bij mij zijn, een leven met me opbouwen. Ik maak mijn studie af en hij wordt ingenieur in Boekarest. Ik word schrijfster en actrice tegelijk, en ook nog eens docente. Ik wil alles worden! De ideeën bloeien in mijn hoofd op als op het water drijvende waterlelies. Ronde, zijdezachte, weelderige ideeën, als waterlelies.

We horen de snerpende fluit van een trein die het station verlaat. Het is middernacht geweest, en we schrikken ervan. Te oordelen naar de tijd en de lange, klaaglijke fluit, moet het de trein naar Triëst zijn. Ik voel droefheid vermengd met vreugde en Mihai krijgt een diepe frons in zijn brede voorhoofd.

'Je gaat bij me weg, hè?' zegt hij onverwacht.

Ik schrik van zijn vraag en schud verwoed mijn hoofd. 'Natuurlijk niet. Ben je gek?'

Marx, Engels en Lenin kijken streng naar ons vanaf de overkant. Alleen Nicolae Ceauşescu lijkt te glimlachen.

'Nee, ik ga nooit bij je weg,' zeg ik gedecideerd.

We houden elkaars hand vast. We kijken elkaar in de ogen als oude mensen die alles hebben meegemaakt. In de andere kamer wordt die liefdesvloek weer uitgesproken. *Hij die bemint en gaat, zal kronkelen als een slang.*

Ik maak me van Mihai los.

'Laten we andere muziek opzetten. Laten we dansen! Dans met me, liefste.'

'*Say it's only a paper moon, sailing over a cardboard sea...*'

We dansen lichtvoetiger dan ooit, die kristallijnen oudejaarsavond. Mijn satijnachtige jurk kleeft aan mijn lichaam. De flonkerende sneeuwlucht die de kamer binnen zweeft, verkoelt onze huid. We willen zo graag hopen, geloven dat het allemaal uit zal komen.

'*But it wouldn't be make-believe, if you believed in me.*'

Witte merrie in de sneeuw

Op nieuwjaarsdag gaan we naar Mihais beste vriend Radu, die met zijn dikke rossige baard over mijn gezicht schuurt als hij me omhelst. Hij knipoogt naar me en slaat Mihai op z'n rug en wenst ons gelukkig Nieuwjaar. Radu woont in de buurt aan de voet van de berg, niet ver van het kerkhof waar mijn overgrootmoeder Paraschiva is begraven. De straten hier zijn smal en steil en de huizen hebben dikke stenen muren, als forten, en hoge ijzeren hekken. We dansen, we discussiëren, we zwieren. We dansen de tango, walsen, rock-'n-roll en de polka. Dan dansen we de Roemeense *hora*, en dan weer rock-'n-roll. Sneeuwvlokken draaien pirouettes achter het raam. Ik kijk ernaar terwijl ik door alle dansen van de wereld zwier en word er duizelig en loom van. Misschien zal dit decennium ons iets goeds brengen, zoals geen eten op rantsoen, maar gewoon éten, en geen geheime politie.

Ik ben een beetje dronken en zeg stomme, beledigende dingen, alleen maar omdat het nieuwjaarsdag is. Ik wil onophoudelijk dansen en alles kapotmaken.

We gaan naar buiten en Mihai sleept me de heuvel achter het huis op. De sparren zijn zwaar van de sneeuw. Het ruikt naar verse, koude sneeuw en houtkachels. Als ik een tak aanraak, vallen er sluiers sneeuw naar beneden die me omhullen als een tulen lijkwade. Mihai sleept me hoger de berg op en gooit me op de grond. De steile, met sneeuw bedekte aarde is keihard bevroren. Mihai vrijt met me terwijl de vallende sneeuw langs mijn dijen onder mijn rok kruipt. Ik kijk naar de grijze winterlucht boven me, doorsneden door de kale takken van de eiken en de donkergroene, puntige sparren. Sluiers, lijkwades van sneeuw omhullen ons die eerste dag van het nieuwe jaar, in onze woede en in onze liefde. Mihais wimpers fladderen langs mijn wangen. Mijn dijen zijn koud en heet in de weergaloze sneeuw.

Die avond in zijn appartement vrijen we weer. We zijn helemaal verhit en dronken. We rollen tussen die witte gesteven lakens van hem waar mijn lijf jankt, fluistert en in bellen van licht uiteenspat.

Wanneer ik later vrolijk over de sneeuw naar huis glij, maakt een schaduw zich uit het duister los en volgt me. Ik houd niet van schaduwen en ik houd niet van voetstappen achter me. Ik had altijd gedacht dat ik hier in de bergen bevrijd was van schaduwen die me volgen, en dat alles normaal en zuiver zou zijn zodra ik Boekarest achter me had gelaten. Ik ren als een gek naar de hoek van de straat waar mijn tante woont, maar de voetstappen haasten zich achter me aan en voordat ik adem kan halen, word ik gegrepen en omgedraaid door een hand.

De schaduw is een vrouw, een schriele vrouw met donker haar, dunne lippen en een brede mond. Ik merk dat ik niet bang ben, maar boos. Ik heb zin om haar te slaan en tegen haar te gillen: waar ben je in godsnaam mee bezig? Ik ben mijn hele tienertijd na schooltijd door mannen gevolgd. Het is me altijd gelukt ze te verjagen door midden op straat tegen ze tekeer te gaan of desnoods door ze met mijn schooltas op hun hoofd te meppen.

Deze vrouw lijkt me een ander soort achtervolger. Ze staat zo dicht bij me dat ik haar adem op mijn gezicht voel. Ze ruikt naar die smerige Carpaţi-sigaretten. Ze pakt mijn arm stevig beet, kijkt me recht aan en sist woedend, maar ook met medelijden: 'Hij zit bij de geheime politie, domme gans! Blijf uit zijn buurt, dom kind dat je bent. Blijf uit zijn buurt!'

Dan laat ze me los en loopt gehaast door de sneeuw weg, in de richting van het station.

Ik bijt op mijn lip en krab in mijn handpalm om me ervan te verzekeren dat ik niet slaap. Ik heb het gevoel dat dit een nachtmerrie is en dat ik uit alle macht probeer wakker te worden en het uit te schreeuwen in de bevroren nieuwjaarsnacht, maar mijn lippen voelen het bijten en mijn handpalmen voelen het krabben en mijn voeten zijn koud. Een zwarte misselijkheid, angst en verdriet stromen mijn hart in, mijn *boem-boem* krankzinnige hart dat breekt.

Ik ren naar het huis van mijn tante Nina en laat het allemaal nog eens aan me voorbijtrekken, het hele delirium in de schitterende sneeuw. Die vrouw was echt. Ik weet dat het is gebeurd, want mijn arm gloeit nog van haar greep en ik zie haar voetafdrukken in de sneeuw. Misschien was ze gestoord en zag ze me voor een ander aan. Heeft ze zijn naam genoemd, heeft ze 'Mihai' gezegd of alleen maar 'hij'? Ik weet het niet meer, maar iets in haar toon dwong me te luisteren en haar waarschuwing serieus te nemen. Ik zie haar gezicht, haar razernij – of was ze ook bang en probeerde ze misschien iemand te ontvluchten? Waarom heeft ze me zo beetgepakt en is ze toen zo plotseling weer weggerend? Nu houdt mijn geheugen vol dat zijzelf ook werd gevolgd. Ik overtuig mezelf ervan dat ik onmiskenbaar andere, doffe voetstappen heb horen weerkaatsen in de koude lucht, weerkaatsend in de witte sneeuw als onder een immense witte stolp.

Als ik eindelijk bij het gebouw van mijn tante ben en naar binnen ga, voel ik weer een schaduw die langs me heen glijdt en verdwijnt. Een schaduw met zijn handen in zijn zakken, zeker van zichzelf en zeker van de angst die hij opwekt, zich verkneukelend in de sneeuw. Ik ren sneller dan ooit de trap op, naar het appartement van mijn tante. Ik wil alleen nog maar de deur achter me op slot draaien, in bed kruipen en die schaduwen vergeten. Ik denk aan de verhalen van mijn familie, de bloederige verhalen waarin hele akkers bedekt zijn met de lijken van dode soldaten en twee broers elkaar zoeken en elkaars naam roepen in de schemering die de doden in de modder genadig bedekt. Die angstwekkende taferelen uit mijn familiegeschiedenis troosten me op een verwrongen manier terwijl ik rillend onder de lakens lig, naast mijn nichtjes, en denk aan de schimmen en de vrouw met de brede, smalle mond die me 'domme gans' noemde, 'dom kind'.

Bij het in slaap vallen verbeeld ik me dat Mihai vlak nadat we hebben gevrijd mijn keel doorsnijdt. Mijn fantasie gaat over in een nachtmerrie. Hij vrijt teder en vloeiend met me, en we worden omringd door flonkerende sneeuw in de metalige winterschemering. Dan pakt hij een prachtig bewerkt mes met een lang, vonkend lemmet, steekt het in de sneeuw en zegt: *ik moet dit doen liefste, voor je eigen bestwil. Ik moet wel, opdat jij vrij kunt zijn.* Hij snijdt voorzichtig en behendig mijn kloppende keel door. Ik verander in een witte merrie, een wilde, witte merrie die met haar manen als vleugels in de wind rent, maar zelfs als wilde merrie ben ik niet echt vrij. Ik ben gevangen op een open plek. Het is een kleine, mooie open plek, besneeuwd en omringd door donkere dennen, zwarte bomen als tralies. Ik ren als een gek in kringetjes rond, mijn manen dansen alle kanten op, mijn keel schrijnt en mijn pijnlijke hart breekt in een miljoen scherven, met het geluid van glas, want mijn hart in het lichaam van de merrie is veranderd in een blok ijs dat met een harde klap breekt.

De ochtend is grijzer dan alle grijze jurken van mijn moeder bij elkaar, en ik droom nog liever van een witte merrie en een doorgesneden keel in de sneeuw dan dat ik wakker word op deze ochtend, met het gevoel dat er iets verwrongen en verkeerd is, zowel in mijn hoofd als in de wereld. Ik herinner het me niet meteen, maar dan staat het beeld van de vrouw die me in het donker beetpakte, me haarscherp voor de geest. Ik heb het knagende gevoel, als een nare, vastzittende hoest in mijn keel, dat ik iets belangrijks niet kan bevatten. Dat Mihai bij de geheime politie zit? Dat kan het niet zijn. Toch kan ik die zin die als een slecht geweten door de nacht naar me krast, niet negeren. Waarom niet? Waarom kan ik niet gewoon naar Mihai toe gaan en weer met hem vrijen, en met hem dansen, en weer met hem in de sneeuw wandelen en telkens opnieuw met hem vrijen?

Ik weet waarom ik de woorden niet kan negeren. Als er ook maar de kleinste kans is dat de waarschuwing van de vrouw voor mij bedoeld was, dat ze niet de zoveelste schizofreen was die 's nachts door de straten doolt, zou Mihai me informatie over mijn vader willen ontfutselen. Mihai zou willen uitvissen waar hij komt, wat hij doet, wat hij schrijft en wie hij ziet. En heeft hij Kent-sigaretten? denk ik inwendig lachend. Wat heb ik Mihai al verteld in momenten van de diepste intimiteit.

Mihai. Mihai. Ik kan zijn naam, die me nu al vreemd in de oren klinkt, wel janken. Het geluid vervormt in mijn geest tot ik 'Mata Hari' hoor. Ik heb ooit een foto van haar gezien in een oud tijdschrift van mijn vader, van die legendarische spionne uit de Eerste Wereldoorlog, in een lange zijden jurk, met donkere kohlstrepen om haar ogen en een witte bloem in haar zwarte haar. Ik ben onontkoombaar verliefd geworden op een mannelijke Mata Hari die mijn vader naar de gevangenis zal sturen. *Domme gans.*

Deze grijze ochtend maak ik een wandeling door de buurt in de hoop dat de koude winterlucht me zal helpen mijn gedachten helder te maken. Ik kom Cristina tegen, die in sjaals is gewikkeld en eruitziet alsof ze dronken is. Haar lichtbruine ogen zijn glanzender dan anders en ze bijt op haar volle lippen. Als ze me ziet, plooit haar gezicht zich in die warme, onschuldige glimlach die ze intact heeft gehouden sinds ze een klein meisje was, maar haar slordige verschijning en gejaagde manier van doen geven me het idee dat er iets mis is. Ze pakt me bij de arm en smeekt me om met haar de stad in te gaan.

'Kom op meid, ga mee! Sinds jij die vrijer hebt, ga je nooit meer met mij om,' zegt ze met een plagerige pruillip.

Haar wangen zijn rood van de kou en haar kastanjebruine vlechten, die anders altijd keurig om haar hoofd zijn gewikkeld, hangen onder de vele sjaals uit over haar schouders. Ik kom in de verleiding mee te gaan. Nu ik haar zie, besef ik hoe ik onze lange wandelingen naar het centrum heb gemist, ons gefluister over jongens, seks en ongesteldheid, het jatten van de speciale, zure kersenbrandewijn van haar ouders en dan samen dronken worden, rumoerig en lacherig. Mijn vakantiedagen met Mihai zijn kostbaar en ik verlang naar hem. Ik laat mijn jeugdvrienden liever in de steek dan een ochtend of middag naast hem tussen de witte lakens op te offeren.

De vreemde gebeurtenis van de vorige avond en de verontrustende dromen hebben de klank van Mihais naam echter verzuurd. Het zal mijn warrige geest sussen als ik kan luisteren naar Cristina's stem, haar schallende lach in de zuivere lucht, en als ik een paar uurtjes niet aan Mihai hoef te denken.

We lopen door het centrum naar het plein bij de Zwarte Kerk, pratend en lachend zoals vroeger. We gaan naar de banketbakker waar we als kinderen naartoe gingen wanneer we genoeg geld hadden gespaard om samen een taartje te kopen. De planken met taart en banket zijn half leeg, en de caissière achter de toonbank ziet er slaperig en gedeprimeerd uit. We kopen onze lievelingstaart, *cataif*, Turks gebak met zoete vermicellisliertjes en veel luchtige slagroom. In de hoek van de winkel zit een man in een grijze jas, met zijn rug naar ons toe. Aan de tafel naast de onze zit een jong stel met een meisje dat zich volpropt met de laatste eclair van de plank. Opeens begint Cristina over Mihai.

'En, hoe is het?' vraagt ze.

'Wat?' zeg ik, alsof ik haar niet begrijp.

'Je weet wel, in béd,' flapt ze er blozend uit.

Voordat ik verliefd werd op Mihai en 'in bed' zelf meemaakte, genoot ik van onze gesprekken over seks en romantiek, want het was allemaal informatie uit de tweede hand en fantasie. Nu maakt het me vreemd verlegen om erover te praten, zelfs met

Cristina. Toch wil ik haar niet teleurstellen.

'Het is alsof...' Ik lach... 'het is alsof je jezelf vergeet en... het is echt heel fijn.' Ik voel mijn gezicht gloeien, zo rood en heet als een kreeft in de pan.

Cristina vraagt bij wijze van uitzondering niet verder. Opeens wordt ze heel ernstig.

'Pas goed op,' zegt ze kijkend naar haar taartje. 'Als je maar... heel voorzichtig bent, goed?'

'O, wees maar niet bang,' zeg ik. 'We zijn niet gek. Ik spoel altijd na met azijn, hoor. Dan kun je niet zwanger worden.'

'Nee, dat bedoel ik niet,' zegt ze, en nu is het haar beurt om te blozen. 'Ik bedoel... nou ja... je weet wel.'

'Nee, ik weet het niet. Ik heb zelfs geen idee waar je het over hebt,' zeg ik met stemverheffing.

'Pas goed op wat je zegt,' zegt ze, en ze neemt een grote hap van de zoete cataif.

Sliertjes vermicelli van de taart hangen uit mijn open mond, alsof ik een kind ben dat geen hap meer kan eten. De vrouw, de schaduw en de droom waarin Mihai mijn keel doorsneed overvallen me en ik ben bang dat ik flauwval. Ik begrijp niets meer.

Ik probeer me te beheersen en bet mijn mond met een servet. 'Waarom zeg je dat, Cristina? Wat heb je gehoord?'

'Ik ben gewoon bezorgd, meer niet. Ik ben altijd bang. Kijk om je heen, Mona. Hou je ogen open.' Ze kijkt me aan met een intensiteit die ik nog nooit bij haar heb gezien. Ze is moe en heel bleek. Ze bijt weer op haar lippen. 'Je kunt geen méns vertrouwen,' zegt ze terwijl ze wat kruimels van de tafel plukt. Ze houdt haar gezicht dicht bij het mijne en ik zie de gloed van haar huid, die ik altijd heb bewonderd.

'Ik vertrouw jou wel,' zeg ik snel.

Ze knippert snel met haar ogen om de tranen te bedwingen die plotseling in haar lichtbruine ogen opwellen. 'Misschien zou je dat niet moeten doen,' zegt ze. 'En je kent me al vanaf dat we twee waren,' zegt ze. 'Weet je nog? Je kent mijn ouders. We zijn zo goed als zusters. Maar Mona, hoe lang ken je Mihai nou helemaal? Wat weet je eigenlijk van zíjn ouders?'

Ik weet dat ze allebei in een fabriek werken, denk ik. Ik weet dat zijn moeder lekker kan koken. Ze maakt ingelegde tomaten en komkommers en abrikozen. Maar als ik bij Mihai ben, zijn ze meestal naar hun werk, en ik heb amper tien woorden met ze gewisseld.

'Nou en?' zeg ik opstandig. 'Wat maakt het uit of ik zijn ouders wel of niet ken, of zijn grootouders, of zijn achterachteroom van de kant van zijn nicht? Stel dat je weet van een meisje dat een vrijer had en op de stoep werd doodgereden? Wat dan nog, wat dan nóg? Betekent dat dat ik nooit meer iemand kan vertrouwen, dat ik nooit meer van iemand mag houden? Wil je dat soms?'

Mijn stem gaat weer omhoog, mijn tranen vermengen zich met kruimels cataif en ik weet dat ik er volslagen idioot uit moet zien. De man en vrouw aan de tafel naast de onze kijken afkeurend naar ons en het meisje gniffelt in haar eclair.

'Laat maar,' zegt Cristina. 'Je bent verliefd. Ik ben blij voor je. Wanneer is de bruiloft?'

Ik heb Cristina nog nooit zo verbitterd gezien, en zo oud. Zoals ze daar zit in die banketzaak met vijf lusteloze taartjes op de plank. Ik wil gewoon van Mihai blijven houden. Verder wil ik niets weten.

Dan trekt Cristina me aan de kraag van mijn jas naar zich toe en fluistert: 'Ik ga met iemand om... een buitenlander! Ik weet me geen raad, maar ik ben ook zó verliefd!'

Nu begrijp ik pas dat Cristina echt bang is en dat ze daar goede redenen voor heeft. Haar gezicht staat gespannen en haar ogen schitteren wild. Waarom moest ze nou uitgerekend iets met een buitenlander krijgen? Dat zou kunnen betekenen dat ze van plan is het land te verlaten.

'Waarom?' is het enige wat ik kan vragen. Ik schaam me voor de stomme klank van die vraag en de trieste caissière kijk even van haar kassa naar ons op. Misschien is zij ook een verlinkster;

Cristina heeft gelijk, je kunt echt geen mens vertrouwen.

Cristina giechelt en fluistert dan ademloos: 'Waarom? Hoe kun je dat nou vragen? Omdat het zo gaat als je verliefd wordt, je weet nooit waar het vandaan komt! Het is een Tunesische student van de technische hogeschool. Mona, ik ben gek op hem, maar ik weet dat ik overal word gevolgd. Het is verschrikkelijk, ik kan er niet meer tegen.'

Ze knikt snel naar de man in de grijze jas bij de deur en dan snap ik het. We worden allebei gevolgd. Nu zij met een buitenlandse student omgaat, ben ik natuurlijk ook verdacht, als haar beste vriendin. Ik tel alles bij elkaar op, mijn vader met zijn Radio Vrij Europa en zijn manifesten, Cristina's relatie met een Tunesische student en het idee dat Mihai echt voor de geheime politie werkt, en ik krijg het gevoel dat ik geen schijn van kans heb op geluk, een normaal leven, dat ik gevangen ben en in kringetjes loop op een afgezette open plek zonder er ooit af te kunnen komen. Als er ook maar een kleine kans is dat Mihai bij de geheime politie zit, gaat dat Cristina ook aan. Ooit waren we kinderen die samen in het park met goudsbloemen en klaprozen tegenover het huis van mijn tante speelden en luisterden naar de weemoedige liedjes uit de bergen die Mihai op zijn oude gitaar speelde.

Ik kijk naar Cristina en zie de tranen over haar wangen biggelen. Haar bruine vlechten zijn losgeraakt en ze heeft witte, zoete slagroom op haar lippen, als een klein meisje. Ik wil haar vasthouden en haar beschermen. Ze is echt als een zusje voor me. Behalve haar oudere zus Simona heeft ze niemand anders op de wereld. Haar moeder is vorig jaar gestorven, al een jaar nadat haar alcoholistische vader aan levercirrose is overleden. Zij is de wees van de straat, en alle buren fluisteren medelijdend over haar als ze langsloopt. Ik word overweldigd door de drang Cristina's zus en moeder te zijn, haar hele familie. Ik aai over haar wang en veeg de tranen van haar gezicht.

Als we aanstalten maken om te vertrekken, kijkt de man in de grijze jas aan de tafel in de hoek van opzij naar ons. Hij is klein en schriel en lijkt op een wezel. Ik krijg de boosaardige neiging iets kinderlijks te doen om die wezel te laten zien dat het me niets kan verdommen. Als Cristina en ik weglopen, steek ik dus mijn tong naar hem uit. Hij kijkt me vuil aan en als ik naar buiten loop, krijg ik het knagende gevoel dat ik hem vaker heb gezien.

Ik pak Cristina bij de hand en zet het op een rennen, uitglijdend in de sneeuw, en ik laat me door Cristina achternazitten, net als toen we nog klein waren. Ik gooi sneeuwballen naar haar en glij over de plekken ijs op straat. Ik ren en lach en weiger te geloven dat we hier wonen. Ik ren als de witte merrie in mijn droom en wil geloven dat ik ergens kan liefhebben en spelen in de sneeuw. Cristina haalt me in en probeert me in te zepen, net als vroeger. We staan midden op straat, nat van de sneeuw, met rode wangen en tranen in onze ogen, om ons nog iets langer vast te klampen aan onze jeugd.

Mijn Mata Hari-minnaar

Hoe hard ik het ook probeer, ik kan niet doen alsof die avond met de krijsende vrouw op straat en de schaduw die me volgde er nooit is geweest. Alles is verwrongen, kapot, dubbel. Elk moment met Mihai samen word ik verscheurd door de pijnlijke verwarring van het niet weten wie hij is en mijn onmogelijke liefde voor hem.

We vrijen nog verwoeder. Ik doe mijn ogen dicht en bijt hem hard. Gedachten aan Mata Hari spelen door mijn hoofd, alsof ik net als de mannen ben die zij verleidde om hun geheimen te bemachtigen. Telkens wanneer hij mijn vader noemt, probeer ik iets in zijn ogen te zien. Hij vraagt naar de colleges die mijn vader geeft en het boek waar hij aan werkt. 'Is hij nog steeds zo'n anticommunist?' vraagt hij. Misschien stelde hij vroeger ook al vragen over mijn vader. Ik weet het niet meer. Ik weet niet wat ik nog weet.

Ik pas mijn herinneringen aan zodat ze óf bij mijn verdenkingen aansluiten, óf die helemaal wegnemen. Nee, hij vroeg me nooit iets over mijn vader. Hij heeft zich nooit druk om hem gemaakt. Of: ja, hij vroeg heel vaak naar hem, en hij zei altijd dat hij hem zo bewonderde, dus er is nu toch ook niets aan de hand? Ik vertel Mihai niets wezenlijks over mijn vader. Ik zeg dat het een stoffige, krankzinnige oude man is die opgaat in zijn boeken over oude, dode talen. Kind, grijsaard, ooievaar, schoffel. Zijn veertien Dacische woorden. Hoe kan iemand zoveel shit schrijven, vraag ik Mihai wanneer we samen een sigaret roken, over veertien woordjes? Ik word kil, terughoudend en bijna verlegen. Soms ben ik gemeen. Hij vraagt zich af wat er met me is.

Ik vraag hem wat hij van Mata Hari vindt. Ik vraag hem of hij ooit spion zou willen worden en net als Mata Hari mensen verleiden omwille van hun geheimen. Of hij me ooit zou gebruiken en me wijsmaken dat hij van me hield, terwijl hij me in werkelijkheid bespioneerde en verried, net als Mata Hari deed.

Hij kijkt me met grote, verbaasde ogen aan en vraagt of ik dronken ben of hallucineer. Dan zegt hij: 'Wie denk je dat je bent? Denk je dat je zo belangrijk bent dat de een of andere Mata Hari de moeite zou nemen iets uit je te trekken?' Hij kijkt me aan alsof ik gek ben. 'Wat voor geheimen zou jíj nou kunnen hebben?'

'Heel belangrijke informatie,' zeg ik loom. 'Toevallig heb ik het grootste geheim van de wereld over alle bommen op aarde, en zelfs Mata Hari zou het niet uit me kunnen krijgen.'

Hij doet alsof hij een spion is. Hij speelt dat hij een Britse spion is, die probeert me te verleiden. Ik lach als hij me in mijn hals kietelt en met zijn afgrijselijke Britse accent in mijn oor fluistert, en ik verzet me en sla hem om hem te laten ophouden. Ik barst in huilen uit en dan lachen we allebei. Ik ben bang dat ik zo krankzinnig word dat ik niet meer in staat ben fantasie van werkelijkheid te onderscheiden.

Dan kan iets in zijn stem of een klein gebaar, zoals de manier waarop hij mijn haar achter mijn oor strijkt of de trieste blik in zijn ogen wanneer we het over mijn naderende terugkeer naar huis hebben, me een schok geven, me gek maken van verdriet. Lust en liefde dreunen door mijn hart en mijn lijf. Ik bijt, lik en kus hem om alles te vergeten. Ik wil dronken worden van de geur van zijn huid. Ik wil de verdenkingen en de angst doodslaan, onze liefde in haar glanzende cocon van nevelen houden en er sluiers van sprankelend blauwe sneeuw over uitspreiden. Ik wil haar beschermen tegen die valse vrouw, die krijste in de nacht, en tegen de dreigende schaduw van Mata Hari in haar glanzende, zijden jurk.

Het is de winter van het eerste jaar van het nieuwe decennium. Ik raak steeds gefascineerder door Mihai. Ik denk dat ik net zo ben als die generaals die hun geheimen aan Mata Hari prijsgaven voor een aanraking, een kus, een fluistering, om haar zwarte haar met de orchidee erin maar even te mogen voelen. Ik vind zijn bleke gezicht nog bleker, zijn zwarte haar nog zwarter en zijn rode, volle lippen roder en zoeter. Zijn aanrakingen zijn verrukkelijker en tegelijk weerzinwekkender. Ik zink weg in een diepe, onontkoombare aantrekkingskracht, alsof er een sterkedrank door mijn aderen vloeit die mijn bewustzijn verdooft.

Ik ben blij als ik terug moet naar de hoofdstad. Ik stap opgewekt in de trein met het idee dat ik vrij zal zijn van die kwelling van liefde en angst, van de fascinatie en de verdenkingen. Ik zal de vrije merrie zijn die in een wit veld draaft, zonder dat dennen haar de weg versperren. Alleen maar dat witte veld.

De weken daarna verdrink ik al mijn kwellingen, mijn liefde en mijn haat, in de studie voor mijn toelatingsexamen voor de universiteit. Ik lees in het licht en de warmte van de gasbranders in de keuken, want we krijgen nog maar twee uur warmte per dag, en soms helemaal niet. De staat en de Partij zijn weer aan het bezuinigen geslagen om de staatsschuld af te lossen en die socialistische heilstaat te bereiken waar iedereen even onontkoombaar ongelukkig zal zijn. Ik zit in mijn winterjas te rillen in het appartement. Ik zet de oven erbij aan in de hoop dat die nog iets meer warmte zal geven. Op een avond eind februari hoor ik mijn vader, die er net in is geslaagd het geknetter op zijn Grundig-radio weg te draaien en de verre stemmen van Radio Vrij Europa te ontvangen, een luide kreet slaken. We horen dat het hoofdkwartier van de zender in München zojuist in opdracht van Ceauşescu is opgeblazen om een eind te maken aan de berichten over generaal Pacepa. Mijn vader is buiten zinnen, steekt de ene sigaret met de andere aan en vloekt onophoudelijk.

'Die klootzakken, die misdadigers, waren ze maar...' Hij maakt zijn zin niet af, maar de woeste blik in zijn ogen zegt voldoende. Hij blijft naar Radio Vrij Europa en het nieuws over de aanslag luisteren. De storingen zijn de dagen daarna erger, maar op de een af andere manier slaagt hij er altijd in de juiste golflengte te vinden en de sonore stemmen op te vangen die anders klinken, zowel brutaler als echter dan die van onze eigen radio- en tv-verslaggevers die over de nieuwste prestaties van de Partij vertellen: een nieuw quotum behaald in de productie van bulldozeronderdelen, of een nieuw bezoek van kameraad Ceauşescu aan een kolchoz in Maramureş in het noorden.

En dan, op een andere grijze wintermiddag, als ik opga in *Tess of the D'Urbervilles* van Thomas Hardy en mijn ouders onze penibele financiële situatie bespreken, wordt er op de deur gebonsd. Luide mannenstemmen roepen dat we open moeten doen. Mijn vader zegt dat we naar de slaapkamer moeten gaan en daar blijven.

Hij doet open, en ik hoor mannen in ons appartement lopen die met meubels schuiven, lades opentrekken en stoelen omvergooien. Ik verstijf en denk weer aan de verhalen uit de jaren vijftig over het zwarte busje dat mensen weghaalde. Ik denk dat onze tijd eindelijk is gekomen. Het lijkt alsof alles wordt teruggedraaid naar de jaren vijftig. Mijn moeder en ik houden elkaars hand vast en ik meen het geluid van vuisten op een lichaam te horen. Mijn moeder klemt haar lippen op elkaar en kijkt naar de muur. Ik hoor mijn vader vloeken en dan het geluid van iets wat door een raam vliegt.

'Waar zijn ze?' hoor ik een van de mannen schreeuwen. 'Waar zijn die verdomde manifesten? We weten alles van jou en je anarchistische vriendjes!'

Ik zit in elkaar gedoken op het bed te wiegen. De woorden van de man bonzen door mijn lijf: '... jou en je anarchistische vriendjes.' Ik herhaal ze een paar keer in gedachten in een poging ze te bevatten. Ik vrees het ergste voor ons allemaal. Ik denk aan Cristina en haar Tunesische vriend, aan Ralph de bibliothecaris, aan de folders waarin om een nieuwe leiding voor de Partij wordt gevraagd die boven de Turkse bazaars dwarrelen, de vrouw in de winternacht die me voor Mihai waarschuwde. Hij zou voor het soort mensen kunnen werken dat nu mijn vader aftuigt.

De geur van brandend papier vult het huis. De mannen moeten hun toevlucht hebben genomen tot het verbranden van de manuscripten en boeken van mijn vader om hem te dwingen het geheim van de manifesten te ontsluieren, maar dan herinner ik me de Zinger-typemachine in de oven, en dat ik de oven die avond heb aangestoken zonder hem eruit te halen, zoals anders. Er lijkt commotie te zijn in de andere kamer, en dan zegt een van de mannen: 'Brand! Er is brand. Ben je de werken van kameraad Ceauşescu aan het verbranden? Zeg op! We weten wel waar jullie mee bezig zijn.'

Verkrampt van angst herinner ik me het nieuws dat mijn vader ons een paar dagen geleden aan de eettafel heeft verteld: twee broers met de achternaam Pavel zijn tot vijftien jaar gevangenisstraf veroordeeld omdat ze de gebundelde toespraken van Ceauşescu in hun achtertuin hadden verbrand. Mijn vader en zijn vrienden probeerden die informatie op de een of andere manier aan Radio Vrij Europa door te spelen. Misschien is mijn vader volslagen krankzinnig geworden en verbrandt hij de toespraken van Ceauşescu in onze oven. Maar we hebben maar één bundel thuis, en die heb ik van school gekregen. Ik ren naar mijn plank met schoolboeken en word overspoeld door opluchting als ik het zie: het dikke boek met de rode Partijvlag op de achterkant en de foto van Ceauşescu met zijn stralende nepglimlach op de voorkant.

Mijn moeder en ik komen uit de slaapkamer en zien mijn vader wankelend aan de deur van de woonkamer hangen. Er komt een stroompje bloed uit zijn neus en mond. De oven rookt. Ik moet de brief die ik aan Mihai aan het schrijven was per ongeluk in de typemachine hebben laten zitten. Mijn moeder gilt om de brandweer. Mijn vader zegt dat we die niet moeten bellen, dat we water op de oven moeten gooien. Ik begrijp dat hij ook bang is dat hij een brief of manifest in de typemachine heeft laten zitten. Ik houd de bundel met Ceauşescu's toespraken als een trofee in mijn rechterhand. De twee mannen die een minuut geleden mijn vader nog aftuigden, staan nu stoer aan weerskanten van hem. Ik houd het boek in de lucht en zeg met een stem die me onbekend in de oren klinkt: 'Hier zijn de toespraken van kameraad Ceauşescu! Hier zijn ze, ik zat ze net te bestuderen!'

Mijn vader kijkt me aan met een sprankje trots of dankbaarheid terwijl het bloed uit zijn neus drupt. Ik weet dat hij trots is op mijn tegenwoordigheid van geest.

Een van de buren moet de brandweer hebben gebeld, want er stormen twee jonge brandweermensen ons appartement binnen die de hele keuken onder beginnen te spuiten. 'Wat waren jullie aan het bakken, papier of zo?' vraagt een van beiden.

'Ja,' zegt mijn vader, 'we eten papier. Zo wanhopig zijn we. Zo poepen we minder en hoeven we niet in de rij te staan voor wc-papier.'

Een van de brandweermannen lacht om de grap van mijn vader. Mijn moeder wordt knalrood. De twee boeven van de Securitate laten mijn vader los. Ze lijken verdacht veel op elkaar, alsof ze een tweeling zijn: klein en gedrongen, met een laag voorhoofd, en allebei in een zwart pak dat te strak over hun buik spant. De een heeft een bril met een donker montuur op, de ander draagt een gleufhoed. Waar vindt de Partij zulke mensen, vraag ik me af terwijl ik ze gefascineerd aangaap.

Mijn vader gaat voor het fornuis staan en laat de brandweermannen er niet bij in de buurt komen, bang als hij is dat ze de oven zullen openmaken, de typemachine zullen zien en hem dan aan zullen geven. Een van de twee wil inderdaad langs mijn vader heen in de oven kijken.

'Dank u, maar we redden ons wel,' zegt mijn vader. 'De brand is geblust. Nu zullen we gewoon moeten verhongeren. Geen papieren ovenschotel meer voor ons vanavond! Dank u. Dank u wel.'

Dan vervolgt hij, alsof hij weer opleeft en nu de mannen van de Securitate wil intimideren: 'Hoe durft u me ervan te beschuldigen dat ik de toespraken van kameraad Ceauşescu wil verbranden? Ik ben professor aan de universiteit en ik heb die toespraken zelf gedoceerd,' roept hij terwijl hij het boek uit mijn hand pakt en ermee voor hun gezicht zwaait.

De mannen kijken van mijn vader naar de twee brandweermannen met hun grote rode blussers en dan naar mijn moeder en mij. Ze schatten de situatie in en de man met de gleufhoed zegt met een boosaardige grijns: 'We krijgen je nog wel, professor.' Hij zwijgt even en glimlacht. 'Ik zou maar uitkijken als ik jou was.' Hij geeft zijn collega een teken en ze vertrekken allebei met een efficiënte tred die overbrengt dat ze niet met zich laten spotten.

Een van de brandweermannen probeert mijn vader opzij te duwen om zich ervan te verzekeren dat alle vlammen in de oven geblust zijn, maar dan ziet hij de verwilderde blik in de ogen van mijn vader, het bloed uit zijn neus en mond, en deinst achteruit. Opeens lijken ze niets meer met ons te maken willen hebben, alsof het ze allemaal te veel is geworden. Ze lopen achteruit naar de deur en proberen zo snel mogelijk weg te komen.

'Goedenavond, meneer, bel maar als er weer iets is, meneer.'

Ze slaan de deur achter zich dicht en wij drieën staan in de keuken naar de oven te kijken. Mijn moeder maakt hem open om te zien of de typemachine het heeft overleefd. De binnenkant van de oven zit onder de as, maar de oude Zinger staat er nog, een beetje zwartgeblakerd, maar nog heel.

'Die Duitse producten zijn onverwoestbaar,' zegt mijn moeder.

Het huis is warmer geworden door het vuur, maar we stikken bijna van de rook. De woonkamer ziet er net zo uit als na de grote aardbeving: overal liggen boeken, stoelen en papieren op de vloer, in een aanstootgevende wanorde. Ik word overmeesterd door een hunkerend verlangen om Mihai vast te houden en hem te kussen. Ik pak *Tess of the D'Urbervilles* weer op om mijn lichaam tot bedaren te brengen en mijn hart te sussen met het verhaal van een tragische heldin.

Gevleugelde man, rijpe tomaten

Ik heb net vier dagen lang in de drukkende hitte van de stad een aantal gruwelijke mondelinge en schriftelijke toetsen afgelegd en nu zit mijn toelatingsexamen voor de Universiteit van Boekarest erop. De schriftelijke examens gingen over twee van mijn lievelingsboeken, *The Devil's Disciple* van Bernard Shaw en *Tess* van Thomas Hardy. Terwijl ik ongesteld ben, schrijf ik koortsachtig de ene bladzij na de andere vol over de tegenstrijdigheden in het karakter van Shaws hoofdpersoon en de hypocriete maatschappij waarin hij verkeert, en ik schrijf over Tess als offerlam, over de scène bij Stonehenge waarin ze op een van de stenen van de prehistorische tempel in slaap valt, een voorbode van haar dood. Bloed en woorden vloeien in een gestage stroom uit me. Ik ben bleek en rillerig, en ik ben de afgelopen maand tien kilo afgevallen. Ik heb een hardnekkige hoest. Ik lijk wel een tuberculoselijder, en ik voel me mooi.

Zonder de uitslag van het examen af te wachten stap ik de dag erna op de trein naar de bergen. Als ik bij Mihai aankom, heeft hij een vreemde bui, afstandelijk en boosaardig. Hij zakt in zijn sleetse stoel en ik plof op zijn bed.

'Waarom heb je zo maniakaal gestudeerd dat je er zó aan toe bent?' vraagt hij.

'Hoe?' vraag ik.

'Kijk dan naar jezelf,' zegt hij, en hij laat zijn blik over me glijden. 'Je ziet eruit alsof je een hongersnood achter de rug hebt. Waarom toch?'

Ik ben beurs, ik bloed en ik ben bezweet na het examen en de treinreis van drie uur in een benauwde coupé. Ik smijt hem alle scheldwoorden die ik kan verzinnen naar zijn hoofd, een eindeloze stroom schuttingtaal, wat me veel bevrediging schenkt en een grote opluchting is. Hij glimlacht en ik kan hem wel slaan. Ik sta op en wil weggaan, maar hij pakt me beet en kust me. Van het ene moment op het andere is hij weer in een tedere, liefdevolle stemming.

Na het vrijen maakt hij weer een opmerking over mijn magere lijf en dan zegt hij dat het te moeilijk voor hem is, altijd maar op me wachten, en dan die verdomde afstand tussen ons, stel dat hij een ander meisje leert kennen, er zijn meer vrouwen op de wereld, hoor! Ik snap niet wat hij nou eigenlijk wil zeggen. Misschien heeft hij me bedrogen en is dit zijn manier om het me te vertellen. Zijn gezicht is duister en ondoorgrondelijk, net als wanneer hij tijdens onze eerste zomer samen aan Mariana en het ongeluk op de berg dacht. Hij heeft zijn geruite Karpaten-broek en een schoon, geperst wit overhemd aan. Ik heb hem nog nooit in een gestreken overhemd gezien. Zijn overhemden waren altijd gekreukt. Hij is knapper, maar ook minder vertrouwd dan anders. Een vreemde, bijna. Ik vraag hem meer te zeggen over de afstand en andere vrouwen. Hij kijkt me aan met een ironische blik en steekt een sigaret op, een Kent deze keer, niet zo'n weerzinwekkende Carpaţi. Ik vraag me af waarom hij op Kent-sigaretten is overgestapt. Misschien is het een van de gunsten die hij krijgt voor zijn werk bij de geheime politie. Misschien is hij een volslagen vreemde en wordt hij een totaal ander iemand zodra ik uit Braşov vertrek. Een gevaarlijke man die ik niet meer ken. Of nooit echt heb gekend.

'Mona, ik weet het niet,' zegt hij rokend. 'We zitten honderden kilometers bij elkaar vandaan en jouw wereld is zo anders dan de mijne. Misschien moet je maar zo'n artistieke jongen uit Boekarest nemen nu je naar de universiteit gaat.' Hij drukt de sigaret uit in de toch al volle asbak.

Waarom zegt hij dat? Ik keer de asbak om, zodat het bed, het kleed en onze kleren onder de as komen. Hij staat op om zich tegen mijn woede te verweren. Ik ga ook staan en ik trap en stomp hem. Ik trap hem in zijn ballen en hij zakt snakkend naar adem op zijn knieën. Ik spuug hem in zijn gezicht.

Ik walg van hem. Ik wil niet dat hij me aanraakt. Ik zeg tegen hem dat hij een bedrieger is, en een klote informant, een verrader en een rat. Hij zegt dat ik weg moet gaan en dat doe ik. Ik sla de deur zo hard mogelijk achter me dicht.

Ik ga terug naar het huis van mijn tante en huil in haar armen, en ze maakt kool en aardappelsoep voor me. Mijn oom krijgt een enorme watermeloen, en mijn nichtjes spelen Gin rummy met me. Mijn tante Nina heeft het liefste, meest troostende gezicht van de wereld. Haar ronde, bruine ogen en haar glimlach geven me altijd een veilig, knus gevoel. Ik kijk graag hoe ze haar legendarische koolsoep bereidt, met haar bruine krullen voor haar gezicht, en hoe ze aandachtig kleine hapjes neemt om te proeven of er genoeg zout in zit. Ze is mijn tweede moeder, zeg ik tegen haar. Ze is bosbouwkundig ingenieur en gaat er elke dag op uit. Ze vervloekt de grote vrachtwagens en tractors waarmee ze moet werken.

Ze weet alles van de geschiedenis van Europa en, nog beter, ze weet ook van de lacune van vele eeuwen in de Roemeense geschiedenis. Ze zegt dat er bijna niets bekend is over ons volk tussen de derde en de twaalfde eeuw. Ze houdt het erop dat we in die periode gewoon een stel barbaren waren dat met andere barbaren vocht, en dat er niets noemenswaardigs te zeggen is over de Roemenen in die tijd.

Als ze over het zwarte gat in onze geschiedenis praat, voel ik een wilde nieuwsgierigheid. Ik zou graag zo'n Roemeense barbaar tijdens onze mysterieuze, middeleeuwse periode zijn, op een paard over de steppe rijden, dieren opjagen en slachten om me te voeden en 's avonds te moe zijn om iets anders te kunnen doen dan slapen op de harde grond onder de sterren van vijftienhonderd jaar geleden. Ik wil naar dat zwarte gat in de Roemeense geschiedenis dat nog geen Roemenië kent, maar alleen barbaren die jagen, neuken, op de grond slapen en niets in geschiedenisboeken optekenen.

'Wat voor goeds heeft de geschiedenis ons gebracht? Kijk dan hoe de geschiedenis ons verscheurt en foltert,' zegt ze. Ik ben het hartgrondig met haar eens, somber als ik ben.

'Voer haar niet zo met die verhalen van je,' zegt mijn oom. 'Zie je niet dat ze er neerslachtig van wordt? Ze is jong, laat haar met rust.'

Ik neem nog een stuk watermeloen. Mijn tante gaat door over de Roemeense geschiedenis alsof ze oom Ion niet heeft gehoord.

Mijn oom staat midden in haar verhandeling op en zoent haar vol op de mond zoals hij altijd doet. 'Niet doen!' zegt mijn tante. 'Ben je gek geworden?' Maar ik zie aan haar glimlach dat ze het fijn vindt om zo gekust te worden.

'Zet hem uit je hoofd,' zegt ze terwijl ik watermeloen eet en pitjes uitspuug. 'Hij is je niet waard. Vergeet hem gewoon. Je oom heeft gelijk. Je bent nog zo jong. Wanneer je eenmaal studeert, kom je wel iemand tegen die veel beter is en die jou echt verdient.'

Ik doe mijn best om haar raad op te volgen en hem te vergeten, om te doen alsof de zomergeuren en de oranje maan me vanbinnen niet uiteen rijten van de pijn. Ik doe alsof ik niet aan hem denk en niet bij de telefoon zit te wachten. Ik dans zelfs met mijn nichtjes op alle nummers waarop ik vroeger met hem danste. Ik doe alsof ik me niet beter zou kunnen voelen en de tranen die mijn kussen elke nacht doorweken een existentiële malaise zijn, zoals de metafysische walging van Sartre of, nog beter, het Roemeense *dor*. Ik doe alsof ik de geestestoestand waarmee wij Roemenen onszelf zogenaamd definiëren nu eindelijk ten volle begrijp.

Ik doe alsof ik naar een onbekend iets verlang, een onbekend iemand, zoals het meisje in het gedicht van de romantische Roemeense dichter Eminescu. Het meisje droomt elke nacht over een zwartharige man met vleugels. Ze droomt dat hij in haar kamer neerstrijkt en samen met haar naar zijn magische koninkrijk in het land voorbij de zon vliegt, voorbij de maan, waar alles van goud is en niemand ooit sterft. En die romantische, gevleugelde man komt op een nacht écht haar kamer binnen en ziet haar slapen. Ze is zo rozig en mooi in haar slaap dat er twee zilveren tranen uit zijn ogen op het gezicht van het meisje vallen die haar wekken. Ze wordt op slag verliefd op hem, maar beseft dat hij te koud is, te onsterfelijk, en dat ze niet met hem in zijn gouden koninkrijk wil wonen omdat goud koud is en het leven warm. Dan geeft hij zijn onsterfelijkheid voor haar op en komt bij haar op aarde wonen, waar iedereen maar één kort leven heeft en geliefden elkaar op zomeravonden onder de geurige linden kussen. Ik maak mezelf wijs dat ik dat soort verlangen voel, naar zo'n soort mythisch wezen.

Na tien dagen poëtisch lijden kom ik Mihai tegen tijdens een wandeling in de buurt en staat mijn hart op het punt in zoveel stukjes uit elkaar te springen dat je er de hele straat mee zou kunnen bedekken. Ik probeer kalm over te komen en loop naar hem toe. Hij bezwijkt als eerste: hij slaat zijn armen om me heen, kust mijn oorlelletje, strijkt mijn haar uit mijn gezicht en zegt dat hij altijd van me zal houden, dat zijn gevoelens nooit zullen veranderen, en wil ik hem vergeven, kan ik hem alsjeblieft vergeven dat hij zo gemeen heeft gedaan? Dan doe ik niet langer alsof, barst in snikken uit in zijn armen en schreeuw naar hem: 'Waarom heb je me niet gebeld? Als je me vandaag niet was tegengekomen, had je me dan gebeld?' en: 'Kunnen we ergens naartoe waar we alleen zijn?'

Hij neemt me mee naar een huis aan de rand van de stad, waar een van zijn tantes woont. Ze is een paar weken met vakantie en heeft hem de sleutels gegeven. Er is een moestuin, en een bloementuin, en een hoog hek dat ons van de straat scheidt.

We vrijen tussen de tomaten, de pastinaken en het basilicum in de schaduw van een kersenboom. We eten tomaten en zure kersen, warm van de zon.

'Kun je het me vergeven? Je weet dat ik nooit ontrouw zou zijn, nooit van een ander zou houden! Ik plaagde je maar, meer niet,' zegt hij berouwvoller dan ooit. 'Soms word ik wanhopig en weet ik me geen raad meer. Al die maanden zonder jou...' Hij kijkt weemoedig en steekt een Carpaţi op. Ik ben blij dat hij geen Kent meer rookt.

'Sterf dan van schaamte!' gil ik zo hard als ik kan, de stilte van de zonnige tuin verscheurend.

'Hou op, Mona. Hier, neem een tomaat. Zulke tomaten heb je nog nooit geproefd.'

Ik bijt gulzig in de rijpe, sappige tomaat, aards en zonnig. Ik val in Mihais armen in slaap in de moestuin met het geluid van de voorbijkomende bussen en auto's in mijn oren. Terwijl ik langzaam wakker word, fantaseer ik dat ik Tess van de d'Urbervilles ben, dat ik mijn geliefde vermoord, wegloop en in het diepe woud ga wonen, waar geen bessen en bloemen groeien, maar enorme ranken met tomaten eraan. De aarde is bedekt met peterselie en ik huil dag en nacht tot Mariana aan me verschijnt en zegt dat ik hem moet vergeten, dat ik hem finaal uit mijn hoofd moet zetten. 'Je hebt er goed aan gedaan hem te doden,' zegt ze in mijn verbeelding. 'Nu kunnen we samen in het woud leven en ons voeden met tomaten en pastinaken.'

Ik word gloeiend wakker, brandend van de middagzon. Mihai ziet me ontwaken en houdt me vast tot ik kalmeer na mijn droom. Hij brengt me een tinnen beker koud water.

'Hier, drink op. Het komt uit de bron achter het huis. Het zuiverste water van de wereld.'

Mijn ingewanden koelen af, mijn geest klaart op en... wat houd ik van Mihai, die me water uit zijn tinnen beker geeft en mijn haar streelt. Ik sidder van liefde voor hem, zijn mooie armen, zijn fluwelen ogen. Hij houdt me heel lang vast, tot de invallende schemering ons omhult. We hebben maar één nietig leventje, geen eindeloos leven zoals de gevleugelde man uit het verhaal. De gevleugelde man kan naar de hel lopen! Dit moment is zo sappig en vlezig als een rijpe tomaat in de zon.

Geen hiernamaals

Op de terugweg van het huis van zijn tante en haar moestuin met tomaten komen we Cristina en een vrouw die ik niet ken tegen. Ik zie ze van een afstand lopen, in een verhit gesprek verwikkeld. Ik ben moe en rozig van de warme middag, ons geruzie en onze vrijpartij, en ik ben niet echt in de stemming om met iemand te praten, zelfs niet met Cristina.

Als ze me ziet, wuift ze opgewonden en rent naar ons toe. De vrouwen komen dichterbij en ik word beslopen door een akelig gevoel. De onbekende vrouw heft haar hoofd en kijkt me recht aan, en dan herken ik haar. Ze is mager, met smalle lippen en donker, slierterig haar.

De voetstappen die me volgden in de sneeuw, het gevoel van onwerkelijkheid, de angst en de verwarring. Wat doet Cristina met die vrouw? Hoe kent ze haar? Mijn gesprek met Cristina in de banketzaak op die koude, grijze ochtend in januari dit jaar komt me weer voor de geest. Die twee kennen elkaar dus, en ze weten allebei iets wat ik niet weet. Cristina komt op me af en spreidt haar armen om me te omhelzen. Ze zoent me op beide wangen en stelt me aan de andere vrouw voor.

'Dit is Anca,' zegt ze. 'Anca Serban. Ze woont hier pas sinds kort. Ze gaat naar de technische hogeschool. Je weet wel, op de heuvel, waar we allemaal naartoe gaan.'

Het lijkt inderdaad alsof iedereen in Roemenië naar een technische hogeschool op een heuvel aan de rand van een stad gaat om ingenieur te worden. Ik weet dat Cristina verrukt is omdat haar Tunesische liefde dezelfde school bezoekt, maar waarom komt die Anca zomaar uit het niets weer in mijn leven opduiken?

'Waar komt ze vandaan?' vraag ik aan Cristina, alsof Anca onzichtbaar is.

'Uit Boekarest,' antwoordt Anca. 'Ik ben een stadsmeisje, net als jij,' voegt ze er met een glimlach aan toe.

Ze heeft een lage, heel zachte stem, niet te vergelijken met die schelle, hoge noten in die koude januarinacht. Ik moet me vergissen, mijn geheugen moet me bedotten. Toch zijn die lippen onmiskenbaar, en het haar, en de felle blik in haar ogen.

'Ik geloof dat ik je ergens van ken,' zeg ik vriendelijk.

'Echt? Waar hebben jullie elkaar dan gezien?' vraagt Mihai. 'Boekarest is een grote stad.'

'Ik denk het niet,' zegt Anca gedecideerd.

Ze heeft het nog niet gezegd of ik weet dat ze liegt, dat de drie mensen die deze drukkend hete julimiddag om me heen staan, iets voor me verbergen, alle drie iets anders.

'Kennen jullie elkaar?' vraag ik aan Mihai. De opkomende woede knijpt mijn keel dicht.

Hij draait zijn lichaam haar kant op. 'Ik geloof dat ik je van de zomer na de examens een paar keer op de heuvels heb gezien,' zegt hij. Ik neem in gedachten de laatste weken door, zijn gemeenheid toen ik er net was, mijn jaloezie, zijn spijtbetuigingen, onze middag samen tussen de tomaten. Het brok in mijn keel verstikt me en dreigt uiteen te spatten.

'Anca komt bij mij in de klas,' zegt Cristina blij.

Ik begrijp haar enthousiasme niet, maar er speelt zich natuurlijk een heel leven af hier als ik er niet ben. Plotseling voel ik me een vreemde tussen die mensen en plaatsen. Wie weet wat ze hier allemaal doen in februari, maart en mei? Wie weet wat er tussen al die mensen gebeurt terwijl ik in Boekarest maniakaal zit te studeren en tob over mijn ouders die ervan worden beschuldigd de toespraken van Ceauşescu in brand te steken, over gewetensbezwaarden die worden opgesloten in krankzinnigengestichten en over compromitterende folders die van steigers in het centrum van Boekarest dwarrelen? Misschien heeft Cristina wel plannen om het land uit te gaan en met haar Tunesische student te trouwen. Misschien zijn Mihai en Anca geliefden. Of misschien zijn ze *kameraden* van de geheime politie en probeerde Anca me afgelopen winter gewoon van Mihai los te weken. Misschien is Cristina bij de geheime politie gegaan omdat ze is betrapt met haar Tunesische vriendje.

Mihai moet een verhouding met allebei hebben. Ik weet niet meer of dit om politiek draait, liefde of allebei. Gewoon een grote, politieke rotzooi met sentimentele verwikkelingen zoals je alleen in ons stomme, verwarde land kunt verwachten. Want zelfs liefde kan geen liefde meer zijn. Alles is troebel en aangetast. Met de namiddagzon op mijn achterhoofd fantaseer ik over Mihai die de ene dag met Cristina slaapt en de andere met Anca, of misschien met allebei tegelijk. Ik haat ze alle drie. Ik wil ze de keel doorsnijden zoals Mihai mij in mijn droom de keel doorsneed. Ik wil ze met z'n drieën dood op het hete asfalt zien liggen. Dus daarom waarschuwde Cristina me voor Mihai toen we onze Turkse taart aten, om Mihai helemaal voor zich alleen te hebben. Nee, niet helemaal, om hem alleen te hoeven delen met haar nieuwe vriendin Anca.

'Wat leuk dat jullie allemaal naar dezelfde school gaan,' zeg ik. Ik voel dat mijn mond zich in een glimlach plooit en dat mijn laatste restje zelfbeheersing op knappen staat. 'Ik hoop dat jullie elkaar allemaal suf neuken op die heuvel bij de technische hogeschool.'

De woorden lijken niet uit mijn eigen mond te komen.

Er valt een onbehaaglijke stilte. De twee vrouwen kijken elkaar aan en Mihai barst in lachen uit.

Anca zegt met vonkende ogen: 'Dát is pas een goed idee. Misschien gaan we het een keer proberen.'

Ik pak Anca's lange, zwarte, slierterige haar en trek er uit alle macht aan. Ik zie mezelf van een afstand en kan niet geloven dat ik echt een haartrekgevecht met een andere vrouw begin. Het voelt alsof we vertraagd bewegen en mijn lichaam het mijne niet is, tot Mihai tussenbeide komt en ons uit elkaar trekt. Hij sleurt me weg en zegt iets tegen de vrouwen. Ik ben te kwaad om het te begrijpen, maar ze gaan weg.

We lopen naar zijn appartement waar hij me lang vasthoudt, tegen me fluistert en mijn haar streelt in het warme zomerlicht dat door de ramen naar binnen stroomt. Hij praat zo lief tegen me alsof ik een ziek kind ben.

Mihai zegt dat ik moet kalmeren en dat ik hem gewoon moet vertrouwen. Vertrouw ik hem niet? Ik weet niet wat ik moet zeggen. Ik begrijp niets en vertrouw niemand. Mijn hoofd doet zo'n pijn dat ik denk dat het zal barsten, en mijn hart erbij. Straks ben ik een en al barsten en blauwe plekken. Ik wil wegrennen. Hij geeft me koud water. Ik zie mijn overgrootmoeder Paraschiva koud water uit een tinnen beker drinken, in Vania's bed, meer dan een halve eeuw geleden, toen ze net uit haar delirium bijkwam, vlak nadat ze bijna aan koorts en uitputting was overleden. Ik ben haar, in de overstroming en de angst, en ik kijk naar een man die een vreemde voor me is en toch vertrouwd, ik houd van hem en ik ben bang voor hem, en ik lever me uit aan zijn zorgzaamheid. Ik drink koud water uit een tinnen beker.

De zomer gaat voorbij in een vlaag van hitte, verdenkingen en ruzies, doorspekt met vrijen op beschaduwde weides, in Mihais koele bed, in geheime, donkere, vochtige grotten waar het druipt van het kalkhoudende water. Soms doe ik gehoorzaam wat hij zegt, vertrouw ik erop dat hij weet wat hij doet, wat dat ook mag zijn, dat het onmogelijk is dat hij me bedriegt, dat het allemaal een boze droom is, een vergissing.

Andere keren word ik al wakker in een werveling van woede en wantrouwen. Als ik Mihai zie, schreeuw ik naar hem en zeg dat hij een verrader is. Ik wil het uitmaken. Ik wil wegrennen. Ik wil Mihai meteen na het vrijen doodmaken, als een bidsprinkhaan. Ik wil wraak nemen. Ik wil Mihai laten schreeuwen van de pijn. Ik wil in de diepte van de Roemeense geschiedenis duiken en een barbaar zijn die dieren en andere mensen doodt, misschien met een paar momenten primitieve poëzie voordat ik in slaap val op de harde aarde, onder het ondoordringbaar zwarte, met miljoenen sterren bezette hemelgewelf.

Hoe heb ik het geluk getroffen om van een man te houden die van de geheime politie kan zijn én me bedriegt? Ik zal uiteindelijk met een vriendelijke, maar saaie schoolmeester trouwen en mijn dagen in een godvergeten Roemeens provinciestadje slijten, als een Franse heldin uit het raam kijken, spijtig omdat mijn leven geen andere draai heeft gekregen. Mijn vader zal uiteindelijk worden vermoord door de geheime politie, als hij niet in een krankzinnigengesticht wordt opgeborgen, mijn geliefde zal binnenkort zijn ware aard tonen en mijn academische carrière wordt geruïneerd door de geheime politie die me volgt vanwege mijn vaders werk voor Radio Vrij Europa. Waarom kan Radio Vrij Europa míj niet bevrijden, wat hebben al die dwaze acties voor zin als wij met de dag meer van onze vrijheid verliezen?

Ik lig in bed te woelen en te draaien, badend in het zweet naast mijn slapende nichtjes, tot het tijd is om op te staan en iedereen weer voor te liegen dat ik naar Cristina ga of dat ik met een groep vrienden een trektocht in de bergen ga maken. Dat zeg ik altijd als ik naar Mihai ga. Ik ben zelf verstrikt in een web van leugens. Ik verzin uitstapjes die ik niet maak en sidder bij de gedachte dat tante Nina Cristina tegen zou kunnen komen en haar zou kunnen vragen hoe onze laatste trektocht in de bergen was. We leven allemaal in de cocon van leugens die we om onszelf heen hebben gesponnen. Waarom zou ik zo streng zijn voor Mihai als iedereen liegt en iedereen de demonstraties ter ere van Nicolae en de Partij lijdzaam ondergaat, als zelfs mijn oom en tante zijn bezweken voor de druk op het werk en lid van de Partij zijn geworden uit angst anders hun baan kwijt te raken, als ik waarschijnlijk zelf ook lid zal moeten worden als ik mijn plek op de universiteit wil houden? Mijn vader had gelijk toen hij eens zei: 'We zijn allemaal collaborateurs, op de een of andere manier; de een alleen meer dan de ander.'

Een week later, op 23 augustus, onze nationale feestdag, wordt Cristina dood in haar bed gevonden. Aangezien ze wees is, vraagt niemand van haar familie om een autopsie, zelfs haar zus Simona niet. Als ze door een auto was doodgereden, had ik tenminste zekerheid gehad.

'Hoe kun je nou op je twintigste door onbekende oorzaken dood in bed liggen?' vraag ik Mihai. Ik wil hem vragen of hij iets van Cristina's Tunesische geliefde wist, maar ik ben bang voor het antwoord. Ik ben bang dat Cristina die informatie voor Mihai verborgen heeft gehouden. Wat zal hij denken als hij erachter komt? Zelfs op de rand van het graf van een dierbare vriendin kunnen we elkaar niet vertrouwen.

'Misschien had ze zonder het te weten een zwak hart. Of heeft ze vergif genomen,' zegt hij somber.

Mihai steekt de ene sigaret met de andere aan en ziet er echt verdrietig uit. Als kind speelden we allemaal samen, en Cristina was Mariana's beste vriendin. Ze vlochten elkaars haar en leerden samen roken. Ik zie tranen in Mihais ogen opwellen. Weer word ik getroffen door het gevoel een vreemde te zijn in deze wereld: er zijn me zoveel dingen ontgaan terwijl ik me in Boekarest bezighield met *Tess of the D'Urbervilles* en *The Devil's Disciple* en terwijl mijn vader niet ophield over Radio Vrij Europa en zijn best deed om zich door de geheime politie te laten arresteren.

'Ben je niet goed wijs? Waarom zou Cristina vergif willen nemen?' vraag ik. Ik herinner me hoe blij ze was toen ze me vertelde dat ze verliefd was, die dag in de banketzaak.

Mihai zegt dat het hem spijt. Meer zegt hij niet. Het spijt hem heel erg, zegt hij keer op keer terwijl hij zijn armen om me heen wil slaan. Ik duw hem van me af.

Op de dag van Cristina's begrafenis heb ik eindelijk genoeg moed verzameld om Mihai te vragen: 'Denk je dat ze vermoord zou kunnen zijn?'

'Ik weet het niet,' zegt hij bedachtzaam, en nu lijkt zijn antwoord oprecht. Misschien heb ik het al die tijd mis gehad. Misschien is het gewoon de schuld van de heersende sfeer van achterdocht en verwarring die ons allemaal aanvliegt.

Ik kijk hem aan en probeer iets te lezen in zijn groene ogen onder de lange, krullende wimpers waar ik al die zomers en winters zo gek op ben geweest, maar hij is ondoorgrondelijk. Het oude Mata Hari-gevoel komt terug.

Ik huil zo onstuimig en rumoerig tijdens Cristina's begrafenis op het kerkhof op de heuvel aan de rand van de stad dat Mihai me over het pad meeneemt, verder van het graf af. Terwijl ik probeer te kalmeren en naar de mensen rond het graf kijk, zie ik de schriele man die afgelopen winter in de banketwinkel zat waar Cristina en ik onze cataif aten. Anca Serban staat stilletjes in een hoekje te huilen. Dan zie ik aan de andere kant van het graf een knappe man met zwart, krullend haar en een snor die met betraande ogen strak naar het graf kijkt. Dat moet Cristina's geliefde zijn, denk ik, en het verbaast me niet dat ze zo stapelverliefd op hem was. Ik kan die twee zo voor me zien, naast elkaar, zij met haar bruine glanzende haar en hij met zijn donkere ogen, het ideale stel. Dan kijk ik om me heen en zie nog minstens drie andere mannen die ik niet ken. Ik vermoed dat ze van de Securitate zijn. Het moet ervan wemelen nu er een student uit het buitenland is. Ondanks de vurige zon lopen de rillingen me over de rug. Dan kijk ik door de menigte in de richting van het graf en Cristina's vriend, maar hij is nergens meer te bekennen. Ik vraag me af of ik heb gedroomd, maar zijn markante gezicht met de geciseleerde trekken en de zwarte krullen staan duidelijk in mijn geheugen geprent. Had ik hem maar kunnen ontmoeten, met hem over Cristina kunnen praten, maar ik schijn ergens te leven waar mensen als bij toverslag verdwijnen en verschijnen. En wat voor toverslag!

Ik herinner me Cristina zoals ze probeerde me in te zepen, met een gezicht dat rood was van de kou, omkranst door haar losgeraakte, kastanjebruine vlechten. Hoe eenzaam en wanhopig moet ze zich hebben gevoeld, hoe in het nauw gedreven, als ze echt heeft besloten zelfmoord te plegen. Had ik onze vriendschap maar niet laten verwateren. Had ik maar gehoor gegeven aan mijn opwelling van afgelopen winter, toen ik haar familie wilde zijn en haar wilde beschermen. Het is alsof Mihai mijn beleving van de tijd, van de werkelijkheid om me heen heeft veranderd. Alsof ik in zijn liefde heb geleefd als in een luchtballon die hoog boven alles en iedereen zweeft. Ik heb geen idee hoe Cristina's leven er de laatste twee jaar heeft uitgezien, afgezien van een paar korte ontmoetingen en ons gesprek van afgelopen winter. Toen kwam de zomer van de ene dag op de andere en toen was ze dood. Ze was zo verward, zo'n verdoold kind zonder ouders, zoals ze daar zat met haar mond vol slagroom en helemaal opgewonden omdat ze verliefd was op een exotische man, iemand uit Tunesië, het oude Carthago waar Dido stierf uit liefde voor haar beminde Aeneas. Ik vraag me af of ze heeft geleden. Als ze vergif heeft geslikt, wat zou ze dan hebben genomen? Een overdosis slaappillen was toereikend geweest. Heeft ze op het allerlaatst om hulp geroepen, toen het al te laat was? Is ze bang geweest? Mariana en Cristina, twee jeugdvriendinnen, binnen drie jaar na elkaar overleden, voordat ze zelfs maar de tijd hadden gekregen volwassen te worden. Misschien is dit een vervloekte plek en heeft de toverspiegel van mijn overgrootmoeder al zijn toverkracht verbruikt.

Ik voel me verslagen en uitgeput. Ik wil op een vers graf met petunia's en goudsbloemen gaan liggen en nooit meer wakker worden. Ik wil weglopen. Ik hoor hier niet. Ik begrijp het niet en het bevalt me hier niet. Mihai is weer een vreemde voor me. De magere man in het leren jack die naar ons kijkt, maakt me niet eens meer bang. Waarom dragen de securitate-mannen zelfs in de zomerhitte een leren jack? vraag ik me af. Ik ben aan de absurditeit van de hele toestand gewend, maar ik wíl er niet aan gewend zijn. Het is als doodvriezen, je dood laten sussen en toch nog koppig genoeg zijn om je te verzetten. Ik wil weg, weg, weg. Dat herhaal ik in gedachten terwijl ik de mensen bij Cristina's graf zie vertrekken.

De dag na de begrafenis besluit ik niet naar Mihai te gaan, maar thuis bij mijn nichtjes te blijven. Miruna en Riri pakken hun kaartspelletjes. Het valt me nu pas op hoe groot ze zijn geworden. Miruna, die er bleek uitziet, is langer geworden en haar ogen hebben een nog diepere kleur blauw gekregen. Ze is stiller, terwijl Riri langer is geworden en er ondeugender uitziet dan ooit. Ze vragen allebei naar de begrafenis. Ze vinden het verdrietig dat Cristina zo moest sterven, zo jong nog. Ze zal haar moeder in het hiernamaals terugzien, zegt Miruna met haar grote, vochtige, porseleinblauwe ogen.

'Er is geen hiernamaals,' zeg ik tegen haar.

'Welles!' zegt Riri.

'Nee, echt niet. Dat zijn maar kletspraatjes, over de hemel en al die flauwekul,' zeg ik.

Miruna barst in huilen uit en Riri gooit een dobbelsteen naar mijn hoofd.

'Ben je soms marxist of zo?' gilt Riri, die knalrood is geworden, met ogen die vonken van woede.

Ik gooi de speeltafel omver en schop tegen de dobbelstenen. 'Ik ben niks!' zeg ik huilend. 'Geen marxist en geen christen. Ik haat alles!'

Ik stort in waar mijn nichtjes bij zijn. Zo hebben ze me nog nooit gezien. Ze slaan hun armen om me heen en proberen me te troosten. Ze zeggen dat ze het heel erg vinden van Cristina en dat ik niet in het hiernamaals hoef te geloven. Miruna geeft me een stukje kauwgom en Riri raapt de dobbelstenen op.

Die avond belt Mihai op om te vragen of ik zin heb om te wandelen. Eigenlijk wil ik niet. Ik geniet van de tijd met mijn nichtjes, mijn tante Nina en mijn oom Ion. Mijn tante heeft maïs gepoft en Ion heeft een enorme watermeloen opengesneden. Ze lachen en plagen elkaar.

'Ja, leuk,' hoor ik mezelf tegen Mihai zeggen. 'Waar spreken we af?'

'Over tien minuten beneden,' zegt hij.

Mihai komt me zelden bij het huis van mijn tante ophalen. Meestal treffen we elkaar ergens halverwege, of in het park aan het eind van de straat. Hij heeft zich net geschoren en draagt een schoon overhemd in de tint van zijn ogen.

'Ik heb een baan in Boekarest,' vertelt hij. 'Bij de tractorfabriek. Ik begin volgende maand. Zie je nou dat ik mijn belofte heb gehouden?' zegt hij trots.

Ik ben sprakeloos, ik ben vol ontzag, en ik heb me vergist. Mihai zou me nooit bedriegen. Het was gewoon paranoia van me dat ik dacht dat hij me bedroog en bij de geheime politie zat, en het komt door die algehele sfeer van wantrouwen. En doordat ik te veel Franse en Engelse romans lees. Mihai spreekt tenslotte vaak vol bewondering over mijn vader. Hij komt gewoon uit een andere wereld dan ik. Zijn ouders zijn arbeiders en hij woont in een provinciestad, maar dat maakt hem boeiender dan die pretentieuze, verwende jongens uit Boekarest. Hij houdt van zijn land en wil gewoon niet dat alle slimme Roemenen weggaan. Hij heeft me zelf laatst nog die mop verteld over de laatste Roemeen die het land verliet, die *moest het licht uitdoen om stroom te besparen.* Vervolgens zei hij triest dat alleen de stommelingen en degenen die te lui waren om weg te gaan, zouden achterblijven. Daar, voor het huis van mijn tante op die middag in augustus, kneed ik Mihai weer tot de held die ik altijd in hem heb willen zien. Mijn hart klopt zo gejaagd en de zon schijnt zo fel dat ik duizelig word. Alle geuren van onze eerste zomer samen vullen de lucht en ik wil alleen maar naar die doordringend blauwe lucht kijken en de grillige, gele rozenstruik bewonderen die de benedenbuurman heeft geplant, en de rode klaprozen door het hele park. Mihai komt naar Boekarest. Ik ga studeren en we gaan trouwen en als het heel erg wordt, kan ik Mihai misschien ooit nog eens overhalen met me weg te lopen.

We vluchten naar Zwitserland of Canada of zo'n soort land met allemaal schitterende bergen en gletsjermeren waar we elkaar eindelijk in vrijheid kunnen liefhebben.

Goedkoop reukwater

In de laatste week van augustus kom ik opgetogen terug in Boekarest. Mihai zal me snel volgen, want hij gaat aan zijn nieuwe baan beginnen, en ik begin aan mijn eerste jaar aan de Universiteit van Boekarest als student Engelse literatuur. Mijn geluk krijgt echter algauw weer een ondertoon van angst en walging. Sergeant Dumitriu, de man van de geheime politie die me de rode anjers kwam brengen, heeft mijn spoor weer te pakken. Hij belt herhaaldelijk aan, wil me alleen ontmoeten en vraagt me 'hem te helpen met informatie over medestudenten'.

Hij vraagt me naar het universiteitsplein te komen, vlak tegenover de vier standbeelden van de grootste literaire en historische figuren van Roemenië. We treffen elkaar bij het standbeeld van Michaël de Dappere op zijn reusachtige paard met zijn schrikbarende, voor de strijd getrokken zwaard, in de buurt waar mijn ouders woonden toen ik geboren werd. Michaël de Dappere moet mijn beschermengel zijn, denk ik glimlachend als ik Dumitriu zelfverzekerd op me af zie komen. Hij denkt dat ik glimlach omdat ik blij ben hem te zien en haast zich mijn hand te kussen. Hij ruikt penetrant naar goedkoop reukwater. Ik verstijf nerveus onder zijn aanraking en veeg stiekem mijn hand aan mijn rok af. We lopen in de richting van Hotel InterContinental dat met zijn holle, moderne, wit stenen buitenkant boven de stad uittorent. Ik loop op een paar passen afstand van Dumitriu en kijk om me heen, bang dat een bekende me naast die man van de geheime politie zal zien. Ik struikel en hij weet niet hoe snel hij me moet pakken. Ik trek vol afkeer mijn arm los en hij zegt grinnikend: 'Mejuffrouw Mona, ik bijt niet, hoor, diep vanbinnen ben ik een aardige vent!'

Ik vind de uitdrukking 'diep vanbinnen' lachwekkend, maar probeer mijn gezicht ernstig en in de plooi te houden. Ik vraag me af hoe 'diep' je zou moeten gaan om iets aardigs te vinden in iemand die ervoor verantwoordelijk is dat anderen hun baan kwijtraken, worden gearresteerd, in een krankzinnigengesticht worden gestopt of zelfs worden vermoord.

Als we op het punt staan de straat over te steken, zegt hij: 'Het is niets om u voor te schamen, mejuffrouw Mona. U zou ons, uw land en de Partij een grote dienst bewijzen. Bovenal zou u uzelf een grote gunst bewijzen. U hoeft alleen maar op te letten wat uw medestudenten zeggen, meer niet, opletten. Komt u bijvoorbeeld wel eens bekenden tegen in de Amerikaanse bibliotheek, of hebt u medestudenten die met buitenlanders omgaan? Zulke dingen, heel onschuldig, eigenlijk.'

Hij trekt een zakdoek uit zijn broekzak en wist het zweet van zijn voorhoofd. Mijn hart slaat een slag over als ik hem de Amerikaanse bibliotheek hoor noemen. Ik herinner me mijn gesprekken met Ralph de bibliothecaris en ik zie die man met de zwarte blazer aan de verste tafel weer voor me, die altijd deed alsof hij zat te lezen.

'In ruil daarvoor,' vervolgt hij zonder me de kans te geven iets terug te zeggen, 'zouden we ervoor zorgen dat u na uw afstuderen een goede positie krijgt, iets op uw eigen terrein, hier in de hoofdstad, bij de Amerikaanse of Britse bibliotheek, bijvoorbeeld. We weten hoe graag u leest.'

We lopen nu langs het pompeuze gebouw van de Nationale Schouwburg met zijn brede marmeren treden naar de moderne gevel van glas en steen. Mijn hart bonst zo hard dat ik bijna geen lucht meer krijg. Ik kijk om naar het standbeeld van Michaël de Dappere en vind het jammer dat ik het achter heb gelaten, alsof het me nu niet meer kan beschermen. Ik voel zweet van mijn voorhoofd langs mijn neus druppelen en mijn kleren voelen zwaar en volumineus aan. Mijn sandalen striemen mijn voeten en mijn tenen zien er rood en gezwollen uit. Midden op de stoep blijf ik staan en zeg heel bedaard, heel zacht: 'Meneer Dumitriu, bedankt voor uw vriendelijke aanbod, maar ik wil lesgeven na mijn studie. Ik wil niet bij de Amerikaanse bibliotheek werken, ik wil Engels doceren. Neem me niet kwalijk, maar ik kom nog te laat voor mijn college.'

Ik laat een jong stel dat hand in hand loopt tussen ons door lopen en maak van die afleiding gebruik door het op een rennen te zetten. Ik ren zonder om te kijken over de verhitte stoep van Boekarest, door de zijstraten die ik zo goed ken, en beland bij het appartementengebouw van tante Matilda. Ik haast me de koele hal in en sluit de zware ijzeren deur met een bons. Ik zak op de marmeren trap naar Matilda's appartement om op adem te komen. Er zitten nog barsten in de muren van de aardbeving en ik word overspoeld door opluchting bij de gedachte dat tante Matilda met haar lieve, glimlachende gezicht en haar ingemaakte rozenblaadjes en walnoten maar één verdieping hoger zit. Ik storm de trap op en loop gewoon naar binnen, zoals altijd, want Matilda doet haar deur nooit op slot, behalve 's nachts en als ze het huis uit gaat. 'God helpt me altijd,' zegt ze. 'God en de Maagd Maria.' Ze zit aan de lange, gepolitoerde houten tafel onder de kristallen kroonluchter te lezen. Ik ben nog nooit zo blij geweest om haar te zien als nu, nu ik op de vlucht ben voor Dumitriu en zijn scabreuze aanbiedingen. Ik vraag haar om een grote portie ingemaakte rozenblaadjes.

Ik probeer de dagelijkse dingen te doen alsof er niets aan de hand is: ik ga naar mijn literatuurcolleges en drink wel eens koffie of bier met een paar vrienden in het café naast het Bouwkundig Instituut. Soms zie ik Dumitriu in een volle bus op weg naar de universiteit, achter iemand verscholen en zogenaamd een andere kant op kijkend. Op een keer zie ik hem achterin zitten in mijn bus naar huis, lijn 88. Hij staart me gefascineerd of misschien verlangend aan. Die gedachte vervult me met walging. Ik zou veel liever hebben dat hij een pesthekel aan me had en me om zuiver politieke redenen volgde. Ik vind het een ondraaglijk idee dat ik word begeerd door een bonafide lid van de geheime politie, iemand die zichzelf nota bene 'officier' noemt, terwijl hij niet in het leger zit.

Op een avond heb ik tot 's avonds laat in de bibliotheek gestudeerd. Op weg naar huis hoor ik voetstappen achter me, het soort waar je de griezels van krijgt. Jij blijft staan, de voetstappen klinken niet meer; jij loopt door, de voetstappen volgen je weer. Voordat ik het goed en wel besef, word ik in de portiek van een sjofel appartementengebouw gedrukt, met mijn rug tegen de muur, klemgezet door een lange man die naar zweet en goedkoop reukwater stinkt. Hij fluistert in mijn oor. Hij heeft hetzelfde luchtje op als Dumitriu laatst. Er moet een speciaal soort securitate-reukwater zijn, denk ik. Ik sta ervan te kijken dat ik niet bang ben, hoewel het na elven 's avonds is en er geen mens op straat loopt. Misschien is het dat luchtje dat er een grap van maakt. Mensen die 's avonds anderen op straat belagen, zouden naar teer of naar sigaren moeten ruiken. Ik geef hem een knietje en spuug naar hem. Hij krimpt in elkaar en ik probeer weg te komen, maar hij herstelt zich en drukt me met een arm tegen de muur terwijl hij met zijn vrije hand mijn spuug van zijn gezicht veegt.

'Een pittige tante, hè?' zegt hij grinnikend.

Ik wil niets zeggen. Ik wil niet schreeuwen of praten. Ik wil alleen dat dit voorbij is. Op de een of andere manier weet ik dat dit geen aanranding is. Opeens ben ik kwaad op iedereen, ook op mijn eigen vader en Mihai. Iedereen heeft zijn eigen belang bij iets wat mij niet interesseert, en ik schijn de tol te moeten betalen voor al die pogingen tot heldhaftigheid en avontuurlijkheid. Ons leven wordt er niet beter op door al dat gehannes met manifesten en Radio Vrij Europa en al die vergaderingen over censuur die op armoedige zolders en in klamme kelders worden belegd. We staan nog steeds in dezelfde stomme rijen voor elke hap die we eten en we kunnen niet eens vrijelijk spreken in het openbaar. Ik voel geen angst, maar alleen golven haat en woede tegen de hele mensheid. Zelfs mijn gestorven familieleden, want ze laten me in de steek.

'Wat wil je pappie precies bereiken, hm... wie zijn zijn beste vrienden?' vraagt de man. 'Als je pappie zo doorgaat, loopt het met jou net zo af als met je vriendinnetje,' fluistert hij in mijn oor. 'Of nog erger.'

Ik moet lachen om het idee dat er iets ergers zou zijn dan de dood. Dan huiver ik om de klank van dat 'vriendinnetje' uit zijn mond. Cristina is dus misschien tóch vermoord. En al was ze zo wanhopig dat ze zelfmoord heeft gepleegd, dan is dat nog bijna moord. Dan was het een andere, perversere manier van moorden.

'Zo, dus je vindt het grappig?' De man drukt mijn polsen zo hard tegen de muur dat het pijn doet. 'Maar het is waar. Er zijn ergere dingen dan de dood,' zegt hij.

'Waarom fluister je, stoere jongen?' vraag ik. Door Cristina's dood is er iets in me geknapt. Het doet me allemaal niets meer.

'WIL JE HET HARDER HOREN?' schreeuwt hij vlak bij mijn oor. 'GOED. DAT LUKT ME WEL.' Zijn stem weerkaatst in de lege straat. Ik wil mijn hoofd afwenden, maar hij pakt mijn kin en heft mijn gezicht naar het zijne op.

'HOOR JE ME NOU?' schreeuwt hij. Het weerkaatst door de straat: *NOU, NOU, NOU.*

'Ja,' zeg ik gedwee. Het is belangrijk mezelf voor te houden dat ik alleen maar spéél dat ik gedwee ben.

Hij tilt mijn kin weer op, zodat ik hem aan moet kijken.

'Brave meid,' zegt hij, en hij laat me los.

Bij het horen van die woorden begin ik te beven en ik weet dat ik niet langer speel. Ik ben nu écht bang voor mijn leven en dat van mijn vader. De woorden herinneren me plotseling aan het meisje dat op raadselachtige wijze werd overreden. Misschien was zij ook maar een stukje van de puzzel dat ze hebben gebruikt om iemand anders te pakken: haar ouders, haar geliefde, wie zal het zeggen. Of misschien zat haar geliefde wel achter de aanslag. Wie weet, wie weet, dreunt het door mijn hoofd. Misschien is Mihai een 'goede securitate', zoals die voormalige student van mijn vader, misschien zitten er een paar edelmoedige mensen tussen die in wezen proberen de slechte te ondermijnen. Ik weet zeker dat Mihai nooit zou toestaan dat iemand me midden in de nacht tegen een muur drukte, mijn kin pakte en mij pijn deed, maar wie weet, wie weet. Ga op je intuïtie af, zeggen ze altijd. Misschien moet ik afgaan op de achterdocht die opkwam toen ik Mihai terugzag in de zomer na de winter waarin we verliefd werden, toen hij opeens een vreemde leek in zijn leren jack en met zijn moraliserende praatjes over mijn anticommunistische houding. Hoe kan iemand van de geheime politie nu ooit edelmoedig zijn?

De man met het bolle gezicht doet een stap achteruit. Dan loopt hij weg, zomaar, en trekt zijn kraag recht. Hij kijkt naar de gebouwen op alsof de hele straat van hem is.

Mijn benen begeven het en ik zak langs de muur naar beneden tot ik op mijn hurken zit. Ik beef over mijn hele lijf. Ik ben uitgeput door de inspanning van het toneelspelen en ook van het niet toneelspelen, maar gewoon bang zijn. Ik doe mijn ogen dicht en drijf over de rivier de Nistru. Het is 1918, ik passeer drijvende lijken en kippenhokken, en de speeldoos achter op mijn spiegel draagt me met steeds dezelfde reeks noten over het uitzinnige water. Ik klim in een boom en wacht. Ik zing het liedje van mijn speeldoos, 'Für Elise', telkens opnieuw voor mezelf. Dan word ik een week later wakker in het bed van een vreemde man, en ik drink koud water uit een tinnen beker die hij me voorhoudt. Hij heeft netjes achterovergekamd, zacht, zwart haar, een smalle neus en een elegant, glimlachend gezicht. Ik weet dat we zullen gaan trouwen. Ik zal lavendel in mijn tuin planten om de geur van rottende lijken en stront uit de rivier te verhullen. Mijn huis zal altijd naar lavendel ruiken. En goedkoop reukwater wordt voorgoed uit mijn buurt verbannen.

Keuzes

Als het 's avonds acht uur is geweest en mijn vader nog niet thuis is, zijn mijn moeder en ik altijd bang. We zitten op de bank in de woonkamer met de bergruimte eronder waar alle poppen uit mijn kindertijd in zitten. We houden elkaars hand vast en kijken onafgebroken naar de deur. Soms wil ik de opbergruimte onder de slaapbank openmaken, al mijn poppen pakken, ze om me heen zetten en tegen ze praten. Daniela de blonde, Mihaela de brunette en Tania, de Russische pop die mijn tante Ana voor me heeft meegebracht uit de USSR: door Tania's lange vlechten en sentimentele, glazen ogen dacht ik vroeger dat het verkeerd van de mensen was dat ze zulke lelijke dingen over de Russen zeiden.

Ik verwacht elk moment iets verschrikkelijks: dat ik zal worden overreden, of gewurgd in mijn slaap, dat de schriele vrouw met de gele jurk van de ijskraam op de hoek me vergiftigd ijs zal verkopen.

Mijn moeder maakt elke avond een preischotel. Zelfs het brood is nu op de bon en we rennen alle winkels in de buurt af op zoek naar koffie. Als we het niet kunnen vinden, zet mijn moeder sterke zwarte thee, die we met een vies gezicht opdrinken. Er zit geen suiker in omdat we ons rantsoen voor die maand al ophebben, en geen citroen omdat we al twee jaar geen citroen meer hebben gezien.

Op een avond komt mijn vader thuis met een verslagen gezicht, warrig grijs haar en blauwgrijze ogen die bijna betraand zijn, en vertelt dat hij gedegradeerd is van de Universiteit van Boekarest naar die van Ploieşti, een stad die zestig kilometer verderop ligt. Een collega van zijn instituut Vergelijkende Literatuurwetenschappen is ook gedegradeerd en moet nu lesgeven aan een middelbare school. 'Eigenlijk heb ik nog geboft,' zegt hij met een wrange glimlach. Mijn moeder zegt dat hij het had kunnen verwachten, met zijn openlijke liefde voor Radio Vrij Europa en de manifesten.

'Je hebt inderdaad geboft,' vervolgt mijn moeder, die haar lippen streng op elkaar klemt, 'want ze hadden je ook in een gesticht kunnen stoppen, zoals ze met anderen hebben gedaan.'

Ze klinkt bijna wreed. Ik besef dat ze wel achter de bezigheden van mijn vader heeft gestaan, maar dat ze die, en het gevaar dat ze voor ons meebrachten, eigenlijk verafschuwde. Ze heeft gedaan alsof er niets aan de hand is, haar lessen op het conservatorium gegeven, na haar werk in de rij gestaan voor een zak aardappels of onze olie- en suikerrantsoenen opgehaald, maar vanbinnen wenste ze dat mijn vader nergens bij betrokken was geraakt. 's Avonds schreef ze haar gedichten om onze dagelijkse beslommeringen even te vergeten.

Mijn vader gaat nu elke ochtend om vier uur van huis en reist in een onverwarmde trein met kapotte ramen naar zijn nieuwe betrekking aan de Universiteit van Ploieşti. Hij doceert aan Afrikaanse studenten die hier studeren omdat Ceauşescu in Afrika is geweest in een poging meer vreemde valuta het land binnen te halen. Om de pijn van zijn degradatie te verzachten leest mijn vader alle Roemeense dichters, telkens weer, in het wilde weg: Eminescu, Minulescu, Bacovia, Arghezi, Blaga, Barbu, de romantici, de metafysici, de folkloristen, de symbolisten en de modernen, al onze grote dichters. Soms declameert hij gedichten terwijl hij door het appartement ijsbeert. Zwaarmoedige gedichten over levend in de sneeuw begraven worden, speelse gedichten over de lente, roze en violette boomknoppen en een wals van de rozen, en hartstochtelijke liefdesgedichten over iemand die de hele nacht wanhopig onder het raam van zijn geliefde heen en weer loopt, onder de kille, kille maan.

Als hij in een vrolijker stemming is, en enthousiast over zijn nieuwe Afrikaanse studenten die Roemeens leren, vertelt mijn vader ons politieke moppen terwijl we onze preischotel eten. Er is er een die ik heel leuk vind: twee mannen zitten in een treincoupé. Het begint te regenen. De een zegt: 'Kijk, het regent weer.' Waarop de ander zegt: 'Ik weet het. Laat ze naar de hel lopen!' Mijn vader lacht zo hard dat hij zich in zijn prei verslikt en de tranen hem in de ogen springen. Als we voetstappen in de gang voor ons appartement horen, springen we geschrokken op. Als de telefoon gaat, springen we geschrokken van onze stoel. Soms zegt mijn vader: 'Niet opnemen. Laat maar rinkelen.'

Op een dag overrompelt mijn vader me door te zeggen dat ik eens moet nadenken over weggaan. 'Het begint hier gevaarlijk voor je te worden,' fluistert hij. 'Ik maak me ongerust om je,' vervolgt hij, en hij streelt verdrietig over mijn haar. Ik vraag me af of hij iets weet van de man met het bolle gezicht, die me 's avonds laat heeft bedreigd, of misschien zijn eigen dreigementen heeft gekregen over wat er met me zou kunnen gebeuren.

Ik zie de boze blik in de ogen van mijn moeder. Ik weet dat ze boos is omdat hij ons dit heeft aangedaan en ze nu haar dochter kwijtraakt, maar ze zegt niets en ik begrijp dat ze het samen hebben besproken. Nu is het hardop gezegd: ik moet nadenken over weggaan.

Er zijn allerlei manieren om te vluchten; je hoeft alleen maar de fut te hebben om er een uit te proberen. Er vluchten zoveel mensen. Hoe doen ze dat toch? vraag ik me telkens af. Ik moet een manier zien te vinden, over zee, over de rivier, over land of door de lucht. Lopend, zwemmend, rijdend, desnoods kruipend de grens over. Het maakt niet uit. In dat opzicht lijkt er in elk geval wél keus te over te zijn.

Terwijl we dicht bij elkaar over mijn ontsnapping zitten te fluisteren, voel ik het gevaar van alle kanten naderen. Ik ben in de war, maar kan ook afstandelijk lachen om de immense ironie: net nu ik overweeg het land te verlaten, verhuist Mihai naar Boekarest. Ik kan mijn gevoelens niet goed rijmen, dus sta ik op van de bank en ga naar de keuken om iets te eten te zoeken. De koelkast is leeg, op een bak met overgebleven sla met tomaat van de vorige dag na. Ik eet de verlepte sla met de laatste boterham van ons rantsoen van deze week.

Op een koude, regenachtige avond, als alle paraplu's binnenstebuiten waaien en de dode bladeren net zo in het rond wervelen als op het plaatje van de herfst in mijn leesboek op de lagere school, belt de vrouw van de met mijn vader bevriende psychiater doorweekt en rillend bij ons aan. Ze vertelt dat er drie generaals uit Ceauşescu's regering zijn geëxecuteerd en dat er jacht wordt gemaakt op iedereen die van *illegale activiteiten* wordt verdacht. Mijn moeder trekt wit weg, want mijn vader is nog niet thuis, het is al acht uur en hij had drie uur geleden al moeten terugkomen van zijn colleges in Ploieşti. Ze steekt een sigaret op uit het pakje dat mijn vader op het tafeltje bij zijn bed heeft laten liggen, naast de stapel systeemkaartjes voor het woordenboek met neologismen waaraan hij werkt. Ze zegt tegen Liliana dat ze haar jas moet uittrekken en gaan zitten, en wil ze een kopje koffie? Het is sojakoffie, die heeft ze gisteren bij de kruidenier vlak bij de Russische kerk gevonden. Nee, Liliana wil alleen maar een glaasje water. Mijn moeder vraagt haar of ze iets over mijn vader weet.

Liliana zegt dat ze allemaal zijn ondergedoken. Er werd wel eens bij haar op zolder vergaderd, en ze bekent dat ze met typewerk heeft geholpen, dat ze bijhield wie er verdwenen en tijdens de vergaderingen op voorbijkomende auto's en mensen lette.

Het zit me dwars dat ze dit aan ons vertelt. Waarom nu? Kan ze niet gewoon doen alsof ze er nooit bij is geweest? Ik wil haar niet horen en ik wil niet dat ze nog een woord zegt.

'Het heeft een hoge vlucht genomen,' vertelt Liliana. 'Ze zeggen dat er mannen en vrouwen van alle leeftijden bij zijn, en veel studenten, maar wie zal het zeggen, uiteindelijk? De helft zou informant kunnen zijn. Op een dag drijven ze iedereen bij elkaar en dan wijst iedereen naar een ander, want zo zijn we, wij Roemenen. En sinds Pacepa is overgelopen, is het nog verwarrender geworden.'

Ze is nerveus en wringt haar handen. Ze is zo mollig en klein dat haar voeten de grond nauwelijks raken als ze zit. Ze heeft een zeurderige, huilerige stem die zo irriteert als een nagel over een schoolbord. Haar man Mihnea heeft in de jaren vijftig al zeven jaar in de politieke gevangenis gezeten. Hij was toevallig op een feest waar iemand het een of andere metafysische gedicht voordroeg en op een avond verdween hij in de zwarte bus. Zeven jaar later dook hij weer op, vrijwel onherkenbaar, zelfs voor zijn eigen vrouw en zoon.

Liliana blijft maar met haar handen wringen. Haar irritante stem en het tikken van de regen tegen de ruiten klinken als een voorbode van onheil en rampspoed. Ik bedenk dat ik misschien naar Italië zou kunnen gaan. Misschien kan ik in het zonnige Italië komen door gewoon de trein naar Triëst te nemen, gewoon een kaartje te kopen en over de grens te zwieren.

Mijn vader verschijnt doornat bij de deur. Hij ziet eruit als een vluchteling. Hij zegt tegen mijn moeder dat ze een koffer met kleren voor hem moet pakken. Mijn oom Ion zal hem met de auto naar zijn familieleden in de bergen brengen. Dat is helemaal in het noorden van Moldavië, in het niemandsland waar de mensen hun water nog bij de dorpspomp halen en hun huizen verlichten met kaarsen omdat er maar één stopcontact is dat alleen in noodgevallen wordt gebruikt. Niet dat de Securitate hem niet ook nog 'in een slangenkuil' zou kunnen vinden, zoals mijn vader wel eens zegt, maar ze kunnen tijd winnen, misschien waait het over en misschien kunnen ze de Securitate zelfs een poosje om de tuin leiden. Mijn vader vindt toch al dat de

Securitate niet al te slim is en dat het hele terreursysteem erop drijft mensen wijs te maken dat ze uiterst geslepen en alwetend zijn, zodat iedereen zich geïntimideerd lam laat slaan.

'Als iedereen in opstand kwam en iets deed, zouden we nu niet zo diep in de stront zitten. Zo zijn de Roemenen,' zegt hij vaak boos, en dan dooft hij met een woest gebaar zijn sigaret.

Liliana vraagt koortsachtig of mijn vader iets heeft gehoord van Mihnea, en hij zegt: 'Ja, hij is veilig.' Ze vraagt niet verder; ze weet dat dit het enige is wat hij kan zeggen, het enige wat hij weet. Mijn vader geeft mijn moeder het telefoonnummer van de oud-student die nu kolonel bij de geheime politie is en die hem eerder heeft geholpen. Ze moet naar hem toe gaan. Misschien kan hij haar zeggen hoe ze zijn naam van de lijst met gezochte personen kan krijgen.

Ik begrijp niet waarom sommige securitate-leden het verzet helpen. Waarom vertrouwt mijn vader zulke mensen? Hij zegt dat hij het weet; hij heeft zijn intuïtie. Kolonel Petrescu zal hem niet verraden. Ik ben blij dat er overal voormalige studenten van mijn vader zitten. Dan denk ik aan Mihai, en nu wil ik geloven dat Mihai echt bij de geheime politie zit, maar net als Petrescu aan de goede kant staat. Ik wil hem vertrouwen, ook al is hij een van hen. Ik wil hem opbellen en zijn stem horen zeggen dat ik me geen zorgen hoef te maken. Ik wil hem alles vertellen.

Terwijl mijn vader mijn moeder helpt kleren en eten in te pakken, vertelt hij een mop. Er rent een man over straat. Hij komt een vriend tegen die vraagt: 'Waarom ren je?' Hij zegt: 'Heb je het niet gehoord? Ze schieten overal kamelen dood!' En de vriend zegt: 'Maar jij bent geen kameel! Waarom ren je dan?' De man zegt: 'Ik weet wel dat ik geen kameel ben, maar ze schieten eerst en kijken dan pas.'

Ik lach om de mop van mijn vader, al ben ik de enige. Hij omhelst me en zegt dat ik braaf moet zijn, dat ik 's avonds op tijd naar huis moet gaan, want *je weet het maar nooit*. Ik heb zo genoeg van die uitdrukking dat ik bijna ontplof. Ik dacht dat mijn vader juist degene was die alles wist, maar hij lijkt nu verwarder dan ooit tevoren, en zelfs zijn vlucht naar de bergen lijkt naïef en zinloos. Hij was juist degene die altijd tegen me zei dat als zíj je wíllen vinden, zíj je overal kúnnen vinden, zelfs in een berenhol, zelfs in het donkerste gat in de aarde. Misschien overdreef hij, want dat doet hij vaak. Misschien speelt hij gewoon verstoppertje met de geheime politie. Of misschien heeft hij gelijk als hij zegt dat zelfs de Securitate niet zo onkwetsbaar en geslepen is als ze zich voordoet.

Laat die avond komt oom Ion, die klaarstaat om mijn vader naar de noordelijke Karpaten te brengen, waar zijn familieleden hem in een kelder zullen verbergen, of in een stal tussen de koeien, de varkens en de legkippen. Ze drinken zwarte thee zonder suiker of citroen en vertellen politieke moppen. Ze lachen hardop, alsof het deze ene keer geen kwaad kan. Vanavond benijd ik mijn vader, mijn oom en de man van Liliana. Het lijkt alsof ze in een avonturenfilm spelen, en plotseling heb ik zin om ook mee te doen.

Ik weet niet welk pad ik moet kiezen. Ik voel me gedwongen een keus te maken die ik nooit heb gewild. Misschien moet ik me aansluiten bij de studenten die elkaar in kelders treffen en proberen iets te veranderen. Als mijn leven toch al in gevaar is, kan het beter gevaar lopen omdat ik zélf iets doe voor een belangrijke zaak dan om wat mijn vader of mijn geliefde doet. En dan? Ik denk weer aan Cristina en hoe verstrikt en radeloos ze zich moet hebben gevoeld. Ik wil me niet zo voelen, ik wil liefhebben, leven, studeren, belangrijk zijn. Ik wil vluchten, maar ik wil ook bij Mihai zijn. Mijn hart barst weer onder het gewicht van zulke onmogelijke keuzes.

Die regenachtige novemberavond in het appartement van mijn ouders, als mijn vader op het punt staat diep in de bergen onder te duiken en ik begin te dromen over een grensoversteek naar Italië, zoek ik mijn heil bij gedachten aan Mihai. Binnenkort woont hij hier, in Boekarest. Zelfs die troostende gedachte lijkt echter vergiftigd te worden door twijfels en zorgen. Het is alsof alles door een worm wordt aangeknaagd. Alles brengt doodsangst met zich mee, wat we doen en wat we niet doen, bij iemand zijn en niet bij iemand zijn. Mijn vader en de anderen zoals hij, die vanavond op de vlucht slaan en onderduiken, delen die angst tenminste.

Ik droom over het zwarte gat in de Roemeense geschiedenis waar mijn tante het altijd over heeft. Die plek van dat gat in de geschiedenis, donker en mysterieus als een baarmoeder, waar ik me kan opkrullen als een foetus, alles vergeten en in het warme, stroperige water van de vergetelheid kan drijven, en wachten.

Droevige winter op Bulgaarse laarzen

Mihai heeft zijn belofte gehouden. Hij is naar Boekarest verhuisd. Hij werkt als ingenieur aan de sombere rand van de stad, in een fabriek waar tractoronderdelen worden gemaakt die voor harde valuta worden uitgevoerd. Hij heeft een huurkamer in een ander deel van de stad, dicht bij het huis waar mijn oudtante Nadia woonde, die dood neerviel met de vergeelde briefkaart in haar hand. De straten zijn er breed, met rijen eiken- en kastanjebomen en gebouwen en huizen van rond de eeuwwisseling. Mihais kamer is piepklein, met een krakende deur en een krakend bed waarin we 's avonds vrijen terwijl er mensen over de krakende trap achter de deur lopen. Er is zoveel gekraak overal dat we er soms samen lachend naar zitten te luisteren, want we missen allebei de gesteven lakens en koele berglucht door het raam in Mihais kamer bij zijn ouders. We kijken naar de lelijke barsten in de muren die door de grote aardbeving zijn ontstaan en het gekraak doet ons denken aan ouderdom en het verstrijken van de tijd.

Alles lijkt een tijdje rustiger te worden. Ik stop de gebeurtenissen van het afgelopen jaar in een soort kast voor herinneringen die ik me niet mag herinneren. Na zijn terugkeer uit zijn schuilplaats diep in het noorden van Moldavië is mijn vader stiller dan anders en zit hij vaak te broeden. Hij gaat zelden naar buiten, wat me op het idee brengt dat zijn groep uit elkaar is gevallen en dat iedereen de schrik voorlopig in de benen heeft. Misschien zijn er mensen verdwenen of opgesloten in het ziekenhuis waar Mihnea werkt.

Mijn gedachten aan Mata Hari lijken me nu dwaas. Ik breng de dagen door met mijn colleges en vrijen met Mihai in het kamertje waar alles kraakt. Ik voel me gelukkig als we door de lange, met eiken afgezette straten wandelen en als een bejaard echtpaar door het tapijt van roodbruine bladeren ritselen.

Ik ga elke dag naar mijn colleges en Mihai werkt in de tractorfabriek. Ik lees tientallen Engelse en Amerikaanse toneelstukken, middeleeuwse stukken, stukken van Shakespeare en zeventiende-eeuwse stukken, stukken van Tennessee Williams en van Arthur Miller, en ik denk na over alle personages die liefhebben, zich vermommen, sterven, doden en zelfmoord plegen en aan de glazen beeldjes die de vrouw uit *The Glass Menagerie* verzamelt en aan het Bos van Arden, waar de liefde de gekste streken uithaalt.

De grijze trolleybussen die hun lange slakkenlijven over de boulevards van Boekarest slepen, zien er draaglijker uit en krijgen zelfs een zweempje kleur. De trieste, stoffig ogende mensen met betrokken gezichten die van hun werk komen met zakken aardappels en hun rantsoen olie en suiker, krijgen een zekere nobelheid. Ik ben niet echt gesteld op de zielige hoofdpersoon van *Death of a Salesman.* Het lijkt banaal en oninteressant om zelfmoord te plegen omwille van de levensverzekering. Wij hebben tenminste goede pensioenvoorzieningen onder het communisme. Er zijn betere redenen om je van kant te maken, zoals niet toegelaten worden tot de universiteit, of gepakt worden door de geheime politie, of elke dag in een tractorfabriek werken.

Soms zeg ik tegen Mihai dat ik 's avonds voor mijn tentamens moet leren en dan ga ik naar de schouwburg in het centrum. Ik voel me blij als ik door de marmeren gangen met kristallen kroonluchters loop en naar het elegante publiek kijk, vrouwen in een zwartfluwelen jurk en mannen met een vlinderdasje.

Ik zie *Iphigeneia*, een tragedie over een maagd die door haar eigen vader wordt geofferd om de zege van zijn leger in de Trojaanse Oorlog veilig te stellen. Ze ziet er nobel en melancholiek uit in haar lange, glanzende witte jurk. Ze houdt een monoloog over haar eenzame gang naar de offerplaats. Ik ben woest op de mannen om haar heen, die zo belust zijn op een overwinning ten koste van haar. Het maakt me woedend dat mannen vrouwen gebruiken ter meerdere glorie van zichzelf. En hoe ze het vervolgens opschrijven alsof zíj hún kostbaarste bezit opofferen: hun vrouwen, dochters, zusters, moeders. Klythaimnestra scheurt haar gewaad en trekt zich het lange haar uit het hoofd, zo wanhopig doet ze haar best om haar dochter te redden. Ik ga niet als Iphigeneia in een wit gewaad naar het offeraltaar lopen, zeg ik bijna hardop tegen mezelf in de donkere zaal. Ik zal rennen voor mijn leven. Wie behoefte heeft aan heldhaftigheid, mag zelf de held uithangen.

Het mooiste stuk vind ik *De Meester en Margarita.* Valeria Seciu, de beste Roemeense actrice, vertolkt de rol van Margarita. Ze verschijnt halfnaakt bij een raam, waar ze lucht geeft aan haar hartstocht en weerzin. De duivels die plannen beramen om de kunstenaar van zijn ziel te beroven, zijn zowel grappig als griezelig. Ze doen me denken aan de geheime politie die zielen koopt, maar deze duivels zijn kleurig en hebben een mooie rode staart.

Ik zou niets liever willen dan later ook zulke toneelstukken schrijven, met verpletterende passie en poëzie in zinnelijke voordracht op het toneel, met mannen en vrouwen die zich bewegen als in een droom, gezichten die vertekend zijn door de grime, onder rode, mauve en gele lichten.

Wanneer ik uit de schouwburg kom, glanzen de straten onder de herfstregen. Ik heb medelijden met Mihai, die alleen in zijn huurkamer zit waar alles kraakt en ruikt alsof het honderd jaar oud is.

Mihai lijkt kleiner zonder zijn donkere bergen en verborgen

paden tussen de dennen. Hij lijkt hier niet op zijn plaats, hij neemt de grauwheid van de herfst in Boekarest over als een afgedankte jas met te korte mouwen.

Op een zondagmiddag die novembermaand maken we in de regen bij het station een grappige foto die we 'net ontsnapt uit het vluchtelingenkamp' noemen. Ik heb mijn afstotelijke Bulgaarse laarzen aan en een bespottelijke breedgerande hoed op, Mihai draagt een groene jas en heeft een grote Russische muts op. We kijken recht in de lens. Mihai heeft het begin van een scheve glimlach; ik glimlach allerminst. Ik houd streng en boos zijn arm vast. Achter ons zie je silhouetten, mensen met paraplu's, en de straat glimt een beetje van de regen.

Mijn voeten bevriezen in mijn Bulgaarse laarzen. Het sneeuwt meedogenloos en Boekarest lijkt bijna feestelijk onder het laagje wit. Ik draag een witte mohair sjaal om mijn hoofd.

Op een avond neem ik twee trams en twee bussen naar de tractorfabriek waar Mihai werkt. Als hij uit de ploegendienst komt, sta ik hem bij het hoge metalen hek op te wachten. Ik zie hem in de verte aankomen. Hij loopt langzaam, bijna mank, in elkaar gedoken onder de vallende sneeuw. Ik word overmand door de angst dat de Mihai die ik ken, de man die me over de verborgen paden van de Karpaten voerde, elke geheime bocht kende en elke bloem en elke boom kon benoemen, langzaam zal verdwijnen onder die belachelijke Russische muts, tussen de arbeiders aan de rand van Boekarest, waar zware machinerie wordt geproduceerd.

Ik weet dat het hopeloos is. Hij redt het niet. Wij redden het niet. Het is een trieste winter. Hij haat alles en ik haat hem omdat hij alles haat.

Dan ziet hij me eindelijk door het schemerige kantwerk van sneeuwvlokken heen. Hij wordt boos als hij me hier ziet. Hij grinnikt naar de bewaker bij het hek die hem groet, 'goeienavond, Kameraad Simionu', en trekt dan weer een nors gezicht. Maar wanneer hij me onwillig kust in de dwarreling van sneeuw buiten het hek, krijg ik opeens het gevoel dat ik groei, dat ik immens word met mijn witte sjaal om mijn hoofd. Ik voel me de koningin van de Noordpool. Het geeft niet dat het niets wordt. Ik voel me zo wit en reusachtig als een ijsbeer, en ik moet wel zwellen en opstijgen, net als die oude man in *Mary Poppins* die het niet kan helpen dat hij naar het plafond zweeft van het lachen. Ik denk aan de schouwburgen 's avonds, de gele en mauve lichten en de acteurs die in melancholieke ritmes poëtische woorden declameren. Ik loop naast Mihai zonder de grond te raken, uitzettend tot wit dons.

We gaan naar zijn kamer, waar we op de krakende stoelen aan zijn bureau gaan zitten en elkaar een tijdje aanstaren. Hij is ongeschoren en ik vraag of hij zijn baard wil laten staan.

'Misschien. Wil je niet dat ik er net zo uitzie als de hippies van Boekarest, je studievriendjes, hebben die niet ook allemaal lang haar en een baard?'

'Ik heb geen hippievriendjes. Ik vind je leuk, met of zonder baard,' zeg ik.

Hij krabt aan zijn kin, laat zijn hoofd in zijn handen zakken, tilt het weer op en kijkt me aan. Hij zegt dat hij het echt niet uithoudt in de stad. Hij kan niet tegen de fabriek en de lelijke industriebuurt waar hij moet werken.

'Ik doe echt mijn best, hoor, mijn uiterste best... voor jou. Maar ik begrijp niet hoe jij hier kunt wonen.'

Hij steekt een sigaret op, laat zich door de blauwe rook omhullen en kijkt naar het plafond. Ik vind hem op een nieuwe manier aantrekkelijk, met zijn beginnende baard en trieste, gekwelde gezicht. Ik hoor mensen de trap op komen en weet hoe erg hij het vindt om de hele tijd mensen op die trap te horen. Ik pak zijn hand en druk hem tegen mijn wang. Hij kijkt me diep in de ogen. Ik gris de sigaret uit zijn hand en neem een paar trekjes. Het smaakt bitter en zuur, en die onaangename smaak gaat goed samen met de sombere sfeer in de kamer. Dan pakt hij bijna agressief mijn hoofd en kust me op de lippen zoals hij dat al zo vaak heeft gedaan tijdens onze roezigste momenten: langzaam, welbewust, met zijn lippen hard op de mijne gedrukt.

'Ik wilde zo graag voor altijd met je samen zijn, Mona,' zegt hij verdrietig. Het geluid van mijn naam uit zijn mond laat rillingen van genot over mijn rug lopen. Ik wil hem eeuwig Mona horen zeggen. Tot mijn schrik zie ik tranen in zijn ogen. Mihai houdt echt zielsveel van me.

'Maar ik stik hier. En er zijn dingen, dingen waar ik me zorgen om maak, dingen die ik moet doen. En het is beter als ik hier wegga,' besluit hij vaag.

Het is de eerste keer dat ik hem zo hoor praten, dat hij praat over iets wat hij doet buiten zijn werk en bergbeklimmen om. Mijn hart bonst van angst. Ik wil hem niet vragen wat die 'dingen' zijn die hij moet doen. Ik wil het niet weten. Op dit moment geloof ik liever dat Mihai een vriend is van die student van mijn vader, kolonel Petrescu, die in een beweging binnen de Securitate werkt die die organisatie juist wil ondermijnen. Hij kust me weer en ik laat me meeslepen.

We vrijen op een nieuwe manier, langzaam, weloverwogen, en we fluisteren lieve woordjes en beloftes van eeuwige trouw, zonder iets te horen van het krakende bed en de mensen die achter de deur de trap op en af lopen. Het is donker geworden; we kunnen elkaars gezicht bijna niet zien en huilen in elkaars armen. Halverwege februari heeft Mihai ontslag genomen van zijn baan bij de tractorfabriek en is hij weer in zijn geliefde bergen. We zullen elkaar tijdens de vakanties blijven zien, net als vroeger, en ik zal de trein nemen om hem te zien, maar de zomer is nog heel ver weg en de winter lijkt eindeloos. Soms neem ik de bus naar zijn kamer. Ik loop om het beroete gebouw met de piepkleine kamer en de krakende trap, met koude voeten in mijn Bulgaarse laarzen.

Lente en bruine soep

Nadat ik op een avond, gekweld door een weemoed die zo grauw en ondoorzichtig is als de februarischemering, om het blok heen heb gelopen waar Mihai woonde, zie ik aan de overkant van de straat een gestalte lopen, met zijn handen in zijn zakken, zelfverzekerd. Ik heb het gevoel dat hij me in de gaten houdt. Ik wil het op een lopen zetten, maar ik wil niet dat hij achter me aan komt. Ik wil in het zonnige Italië zijn, Bermuda, Valparaíso, Bulgarije desnoods – in een ander werelddeel, op een andere planeet.

Ik stap niet in bus 99 die net is gestopt op de hoek, maar ren het gebouw met de krakende trap in. Ik vergeet even dat Mihai er niet meer woont. Ik ren naar de kamer links van de gang die van hem was en voel aan de deurknop: de kamer is niet afgesloten. Ik doe de deur open en loop naar binnen alsof ik weet dat hij op me zit te wachten.

De kamer is schemerig verlicht. Ik zie niet Mihai aan de houten tafel langs de wand, die werkt aan een schema van een tractoronderdeel, maar een oude man die me met roodomrande ogen aankijkt. Hij heeft een lepel in zijn hand. Er druppelt een bruine vloeistof in zijn baard.

Ik slaak een kreet. Het is de schreeuw die al heel lang uit me wil, sinds de avond van nieuwjaarsdag, de krankzinnige vrouw, de schaduw. Ik blijf maar schreeuwen en de oude man springt op van de tafel en stoot zijn soep om. Hij steekt met een doodsbang gezicht zijn handen uit, bevend, panisch. Hij smeekt me hem niet aan te geven omdat hij geen sleutel heeft, die is bij iemand anders, alsjeblieft, laat me niet arresteren. Hij barst in tranen uit.

Ik heb geen idee meer wat de mensen van me willen. Ik ga op de stoel in Mihais oude kamer zitten bij de stokoude man met bruine soep in zijn baard en het enige wat ik nog weet, is dat ik voorgoed weg wil. Ik wil op de trein naar Triëst stappen en mezelf vinden, exact op het moment dat de trein de grens oversteekt naar Italië waar olijfbomen groeien, waar het silhouet van fluwelige, donkergroene cipressen staat afgetekend tegen blauwe heuvels en Romeinse ruïnes, waar de mensen opgewekt praten in zinnen die op aria's lijken en dingen als *mamma mia* en *mascalzone* zeggen.

Ik sta op van de stoel en zeg: 'Neem me niet kwalijk, meneer. Het spijt me dat ik u tijdens de maaltijd heb gestoord.' De oude man kijkt me opgelucht aan. Ik ren in een flits het gebouw uit en blijf rennen. Ik neem geen bus naar huis, maar ren als de ongetemde, witte merrie uit mijn droom door de straten van Boekarest in de ijskoude motregen van februari die zich vermengt met mijn warme tranen.

Af en toe zie ik sergeant Dumitriu in een mensenmassa, in een bus, net als voorheen. Soms begroet hij me zelfs alsof ik een oude kennis ben. Hij is mijn trouwste volgeling. Ik kom hem tegen op weg naar mijn colleges. 's Avonds, op weg naar huis van de schouwburg of de bibliotheek, herken ik hem op straat. Hij heeft altijd een pak aan en een das om. Als je dan toch mensen schaduwt en aanbrengt, kun je er net zo goed fatsoenlijk uitzien. Ik heb geen zin om het aan mijn vader te vertellen. Ik zou niet weten waarom ik hem met nog meer zorgen zou belasten, of hem aanzetten tot een drieste, gewelddadige actie om me te beschermen, Dumitriu midden op straat in elkaar slaan, bijvoorbeeld, zoals die keer toen ik veertien was en door een schimmige figuur werd gevolgd.

's Avonds hoor ik soms voetstappen vlak achter me in de dreigende stilte op straat en verbeeld me dat ik schimmen achter gebouwen zie verdwijnen, maar sinds die keer dat ik tegen de muur werd gedrukt door een man die tegen me schreeuwde, glijd ik door mijn leven alsof niets me nog kan raken.

Het is begin maart, de zigeunervrouwen verkopen hun eerste schuchtere viooltjes en hyacinten en ik heb mijn lelijke Bulgaarse laarzen verruild voor mijn ene paar net iets minder lelijke Hongaarse instappers. Op weg van de universiteit naar huis zie ik Anca Serban samen met Mihnea, de met mijn vader bevriende psychiater, voor de puinhopen van het gebouw waar ze soezen verkochten, dat bij de aardbeving van 1977 is ingestort. Het staat nu in de steigers, en de stoep lijkt er altijd voller doordat hij daar smaller is en er werklieden lopen. Daarom hebben ze vermoedelijk daar afgesproken, om niet op te vallen. Wie is in vredesnaam die fantoomvrouw die me mijn hele leven achtervolgt, nu plotseling in Boekarest is en een vierkant pakje in bruin papier aan Mihnea geeft, die in het ziekenhuis werkt waar de geheime politie iedereen in stopt die verdacht wordt van *politieke misdrijven* zodat ze daar kunnen wegrotten in gekte en dwangbuizen, gevoelloos en platgespoten?

Ik probeer me onzichtbaar te maken op de stoep aan de overkant door bij de bloemenkraam op de hoek een bos hyacinten te gaan kopen. Ik zie Mihnea het pakje aannemen en nog even praten met de vrouw die mij die avond heeft belaagd. Mihnea ziet er spookachtig uit, met uitpuilende, lichte ogen en zo mager alsof hij in hongerstaking is geweest. Ik koop de bloemen en ruik eraan. De lentegeur dringt in mijn uitgeputte lichaam door en een windvlaag tilt de plooien van mijn rok op.

Ik glimlach naar de verkoopster, bedank haar voor de bloemen en leg het geld in haar koude, natte hand. Ik ren naar huis in de wetenschap dat ik me zelfs daar niet veilig en onbespied kan wanen. Als mijn vader nog betrokken is bij illegale activiteiten met zijn dissidente vrienden, verkeer ik in levensgevaar. Het is een simpele optelsom die ik door en door begrijp. Ik verkeer hoe dan ook in levensgevaar, of ik nu wel of niet iets heb gedaan. Ik heb nooit gewild dat ik op zo'n verwarrende, gekmakende manier zou moeten vrezen voor mijn leven. Was het niet beter met de bommen in de oorlog, of tijdens de hongersnood? Toen vocht je gewoon om te overleven. De bom miste je of niet. Je dreef op een overstromende rivier, wroette een knol uit de grond om niet te verhongeren, je leefde of stierf, allemaal zuiver en keihard.

Kon ik maar zeggen dat mijn grootouders en oudtantes die elke mogelijke menselijke en natuurlijke tragedie hebben overwonnen, het slechter hadden dan ik. Kon ik me maar gelukkig prijzen omdat het geen oorlog is en ik elke dag brood, aardappels en sojakoffie kan eten en drinken. Kon ik maar zeggen dat het geweldig is dat ik op weg naar huis hyacinten op straat kan kopen, maar ik benijd mijn voorouders. Ik denk aan mijn grootouders van moederskant op de sepiafoto, die genomen is voorafgaand aan een bal, een groots bal in oorlogstijd, mijn grootmoeder Vera in een zwarte, glanzende jurk met een parelcollier om haar statueske nek en een bloem in haar haar, mijn grootvader Victor zwierig met een bloem in zijn knoopsgat, popelend om te dansen, hopend dat het na de oorlog vrede zal zijn en dat alles beter zal worden.

In april, als de forsythia's uitbundig geel bloeien en de kastanjes lichtroze knoppen hebben, wordt Rodica Ursu, de dochter van een vriend van mijn vader, overreden door een auto die niet voor rood is gestopt. Mijn vader zegt dat ze voor beide kanten werkte. Ze was onvoorzichtig geweest.

Ik begrijp er niets meer van. Kies een van beide kanten, maar waarom zou je twéé geheime levens leiden? Wat is daar de zin van? Ik heb medelijden met het meisje, haar vermorzelde lichaam en haar ontroostbare ouders. Misschien leidt Mihai ook twee geheime levens. Was dat wat hij bedoelde toen hij zei dat hij 'dingen' moest doen? Zijn brieven zijn ook afstandelijker dan anders, niet meer dan korte verslagen over zijn nieuwe baan bij de grote tractorfabriek in Braşov en een paar zinnetjes waarin hij zegt dat hij me mist en dat hij naar de zomervakantie uitkijkt. Hij zegt niet eens dat hij naar míj uitkijkt, maar naar de vakantie.

Ik ben zo langzamerhand doodsbang. Ik loop dicht langs de muren en maak lange omwegen om niet te hoeven oversteken. Ik mijd iedereen die te dichtbij komt of dringt en zijn ellebogen gebruikt om langs me heen te komen in een volle bus. Soms put ik troost uit de aanblik van een arme vrouw die een mollige baby voedt, die met koraalroze lippen aan een volmaakt ronde borst sabbelt.

Op een avond, als de geuren van de voorjaarsbloemen en bloeiende bomen door de open ramen ons appartement in Boekarest binnen zweven, praat ik met mijn ouders over mijn vlucht. Mijn vader is uitgesprokener en vasthoudender dan de vorige keer dat hij het erover had.

'Je ziet hoe het die arme Rodica is vergaan. Alles is mogelijk, aan welke kant je ook staat,' zegt mijn vader. Mijn moeder knikt. Ze fluisteren en kijken over hun schouder de geurige avond in.

'Bovendien heb je hier geen toekomst, Mona. Het wordt alleen maar erger,' zegt mijn vader.

Ik weet dat deze beslissing alles uit zijn scharnieren zal rukken, de beslissing die, eenmaal genomen, de dingen nog dramatischer zal veranderen dan alles wat mijn familie ooit heeft doorgemaakt. Dramatischer dan de oorlogen, Stalin of Ceauşescu.

Ik weet dat honderden, duizenden mensen me al zijn voorgegaan. Ik weet dat er elke dag iemand de grens oversteekt en rent voor zijn leven. Op elk moment van de dag maakt iemand een plan. Veel mensen slagen. In elke trein, elk schip en elk vliegtuig zit wel een wanhopige Roemeen die naar de andere kant wil, die alles op het spel zet en zich in die overweldigende, alles uitvagende golf stort om een vrijere kust te bereiken. Ik weet het, maar het kan me niet schelen, want dit is niet hoe ik me mijn leven had voorgesteld toen ik mijn opstel schreef over waarom ik van mijn land hield. Toen ik een mysterieuze man van de bergen ontmoette en in de geurige dieptes van de Karpaten de liefde vond die alle andere liefdes overbodig maakte, op tapijten van wilde bessen en magische sneeuw, dacht ik dat alles beter zou worden.

Ik vind het verschrikkelijk hoe het allemaal is uitgepakt. Er zit niets anders meer op. Het leven is een aanhoudende wedloop geworden. Ik vlucht voor schaduwen en schrik van elke fluistering en elke voetstap. Ik wil erdoorheen breken, de hele geheime politie afschieten en dan, uiteindelijk, de tiran die dit netwerk van angst heeft uitgedacht. Ik wil iedereen afschieten die al het mooie en goede van het leven verplettert. Ik wil langzaam naar die mensen toe lopen, in een strakke, paarszijden jurk en met een donkere zonnebril op, en ik wil ze midden in hun duistere hart schieten. En dan, *poef*, maakt een grote, kleurige explosie alles met de grond gelijk en begint er een nieuw leven.

Mijn ouders en ik zwijgen een paar minuten, hand in hand. We luisteren naar de straatgeluiden. We laten de seconden verstrijken. Misschien is er in die stilte een engel bij ons gekomen. Misschien zweeft er een onzichtbare aanwezigheid, een boodschapper van onze voorouders, door de kamer die teder een deken van gulden licht over onze ziel uitspreidt.

Mijn vader verbreekt de stilte. We beginnen plannen te maken voor mijn ontsnapping. Ik ga de trein naar Triëst nemen, heel binnenkort. Deze zomer al.

Een laatste keer, onze rots

Het was niet echt de trein naar Triëst. Zo noemden we hem alleen maar omdat hij naar het laatste Roemeense stadje voor de grens met Joegoslavië ging, Jimbolia, en van daaruit kon je naar Triëst – als je de trein naar Belgrado nam en de Servische autoriteiten ervan kon overtuigen dat je naar Triëst moest omdat je vermoord zou worden als ze je terugstuurden naar Roemenië. Ze hielden je een paar dagen in hechtenis en lieten je dan doorreizen, als je geluk had. Je nam in je eentje een andere trein, als je genoeg geld het land uit had kunnen smokkelen om eerst de conducteur om te kopen en dan de politie, zodat je Italië in mocht. Zo hadden sommige mensen het gedaan. Of we hadden gehóórd dat sommige mensen het zo hadden gedaan, van hun familie of vrienden of iemand die iemand kende.

Anderen zwommen over de Donau naar Joegoslavië of Bulgarije, de gematigder communistische buurlanden van Roemenië. Weer anderen zwommen over de Zwarte Zee naar Turkse wateren of kropen 's nachts onder het prikkeldraad door de Joegoslavische grens over, als ze de grenswachten konden omkopen om de andere kant op te kijken. Of ze waagden het er gewoon op, wachtten tot de grenswachten zich omdraaiden en kropen tussen twee rondes door de grens over. De grenswachten waren berucht om hun genadeloosheid; ze schoten op alles wat bewoog. Toch was het een paar mensen gelukt.

Ik koos voor de route naar Triëst. Ik zou me voor een toerist uitgeven en proberen naar Belgrado te komen. Dat zou niet verdacht zijn; veel Roemenen gingen op een toeristenvisum naar Belgrado, want het was makkelijker om naar andere communistische landen te reizen dan naar andere bestemmingen. De Roemenen wilden zo dolgraag weg, iets voorbij de eigen grenzen zien, dat ze dagtochtjes naar Bulgarije maakten of een week naar Rusland gingen, alleen maar om te kunnen zeggen: de Russen hebben het veel beroerder dan wij. Je kunt er probleemloos panty's kopen, en er zijn veel sieraden met amber, maar de mensen verhongeren zo ongeveer. Als je toch niet naar Parijs of Rome mocht, kon je net zo goed naar Belgrado gaan.

Een student van mijn vader was getrouwd met een Joegoslavische vrouw die Biljana heette en altijd donkerrode lippenstift en een zijden broek droeg. Ze stak elke maand de grens over om haar man te bezoeken, die in Boekarest vergelijkende literatuur studeerde.

Mijn moeder zegt dat ze heeft geprobeerd Nora te bereiken, de vriendin die lang geleden naar Amerika is gevlucht. De foto waarop ze glimlachend in een sinaasappelboom zit, staat nog op ons mahoniehouten bureau, maar Nora zelf is onvindbaar, ze beantwoordt de brieven van mijn moeder niet en zal wel verhuisd zijn, naar Canada of Australië. Het is ook mogelijk dat de brieven van mijn moeder door de censuur bij de grens zijn tegengehouden, dat gebeurt zo vaak. Biljana lijkt dus mijn enige kans op vrijheid te zijn.

Ze zou op me wachten in het Roemeense stadje aan de grens en dan zouden we samen de trein naar Belgrado nemen. En dan... de rest was vaag: soms zouden we de Servische autoriteiten gewoon overhalen me de grens over te laten, en dan zou ik op wonderbaarlijke wijze de grens naar het Westen oversteken en me op de een of andere manier in Italië vestigen.

De Joegoslavische autoriteiten konden je ook eenvoudigweg

uitleveren aan de Roemeense, die je waarschijnlijk naar de gevangenis zouden sturen. Het gezelschap van de Servische vrouw maakte het verhaal dus geloofwaardiger voor de Roemeense en Servische autoriteiten: ik bracht gewoon een bezoek aan Belgrado en logeerde bij Biljana.

'Meer hoef je niet te zeggen als ze je papieren vragen,' zegt mijn moeder, die haar best doet om niet te laten merken hoe zenuwachtig en bang ze wordt van het idee dat ze me misschien nooit meer te zien zal krijgen.

Het grootste deel van die laatste zomer breng ik in de Karpaten door. Het is al augustus, maar mijn paspoort is nog steeds niet gekomen. De kans is groot dat het nooit komt, en ergens wil ik ook niet dat het komt. Ik lig in Mihais armen, op een bed van bladeren dat hij voor me heeft gemaakt in de schaduw van donkere dennen, en hij voert me wilde bosbessen en vertelt me de namen van wilde bloemen. Wat kan ik nog meer van het leven verlangen? Maar ik verlang wél meer, en ik wacht ook met spanning op dat paspoort. Ik kan op straat overreden worden, of Mihai kan aan de andere kant van het politieke spectrum blijken te staan. Hij is minder soepel dan anders deze zomer en vaak afwezig. Ik zeg een keer: 'Ceauşescu kan doodvallen, ik hoop dat hij een pijnlijke dood sterft,' gewoon om te zien hoe hij zal reageren, en hij kijkt me strak aan en verbaast me door te zeggen: 'Je hebt gelijk, het is een idioot, verdomme.' Iets aan zijn toon klinkt vreemd en gekunsteld. Dat doet de Securitate vaak, denk ik, meegaan in een grap of een verwensing, of kritiek op de president en de Partij, om meer uit de ander te krijgen, om hem onder druk te zetten en te zien hoe diep zijn gevoelens tegen de regering zitten.

Ik ben nog achterdochtiger dan toen Mihai de president in bescherming nam tegen mijn vervloekingen. Ik heb een gevoel van naderend onheil. Ik moet hier weg, houd ik mezelf voor terwijl Mihai zijn oude gitaar stemt in zijn kamer. Ik moet hier weg, hoe eerder hoe beter. Dan speelt hij een oud liedje voor me en ben ik er niet meer zo zeker van.

Mijn hart bloedt nog steeds wanneer hij me met diezelfde aanbidding van vroeger in zijn ogen aankijkt. Het maakt niet meer uit of hij onze ongeletterde, criminele president vereert of veracht. Elke seconde brengt ons dichter bij de laatste waarin ik hem voor het laatst zal vasthouden, kussen en aankijken. Op een avond als ik de trein naar Triëst hoor fluiten bij het verlaten van het station bij het huis van mijn tante, barst ik in snikken uit. Mihai houdt me vast alsof ik ziek ben, of op sterven lig.

Op de allerlaatste dag van augustus, als ik aan het pakken ben voor de reis terug naar de hoofdstad, belt mijn moeder op om te vertellen dat ze rode schoenen heeft gekocht. Dat is de geheimtaal waarmee ze me laat weten dat mijn paspoort is aangekomen. Ik voel me bevroren, alsof ik in een koelkast ben gestopt en een blok ijs ben geworden. De volgende dag moet ik terug. Ik kan Mihai niet vertellen waarom ik twee weken eerder dan anders uit Braşov vertrek. Ik heb mijn ouders moeten beloven dat ik geen mens iets zou vertellen. 'Echt geen levende ziel,' zei mijn vader, en ik begreep dat hij op Mihai doelde.

We lopen hand in hand. Het is volle maan en de koningin van de nacht verspreidt haar zorgeloze geur door de buurt. Ik ontdooi weer en mijn lichaam wordt overmeesterd door gloeiende sidderingen, en het verdriet overspoelt me in golven, in vlammen, in aardbevingen, in alle mogelijke vormen en elementen. Ik tril zoals ik als kind onze epileptische benedenbuurvrouw op de vloer zag schokken en kronkelen. Als ze een aanval kreeg, kon geen mens haar tot bedaren brengen, tot ze in een diepe slaap viel die dagen duurde. Zo schok ik ook vanbinnen, en Mihai kijkt toe hoe ik midden op de stoep in elkaar krimp en mijn armen om mezelf heen sla. Hij blijft gewoon wachten en steekt nog een sigaret op. Ik houd van de manier waarop hij zijn sigaret aansteekt, haastig, met zijn hand om de vlam, en hoe hij dan snel twee of drie trekjes neemt. Wat zal ik al die gebaren van hem die ik wel kan uittekenen, straks missen.

Midden in mijn inzinking voel ik iets als een fijne, glanzende draad van rede en kracht. Hij is zijdezacht, glad en sterk, en ik klamp me eraan vast en slaag erin mezelf te kalmeren.

Ik zeg tegen Mihai dat ik eerder weg moet dan we van plan waren omdat de minister van Onderwijs wil dat we het *aardappels- en uienpracticum* doen voordat het academisch jaar begint en wel in Boekarest, in de stad waar onze universiteit staat. Ik word geacht mijn tweede jaar aan de universiteit in te gaan. We moeten de goede aardappels van de slechte scheiden en de grote uien van de kleine. Het maakt deel uit van onze *burgerschapsopleiding*. Onder het sorteren van de aardappels en uien zingen we liedjes van The Beatles en vertellen schuine moppen. We spreken soms Frans of Engels zodat de kameraad die toezicht houdt, ze niet kan verstaan. In het Engels leveren we commentaar op de stommiteit, afzichtelijkheid en kleine herseninhoud van de kameraad die door de gangpaden met uien en aardappels heen en weer loopt. Mijn vriendin Ioana zei een keer: 'Jammer dat de regering die mensen niet ook een paar vreemde talen leert,' waarop we allemaal hysterisch moesten lachen. Soms houden we een aardappelgevecht en krijgen een aantekening in het speciale notitieboekje van de kameraad wegens misdadig aardappelsorteergedrag. Soms krijgen we ook een aantekening wegens het spreken van een vreemde taal. Ik sta tegenover Mihai en zeg dat ik eerder dan gepland terug moet om aardappels te sorteren. Ik troost me met de gedachte dat ik niet echt lieg, want als ik gewoon terug naar de universiteit zou gaan, zou ik inderdaad aardappels moeten sorteren. Dit is onze avond, onze laatste avond.

'Laten we naar onze rots gaan,' zeg ik. 'Alsjeblieft? Laten we onze rots in het maanlicht gaan bekijken.'

Hij is niet verbaasd, bijna alsof hij het had verwacht. 'Maar je bent er niet op gekleed,' zegt hij.

'Heeft dat ons ooit weerhouden?' vraag ik met een lach.

'Desnoods draag ik je,' zegt hij.

Net als de eerste keer, denk ik.

We nemen de laatste bus tot het eindpunt onder aan de berg

waar het bos begint. We klimmen in het donker. Zijn hand is stevig en sterk en laat niet los.

Onze rots glanst majesteitelijk in het maanlicht. Alles is anders dan die middag toen we elkaar voor het eerst kusten, hoog boven de wolken, maar ik herken hem. Ik ril even als Mihai me teder met mijn rug tegen de witte steen duwt, zijn jack uittrekt en om mijn schouders hangt en me dan omhelst en kust onder de maan boven de stad met de Zwarte Kerk. Hij draagt me naar de kleine grot onder de rots waar we vertraagd met elkaar vrijen, golvend als in een droom, in de naar hars geurende nachtlucht die wordt doorkliefd door de roep van uilen en het gekef van vossen. Mijn lichaam wordt een grote, vlezige bloem van de koningin van de nacht, pulserend in de ongetemde nacht van de Karpaten waar ik heb leren liefhebben, waar ik altijd naar terug zal verlangen, waar ik altijd naar zal smachten.

De volgende ochtend ga ik nog een laatste keer naar Mihais huis om afscheid te nemen. Hij is er niet. Ik loop naar de achterkant van het gebouw, pak een blok beton dat ernaast ligt en klim erop om door zijn raam naar binnen te kijken. Zijn bed is opgemaakt. De kamer is verdacht netjes, alsof Mihai op reis is gegaan. De geruite Karpaten-broek en de wandelschoenen die altijd in de hoek lagen, zijn weg. Ik schuif voorzichtig het raam omhoog en voel dat het niet op slot zit. Ik schuif het helemaal open. Ik hijs me over het kozijn en klim de kamer in, net als tijdens onze eerste zomer. Ik zoek overal naar zijn broek en laarzen, in de kast en onder het bed, maar ik kan ze niet vinden. Onder het bed vind ik een oude onderjurk die ik al heel lang kwijt ben. Een rode, met kant afgezette onderjurk, een kerstcadeau dat ik voor ons grote oudejaarsavondfeest van Mihai heb gekregen. Het is het enige wat hij me ooit heeft gegeven, los van bloemen, dennenappels of vruchten uit het bos. De lucht lijkt bezwangerd van onze geuren, onze aanwezigheid, echo's van ons liefdesgekreun.

Ik ga op het bed zitten en kijk om me heen in de kamer waar ik honderden uren van verrukking en marteling heb doorgebracht. De kamer die onze eigen wereld was. Ik voel me misselijk, alsof ik een grote leegte in mijn buik heb. De gedachte dat ik Mihai nooit meer zal zien is ondraaglijk, en die uit zich in een snijdende pijn in mijn buik, mijn kruis en mijn middenrif.

Ik begrijp niet waarom hij er niet is. Hij had gezegd dat ik op de ochtend van mijn vertrek naar Boekarest afscheid moest komen nemen, maar ik heb het gevoel dat er iets is gebeurd en dat hij voorlopig niet terugkomt. Over een uur vertrekt mijn trein en als alles volgens plan verloopt, stap ik over een paar dagen in de trein naar Triëst en begint mijn reis.

Ik kan hier blijven zitten tot ik weet wat er met Mihai is gebeurd. Ik kan deze trein en alle andere missen en het idee van een ontsnapping uit mijn hoofd zetten. Hoe kan ik weggaan zonder afscheid te nemen van Mihai, zonder hem nog één laatste keer te zien? Ik zal hem alles over mijn ontsnappingsplan vertellen. Hij zal mij al zijn geheimen onthullen: waarom ik overal word gevolgd, waarom Anca me heeft gewaarschuwd dat hij bij de geheime politie is, waarom hijzelf zich soms zo vreemd gedraagt, alsof hij iets voor me verbergt... Ik zal hem de waarheid vragen, en deze keer zal hij me de hele waarheid moeten vertellen. Ik klem de rode onderjurk in mijn hand. Ik herinner me dat ik hem aantrok zodra hij hem aan me had gegeven, zodat hij hem onmiddellijk weer uit kon trekken.

Ik leg de rode onderjurk op het bed. Ik spreid hem met veel zorg uit en kijk ernaar alsof het mijn eigen lichaam is dat daar ligt. Ik klim weer naar buiten en laat het raam open. De kamer moet ademen.

Ik stap in de trein en zie de donkere bossen voorbij glijden. Dit is mijn laatste treinreis naar Boekarest; de volgende trein zal me ervan wegvoeren, voorgoed. De trein naar Triëst die niet echt naar Triëst gaat.

In de trein schrijf ik een brief aan Mihai, mijn afscheidsbrief. Ik wil hem laten weten wat hij allemaal voor me heeft betekend en zal betekenen. Ik herinner hem aan onze geheime paden door de bergen en het nestje dat hij ooit voor me maakte in de schaduw van een oude eik, aan de rand van een bijna onzichtbaar pad vol bessen en bergbloemen. Ik schrijf hem dat ik zijn lage, hese stem in mijn oor nooit zal vergeten, en zijn warrige, zwarte haar. Ik schrijf hoe ik van hem hield en naar hem verlangde met een onmogelijke liefde, als een hongerige wolvin, als een boerenvrouw die op de grond ligt, de harde, met bessen en wilde bloemen bedekte aarde. Ik schrijf hem dat we net zo goed ergens aan het eind van de wereld hadden kunnen zijn, in Patagonië of Valparaíso, weet hij nog dat we altijd zeiden dat we nog eens naar Patagonië zouden gaan, of naar Valparaíso, om de jaguars te zien? Ik onderteken met mijn volledige naam Mona Maria.

Zodra ik in Boekarest uit de trein ben gestapt, haast ik me naar de brievenbus op het station om de brief te posten. Ik blijf een paar seconden voor de brievenbus staan, starend naar de mensen die komen en gaan op de vele perrons. In die laatste seconde verander ik van gedachte en post ik de brief niet. Niemand mag weten dat ik ervandoor ga, zelfs Mihai niet, of misschien wel júíst Mihai niet. Ik scheur de brief in een heleboel kleine stukjes, laat die op de grond dwarrelen en haast me naar buiten, de straat op.

De trein naar Triëst

De laatste paar dagen thuis zijn onwerkelijk. Ik probeer zowel me van alles los te scheuren als alles in me op te nemen. Mijn moeder en ik pakken 's avonds in het donker mijn koffer, met de gordijnen goed dicht zodat mijn overbuurman Dumitriu, officier bij de geheime politie, niet kan zien wat we doen en wat we in die koffer stoppen. We fluisteren, want misschien worden we afgeluisterd. Het inpakken van mijn koffer maakt me ziek van verdriet.

Ik wil alles voor altijd in mijn bloed, op mijn netvlies en in mijn lichaam prenten.

Als ik op een middag in september op de trein naar Triëst stap – mijn laatste trein, mijn laatste reis door de Karpaten – is het enige beeld van Mihai dat ik nog voor me kan zien, dat van zijn sombere, ongeschoren gezicht op het station, voordat ik aan het eind van een vakantie naar Boekarest terugging.

Ik kijk naar de bergen en de herinneringen komen in losse flarden op me af: de Karpaten met hun steile valleien en bergtoppen, de plateaus met fluwelig groene weides waar schapen grazen, waar watervallen en rivieren ritselend en wild door bossen met dennen, eiken en beuken stromen die alle geluiden griezelig weerkaatsen. We zijn tieners. Tijdens al onze trektochten spelen we met de echo. *Miruna, runa, na, aaa... Cristina, tina, ina, aaa... Radu, adu, du, uuu... Mihai, ai, ai, iii... Mona, ona, ona, aaa...!* Onze namen klinken in de weidse valleien en komen vermenigvuldigd tot tientallen duidelijke geluiden terug, zo rond en afzonderlijk van elkaar als de waterdruppels van de schuimende watervallen. We gooien echo's naar elkaar en de geluiden van onze namen raken in elkaar verstrikt en achtervolgen elkaar.

Soms komen de geluiden vast te zitten in een vallei en dan blijven ze er tot de volgende ochtend dwalen en stuiteren. Dat zeggen de oude vrouwen met de zwarte hoofddoek tegen ons. Ze zeggen dat we de bergen pas mogen verlaten als alle echo's tot rust zijn gekomen, anders worden ze 'gevangen' en blijven ze in de vallei spoken. Baby's zullen 's nachts huilen en geliefden zullen gedoemd zijn, zeggen ze terwijl ze op hun voorveranda zitten te breien. De echo's van onze namen omhelzen elkaar ademloos boven de grazende schapen en rotshellingen. *Mona, ona, onaaa... Mihai, ihai, ina, ai, a, mi, mo, ha, na, aaa...*

Ik zit alleen in deze trein door de bergen naar verre grenzen, de wijde wereld in. De echo's van een huilend kind in een nachtelijke trein. De moeder slaapt. Haar hoofd bungelt in de rode doek waarin het kind is gewikkeld. Als het kind geen melk krijgt, huilt het, en dan wordt de moeder wakker en legt het weer aan haar borst. De kreten van het kind werken sussend. Ik neem ze met al mijn poriën in me op.

Ik had graag met mijn eigen kind in deze trein gezeten, met de vrucht van mijn eerste liefde. Ik ben hebberig, ik zou willen dat die huilende baby van mij was, in die trein die naar zweet, knoflook en vermoeidheid ruikt, met hoofden die tegen de beslagen ruiten steunen. Maar het mocht niet zo zijn, zouden de eindeloos breiende oude vrouwen op hun veranda's in de bergdorpen van Roemenië zeggen. Of wie weet, denk ik opeens, misschien heb ik de laatste nacht niet goed opgepast, misschien draag ik Mihais kind wel in me en neem ik het mee de wijde wereld in. Dan heb ik altijd een deel van Mihai bij me. Op hetzelfde moment word ik al doodsbang voor die mogelijkheid. Hoe zou ik ook maar iets kunnen doen op de plek waar ik terechtkom, tussen vreemden, zwanger en dan met een pasgeboren kind? Het huilen van de baby in de trein verliest zijn charme en wordt hinderlijk. Ik tel in gedachten de dagen tot ik weer ongesteld moet worden: nog maar vijf, ik kan bijna niet zwanger zijn. Ik wil geen kind, niet nu, misschien later, in de toekomst. De gedachte aan een kind in de toekomst maakt me nog nerveuzer, want nu begin ik me af te vragen met wie ik ooit een kind moet krijgen, aangezien Mihai voorgoed uit mijn leven is verdwenen. Voorgoed uit mijn leven, die gedachte laat me niet meer los, en ik pak mijn koffer en schuif op naar de volgende coupé, waar geen baby huilt.

Ik heb nooit afscheid van hem kunnen nemen, zijn gezicht een laatste keer kunnen zien. Ik herinner me ook de grote verwarring, alsof mijn hoofd verkeerd om op mijn romp is geschroefd, alsof het een schilderij van Dalí is: wanordelijke ledematen, aarde en lucht op elkaar geperst en een rode mier die een reusachtige klok beklimt. Alles in de verkeerde volgorde, alles in een gelig waas. Je wilt schreeuwen, maar kunt geen geluid uitbrengen. Je achtervolger komt steeds dichterbij en je doet je mond zo wijd mogelijk open, maar er komt geen geluid en je verdwijnt in het zwart van je angst in je eigen nachtmerrie. En voordat je het weet, sta je op een straathoek in de rij te wachten en je hoopt dat er nog net een doos maandverband voor je over zal zijn.

Ik heb een roze-met-wit gestreepte jurk aan en ik zit bij het raam en neem elk stukje landschap dat aan me voorbijschiet aandachtig op. Ik luister naar de gesprekken van anderen, let op de klank van hun woorden, de ronde klinkers en de harde of zachte medeklinkers. Mijn taal, mijn eerste woordjes, levendig, speels of boos, maar niet lang meer. Straks zal ik vreemde talen horen, en ik zal vreemde plaatsen en vreemde gezichten zien. Ze zeggen dat de Roemenen van alle vluchtelingen het meest naar hun eigen land en taal terugverlangen. Dat zeggen de mensen die mensen hebben gesproken, die mensen hebben opgezocht die ons land hebben verlaten. Ze zeggen dat als een Roemeen in het buitenland toevallig een andere Roemeen tegenkomt en ze het geluid van hun moedertaal horen, ze instorten en zomaar in het openbaar huilen, op een plein in Rome of Parijs.

Sommige mensen eten brood en worst. Ze vertellen hoe ze in de hoofdstad kaas, boter en panty's hebben bemachtigd. Ze nemen het allemaal mee terug naar hun dorp, alsof het trofeeën zijn. Ik zie dat het nog zes uur door de nacht reizen is voordat ik de grensstad bereik waar ik heb afgesproken met Biljana, die me naar Belgrado zal brengen en me dan zal helpen naar Triëst te komen. Ik heb broodjes met boter en komkommer bij me die mijn moeder voor me heeft gesmeerd, haar tranen verbijtend bij de gedachte dat ik vrij zou zijn tegen de tijd dat ik ze opat en wie weet wanneer we elkaar weer zullen zien, áls we elkaar ooit nog te zien krijgen.

Ik heb ook een envelop met foto's in mijn tas, die ik de hele treinreis op mijn schoot houd. Ik heb het boekje met tentamenbriefjes van de universiteit, zodat ik mijn studiepunten kan inruilen en mijn studie kan voltooien op de plek waar ik terechtkom. Ik heb een kleine houten icoon met zilver van de Maagd Maria die mijn vader me op de avond voor mijn vertrek heeft gegeven. Die was van zijn vader geweest en had hem altijd geluk gebracht, zei hij, en hij haalde zijn vingers door zijn witte haar, vlak boven het litteken van de laatste keer dat hij door de geheime politie werd verhoord. Ik houd niet van de Maagd Maria, ook al draag ik haar naam. Ze is zo onmogelijk puur. Toch houd ik het houten icoontje vast. Ik steek mijn hand in mijn tas en raak het aan, en dan blader ik met mijn vingertoppen door de foto's en kijk er stiekem naar.

Ik probeer niet aan Mihai te denken. Ik denk aan al het akelige en pijnlijke, zodat het enigszins verklaarbaar wordt dat ik hier zit, in deze trein die naar de Joegoslavische grens snelt, tussen mensen die knoflookworst eten en praten over rijen voor kippenmaagjes.

De trein stopt bij een dorpsstation. Ik zie de maan boven de Karpaten en ruik de avondlucht. De berglucht, verzadigd van de geur van dennenhars, verkoelt mijn gezicht. Ik kan niet meer aan akelige dingen denken. De hele waslijst van akelige dingen – de voedselrijen, de armoedige gebouwen, de affiches van de *Vader van de Natie*, de doden onder het puin of op de stoep, overreden – is nog niet genoeg om mijn vertrek minder pijnlijk te maken. Ik laat alles achter, behalve... mezelf. Ik herinner me het boek uit de Amerikaanse bibliotheek, *A Portrait of the Artist as a Young Man*. Ik denk aan Stephen, die alles wil achterlaten om in vrijheid te kunnen schrijven, om zichzelf te zoeken. Om mijn gedachten tot rust te brengen, om de chaos in mijn hoofd te verdrijven, doe ik alsof ik Stephen Dedalus ben, die zijn land ontvlucht.

Nog een paar minuten, dan zijn we bij het eindstation. Het is een drukte van mensen die hun bagage pakken en conducteurs die bevelen geven. Nog een paar minuten, en de trein mindert vaart. Ik pak de koffer met de kleren die mijn moeder in het donker voor me heeft ingepakt, kleren voor koud weer, warm weer en tussenin-weer. Ik druk mijn tas tegen me aan. Mijn hart bonst. Ik voel de berglucht door het raam en raak mijn gezicht aan alsof ik me ervan wil verzekeren dat het allemaal echt is, dat ík echt ben.

Ik stap uit de trein en zoek Biljana. Het is middernacht geweest en ik ben in Jimbolia, op de grens van Joegoslavië. Ik ben nog nooit in dit deel van het land geweest. De mensen die op het perron staan te wachten, hebben een andere tongval; hun woorden klinken elastischer en ronder. Ik zie boeren en zigeunerinnen in lange, kleurige rokken, maar Biljana zie ik niet, en de angst slaat me om het hart. Mijn hele avontuur is afgelopen, denk ik. Ik zal gewoon terug moeten gaan.

Dan besef ik dat ik niet terug wíl gaan. Ik wil verder en verder. Ik wil me de hele nacht op de top van deze golf laten meevoeren en morgen als een personage van Shakespeare op het strand uit mijn sluimering ontwaken, net op het moment dat de dageraad sprankelt op de zee die het verleden in zijn bulderende, groene buik terug heeft gezogen, en tot de ontdekking komen dat ik aan een gloedvolle, volkomen onbekende kust ben. Weg met kalmte en helderheid, weg met Stephen Dedalus en zijn vogelvrouw. Ik wil mijn grote avontuur.

Ik word omhuld door de geur van Frans parfum en voel een lichte hand op mijn schouder. Biljana's lippenstift is zo rood dat hij bijna licht geeft in het donker. Ze draagt een zijden broek, zoals gewoonlijk, en een roodzijden blouse met witte stipjes die haar kleine borsten en smalle middel elegant omsluit. Zodra ik haar zie, word ik overspoeld door dankbaarheid en blijdschap. Ze lijkt wel een goede petemoei. Ik omhels haar en wacht op haar instructies. Ik ben bereid haar op de voet te volgen. Ik denk aan niets anders meer dan de grens oversteken, de andere kant bereiken.

Ze geeft me mijn kaartje naar Belgrado.

'Heb je je paspoort bij je?' vraagt ze.

'Ja, ja, natuurlijk,' fluister ik ademloos, gretig.

We staan op het perron te fluisteren. Ze pakt mijn hand alsof ik een klein meisje ben en leidt me door de menigte reizigers en de familieleden door wie ze worden afgehaald naar een ander perron, dat van de trein naar Belgrado. Een halfuur later stappen we in en dan hoor ik een andere taal: een Slavische taal met zoveel medeklinkers dat ik niet begrijp hoe die mensen ze allemaal in hun mond kunnen laten passen. Op weg naar de coupé blijf ik zo dicht mogelijk bij Biljana. De reeksen buitenlandse medeklinkers geven me een eenzaam, koud gevoel. Mijn taal zit vol ronde, melodieuze klinkers, twee- en zelfs drieklanken. We hebben zelfs een woord zonder medeklinkers, een opeenvolging van vier klinkers met de betekenis 'schaap': *oaie.* Ik herhaal het woord oaie in mijn hoofd om me te beschermen tegen de lawine harde medeklinkers die van alle kanten op me afkomt.

De coupés van de Joegoslavische trein zijn verfijnder dan die van de Roemeense. We gaan tegenover elkaar aan het raam zitten en Biljana zegt dat ik niet bang moet zijn, dat het allemaal goed zal aflopen. Ik voel me zo ademloos als die keer in het reuzenrad in het pretpark aan de Zwarte Zee, toen er een hoge golf van angst en vreugde door mijn binnenste stormde.

Kort nadat de trein is vertrokken, hoor ik de Roemeense douane naderen. Ik heb een Amerikaans honderddollarbiljet dat mijn vader voor me heeft kunnen kopen van een van de Senegalese studenten van de universiteit in Ploieşti. Mijn moeder heeft het in de jas genaaid die ik over de roze-met-wit gestreepte jurk draag. Roemenen mogen geen vreemde valuta uitvoeren. Als de douane het vindt, ga ik naar de gevangenis. Als ik daar al levend uit kom, zou ik het land nooit meer mogen verlaten, zelfs niet voor een dagtocht naar Belgrado of Bulgarije, zelfs niet naar de Sovjet-Unie om een kilo paardensalami te ruilen voor tien panty's.

Ze komen onze coupé in: twee Roemeense douaniers controleren samen met de Servische conducteur de plaatsbewijzen. Ik stel verbaasd vast dat de Roemeense douaniers Servisch spreken en de Servische conducteur Roemeens. De combinatie van de harde, onbegrijpelijke Slavische woorden met de klanken van mijn eigen taal maakt me weer eenzaam en bang. De Roemeense douaniers vragen ons onze koffers uit het bagagenet te pakken en ze open te maken. Iedereen pakt zijn bagage, een rommeltje van koffers en pakketten. Biljana heeft alleen een schoudertas bij zich die ze naast zich heeft gezet. Het is een grote, elegante bruinleren tas en om mezelf af te leiden van het getob over mijn eigen bagage, vraag ik me af wat ze erin heeft zitten. Ik pak mijn koffer uit het net en voel het zweet langs mijn hals lopen.

Een van de Roemeense douaniers zegt dat ik hem mijn jas en handtas moet geven. Mijn vader had tegen me gezegd dat ik alles in mijn handtas moest stoppen. 'De meest voor de hand liggende plekken zien ze het vaakst over het hoofd,' zei hij, maar hij heeft zich blijkbaar vergist. Als ze mijn tentamenbriefjes, mijn familiekiekjes en mijn houten icoontje van de Maagd Maria vinden, moeten ze wel begrijpen dat ik niet van plan ben terug te komen. Dan halen ze me uit de trein en is het allemaal voorbij.

Ik zet de koffer op de bank, maar geef niet meteen mijn jas en handtas. Misschien vergeten ze de jas als ze eerst in de koffer kijken. Ik moet bedenken wat ik het eerst zal geven: mijn jas, met de honderd dollar om mensen om te kopen, of mijn tas met mijn foto's, de tentamenbriefjes en de icoon. Terwijl een van beiden met zijn stompe vingers in de spullen wroet die mijn moeder met zoveel zorg heeft ingepakt, mijn ondergoed en kleren, vraagt de ander nogmaals om mijn jas en tas. Ik geef hem de tas, maar houd de jas in mijn handen. Ik houd hem niet achter, maar bied hem ook niet aan.

Hij maakt mijn tas open en rommelt erin. Hij haalt de envelop met foto's eruit. Het boekje met tentamenbriefjes zit ernaast, maar hij lijkt het niet op te merken. Hij maakt de envelop open en bladert de foto's door. Dan kijkt hij verbaasd op bij het zien van een foto van Mihai en mij in Boekarest, bij het station, een zwart-witfoto die op een regenachtige dag in november is gemaakt. Het is onze 'net ontsnapt uit het vluchtelingenkamp'-foto. Mihai met de Russische muts, ik met de breedgerande hoed, wij beiden nors en somber in de regen. De douanier pakt de foto en lacht. Hij laat hem aan zijn collega zien. Ze lachen allebei. Het zweet stroomt in mijn hals.

'Je vrijer, hm?' vraagt hij, en ze lachen allebei weer.

'Ja, zo zou je het kunnen noemen... mijn vriend,' stotter ik blozend.

Hij geeft me mijn tas terug, tot mijn opluchting.

Maar nee, nu wordt hij weer ernstig en steekt zijn hand uit om mijn jas aan te nemen. Hij knipt met zijn vingers. Ik reik hem de jas aan alsof ik was vergeten dat ik hem in mijn handen had.

Hij geeft de jas door aan de andere douanier en richt zijn aandacht op de bagage van iemand anders. De tweede douanier lijkt jonger, en hij heeft een smal gezicht en een lange neus. Hij strijkt met zijn hand over de jas en geeft hier en daar een kneepje. Hij raakt precies de plek waar mijn moeder het bankbiljet in de voering heeft genaaid. Hij voelt het en vraagt zijn collega om diens zakmes. Ik zie mezelf al in een koude kelder, in een gevangenis voor politieke gevangenen en *landverraders*. Het wordt zwart in mijn hoofd en ik kan niet goed meer zien. Ik hoor het gestage denderen van de trein over de rails en vang klanken op van een taal die ik niet versta. Het lijkt alsof ze mijn hoofd als kiezels raken, die harde medeklinkers die me niets zeggen. Zelfs de klanken van het Roemeens klinken vreemd uit de mond van de douanier, vol reeksen gemene medeklinkers. Ik herhaal *oaie* in mijn hoofd, het woord met alleen maar klinkers dat klinkt als een heldere bergbeek.

De collega kan het zakmes niet vinden waarmee de voering van mijn jas opengesneden moet worden, mijn douanier raakt geïrriteerd en het vertreksein is net gegeven. Hij voelt aan mijn jas, kijkt me recht aan en vraagt: 'Wat is dat, wat zit daar in je jas?'

Hij ziet eruit alsof hij op het punt staat de jas met zijn handen open te scheuren. Er komen geen woorden uit mijn mond. Er komt niets. En daar is het opeens, mijn gelukje: de gil, de schrille, doordringende gil. Niet van mij, al voelt het wel zo. De kreet van een vrouw snerpt over de perrons, dringt de trein door de open ramen binnen en is in een flits weer verdwenen. Er komt een Servische conducteur onze coupé in. Hij zegt iets tegen de twee douaniers en net als ze de coupé uit willen rennen, vraagt Biljana de Joegoslavische conducteur iets in het Servisch. Zelfs de harde reeksen medeklinkers hebben een melodieuze klank als ze uit haar mond komen, over haar glanzend rode lippen rollen, maar het maakt me wanhopig dat ze de mannen ophoudt door de aandacht te trekken. De conducteur geeft gejaagd antwoord, mijn douanier gooit mijn jas naast me op de bank en weg zijn ze allemaal.

De trein vertrekt traag. Kon hij maar in een flits verdwijnen, net als die bloedstollende kreet in de nacht. Die kreet heeft mijn leven gered! Een wonder, bijna onwezenlijk. Ik kan mijn nieuwsgierigheid niet bedwingen, dus sta ik op en schuif het raam open.

Ik zie een vrouw in een lichte zomerjurk over de rails lopen. Dan schiet er een andere trein voorbij en als die weg is, is de vrouw in de zomerjurk ook weg. Het is een stille, maanloze nacht. Ik heb sterk het gevoel dat de vrouw op de rails degene was die net heeft gegild; die kreet was opzettelijk, die was voor mij bedoeld. Ik heb het nog vreemdere gevoel dat ik die vrouw ken; iets aan haar gestalte en de manier waarop ze over de rails rende, met grote, snelle passen, maar ik kan nergens meer zeker van zijn. Alleen deze trein waarin ik door de nacht rij, is nog echt. Ik ben echt, en mijn hartslag.

De trein meerdert vaart en dikke tranen biggelen in onstuitbare stromen over mijn wangen. Ik blijf uren huilen. Ik denk aan het opstel over waarom ik van mijn land houd, dat ik schreef toen ik tien was en dat ik, om het te kunnen schrijven, me zo hard inspande om me te kunnen voorstellen hoe erg het zou zijn om mijn land en mijn moeder kwijt te raken, allebei tegelijk, dat het voelde alsof ik ze allebei kwijt was. Zo kon ik het opstel schrijven waarmee ik de eerste prijs in de landelijke competitie won: ik bracht mezelf in een toestand waarin ik het bloeden voelde, de brandende snee door het midden van mijn hart, de pijn van het in één seconde verliezen van zowel je moeder als je land.

Nu, in deze trein die me wegvoert van alles wat me vertrouwd is, voelt het net als toen ik het me als kind voorstelde, maar dan erger, want het gebeurt in het geluid van de gil van een ander, in de nacht, in de trein naar Triëst die niet eens naar Triëst gaat, en ik kan geen woorden vinden om het te beschrijven.

Belgrado

Belgrado lijkt me een lelijke stad, met al die fabrieken en grijze gebouwen die doen denken aan de socialistische bouwsels langs de verre randen van Boekarest. Ik denk aan de mooie delen van Boekarest, het 'klein-Parijs van de Balkan', met brede boulevards, parken en rijen kastanje- en lindebomen langs de brede lanen. En hoewel ik mijn geboortestad vaak beu was omdat ik ernaar hunkerde bij Mihai in de Karpaten te zijn, besef ik nu, terwijl ik Belgrado doorkruis in een taxi, naast de vrouw die me helpt voorgoed te ontkomen, dat Boekarest een schitterende stad is. Ik zie zelfs in een flits de vrouw voor me die chrysanten en rozen verkocht op de straathoek, die ochtend dat ik naar het station ging. Ik zie haar stralende gezicht, haar sprankelende bruine ogen die recht in de mijne keken.

Ik ben uitgeput. Mijn roze-met-witte katoenen jurk stinkt naar zweet. Het voelt alsof ik dagen en dagen in de trein heb gezeten. Ik ben rillerig van moeheid. Ik stel me voor dat ik bij Biljana thuis naar bed ga, en dat ik, als ik wakker word, weer in mijn eigen bed in ons appartement in Boekarest lig. Ik hoor mijn moeder op de verboden typemachine tikken, gedichten over zwanen, sneeuw en dood die fladderen als rozenblaadjes en vogelvleugels. En bij het ontwaken zie ik dat ik een lippenstift van Biljana in mijn hand heb. Ik zal denken dat het allemaal een droom was, maar waar komt die lippenstift vandaan? Dan komt mijn vader binnen en vertelt over het artikel waar hij aan werkt, over het gebruik van betrekkelijke voornaamwoorden in de poëzie van de grote, romantische dichter van Roemenië, Eminescu, en mijn vader vertelt dat zelfs de geheime politie maar een nachtmerrie was, dat er geen geheime organisaties zijn die vergaderen op zolders en in kelders, dat het allemaal maar boze dromen waren.

Hij zal me over mijn bol aaien, zoals altijd als hij trots op me is. Ons appartement staat vol rode anjers, zonder verborgen microfoons, en we kijken ernaar en lachen bij de herinnering aan onze dwaasheid toen we die arme bloemen blaadje voor blaadje uit elkaar trokken. Het is niet zo erg, uiteindelijk valt het wel mee. We lachen en lachen, en er valt een zonnestraal door de vitrage die stofjes in de lucht vangt.

Ik schrik wakker als we stoppen bij een roomwit gebouw met bakken met rode bloemen in de vensterbanken in een chique woonwijk van Belgrado en besef dat ik heb geslapen. Bij het uitstappen zie ik mijn gezicht in de achteruitkijkspiegel van de taxi. Ik lijk wel een vis: mijn ogen zijn opgezet, mijn lippen zijn opgezet, alles aan me is opgezet, maar ik vind het niet erg. Ik wil er niet hetzelfde uitzien als gisteren. Ik zal er nooit meer hetzelfde uitzien. Met mijn nieuwe gezicht beklim ik de marmeren trap in Biljana's appartementencomplex. Ik kan net zo goed op een vis lijken.

Die avond bij Biljana thuis soes ik telkens weg. In mijn slaapkamer zitten veel mensen over politiek te praten en te lachen. Er zitten er zelfs een paar op mijn bed. Ze beweren dat Ceaușescu het niet zal redden, dat zijn dagen geteld zijn. Ik kan me niet bewegen, ik kan niet praten, en zij doen allemaal alsof ik hier niet met een grote ronde vissenkop in bed lig. Dan worden alle pratende en lachende mensen vaag en de kamer wazig, maar voordat ze verdwijnen, kijken ze allemaal lachend naar me en zeggen: je had niet weg hoeven gaan, hoor. Had maar iets meer geduld gehad!

Dan zie ik Mihai. Hij houdt me vast en fluistert in mijn oor. Hij strijkt teder mijn haar achter mijn oor en kust mijn oorlelletje. Hij zegt dat hij altijd van me zal houden, altijd. Ook als mijn haar grijs is en ik een oude vrouw word, zal hij nog van me houden. Opeens kijkt hij bang en zegt dat hij weg moet. Voordat hij wegrent, vraagt hij me over een uur naar onze plek te komen, maar ik weet niet meer waar 'onze plek' is. Ik ren uren door de straten. Ik weet dat ik Mihai nooit zal vinden, maar ik blijf rennen en dan denk ik hem op een hoek te zien. Hij slaat de hoek om. Ik ren achter hem aan, maar de straat verdwijnt. Ik word in een zwarte draaikolk meegezogen. Ik moet hebben gegild, want Biljana zit opeens op de rand van het bed en probeert me koud water te laten drinken.

Met de dageraad dringt het tot me door wat ik heb gedaan en wat ik op het punt sta te gaan doen. Tot nog toe ben ik nog gewoon op een toeristenvisum in Belgrado. Ik kan nog gewoon bij Biljana in Belgrado blijven tot mijn visum verloopt en teruggaan. Niets is onherroepelijk. Maar dat is het wel. Ik weet dat er geen weg terug meer is. Vandaag moeten we naar de Servische autoriteiten, zegt Biljana. Ze heeft connecties. We zullen moeten onderhandelen over een visum voor Italië en dan moeten we het treinkaartje kopen. Ze geeft me een schaar en zegt dat ik het geld uit de jas moet knippen om het visum te kunnen betalen. Het klinkt zo eenvoudig. Ik zou bijna willen dat het ingewikkelder was, dan zou ik later een dramatischer verhaal hebben om goede sier mee te maken.

We gaan naar een gebouw met veel kantoorruimtes dat op het politiebureau in Boekarest lijkt waar ik mijn toeristenvisum moest aanvragen. Biljana vraagt een gesprek aan met meneer Marish en we moeten in de wachtkamer gaan zitten. Meer dan een halfuur later beent er een man die wel een filmster lijkt met zijn zilvergrijze slapen, benige trekken en indringende blauwe ogen naar ons toe en kust Biljana op beide wangen. Ze praat lang met hem in het Servisch. Soms praten ze heel zacht. Ik kijk toe en krijg sterk het gevoel dat ze het niet over mij en mijn visum voor Italië hebben, maar over iets veel persoonlijkers. Ik denk aan de student van mijn vader die met Biljana getrouwd is en heb medelijden met hem. Hij denkt dat hij over een paar jaar naar Belgrado gaat verhuizen en daar nog lang en gelukkig met Biljana zal leven. Maar ik kan me vergissen, misschien hebben Biljana en de student van mijn vader gewoon een verstandshuwelijk gesloten zodat hij Roemenië uit kan. De secretaresse in het kantoor is langzamer gaan tikken om het gesprek beter te kunnen volgen. Dan hoor ik Biljana mijn naam opeens zeggen. Het is zo vreemd om mijn naam te horen, mijn volledige naam met mijn tweede voornaam, Maria, in een politiebureau in Belgrado. De twee namen samen, Mona Maria, lijken wel een grap. Ik lach bij het horen van mijn eigen naam. Biljana's aantrekkelijke vriend wenkt me. Biljana loopt mee.

Marish' Engels is prachtig, met een Brits accent. Hij vraagt hoe het me bevalt in Belgrado en ik zeg: 'Dank u, heel goed.' Er zit een schriel mannetje in de kamer dat naar knoflook ruikt en geen Engels lijkt te kunnen. Hij kijkt streng en boos. Biljana gebaart naar me dat ik de man de envelop met de honderd dollar moet geven. Hij stopt hem zonder iets te zeggen in zijn binnenzak.

Biljana en de beide mannen overleggen een eeuwigheid in het Servisch. Ik zit maar te wachten tot iemand mij iets vraagt, mij aanspreekt, maar ze praten gewoon door in het Servisch en lachen dan. Het schriele mannetje haalt een stempel uit zijn zak en wenkt Marish, die mij om mijn paspoort moet vragen. Hij zet stempels in mijn paspoort en geeft het terug.

Bij ons vertrek geeft Marish Biljana nog een zoen op haar wangen. Buiten omhelst Biljana me en zegt dat het nu in orde is, wat de Servische autoriteiten betreft. Ik heb mijn uitreisvisum uit Joegoslavië en mag de Italiaanse grens oversteken.

Toch begrijp ik nog steeds niet hoe ik Italië in moet komen. Moet ik geen Italiaans visum hebben? Ik stel me de grens voor als een barst in de aarde, net als de barsten in de straat na de aardbeving. Mijn hoofd voelt aan alsof er honderden draadjes in mijn brein verknoopt zijn. Waar is mijn zoektocht naar helderheid gebleven? Ik probeer één simpele gedachte tegelijk vast te houden. Ik mag Joegoslavië uit, ik mag uit Belgrado weg en ik hoef er nooit meer terug te komen.

Onder het lopen vraag ik aan Biljana of we nu naar de Italiaanse ambassade gaan.

'Met een Roemeens paspoort?' zegt ze met een lach. 'Nee, dat heeft geen zin. De Italianen hebben aan één blik genoeg om te weten wat je in je schild voert. Ze willen niet nog meer immigranten in hun land. Iedereen is die immigranten spuugzat.

Als je er eenmaal bent, is het een ander verhaal,' vervolgt ze. 'Als je Italië eenmaal binnen bent gekomen, helpen ze je wel. Wat moeten ze anders, je geboeid terugsturen naar de communisten? Ze hebben geen andere keus dan je asiel verlenen, het is tenslotte een democratisch land.'

We nemen een taxi terug naar Biljana's huis. Belgrado ziet er deze ochtend mooier uit dan toen ik aankwam. De Donau, die schittert in de ochtendzon, weerspiegelt de indrukwekkende gotische kathedralen en middeleeuwse gebouwen. De straten ademen welvaart uit, wat nieuw voor me is: buitenlandse auto's en elegante vrouwen. Sommige boulevards doen me aan Boekarest denken, maar de gebouwen zijn romiger, de straten minder stoffig en er staan bloembakken voor de meeste ramen. Wanneer we langs de drukke haven rijden, dringt het met een schok tot me door dat ik naar dezelfde Donau kijk die Roemenië binnenstroomt en uitmondt in de door pelikanen en aalscholvers bevolkte Zwarte Zeedelta. Ik kom in de verleiding Biljana te smeken of ik nog één dag mag blijven om meer van de stad te zien, naar de Donau te kijken en vrij over straat te gaan.

Zodra we bij haar huis zijn, zegt ze echter dat ik mijn spullen moet pakken, dat er die avond een trein naar Triëst gaat. 'Ik ben er klaar voor,' zeg ik. We moeten mijn kaartje voor de trein naar Triëst nog kopen. De échte trein naar Triëst.

'Maar ik heb geen visum,' zeg ik koppig, en ik kijk Biljana kwaad aan. 'Wat moet ik doen als ze naar mijn papieren vragen?'

Ze lacht. 'Hoe denk je dat al die anderen het doen?'

'Geen idee. Hoe?'

Ze slaakt een vertwijfelde zucht. 'Ze stappen in de trein en wachten. Als ze bij Triëst zijn en de Italiaanse douane paspoorten komt controleren, vangen ze ze op het balkon op en vragen of ze zonder visum het land in mogen, omdat ze willen vluchten. Of ze zeggen niets, wachten af en hopen maar dat de douane het te druk heeft om alles haarfijn te controleren. Ik ken zoveel mensen die zo zijn gevlucht.'

Ik ben te moe en te bang om douanebeambten te smeken of ze me zonder visum het land in willen laten. Stel dat ik ze niet kan overhalen? Stel dat ze me met dezelfde trein terugsturen naar Belgrado, en dan terug naar Roemenië, geflankeerd door politiemensen?

'Er zijn twee paspoortcontroles, een als je de Joegoslavische grens oversteekt en een als je Italië binnenkomt. De eerste heb je al gehad. Misschien gaan de Italianen er wel van uit dat je papieren in orde zijn,' zegt Biljana schouderophalend.

'Je moet gewoon een manier zien te vinden,' dringt ze aan. 'Zoveel mensen doen het. Je kunt je in de wc verstoppen, of uit de trein springen als hij stopt, of...'

Ik luister niet meer. De vermoeidheid verspreidt zich als een traag gif door mijn lichaam. Ik wil slapen. Ik begrijp niet waarom ik heb besloten weg te gaan. Ik weet dat nu ik a heb gezegd, ik op de een of andere manier ook b moet zeggen, dat ik moet volhouden tot ik mijn bestemming heb bereikt, maar wat is mijn bestemming? Er liggen nog heel veel kilometers, heel veel controles en ravijnen voor me voordat ik opnieuw kan beginnen, voordat ik aan mijn nieuwe reis kan beginnen.

De gele Fiat

Het station van Belgrado wacht ons op als een monument met zijn barokke gebeeldhouwde muren, smeedijzeren poort en ongeduldige klok. Het heeft de afgelopen nacht geregend en delen van de gevel worden weerspiegeld in de plassen en zinderen in de middagzon, als mysterieuze puzzelstukjes. Enorme mensenmassa's lopen in een gestaag ritme de hal in en uit. Net als we willen oversteken, stopt er een Servische politieauto bij het station. We zien twee mannen in uniform een man en een vrouw de treden af en de auto in leiden. Ze houden hun hoofd gebogen. Ik zou graag willen weten of het Roemenen zijn, maar weet dat het geen verschil maakt. Ik kijk naar Biljana. Ze is bleek en klemt haar rode lippen strak op elkaar.

Ik zie een aantal auto's met een Italiaans nummerbord voorbijrijden. Ik glimlach om mijn plotselinge ingeving en ben op slag klaarwakker. Ik heb mijn handtas aan mijn ene hand en mijn koffer met kleren voor alle soorten weer aan de andere. Ik moet kiezen. Ik weet dat mijn handtas me dierbaarder is, maar wat moet ik beginnen met alleen de kleren die ik aan mijn lijf heb?

Ik geef mijn koffer een trap en stap van de stoep op de weg. Ik doe mijn jas uit en hang hem achteloos over mijn schouder, alsof ik loop te flaneren. Met een enkele, snelle beweging trek ik het witte tafzijden lint uit mijn paardenstaart. Ik schud mijn haar los. Ik voel de sensuele bescherming van mijn haar om mijn gezicht, in mijn nek en op mijn schouders. Ik voel een ongetemde energie door mijn lichaam trekken, alsof ik de wilde merrie uit mijn dromen ben. Ik galoppeer over grenzen en mijn korenblonde manen dansen in de wind. De spieren in mijn rug, kuiten en schouders spannen zich en ik voel me helemaal tintelig, net als vlak voor het vrijen. Auto's rijden me voorbij en sommige bestuurders toeteren naar me omdat ik op de weg loop.

Ik zie Biljana's niet-begrijpende gezicht. Ik ben dol op haar. Ze is echt mijn goede petemoei. Ik zie een geel Fiatje met Italiaanse kentekenplaten, zo geel dat het licht geeft in de nacht. Ik doe mijn best om de bestuurder te zien. Het is een man van middelbare leeftijd met grijs haar, een bril, een pak en een das. Ik ben niet bang.

'Doe het!' zegt Biljana, die mijn snode plan doorheeft.

Ik ga midden op de weg staan en zwaai met mijn witte jas alsof het een vlag is. Het speelt zich allemaal binnen een paar seconden af. De bestuurder remt als bij toverslag. Ik heb nog nooit gelift. Ik knap van opwinding. 'Triëst?' vraag ik. De auto stopt helemaal en de bestuurder roept '*senza la valigia*' door zijn raam. Ik weet wat hij bedoelt, het klinkt bijna Roemeens. Ik ben zo blij dat ik Italiaans kan verstaan. 'Senza la valigia', zonder de koffer. Zijn kleine auto ligt al vol bagage.

Ik omhels Biljana en zie tranen in haar ogen. Ik kijk naar de koffer en vraag haar hem mee te nemen, die koffer die mijn moeder met zoveel zorg voor me heeft gepakt. Ze heeft zelfs een Roemeense dichtbundel tussen de kleren voor alle soorten weer gestopt. 'Pas goed op,' zegt Biljana, en ze geeft een laatste kneepje in mijn hand.

Ik ga naast de bestuurder in de auto zitten en ik ben niet bang. Ik ben niet moe. De bestuurder rijdt door Belgrado naar de snelweg die ons naar Triëst zal brengen. Tijdens de eerste zwijgende minuten van de rit komt het een paar keer bij me op dat hij me ergens anders naartoe zou kunnen brengen. Ik wil er niet aan denken en stel opgelucht vast dat hij een trouwring omheeft. Hij opent het gesprek.

Zo begin ik Italiaans te leren: ik voeg o's aan Roemeense woorden toe en herhaal de bestuurder als hij me verbetert. Ik rijg woorden aan elkaar die ik me herinner van de Italianen die ik aan zee heb gehoord, aan het strand. Het Italiaans voelt verrukkelijk in mijn mond, als stevig fruit, zoet en zuur tegelijk. Mijn hart slaat op hol. Ik ben alleen gericht op dit moment in de gele Fiat naast de Italiaanse man van middelbare leeftijd die me op de een of andere manier de grens over gaat loodsen. Ik kijk hoe hij schakelt en vlak voor de snelweg gas geeft en vraag me niet eens af hóé hij me de grens over moet krijgen. Hij heet Mario, zegt hij. *E lei, come se chiama?* Mona. Mona Maria. *Ah, che bello!*

Ik ken de verhalen over Italiaanse mannen, dat het allemaal gigolo's en donjuans zijn, dat ze aan niets anders denken dan aan het verleiden van vrouwen, maar Mario vertelt me over zijn vrouw, *mia moglie*, biedt me een broodje aan en zegt dat zijn vrouw het voor hem heeft gesmeerd. Ze had met hem mee zullen gaan, legt hij uit, maar bedacht zich op het laatste moment. *Le donne*, zegt hij schokschouderend. Vrouwen. Hij glimlacht naar me. Stukje bij beetje begin ik te begrijpen dat hij vertegenwoordiger is, maar ik kom er niet achter waarin. Hij reist veel en is zelfs in Roemenië geweest. Hij zegt dat mijn land *molto bello, molto bello* is, maar Ceauşescu is *pazzo*, gek en ook slecht, *cattivo*.

Ik denk met weemoed aan Biljana. Zonder haar was ik nu niet op weg naar Triëst geweest. Ik denk aan haar vloeiende, geruststellende stem, haar zachtaardigheid en haar glimlach. Ik nestel me op de versleten stoel van de Fiat en doezel weg op het snorren van het motortje. Ik stel me de trein naar Triëst voor. Het is een trein waar ik nooit in zal hoeven zitten, een zwarte slang die tussen de bergen verdwijnt.

We rijden de nacht in in de gele Fiat, langs bossen, fabrieken, meer bossen en meer fabrieken, dorpjes en akkers, en steden met namen die bol staan van de medeklinkers, zoals Sremska en Bijeljina.

Tegen de ochtend komen we bij de Italiaanse grens. Ik ben in de auto in slaap gevallen, doe mijn ogen open en zie de eerste zonnestralen door de wolken breken. Ik hoor Italiaanse stemmen, kijk opzij en zie Mario twee paspoorten pakken en aan de grenswacht geven. In mijn maar half bewuste toestand herinner ik me dat Mario me heeft verteld dat zijn vrouw zich op het laatste moment had bedacht. Hij moet haar paspoort nog hebben, ik moet voor zijn vrouw doorgaan. De grenswacht bekijkt het eerste paspoort terwijl hij een wirwar van Italiaanse woorden met Mario wisselt en geeft dan beide paspoorten terug. Ik houd mijn tas, mijn enige bezit, tegen mijn borst geklemd. Mijn tentamenbriefjes, de icoon en de envelop met foto's.

Dan hoor en voel ik plotseling iets nieuws, iets waarvan ik me niet kan herinneren het ooit eerder te hebben gehoord of gevoeld. Een moeiteloosheid, een frisse bries in de manier waarop de grenswacht *grazie* zegt, in de zorgeloze stemmen van mensen die praten en lachen, in de zelfverzekerde glimlach waarmee Mario de beide paspoorten in zijn borstzak stopt. Ik houd mijn hoofd afgewend van de grenswacht, maar die lijkt er niet aan te twijfelen dat ik Mario's vrouw ben.

Siamo in Italia, zegt Mario. We zijn in Italië.

Zo moet de vrijheid voelen, dit is de geur, het geluid. Het valt me rauw op mijn dak. Het giechelt, het fladdert. Ik heb geen vergelijkingen, geen metaforen om deze vrijheid te beschrijven. Ik heb dit nog nooit meegemaakt, alleen van horen zeggen. Ik had het me voorgesteld: als een ongetemd wezen met warrig haar. Maar zo is het niet. Het is een lach, een stembuiging. Zoals Mario 'grazie' zei.

Tutto sarà bene

De eerste twee weken logeer ik bij Mario. Hij draagt me over aan de zorgen van zijn vrouw Luciana en zijn schoonzuster Letizia alsof ik een herstellende zieke ben, een kankerpatiënt in remissie. De vrouwen begroeten me met open armen, alsof dit net is wat ze verwachtten, dat een naar zweet stinkende vluchtelinge uit Roemenië met al haar bezittingen in een tas opeens bij ze op de stoep zou staan. Ze geven me minestrone. Ik ben zo moe en gedesoriënteerd dat ik boven de soep in tranen uitbarst. Ik buig snikkend mijn hoofd over de soep en mijn haar valt er samen met mijn tranen in. Ik heb al langer dan een jaar geen soep meer gegeten, niet sinds mijn tante haar heerlijke koolsoep met aardappels voor me maakte. Dat het zo belachelijk is om te huilen boven een kom soep, maakt dat ik des te vuriger snik. Ik ben niet verhongerd of zo, maar in zekere zin toch wel. Het is zo moeilijk om toe te geven dat ik naar soep heb gesmacht.

Ik herinner me etenswaren, vruchten zo verrukkelijk dat de herinnering een nieuwe tranenvloed oproept. Bessen in alle kleuren, de bessen die Mihai me in de bossen voerde. In de bergzon gerijpte tomaten en de televizor, de taart die ik als klein meisje in de kleerkast had verstopt. De speciale schapenkaas die de herders maakten in de bergen, waar de alpenweides zich eindeloos uitstrekken en het gras lichtgroen en fluweelzacht tussen de witte rotsen en blauwe klokjes ligt. Maar ik heb het allemaal zo lang niet meer geproefd... Ik huil omdat ik honger heb en het niet kan toegeven, noch aan mezelf, noch aan de Italiaanse vrouwen, die met opera-achtige trillers hun ongerustheid over me uitspreken.

Die twee weken in Triëst in het huis van Luciana, Letizia en Mario eet en slaap ik in een vast ritme. Ik probeer mezelf wijs te maken dat ik met vakantie ben en doe mijn best om niet aan de volgende stap te denken. Vreemd genoeg heb ik geen zin om meer van de stad te zien dan de Berlitz-school waar James Joyce lesgaf toen hij hier woonde. Mario en Luciana zoeken het gebouw voor me en vragen zich af waarom ik niet meer wil zien van hun prachtige stad.

Ik heb Triëst in de vroege ochtend gezien toen ik er aankwam in de gele Fiat en mijn geest op het keerpunt was van duizelingwekkende opwinding en onbeschrijflijke vermoeidheid. Ik had geen mooie stad met kanalen, roze en oranje renaissancegebouwen en pleinen met vrolijk pratende mensen verwacht. Reflecties van de oude, barokke gebouwen deinden loom op het spiegelende oppervlak van de kanalen die sprankelden in de ochtendzon. Ik had gedacht dat Triëst een provisorische stad zou zijn, met kleine, haastig opgetrokken gebouwen aan de grens met Joegoslavië om de overgestoken vluchtelingen te verwelkomen. Op de een of andere manier had ik me Triëst voorgesteld als een doorgangsstad waar de trein stopte om vervolgens echte steden aan te doen, zoals Venetië en Rome, maar zo is het helemaal niet.

De ontdekking dat het een mooie stad was, was pijnlijk voor me, want ik wist dat mijn reis hier niet kon eindigen. Ik zou in elk geval naar Rome moeten, zei Mario. Ik moest een nieuw leven beginnen, me ergens vestigen, studeren, werk zoeken, mensen ontmoeten, geld verdienen, vrienden maken, een identiteitsbewijs aanvragen, opnieuw beginnen aan de maagdelijke kust nadat ik op de top van een golf was aangespoeld en me had laten redden door een man in een gele Fiat. Toen ik Mario die eerste ochtend in de auto vroeg of hij dacht dat ik in Triëst zou kunnen blijven, de eerste stad waar ik de vrijheid in de lucht, in mijn oren had gevoeld, zei hij lachend *non è possibile*, en hij schudde zijn hoofd. Vluchtelingen hebben het moeilijk in Italië, legde Luciana later uit. Ze zijn niet welkom, *capisce*? De overheid is de vluchtelingen beu. Je moet naar Rome, zei ze. Je moet politiek asiel aanvragen en dan naar Amerika gaan.

Ik had niet overwogen om helemaal naar Amerika te gaan. Het enige wat ik wilde toen ik mijn land verliet, was de geheime politie ontvluchten en zorgen dat er minstens twee grenzen tussen mij en al die krankzinnigheid zaten, zodat ik niet per ongeluk-expres op het universiteitsplein overreden kon worden. Italië was goed genoeg voor me. Voordat ik uit Roemenië wegging, had ik uren gelezen in een boek over een jongen die opgroeit in San Michele, een sprookjesachtige Italiaanse plaats met smalle, steile straten met prachtige, witte huizen en een villa boven op een berg met een balkon vol witte en roze klimrozen en nevelige, blauwe heuvels op de achtergrond. Ja, Italië was goed genoeg voor me. Ik was niet op het idee gekomen dat mijn golf me over zeeën zou voeren. Ik wist niet dat vluchtelingen een epidemie waren die de Europeanen buiten hun grenzen probeerden te houden.

Opeens wil ik niets meer van Triëst zien. Wat heeft het voor zin, waarom zou ik me aan weer een mooie stad hechten nu ik me net heb losgerukt van mijn eigen land en familie, van alle plekken en mensen die ik heb gekend? Er is een grens aan mijn vermogen me los te rukken.

Letizia houdt echter vol dat ik Triëst moet zien, al is het maar in vogelvlucht. Luciana valt haar bij en voegt eraan toe dat ze heel verdrietig zijn als ze me geen rondleiding door hun geliefde geboortestad mogen geven. Ik wil mijn gastvrouwen niet teleurstellen, dus zeg ik dat ik Triëst heel graag wil zien. Op een heldere ochtend met een lucht zo blauw dat het wel violet lijkt, een lucht die ik nog nooit van mijn leven heb gezien, gaan we op pad om de haven, de kerken, het Piazza Unità d'Italia en het Castello di Miramare te zien en gewoon een wandeling op de kade langs de Adriatische Zee te maken. Het Piazza Unità d'Italia is zo vorstelijk als zijn naam: marmeren, barokke gebouwen, in het midden een beeldengroep die de eenheid verbeeldt, en oranjeachtige en roze paleizen. Het plein komt uit op de Adriatische Zee. Alleen wil ik het niet zien. Ik wil dit allemaal niet ervaren. Ik heb geen zin de pier af te lopen die zich tot in de zilverkleurige-met-mauve zee uitstrekt. Toch verbeeld ik me even dat ik op zee ben en vanaf een varend schip naar het Piazza Unità d'Italia kijk tot de kust dromerig en wazig wordt – een herinnering. Ik heb een voorgevoel van naderend verdriet. Triëst had mijn eindbestemming kunnen zijn in plaats van een doorgangshaven. Ik ben in het hart van Triëst en ik kan het niet voelen, niet horen: het is een hart dat geluidloos slaat, want ik ben al ver op zee. *E la nave va*, en het schip gaat verder. Ik ben mijn eigen schip van vervreemding en ontworteling.

Ik zeg tegen Luciana, Letizia en Mario dat ik me heb bedacht over de Berlitz-school en James Joyce en dat ik het station wil zien. Luciana schudt haar zwarte krullen en lacht erom en Letizia klapt ongelovig in haar handen, maar ze willigen mijn verzoek in en we nemen een bus naar het station. Ik wil zien waar ik zou zijn aangekomen als ik met de trein naar Triëst was gegaan. De echte trein naar Triëst, vanuit Belgrado, waar Biljana me op had willen zetten.

Als ik het elegante, perzikkleurige en witte stenen gebouw zie dat bijna op een kasteel lijkt, voel ik me verdrietig en verbaasd. Ik had hier op een perron kunnen uitstappen en die glanzende marmeren hal in kunnen lopen. Ik had in het ochtendgloren onder de Korinthisch aandoende zuilen en het rozige plafond van dit station door kunnen glijden, met mijn tas met al mijn bezittingen erin. Dan had ik op de grote klok links van me gekeken en gezien dat het al de volgende dag was, zeven uur 's ochtends, die begon in de vrije wereld. In Triëst. En wat dan? Wat had ik dan gedaan, waar was ik dan naartoe gegaan, in die grensstad waar ik geen levende ziel ken, die stad aan de Adriatische Zee die me pijnlijk verrast met haar weemoedige schoonheid en trage kanalen? Misschien is alles wel gegaan zoals het moest.

Tegen een van de dikke marmeren zuilen midden in de stationshal staat een sjofel geklede man op leeftijd met zilvergrijs haar en een transistorradio in zijn hand geleund. Hij doet me aan mijn vader denken, al is hij ouder en sjofeler, mogelijk een van de armen van Triëst. Opeens vult een hemelse muziek uit het radiootje het hele station: een sopraan die zo verlangend in het Italiaans zingt dat mijn hart bijna stil blijft staan. Een zwakke herinnering besluipt me. Ik herinner me een zondag in het Atheneum, waar ik met school klassieke concerten bezocht. Een conservatoriumstudente van mijn moeder zong Susanna's aria in de tuin uit *Le Nozze di Figaro.* Pas nu ik het in zijn volle, verwarde schoonheid hoor, raakt het me. Susanna is gespannen en krankzinnig en ze verlangt naar haar Figaro. Ze wil hem misleiden. Ze is vermomd als de gravin en doet alsof ze al zingend op de graaf staat te wachten, maar stiekem roept ze Figaro. Ze zingt over de genoegens van de liefde in de frisse lucht. Ik sta als aan de grond genageld midden in het station. Alles wat ik heb achtergelaten en nooit meer zal zien of aanraken licht pijnlijk voor mijn geestesoog op: de bloedrode klaprozen en oranje goudsbloemen voor het huis van tante Nina, de dennen en sparren van de Karpaten met hun eindeloze, blauwe bergketens, de groene en violette wateren van de Zwarte Zee met haar parelmoeren schelpen. Mijn altijd bezorgde moeder met haar verfijnde gebaartjes, mijn vaders hoge voorhoofd en indringend blauwe ogen en de tedere manier waarop hij mijn haar streelt.

En in het midden van dat alles staat Mihai bij onze witte rots. Hij omhelst me in een koele zomernacht, zo eentje waar Susanna over zingt. Onze hartstochtelijke nachtelijke omhelzingen in weides en bij beekjes tussen het getjirp van de krekels en het hypnotiserende flakkeren van de vuurvliegjes. Waarom moest ik me van alles losrukken? Het zal nooit meer terugkomen. Susanna's stem buigt, stijgt en daalt in weelderige trillers terwijl ze op haar Figaro wacht, maar voor mij is het allemaal afgelopen. Had ik maar geweten wat het zou inhouden, die avond toen ik zo enthousiast in de trein naar Triëst stapte. Ik staar naar de oude man met de radio. Luciana, Letizia en Mario proberen voorzichtig me in beweging te krijgen.

Mijn gezicht is betraand en ik hoor Luciana '*poverina*' zeggen, arm meisje. Mario klopt zacht op mijn rug en zegt 'stil maar', maar Letizia pakt me stevig bij mijn schouders, kijkt me recht aan en zegt streng: '*Corraggio, ragazza, che è fatto, è fatto!*' Dapper zijn, meisje, gedane zaken nemen geen keer! Luciana zegt dat ze minestrone voor me zal maken als we weer thuis zijn, en dat minestrone alle hartenpijn van de wereld verzacht. Ik doe mijn best om niet meer te huilen en probeer alleen nog maar aan minestrone te denken. Ik knijp mijn ogen dicht en neem me voor me nooit meer zo te laten gaan, midden in de openbaarheid. Gedane zaken nemen geen keer. Ik kijk om naar de oude man met de radio: Susanna's aria is afgelopen en Figaro is gekomen.

In de bus naar huis wijst Luciana naar het Castello di Miramare: '*Guarda, guarda che bello.*' Kijk toch hoe mooi. Ik kijk naar het majestueuze, witte kasteel dat in de verte boven de Adriatische Zee oprijst en zeg tegen Luciana dat het *molto bello* is, *bellissimo* zelfs, en dan wacht ik geduldig tot we er voorbij zijn, tot we langs de kanalen en de kerken en de smalle straten bij het huis van Mario en Luciana aankomen. De rest van mijn verblijf in Triëst weiger ik een voet buiten de deur te zetten. Luciana slaat vaak een kruisje en zegt '*poverina*' en '*Madonna mia*', Letizia is trots op me omdat ik sterk ben en Mario zegt tegen allebei '*lasciatela in pace per l'amor di Dio*', laat haar in godsnaam met rust.

Luciana en Mario hebben vrienden in Rome die me willen helpen. Ze zullen met me naar de autoriteiten daar gaan en me in hun huis onderbrengen, in een voorstad van Rome, tot ik uitsluitsel krijg. Het komt allemaal goed, '*tutto sarà bene*', verzekeren Luciana en Mario me. Ik krijg een tasje met nieuwe kleren en broodjes prosciutto en mozzarella mee. Ze zwaaien me vanaf het perron uit. Ik steek mijn hoofd door het raam van de trein en wuif tot ze drie gekleurde stipjes zijn in de schemering die het station van Triëst omhult.

Rome, amore mio!

Mario en Luciana's vrienden in Rome zijn een aantrekkelijk stel met een dochter van zes, Roxana, die zwart haar en groene ogen heeft. Ze laat me haar pop Ninetta zien en vertelt me dat het een *cattiva* is, een gemene pop, en dat ze bijt. Ik doe alsof Ninetta in mijn vinger bijt en Roxana lacht haar eigen doorkomende nieuwe tanden bloot. Dan ratelt ze een paar snelle zinnen die ik niet begrijp en ik voel me verloren en gegeneerd omdat ik een kind van zes niet versta. Haar moeder Marina tolkt: Roxana wil dat ik haar die avond help Ninetta in bad en in bed te stoppen.

Ik kom erachter dat het de bedoeling is dat ik voor Roxana zorg wanneer Marina en haar man Vittorio aan het werk zijn. Als de school begint, over een paar weken, is het mijn taak haar van school te halen en op haar te passen tot haar ouders thuiskomen. Het ziet ernaar uit dat ik nog wel een tijdje in Rome zal moeten blijven voordat ik verder kan. Overdag moet ik het huis opruimen en soms boodschappen doen.

Ik vraag me af wat ze van plan waren met Roxana en de boodschappen doen voordat er toevallig een vluchteling uit Roemenië opdook, maar vraag het niet, want ik ken nog niet genoeg Italiaans om zo'n ingewikkelde vraag te stellen. Ik zeg op bijna alles 'sì, sì' en zeg 'grazie' voordat ik hun *spaghetti alle vongole* eet. Ik doe mijn best om de spaghetti door te slikken, maar telkens als ik aan de eettafel ga zitten, in hun appartementje in een gebouw met grote balkons in een voorstad van Rome tussen de blauwe heuvels en cipressen, wordt mijn keel dichtgeknepen door eenzaamheid en verwarring.

Mijn nieuwe gastheer en -vrouw zijn allebei architect en vertrekken elke ochtend heel vroeg naar hun werk. Marina heeft een kast voor alleen haar schoenen, een hele wand vol schoenen in alle vormen en kleuren. Schoenen zijn het belangrijkste accessoire van een vrouw, zegt ze, belangrijker zelfs dan de kleren die ze aanheeft, en ze draagt nooit twee dagen achter elkaar hetzelfde paar. Ik kijk gefascineerd toe wanneer ze verschillende paren past tot ze er een heeft gekozen, terwijl Vittorio geërgerd raakt, de kriebels krijgt en doet alsof hij zonder haar weggaat. Ik denk aan mijn Bulgaarse laarzen en mijn Hongaarse instappers. Ik vind het akelig dat mijn gastvrouw bijna net zo heet als Mariana, het meisje dat in de bergen omkwam voordat Mihai en ik onze romance begonnen. Ik weet niet of het een goed of slecht voorteken is, als ik al in voortekenen geloof, maar ik klamp me vast aan elk toeval en elk vertrouwd detail.

De eerste dag dat ik me op het balkon waag, is ook de eerste dat ik iets als ontzag voel. De heuvels rond de voorstad waar Marina, Vittorio en Roxana wonen, zijn zo blauw als de heuvels die ik in het boek over San Michele heb gezien. De donkere, spitse en fluweelgroene cipressen staan afgetekend tegen de rozige ochtendlucht en de rode daken glanzen in de zon. De gebouwen rond het onze hebben allerlei pasteltinten: nuances oranje, mauve en geel. Ik hoor stemmen die kleine operettes lijken te zingen, maar eigenlijk zeggen ze gewoon: *ga eens opzij met je auto. Signora Rinaldi is naar Rome gegaan om de pasta voor vandaag te kopen. De school begint binnenkort.* Ik ben verrukt van de geluiden en de kleuren, en ik probeer elk woord dat ik vanaf een balkon of de straat hoor te begrijpen en in gedachten te herhalen. Ik zwaai naar de vrouw aan de overkant die de was op haar balkon ophangt. Alles is intens kleurig. Het is alsof ik voor mijn komst naar Italië in een zwart-witfilm leefde met hier en daar een paar felle kleuraccenten, zoals de sprankelend blauwe Zwarte Zee, de rode frambozen of de donkergroene sparren in de Karpaten.

Ik houd mezelf voor dat ik mijn weg moet vinden, de dingen nemen zoals ze zijn, dat alles goed is. Ik ben tenslotte in Italië, zelfs in Rome. Mijn avontuur is helemaal niet slecht begonnen, en ik mag blij zijn dat ik deze mensen heb gevonden die me kost en inwoning bieden en me helpen alsof ik de dolende prinses ben uit het sprookje dat mijn moeder me ooit heeft voorgelezen. Als de prinses ergens aanklopte, namen de mensen haar in huis, gaven haar te eten en stuurden haar weer op pad. Uiteindelijk kwam ze in een magisch rijk, waar haar droomprins in een gouden koets omringd door witte duiven op haar wachtte. Alleen heb ik de liefde van mijn leven net achtergelaten en weet ik niet of hij een prins is of een bruut.

Terwijl ik voor Roxana zorg, glijden de dagen bijna ongemerkt voorbij. Ze hangt aan me en wil de hele tijd dat ik met haar poppen speel, iets teken of mijn haar door haar laat kammen. Soms wil ik gewoon even rustig zitten en nadenken of met Roxana door de buurt wandelen, maar haar ouders hebben gezegd dat ik nooit alleen met haar naar buiten mag. Ze zeggen dat ik de stad niet ken, we zouden kunnen verdwalen, er zou iets kunnen gebeuren.

Er is al een maand verstreken en het is oktober, maar het is nog altijd zonnig in Rome. Morgen gaan we naar de Italiaanse autoriteiten, zegt Vittorio tegen me, maar eerst moeten we naar de politie om een verklaring af te leggen: ik moet verklaren dat ik niet terugga en niet van plan ben in Italië te blijven.

'Ze willen geen immigranten meer in Italië,' zegt Vittorio, 'maar ze helpen je wel naar Australië, Canada of Amerika te gaan.'

De volgende ochtend vraag ik hem of we alsjeblieft eerst naar het Colosseum kunnen voordat we naar de politie en die andere plek met politiek asiel gaan. Ik wil het Colosseum zien dat de Romeinen in hun meedogenloze zucht naar glorie hebben gebouwd. De Romeinen, die vervolgens de Daciërs overwonnen en koloniseerden, hun woorden stalen en er maar veertien voor hen overlieten, wat de geboorte was van mijn volk! Mijn gekwelde, gewelddadige, verwarde, poëtische volk, dat ik voorgoed in de steek heb gelaten. Ik vind het troostend dat mijn oorsprong hier ligt, in deze duizelingwekkende stad. Ik ben uiteindelijk toch niet zo ver van huis. Vittorio gunt me zijn charmante glimlach en zegt 'natuurlijk'. Hij lijkt meer op zijn gemak en spraakzamer dan anders, wat me hoopvol stemt. Ik draag een knalrode jurk die Luciana in Triëst voor me heeft gekocht, mijn allereerste rode jurk, en schoenen die Marina voor me heeft gekocht. Ze sleepte me van de ene winkel naar de andere tot ze dit paar koos: wit, met zwart linnen strikjes op de neus. Het zijn de mooiste schoenen die ik ooit heb gehad, maar ze knellen.

Ik sta voor het Colosseum en voel me alsof ik elk moment kan opstijgen en boven de stad glijden en zweven. Ik kijk naar de eeuwenoude muren die zich om het gigantische plein buigen. De warme oktoberbries tilt mijn jurk op en streelt mijn haar.

Vittorio laat me de mooiste plekjes van Rome zien. Pleinen waar mensen met stemverheffing discussiëren om het geluid van het water te overstemmen dat in krachtige stralen uit kruiken spuit die worden vastgehouden door saters en nimfen. Autotjes in allerlei kleuren draaien in gekmakende cirkels om parken en pleinen, fonteinen en standbeelden, en ik tol mee, de hele stad door. De wereld ligt opeens aan mijn voeten en ik reik er begerig naar, naar alles. Ik kan alles doen wat ik wil. Ik wil alles doen. Ik ben jong en knap in mijn rode jurk met de wijde rok, op mijn witte schoenen met zwarte strikjes.

Vittorio trakteert me op een heerlijke lunch van kleine, ronde pasta gevuld met kaas en champignons, en dan bestel ik de grootste ijscoupe die ik ooit heb gehad, ijs in allemaal verschillende kleuren, net als de huizen die je vanaf Marina en Vittorio's balkon ziet: lichtgroen pistache-ijs, mauve bosbessenijs, roze frambozenijs. Ik word ondergedompeld in een rivier van gekleurde smaken, beelden en geluiden. Ik voel me zo licht als gesponnen suiker.

De Italiaanse politiemannen glimlachen aanhoudend naar me, vooral als ze begrijpen dat ik geen asiel wil aanvragen in Italië. Ze geven me koffie en koekjes en zeggen dat ik *una bella ragazza* ben, een mooi meisje. Wanneer mijn eigen Italiaans tekortschiet, tolkt Vittorio voor me. Hij wijst aan waar ik de formulieren moet ondertekenen, een hele stapel is het, en bij elke handtekening voel ik dat Rome, het mooie, grandioze, duizelingwekkende Rome, me verder ontglipt. Ik stel me voor dat ik aan de Universiteit van Rome afstudeer en journaliste, actrice of allebei word, maar de beelden worden wazig en lossen op in het niets. Waarom wil iedereen me zo ver wegsturen, alsof mijn verhalen over de geheime politie, rantsoenering en dissidente activiteiten een vloek over me hebben afgeroepen? Ik overwin mijn verdriet, net als de dolende prinses uit het sprookje, en ga naar het volgende station op mijn reis: de organisatie die politieke vluchtelingen uit Oost-Europa helpt.

Iedereen hier is ernstig en praat zacht. Ik hoor Engels, Frans en Russisch door het rommelige oude kantoor zigzaggen. Hier moeten ook weer formulieren worden ingevuld waarin ik verklaar waarom ik mijn land ben ontvlucht, wat ik in Roemenië deed en hoe ik Italië binnen ben gekomen. Vittorio helpt me met schrijven. Ik beantwoord alle vragen en probeer niet te lang bij de gezichten en gebeurtenissen achter mijn antwoorden stil te staan. Het minimum, zegt Vittorio. Deze mensen begrijpen het.

Het zweet breekt me uit en ik voel me verschrikkelijk moe. Het lijkt allemaal eindeloos, langdradig en onbestemd. Ik begin over van alles te tobben: hoe ik me moet redden in Amerika, waar ik geen mens ken, wat ik er moet beginnen. Wie zal me daar ook maar een korst brood willen geven, zo ver weg, op een ander continent?

Dan neemt een vrouw met een bril aan een kettinkje om haar nek me mee naar een kleine, nette kamer voor een gesprek. Ze zegt dat het haar spijt, maar ze spreekt geen Roemeens en de tolk is er vandaag niet. We proberen een paar talen en kiezen al snel voor het Engels. Het komt in me op dat het een test is, dat ik moet bewijzen dat ik Engels spreek voordat ze een huis voor me in Amerika willen zoeken. De vrouw vraagt naar de tijd die mijn vader in de gevangenis heeft doorgebracht en naar mijn toekomstplannen. Ik probeer bondig en duidelijk te zijn, maar ze schakelt zo abrupt van het ene onderwerp op het andere over dat ik in de war raak. Ik heb niet meer zoveel Engels gesproken sinds mijn Engelse literatuurcolleges op de universiteit, en opeens vraag ik me af hoeveel Engels mijn professor eigenlijk kende, en of ik niet als een eeuwenoud boek klink. De vrouw vraagt me naar de keer dat een man me 's avonds in een verlaten straat in een portiek drukte en zei dat er wel ergere dingen waren dan de dood, want dat wordt op het formulier genoemd, het verhaal dat ik zelfs mijn ouders nooit heb verteld.

Mijn Engels gaat als een nachtkaars uit en mijn onderlip begint te trillen. De vrouw slaat de map op haar schoot dicht en zegt: 'Zo, dat was het. Ik denk dat we wel genoeg hebben.' Ze legt uit dat het als volgt gaat: ze moeten een sponsor voor me zoeken in Amerika, want op het formulier dat ik net heb ingevuld heb ik van de drie vakjes, een voor Australië, een voor Canada en een voor de Verenigde Staten, het vakje voor de Verenigde Staten aangekruist. Elke vluchteling moet een sponsor hebben, iemand die verantwoordelijk voor hem of haar is tot hij of zij voor zichzelf kan zorgen. Het lijkt allemaal heel goed geregeld, maar ook eenzaam en beangstigend. Wie weet bij wat voor 'sponsormens' ik terechtkom, en in welke stad? De vrouw zegt dat ik het beste zelf een stad kan noemen waar ik iemand ken of waar mensen uit mijn stad naartoe zijn gegaan, dan kunnen ze proberen me aan een sponsor daar te koppelen. Het hele proces kan een aantal maanden in beslag nemen, dus ik moet geduld hebben. Wanneer er een sponsor is gevonden en alle immigratiepapieren in orde zijn, betaalt dit bureau in Rome mijn vliegticket en stuurt me op pad, zegt de vrouw met de bril.

'Ik wil naar Chicago,' zeg ik snel, in één adem, alsof ik bang ben dat een voordringer mijn plekje in de denkbeeldige rij wachtenden zal inpikken. Het is de enige Amerikaanse stad waar ik een beetje binding mee heb, want Ralph, de bibliothecaris van de Amerikaanse ambassade in Boekarest, kwam uit Chicago. Ik wil de skyline en de Sears Tower zien.

De vrouw noteert het en zegt dat ze zal zien wat ze voor me kan doen.

'Chicago is een goede stad,' zegt ze.

Het voelt als de langste dag van mijn leven. Ik ben nu een politieke vluchteling, op weg naar Amerika. Dit ben ik voor de rest van mijn leven.

Dit is de dag waarop de mensen hier overal in de gigantische Verenigde Staten op zoek gaan naar de juiste persoon die me in huis zal nemen, zal zorgen dat ik te eten krijg en me zal helpen op eigen benen te staan.

Dit is de dag dat ik het Colosseum en de Trevi-fontein zie, regenboogijs eet en mijn rode jurk en witte schoenen draag.

Vittorio wacht achter de gesprekskamer. Hij ziet er moe uit en ik vermoed dat hij heeft geslapen. Hij vraagt me wat ik de rest van de middag wil doen. We kunnen nog een stukje lopen, of ben ik moe en wil ik naar huis? 'Marina wacht met het eten op ons,' zegt hij.

Als ik zeg dat ik naar de kapper wil om mijn haar te laten knippen, kijkt hij eerst verbaasd en dan gekweld. 'Waarom?' vraagt hij. Ik ben een ander mens geworden, leg ik uit. Ik zeg dat mijn lange haar nutteloos en lachwekkend is en dat ik het niet meer wil.

Hij kijkt geamuseerd en medelijdend toe hoe de golven haar op de vloer van de salon vallen die hij voor me heeft gevonden. Ik zie mijn haar in de spiegel verdwijnen, de lange golven als van mijn oudtante Nadia, die stierf van liefde met een vergeelde briefkaart in haar hand en haar miauwende kat op haar schouder, als van overgrootmoeder Paraschiva die in 1918 op de rivier de Nistru dreef. Dit is het haar waarin Mihai zijn gezicht zo vaak begroef tijdens onze hartstochtelijke momenten, het haar dat hij met een teder gebaar achter mijn oor streek. Ik zie met voldoening hoe het op de blinkende, roze marmeren vloer valt. Als de kapper stopt en me een spiegel voorhoudt zodat ik mijn achterhoofd kan zien, zeg ik 'meer'. Ik herinner me de droom waarin Mihai langzaam mijn keel doorsneed, waarop ik in een wilde, witte merrie veranderde. Liever mijn haar dan mijn keel.

Ik zie mijn Roemeense verleden voor me, alle hartstocht en angsten, alle mensen, geluiden, geuren en smaken, in cellofaan gebundeld als een pakje dat ik mee kan nemen op mijn reis naar de toekomst. Ik zie mijn Roemeense verleden zoals ik Triëst die eerste ochtend zag, ondersteboven golvend in de glanzende spiegel van de kanalen.

Al wachtend tot de vluchtelingenorganisatie een sponsor voor me heeft gevonden en meldt dat mijn immigratiepapieren in orde zijn, raak ik gehecht aan mijn dagelijkse routine met Roxana, Vittorio en Marina alsof ik een lid van hun gezin ben. Ik vind het heerlijk om bij het wakker worden de pastelkleurige huizen en blauwe bergen in het ochtendlicht te zien, Marina's koffie te drinken en dan te kijken hoe ze het ene paar schoenen na het andere past om er uiteindelijk een te kiezen: de beige met de metalen gesp, of de rode pumps, of de zachte grijze. Als Vittorio en Marina weg zijn, ruim ik het huis op, zet de koffiekopjes op het aanrecht, zet de schoenen terug die Marina heeft gepast, en breng Roxana naar school. Ik voel me graag nuttig en bezig tussen al die pasteltinten.

Tijdens een etentje dat Marina en Vittorio geven, ontmoet ik een van hun cliënten, een Italiaan die een jaar eerder zijn vrouw heeft verloren. Hij zit tegenover me en ik voel zijn dwingende ogen op me rusten. Ik kijk terug naar die man aan de andere kant van de tafel terwijl hij vlees in zijn mond stopt. Ik kijk naar hem terwijl hij zijn wijnglas naar zijn lippen brengt en slikt, terwijl hij in een stuk brood bijt, terwijl hij een olijfpit op zijn vork spuugt. Ik concentreer me op het grijze haar bij zijn slapen en het korstje op zijn kin waar hij zich bij het scheren gesneden moet hebben. Ik gaap hem aan tot zijn neus bespottelijk groot wordt en ik wil lachen, maar hij blijft naar mijn gezicht kijken.

Hij maakt me complimentjes met alles: mijn Italiaans, mijn haarkleur en mijn ogen, tot Marina zegt: 'Vincenzo, beest dat je bent! Val haar niet zo lastig. Zie je dan niet dat je haar in verlegenheid brengt?'

'Ik vind niet dat ze er verlegen uitziet,' zegt hij.

Tijdens het eten drink ik twee glazen chianti, en mijn tong komt los. Ik praat in stroompjes Italiaanse woorden en sta ervan te kijken hoe goed ik het kan. Ik maak zelfs een woordspeling. Ik voel me thuis, alsof ik al mijn hele leven in Italië woon.

Wanneer de andere gasten vertrekken, neemt de weduwnaar me apart in de hal en vraagt of hij me Rome morgen kan laten zien. 'Sì,' zeg ik, '*certo*.' Wat heb ik anders te doen, behalve wachten tot iemand in de miljoenenstad Chicago besluit of hij een vluchteling onder zijn hoede wil nemen?

De weken daarna neemt Vincenzo me overal mee naartoe. Soms praat hij over zijn vrouw en hoeveel hij van haar hield, maar hij vertelt ook hoe en met hoeveel vrouwen hij haar heeft bedrogen toen ze nog leefde. Ik begin te denken dat hij een vrouwenverzamelaar is, zoals Marina schoenen verzamelt, allemaal netjes op een rij op volgorde van kleur, vorm en de gelegenheden waarbij ze hem op zijn best laten uitkomen. Marina en Vittorio waarschuwen me voor hem. Roxana is jaloers als ik 's avonds uitga in plaats van haar haar te vlechten, met haar te kaarten of met haar gemene pop Ninetta te spelen. 'Vincenzo is slecht,' zegt ze. 'Hij heeft zijn vrouw vermoord.' Marina en Vittorio geven haar een standje en sturen haar naar bed.

Op een avond vraagt Vincenzo me ten huwelijk. Hij zegt dat ik niets te kort zal komen, dat hij me als een prinses zal behandelen. We gaan cruises maken, we gaan overal naartoe waar ik maar wil. We zitten op een terras op een heuvel met uitzicht op de stad te eten. Italiaanse muziek zweeft op de herfstlucht.

Ik voel een huivering van romantiek die niet op liefde lijkt, maar op heimwee naar iets, naar iemand. Mihai met zijn groene, door donkere wimpers beschaduwde ogen staat me duidelijker voor de geest dan ooit sinds ons laatste samenzijn, sinds de nacht dat we vrijden in de grot onder onze witte rots. Ik kijk naar deze man die me net een aanzoek heeft gedaan, van wie het gezicht me inmiddels zo vertrouwd is dat het me niet meer verlegen maakt. Ik zeg tegen hem dat ik geen prinses wil zijn. Ik wil journaliste of actrice worden, of allebei. Kan hij dat voor me regelen? Ik zeg dat ik naar Amerika ga, naar Chicago. Ik wil geen cruise om de wereld maken.

Ik zeg tegen hem dat ik al een *fidanzato* heb, een grote liefde die in Roemenië woont. Ooit zullen we weer samen zijn, wanneer ik in een wolkenkrabber in Chicago woon. We gaan daar trouwen, in de Verenigde Staten. Ik besef dat het de eerste keer is dat die gedachte bij me opkomt.

Bovendien, vraag ik hem, met hoeveel vrouwen zou hij me bedriegen als we eenmaal een jaar getrouwd waren, of misschien al na een maand?

Hij zegt dat hij daarmee zou ophouden, dat hij me trouw zou zijn en alleen van mij zou houden, van mij alleen. Het lijkt me de grootste leugen die ik heb gehoord sinds de *Vader van de Natie* ons vertelde dat we in een arbeidersparadijs leefden.

'Dankjewel voor je aanzoek, Vincenzo, en ik vind het heel aardig dat je voor mij trouw zou willen worden,' zeg ik in mijn elegantste Italiaans, 'maar ik kan je aanzoek niet aannemen.'

'Je bent me er een, Mona. Je zult het nog ver brengen, daar twijfel ik niet aan, maar misschien zul je ooit aan me terugdenken en je beslissing betreuren.'

Vincenzo blijft met me uitgaan en dure maaltijden voor me bestellen in de hoop dat ik me zal bedenken. Op een dag koopt hij een rode tas voor me. Ik leeg mijn oude tas op het restauranttafeltje, alles wat ik in de gele Fiat naar Italië aan mijn borst klemde toen de Italiaanse douanier Mario's paspoort controleerde en mij voor zijn vrouw aanzag, en ik stop alles netjes in de nieuwe rode. Ik gooi mijn oude tas in een afvalbak bij het Piazza di Spagnia. Ik sta onder aan de marmeren treden naar een schitterende kathedraal, omringd door late herfstbloemen en cafeetjes waar je espresso kunt drinken die als een schok door je aderen trekt en waar je veelkleurig ijs en kleine pizza's met ansjovis kunt eten.

Muzikanten spelen oude, hartbrekende liedjes op hun gitaar en mandoline: een jonge man zegt dat hij tien keer wil sterven voor zijn bruinharige geliefde met de rode roos in haar haar, maar als ze zegt dat ze zijn liefde niet beantwoordt, gaat hij kwaad bij haar weg.

Op een morgen, nog heel vroeg, bel ik mijn ouders vanuit Marina's appartement. Mijn moeder neemt op en haar stem wordt verstikt door emotie en tranen. Ik besef dat ik haar wakker heb gemaakt. In het appartementje in Boekarest breekt weer een grijze dag aan: sojakoffie zetten, in volle bussen naar het werk, over je schouder kijken of iemand je volgt. Ze vraagt me timide of het goed met me gaat. Ja, zeg ik, heel goed. Mijn vader komt aan de telefoon en ik ben opgelucht dat hij niet gearresteerd of ondergedoken is. Hij staat naast mijn moeder, die haar krulspelden waarschijnlijk nog in heeft. Terwijl we praten, hoor ik hem met korte, felle pufjes roken. We kunnen niet veel zeggen; we gaan ervan uit dat hun telefoon wordt afgeluisterd. Ik kan geen namen of adressen noemen. Ik zeg alleen: 'Het begint hier koud te worden.'

Ik zeg: 'Ik mis jullie heel erg.' We hangen op. Ik zit op het stoeltje naast de telefoon in Marina's appartement. Pas nu dringt het tot me door hoeveel er van me weg is, voorgoed, voor eeuwig weg.

Het is kil, vochtig en regenachtig in Rome. Ik drink elke dag caffè latte of espresso in barretjes of cafés om warm te worden. Op een dag sta ik bij het Colosseum en kijk naar de nobele, eeuwenoude welving van de stenen muren. Vincenzo staat naast me te rillen in zijn trenchcoat. Hij hoopt dat de kou en de regen me minder zeker van mijn toekomst zullen maken, dat ik mijn antwoord op zijn aanzoek zal herzien. De wind blaast door me heen, en door de witte wollen jas die ik van Marina heb gekregen, een van haar oude jassen.

De volgende dag krijg ik bericht dat het bureau een sponsor voor me heeft gevonden in Chicago, een 'aardig echtpaar op leeftijd', en dat mijn vlucht over een week gaat. Ik huil bij het afscheid van de tengere Marina met haar porseleinen gezichtje en vele schoenen en van de dromerige, ongedurige Vittorio, die me het Colosseum heeft laten zien, me heeft geholpen een politieke vluchteling te worden en heeft gekeken toen mijn haar eraf ging. Ik weet dat ik al die mensen in Triëst en Rome die toevallig op mijn weg zijn gekomen als sprookjesfiguren, en die me hebben geholpen, me onderdak en eten hebben gegeven, alleen maar om het plezier van het geven, nooit genoeg zal kunnen bedanken. Ik weet dat ze niets van me terugverwachten, maar het ook verdrietig vinden dat ik wegga.

Voor ons afscheidsdiner gaat Vincenzo met me naar een restaurant met muzikanten aan de Via Veneto. We dansen op de muziek van Adriano Celentano. Ik voel me uitgesproken weemoedig als de Italiaanse zanger die Celentano imiteert 'Azzurro' zingt. Terwijl we over de marmeren vloer van het restaurant zwieren, doet Vincenzo me nog een keer een aanzoek en weer wijs ik hem af.

Roxana huilt op het vliegveld en zegt dat ze me in Chicago wil opzoeken. Ik omhels Marina en Vittorio en houd Roxana voor het laatst in mijn armen. *Tutto sarà bene.* In de verte, achter een groep Amerikaanse toeristen, zie ik Vincenzo in zijn trenchcoat staan roken. Hij wuift naar me en werpt me kushandjes toe. Ik loop door de massa naar mijn vliegtuig, het eerste van mijn leven. Een gezin met kinderen loopt voor Marina, Vittorio en Roxana langs en dan zie ik ze niet meer. Ik raak in paniek en wil naar ze terugrennen, ze nog een keer omhelzen, ze smeken me te helpen mijn plek te vinden in Rome, *Roma, amore mio.* Ik wil vragen of ik nog één seizoen mag blijven, maar ik sta al in de rij voor de controle en een vrouw in uniform die eruitziet alsof ze van de luchthavenpolitie is, duwt me naar voren en blaft dat ik moet opschieten. '*Dai, dai, presto.*' Ik houd mijn rode tas stevig vast en loop vlug door.

Deel twee

In een voorstad van Chicago: een vrijheidsstrijdster

Het echtpaar dat mijn komst naar Chicago heeft gesponsord, bestaat uit een vrouw van in de vijftig die Gladys heet en een man, ook in de vijftig, die Ron heet. Ze hebben allebei zilvergrijs haar. Gladys' gezicht staat altijd gepijnigd, alsof ze ergens spijt van heeft, en Ron heeft een rond, rood gezicht. Hij werkt bij een verzekeringsmaatschappij. Gladys is de hele dag met haar auto op pad. Ze heeft geen echte baan waar ze geld mee verdient, maar ze maakt afspraken met andere vrouwen, doet vrijwilligerswerk voor de kerk en maakt het avondeten voor Ron. Ik ontdek dat ze via hun Kerk over mij hebben gehoord, en mijn behoefte aan een sponsor die me zou helpen naar Amerika te komen. Ik sta er versteld van. In de orthodoxe kerkjes waar ik me in waagde wanneer ik mijn gedachten tot rust wilde laten komen en wilde ontsnappen aan de beeltenissen van de *Vader van de Natie* en de drie baardige *marxistische goden*, waren alleen oude priesters met een lange, witte baard en in het zwart geklede vrouwen die de iconen kusten en voor het altaar knielden. De heiligen op de fresco's en iconen staarden je met verwonderde, starre ogen aan. Ik begrijp dat ik een goed doel ben voor Gladys en Ron. Daarom nemen ze me overal mee naartoe, naar feesten, etentjes en de kerk, en stellen ze me voor als 'de jongedame uit Roemenië'.

Ze wonen in een voorstad van Chicago, niet tussen de wolkenkrabbers en het razende verkeer, zoals ik had gehoopt, maar in een dorpje bij Chicago met enorme huizen en uitgestorven straten. Telkens wanneer ik zeg dat ik een eindje ga wandelen, wisselen Gladys en Ron een geamuseerde blik. Niemand maakt hier zomaar een ommetje. De stoepen zijn smalle stroken langs de uiterste rand van de weg. Soms moet ik midden op straat lopen en kijken mensen me vuil aan vanuit hun auto. Soms stopt er een auto en vraagt de bestuurder me bezorgd of ik verdwaald ben, of hij iets voor me kan doen.

Op de feesten praat iedereen eerst over kerkdingen en dan over oppervlakkige dingen als het weer of de verzekeringsbranche, en over de maaltijd die ze gaan bereiden voor de speciale feestdag die Thanksgiving heet, wanneer iedereen kalkoen en aardappelpuree moet eten, en dan nog maar eens over het weer.

Iedereen stelt me beleefde vragen over mijn land en mijn ouders. De mensen vragen me welke taal de mensen in Roemenië spreken en of er restaurants van McDonald's in mijn land zijn. Als ik antwoord dat die er niet zijn, zeggen ze dat Roemenië vast een schitterend land is, maar dat ze er niet zouden kunnen wonen zonder McDonald's. Ron maakt een grap over het gebrek aan hamburgers in mijn land waar iedereen om moet lachen. Ik begrijp niet wat er zo leuk aan is, maar doe uit beleefdheid mee en zeg dat ik het ongelooflijk vind dat ik het al die jaren heb overleefd zonder hamburgers te eten. Daar moet iedereen ook om lachen.

Op een dag gaat Ron met me naar de dichtstbijzijnde McDonald's. Hij gedraagt zich alsof het een groots evenement is. Hij bestelt een *Big Mac* voor me, die hij me overhandigt alsof het een trofee is. Ik eet verbijsterd het sponzige brood en de droge plak gemalen vlees, met mes en vork, niet met mijn handen, zoals Ron. Ik zeg tegen hem dat het heerlijk is, maar eigenlijk vind ik het gek dat je in Amerika overal bergen niet echt lekker eten hebt, terwijl we in mijn land bijna verhongerden, maar áls er iets te eten was, of het nu de gebakken aardappels van mijn moeder waren, komkommersalade met tomaat of een boterham met boter, smaakte het altijd goed. Maar misschien romantiseer ik het allemaal omdat ik zover van huis ben en krijgt het oude Roemeense gezegde dat het brood altijd beter smaakt in je eigen land, hoe erg het daar ook is, pas nu inhoud. Mihai zei het soms tegen me als we discussieerden over mensen die het land verlieten. De herinneringen flitsen door mijn geest: Mihai en ik die brood met tomaat eten, Mihai die me warm kust, het gevoel van zijn handen op mijn rug toen ik in zijn armen danste, in mijn perzikkleurige, satijnen jurk op het feest aan de vooravond van het nieuwe decennium. Ik zie de bedroefde glimlach op zijn gezicht: hij zei helemaal niets toen de andere gasten ontsnappingsverhalen opdisten. Ik word bang dat ik overmand zal worden door de herinnering en hoe ik alles en iedereen mis, net als op het station in Triëst. Ik schrok de hamburger naar binnen in een krankzinnige poging de deur in mijn geest die zo gevaarlijk op een kier staat, dicht te duwen. Om alle herinneringen op afstand te houden. Ron vat mijn gulzigheid op als een teken dat ik de hamburger echt heerlijk vind en biedt me er nog een aan.

'Nee, dank je,' zeg ik met volle mond.

Tijdens de etentjes en zondagse brunches bij Ron en Gladys word ik gegrepen door boosaardige opwellingen. Ik zeg choquerende dingen als 'mensen sterven van de honger in de straten van Boekarest' en 'ze vermoorden elkaar zelfs voor een hap eten'. Ik maak ze wijs dat ik als vrijheidsstrijdster in een ondergrondse verzetsgroep zat. Als ze me verbaasd aankijken, haal ik mijn schouders op en zeg dat ik onder een camouflagedeken uit Roemenië ben gevlucht in de laadruimte van een vrachtauto die rundvlees naar Turkije vervoerde, want Roemenië is een van de grootste rundvleesexporteurs van Europa. Daarom verhongeren de mensen en doen ze een moord voor een stukje vlees ter grootte van zo'n hamburger van McDonald's. Maar onze stukjes vlees zijn smakelijker, zeg ik, als we ze te pakken kunnen krijgen. Vervolgens vertel ik dat ik in de grootste schouwburg van Boekarest op het toneel stond als actrice, en dat ik politicologie en economie heb gestudeerd aan de Universiteit van Boekarest. Mijn toehoorders verwonderen zich erover dat de universiteiten en schouwburgen nog open zijn terwijl de mensen in de straten van Boekarest op duiven en katten jagen om maar vlees te eten te hebben.

Tijdens die bijeenkomsten daalt er een zware deken van verveling over me neer en voel ik me ondraaglijk droevig. De zondagochtenden zijn het ergst: dan luistert iedereen naar een priester die zegt dat we niet mogen zondigen en dat we ons leven en onze ziel aan de Heer Jezus Christus moeten geven. Toen ik in Italië wachtte tot mijn sponsor zich zou aandienen, zodat ik naar Chicago zou kunnen, fantaseerde ik over de duizend wendingen die mijn leven zou kunnen nemen, maar dit had ik me niet voorgesteld. Ik had niet kunnen dromen dat ik naar de kerk gesleept zou worden, dat ik de hele tijd preken over Jezus zou moeten horen, dat iedereen zo beleefd zou zijn dat ik er bang van werd en dat ze me pamfletten zouden geven met foto's van gemangelde, bloederige foetussen waar met grote letters ABORTUS IS MOORD onder stond. Ik heb geen idee waar het op slaat. Waarom praten mensen zonder enige aanleiding over zoiets als abortus? Waarom moest ik uitgerekend in de kost komen bij mensen die de woorden Jezus Christus en abortus telkens in één adem noemen?

Ik word pas echt bang als Gladys en Ron me vragen me tot hun geloof te bekeren en Jezus Christus in mijn leven toe te laten, en als ze me meenemen naar hun bijeenkomsten in het souterrain van de kerk waar ze elkaar vertellen hoe slecht abortus is en dat zwarten en joden de antichrist zijn en dat ze het land corrumperen met drugs, abortus en homoseksualiteit. Ze hebben het over een of ander joods complot. Ze zeggen dat de communisten en de pornografen de macht zullen overnemen. Ze aanbidden president Reagan. Ik weet niets van een joods complot, maar al die rare praatjes in dat souterrain klinken mij als een jezuscomplot in de oren. Op het tv-journaal wordt bericht over de bomaanslag op een abortuskliniek door, zoals de nieuwslezeres het noemt, *prolife*-activisten. De explosie, zegt de zwaar opgemaakte nieuwslezeres met een glimlach, alsof ze de bouw van een nieuwe school of de komst van de lente-evening aankondigt, heeft geresulteerd in de dood van een arts. Enkele verpleegkundigen en andere personeelsleden zijn zwaargewond geraakt. Terwijl we in de woonkamer naar dat nieuws zitten te kijken, wisselen Ron en Gladys een vreemde blik, bijna glimlachend. De term 'prolife-activisten' in combinatie met het nieuws over een aanslag op een kliniek waarbij mensen gedood en gewond zijn, maakt me sprakeloos. Ik vraag me af wat de Amerikanen die niet 'prolife' zijn, doen. Ik ben zo bang als toen de geheime politie me vroeg informant te worden, maar dit is erger omdat ik hier een nieuw leven zou beginnen, vrijelijk door de straten van Chicago zou lopen, naar jazz zou luisteren en een opleiding tot journalist zou volgen. Dit zou mijn kennismaking met de vrijheid moeten zijn.

Op een dag vraagt Gladys me of ik meega om 'de blijde boodschap te verkondigen'. Ik vraag me af of iemand in haar familie net getrouwd is, een kind heeft gekregen of een baan in het Witte Huis heeft bemachtigd. Ik ben blij dat ik de kans krijg een wandeling te maken, al is het maar door dat dorpje met de uitgestorven straten. Als ik geluk heb, leer ik misschien nieuwe mensen kennen. Maar Gladys pakt haar bijbel en een stapel pamfletten. Ze klopt bij mensen aan om te zeggen dat ze Jezus in hun hart moeten toelaten en dat abortus moord is. De mensen slaan de deur gewoon in haar gezicht dicht. Al snel loopt ze er mismoedig bij, alsof de hele wereld zich tegen haar heeft gekeerd. Ze loopt met haar bijbel en haar pamfletten tegen haar borst geklemd over straat en heel even heb ik bijna medelijden met haar. Ik vraag me af hoe ze zó misleid kan zijn dat ze deze vernedering wil ondergaan, maar mijn medelijden zakt snel als ik denk aan mijn eigen gêne in haar gezelschap. Ik kan wel door de grond zinken. Ik zou zelfs nog liever in Boekarest met al die geheime politie zijn.

Daar voelde ik tenminste nog wat opwinding als ik voetstappen achter me hoorde, gevolgd door triomf wanneer ik bij ons appartement was, de deur achter me op slot deed en met mijn vader en moeder aan ons tafeltje in de keuken ging zitten om een preischotel of gekookte aardappels te eten en over metafysische poëzie te praten. Hier is alles saai en gênant. Ik onderga een moment van wanhoop en denk aan Hamlet: *De hele wereld is een gevangenis.* Chicago is nog erger dan het Denemarken van Hamlet, waar je tenminste nog moorden, zelfmoorden, hartstocht en donkere spookkastelen had. Het is alsof het Amerika van deze voorstad ondergedompeld is in een dikke, slijmerige substantie die als een plas uitdijt en waar iets giftigs doorheen is gemengd. Geen grandeur, geen schoonheid, geen bonzende harten.

Ik begin Gladys te haten. Waarom moesten Ron en zij mij tot hun goede doel uitroepen? Ik vraag me af of de mensen van de vluchtelingenorganisatie in Rome wel enig idee hebben wat voor soort sponsors ze voor de mensen vinden. Ik kan het me niet voorstellen, gezien mijn herinnering aan de vrouw met de bril aan een kettinkje om haar nek, het geluid van al die verschillende talen en de kleuren van de weefsels en kunstvoorwerpen uit allerlei landen aan de wanden. Ik zou ze willen schrijven dat ze moeten oppassen voor 'aardige echtparen', dat ze moeten opletten of hun vluchtelingen niet in een enge religieuze sekte terechtkomen in plaats van bij echte sponsors, waar ze gewoon een kop soep en een bed om in te slapen krijgen.

Gladys pakt me woest bij mijn arm en loopt terug naar huis, prevelend over moreel verval. Ik moet hier weg, ik moet vrij zijn. Ik moet met de trein naar Chicago, waar ik nog niets van heb gezien. Ik moet werk zoeken, de mensen op straat zien lopen, de wolkenkrabbers bekijken en me ontdoen van die tirades over zwarten, joden en abortus.

Op een avond vertel ik Gladys en Ron tijdens het eten dat ik joods ben en dat ik met de zwarte postbode heb gevrijd toen zij er niet waren, en dat ik nu geloof dat ik zwanger ben. Ik vraag waar ik een abortus kan krijgen, alleen maar in de hoop dat ze me uit hun huis met het bloemetjesbehang en de lichtblauwe bank zullen schoppen, maar ze reageren vriendelijk en mild. Ze geloven echt dat ik zwanger ben en ze zeggen dat Jezus Christus het me zal vergeven en dat ik het kind moet afstaan ter adoptie. Ze zeggen dat Jezus Christus ook joden aanvaardt, als ik maar boete doe.

Ik weet dat ik Gladys en Ron in elk geval dankbaar zou moeten zijn omdat ze me hebben geholpen naar Chicago te komen, maar ik kan het niet meer opbrengen iets meer te voelen dan misselijkheid, verveling en angst, een combinatie die ik nooit eerder heb meegemaakt.

Op een dag als Gladys er met de auto op uit is om vrijwilligerswerk te doen, loop ik naar het station waar de trein naar Chicago stopt. Ik heb een paar dollar, want Gladys geeft me zakgeld. Ik koop een dagretour Chicago.

Ik stap uit de trein en beland in iets wat iedereen The Loop noemt, tussen de gigantische gebouwen en een doolhof aan bovengrondse rails. Alles zoeft voorbij, bulderend, gretig op weg ergens naartoe, opklimmend naar de vlakken grijze novemberlucht tussen de wolkenkrabbers. Ik heb nog nooit zoveel mensen in zoveel verschillende kleuren op één plek bij elkaar gezien, afgezien dan van in een aardrijkskundeboek op school in Roemenië. Daar stond een wereldbol in waar mensen omheen dansten in allemaal verschillende kleren en met verschillende huidskleuren om te illustreren hoe alle rassen harmonieus samenleefden. Ik denk dat het een communistische heilstaat moest voorstellen, waarin iedereen eendrachtig en vredig samenleefde onder de rode vlag van de communistische partij. In Roemenië waren de enige mensen met een iets andere huidskleur die ik zag, de zigeuners, die in kampen op het land woonden of in lelijke gebouwen aan de rand van de stad. Iedereen vervloekte ze. Er waren soms ook studenten uit Afrikaanse landen, zoals de Senegalese studenten van mijn vader, die Roemeens geld wisselden voor het biljet van honderd dollar dat ik in de trein naar

Triëst bij me had. De meeste mensen vervloekten ook de zwarte studenten, want die waren nog donkerder dan de zigeuners.

Ik krijg sterk het gevoel dat dit de stad is waar ik geboren had moeten worden, dat ik het slachtoffer ben van een kosmische vergissing, dat ik hier te midden van het geraas en de kleuren had moeten opgroeien. Bij nader inzien denk ik echter dat als ik hier vanaf mijn geboorte had gewoond, ik de verhalen niet bij me zou dragen over mijn familieleden die bommen overleefden, zich met knollen voedden en op rivieren dreven met spiegels met speeldoosjes erin. Ik had niets geweten van de liefde in de Karpaten op een tapijt van wilde bessen of blauwe sneeuw. In het hele rommelige, onbegrijpelijke geheel der dingen is het op de een of andere manier precies gegaan zoals het moest.

Ik voel me vreemd thuis in Chicago, alsof ik er eerder ben geweest, alsof ik die drukke straten met enorme gebouwen die op kubistische schilderijen in een droom lijken, eerder heb gezien, alsof de werveling van doelbewust lopende mensen die zich koppig hebben voorgenomen het beste uit deze grauwe dag te halen, lang geleden al door mijn onbewuste is getrokken. Ik zwerf intens nieuwsgierig en blij door de straten. Ik kijk vol ontzag naar Lake Michigan. Ik kijk naar de mensen die ik passeer en probeer elk gezicht in mijn geheugen te griffen. Dit is een stad die zich leent voor mijn gulzigheid.

Buenas noches, mi amor!

Nadat ik uren door Chicago heb gezworven, loop ik een drugstore in met een bordje HULP GEVRAAGD. Ik neem aan dat ze voor die hulp willen betalen, maar ik weet het niet zeker. Als ik bij Gladys en Ron weg wil, heb ik om te beginnen geld nodig. VRAAG BEDRIJFSLEIDER BINNEN, staat er op het bordje. Ik ga naar binnen en zeg tegen een vrouw die flacons shampoo in een schap zet dat ik de bedrijfsleider wil spreken omdat ik wil helpen. Het is een zwarte vrouw met een rode trui aan, en ze zegt dat zij de bedrijfsleider is. Ik vraag of ze voor de hulp betaalt.

'Reken maar, schat,' zegt ze.

Voor het eerst in de paar weken dat ik nu in Amerika ben, schiet ik in de lach. De manier waarop de woorden van haar tong rollen, is verrukkelijk. Ze neemt me mee naar een kantoortje achter in de zaak en stelt me een paar vragen. Ze heet Rhonda. Ze is verbaasd als ze hoort dat ik nog maar een paar weken in Amerika ben. Ze zegt dat mijn Engels geweldig is, al kost het me veel tijd om het formulier in te vullen dat ze me heeft gegeven.

'Breng het morgen maar terug, lieverd, dan kijk ik wat ik voor je kan doen,' zegt ze.

'Kunt u me alstublieft nu vertellen of ik de baan heb? Ik kan meteen beginnen. Ik wil werken, want ik moet onderdak hebben en ik moet weer studeren. Ik ben een politieke vluchteling, ik heb een permanente verblijfsstatus, al mijn papieren zijn in orde en alstublieft, krijg ik de baan? Ik wil heel graag in een drugstore werken.'

De woorden stromen in één adem uit me. Rhonda slaat haar armen over elkaar en kijkt naar me, en ik hoor de gedachten bijna door haar hoofd rollen. Ik stel me voor hoe zij me ziet: als een krankzinnige uit een vreemd land die min of meer wanhopig door de straten van Chicago doolt. Ze kan niets weten van de troebele substantie waarin ik langzaam verdrink. Ze plooit haar mond tot een brede glimlach, zo breed en wit als die van mijn moeders vriendin Nora op de foto waarop ze in een sinaasappelboom zit, ergens in Amerika, het werelddeel waar ik op dit moment sta, maar ze zou net zo goed op de maan kunnen zitten, want ik heb haar adres en telefoonnummer niet. Ik weet dat ik me moet vastklampen aan iedereen die zich over me ontfermt, want ik ken geen mens in de Verenigde Staten van Amerika.

'Schat, je bent aangenomen,' zegt Rhonda op een speciale, fluwelige toon.

Ik ben zo opgelucht dat ik nog brutaler word en haar vraag of ze iets te huur voor me weet, een appartement waar ik zou kunnen wonen. Ze denkt even na, neemt me mee naar de medicijnbalie en stelt me voor aan Marta, die uit Mexico komt. Marta's ronde gezicht herinnert me aan de mooie vrouw van wie ik het boeket hyacinten heb gekocht, die wrede dag in april. Rhonda vertelt haar dat ik net ben aangenomen en woonruimte zoek, en Marta zegt dat ze misschien iets voor me weet.

Marta's Engels is anders dan dat van Rhonda. Ze heeft een lieflijk rollende r, net zoals wij in Roemenië, en haar v's worden b's. Haar woorden krijgen een speelse draai, een verfijnd randje. Ik denk aan het zwieren van een rok, aan de nerveuze, sierlijke draai van een hand in de lucht in een moment van opwinding, zoals dit moment hier voor mij in de schemering van

Chicago, tussen al die vormen en kleuren in de drugstore waar ik mijn eerste baan en misschien een plek om te wonen heb gekregen. Ik voel dat ik wortel schiet in de harde grond van Chicago, de eerste tere, draderige wortels.

De volgende dag wacht ik tot Gladys is vertrokken om haar werk voor de kerk te doen en pak dan de weinige bezittingen in die ik in Italië heb verzameld bij de twee gezinnen waar ik heb gewoond: de rode jurk met de wijde rok, de witte schoenen met zwarte strikjes, twee truien en een blauwe rok. Ik schrijf een briefje aan Gladys en Ron waarin ik ze bedank voor de gastvrijheid en zeg dat ze zich geen zorgen om me hoeven te maken. Ik schrijf dat ik een baan en een appartement in Chicago heb gevonden, dus vaarwel. Ik kijk nog een laatste keer naar de woonkamer met de lichtblauwe bank in de verwachting verdriet of spijt te voelen, maar er komt niets. Pas op het laatste moment, vlak bij de voordeur, draai ik me om en schrijf op het briefje dat ik dankbaar ben voor wat ze voor me hebben gedaan, voor het sponsoren van mijn komst naar Amerika. Ik neem me voor de vluchtelingenorganisatie in Rome te schrijven dat ik het goed maak en dat ze moeten oppassen voor mijn sponsors Ron en Gladys.

Ik trek bij Marta en haar zesjarige dochter Daniela in tot het eind van de maand, als er een eenkamerflat in het gebouw vrijkomt die ik kan huren. Pikante, kruidige Mexicaanse kookluchtjes stijgen op uit Marta's keuken en andere keukens in het flatgebouw. De gangen weerkaatsen gelach en gekibbel in het Spaans. 's Avonds klinkt er soms ergens muziek, muziek over liefde en dood, *amor y muerte*, die me pijnlijk weemoedig maakt. Het doet me denken aan de Italiaanse muzikanten die op pleinen in een andere taal over liefde en dood zongen.

Ik roer voor Marta in de opgebakken bonen. Ik snij tomaten en uien op het geluid van Mexicaanse muziek. Ik maak een groene pasta van avocado, een donkergroene, peervormige vrucht. Ik geniet van de geur in Marta's keuken en de smaak van de guacamole.

Soms zet Marta de tequilafles aan haar mond en neemt een paar slokken. Ik proef het ook en de smaak herinnert me aan die van de pruimendrank, ţuică. Ze geven je allebei een schok door je lichaam alsof je door de bliksem getroffen bent. Marta en ik dansen wel eens in de keuken op de muziek over amor y muerte, en Daniela hangt aan de rok van haar moeder en doet mee. Marta tilt haar op, kust haar over haar hele gezicht en danst met haar, rond en rond in het keukentje dat naar uien en opgebakken bonen ruikt.

Ik slaap op het opklapbed naast het bed waarin Marta en Daniela liggen. 's Avonds voordat ik in de diepste slaap wegzak die ik sinds mijn kindertijd heb gekend, na een dag werken in de drugstore, het lopen door de bijtende wind van Chicago en het zitten in twee treinen, na het koken, tequila drinken en dansen met Marta, hoor ik die twee zachtjes met elkaar praten. Melodieus getjirp in de stilte van de flat in Chicago, mysterieus en geruststellend: *Buenas noches, mi amor.* De volgende ochtend nemen Marta en ik samen de trein naar ons werk. De winter komt eraan.

Winter in sepia

Mijn eerste winter in Chicago krijg ik wintertenen. Ik heb een ontsteking onder een kies. Mijn gezicht wordt dik en ik lijk weer op een vis. Ik krimp drie dagen van de pijn tot het abces openbarst en de pijn wegtrekt, en dan heb ik een dode kies in mijn mond. Ik werk nog als caissière bij de drugstore. Ik schrijf me in bij de universiteit om mijn studie af te maken en ik ga in de avonddienst, zodat ik overdag naar college kan. Ik ga met twee treinen en een bus naar de universiteit. De treinen zitten vol graffititeksten als *De mensen sterven en zijn niet gelukkig.* Overal staat *fuck.* De wanden van de treinen maken je duidelijk dat *José fucks Maria.* Elke ochtend in de trein vermaak ik me met voorstellingen van die mensen die zo'n heftig liefdesleven hebben dat ze het alle gebruikers van het openbaar vervoer in Chicago willen laten weten. Ik verdien geld en leer de winkels aan State Street en Michigan Avenue kennen. Ik mis Italië. Ik mis de brede lanen van Rome, het bijzondere licht, de cipressen en de espresso in pijpenlaatjes van cafés. Mijn eigen land mis ik helemaal niet, Italië wel, maar het is geen pijnlijk gemis, het is surrogaatgemis omdat het zoveel makkelijker is om Italië te missen dan mijn eigen land met alles en iedereen die me lief is.

Chicago is grijs en koud, zo koud dat je denkt dat het leven elk moment kan ophouden en dat iedereen op straat domweg voorgoed zal bevriezen, als etalagepoppen. De zakenvrouw in de zwarte bontjas op haar gympen zal bevriezen terwijl ze haar autosleutels in haar tas zoekt. De man die saxofoon speelt achter een lege hoed zal bevriezen op het moment dat hij zijn saxofoon naar de donkere lucht laat wijzen. De dakloze vrouw zal bevriezen wanneer ze op het punt staat haar hand in de afvalbak te steken; de politieman die met geheven hand het verkeer regelt, zal zo blijven staan. Alles – de taxi's, de limousines, de bussen en het kind dat achter zijn moeder aan rent, die een boodschappentas van Dominick's aan elke hand draagt, zal bevriezen vlak voordat het zijn moeder inhaalt. Zo zie ik Chicago deze koude winter: in zwart-wit stillevens. Ik weet dat ik iets zou moeten voelen, maar het is er niet. Ik laat geen gevoelens toe die me kunnen afleiden van mijn streven om deze winter te overleven.

Ik ben blij met mijn gemeubileerde flatje. Ik kom vaak bij Marta en Daniela op bezoek, als ik me eenzaam voel of als Marta zich eenzaam voelt. Ik help Marta guacamole maken en we drinken om beurten tequila uit de fles.

Ik studeer tot diep in de nacht: Engelse literatuur, theologie, filosofie, Plato, Leibniz, de Bijbel, William Butler Yeats. Ik ga 's ochtends in alle vroegte naar de universiteit zodat ik in de bibliotheek kan gaan zitten, elk boek kan pakken dat ik wil en kan kijken naar de studenten en docenten die binnenkomen. Mijn docenten vinden het verbijsterend dat ik alles van Shakespeare heb gelezen en hele passages uit mijn hoofd ken. Ik heb zelfs *Tristram Shandy* gelezen. Ik vraag me af of ze dat hier zouden begrijpen, dat het een kwestie van overleven was, lezen tot je versuft of euforisch bent. Ze weten hier niet dat mensen door het raam van hun appartement sprongen of zich in hun woonkamer verhingen wanneer ze het toelatingsexamen voor de universiteit niet haalden. Soms heb ik tijdens de colleges een onderonsje met een docent. Ik heb me nog nooit zo gewichtig gevoeld. Mijn hart slaat op hol als ik een gesprekje met mijn docent voer over Mrs. Dalloway, jaloers gadegeslagen door mijn medestudenten.

Ik ga elke dag naar het kantoor voor financiële hulp om aanvragen voor beurzen in te vullen, formulieren over mijn inkomen en dat van mijn ouders. Ik vul veel nullen in, dikke ronde nullen overal waar wordt gevraagd naar inkomsten, verdiensten en belastingteruggaven. Ik begrijp niet wat een belastingteruggave is. Ik zeg tegen de vrouw op kantoor dat ik ben gevlucht en dat ik geen geld heb, echt helemaal geen geld, om voor de colleges te betalen en dat mijn ouders in Roemenië vervolgd worden. Ik vertel haar zelfs hoe ik Roemenië uit ben gekomen in de trein naar Triëst die niet echt naar Triëst ging, en hoe ik met niet meer dan mijn tas over de grens naar Italië ben gelift.

'Geen geld,' zeg ik tegen haar. 'Alleen mijn tas, mijn tentamenbriefjes van de universiteit en wat foto's.'

Ze kijkt me even aan. 'Heb je tentamenbriefjes?' vraagt ze dan. 'Afschriften? Heb je op een universiteit in Roemenië gezeten?'

Ik weet dat alle vrouwen op dat kantoor na mijn vertrek over me zullen praten.

Een paar dagen later krijg ik de decaan van de universiteit te spreken, die een en al vriendelijkheid en bewondering is. Het voelt als een droom, zo serieus als iedereen me neemt, al die vriendelijkheid. Ze hebben alle cijfers van mijn tentamenbriefjes omgezet in letters, de negens en tienen en die ene zes voor marxistische economie. De decaan geeft me een officieel document met allemaal A-letters en één C-letter.

'Heel goed,' zegt de decaan tegen me. 'We boffen met jou.'

Ik weet dat mijn vader zijn oren niet zal geloven als ik het hem vertel. Hij zal apetrots zijn dat mijn Roemeense cijfers zo belangrijk zijn in Amerika. Hij zal zeggen: kijk eens hoe goed de Roemeense opleidingen zijn! Wat zonde dat die hufters ons mooie land naar de verdoemenis hebben geholpen.

Mijn baan in de drugstore bevalt me niet meer. Ik vind het leuk om bij Rhonda en Marta te zijn en de klanten belachelijk te maken wanneer we samen in het magazijntje achter in de winkel zitten te lunchen, maar ik ben rusteloos, ik wil verder, iets bijzonders doen, zoals een toneelstuk schrijven dat beroemd wordt, afstuderen en promoveren. Ik wil iets worden en doen dat al mijn gezwoeg in Amerika de moeite waard maakt, iets wat ten volle zou rechtvaardigen dat ik me van mijn eigen land en familie heb losgerukt. Vlak voordat ik in slaap val, vraag ik me soms af hoe het zou zijn als ik Mihai nu bel, in Roemenië wordt het net dag, maar wat zou ik moeten zeggen, hoe zou ik alles kunnen uitleggen, mijn vertrek zonder een woord tegen hem? En stel dat hij koud en afstandelijk doet aan de telefoon, dat zou nog erger zijn dan wanneer ik zijn stem nooit meer hoorde. We hebben elkaar niets te zeggen over de leegte van de Atlantische Oceaan heen. Ik heb me van hem losgemaakt die ochtend toen ik alleen in zijn kamer stond en naar zijn bed keek, en de rode onderjurk die ik erop had uitgespreid, en ik heb mijn definitieve besluit genomen toen ik door het raam naar buiten klom en me naar mijn trein haastte.

Ik vind het niet prettig als mensen naar mijn accent vragen, willen weten waar ik vandaan kom en hoe ik daar weg ben gekomen. Ik begrijp niet waarom ze altijd: 'O! Wat boeiend,' of: 'Wauw! Fantastisch!' zeggen als ik vertel dat ik uit Roemenië kom. Uit een bepaald land komen heeft op zich niets fantastisch, denk ik, maar ik zeg het niet. Als ik veertig ben, durf ik misschien te zeggen: waarom is het zo fantastisch om uit Roemenië te komen, of Albanië, of Patagonië of waar dan ook vandaan? Het gaat je niets aan waar ik vandaan kom! Gewoon, om de reacties te zien. Maar voorlopig glimlach ik alleen maar en zeg 'dank u wel' wanneer iemand tegen me zegt dat ik zo'n 'schattig' accent heb. Als ik zou zeggen dat ik in Roemenië bij de geheime politie had gezeten, zouden de mensen ook zeggen: wauw, fantastisch. Wat heb je een leuk accent.

Af en toe spreek ik iemand die wel eens van Nadia Comăneci heeft gehoord, of van Dracula, of iemand zegt dat hij een andere Roemeen kent, en dat ik die misschien eens moet ontmoeten. Ik begrijp dat mijn land bekend is vanwege zijn turnsters en vampiers. Ik wil geen andere Roemenen ontmoeten. De paar die ik heb gezien, spraken alleen maar over geld verdienen en een flat kopen. Ze gooien drie woorden Roemeens door vijf woorden Engels en doen alsof ze hun moedertaal vergeten zijn. Ik heb nog steeds geen sentimentele banneling ontmoet die midden op straat huilt als hij Roemeens hoort. Misschien komt het nog, maar het maakt me weinig uit.

Ik loop graag door het centrum van Chicago om mensen en etalages te bekijken. Soms loop ik een winkel in en koop iets volkomen nutteloos met het geld dat ik in de drugstore verdien: een zwarte, lakleren ceintuur of een met rozen beschilderd doosje dat opengaat als je op een knopje drukt en dan zit er binnenin aan de ene kant poeder en aan de andere kant een spiegeltje. Of ik ga naar een restaurant en bestel iets met een lange naam voor mezelf, kip cordon bleu bijvoorbeeld, en eet het dan op terwijl ik een boek lees. Elke dag is opwindend, ondanks het werk in de drugstore, de kille wind en de angst dat ik blut raak voordat ik weer salaris krijg.

Soms klinkt er lieflijke muziek in de tunnel van de ondergrondse, golvend en rimpelend als een kreun van liefde, als een traan die op het gezicht van een geliefde valt. Zelfs als het onmenselijk koud is speelt de man met de saxofoon op State Street, en zijn muziek is als de hunkering en de droefheid in het Roemeense woord *dor*. Dan klikt het bij mij, wanneer ik haarfijn begrijp wat dat onvertaalbare woord betekent. Dat zegt hij met zijn saxofoon. Als ik me niet naar mijn werk hoef te haasten, luister ik na mijn colleges naar hem. Op een dag zeg ik tegen hem dat hij zo mooi speelt dat hij in een concertzaal zou moeten optreden. Hij lacht zo hard dat het door de hele tunnel galmt, en hij zegt dat hij mooi niet in een concertzaal gaat spelen, hij speelt lekker in zo'n klote tunnel. Ik zeg dat dat nog niet zo erg is, want hier kan iedereen hem horen, en hij zegt: '*Yeaah!*'

Ik leer langzaam hoe ik binnen de vrijheid moet leven, hier in de kou van Chicago. Ik creëer mijn eigen plekje in de ruige uitgestrektheid. En daar ben ik dan, dat stukje ik in het mozaïek van Amerika. Zie je me? Ik ben degene met de kastanjebruine donsjas uit een tweedehands winkel op grijze laarzen die te strak om mijn wintertenen sluiten. Daar sta ik in State Street, tussen de Russische vrouw die appels en bananen verkoopt en de Mexicaanse man met de hotdogkraam. Zie je me nu? Ik ben zo opgewonden dat ik wel kan gillen, hier midden in State Street, zo hard dat ze me helemaal in Roemenië kunnen horen, in de keuken van mijn tante waar ze ingemaakte tomaten eten en zich afvragen waar die Mona nu toch zou zitten.

Het enige wat me te doen staat, is de winter doorkomen. In de seconden tussen slapen en waken flitsen er soms lukraak beelden uit mijn verleden aan me voorbij: mijn ouders die boven een bord prei zitten te fluisteren, Mihai die me in zijn kamer in Boekarest met betraande ogen aankijkt en Cristina's lichaam op het kerkhof aan de voet van de berg. Ik heb sterk het gevoel dat ik waak en droom tegelijk.

In die spookachtige momenten word ik lamgeslagen door een overweldigend gevoel van verlies. Ik heb nog een uur voordat ik moet opstaan en er weer een dag in Chicago begint, dus dwing ik mezelf nog even te slapen. Wanneer de wekker mijn lichte ochtendslaap met zijn irritante gerinkel verstoort, sta ik onmiddellijk op en onderwerp mijn ziel aan een streng vergeetregime. Net als een dieet: geen gefrituurde etenswaren, niet aan mijn ouders denken, geen snoep, niet fantaseren over Mihai en wat hij op dit moment aan het doen is, geen vleeswaren en niet aan die droom van nog maar een uur geleden denken. Ik geniet van mijn warme douche en sta mezelf niet toe eraan te denken dat mijn ouders waarschijnlijk geen warm water hebben, of dat mijn moeder zou zeggen dat ik niet door de kou mag met mijn natte haar. Ik houd mezelf gewoon voor dat ik blij mag zijn dat ik elke ochtend een warme douche kan nemen. Ik prop al mijn studieboeken in de versleten rugzak die ik van Marta heb gekregen, en haast me het gebouw uit, de snijdende wind in. Ik ga deze winter doorstaan, maar op de een of andere manier raak ik mezelf ook kwijt. Op de dagen dat ik niet aan vroeger denk, is het alsof mijn hart net zo'n blok ijs is als mijn voeten in de goedkope laarzen waarop ik loop.

Ik moet ver teruggaan in het verleden, ik moet volhouden en mijn uiterste best doen mezelf niet kwijt te raken in de kou en de drukte van Chicago. Ik moet me zowel aan iets vastklampen als overleven.

Ik denk aan mijn geboorte. Zomer in Boekarest, met straten waarin zo'n zware lindegeur hing dat je telkens opnieuw geboren zou willen worden in een naar linden geurende zomernacht. In de kou van Chicago probeer ik die zomer in Boekarest opnieuw te beleven: ik zit in de baarmoeder, verlangend naar het licht, klaar, bang, benieuwd naar de wereld. Ik probeer me mijn moeder voor te stellen, die doorweekt van het vruchtwater op de rand van het bed zit in haar enige jurk, een zwarte rouwjurk, waarin ze een maand eerder haar moeder heeft begraven. Wachtend op de ochtend. Wachtend op mijn geboorte.

Om mezelf niet te verliezen in deze stad vol vreemden, draag ik een land in mijn hoofd mee. De herinneringen van mijn ouders zijn de mijne geworden, alsof ik hun kindertijd heb meegemaakt, hun jeugd. De herinneringen van mijn ooms en tantes heb ik ook verzameld, en die van mijn neven en nichten, en de herinneringen van personages uit boeken die ik heb gelezen. Als mijn vader lach ik bij het zien hoe ik op een zomeravond in het met lindegeur gevulde Boekarest naar de dichtstbijzijnde telefooncel ren en tegelijkertijd probeer mijn broek op te hijsen en een sigaret op te steken. Als mijn eigen moeder Dorina verwonder ik me over de serene kalmte waarmee ik op de rand van een bed zit te wachten op de ochtend van de geboorte van mijn kind. Ik huil, niet om de pijn van de weeën, maar omdat mijn moeder Vera nog maar een maand geleden is gestorven en ik geen afscheid van haar heb kunnen nemen. Ik ben mijn grootmoeder, mijn moeder en mezelf. We baren elkaar terwijl we om elkaar rouwen in de naar linden geurende nacht van het oude Boekarest.

Amerika, Amerika – mijn vluchtelingenland

Tegen de tijd dat de zomer begint, werk ik niet meer in de drugstore. Ik volg zomercolleges en ik heb een baan in Uptown, waar ik vluchtelingen uit Laos, Cambodja en Vietnam Engelse les geef. Ze noemen me 'juf' en ze geven me kralensnoeren voor om mijn nek, kommen noedels en borduurwerkjes met rode en blauwe mensen en vogels in de bergen, gemaakt door Hmong-vrouwen uit de bergen van Laos. De motieven zijn heel anders, maar het felle rood en blauw doen me denken aan de tafelkleden en wandtapijten van de boerenvrouwen in het landelijke Roemenië. Ik hang de Hmong-borduurwerkjes rondom mijn bed, zodat ik die 's ochtends het eerste zie als ik wakker word: kleurige geborduurde mensen en apen, exotische dieren en vogels tussen gestileerde bergen en bomen.

De zomer van Chicago komt aangestormd met een duizelingwekkende, vochtige hitte, dreunende muziek in de straten, autoalarmen en witte jachten langs Lake Shore Drive. Ik werk 's avonds, want mijn leerlingen werken de hele dag in de fabriek. Sommigen zijn achttien, anderen vijftig of zestig. Soms nemen ze hun kinderen mee naar de les. Soms vallen ze onder de les in slaap en dan lacht iedereen, en wijst men naar degene met het naar voren geknakte hoofd en de openhangende mond. Voltooide deelwoorden, *ring rang rung, sing sang sung*, bezittelijke voornaamwoorden, *this is my bag, that is your pencil.* De woorden vormen zich sussend en grappig in mijn mond en mijn leerlingen nemen ze als kostbare gaven van me aan, vertrouwend op mijn vluchtelingen-Engels.

Toen ik mijn eerste docentensalaris kreeg, heb ik voor achthonderd dollar een grote, bruine Oldsmobile gekocht. Mijn Amerikaanse vrienden zeggen dat ik 's avonds beter niet door Uptown kan lopen. Na de lessen voel ik me zo euforisch dat ik nooit bang ben om naar mijn auto te lopen. Ik voel me de koningin van Uptown, bezweet na vier uur lesgeven, met snoeren goedkope, kleurige kralen om mijn nek. Soms brengen een paar leerlingen me naar mijn auto, en elk woord is een lach waard. We lachen in de avondlucht om onze lelijke aftandse auto's terwijl politiesirenes de drukkende zomerlucht doorklieven.

Ik heb als kind over Vietnam gehoord, naar het nieuws geluisterd en mijn ouders en hun vrienden over de oorlog in Vietnam horen praten. Ik ken Cambodja als een plek waar de mensen nog veel slechter af waren dan wij in Roemenië en waar de beroemde Franse schrijver André Malraux zogenaamd tempels bestudeerde, maar in werkelijkheid Khmer-beeldjes achteroverdrukte. Over Laos heb ik bij aardrijkskunde geleerd: het was gewoon een land in Azië waar de mensen ook slechter af waren dan wij. Als ik mijn bonensoep niet wilde opeten, zei mijn moeder: 'De verhongerende kinderen in Laos en Cambodja zouden alles voor die kom soep overhebben.' Mijn vader en zijn dichters- en kunstenaarsvrienden treurden wanneer een van die verre landen door een communistisch regime werd overgenomen en hoopten dat Amerika de oorlog in Vietnam zou winnen.

Tot mijn grote verbazing hoor ik van mijn medestudenten dat de Amerikaanse soldaten 'gruweldaden' hebben verricht in Vietnam, zoals het wreed vermoorden van onschuldige vrouwen en kinderen en het verwoesten van hele Vietnamese dorpen. Hoeveel ik ook weet van de Europese literatuur, ik voel me heel naïef en onwetend op andere gebieden en schaam me nu bijna dat ik me gelukkig prees dat ik naar Amerika was gekomen, met die recente geschiedenis van gruweldaden. Ik wil net zo met politieke begrippen en jargon jongleren als mijn vrienden wanneer ze de imperialistische buitenlandpolitiek van Amerika bespreken, maar ik vind het tegelijkertijd ironisch dat ze me allemaal waarschuwen voor Uptown, waar zoveel armen en vluchtelingen wonen. Als ze zo meeleven met alle armen en vluchtelingen uit verre landen, waarom durven ze er dan niet tussen te lopen, en waarom gaan ze er niet ook werken, vraag ik me af.

Ik moet twee verstandskiezen tegelijk laten trekken, maar ik wil mijn lessen niet afzeggen. Ik zeg nooit een les af. Ik heb een knalroze katoenen jurk aan en mijn net gewassen en geföhnde haar piekt alle kanten op, als van een kat in een tekenfilm die met zijn staart in een stopcontact terecht is gekomen. Bijtend op bloedig gaas loop ik het lokaal in. Ik probeer mijn les te geven: de voorwaardelijke wijs. *If I were rich, I would travel all over the world.*

'Als ik rijk was, zou ik een nieuwe auto kopen en mijn moeder uit Cambodja naar Amerika laten komen.'

Ik proef het bloed dat uit de twee gaten in mijn mond stroomt, rauw en zuur, slik het door en zeg: 'Naar de hel met de voorwaardelijke wijs. Zullen we het gewoon over jullie hebben?' Ze lachen en zeggen: 'O! Juf zegt "hel"!'

Mijn leerlingen vertellen me dat de soldaten van Pol Pot als ze iemand vingen die in de jungle probeerde te ontsnappen, hem zijn hart uit de borst scheurden terwijl hij nog leefde, en dat sommigen op die onbeschrijflijke manier familieleden zijn kwijtgeraakt. Ze hebben geboft, zeggen ze. Ik weet niet hoe ik deze les die over de voorwaardelijke wijs had moeten gaan, kan afsluiten en zeg: 'Ik heb nog nooit een mango geproefd.' Verschillende leerlingen bieden prompt aan er de volgende dag een voor me mee te brengen. 'Mango heel lekker,' zeggen ze. Ik weet dat het ze blij maakt om me iets te geven.

Soms wil ik het land van iedereen om me heen afpakken om het te missen. In Amerika wemelt het van de vluchtelingen, besef ik, maar het is alsof ik geen fatsoenlijke Roemeense vluchteling kan zijn die iets van haar eigen land mist. De gesprekken met mijn ouders over de oceaan heen zijn verkrampt en er vallen lange stiltes waarin ik alleen maar kan denken aan de uitgestrekte zee die ons scheidt. De zee, golvend in haar groene eindeloosheid: de felle haaien, de zilverige dolfijnen, de algen en de ontelbare, gekleurde vissen als regenbogen. Ik schrik uit mijn gepeins op door een simpele vraag van mijn moeder als: 'Hoe bevallen de lessen?' Er zit een groot brok in mijn keel. Ik kan niet meteen antwoorden, want ik wil niet huilen terwijl ik mijn moeder aan de lijn heb, die waarschijnlijk ook haar tranen bedwingt. De codevraag: heb je de rode schoenen gekregen, die betekent: hebben jullie al een paspoort naar Amerika kunnen krijgen, wordt telkens met hetzelfde, gefluisterde 'nee' door haar beantwoord.

Marta zegt: 'Chica, je zou naar de Roemeense kerk moeten gaan om je eigen mensen te ontmoeten. Je eigen taal spreken, daar zou je van opknappen, hoor.'

Maar ik wil uit de buurt blijven van wat zij 'mijn eigen mensen' noemt, want ik ben bang dat ik anders word meegezogen in de maalstroom van mijn nachtmerries en op een vuile stoep in Boekarest beland, starend naar tractors in een etalage. Ik zeg tegen Marta dat zíj mijn eigen mens is en we lachen er samen om.

Op een dag wil ik voor het lesgeven bij Marta en Rhonda in de drugstore op bezoek, maar ik kom niet eens tot de Walgreens op de hoek van Michigan en Chicago Avenue, want als ik langs de winkel van Marshall Fields in het majestueuze Water Tower Place loop, word ik opeens aangetrokken door de schittering van de cosmetica-afdeling en besluit die te bezoeken alsof het een museum is. De glamoureuze vrouwen achter de toonbanken die proberen klanten te lokken aan wie ze hun producten van Clinique en Estée Lauder kunnen slijten, lijken op opwindpoppetjes: ze hebben volmaakte, stralend roze wangen, felrode lippen, lange, zwarte wimpers die fladderen als nerveuze vlinders en glanzend haar. Het schouwspel werkt gek genoeg opbeurend, alsof ik op de een of andere manier in een toneelstuk verzeild ben geraakt, een Amerikaanse versie van *De Meester en Margarita*, en er elk moment een beeldschone Amerikaanse, halfnaakte Margarita in een bloemenmand van het plafond met verguld lofwerk kan neerdalen, die hees een jazznummer zingt over het Amerikaanse consumentisme en haar 'baby' die niet meer van haar houdt. In plaats daarvan word ik aangesproken door een van de poppen, die me vraagt of ik een make-over wil. Ik sta midden in de winkel en kijk haar verbaasd aan, want in geen van de Engelse en Amerikaanse toneelstukken, gedichten en romans die ik heb gelezen, ben ik ooit het woord make-over tegengekomen, en ik wil niet overkomen als de perplexe vluchteling die ik in wezen ben.

'Ja, graag,' zeg ik dus. Misschien betekent het dat ik ook een gratis tasje met monsters krijg, net als andere klanten die ik heb gezien. De vrouw troont me mee naar een glimmende toonbank vol parfums en crèmes voor elk deel van je gezicht en zoveel kleuren oogschaduw als er smaken ijs waren in de *gelateria* in Rome waar ik mijn eerste Italiaanse ijsje met Vittorio at op de dag dat ik politiek asiel aanvroeg.

De vrouw maakt mijn gezicht schoon met wattenbolletjes en verschillende soorten prikkende lotion en brengt dan laag op laag crème, foundation, blusher en oogschaduw aan. Ik ontspan me: de langzame bewegingen over mijn gezicht maken iets in me wakker waar ik al een poos geen tijd voor heb gehad, of geen zin in. Het valt me in dat ik al tijden geen seks meer heb gehad, met niemand, en dat het er niet naar uitziet dat het er op korte termijn van zal komen. Ik ben alleen in deze kubistische stad en niemand houdt van me. Mihais gezicht met de lome uitdrukking die hij altijd had na het vrijen, met slierten zwart haar over zijn voorhoofd en de twinkeling van een glimlach in zijn ogen, doemt op vanonder het wateroppervlak waar ik hem lang geleden onder heb geduwd, die middag in Rome toen ik mijn haar door een Italiaanse kapper liet knippen.

Een overweldigend verlangen neemt bezit van me en ik begin te beven. De producten van Clinique en Estée Lauder deinen voor mijn ogen en ik word bang bij de gedachte dat deze ingewikkelde make-over me al het geld op mijn bankrekening tot het eind van de maand zal kosten. Plotseling stromen de tranen over mijn dik opgemaakte wangen en de pop kijkt me ontzet aan, want ik heb net haar halve uur vlijtig werken aan mijn gezicht bedorven.

Ik fluister bijna onhoorbaar: 'Wat kost het?' De make-overspecialiste zegt dat het gratis is. Ik kan de tranenvloed die mijn make-over verwoest niet bedwingen, al heeft het woord gratis me extatisch gemaakt. Ik wil iets kopen om mijn waardering voor die vriendelijke vrouw en Marshall Fields te laten blijken. Ik kan niets kiezen, ik word pijnlijk heen en weer geslingerd tussen de cosmetische producten en weet me geen raad. Rivieren van foundation en bergen van kleurige oogschaduw dansen in mijn hoofd, tot mijn blik op een flacon voetcrème valt. De crème kost vijftien dollar, nog altijd meer dan ik me kan veroorloven, maar ik ben zo blij dat de make-over me niet mijn hele maandsalaris kost dat het bedrag er bijna niet meer toe doet.

Ik ren Marshall Fields uit, met mijn aankoop als een trofee in mijn hand. Mijn hart zwoegt als een pomp en er komen rare piepgeluiden uit mijn keel. Marta en Rhonda houden me om beurten vast en laten me slokjes gemberbier drinken die ik meteen weer uitspuug. Ik mis Marta en Rhonda ook, al heb ik ze bij me. Ik mis Mexico, Laos en Vietnam, en alle bergen en oerwouden van Indochina. Ik zie Mexicaanse muzikanten met een rode doek om hun nek die lome liedjes op hun mandoline spelen terwijl de harten van Cambodjaanse kinderen als perziken in de junglebomen hangen.

Ik word wakker in mijn appartement, gloeiend van de koorts terwijl ik telkens in een soort sluimering wegzak. Op een gegeven moment staan er tractors in mijn kamer die me met grote, zwarte, roerloze ogen aanstaren. Ik zweef ergens boven de groene oceaan en dreig in het bulderende water te storten en door haaien verslonden te worden. De resten van mijn lichaam zullen in kleine stukjes tussen de veelkleurige vissen verspreid raken. Iemand voert me kippensoep. Ik denk dat het Rhonda is die me telkens *honey* noemt. Het is het enige woord dat ik lijk te begrijpen. Honey, honey, honey! Alles is in zoete, romige honing veranderd en ik verdrink erin.

Misschien ben ik wel nooit in Roemenië geboren, heb ik het me gewoon verbeeld nadat ik een boek over de Roemeense cultuur had gelezen dat ik bij Barnes & Noble had gekocht. Misschien ben ik eigenlijk een Mexicaanse uit de zonnige kant van Mexico City, waar de straten zijn afgezet met witgepleisterde huizen en bloeiende cactussen. Marta was mijn buurmeisje en we speelden verstoppertje achter de cactussen en de rode bougainville. Misschien ben ik in Nairobi opgegroeid te midden van miljoenen kletterende geluiden, vloekende kleuren en vrouwen die in bonte kleuren beschilderde manden op de markten verkochten. Ik duik een donkere tunnel met jazzmuziek op een saxofoon in en als ik eruit kom, drijf ik op de Nistru en zing 'Für Elise' van Beethoven. Ik zit veilig in een boom, kijk naar de vuile rivier die onder me voorbijsnelt en tel de uren die ik nog te leven heb.

Mijn mond is kurkdroog en ik drink koud water uit een porseleinen kopje. Mijn kamer krijgt langzaam vorm en ik herinner me dat ik Mona Maria Manoliu heet, dat ik op een zomerdag in Boekarest ben geboren en dat dit mijn huurkamer in Chicago is, waar ik nu thúís ben. Ik herinner me dat ik dol ben op Chicago. Marta en Daniela zitten naast me op het bed. Rhonda komt met een kom soep uit de keuken. Ik vraag waar mijn voetcrème is en Daniela geeft me de flacon en zegt: 'Hier, *tia* Mona.' 'Je hebt die crème heel lang vastgehouden, alsof je leven ervan afhing,' zegt Marta. Iedereen lacht en ik voel dat ik zelf ook lach.

Dansen met Tom

Als ik een paar jaar in Amerika woon, begint de droom die ik ooit had toen ik in een schouwburg in Boekarest *De Meester en Margarita* zag, tot werkelijkheid te komen. Ik studeer theaterwetenschappen aan een prachtige universiteit aan Lake Michigan. Ik leer dingen over belichtingssystemen en geluidsinstallaties. Ik leer een heel nieuwe taal voor het creëren van schemerwerelden op het toneel, over dialoog en beweging, een universum aan gevoelens en gebaren in violette en gele tinten. *Fade in, fade out.* Het geluid van onweer, druppelend water, een rinkelende telefoon, een huilende baby, een miauwende kat. Ik kan alles. Ik kan een donkere, lege ruimte tot leven wekken, een wereld scheppen en dan *poef!*, die wereld weer ongedaan maken en opnieuw scheppen, telkens opnieuw. Bij elk nieuw ding dat ik leer, zeg ik tegen mezelf dat het het allemaal waard was, dat ik het laat tellen.

Ik ontmoet Tom McElroy bij de balie van de bibliotheek, waar hij *De gebroeders Karamazov* van Dostojevski leent. Hij heeft een mooi profiel met een haviksneus en achterovergekamd, zwart haar en een sexy snor. Hij draait zich om en kijkt me aan terwijl we op het stempelen van ons boek wachten. De kleur van zijn ogen valt me op: heel blauw, donkerblauw bijna, met een speelse twinkeling erin. Ik heb nog nooit een vreemde aangesproken, maar nu geef ik toe aan mijn opwelling: 'Ik ben gek op *De gebroeders Karamazov.* Het is een van mijn lievelingsboeken.'

'En ik ben dol op westerse toneelkunst,' zegt hij met een blik op het boek dat ik wil lenen.

We blijven een tijdje bij de balie staan en voeren een verhit gesprek over de Russische literatuur, opgetogen dat we dezelfde boeken kennen. De vrouw achter de balie luistert ons af. Tom zegt dat er die avond een feest is voor nieuwe studenten. Ik heb er niets over gehoord. Ik wist niet dat er zulke feesten waren. Als ik nog geen date heb, zegt hij, zou ik dan...?

'Wat is een date?' vraag ik.

'Als je voor het eerst uitgaat met iemand die je leuk vindt,' zegt hij met een glimlach. 'Of voor de tweede keer, trouwens.'

Het is een opluchting dat hij niets over mijn accent zegt en niet vraagt waar ik vandaan kom. Ik vraag of hij van plan is om een tweede date te vragen. Hij schiet in de lach en dan moet ik weer om hem lachen. De vrouw achter de balie kijkt ons vuil aan.

Op het feest voor nieuwe studenten dans ik uren met Tom. Zo heb ik niet meer gedanst sinds het oudejaarsfeest met Mihai in Radu's huis terwijl buiten de sneeuw dwarrelde. Mijn lichaam is vol leven, en Toms armen en borst leiden me stevig en geruststellend door de verschillende ritmes: rock-'n-roll, salsa, reggae. De muziek dreunt door mijn lijf en laat me mijn zorgen vergeten. Ik besef dat ik hier lang naar heb gesmacht, om vastgehouden, gedraaid en weer vastgehouden te worden, en Tom McElroy is precies de man die ik zoek. Hij houdt van Russische literatuur, hij heeft nog met geen woord over Dracula of Nadia Comăneci gerept, hij houdt van dansen en hij houdt me vast alsof hij me nooit meer los wil laten. Hij werkt aan zijn promotie in de psychologie en loopt stage als psycholoog op een middelbare school.

Binnen een maand trek ik in bij Tom in zijn eenkamerappartement in een bakstenen pand in het noorden van de stad, aan een stille straat met essen. Vlak bij onze straat is een groen gebiedje dat Tom een park noemt, met grote houten speel- en klimrekken voor kinderen. Ik ben erg gesteld op onze straat in Chicago en onze buren, een Porto Ricaans echtpaar met een zoontje van vijf dat altijd '*hola, señora*' tegen me zegt en dan giechelt.

Tegen het eind van het jaar besluiten we in het voorjaar te gaan trouwen. Het is halverwege de jaren tachtig, nog een jaar, dan kan ik het Amerikaanse staatsburgerschap aanvragen. Voor het eerst in lange tijd voel ik me voldaan en tevreden, misschien wel voor het eerst in mijn leven. Ik loop in mannenjasjes en zwarte maillots, alsof ik niet meer vrouwelijk hoef te zijn. Ik meet me het zelfbewustzijn en de achteloosheid aan van een man, van een Amerikaanse man. Ik experimenteer met die nieuwe Amerikaanse ik: jongensachtig, met warrig haar, oneerbiedig en nonchalant. Ik prop het beeld van Mihai diep tussen de in cellofaan verpakte aandenkens in mijn geheugen, zodat ik zijn groene ogen onder de langste wimpers van de wereld niet kan zien. Hij ligt geplet onder in het pakket met mijn Roemeense verleden erin.

We gaan naar bluescafés in verborgen panden in het zuiden van de stad, gruizig en barstend van leven en ritme, en naar rumoerige Ierse bars, want Tom is Iers en trots op zijn afkomst. Ik bereid Roemeense gerechten voor ons die ik al doende verzin, en ontdek bijna angstig de huiselijke genoegens die ik nooit eerder heb ervaren. In onze jacht op gerantsoeneerde bloem en suiker, in de schimmendans met de geheime politie, was het huiselijke leven in Roemenië provisorisch en chaotisch, heen en weer slingerend tussen de eentonigheid van vijf keer achter elkaar hetzelfde onbevredigende avondmaal en de intense vreugde van het na twee uur in de rij staan iets nieuws te vinden: twee ons kaas, een blikje sardines of een kilo perziken. Dan waren er nog de feestdagen, wanneer de hele familie uitrukte om dagen in door elkaar lopende, zich door de stad kronkelende rijen te staan, alleen maar om genoeg ingrediënten voor een kerstmaaltijd of een verjaardagstraktatie bij elkaar te sprokkelen. Tom vindt alles wat ik maak even lekker. Hij kookt ook wel eens, eenpansgerechten uit een kookboek en recepten die zijn moeder hem stuurt, of een soort Iers brood, *potato farl*, dat er net zo goudkleurig uitziet als het Roemeense mămăligă. Bezig met mijn theatercolleges en mijn baan als docent, de roezig makende ritmes van de blues en de pretentieloze opwinding van het zij aan zij met Tom groene paprika's en tomaten snijden, voel ik dat mijn draderige worteltjes zich vertakken en zich verankeren met een slordige vastberadenheid, zoals het hardnekkige onkruid tussen de stoeptegels van Chicago opschiet.

Tom en onze studievrienden leren me blowen en vertellen me over alles wat er aan Amerika mankeert: het kapitalistische imperialisme van de grote oliemaatschappijen, de haat en ongelijkheid op basis van ras en geslacht. Ze vertellen me dat persvrijheid een illusie is. Goed, je mag midden op een plein de president verwensen, maar wat dan nog? Je kunt niets veranderen, want de media zijn toch in handen van de grote ondernemingen. Ik ontdek de muziek van Bruce Springsteen en Sting.

Op een avond, als we op een feest zijn en ik high ben van het blowen, ga ik midden in een kamer vol mensen op mijn handen staan. Mijn blauw satijnen rok golft over mijn gezicht. Mijn bewegingen lijken hakkelend, samengetrokken, als die van een marionet, alsof de seconden en minuten zich in afzonderlijke stromen voor me ontvouwen, zoals de achtuurbloem op het graf van mijn grootmoeder met een *plop* openging. Een visioen van mij als kind met mijn moeder in het reuzenrad in het park met de zwanen waar we naartoe gingen op de dag dat de Russen Praag binnenvielen, trekt als een filmfragment aan me voorbij. We draaien rond en rond in het reuzenrad, dat steeds sneller gaat. Er trekken meer van die fragmenten aan me voorbij, maar er is er een die ik telkens terugspoel: Mihai, die in een witte auto naar Boekarest rijdt, waar we hebben afgesproken bij het enorme witte gebouw dat Casa Scînteii heet, het hoofdkantoor van de Roemeense krant die *Scînteia* heet, de Vonk, het Huis van de Vonk. Dit is de grote krant van de Partij die volgens mijn vader vol leugens staat, bladzij na verdomde bladzij. Ik sta voor het enorme, witte gebouw in een gele jurk met noppen die te kort is en te strak zit en Mihai rijdt maar in kringetjes om me heen, zonder te stoppen; hij wuift alleen met een rode sjaal door het raampje van de auto. Ik haat het Huis van de Vonk en ga midden op straat staan om Mihai te laten stoppen, maar hij blijft in kringetjes om me heen rijden en met die sjaal wuiven, en dan begint de film opnieuw in de kamer vol mensen die over president Reagan praten.

Ik ben gek op het nummer 'Hungry Heart' en dat zing ik terwijl ik op mijn handen sta en het bloed naar mijn hoofd stroomt, want ik heb het hongerigste hart dat je ooit hebt gezien, net als Lady Lazarus in het gedicht van Sylvia Plath: *I rise with my red hair / And I eat men like air.* Ik eet alle bloemen uit de buurt op, net als toen ik zeven was en mijn gifgroene gal uitbraakte, en ik eet alle slechte kapitalisten en imperialisten en oneerlijke verslaggevers op, en ik spuug ze allemaal uit met mijn groene gal, net als de grote, boze wolf in het sprookje. Tom zegt dat we naar huis moeten, dat ik me niet goed voel, maar ik zeg dat ik me prima voel, en kunnen we 'Hungry Heart' nog een keer horen?

Naturalisatie

In het zesde jaar van mijn verblijf in de Verenigde Staten mag ik op gesprek om Amerikaans staatsburger te worden. Ik doe mijn mooiste jurk aan, een rood-met-blauwe zijden jurk met een paisleymotiefje, die ik bij Carson Pirie Scott aan State Street heb gekocht voor een huwelijksreceptie waar ik met Tom naartoe ging. Ik denk dat ik er goed en welvarend uit moet zien voor mijn gesprek, om te laten zien dat ik het staatsburgerschap waard ben: een respectabele, permanente ingezetene. Tom biedt aan met me mee te gaan naar het immigratiekantoor in Daley Center, maar ik vraag hem me dit alleen te laten doen.

Terwijl ik tegenover de immigratiebeambte zit, moet ik opeens aan mijn tante Ana Koltzunov denken. De woeste, groene Zwarte Zee, op die stormachtige zomermiddag toen we verdwaalden, golft voor mijn ogen, hier aan die tafel waaraan ik me laat naturaliseren. De beambte heeft me net een van de laatste vragen van de lijst gesteld: of ik in een oorlog zou vechten, mochten de Verenigde Staten ten strijde trekken.

De vraag overdondert me. 'Aan welke kant?' vraag ik.

De beambte kijkt me vuil aan en veegt het zweet van zijn platte, glimmende gezicht voordat hij antwoord geeft.

Ik verbeter mezelf en vraag: 'Met wat voor wapen?'

‘Pardon? Kunt u dat alstublieft nog eens herhalen?’

‘Wat voor wapen zou ik hanteren?’ vraag ik. ‘Ik kan met een geweer schieten. Dat deden we elke week op de middelbare school, het hoorde bij onze vaderlandslievende opvoeding; dat kan ik wel. Ik kan met een geweer omgaan.’

Hij kan me niet goed volgen. Zo hoort een naturalisatiegesprek niet te verlopen.

‘Is dat een bevestigend antwoord? Antwoordt u ja op de vraag dat u zou vechten?’

Tot zijn ontsteltenis zeg ik: ‘O, neem me niet kwalijk! Nee, natuurlijk zou ik niet aan een oorlog meedoen. Mocht Amerika in oorlog raken, dan vecht ik niet mee in de oorlog.’

Hij staat paf van mijn antwoord. Het ergert me dat ik drie keer ‘oorlog’ heb moeten zeggen. Ik denk aan de twee broers die elkaar op het bloedige slagveld liepen te zoeken in de zon die schuin over de lijken viel. Ik denk aan Ivan, die krijgsgevangene was en vijfentwintig jaar van zijn leven zoek was. Ik denk aan mijn Bessarabische tante, die me in de regen aan haar boezem drukte, aan haar zoon Petea, die haar zo ongerust maakte dat ze de weg naar huis vergat.

‘Nee, nee,’ zeg ik nog eens tegen de beambte. ‘Ik zou niet in een oorlog willen vechten.’

Dan vraagt hij of ik op een andere manier zou willen helpen in een oorlog, ‘de gewonden verzorgen, bijvoorbeeld. Als verpleegster.’

Als ik die vraag bevestigend beantwoord, lijkt het alsof hij blij is dat we elkaar toch een beetje begrijpen.

Het slaat nergens meer op: de vierkante kamer zonder ramen, de tl-verlichting en die man met zijn platte, glimmende gezicht die een formulier invult en me vragen stelt over oorlog en gewonden. Ik denk aan de verhalen die mijn vader me vertelde over zijn tijd als verpleeghulp in de oorlog, op zijn vijftiende. Hij heeft de hersenen van soldaten met hoofdwonden gezien. Hij zag hun hersenen onder hun verbrijzelde schedel kloppen.

Ik wil niet meer genaturaliseerd worden. Het woord zegt me

ook niets, alsof ik nu niet natuurlijk ben. Ik wil hier weg. Ik overweeg tegen die man te zeggen dat ik familieleden heb die naar de USSR gingen en daar ruilhandel dreven met de Russische bevolking, en andere familieleden die in de strengste politieke gevangenissen van Roemenië hebben gezeten, en weer andere familieleden die dood neervielen bij de aanblik van het handschrift van een geliefde, en dat ik ook een zigeunerin met frambozen in de familie had – als ik dat allemaal zou zeggen, zou hij het gesprek afsluiten, dan werd ik uitgezet en hoefde ik me nooit meer te laten naturaliseren. Wat er met me zou gebeuren als ik naar Roemenië zou worden gedeporteerd, is een zo deprimerende, beangstigende gedachte dat ik trillend en nerveus tegenover de beambte zit. Ik voel me belachelijk, zo opgedoft als ik ben.

Ik denk aan de laatste keer dat we Ana's zoon Petea zagen. Jaren geleden kwam hij bij ons en vroeg of hij bij ons mocht slapen. Hij zag er verwilderd en afgetobd uit. De geheime politie maakte jacht op hem, maar hij kon ons niet zeggen waarom en wilde niet dat zijn moeder in moeilijkheden kwam. We mochten Ana niet vertellen dat we hem hadden gezien. Ana Koltzunov had de rest van haar leven tranen in haar ogen. Ik denk aan sergeant Dumitriu en de schaduwen die me elke avond op weg van school naar huis volgden. Ik denk aan de schriele man in de banketzaak, de oude man die bruine soep in zijn baard morste en de arrestaties van mijn vader. Waar zou ik naartoe gedeporteerd worden? Waar zouden ze me heen sturen? Mona Manoliu, zeg ik tegen mezelf, je kunt je beter laten naturaliseren dan teruggestuurd worden naar die nachtmerrie die je zes jaar geleden achter je hebt gelaten.

De beambte gaat naar de kamer naast de onze en vraagt zijn collega erbij te komen. Ze smiespelen een tijdje in een hoek van de kamer en komen dan krampachtig glimlachend terug.

Mijn beambte zegt: 'U bent dus gewetensbezwaarde. Dat bent u.'

Hij noteert het als antwoord op de laatste vraag. Dan word

ik eindelijk genaturaliseerd, als 'gewetensbezwaarde'. De lange lijn van mijn voorouders met hun verhalen over oorlogen en overstromingen, afscheid en herenigingen op stations, kijkt me streng aan, een hele rij strenge gezichten, vrouwen met blauwe ogen en mannen met zwart haar, duidelijk gereflecteerd in de spiegel van mijn overgrootmoeder.

Desintegratie, re-integratie

Er ontstaat een leegte in ons huwelijk. Tom wordt afstandelijker en korzeliger, alsof we ons, nu we een paar jaar getrouwd zijn, eindelijk ieder in onze eigen wereld kunnen terugtrekken en als vreemden voor elkaar op de ouderdom kunnen wachten. Ik kan niet precies zeggen wanneer Tom me als een huisgenoot begon te behandelen in plaats van als zijn vrouw. Misschien was het die avond toen hij Carl Jungs boek over het 'collectieve onbewuste' zat te lezen. Ik kwam naar hem toe om hem een kus te geven, maar hij duwde me weg en zei dat hij het heel druk had. Zijn mondelinge examens kwamen eraan, dat wist ik toch? Toen escaleerde het tot een ruzie. Ik zei dat het lezen van Jung en al dat gepraat over dromen, seksualiteit, het vrouwelijke en het mannelijke hem juist meer in de stemming voor een kus zou moeten brengen, en toen vertelde ik zonder erbij na te denken over mijn eerste liefde in Roemenië, toen ik nog jong was. Hij flapte er uit dat ik dan maar terug moest gaan naar die liefde in Roemenië. Toen voelde ik iets knappen, een plotselinge kloof tussen ons. Ik voelde me eenzaam, ondraaglijk eenzaam in ons appartementje in Chicago. Ik wilde mijn koffer pakken en weggaan, maar ik kon nergens naartoe, ik had niemand. Ik bleef dus op mijn stoel zitten en dacht: laat ik Tom wat tijd gunnen, het wordt wel beter.

De ruzietjes die ons altijd aan het lachen maakten en ons een excuus gaven om elkaar stevig vast te houden – 'Het spijt me.' 'Nee, het is mijn schuld, laat maar.' – gaan nu uren en soms dagen door, met discussies en rancune, vijandige blikken, geschreeuw en zwijgen. Altijd dat zwijgen. Ik voel dat ik iets mis, alsof ik de hele tijd iets fout doe of dat er altijd iets op de verkeerde plek ligt. Woorden raken versleten, verliezen hun betekenis en worden holle klanken. *Lichtknop. Bankrekening. Wc-bril. Dat toontje. Jij moet schoonmaken. Nee, jij. Schoonmaken, schoonmaken, schoon, schoon.*

Ik denk dat ik me heb vergist. Niets klopt nog. Alles is aanleiding tot ruzie. Wanneer is dit gebeurd, hoe is het begonnen? Ik weet me geen raad, want ik zie geen mogelijkheid om hieraan te ontsnappen. Dit is mijn huwelijk, en ik vraag me af of ik het nog veertig, vijftig jaar kan volhouden... of zelfs maar één jaar. Op de een of andere manier lijk ik hier moeilijker uit te kunnen vluchten dan uit Roemenië en het huis van Gladys en Ron. Het lot, een soort kosmische willekeur, had me in die situaties laten belanden, maar dít heb ik zelf in het leven geroepen, ik heb ernaartoe gewerkt en mezelf met een heldere geest en een zuiver hart aan Tom geschonken.

Ik mis onze eerste maanden, toen we samen lachten, naar blues en jankende Ierse liedjes luisterden, groenten sneden en gesprekken voerden over de pracht van de Russische literatuur of avant-gardetoneel. Ik begrijp die nieuwe puzzel in mijn leven niet en kan hem niet oplossen. Vroeger dacht ik dat alles volgens een soort klassiek plan verloopt, dat de prinses na het overwinnen van talloze obstakels ten slotte haar bestemming bereikt, dat er een prins in een gouden koets omringd door witte duiven op haar wacht die haar naar zijn kalme, vredige rijk brengt. Een koninkrijk waar ze kan uitrusten van al haar omzwervingen, haar studie theaterwetenschappen kan afmaken en kan genieten van kleine huiselijke genoegens. Ik begrijp die leegte niet.

Mihai verschijnt soms aan me in mijn dromen. Meestal zit hij met zijn rug naar me toe op de bank voor het huis van mijn tante. Soms zit hij opzij gedraaid naar iets in de verte te kijken, aan de overkant van de straat, zodat ik zijn profiel kan zien. Als ik 's ochtends wakker word, niet weet waar ik ben en de rug van de man zie die naast me ligt te slapen, heb ik soms de illusie, misschien maar een fractie van een seconde, vlak voordat ik klaarwakker ben, dat Mihais rug daar langzaam op en neer gaat op het ritme van zijn ademhaling. We zijn eindelijk samen, het is niet duidelijk in welke stad en in welk land, we zweven gewoon ergens in de wereld waar we elkaar eindelijk vrijelijk kunnen liefhebben, zoals ik ooit heb gedroomd.

Als Tom zich omdraait en 'goedemorgen, schat' zegt, is het alsof ik plotseling naar beneden stort, met een doffe bons in mijn bewuste die gepaard gaat met een dof verdriet, een dof gevoel van vervreemding, alles is dof, dof, dof, als een bruiloft waarop niet wordt gedanst.

Rond die tijd belt mijn moeder om te zeggen dat de rode schoenen zijn aangekomen. De immigratiepapieren van mijn ouders zijn aangekomen, ze hebben hun paspoort. Ze komen volgende maand aan. Het lijkt mijn redding te zijn. Mijn ouders komen en die maken het allemaal goed, die lossen al mijn huwelijksproblemen op en roepen Tom tot de orde.

Ik ga alleen naar de luchthaven. Ik wil Tom er niet bij hebben. Ik wil dat deze hereniging iets van ons drieën is, zoals ook het uiteenvallen van ons gezin iets van ons drieën was in die wrede aprilmaand met hyacinten en narcissen in ons appartement in Boekarest, toen we besloten dat ik die zomer zou proberen te vertrekken. Het is mei in Chicago, en warme windvlagen van Lake Michigan laten de jachten die weer aan Lake Shore Drive zijn verschenen, deinen.

Ik zweet en er trekken trillingen door mijn lijf, als de naschokken van een zware aardbeving. De aarde klinkt in, zeiden de mensen na de aardbeving van 1977 in Boekarest wanneer we meer schokken voelden en op het punt stonden de trap af te stormen of door het raam naar buiten te springen.

Ik sta achter de hoge, metalen, elektronische hekken in de

aankomsthal voor internationale vluchten, tussen honderden andere mensen die verwanten van over de hele wereld opwachten en gespannen naar de hekken kijken. Verwanten uit Polen en Senegal, uit Vietnam en Burkina Faso, uit Italië en Algerije, de hele wereld heeft zich bij de hekken in die aankomsthal verzameld. Mijn hoofd gonst van alle talen die er om me heen worden gesproken en ik tel in mijn hoofd in het Roemeens: *uno, doi, trei, patru, cinci, şase,* ik tel de seconden tot ik mijn ouders zie en kan mijn ogen niet van de hekken afhouden, niet eens om ermee te knipperen, tot ze tranen van de inspanning om niet te knipperen.

Ik zie hen voordat ze mij herkennen. Dan ziet mijn vader me, en zijn gezicht straalt. Zijn haar is witter, zijn rug meer gekromd. Hij is mager en oud. Mijn moeder ziet er nog bijna hetzelfde uit, al glanzen haar ronde, ogen blauwer dan ooit. Ik slaak een gilletje en mijn vader begint met schokkende schouders te snikken.

Het eerste wat mijn vader zegt, is: 'Ons toestel was bijna in zee gestort. Ik vlieg nooit meer, nooit van mijn leven.'

'Je bent niet goed wijs. Luister maar niet naar hem, hij overdrijft,' zegt mijn moeder tegen mij. 'Het was gewoon wat turbulentie.'

'Turbulentie?' zegt mijn vader. 'We waren bijna omgeslagen en over de kop in zee gevallen. Dat hadden we net nodig, na alles wat we al hebben doorstaan.'

Ik lach door mijn tranen heen. Het is alsof we elkaar maar een dag niet hebben gezien, een lange, lange dag waarin ik een keer of tien ben verhuisd, ben getrouwd, een studie heb afgemaakt en aan een tweede ben begonnen, een baan heb gehad en toen nog een, en huwelijksproblemen heb gekregen. En op diezelfde lange dag moesten mijn ouders een aanvraag doen voor gezinshereniging volgens de wet voor mensen die eerstegraads familie in het buitenland hebben. Mijn vader is ontslagen uit zijn functie bij de universiteit in Ploieşti, hij is eruit gezet met een grote, vernederende scène ten overstaan van de hele universiteit en behandeld als een verrader van het land en de Partij omdat hij zich met zijn dochter in Amerika wilde herenigen. Mijn ouders moesten zonder inkomsten uit werk zien te overleven tot hun emigratiepapieren eindelijk kwamen, twee jaar later. Tante Nina, oom Ion en tante Matilda hebben hen geholpen het te overleven en de beproeving van het wachten te doorstaan zonder werk, zonder geld. Mijn vader sleept de enorme, oude leren koffer met zich mee die we altijd meenamen naar zee, en mijn moeder heeft een nieuwere, zwarte koffer die ik nog nooit heb gezien.

In de auto op weg naar huis praten we onophoudelijk. We willen alles tegelijk vertellen en onze verhalen dwarrelen door elkaar. 'De geheime politie is gemener en stommer dan ooit. Er is vrijwel niets meer te eten. We zijn de afgelopen twee jaar zo goed als verhongerd, we leefden op brood en aardappels, en zelfs die waren moeilijk te vinden. Ceauşescu laat een gedrocht neerzetten, het Volkspaleis. Zelfs de kranen zijn van goud, bezet met diamanten. Terwijl de burgers verhongeren, kun je het je voorstellen? Hij is in de laatste stadia van zijn krankzinnigheid,' zegt mijn vader en hij knijpt zijn staalblauwe ogen dicht.

'De Securitate zwermt en kronkelt als ratten op een zinkend schip,' vervolgt hij. Dan lacht hij en zegt op een toon alsof hij de beste bak van de wereld vertelt: 'Ze hebben hun klauwen eindelijk van me afgetrokken, die debielen, toen bekend werd dat ik wilde emigreren. Ik was niet meer interessant. Het is allemaal achter de rug,' besluit hij somber, 'maar binnenkort gebeurt er iets,' zegt hij op zijn vertrouwde profetische manier, 'let op mijn woorden, er hangt iets in de lucht.'

Hij vraagt wat we hier in Amerika voor nieuws uit Roemenië krijgen en is verbijsterd als ik zeg dat we eigenlijk niets over Roemenië horen.

'Luister je dan niet naar Radio Vrij Europa?' vraagt hij.

'Die kunnen we hier niet ontvangen,' zeg ik bijna gegeneerd. 'Al hebben we honderden zenders en kanalen.'

'Wat heb je daar nou aan als je Radio Vrij Europa niet kunt

krijgen?' zegt mijn vader. Het doet me goed dat de vernederende jaren in Roemenië op het randje van de hongerdood zijn vonk niet hebben kunnen doven, noch zijn woede.

'Kijk mama! Dat is de Sears Tower, zie je wel? En kijk, papa, dat is de skyline van Chicago, met The Loop, zie je wel?' zeg ik zo trots alsof de hele stad van mij is.

'O, wat groot, wat modern,' zegt mijn vader. 'Ziet heel Chicago er zo uit?'

'Niet overal. Het is een heel grote stad,' zeg ik. 'Je hebt hier alles.'

'Kan ik werk krijgen? Werk op mijn eigen terrein?' vraagt mijn vader.

'Daar hebben we het nog wel over, Miron, laat het kind even op adem komen,' zegt mijn moeder.

Ik ben met stomheid geslagen door de vraag van mijn vader en mijn eigen onvermogen hem een geruststellend of ter zake kundig antwoord te geven. Wat moet mijn vader in Chicago, op zijn leeftijd, met zijn achtergrond in Latijn, Roemeense linguïstiek en literatuur, zonder enige kennis van het Engels?

Tom staat achter het raam op de eerste verdieping te wachten en zwaait naar ons. Ik zwaai terug en geef mijn moeder een por. Ze kijkt door het raam van de auto omhoog en probeert te glimlachen en terug te zwaaien, maar mijn vader zit voorin door de voorruit te kijken zonder echt iets te zien.

'We hebben alles zomaar achtergelaten, een heel leven... We hebben gewoon een paar spullen gepakt en de deur achter ons op slot gedraaid. Die klootzakken hebben vast al ingebroken, alles gestolen en het appartement verzegeld. Je moet er niet aan denken, het bureau van mijn moeder, al mijn boeken... alles.' Zijn ogen zijn fel van verdriet, woede, angst en alle andere rancuneuze gevoelens van de wereld.

Mijn moeder probeert luchtig te doen en kijkt op naar Tom, die aanhoudend zwaait en naar de auto glimlacht. 'Hou daar onmiddellijk mee op,' zegt ze. 'Gedane zaken nemen geen keer, en je wilde niets liever dan weggaan, weet je nog?'

‘Gedane zaken nemen geen keer’, dat zei Letizia ook op het station van Triëst, ons lot is bezegeld, onze wortels zijn afgekapt en ons verleden ligt achter ons. Ik leun opzij en omhels mijn vader. Hij zegt dat ik niet moet huilen, we zijn nu toch weer samen, wat valt er te huilen, het was toch maar meubilair. Tom komt naar beneden om ons te begroeten en met de bagage te helpen.

De aankomst van mijn ouders verricht echter niet de wonderen voor mijn huwelijk waarop ik had gehoopt. Nu mijn ouders bij ons wonen en op de slaapbank in de woonkamer slapen tot ze hun eigen woonruimte hebben gevonden, moeten Tom en ik fluisterend ruziën, in de slaapkamer. Tom is buitengewoon lief voor mijn ouders. Hij doet zijn best hen met Engels te helpen, rijdt hen rond en legt uit waar het nieuws op tv over gaat.

Uiteindelijk gaat mijn vader door de knieën: hij neemt Engelse les op de school waar ik Engels als tweede taal doceer. Hij gaat elke dag met de trein van en naar de lessen, met het treinpasje dat mijn moeder voor hem heeft gekocht, als een schat in de borstzak van zijn jasje. Hij trekt altijd zijn beste pak aan voor de lessen, alsof hij zelf voor de klas staat. Soms gaan we samen met de trein, maar meestal ga ik regelrecht van mijn colleges naar mijn werk. Op een dag moet ik nog een paar boodschappen doen na mijn college toneeltheorie en ik beland op station Howard Street, waar iedereen de overstap van Chicago naar de voorsteden maakt. Ik zie een massa mensen bij de kaartverkoop en hoor luid gepraat. Dan zie ik mijn vader midden tussen de mensen staan. Een conducteur pakt hem ruw bij de arm en de omstanders gapen hem aan terwijl hij in het Roemeens naar de conducteur roept dat die hem met rust moet laten en dat iedereen naar de hel kan lopen. Zijn gezicht is rood en zijn onderkaak trilt alsof hij kwaad is of bijna moet huilen. Hij heeft de verkeerde trein genomen naar de Engelse lessen, zijn kaartje is niet geldig en hij probeert vanaf de verkeerde kant door de tourniquet te komen. Hij staat er wanhopig en verschrompeld bij, zijn witte haar is warrig en het zweet stroomt van zijn gezicht in de smorende hitte van deze dag in september.

Ik duw alle omstanders opzij en baan me een weg naar mijn vader, en zijn ogen lichten op als hij me ziet, alsof ik zijn persoonlijke verlosser ben. Ik zeg tegen de conducteur dat hij mijn vader verdomme met rust moet laten en dat hij eens moet leren iets beleefder tegen de mensen te doen, pak mijn vader bij de arm en neem hem mee naar het goede perron. Mijn vader beeft van woede en vernedering en zegt dat hij niet op Amerikaanse bodem wil sterven. Terwijl we instappen en gaan zitten, zegt hij dat hij bij zijn eigen mensen begraven wil worden. Hij kijkt me bedaard aan en stopt zijn treinpas weer keurig in de borstzak van zijn marineblauwe jasje.

Mijn minnaar Janusz uit Belgrado

Die zomer slaat mijn verwarring harder toe dan ooit. Overal zijn snelwegen en daarover rijd ik 's avonds laat op weg naar het huis van mijn minnaar in een buitenwijk van Chicago. Ondanks de ruzies houd ik nog van mijn man. Ik voel me veilig en beschut bij hem, maar er zit iets niet goed.

Ik wijt de vervreemding aan de cultuurverschillen. Ik wijt het aan mijn eerste liefde, die me niet meer laat liefhebben zoals het hoort. Tom geeft zijn kindertijd en vroege jeugd de schuld. We geven elkaar en onszelf de schuld, onze ouders, het houdt niet op. We worstelen, we ruziën, we huilen en leggen het bij. Ik ben net Emma Bovary: *O, mijn god, waarom ben ik getrouwd?* Maar ik lijk niet echt op Emma. Ik ben tenslotte in een marxistisch land opgegroeid. Mijn grootste droom was niet de liefde, maar het vermoorden van onze president. Ik vind het komisch dat zelfs mensen die niet in een dictatuur zijn opgegroeid, nog manieren verzinnen om elkaar het leven zuur te maken. Ik vind het komisch dat Tom psychologie studeert terwijl hij zelf zoveel psychische problemen heeft. Marta zegt dat het klassiek is, dat veel mensen die therapeut willen worden, zelf problemen te over hebben. Daarom kiezen ze ervoor: om hun eigen problemen te ontlopen. Ik zeg tegen Marta dat het me logisch in de oren klinkt, maar dat ík Toms problemen niet ga oplossen, dat hij zichzelf maar therapie moet geven.

Mijn man is altijd boos, zonder duidelijke reden. Ik word boos omdat hij boos is. Dan zegt hij dat ik te snel boos word. Ik zeg dat het komt doordat ik in een totalitair regime heb geleefd en nu een banneling ben. Waarom zou ik niet in de knoop zitten? Ik begrijp niet wat hij van me verwacht. Hij zegt dat we beter moeten leren communiceren, maar ik heb geen idee wat er aan mijn manier van communiceren schort en ik wil niet praten over praten. Onze ruzies klinken inhoudsloos en doen me denken aan de ruzies van de personages uit *Dallas*, de enige soap die we in Roemenië te zien kregen, op dinsdag tussen vijf en zeven. We keken wel altijd gefascineerd naar de acteurs, hun schitterende kleding en hun auto's, maar uiteindelijk zeiden we altijd dingen als: 'Die mensen hebben niets interessants om over te kibbelen, ze zouden eens een maand in het communistische Roemenië moeten wonen, dan hadden ze echt iets om over te praten.' De dinsdag daarop zaten we allemaal weer voor de tv te wachten tot Pamela en Sue Ellen de blik hemelwaarts wendden en ruzieden met Bobby en JR.

Ik krijg 'iets' met een ander. Ik ga met een smoesje de deur uit en rij 's avonds roekeloos over de snelweg om 'iets' met mijn geliefde te doen. Het is een Servische man, een aannemer die ik op een avond in de regen ontmoet. Ik loop in de regen langs een historisch gebouw dat tot appartementencomplex wordt verbouwd en struikel over een stapel bakstenen. Ik scheld in het Roemeens, het ergste Roemeense schuttingwoord dat ik ken. Hij helpt me overeind en zegt in het Roemeens dat ik een 'bar slecht woord' heb gezegd. Dan zegt hij: 'Jij komt uit Roemenië. Ik ken een beetje Roemeens. Ik kom uit Joegoslavië.'

Het woord 'Joegoslavië' geeft me een schokje. Ik zie Biljana voor me en denk aan mijn twee dagen in Belgrado, mijn liftavontuur, dat bij het station begon. Het flitst door mijn geest terwijl ik tegenover die Servische man sta met zijn gebruinde gezicht met hoge jukbeenderen, een beetje gerimpeld en scheef maar op de een of andere manier onweerstaanbaar, en hij met een Servisch accent de weinige Roemeense woorden opnoemt die hij kent. Zijn Engels heeft een nog zwaarder Servisch accent.

'Ik breng je thuis. Gaat goed? Je hebt been bezeerd, sorry! Ik werk hier, maar arbeiders niet goed werken en materiaal op straat laten liggen.'

'Ik heb niets,' zeg ik tegen hem. Ik moet weg. Goedenavond.'

Maar hij is bezorgd en biedt nog eens aan me thuis te brengen. 'Nee, dank je. Ik heb niets, oké? Alsjeblieft, mijn man wacht op me,' en dan vlucht ik naar huis.

De dagen daarna zie ik telkens die Servische man voor me. Een hunkering die ik was vergeten ontpopt zich in me, een vreemd en onwaarschijnlijk heimwee naar Belgrado. De dagen erna loop ik telkens langs het gebouw dat wordt opgeknapt in de hoop hem te zien. Wat ook gebeurt, een paar keer. Vaak. We drinken koffie uit zijn thermosfles en later koffie in een café. Dan eten we een tussendoortje, later lunchen we samen en nog later drinken we een glas wijn. Ik vertel hem mijn verhaal. Hij is er trots op dat zijn land een rolletje heeft gespeeld in mijn ontsnapping uit Roemenië en dat ik Belgrado mooi vond, wat eigenlijk niet zo is. Dat heb ik alleen uit beleefdheid gezegd. Iets aan zijn manier van doen is me vertrouwd en stelt me op mijn gemak. De vonken tussen ons wanneer we in cafeetjes zitten te lachen om herinneringen aan absurde gebeurtenissen onder het communistische regime in onze landen en iets aan de manier waarop hij met me flirt en mijn hand kust boven de cappuccino, maken me ervan bewust wat ik bij Tom mis. We worden minnaars in zijn huurkamer aan de andere kant van de stad, in een zijstraatje aan het eind van allerlei snelwegen en afslagen, en al snel ga ik toch van Belgrado houden.

Ik leef in een vreemd spiegelpaleis. Terwijl ik op de geel-met-groene bank in onze woonkamer zit en naar Tom kijk, die zijn Russische en Duitse literatuur en psychologieboeken leest, weerkaatsen gangen vol spiegels rimpelend als water mijn vele levens. Er zijn altijd twee beelden van Mihai. Een met afgewend gezicht en ik weet dat dat de sombere, onvoorspelbare Mihai is, de Mata Hari Mihai die me bedriegt met zijn schimmige betrekkingen met de geheime politie, die ons verloochent en informatie over mijn vader doorgeeft aan zijn superieuren binnen de Securitate. Hij slaapt met Anca Serban en is vermoedelijk verantwoordelijk voor de dood van mijn jeugdvriendin Cristina. De andere Mihai kijkt me recht aan, met ogen die sprankelen als smaragden in de ondergaande zon. Hij schenkt me zijn verleidelijkste glimlach en hij is een nobele dissident die voor een ondergrondse organisatie werkt, roekeloos in zijn heldendaden.

Janusz loopt door het spiegelpaleis naar me toe en vraagt me in een schemerig Russisch restaurant ten dans. We zwieren tussen de tafels door op de vloeiende ritmes van een popnummer over een vrouw in het rood en zijn benige, onregelmatige gezicht lijkt op dat van een Hollywoodacteur. Een Servische Clint Eastwood. Ik laat mezelf over de zwart-witte tegels van de dansvloer zwieren. Ik word aangenaam duizelig en verliefd terwijl mijn jurk van roze chiffon uit een tweedehands winkel aan Halsted Street in grote cirkels om me heen wervelt, zodat mijn dijen zichtbaar worden. Daarna gaan we naar zijn huurkamer in het uiterste westen van Chicago en vrijen tot twee uur 's nachts. Ik rij over de kale snelwegen terug naar het appartement waar ik met Tom woon, de maan heeft een metalige glans en de koplampen van tegenliggers zoeven als reusachtige vuurvliegen langs me heen. Ik ben gebarsten, net als de spiegel van mijn overgrootmoeder, en uit mijn speeldoosje klinkt geen 'Für Elise' meer.

Oranje maan boven de snelweg

Die zomer wordt mijn zoon Andrei verwekt. Een genadeloze droogte daalt neer over het Midden-Westen van Amerika. De temperatuur stijgt tot 43 graden, de lucht lijkt elke dag op witte lijm en er wordt geen regen voorspeld. Het is verboden je gazon te besproeien of je auto te wassen, zeggen ze op de radio. Ik scheur langs verdorde parken over de snelweg naar het huis van Janusz, mijn Servische minnaar, een vluchteling zoals ik. Het geeft troost om van iemand te houden die geen Amerikaan is, iemand die Engels spreekt vol klungelig, rechtstreeks uit het Servisch vertaalde idioom. Hij zegt dingen als: 'Ik geef je te eten nu voedsel als in mijn land.'

De drukkend hete zomeravonden ruiken naar verschroeid gras, oververhit asfalt en benzine. De maan hangt laag en immens boven de snelweg en heeft een griezelig gele tint. Mijn zoon wordt verwekt tijdens de ergste droogte van de eeuw, in een stad die wordt omringd door kilometers uitgedroogde maïsvelden vol bruine, dorre scheuten, als in een woestijn. Niets wil groeien, behalve het ronde, roze nootje in mijn baarmoeder. Een koppige kiem.

Op een avond krijg ik een vreselijke ruzie met Tom, weer zo'n psychische knoop die ik niet kan ontwarren. Het heeft iets te maken met het licht dat niet is uitgedaan, wat op de een of andere manier pijnlijke jeugdherinneringen bij hem oproept. Ik klaag dat ik altijd moet schoonmaken, dat het zo'n rotzooi is in huis.

'Verdomde echtgenoot die je bent!'

De Engelse vloeken komen me nog steeds niet aanwaaien, dus begin ik serviesgoed stuk te gooien. Ik compenseer mijn gebrek aan Engelse schuttingtaal door de vuile vaat uit de gootsteen aan scherven te smijten. De borden vliegen door de keuken en Tom wordt op een haar na geraakt.

'Rot op! Neem maar een minnaar of zo!' gilt Tom.

'Heb ik al, bedankt voor de goede raad, en ik ben nog zwanger van hem ook!' gil ik.

Zodra ik het zeg, weet ik dat dit een kanjer van een vergissing is. Het schiet me te binnen wat Vincenzo, de Italiaanse weduwnaar die naar mijn hand dong, altijd tegen me zei: 'Vergeet dit nooit, Mona: zelfs al treft je man je naakt in bed met een ander aan, geef het nooit, maar dan ook nooit toe. Geef nooit toe dat je hem bedriegt. Dit is de raad die ik je voor de toekomst geef.'

Hij heeft ook gezegd: 'Ook al wil je niet met me trouwen, ik blijf toch op je passen.' Destijds, toen we naar Italiaanse muzikanten luisterden die hartbrekende liederen op hun mandolines speelden, leek het grappig, maar nu weergalmt Vincenzo's advies in mijn hoofd als de wijsheid van Salomo en mijn eigen hatelijke verspreking weerkaatst in zijn volle, complete, onvergeeflijke stupiditeit.

Ik ben een grote, rode massa woede en verbazing. Toms mond zakt open en er valt een eindeloze, zware stilte. Kon ik het maar terugnemen, had ik maar een overtuigende manier om te zeggen: wat zei ik daar? Niet meer aan denken. Dat zei ik alleen maar om je terug te pakken. Maar mijn mond blijft dicht en aangezien ik echt zwanger ben, kan ik dat ook niet terugnemen. De verdenking is er al, het gif is tussen ons in gestrooid, over de berg scherven aan onze voeten. Wat heeft het voor zin om meer te zeggen?

Tom loopt als een gekooide tijger heen en weer door de kamer. Ik heb medelijden met hem. Zijn gezicht is rood en hij slingert me de lelijkste woorden die hij kan verzinnen naar mijn hoofd. Misschien had ik beter in mijn stomme, communistische land kunnen blijven, waar ik hoorde, denk ik. Ik had het leven van deze man niet overhoop mogen halen.

Hij belt mijn ouders, die onlangs naar hun eigen appartement zijn verhuisd, en vraagt of ze meteen kunnen komen. Hij zegt door de telefoon dat ik een hoer ben en dat hij van me wil scheiden. Voordat hij is uitgepraat, ga ik naar buiten om mijn gedachten te ordenen en te beslissen wat ik ga doen. Zonder erbij na te denken rij ik in de richting van Marta's flat bij Ashland Avenue. Marta leest Daniela voor uit een boek met Mexicaanse verhaaltjes. Ze is blij me te zien, zoals altijd, en vraagt of ik iets wil eten. De geur van opgebakken bonen, guacamole en tortilla verwelkomt me en wekt herinneringen aan mijn eerste winter in Chicago. Marta maakt een margarita voor me en warmt een burrito op, en Daniela knuffelt me en zegt: 'Wat kijk je verdrietig, tía Mona.' Marta hoort me aan en zegt dan: 'Chica, je hebt je mooi in de nesten gewerkt, maar een kind is een kind, en als je het wilt houden, moet je gewoon blij zijn. Het doet er niet toe wie de vader is. Het lost zichzelf wel op. En Tom is geen slechte man, hoor. Hij zou een goede vader zijn.'

Marta's weinig concrete, maar positieve advies helpt me te kalmeren. Ik ga op het bed in haar woonkamer zitten en voel plotseling een golf van iets nieuws, een ander soort vreugde en verwachting. Alsof het vage verlangen naar een kind dat ik in de trein naar Triëst had, toen ik mijn land verliet en luisterde naar het huilen van de baby en haar bij haar moeder zag drinken, plotseling tot volle bloei is gewekt. Een kind is een kind, herhaal ik Marta's woorden in gedachten, het komt nu niet slechter uit dan op een ander moment, ik heb mijn ouders bij me en mijn huwelijk met Tom is nog te redden. Ik vorder gestaag met mijn studies en word binnenkort universitair docent. Ik ben niet langer de dolende, doelloze distel die ik ooit dacht te zijn. Ik haast me opgemonterd naar huis, klaar om de problemen met Tom aan te pakken en plannen te maken voor de komst van de baby.

Als ik thuiskom, zitten mijn ouders en Tom echter met grafgezichten op de bank. Mijn vaders ongekamde haar piekt lachwekkend om zijn hoofd. Ik durf de geladen stilte niet te verbreken en kijk naar mijn gezwollen enkels. Dan begint Tom me voor hoer uit te maken, hóér.

'Wat is een hoer?' vraagt mijn vader.

'Laat haar met rust,' snauwt mijn moeder, en ze richt zich tot Tom. 'Kalmeer, we vinden wel een oplossing,' zegt ze op zachte, samenzweerderige toon.

'Een oplossing?' roept Tom. 'Ik wil niks oplossen met die hoer!'

Dan begint hij te huilen. Ik bijt op mijn nagels. Mijn ouders steken allebei een sigaret op. Tom zegt snikkend tegen me: 'Hoe kon je? Al mijn vertrouwen in jou, al mijn liefde... Het is allemaal kapot.'

Ik moet ook huilen en mijn moeder zegt in het Roemeens tegen me dat ze me zal helpen het kind op te voeden, wat er ook gebeurt. Mijn vader kijkt me intens verdrietig aan, maar dan, zo snel dat het me bijna ontgaat, knipoogt en glimlacht hij naar me als om te zeggen: geen paniek, het komt allemaal goed, wij staan altijd achter je.

'Laten we naar een huwelijkstherapeut gaan. Het spijt me heel erg dat ik je heb gekwetst,' zeg ik tegen Tom.

Ik ben enorm trots op mezelf. Ik heb alle belangrijke woorden voor dit soort situaties geleerd. Ik ben een echte Amerikaanse.

Hij veegt de tranen uit zijn ogen en vraagt: 'Waarom? Waarom heb je het gedaan? Maak ik je niet gelukkig?'

'Jawel, ik ben wel gelukkig, maar ik voelde me zo eenzaam, zonder liefde.'

Hij huilt nog wat en zegt dat het misschien zijn verdiende loon is.

‘Nee, dit heb je niet verdiend,’ zeg ik. ‘Ik ben gewoon in de war, maar ik wil bij jou blijven.’

‘En het kind?’ vraagt hij.

‘We krijgen het gewoon en we brengen het groot, simpel,’ zeg ik zo zelfverzekerd mogelijk.

Mijn vader loopt naar Tom, geeft hem een speelse klap op zijn rug en zegt: ‘Hoer die je bent.’ Hij lacht. Telkens als mijn vader een nieuw woord leert, moet hij het een aantal keren herhalen. Mijn moeder zegt dat hij geen stomme dingen moet zeggen, dus vraagt hij haar nog eens of ze hem wil uitleggen wat ‘hoer’ precies betekent. Mijn moeder kijkt blozend een andere kant op en noemt dan het Roemeense woord.

Mijn vader, die het niet prettig vindt als iemand zijn dochter zo noemt, steekt nog een sigaret op. Hij begrijpt Tom wel en hij heeft medelijden met hem, en daarom rookt hij liever nog een sigaret dan Tom een stomp te geven, om maar iets te noemen. We hebben het allemaal benauwd. De hitte is niet te harden. Het is de langste periode van droogte van de eeuw. We proberen allemaal onszelf koelte toe te wuiven en mijn lichaam lijkt bol te staan van het vocht.

Tom besluit te blijven. Hij zegt dat hij zal proberen te vergeten wat er is gebeurd. Ik weet dat hij het nooit zal vergeten, maar we pakken de draad weer op alsof alles weer normaal is, wat ‘normaal’ tot nog toe ook betekend mag hebben. Ik word steeds meer in beslag genomen door de bewegingen en ritmes van mijn lichaam. Ik put een bijzonder genoegen uit de zwaarte die het krijgt en het voelen van mijn zware voetstappen, alsof ik er zeker van kan zijn dat ik niet meer door de wind of het lot weggeblazen kan worden.

Naarmate de weken verstrijken, valt het me op dat mijn vader niet gelukkig is in Amerika, en het feit dat ik niet weet wie de vader van mijn eerste kind is, knaagt ’s nachts aan me en houdt me uit mijn slaap. Mijn vader is niet trots op me. Hij maakt me geen verwijten. Hij staat achter me, zoals hij zelfs achter me zou staan als ik een moord had gepleegd, maar ik zie dat hij niet trots op me is, zoals toen ik prachtige opstellen schreef op school of toen ik bij de toelatingsexamens voor de universiteit bij de beste tien zat. Wat hij ook had verwacht dat ik in Amerika zou bereiken, een kind krijgen zonder te weten wie de vader is, hoort er niet bij.

Mijn moeder doceert alle talen die ze kent in deeltijd aan hogescholen en universiteiten in de omgeving: Italiaans, Russisch en Frans. Ze ergert zich aan me omdat ik *zo'n zootje* van mijn leven heb gemaakt. Ik zeg nonchalant dat mensen in Amerika een zootje van hun leven maken en dan in therapie gaan, maar ze maakt zich kwaad om mijn lichtzinnige opstelling en zegt dat het geen grapje is, dat het wel een mensje is dat ik op de wereld ga zetten.

Mijn vader zegt dat ze haar mond moet houden. Hij is de hele dag neerslachtig omdat hij niet meer tegen de communisten kan vechten, omdat hij de muziek in zijn moedertaal niet meer om zich heen hoort en omdat de tomaten van de supermarkt hem niet aanstaan. Het zijn smakeloze, slechte tomaten. Ik ga wel eens boodschappen doen met mijn vader in kruidenierswinkeltjes aan Clark Street of Devon Avenue, waar vrouwen in felkleurige sari's en Russische mannen en vrouwen de straten in een aanhoudende stroom vullen. We kopen een speciaal soort tomaten die door middel van watercultuur zijn geteeld, beter smaken en sappiger zijn dan die uit de gewone supermarkten, zoals Dominick's. Bij die gelegenheden fleurt mijn vader op en vraagt me bijzondere dingen voor hem te kopen die hij nog nooit van zijn leven heeft gezien, zoals palmharten en kaki's, en dingen waar hij jaren naar heeft gesnakt, zoals vijgen, dadels en Italiaanse salami. Hij vertelt me over de laatste jaren in Roemenië; wat een nachtmerrie het allemaal was. 'God mag weten wat er geworden is van al die mensen met wie ik werkte, wie weet,' zegt hij, 'misschien bereiden ze nu echt een grote opstand voor, maar ik zou het niet weten,' zegt hij hoofdschuddend. Hij had het gevoel dat hij voor zijn vertrek alle banden met die mensen moest verbreken om niet het risico te lopen dat zijn paspoort werd ingetrokken. 'Want het enige wat ik wilde, was jou zien, Mona van me,' zegt hij.

Op een dag als we tomaten kopen in een Griekse winkel aan Devon Street kijkt mijn vader naar me, zegt dat ik er zo mooi uitzie in mijn zwangere toestand en vervolgt dan zonder enige aanleiding: 'Die jongen, die Mihai van jou, dat was een goeie jongen.' Ik laat de vreemd gevormde, tweekoppige tomaten en het mandje met potjes viskuit, dadels en fetakaas bijna uit mijn handen vallen. Ik kijk mijn vader aan en vraag hem tekst en uitleg: waarom komt hij daar nu mee, heeft hij Mihai nog gezien na mijn vertrek, weet hij dingen die ik niet weet? Hij weigert antwoord te geven en herhaalt alleen: 'Mihai was gewoon een goeie jongen.' Dan zegt hij, weer zonder enige aanleiding: 'Ik heb nog één wens: mijn land nog een keer zien voordat ik doodga.'

De maanden verstrijken. De regen komt en het wordt koud. Ik voel me warm, lekker in het vet ingepakt. Ik droom van Eskimo's aan de noordpool die in het ijs hakken en de ogen van de zeehonden waarop ze jagen, rauw opeten, zoals ik in een tv-documentaire heb gezien. Ik ga niet meer met Janusz om. Ik heb tegen hem gezegd dat het uit was. Hij belt nog wel eens, maar dan zeg ik dat hij me met rust moet laten. Tom zegt dat hij het me heeft vergeven, dat het ook zijn schuld was, want een vrouw die thuis gelukkig is, zal haar heil niet ergens anders zoeken. Hij zal dus zijn best doen om me gelukkig te maken, zegt hij terwijl hij mijn buik streelt. Dan kust hij me op mijn mond, en ik geniet van het gevoel van zijn lippen op de mijne zoals in de eerste jaren van ons huwelijk.

Executie in State Street

Ik moet op het laatste moment nog een paar kerstcadeautjes kopen, dus ga ik zoals altijd naar State Street. Het is eerste kerstdag en ik hoop uit alle macht dat ik nog een zaak kan vinden die open is, een winkeltje met elektronica, bijvoorbeeld. Ik ben immens zwanger en voel me net een enorme bal die over de stoep waggelt, maar het is lekker om de prikkelende buitenlucht op te snuiven. Ik kijk met plezier naar de etalages van Carson's en Marshall Fields, die ingericht zijn met mechanisch bewegende kersttaferelen.

Een groep kinderen speelt in de koude wind op Afrikaanse trommels, *ta-boem, ta-boem, boem, boem.* Het vervult me met een gevoel van warmte, vertrouwdheid en blijheid. Waarom geven die Afrikaanse trommels die op een koude wintermorgen door State Street weerklinken, me zo het gevoel dat ik thuis ben? Alsof Roemeense boeren die in de blauwe schemering water uit de put dragen, naadloos verbonden zijn met Afrika, de hitte en onvoorstelbare kleuren die de halve wereld over zijn gedragen door deze groep kinderen die muziek maakt in de snijdende wind.

Ik loop een stukje door, zie de etalage van Woolworths en blijf als aan de grond genageld staan. Nicolae Ceaușescu, de president van Roemenië, is op een tv-scherm in de etalage te zien. Het moet kerstmiddag zijn in Roemenië. Ceauşescu en zijn vrouw zitten zijdelings aan een bureau in een zwak verlicht kantoor en ontkennen alles wat hun verhoorder vraagt. Ceauşescu slaat met zijn vuist op tafel. Elena kijkt wezenloos voor zich uit. Dan worden ze naar buiten gesleurd, een macaber uitziend binnenplein op, waar ze voor een vuurpeloton moeten gaan staan.

De gezichten die vanaf elke gevel van elk belangrijk gebouw op ons neerkeken, staan nu somber en angstig, alsof ze om genade smeken. Er wordt door een paar mensen, mijn landgenoten, met ze gesold en hun handen worden geboeid. Nicolae en Elena, die onze intiemste momenten gadesloegen, die ons met hun geheime politie in doodsangst en gedwee hielden, de twee mensen die ons op pleinen bijeen lieten drijven waar we uren in de zon, de regen of de sneeuw moesten staan opdat zij ons voor hen konden horen juichen, worden nu door woedende Roemenen naar een pleintje met bomen ergens aan de rand van Boekarest gesleurd.

De kinderen blijven trommelen, *ta-boem, ta-boem.* Het is koud en winderig in State Street. Ik herinner me mijn hallucinatie bij Biljana thuis, in mijn rusteloze slaap in Belgrado, toen alle mensen die op mijn bed zaten te praten, zeiden dat Ceauşescu's dagen geteld waren. Nu staan Elena en Nicolae in elkaar gedoken tegen een muur, doodsbenauwd, twee gewone mensen die smeken om hun leven. Een groep soldaten richt het geweer op hen en de schoten volgen elkaar in een ongeduldig salvo op. Veel geluidloze schoten, keer op keer, alsof de soldaten er geen genoeg van konden krijgen de Ceauşescu's dood te schieten. In de etalage wordt de executie van de president telkens opnieuw herhaald. Nu liggen ze op de grond, een verwrongen hoop lijven en bloedige kleren. Ze liggen op CNN in een plas bloed, eindelijk hun eigen bloed.

Vreemd, maar in plaats van de voldoening tot in mijn merg, de tomeloze vreugde die ik altijd verwachtte te zullen ervaren op dit moment, voel ik alleen maar medelijden en weerzin. Ik houd mijn gigantische buik vast en voel de baby schoppen, een koppige scheut leven.

Dan zie ik beelden van vurende tanks op het Paleisplein in Boekarest, en mensen die naar alle kanten rennen. De opnames van CNN zijn zo gemonteerd dat je het ene moment Ceauşescu's laatste toespraak op het grote plein ziet, onderbroken door mensen die dingen als 'weg met de tiran' roepen, en het volgende moment grote mensenmassa's in de straten die leuzen tegen de Partij en Ceauşescu roepen, en gearmd in immense, dichte, vurige drommen lopen. Meteen daarop worden weer beelden vertoond van mensen die dekking zoeken tegen de schoten van anderen. En dan weer de executie van Nicolae en Elena en de levenloze lichamen op de grond op een plein. Een complete, bloedige revolutie die zich telkens herhaalt op een televisie in de etalage van Woolworths.

De afgelopen dagen heb ik het grootste deel van mijn tijd bij mijn ouders doorgebracht, en zodra ik thuis was bij Tom, belde ik meteen naar mijn ouders of ze bij ons naar het nieuws kwamen kijken. 'Nu is Roemenië overal wereldnieuws,' zei ik trots tegen mijn vader, maar het was alsof hij niets hoorde van wat je tegen hem zei, en hij herhaalde telkens dat hij terug wilde naar Roemenië: kon mijn moeder niet meteen een ticket voor hem gaan kopen? Hij wist zeker dat al zijn vrienden uit de groep waar hij een paar jaar bij had gezeten toen we nog allemaal in Roemenië woonden, de weg vrij hadden gemaakt voor de revolutie.

Ik sta nog steeds naar de tv in de etalage in State Street te kijken, en na de zoveelste vertoning van de executie vang ik de bijna onverstaanbare stemmen van de commentators op, die in het voorbijgaan Braşov noemen als een van de steden waar op straat is gevochten. Er flitst een opname van de stad voorbij met mensen die langs de gebouwen rennen die ik zo goed ken. Mijn hart staat op springen. Ik klamp me aan mijn zwangere buik vast om mijn evenwicht niet te verliezen. Ik kan alleen maar aan Mihai denken. Ik zie hem in snelle beelden voor me, alsof ik naar een diavertoning kijk: Mihai in zijn kamer, broedend en verwoed Carpaţi-sigaretten rokend. Mihai in de straten van Braşov, met zijn bergschoenen aan, terwijl hij op iemand schiet. Mihai in de straten van Braşov, weer met zijn bergschoenen aan, maar nu wordt hij zelf beschoten. Mihai die achteloos, roekeloos door de straten loopt, tussen de kogels door.

Ik loop verder langs State Street en blijf voor Marshall Fields staan. Ik kijk naar de slee van de Kerstman en de rendieren die achter de ruit bewegen. Wat mankeert me, waarom ben ik niet opgelucht? Ik voel me alleen maar kwaad en uitgeput. Ik sta roerloos met mijn hand tegen de koude etalageruit van Marshall Fields terwijl de elven en rendieren van de Kerstman om hun as draaien en zich naar een gouden sleetje wenden, telkens weer, op het gestage ritme van trommels.

Een nieuwe bestemming

Ik ben terug in Boekarest, verdwaald in een fabrieksbuurt op een grauwe novembermiddag. Er lopen geen mensen op straat. In mijn droom herinner ik me Amerika, Chicago aan het meer in de zomer, en mijn colleges, het luisteren naar de professor die vertelt over avant-gardetoneel. Ik zie het meer door het raam, een briesje trekt door de zaal en streelt mijn haar en ik voel me vrij en opgetogen, maar het zijn maar herinneringen en ik weet dat ik nooit meer weg kan. Dat was het dan, het is allemaal voorbij. Nu nemen ze me te grazen. Ik zal niet meer weg kunnen, nooit meer. Mijn god, waarom ben ik ooit teruggekomen? Ik weet niet eens waarom ik weer in Boekarest ben. Misschien om mijn tentamenbriefjes bij de universiteit te halen, of om Mihai te zien, maar Mihai is er niet meer. Hij is omgekomen bij de aardbeving, verpletterd onder de winkel waar ze roomsoezen bakken. Ik zink weg in een grijze drab en ik schreeuw zo hard dat ik er wakker van word. Tom zit rechtop in bed. Ik ben doorweekt.

Mijn vliezen zijn gebroken en ik besef dat de bevalling is begonnen, maar ik ben zo moe, zo loom. Ik heb nu geen zin om een kind te baren. Iemand die om een uur 's nachts wakker schrikt uit een nachtmerrie, kan toch geen kind krijgen? Ik wil niet naar het ziekenhuis. Ik wil alleen maar slapen. Morgen voel ik me vast beter.

Tom is zich al aan het aankleden en zegt dat ik moet opstaan. Ik zeg dat ik geen zin heb, dat ik gewoon wil slapen, maar Tom dringt aan. Ik vloek hem uit. Dan snijdt er een pijnlijke kramp door mijn onderbuik. Ik rol uit bed en kleed me aan.

Het wordt ernst met de weeën en ik raak buiten adem. Tussen de pijnscheuten door kan ik telkens tien seconden slapen. Er is niets te zeggen, niets om aan te denken of te willen, behalve dat het is afgelopen. Tom houdt mijn hand vast. De verpleegster vraagt of ik een ijslolly wil en ik zeg: 'Pleur op met je ijslolly!' Mijn rug, mijn kruis en mijn buik knappen uit elkaar van de pijn. Ik gil niet, ik zucht alleen maar, en ik zeg pleur op tegen iedereen. Tom lacht erom.

'Je mag nu persen,' zegt de verpleegster. 'Nog maar een halfuurtje, dan is het gebeurd.' Mijn ogen puilen uit, zo hard pers ik. Nu moet het kind er toch uit floepen. Mijn ogen, mijn aderen, mijn nek: alles knapt open. Iets splijt me in tweeën en dan glijdt dat iets naar buiten. Binnen een paar seconden voel ik geen enkele pijn meer. Ik heb een zoontje. Ik heb een stevig, volmaakt zoontje, dat verlangt naar het leven en naar mijn melk. Een hele nieuwe bestemming heeft zich de wereld in gewurmd!

Ik ben duizelig en opgewonden, blij dat de pijn voorbij is. Mijn ouders komen binnen, bevend van ontroering. Mijn vader, die op een meisje had gehoopt, is verbaasd dat het een jongen is. Hij vindt de baby prachtig, net een bundeltje licht, zegt hij, en hij heeft nog nooit zo'n baby gezien. 'Is hij gezond?' vraagt hij. Tom houdt de baby vast.

We noemen hem Andrei, want dat klinkt in alle talen goed. Na de slopende zorgen van de afgelopen negen maanden hoop ik uit alle macht dat Tom de vader is. Het donkere haar van de baby stelt me gerust. Maar op de een of andere manier doet het er niet toe, want ik sta bol van de voldoening. Ik ben dik en hard, en dit is mijn zoontje, op een lentedag in 1990 in Amerika geboren. Een nieuw decennium, een nieuw kind. Ik houd

Andrei de hele nacht in mijn armen, zodat hij zijn mond maar open hoeft te doen als hij honger heeft. Het gretige sabbelen van zijn mond om mijn tepel pint me vast in het vlezigste, lieflijkste hoekje van de werkelijkheid.

Roze flamingo's

Op een heldere ochtend in november, een paar jaar na de Roemeense Revolutie van 1989, komt mijn nichtje Miruna over. Tom en ik gaan met ons zoontje Andrei en mijn ouders naar de luchthaven O'Hare om haar af te halen. We lopen door de lange gangen naar de internationale aankomsthal. Mijn ouders volgen op een afstandje. Andrei is twee, een verschrikkelijke leeftijd, en het is een hele strijd om hem in bedwang te houden tot het vliegtuig eindelijk bij de gate stopt, drie uur te laat. Ik schrik als ik Miruna na meer jaren dan ik me wil herinneren zie opduiken. Ze loopt stevig door, maar haar gezicht staat confuus. Ze glimlacht op haar eigen, unieke manier, haar blauwe ogen tranen en ze lijkt kleiner dan ik me haar herinner.

We zitten nog maar net in de auto, Tom achter het stuur en Miruna ingeklemd tussen mijn ouders en Andrei in zijn zitje, of ik stel voor naar de dierentuin te gaan. Om een reden die ik zelf niet eens begrijp, is het plotseling heel belangrijk voor me. We móéten naar de dierentuin. Ik wil Miruna en Andrei ijsberen, chimpansees en flamingo's laten zien. Ik popel om mijn nichtje vragen te stellen, wel een miljoen. Hoe was haar eerste seksuele ervaring? Wie was het? Is ze verliefd? Hoe was de Revolutie echt? Is het waar dat de mensen er op straat op los schoten? Bovenal wil ik haar vragen of ze Mihai heeft gezien, maar op de een of andere manier weet ik na al die jaren niet hoe ik beginnen moet. Bovendien ben ik zo trots op mijn mollige zoontje met zijn bruine haar dat ik Miruna naar een plek wil brengen die meer bij zijn wereld hoort dan bij de hare, waar hij indruk kan maken, kan lachen en zijn nieuwe woordjes als *giraf, pompoen* en *sneeuw* kan gebruiken.

Ik zie aan haar gezicht dat ze niet begrijpt waarom ik per se naar de dierentuin wil. Haar ogen staan troebel van vermoeidheid. De lange vlucht heeft haar uitgeput en het drukke verkeer op de snelweg verbijstert haar, maar ik zie nog iets op haar gezicht: ze is het allemaal beu. Als we thuis zijn, begint ze geleidelijk aan te vertellen. Ze vertelt me dat het de laatste jaren voor de Revolutie, toen zij in Boekarest haar opleiding tot ingenieur afrondde, zo erg was dat de mensen op een haar na waren verhongerd. Zij heeft die periode overleefd op krakelingen en appels. Er was vrijwel niets te eten, maar ze had een winkel in Boekarest ontdekt, 'je weet wel, vlak bij jullie laatste appartement', waar ze nog lekkere krakelingen maakten, zoals we als kind kregen. En haar vader kon nog appels krijgen uit de boomgaarden van zijn familie in het noorden van Moldavië. Ze vertelt over haar eerste baan als ingenieur in de provincie. Ze werkte in een onverwarmd keetje midden op een veld dat zo modderig was dat ze rubberlaarzen tot aan haar knieën moest dragen om er te komen. Ik wil telkens opnieuw over de appels, de krakelingen en het kantoor in de moddervlakte horen. Ze heeft haar werk in de bittere kou overleefd. Ze liep elke dag drie kilometer over modderige landweggetjes naar een onverwarmd kantoor. Ze moest hoge rubberlaarzen aan om bij haar werk te komen. Ik heb ontzag voor Miruna, mijn speelkameraadje van vroeger, die dit allemaal heeft overleefd. Mijn ruzies met Tom lijken weer heel onbeduidend.

Ik vertel Miruna dat ik die dagen in december bijna niet kon geloven wat er in Roemenië gebeurde, en dat onze Revolutie de gewelddadigste was van heel Oost-Europa, en hoe trots ik op mijn volk was, maar ik voeg eraan toe dat ik minder trots was op hun aanpak van Ceauşescu. 'Waarom moesten ze hem zomaar vermoorden, zonder fatsoenlijk proces?'

'Weet je, Mona, toen ik in Boekarest woonde...' zegt ze terwijl ik haar een beker warme chocolademelk geef en me herinner dat dat haar lievelingsdrank was. Zelfs 's zomers als het warm was, en we de stad in gingen met haar zusje Riri en haar ouders, en iedereen ijs en koud bronwater nam, vroeg zij om warme chocolademelk. '... in een appartement in het centrum, naast het hoofdkwartier van het Roemeense leger, stond ik 's ochtends wel eens op mijn balkonnetje als Ceauşescu langskwam, op weg naar de Nationale Assemblee...' – ze nipt van haar chocolademelk en doet genietend haar ogen dicht – '... en dan zag ik heel duidelijk voor me hoe ik langzaam benzine over het dak van zijn auto goot en er dan een brandende fakkel op gooide, en dan zag ik zijn auto ontploffen en zijn vrouw en hem levend verbranden, vlak onder mijn balkon. En ik was de dader,' besluit ze voldaan.

Ik kijk haar met wijd open mond aan. Dit is een Miruna die ik nog niet kende, heel anders dan het lieve, zachtmoedige meisje uit mijn jeugd.

'Kan ik hier een tijdje blijven?' vraagt ze. 'Ik bedoel, ik wil niet meer terug, ik wil proberen hier te blijven, als jullie me kunnen helpen. Thuis gaat het allemaal heel langzaam. Het heeft tijd nodig,' zegt ze. 'En ik heb het geduld niet meer. Ik heb er genoeg van.'

Ik ben perplex, maar ook dolblij dat Miruna ervoor kiest bij mij in Amerika te blijven. Alles zal veel zonniger en vrolijker zijn met Miruna aan mijn zij.

'En Nina en Ion dan?' vraag ik. 'Zouden die er niet kapot van zijn als je hier bleef?'

'Daar komen ze wel overheen,' zegt ze, en ik verbaas me weer over die nieuwe Miruna, die zo koelbloedig en hard is. 'Ze hebben Riri nog, hoor. Die is harder, die kan het wel aan, die kan wachten tot het beter wordt. Bovendien wil ze niet eens weg, ze is gelukkig getrouwd, net als jij,' zegt ze met een glimlach. Ik glimlach terug en doe er het zwijgen toe.

Wanneer ik haar de slaapkamer laat zien die ze met Andrei deelt, merk ik hoe moe ze is en dat ze niet naar de dierentuin wil, alleen maar naar bed. Hoe sterker ik daarvan doordrongen raak, hoe meer ik aandring, alsof het van het hoogste belang is dat we nu meteen naar de dierentuin gaan. Ik zie Toms vertwijfeling, maar sinds de komst van Andrei doet hij zijn best om zijn woede te beheersen, mijn kant van de zaak te zien. Zelfs mijn ouders mengen zich in de discussie; ze zeggen dat ik krankzinnig moet zijn om die arme Miruna op zo'n koude dag naar de dierentuin te willen slepen.

Miruna zegt niets. Ze probeert de ruzie in het Engels met flarden Roemeens te volgen en gaat steeds verbaasder kijken. Ze kijkt naar me alsof ze probeert te achterhalen wat me mankeert, of Chicago me gek heeft gemaakt of zo, maar als mijn moeder haar vraagt wat ze zelf wil, antwoordt ze beleefd dat het haar om het even is, al voegt ze er bescheiden aan toe dat ze liever thuis wil blijven. Nee, zeg ik tegen haar, dat kan niet. Als ze in Amerika wil leven, moet ze zien wat Amerika inhoudt. We gaan dus naar de dierentuin in onze Mercury Marquis die Tom van zijn ouders heeft gekregen 'omdat je nu een gezin hebt'. Andrei is opgetogen en zit achterin met Miruna's zwarte haar te spelen. Ik wijs als een gids de bezienswaardigheden aan.

'Zie je? Dat is Lake Shore Drive,' zeg ik enthousiast. 'Kijk eens naar die wolkenkrabbers, zijn ze niet prachtig? En daar is de hogeschool waar ik ET2 doceer, Engels als tweede taal.

Dit is Lincoln Park,' vervolg ik als we tussen de kale bomen achter de taxi's en bussen aan kruipen. 'En hier is de dierentuin!'

We doen onze sjaal om, trekken onze handschoenen aan en zetten onze muts op. We gaan naar de ijsberen en de giraffes, zodat Andrei zijn nieuwe woordjes telkens weer kan zeggen, en naar de olifanten en naar de pinguïns. Andrei doet hun loopje zo precies na dat een ander gezin erom lacht. Het laatst gaan we naar de flamingo's, zoals altijd. Die ziet Andrei het liefst. 's Winters zitten ze in een reusachtig, glazen verblijf, verlicht door gele warmtelampen, en als Miruna het diepe roze achter het glas ziet, slaakt ze een kreetje van verwondering. Ze heeft nog nooit een echte flamingo gezien.

We kijken naar de statueske, op één poot staande, roze vogels die hun lange nek draaien om ons te kunnen zien. Andrei rent om het glazen verblijf heen, wijzend naar de flamingo's, en dan hoor ik een vrouw naast ons in het Roemeens tegen haar dochter zeggen: '*Uite mami ce frumoşi sunt!*' – Kijk eens, mammie, hoe mooi ze zijn! Ik schiet bijna in de lach. Roemeense ouders spreken hun kinderen soms aan met het verkleinwoord van 'moeder' of 'vader'. Een Roemeens gezin bestaat blijkbaar uit een moeder en een mammie, een vader en een pappie. Toen ik zelf nog een mammie was, zag ik de logica er al niet van in, en nu vind ik het zowel absurd als lief. Pas dan dringt het tot me door dat die vrouw Roemeens sprak. Ik kijk naar haar. Haar gezicht staat blij. Ik glimlach en vraag haar of ze Roemeense is, en dan vragen we elkaar uit welke stad we komen. Ze komt gek genoeg uit Braşov, de stad van Miruna, de stad van Mihai. Miruna vertelt haar dat ze net vanochtend uit Roemenië is aangekomen en de vrouw, die onder de indruk is, luistert met grote, stralende ogen. Ze woont nu vijf jaar in Chicago. Ze is dolblij dat ze nog een Roemeens gezin heeft gevonden in Chicago. Ik voel Miruna naast me sidderen van opwinding terwijl ze een vurig gesprek aanknoopt met de vrouw, die Lucia Vlad heet, over hun geliefde stad, de straten waarin ze allebei hebben gelopen en de scholen die ze allebei hebben bezocht.

Intussen merk ik dat Andrei zich opwindt. 'Mammie, mingo pompoen!' Hij noemt flamingo's 'mingo', maar ik heb geen idee wat hij wil zeggen. Midden in de groep zijn twee flamingo's aan het paren. Andrei gilt steeds harder: 'Mingo pompoen! Mingo pompoen!' Misschien bedoelt hij dat de twee aan elkaar geplakte flamingo's zo rond zijn als een pompoen.

Roze veren vliegen in het rond, zwevend op de bries. Miruna zegt dat de flamingo's net roze ooievaars zijn en de Roemeense is het met haar eens. Hun gesprek komt op de dorpen rond Braşov, waar zoveel ooievaars op de daken zitten, hoe ze op één poot op de pannendaken of de rieten daken van oude huizen staan. De vrouw zegt dat dat misschien witte flamingo's waren. Miruna zegt dat ze de halve wereld over is gevlogen om roze ooievaars te zien, en daar lachen ze samen om.

Het dochtertje van de vrouw springt op en neer en wijst ook naar de parende flamingo's. 'Mingo pompoen, mingo pompoen!' roept Andrei nog steeds. De roze veren dwarrelen door de lucht en we lachen zo hard dat ik me voorover moet buigen om niet in mijn broek te plassen. Miruna lacht en buigt zich ook voorover en Tom rent schuddebuikend van het lachen achter Andrei aan om hem te vangen. Andrei wil naar de pompoenflamingo's toe om ze te aaien, maar Tom vangt hem en zet hem op zijn schouder.

Ik kijk naar mijn zoontje. Zijn kastanjebruine haar glanst in de middagzon die door het glas stroomt. Er zit een roze veer in zijn haar en zijn blauwe ogen stralen van blijdschap. De Roemeense vrouw pakt haar dochtertje bij de hand en lacht. Dit is mijn eerste contact met een andere Roemeense banneling in tien jaar. Mijn nichtje Miruna staat naast me om *roze ooievaars* te lachen. Terwijl ik naar de pompoenflamingo's kijk en lach, zie ik de witte ooievaars op één poot op de schoorstenen van de boerderijen in een Roemeens dorp staan, zo duidelijk alsof ik naar een foto kijk. Ik weet dat Miruna ook blij en bedroefd is, net als ik. Ze denkt eraan dat ze nog maar gisteren alles en iedereen heeft achtergelaten. Misschien zijn ze een gunstig voorteken aan het begin van haar tocht als banneling, die koddige, etherische flamingo's. Tranen van het lachen biggelen over haar wangen. Ik weet dat het die eerste middag in Amerika ook tranen van verdriet zijn.

Vlak voordat we mijn ouders gaan halen, die op een bankje zitten, pakt Miruna mijn hand en kijkt me schuldbewust aan, alsof ze iets voor me verborgen heeft gehouden, en fluistert hees: 'Hij is dood.'

Ik begrijp haar niet. 'Wie?' Ik let nauwelijks op haar, want ik kijk naar Andrei, die naar zijn oma en opa rent. Tom rent door de dorre bladeren op het pad achter hem aan. 'Miruna, waar heb je het over?'

'Mihai is gestorven,' zegt ze nog steeds met die schorre fluisterstem. 'Hij is gestorven. Hij is gestorven in de Revolutie.'

Waarom moet ze drie keer achter elkaar 'gestorven' zeggen? Op de een of andere manier dringt het nog steeds niet tot me door. Hij is gestorven, gestorven, gestorven... Drie keer het werkwoord sterven in de voltooide tijd. Wat betekent dat?

In de auto op weg naar huis kijk ik naar de golven van Lake Michigan en vraag me af: waarom rij ik in een Mercury Marquis langs een groen meer, met die man naast me, met mijn kind, mijn ouders en mijn nichtje? Dan snap ik het opeens. Ik zal Mihai nooit meer kunnen zien. Nooit meer, mijn hele leven niet. Ik barst in de auto in snikken uit, zo verlang ik naar hem, smacht ik naar hem. Waarom moest alles in mijn leven zo verwrongen zijn, altijd net te vroeg of net te laat komen? Ik zit snikkend in de auto terwijl we langs de wolkenkrabbers aan Lake Shore Drive zoeven. Tom, die geen idee heeft wat er aan de hand is, kijkt onder het rijden naar me. Hij zal wel denken dat het door Miruna komt, dat ik zo blij en opgelucht ben dat ze eindelijk bij me is, dat mijn vreugde in iets anders is omgeslagen.

'Het is voorbij,' zeg ik al huilend tegen mezelf. 'Het is voorgoed voorbij.'

Andrei begint ook te huilen, omdat ik huil en omdat hij niet weet wat er voorbij is. Hij denkt dat Miruna alweer weggaat, of dat we nooit meer naar de dierentuin gaan. 'Wat, mama?' vraagt hij door zijn tranen heen.

Ik weet niet wat ik tegen hem moet zeggen. Ik knuffel hem en zeg dat er niets aan de hand is, dat het niets voorstelt. Ik zeg dat we bijna thuis zijn. Later stop ik hem in bed en kijk door het raam van zijn slaapkamer naar de vroege zonsondergang. Miruna staat naast me. Ik bedenk dat in klassieke toneelstukken, zoals de *Iphigeneia* die ik ooit in Boekarest heb gezien, toen

Mihai in de tractorfabriek werkte, alles zich binnen één dag afspeelt, van zonsopkomst tot zonsondergang: aankomst en vertrek, bloedige offers, moord, zelfmoord en overlijden, politieke omwentelingen en liefde. Alles binnen één omwenteling van de zon.

Mijn eigen oorlogjes

Een nieuwe dag breekt aan in Chicago, een winters grijze ochtend een maand na Miruna's aankomst en het nieuws van Mihais dood. Ik waak en slaap, schrik rusteloos op uit mijn gebruikelijke nachtmerries en zak weg in saaiere fantasieën. Opeens sta ik op het Piazza Unità d'Italia in Triëst. Iedereen heeft blijkbaar op mij gewacht, want als ik op het piazza verschijn verstomt het rumoer en het gejuich, en gapen honderden mensen me aan.

Er komen twee mannen op me af, die me allebei bij een arm pakken en me meenemen naar het midden van het plein, recht tegenover het grote, weelderige paleis. Ik ontdek dat ik in het openbaar onthoofd zal worden. Door angst overmand probeer ik te ontsnappen, maar de mannen houden me stevig vast en dwingen me de vijf treden naar het met goud ingelegde schavot te beklimmen. Op de plek waar de onthoofding moet plaatsvinden, ligt rood fluweel. Ik denk bevend aan Andrei, die straks geen moeder meer heeft. Wat zullen ze hem over me vertellen als hij wakker wordt en naar me vraagt, hoe zullen ze hem uitleggen dat zijn moeder op een plein in Triëst is onthoofd?

De beul staat met zijn rug naar me toe te wachten tot het tijd is. Hij draagt een klassieke beulskap. Hij draait zich langzaam naar me om en tilt zijn kap op en dan zie ik dat het Mihai is, pas geschoren en glimlachend. Hij kijkt me zowel lief als angstaanjagend aan, net als in de droom waarin hij mijn keel doorsneed. Ik weet dat ik word onthoofd omdat ik meedogenloos mijn land achter me heb gelaten, en mijn liefste, en mijn ouders, en omdat ik iedereen ben vergeten, en ik weet dat dit een wraakoefening is. Dit is mijn volk, een wreed, wraakgierig volk dat op eerste kerstdag zijn eigen president en diens vrouw heeft geëxecuteerd op een pleintje in Boekarest. Ik vraag Mihai of hij Ceaușescu ook heeft vermoord en hij knikt, nog steeds met die glimlach. *Dat doen we met staatsvijanden,* zegt hij bedachtzaam, *verraders en vijanden vermoorden we, maar voor jou hebben we dit speciale feest aangericht, want jíj bent speciaal, mijn lief.*

Toms arm ligt over mijn borst en hij snurkt rumoerig. Ik probeer diep adem te halen om mijn bonkende hart tot bedaren te brengen. Ik duw Toms arm van me af en haast me naar Andreis kamer. Hij slaapt op zijn rug, met zijn mond iets open en een engelachtige glimlach op zijn gezicht. Ik kijk naar hem en probeer mezelf wakker te schudden uit die angstaanjagende droom. Ik raak hem voorzichtig aan om me ervan te verzekeren dat hij er echt is, levend en veilig. Ik loop naar de badkamer van onze nieuwe driekamerflat aan Irving Park en voel een golf van misselijkheid in mijn keel oprijzen en ook een herkenbare duizeligheid. Net als tijdens mijn eerste zwangerschap. Ik braak het eten van de vorige avond uit terwijl ik huil omdat ik een hekel heb aan overgeven en niet van plan was weer zwanger te raken.

Ik herinner me mijn droom en merk dat ik Mihai mis, zelfs met zijn beulsmantel en -kap, zijn pas geschoren gezicht, prachtig omkranst door zijn zwarte haar, en zijn groene ogen die sprankelden in het avondlicht terwijl hij bij het schavot op het Piazza Unità d'Italia naar me kijkt. Mihai is dood, Mihai is dood, zeg ik tegen mezelf terwijl ik mijn gezicht was, zoals ik elke ochtend tegen mezelf zeg sinds Miruna me het nieuws vertelde tijdens ons veelbewogen bezoek aan de dierentuin op de dag van haar aankomst in Amerika. Ik zeg het elke dag tegen mezelf om aan het nieuws te wennen. Elke dag iets meer, maar nooit helemaal, net als Zeno's paradox; ik haal het nieuws nooit in.

Ik kleed me gejaagd aan en ga naar de dichtstbijzijnde Walgreens om een zwangerschapstest te kopen. De lucht doet vreemd muf en bedompt aan voor de tijd van het jaar. Bij thuiskomst doe ik langzaam de voordeur open, zo stilletjes mogelijk om Tom en Andrei niet wakker te maken. Tegen wil en dank voel ik een vreemde voldoening wanneer de test positief is. Misschien dat dit nieuwe kind, dat beslist en onmiskenbaar van Tom is, ons gezin sterk en compleet zal maken, een klassiek Amerikaans gezin; ons huwelijk zal opknappen, Andrei krijgt een broertje of zusje en ik zal Mihai voor eens en altijd vergeten. Hij is dood en ik kan me er maar beter overheen zetten, in het heden leven en blij zijn met Tom, Andrei en ons nieuwe kind.

Met elke maand van mijn zwangerschap voel ik me echter verder verwijderd van Tom. Had ik Mihai nog maar één keer kunnen zien. Het is allemaal zo onaf, en we hebben nooit fatsoenlijk afscheid genomen. Ik dompel me onder in mijn werk, doe mijn uiterste best mijn proefschrift af te krijgen voordat de baby wordt geboren en ben net als de eerste keer gespitst op elke nieuwe beweging en het uitzetten van de vloeistoffen en het leven in mijn lichaam. Ons leven van alledag leid ik als een slaapwandelaar; ik doe alsof het een goed, gelukkig leven is en alles wat ik ooit had gewenst. Miruna woont nu bij mijn ouders en daarmee heb ik nog meer Roemeense familie bij me wonen.

Aan het begin van het nieuwe jaar verdedig ik mijn proefschrift over Europese avant-gardetoneelschrijvers. Het is een koude dag en ik probeer het maagzuur en de misselijkheid die in mijn keel opwellen, te bedwingen terwijl de professoren van de promotiecommissie me ingewikkelde vragen stellen over dramaturgische keuzes.

Kort nadat ik mijn doctorstitel heb gekregen, krijg ik een aanstelling bij het instituut theaterwetenschappen van een kleine universiteit in Indiana. KRUISPUNT VAN AMERIKA staat er op de kentekenplaten van de auto's uit Indiana, en daar doe ik het voor. Ik ben in de wieg gelegd voor kruispunten, want ik kies altijd de een of andere richting, inhalig en ambitieus, en telkens loop ik tegen nieuwe obstakels op, als ik ze niet zelf opwerp. Dit land van kruispunten is balsem voor mijn ziel. Indiana ligt op een steenworp afstand van Chicago, troost ik mijn familie tijdens een bezoek aan de campus. Andrei kan zijn grootouders elk weekend zien. Ik heb een aanstelling, een zoontje met kastanjebruin haar en blauwe ogen, ik verwacht een tweede kind en dit najaar gaan we een huis huren in een kleine universiteitsstad in Amerika.

En Mihai is omgekomen in de Roemeense Revolutie, denk ik plotseling tijdens de rit terug naar Chicago. Hij is tijdens de schietpartijen op eerste kerstdag door een verdwaalde kogel in zijn hoofd geraakt, zei Miruna. Een held. Maar net niet helemaal, want het was een verdwaalde kogel. Had hij door een gericht schot moeten omkomen om een echte held te zijn? Het is niet waar dat ik hem in gedachten te rusten heb gelegd, want ik heb hem niet dood gezien, ik heb zijn graf nooit gezien. Ik heb zijn afwezigheid niet gevoeld in de stad aan de voet van de Karpaten.

Mihai en Mariana zijn allebei omgekomen door een hoofdwond, een buitenissig ongeval, denk ik wanneer we bij onze flat aan Irving Park uit de auto stappen. Ik ben bijna jaloers. Het is alsof de gelijksoortigheid van hun overlijden hun verhaal compact en samenhangend maakt, terwijl mijn eigen verhaal met Mihai er los bij bungelt, over de jaren, zeeën en verre landen die ik heb doorkruist. Ik leg mijn hand op mijn buik, sta bij onze auto en probeer tevreden te zijn. Ik kus Tom, vraag wat we vanavond moeten eten en zeg dat ik wil dat mijn ouders bij ons blijven eten. Tom maakt zijn stoofschotel met broccoli en noedels en mijn moeder maakt de Roemeense gehaktballen waar Andrei zo dol op is. Ik ga naast mijn vader zitten en zeg dat we eens moeten nadenken over een bezoek aan ons eigen land, nu het communisme en Ceauşescu dood zijn. Hij zegt ja, maar het klinkt vaag.

In de zomer voordat we naar Indiana verhuizen, waar ik in de herfst ga doceren, zijn er overstromingen in het Midden-Westen als nooit tevoren, die zich de zomer daarop zullen herhalen. De ene overstroming na de andere, tot de aarde papperig en roodachtig is, en overal drijven gewassen, huizen en moestuinen. Het lijkt alsof ik de rampen heb meegebracht die mijn Roemeense voorouders aan het begin van de eeuw moesten overwinnen.

Op een avond, als Tom zo'n vreemde voor me is dat ik net zo goed met een van de buren van Irving Park had kunnen samenwonen, waarschuw ik mezelf dat ik me van dit huwelijk móét losmaken, anders zal ik een langzame verstikkingsdood sterven. Terwijl ik met Andrei een sprookje van de gebroeders Grimm lees, begint Tom te vitten op een afschrift van een creditcard waarop uitgaven staan die ik heb gedaan toen ik met mijn vader op Devon Avenue winkelde. Andrei begint te huilen als hij ons weer hoort ruziën en dan zeg ik tegen Tom dat ik wil scheiden, dat ik bij hem weg wil, dat het geen zin heeft dat hij met ons meegaat naar Indiana, dat ik vrij wil zijn, vrij, vrij. Het kan me niet schelen dat ik zijn kind verwacht, ik voel dat ik het nu moet doen, dat ik geen moment meer mag wachten en als ik wacht tot het kind er is, zal ik de moed misschien nooit meer kunnen opbrengen. Het moet nu. Ik wil nu vrij zijn. Tom kijkt me aan en zegt zowel kwaad als gelaten: 'Goed, jij krijgt je vrijheid, als je dat zo graag wilt.'

Alles lijkt uit elkaar te vallen, modderig en week te worden. De helderheid van geest waar ik van droomde tijdens mijn treinreis door de Karpaten, al die jaren geleden, heb ik nooit bereikt. De verwarring is alleen maar groter geworden. Een kind baren, een echtscheiding regelen – het is allemaal moeilijker als je niet in je eigen land bent. Je baart en je rouwt en je scheidt, allemaal in een vreemde taal.

Wanneer Tom uiteindelijk weggaat, huil ik tranen met tuiten. We moeten allemaal voor het eind van de maand, als ik met Andrei naar Indiana verhuis, uit onze flat weg zijn. Tom moet nog een jaar in Chicago blijven om af te studeren en hij moet nog een jaar als schoolpsycholoog werken. Daarna kan hij proberen dichter bij ons te komen wonen en een praktijk als therapeut te beginnen, zegt hij terwijl hij Andrei optilt en op beide wangen kust. We huilen allebei, ondanks alle ruzies en verwijten door de jaren heen. Ik heb een vieze, zure smaak in mijn mond. Tom zegt dat hij naar Indiana zal komen tegen de tijd dat ik ben uitgerekend, om bij de bevalling te zijn. Ik besef dat dit het krankzinnigste moment van mijn hele leven moet zijn. Hoeveel vrouwen zetten een scheiding in gang terwijl ze nog zwanger zijn van hun man? vraag ik me af terwijl Tom doelloos door de flat doolt. En het is niet eens een slechte man, zoals Marta altijd zei.

Als we midden in de woonkamer staan en Tom afscheid neemt van Andrei, zie ik ons gezin tussen de koffers en de dozen uit elkaar vallen en moet ik me wel afvragen wat de zin van mijn leven is. Ik huil de hele nacht omdat ik het gevoel heb jammerlijk te hebben gefaald. Falen is des te erger als je een vluchteling bent. Je wordt juist vluchteling om opnieuw te beginnen en te slagen, om een nieuw leven op te bouwen dat alle verwachtingen van je voorouders overtreft, dat alles overtreft wat je had kunnen bereiken in je beklagenswaardige thuisland, dat zucht onder het juk van het communisme, honger en rampspoed. Je familieleden in Roemenië hebben foto's van je afstuderen en je huwelijk op hun mahoniehouten dressoir staan. Ze denken dat je gelukkig bent en het ideale leven leidt, en jij weet niet hoe je ze de waarheid moet vertellen.

Terwijl Tom beneden de gehuurde verhuisauto inlaadt, besef ik dat niemand van mijn familie de afgelopen honderd jaar ooit is gescheiden. En hier sta ik midden in het vlakke, modderige, overstroomde Midden-Westen, in mijn eentje, met een klein kind in mijn armen, zonder enig idee van hoe het verder moet.

Ik vraag me af wat mijn grootmoeder in mijn situatie had gezegd, de grootmoeder die bij thuiskomst ontdekte dat haar huis was geruïneerd door de Russen, met gapende gaten waar de stopcontacten hadden gezeten en een paar aan stukken gereten honden in de voorkamer, de grootmoeder die tijdens de hongersnood na de oorlog knollen uit de grond wroette om haar kinderen te voeden. *Goddank leven we nog,* zou ze hebben gezegd. Dat zeggen de vrouwen in mijn familie altijd.

En ik vraag me af wat mijn overgrootmoeder van moederskant had gezegd, de overgrootmoeder die haar huis tijdens de Tweede Wereldoorlog zag instorten onder de Amerikaanse bommen en in het puin groef om haar spiegel met speeldoos terug te vinden. *Maak je geen zorgen, we zijn veilig,* zou ze hebben gezegd. *En wat een wolk van een baby.*

Mijn vader betreurt elke dag dat hij zich niet thuis heeft ingezet voor de Roemeense Revolutie. Hij vindt zichzelf een lafaard omdat hij alles heeft achtergelaten voor een land dat hem niet eens bevalt. Mijn moeder vermoedt dat zijn dissidente vrienden hun geheime activiteiten meer dan tien jaar geleden al hebben gestaakt, na de terechtstelling van de generaals die een coup wilden plegen. Ze hebben zich gewoon teruggetrokken, of anders zijn ze vermoord.

Wanneer ik bij mijn ouders op bezoek ben, gaat mijn vader na het eten altijd naar de slaapkamer om gedichten te schrijven. Hij heeft een elektrische typemachine die helemaal van hem alleen is. Hij schrijft gedichten over het lijden van een banneling. Hij was gelukkiger toen hij nog manifesten tikte op een verboden typemachine. Op dinsdag en donderdag geeft hij Roemeense privéles aan een vrouw die Molly heet en van plan is naar Roemenië te gaan, al weet mijn vader niet waarom. Hij denkt dat ze voor de CIA werkt en in het geniep meehelpt aan het brengen van een nieuwe, betere regering in Roemenië. 'Want deze nieuwe regering,' zegt hij, 'bestaat gewoon uit een stelletje uit de kast getrokken oude communisten.'

Hij praat meer dan ooit over zijn jeugd: de boomgaarden met kersen en appels, de oorlog, toen hij verpleeghulp was en hij de hersenen van een gewonde soldaat onder zijn verbrijzelde schedel zag kloppen. Winters, sleeën op de heuvels bij zijn huis. Die keer dat hij in een ijskoud meer sprong om een vriend te redden die door het ijs was gezakt. Alleen zijn jeugdverhalen lijken hem nog genoegen te doen.

Terwijl ik opga in de juridische procedures die al mijn geld opslokken en me in een depressie duwen, put ik troost uit de verhalen van mijn vader. Als ik naar zijn verhalen over de Tweede Wereldoorlog luister, voel ik me minder geïntimideerd door inhalige advocaten in Ralph Lauren-pakken. Als mijn familie Hitler en Stalin, aardbevingen, hongersnoden en overstromingen heeft overleefd, moet ik een paar Amerikaanse advocaten kunnen overleven, lijkt me. Op een trieste, benauwde, drukkende dag in Chicago stap ik in de gehuurde verhuisauto om naar ons nieuwe huis in Indiana te rijden. Mijn vader is deze keer degene die me de moed geeft om het te doen en er de zin van in te zien: 'Ga, Mona. Hier heb je toch al die jaren voor gewerkt?' Dan citeert hij uit een Roemeens toneelstuk: '"*Zoe, Zoe fii bărbată.*"' Zoe, Zoe, wees een man! Ik geef hem een zoen, zet Andrei in zijn zitje en zet koers naar de Interstate 90.

In de nazomer, wanneer we aan het wennen zijn in ons huurhuis, verhuizen de processen om de echtscheiding en de voogdij naar de rechtbanken in Indiana. Het wordt allemaal onzinnig fel. De advocaten profiteren van onze angsten en zwaktes, zowel die van Tom als de mijne. De petities en moties puilen uit onze brievenbussen. Net als Andrei hele zinnen in het Roemeens en het Engels kan formuleren, krijg ik een verzoek aan de rechtbank, gedaan door Toms advocaat, om me Andrei af te nemen en Tom de voogdij te geven. Ik lees het in de keuken, waar ik het avondeten sta te koken. Andrei smeert tomatenpuree over zijn gezicht en vertelt me over een jongetje, Steen, dat gemeen is en naar iedereen op de peuterschool spuugt. In het verzoek wordt aangevoerd dat ik niet genoeg om mijn zoontje geef, want ik breng hem naar het kinderdagverblijf en huur kinderoppas. Ik vraag me af of de rechters, de advocaten en de Amerikaanse overheid weten hoe het is om voor een kind te zorgen en een voltijdbaan te hebben. Ik zie niet in wat er mis is met het kinderdagverblijf, waar Andrei met andere kinderen speelt en Engels leert en waar hij grappige tekeningen maakt van haaien en van zichzelf met mij in de tuin, met een grote, gele zon in de bovenhoek en rode tulpen die zo groot zijn als wij samen.

Ik heb meer zin dan ooit om ze te verslinden, die slechte kapitalisten en juristen tegen wie ik zo tekeerging die avond toen ik high was en een handstand maakte in mijn blauw satijnen jurk. Ik heb een wolvinnenhonger naar bloed, advocatenbloed.

Ik val door een gat in het ijs. Ik word gered door Eskimo's die me rauwe zeehondenogen te eten geven. Ik kan Andrei nergens vinden. Ik loop de iglo uit en zie Andrei in de verte, in de blauwe donsjas die hij met Kerstmis van zijn grootmoeder heeft gekregen. Mijn benen worden zwaarder en ik verander in een blok ijs. Ik bevries levend, maar toch voel ik alles en kan ik helder denken. Ik zie Andreis blauwe silhouet met kleine waggelpasjes in de verte verdwijnen.

Ik word schreeuwend wakker. Andrei ligt te slapen in het bedje in mijn kamer. Ik kruip bij hem en druk hem tegen me aan. Hij wordt wakker en vraagt in het Roemeens: '*Ce, mama?* Wat is er, mama?

'Niets, het is goed,' zeg ik tegen hem. 'Ga maar weer slapen, ik hou van je.'

Hij vraagt of het al morgen is. 'Nee, het is nog vandaag, maar straks is het morgen en dan moeten we opstaan,' zeg ik.

Overstromingen in het Midden-Westen

In de zomer van de geboorte van mijn zoon Ionica regent het een volle week in het stadje in het Midden-Westen waar ik woon en doceer. Een onwaarschijnlijk voorteken, als iets uit een Zuid-Amerikaanse roman. Zo ging het in 1918 ook in de Witte Citadel in Bessarabië. De regen tikt dag en nacht op de pannen, tot het dak bezwijkt en begint te lekken. We zitten in de woonkamer met een emmer onder de gestaag vallende, genadeloze druppels uit het midden van het plafond.

Vijf dagen lang zit ik in de woonkamer met mijn nieuwe zoon Ionica aan de borst naar het gedrup te kijken, petities, verklaringen, verzoeken en gerechtelijke bevelen te lezen, ondertekend door vrederechters en edelachtbare rechters. Andrei probeert de druppels op zijn tong te vangen. Het ruikt naar nat stucwerk en rottende muren. Het gevoel van een naderende ramp wiegt me in een toestand van onverschilligheid die dieper gaat dan alles wat ik ooit heb ervaren. Nu de regen zó uit de lucht in ons huis valt, komt mijn hele situatie in een ander daglicht te staan. De combinatie van een natuurramp met een stapel petities en rechtbankpapieren geeft me een vreemd gevoel van evenwicht. Ik voel me dapperder dan ooit, gericht als ik ben op mijn overleving.

Ik rij elke dag door de stad, waar ik met een kwaadaardige opluchting naar de zwellende rivieren en onder bruin water smeltende maïsvelden kijk. Ionica's geconcentreerde gesabbel aan mijn borsten, het heerlijke trekken van zijn mond aan mijn tepels dag en nacht, biedt me greep op de werkelijkheid, een ijkpunt in de ruimte en in mezelf. Alles lijkt heel helder: het lekkende plafond, het regelmatige gesabbel aan mijn borsten, Andreis open mond die de druppels vangt, de woorden op de rechtbankpapieren, de handtekeningen van advocaten en rechters en het tikken van de regen op het dak.

Nadat er een pruimende man met een lange witte baard is gekomen die mij 'dametje' noemt en ons dak repareert, zit ik met mijn twee zoontjes in de woonkamer, blij dat het dak niet meer lekt. De zon ziet er vreemd uit, als een oranje bal.

Kort nadat ik aan mijn werk als docent ben begonnen, belt Tom om te zeggen dat hij naar Indiana komt om Andrei en de baby te zien. De afspraak maakt me nerveus en ik besluit het hele huis te poetsen en schoon te maken, ons huurhuis met een withouten hek en een levensboom in de voortuin. Ik gebruik alle schoonmaakmiddelen die ik uit Chicago heb meegenomen. De geur van nat stucwerk van de overstromingen en het lek in het plafond vermengt zich met die van bijtend bleekmiddel en Glassex, en ook met die van babyspuug en poepluiers. Ik word een beetje misselijk van die mengeling van geuren en van het harde werken.

Tom komt 's avonds aan en belt vanuit de plaatselijke *bed & breakfast* om te vragen of hij meteen mag komen. Hij ziet er dikker uit dan in mijn herinnering, zijn haar is langer en hij laat zijn baard staan. Hij loopt zelfverzekerd de woonkamer in, tussen de dozen met boeken, kleding en nieuwe babyspullen door, en Andrei springt in zijn armen en roept 'pappie, pappie'. Hij zet Andrei neer en kijkt naar Ionica, die in mijn armen ligt te slapen, met zijn hoofd op mijn schouder. Hij aait hem over zijn wangen en zegt dat hij een prachtige baby is, heel mooi. Tom wordt gevolgd door een iets oudere vrouw met rood haar in een loeistrakke spijkerbroek, die net zo zelfverzekerd als hij langs me heen naar Andrei loopt en hem een zoen wil geven. Andrei wendt zijn wang af en slaat afwerend zijn handen voor zijn gezicht. Ik sta met Ionica in mijn armen in onze nieuwe woonkamer, tussen al onze dozen en spullen, en ik zeg tegen de vrouw: 'Neem me niet kwalijk, wie bent u?' Tom laat Andrei los, stelt me aan zijn vriendin Sandy voor en vraagt of ik Andreis spullen wil pakken, want hij wil hem voor een tijdje mee terugnemen naar Chicago, Sandy past wel op hem wanneer hij 's ochtends werkt. Zij hoeft 's ochtends niet te werken, ik wel, en wie wil ik op de kinderen laten passen als ik aan het werk ben?

Hij vervolgt dat hij eigenlijk graag zou willen dat Andrei definitief bij Sandy en hem in Chicago kwam wonen, dan mag ik de baby houden. 'Het is een eerlijke regeling,' besluit hij. Ik zweet als een otter en voel de melk fors teruglopen in mijn borsten. Ja, laten we de kinderen eerlijk delen, net als de lampen, denk ik terwijl ik midden in de kamer mijn best doe om mijn evenwicht niet te verliezen. Jij krijgt de oudste, ik de jongste. Jij krijgt de groene lamp van je moeder, en ik neem die antieke op de ijzeren voet. Ik kan bijna niet geloven dat ik echt getrouwd ben geweest, jaren heb samengeleefd en twee kinderen heb gekregen met de man die hier tegenover me zulke bizarre dingen staat te verkondigen. Sandy kijkt me brutaal aan en ik zie de dikke strepen eyeliner om haar ogen. Ze is 'op een vulgaire manier aantrekkelijk', zou mijn moeder zeggen. Andrei, die de spanning in de kamer voelt, gaat aan mijn rode tricotrok hangen en zegt: 'Mama, ik moet een poep doen.'

Ik grijp de gelegenheid aan om me te excuseren en tijd te winnen. 'Neem me niet kwalijk, ga toch zitten, ik ben zo terug,' zeg ik overdreven beleefd. Met de baby nog in mijn armen duw ik Andrei naar de badkamer. Ik zit op de rand van het bad te wachten tot Andrei klaar is en denk dat eigenlijk niets wat ik ooit heb gedaan sinds ik die rottrein naar Triëst nam, de moeite waard is geweest, dat ik liever een leven met Mihai had gehad, ook al had hij tien keer bij de geheime politie gezeten, dan in deze idiote situatie verzeild te raken, deze scène uit een slechte klucht: me met mijn twee kinderen in de badkamer verstoppen terwijl mijn man, die van de ene dag op de andere een vreemde voor me is geworden, mijn leven belegert, gesteund door een roodharige vrouw die op een aftandse hoer lijkt. Maar Mihai is dood, zo kil en hard als het marmer onder mijn voeten.

Ik kijk door het raampje naar de zwarte walnotenboom die wuift in de zomerwind en fantaseer erover met mijn twee kinderen door het raam te springen en het gewoon op een rennen te zetten door de maïsvelden, tarwevelden en majestueuze hooibergen van Indiana tot ik moe ben en in een andere staat kom, Kentucky bijvoorbeeld. Misschien wordt het in Kentucky allemaal beter voor ons. Ionica verandert op mijn schouder van houding en begint te jengelen. Ik leg hem aan de borst om te voorkomen dat hij gaat huilen. Ik loop naar de gang om de draadloze telefoon te pakken. Ik sluip als een dief door mijn eigen huis in de hoop dat Tom en Sandy me niet zullen horen of zien. Ze zitten hand in hand op de bank in de woonkamer door het raam te kijken alsof ze in trance zijn. Waar heeft Tom dat mens opgeduikeld? vraag ik me af terwijl ik de badkamer in glip met de telefoon in mijn vrije hand en de drinkende Ionica op mijn arm alsof ik een circusacrobaat ben. Ik bel Marta. 'Ai, ai, die rotzak, hoe kan hij je dat aandoen?' zegt ze eerst, maar dan vervolgt ze op haar eigen pragmatische, realistische manier: 'Weet je wat ze zeggen? Het bezit is vijftig procent van het recht. Jij hebt Andrei en de baby, *querida*, dus hou je poot stijf en zeg dat je met je advocaat wilt overleggen voordat hij iets doet. Weiger gewoon Andrei aan hem mee te geven. Laat je niet intimideren, hij kan niets beginnen, er is geen enkele reden om je het kind af te nemen, je bent een goede moeder. Stel je hard op, je kunt het.'

Ik vertel Marta over Sandy en ze zegt: 'Hij is tenminste niet zo'n doorsneeman die achter een jongere vrouw aan gaat.' Ik voel me gesterkt door het gesprek met Marta, die nog één ding zegt voordat we ophangen: 'Mona, lieverd, hij is nu zichzelf niet, mannen worden helemaal gek als ze opeens zonder vrouw en kind zitten, als hun gezin opeens weg is. Vergeet niet dat hoe moeilijk het ook is, jij de kinderen nog om je heen hebt, dat jouw leven rijker is. Hij zit nu alleen in zijn flatje. Gun hem de tijd, het wordt wel beter, wacht maar af.'

Ik kom met de kinderen uit de badkamer tevoorschijn en vertel Tom heel beleefd dat we eerst met onze advocaten moeten overleggen over het bezoekrecht en dat Andrei nu niet met hem mee kan naar Chicago. Andrei zegt dat hij bij de baby wil blijven en begint te huilen en aan Ionica's voetjes te trekken. Tom kijkt me net zo kwaad aan als toen hij erachter kwam dat ik hem had bedrogen. 'Je hoort binnenkort wel van mijn advocaat, Mona. Wacht maar af,' zegt hij knarsetandend. Ik kijk naar Sandy en hem en probeer niets te zeggen en me niet klein te laten krijgen, zoals Marta me heeft aangeraden. 'Tot ziens,' zeg ik alleen maar. Andrei, die het jammer vindt dat zijn vader weggaat, loopt achter Tom aan en zegt: 'Pappie, pappie, waneer kom je weer bij ons?' Ik trek hem met bonzend hart naar me toe om hem in huis te houden. Ik ben bekaf van de moeite en de inspanning, en als ik Toms auto hoor wegrijden, laat ik me op de bank vallen, druk mijn kinderen tegen me aan en vraag me af wat de toekomst nog meer in petto heeft.

Draken en de maatschappelijk werker

Er komt een maatschappelijk werker bij ons eten om te zien hoe de kinderen het bij me thuis hebben, zodat hij kan getuigen tijdens de echtscheidingsprocedure. Ik doe een spelletje uit een boek met Andrei en hem. Ik ga naar de keuken om eten te maken. Ik heb de avond tevoren het laatste van 122 tentamens nagekeken. Ionica heeft me 's nachts drie keer uit mijn slaap gehaald, eerst om de hotdog uit te spugen die hij bij het avondeten had gegeten, toen om water te drinken en toen nog een keer omdat hij diarree had en een schone luier moest hebben. Ik ben zo moe dat de maatschappelijk werker, die beleefd zijn voeten bij de voordeur veegt, me een booswicht lijkt uit de sprookjes van de gebroeders Grimm die ik mijn kinderen 's avonds voorlees. Misschien is hij zelfs wel de draak met schubben uit het Roemeense sprookje dat mijn grootmoeder me altijd voorlas, het sprookje over de gouden toverappels. Die draak, die in een gouden tuin onder de grond woonde, ontvoerde een beeldschone prinses. Uiteindelijk wordt hij aan stukken gehakt door de jongste en slimste van drie koningszoons. De prins krijgt de gouden toverappels.

De maatschappelijk werker met zijn keurig geknipte, bruine haar en zachte tweedjasje, met zijn 'toffe' gedrag om de kinderen op hun gemak te stellen zodat ze 'loskomen', is in mijn ogen een kruising tussen een stripfiguur en een draak. Ik hoop maar dat mijn kinderen elkaar niet in hun buik zullen bijten, met snot zullen ondersmeren of naar elkaar zullen spugen, zoals ze doen wanneer ik te moe ben om aandacht aan ze te besteden. Ze ruziën over de vraag wie het touw heeft gepakt dat ze in de achtertuin hebben gevonden, of over wie er een eikel is en wie niet. Ionica, die nu bijna anderhalf is, heeft het woord eikel net op het kinderdagverblijf geleerd van een jongen die Dante heet.

Ik maak een Roemeense komkommersalade en spaghetti met alfredosaus die ik kant-en-klaar in een zak heb gekocht. De maatschappelijk werker vindt de saus zo lekker dat hij me een paar keer een compliment maakt. Wanneer hij naar het recept vraagt, zeg ik dat het een oud Roemeens recept is, te ingewikkeld om uit te leggen.

Ik vraag aan Andrei of hij het verhaal over het zout in het eten nog kent, een Roemeense versie van het King Lear-verhaal. De twee oudste prinsessen zeggen tegen de koning dat ze van hem houden als van honing en suiker, maar de jongste dochter zegt dat ze van hem houdt als van zout. Hij wordt zo kwaad dat hij haar verbant. Ze werkt een jaar als dienstmeisje in het paleis van een naburig koninkrijk. De prins van dat koninkrijk ontmoet haar, wordt verliefd op haar en neemt haar tot zijn bruid. Ze nodigt haar vader op de bruiloft uit en bereidt al zijn eten zelf: zonder zout, met alleen honing en suiker. De koning kan het niet eten en wordt boos. Zijn dochter, de bruid van de prins, staat op en vertelt de aanwezigen dat haar vader haar uit het paleis heeft verjaagd omdat ze tegen hem had gezegd dat ze van hem hield als van het zout in het eten. Dan beseft de vader dat zout belangrijker is dan honing en suiker en schaamt zich. De koning verzoent zich met zijn dochter en ze leven allemaal nog lang en gelukkig.

Onder het eten vertelt Andrei het sprookje aan de maatschappelijk werker. Het is zijn lievelingsverhaal. Vervolgens vertelt hij hem een van de Griekse mythes die hij kent, die over

Hermes die de koeien van Apollo steelt, ook een verhaal waar hij dol op is. De maatschappelijk werker raakt steeds dieper onder de indruk en complimenteert me weer met de komkommersalade en de alfredosaus. Hij wil meer spaghetti. Hij zegt dat ik hem het recept echt moet geven.

Het enige waaraan ik kan denken, is het verslag dat hij bij de rechtbank gaat indienen over 'het huishouden van de moeder'. Andrei haalt Griekse mythes en sprookjes van Grimm door elkaar en vertelt uiteindelijk over haaien die mensen levend opeten. Ionica zet het op een brullen in zijn kinderstoel omdat hij bang is dat de haaien hem zullen opeten en ik moet hem vasthouden en de hele rest van de maaltijd blijven staan om hem tot bedaren te brengen.

Van wat er daarna gebeurt, herinner ik me nog maar weinig. Ik herinner me de vermoeidheid die door mijn hele lijf trekt als ik na het vertrek van de maatschappelijk werker naar het aanrecht vol vuile vaat kijk. Drie van de borden zijn door de maatschappelijk werker gebruikt. Hij gaat de rechtbank aanbevelingen doen aangaande Andreis welbevinden en onze woonomstandigheden. Na één etentje bij ons zal zijn verslag bepalen of ik de voogdij over mijn zoon houd. Uitputting verspreidt zich als gif door mijn lichaam.

Ik verlang naar de blauwe sneeuw van de Karpaten en hun kristallijnen echo's. Kon ik maar met mijn kinderen naar de Karpaten vluchten en me daar in een herdershut verstoppen, op een weide met grazende schapen. Ik sta bij het aanrecht, klem mijn kiezen op elkaar en kijk naar de afwas. We zouden in een herdershut op de top van de Karpaten wonen, waar de lucht 's winters zo helder en zuiver is dat je het aan je vingertoppen kunt voelen. En we zouden witte, zachte, ziltzoete geitenkaas eten. Mijn zoontjes en ik zouden in een hoog bed van stro slapen, onder een *plapumă*, een enorme, met ganzendons gevulde deken. Ik zou ze vredig en veilig naast me voelen ademen op het strooien bed, onder de donzen plapumă, in de herdershut op een berg in de Karpaten. Ver weg van maatschappelijk werkers, advocaten, rechters, verklaringen, hoorzittingen en alfredosaus in een plastic zak. Onder de sterren van mijn eigen jeugd, in de zuivere lucht waarin koeienbellen en het geblaat van schapen weerklinken, waar het naar blauwe sneeuw, mest en de koningin van de nacht ruikt. En ik kon in de lieflijke, scherpe klanken van mijn eigen taal tegen mijn kinderen praten, zonder me te hoeven rechtvaardigen tegenover een knorrige rechter die zijn woorden in zijn baard prevelt.

De kinderen spelen hun dief-en-politiemanspel. Ik kan het niet opbrengen de afwas te doen en speel mee. Andrei en ik zijn dieven en Ionica is de politieman. Ik heb een zwaard en probeer te ontkomen aan de politieman die me op de hielen zit. Op een gegeven moment rent Ionica met zijn gouden zwaard het huis uit en de straat op om andere loslopende dieven in de buurt te vangen. Ik ren hem na met mijn zwaard en roep hem hysterisch in de koude novemberlucht. Een buurvrouw ziet het door het raam van haar woonkamer. Ik ren op mijn pantoffels en met een speelgoedzwaard in mijn hand achter mijn peuter aan en schreeuw de longen uit mijn lijf in een taal die nooit eerder is gehoord in dit stadje met 17.000 zielen in het Midden-Westen.

Toms advocaat heeft voor de rechtbank verklaard dat ik regelmatig schuttingtaal tegen de kinderen bezig wanneer ik in het Roemeens tegen ze praat; dat is precies waarom ik Roemeens tegen ze spreek waar anderstalige mensen bij zijn, om mijn kinderen naar hartenlust te kunnen uitschelden. Mijn éígen advocaat heeft me een keer gevraagd of overspel gangbaar is in Roemenië. Was het iets cultureels, vroeg hij, en had ik het daarom gedaan? Maar ik heb tijdens mijn eerste winter in Chicago al genoeg Engelstalige vloeken geleerd in de ondergrondse, dus ik zeg tegen hem dat hij kan oprotten, man, de Roemenen hebben het overspel niet uitgevonden, hoor. Mijn eigen advocaat spreekt me tenminste nog bij mijn naam aan, terwijl die van Tom in de rechtbank gewoon naar me wijst en me 'die vrouw' noemt. Ik kijk tijdens de hoorzittingen over mijn schouder om te zien wie die 'vrouw' is die hij telkens aanwijst.

De novemberlucht is fris en kil, en Ionica, die over het tapijt van rode en roestbruine bladeren voor me uit rent met zijn mollige lijfje en blonde haar, is een schitterende geestverschijning. Het lijkt ondoenlijk hem te vangen. Mijn benen zijn zwaar en hij ziet eruit alsof hij elk moment de koude novemberlucht in kan vliegen met zijn gouden speelgoedzwaard naar de lucht geheven, net als de Roemeense koning Michaël de Dappere die zijn zwaard hief tegen de invallende Turken en nog steeds het plein moet bewaken waar mijn ouders aan woonden toen ik werd geboren.

Dan struikelt en valt hij en zet het op een blèren. De angst slaat me om het hart, angst dat de buren kijken en dit bizarre toneeltje van 'kindermishandeling' aan de politie zullen melden, angst dat mannen in een zwart pak mijn huis binnen zullen dringen om me Andrei en Ionica af te nemen, angst dat de tijd de minuten van hun jeugd weggrist en ze naar een onbekende Amerikaanse toekomst opstuwt. Ik ren met mijn zwaard nog in mijn hand naar Ionica toe en draag hem naar huis. Op de een of andere manier is zijn huilen binnen een seconde omgeslagen in lachen en zijn gezicht ziet rood van de koude avondlucht. Hij praat tegen me in de taal van Roemeense herders, lieve, zoete en boze woordjes met l'en in plaats van r'en, zoals alle Roemeense kinderen die net beginnen te praten. Roemeense r'en zijn zo hard en rond als radslagen op straatklinkers. Roemeense kinderen moeten ploeteren voordat ze de r kunnen uitspreken, maar als ze het eenmaal kunnen, hebben ze het blijvende genoegen de r over hun tong te kunnen laten rollen, als een snel wieltje, *rrrr*, hard en kriebelend op de tong. Ionica kan alleen l zeggen en hij zuigt continu op zijn duim, maar hij kan harder lopen dan zijn broertje en ik.

Andrei helpt me opruimen en biedt aan de afwas te doen. Hij gebruikt te veel afwasmiddel en er druipen bergen schuim over de rand van de gootsteen. Hij kijkt me aan alsof hij verwacht een standje te krijgen, maar ik kijk alleen omhoog en rol met m'n ogen. Een berg Palmolive-schuim is veel mooier om te zien dan de vuile borden van de maatschappelijk werker. De keukenvloer komt onder het sop. Ionica vindt het fantastisch. Andrei plakt een witte schuimbaard op Ionica's wangen, en zijn ronde, blauwe ogen lijken nog groter dan anders. Weer denk ik: konden we maar samen in een herdershut in de Karpaten wonen. In plaats daarvan vertel ik een verhaaltje voor het slapengaan over herders in hutjes op heel hoge bergen die een grote jas van schapenvacht dragen en zware stokken bij zich hebben om zich tegen de hongerige wolven en schapendieven te beschermen. Ionica vraagt of hij zo'n stok kan krijgen om op het kinderdagverblijf met Dante te vechten, het jongetje dat hem het woord eikel heeft geleerd. We slapen die nacht allemaal bij elkaar in bed, met onze gouden en zilveren zwaarden naast ons om ons te beschermen.

Indiana, kruispunt van Amerika

Ik heb gekozen voor het vlakste, saaiste landschap van het Amerikaanse Midden-Westen, en ik zou me gelukkig kunnen prijzen omdat ik in een universiteitsstad woon waar ik toneel- en theaterwetenschappen doceer. Ik houd van de vlakke, vlakke, uitgestrekte, eindeloze maïsvelden waarboven de zon elke dag met kracht opkomt en ondergaat, zonder bergen, valleien of glooiend land om zich achter te verschuilen. De omgeving is balsem voor mijn ziel. In die rechte uitgestrektheid heb ik de illusie dat mijn geboorteland vlak achter de horizon ligt. Net achter dat maïsveld is het achtererf van het huis van mijn oom en tante in de Karpaten.

Ik heb mijn huis in een opwelling gekocht omdat het paste bij de witte strohoed die ik ophad toen ik erlangs liep en het bordje TE KOOP zag staan. Een verfijnd, wit huis van rond de eeuwwisseling met slanke ronde pilaren en een brede voorveranda. Ik zag mezelf er al zitten, met mijn witte strohoed en in mijn roze linnen jurk, als een vrouw uit het Amerikaanse Midden-Westen van de jaren twintig, terwijl ik liefdesbrieven schrijf aan een rozenhouten secretaire. Het deed me ernaar verlangen een Amerikaanse vrouw met een Amerikaans verleden in een linnen jurk met een strohoed op die aan een rozenhouten bureau zit te dagdromen, als overgrootmoeder te hebben. Een vrouw die was gespaard voor de dictatuur, die nooit tijdens de oorlog een veilig heenkomen had gezocht in een veewagon of opgezwollen lijken op de rivier had zien drijven. Ik gaf haar een naam: Jessie Gibbons. Ze had dik, zwart haar dat in een 'bob' was geknipt, donkerbruine ogen en een huid die zo zacht en blank was dat je haar gezicht zou willen aanraken als je haar zag. De oorlogen in Europa waren voor haar niet meer dan een ver gerucht. Waar zij zich vooral druk om maakte, was het bal in de villa van Ricky Danford aan Sycamore Road. Ze wilde haar diep uitgesneden, fuchsiaroze, satijnen jurk aan, maar haar moeder wilde er niet van horen.

Ik klopte op de deur van het huis en vroeg de gezette vrouw van middelbare leeftijd die opendeed, of ik een kijkje mocht nemen. Ik zag de hoge plafonds, de erkers, het middaglicht dat de kamers overstroomde, de schouwen met beeldhouwwerk en de geheime keukendeur die uitkwam op een geheim terras waar overal onstuitbaar klimop omhoogklom, en wist het. Ik had het huis ergens in een droom gezien. 's Avonds, als Ionica en Andrei allebei in hun eigen kamer liggen te slapen, loop ik vaak door het huis. Ik raak de trapleuningen, de muren en de kozijnen aan en tel alle dingen die ik heb gedaan die niemand in mijn familie voor mij had gedaan, zoals in de schouwburg werken, scheiden, hasjiesj roken, meeliften met een gele Fiat en een huis met erkers aan de rand van een maïsveld kopen. Ik stel me vaak voor dat Jessie Gibbons zich opmaakt om naar het bal van Ricky Danford te gaan in haar fuchsiaroze jurk met een lang parelsnoer en een ondeugende twinkeling in haar ogen. Ze waaiert zichzelf koelte toe. Het is een warme, drukkende avond en overal hangt de geur van kamperfoelie.

In de stilte, als mijn eenzaamheid vlijmender is dan ooit, zoveel kilometers, zoveel werelden verwijderd van mijn geboorteplek, voel ik hoe mijn ledematen zich vreemd kronkelend rekken. Ze reiken voorbij de muren van mijn huis, voorbij mijn straat, langs het welkomstbord van de stad met het logo van de

Elks en de Rotary en de vermelding dat er 17.000 zielen wonen, de wijde wereld in, over de maïsvelden en de schuimkoppen van de Atlantische Oceaan. Maar net wanneer ik de sering voor ons raam wil aanraken of een bloem van de koningin van de nacht wil plukken, verpulveren mijn tot ranken uitgestrekte armen. Net wanneer ik de witte rots op een bergtop bijna kan aanraken, waar de zon die de wolken beschijnt, Mona en Mihai in blauw en roze licht baadt.

Mijn armen zijn weer gewoon armen en ik sla ze om mezelf heen. Ik luister naar het trage ritme van mijn ademende kinderen. Ik lig dan naast de een, dan naast de ander. Ik sla mijn armen om hun warme, slapende lijfjes.

Ik word moe en chagrijnig wakker na zulke nachtelijke patrouilles. Ik laat lepels uit mijn hand vallen terwijl ik het ontbijt maak en zorg dat de kinderen klaar zijn om naar school en het kinderdagverblijf te gaan. Als we aan de keukentafel zitten, stel ik me graag voor dat we een ministaatje van drie mensen zijn, een Roemeenstalige enclave in dit stadje in het Midden-Westen. Ionica wordt boos op me omdat hij nog een flesje sap heeft gevraagd en ik niets terugzeg. Hij maakt me uit voor spin, het nieuwe scheldwoord dat hij gebruikt wanneer ik geen aandacht aan hem besteed. Ionica maakt me uit voor 'tien keer een spin, een dikke zwarte tien-keerspin'.

Ik sleep me naar de universiteit om colleges te geven. Dan moet ik me uit mijn werk haasten om de jongens van school en het kinderdagverblijf te halen. De rechter heeft eindelijk besloten, na mijn psychologische evaluatie, Andrei en Ionica bij mij te laten wonen. Tom krijgt ze in het weekend, tijdens de feestdagen en gedurende de halve zomervakantie. De door de rechtbank aangestelde psycholoog, een vermoeide vrouw met sluik, ongewassen haar, heeft me vlindervormige verfvlekken laten zien en ik moest haar vertellen waar ze op leken, dat is de bedoeling van die verfvlekken in de vorm van vlinders en vleermuizen. Ik voelde me net als op de kleuterschool, waar we tubes vingerverf uitknepen op een vel papier dat we vervolgens dubbelvouwden.

Ik verzon prachtige tuinen en weides en schelpen, en de psycholoog maakte uitgebreid aantekeningen. Ik was kennelijk toch geschikt om mijn kinderen op te voeden. Ik vroeg me af of er ook maar een beetje normale ouders waren die zeiden dat ze de verminkte lichaamsdelen van advocaten in een zwart pak zagen nadat ze vijfentwintighonderd dollar voor de diensten van die depressief ogende vrouw hadden betaald. Toen de rechter zijn uitspraak prevelde, had ik medelijden met ons allemaal. Ik keek naar Tom in zijn mooiste pak en dacht aan mijn kinderen die 's nachts bij mij sliepen. Tom leek ook verdrietig en zag er meer uit als de Tom die ik uit onze betere tijden kende. Hij kwam eindelijk kundig en zelfverzekerd over, in weerwil van zijn melancholieke uitstraling. Hij had zijn snor afgeschoren en hij was knapper dan ooit. Ik hoorde dat hij was gepromoveerd en zijn eigen praktijk voor gezinstherapie in Chicago had geopend. Heel even dacht ik bijna: waarom hebben we niet harder ons best gedaan, waarom heb ik niet meer geduld gehad? Misschien was het dan allemaal toch nog op zijn pootjes terechtgekomen, zoals ze hier zo graag zeggen. Alleen hield ik niet echt van hem. Maar ik schudde de gedachte snel van me af, gedane zaken nemen geen keer, laten we gewoon verdergaan met ons leven.

Soms heb ik pijn in mijn armen en benen als ik over het aanrecht geleund probeer me te vermannen en weer een maaltijd te bereiden waarin alle, of toch de meeste, voedingsmiddelen zijn vertegenwoordigd van de kaart die Andrei uit de les gezondheidszorg van school heeft meegebracht: groente en fruit, granen, zuivel, vlees en vis, en geen vet of geraffineerde suiker. Dan maak ik maar een grote pan mămăligă, het voedsel van de Roemeense boeren. Water, zout en goudgeel maïsmeel. Je moet er op een bepaalde manier met een pollepel in roeren tot je arm pijn doet. In mijn deel van de wereld aten de mensen vijfhonderd jaar geleden al dezelfde mămăligă die ik nu met mijn zoons in de keuken eet op dagen dat de voedingsmiddelen van de schijf van vijf me geen moer kunnen schelen. We eten het met zure room en boter uit de zuivel- en de vetgroep, en mijn ziel voelt zich gesust, althans gedurende die maaltijd. Een korte verademing terwijl het maïsmeel me met zijn goudkleurige, zware warmte vult. Mijn kinderen bollen hun wangen naar elkaar op en grinniken.

Soms maakt het me boos dat ik dit allemaal alleen moet doen. Waar is dat hele dorp dat nodig is om je kinderen op te voeden wanneer je het nodig hebt? Mijn lichaam smeekt om rust, ploft op het bed en strekt zich uit in zijn gretige hunkering naar slaap. Soms heb ik zin om met mijn kop tegen alle muren in huis te bonken.

Marta komt over uit Chicago. Ze is nu hoofdapotheker in de drugstore waar we allebei werkten, en ze is naar een groter appartement verhuisd. Daniela is verzot op wiskunde en tekenen. Ze maakt gekke tekeningen van mij en mijn zoontjes wanneer we samen zijn.

Marta neemt de keuken over en maakt een gerecht met rijst en groenten. Daniela helpt me met Ionica, die haar de hele tijd wil knuffelen en vraagt of ze een Tasmaanse duivel voor hem wil tekenen. Ionica zegt tegen zijn broer dat de Tasmaanse duivel die Daniela heeft getekend hem zal opeten als hij doorgaat met hem telkens te laten struikelen. Ik kom een beetje tot rust. Vanavond zijn we een grote, gelukkige familie die Roemeens, Spaans en Engels spreekt. Marta en ik drinken een slokje tequila en lachen onder het eten.

'Je vindt wel iemand die jou waard is,' verzekert Marta me. 'Je trouwt weer en je wordt gelukkig.'

'Ik wil niet trouwen,' zeg ik tegen haar. 'Niet weer... Als jij een man was, was ik misschien met jou getrouwd.' We lachen en geven de fles aan elkaar door.

'Je bent sterk. Ik weet niet wat er gaat gebeuren, maar ik weet dat je je erdoorheen slaat. Geen zorgen,' zegt Marta, en ze omhelst me.

Het voelt alsof Marta een bloedverwante van me is, een van die nuchtere, pittige vrouwen uit mijn familie. Kon ze maar bij me blijven, konden Daniela en zij maar bij ons intrekken! Maar ze moet terug naar Chicago, naar haar werk. Als Marta en Daniela zijn vertrokken en ik de volgende dag weer alleen onder ogen moet zien, huil ik urenlang. Weer een week van me verbijten en hopen dat ik niet van een brug rij, hopen dat ik niet midden in een college doodblijf en daar moet liggen terwijl mijn studenten naar me staan te gapen. Het faculteitshoofd zou naar het lokaal komen, naar mijn levenloze lichaam kijken en zeggen: ik wist wel dat ik die geschifte Roemeense niet moest aannemen. Ik wist dat ze ons last zou bezorgen. Waar moet ik dat lijk nou laten?

Er gaat iets mis. Het schema van mijn leven is te ingewikkeld geworden, er is te veel van alles. Ik ben te hebberig geweest, en daar moet ik nu voor boeten. Ik ben moe en mijn hersenen staan in brand. Ik heb altijd een groot, hard brok in mijn keel. Ik ben continu bang een grote fout te maken, een mogelijke ramp over het hoofd te zien. Ik droom, ik heb visioenen, ik schrik uit mijn slaap wakker en 's avonds laat ik mezelf uren dagdromen, maar overdag houd ik me heel strak aan mijn schema. Ontbijt voor de kinderen, werken, de kinderen van school halen en naar pianoles, voetbal of een verjaardagspartijtje brengen, eten voor ze koken en ze in bed stoppen. Essays corrigeren, de boekhouding bijhouden.

Ik word wakker met een vreemd gevoel in mijn hoofd, zwaar en krakend. Ik loop in wolken buitenissige woorden en scharlakenrode gebaren die ruiken naar mămăligă, het Roemeense maïsgerecht, naar de Zwarte Zee zoals de Romeinse dichter Ovidius die heeft beschreven, naar de Porto Ricaanse oregano die ik in mijn tuin kweek, naar de Franse cancan, naar verschroeide petunia's op een zomeravond. Ideeën hebben vormen, kleuren en lichamen. Ideeën dansen op spitzen en draaien pirouettes in witte en roze tutu's. Ideeën zijn blauw en rood en wit en lijken op violette waterlelies die zich openen in barsten in het gladde, koele oppervlak van een vijver.

Goddank werk ik in de wereld van het toneel, waar krankzinnigheid een verdienste kan zijn. Wat had ik moeten beginnen als ik ingenieur was, of accountant? Ik glij moeiteloos in en uit woorden, in en uit talen: Romaanse, Germaanse en Slavische talen. Ze glijden vlinderlicht van mijn tong en creëren iriserende, lichtende patronen, als vuurwerk. Ik laat ze door de lucht naar mijn studenten in de collegezaal zweven, die grote ogen opzetten. Ik laat ze in vergaderzalen als ballonnen los op ernstige, grijze geleerden met een baard die me 'charmant' vinden, maar nooit luisteren naar wat ik te zeggen heb. Ik schiet ze van het podium van universiteitstheaters af op een blasé publiek dat gaapt en knikkebollend in slaap valt.

De Atlantische Oceaan

Mijn moeder kijkt me schalks aan vanaf een foto die mijn vader op het strand in Florida heeft genomen. Ze zijn een keer 's zomers naar Florida gegaan, een paar jaar na hun aankomst in Amerika, om een oude collega van mijn vader van de universiteit op te zoeken die ook uit Roemenië was geëmigreerd en zich in Florida had gevestigd. Het blijkt dat die vriend, van wie mijn vader had gedacht dat hij een gewone vluchteling was zoals hijzelf, vanuit het buitenland voor de Roemeense geheime politie werkte. Een jaar nadat mijn ouders bij hem waren geweest, werd hij tijdens het avondeten door zijn hoofd geschoten door een huurmoordenaar, waar zijn vrouw en kinderen bij zaten. Naar het scheen had de Roemeense regering echt mensen van de geheime politie naar het buitenland gestuurd om mensen te volgen die de misstanden in Roemenië aan de kaak stelden. Twee jaar na de Revolutie van 1989 werd een Roemeense hoogleraar doodgeschoten op de wc van een universiteit in Chicago. Mijn vader zei dat het de doodsstrijd van de geheime politie was.

'Hij wist te veel,' zegt mijn vader over zijn vriend. 'Ze moesten hem wel lozen.' Mijn vader vindt het erg dat zijn vriend een gewelddadige dood is gestorven, maar de ontdekking dat die vriend al die tijd informant is geweest, schokt hem ook. Hij voelt zich verraden en misselijk, en het doet hem verdriet dat de vriendschap op meer dan één manier voorbij is.

Het gaat niet goed met mijn vader: zijn hart, zijn longen en zijn nieren, al zijn organen gaan achteruit en geven er de brui aan. Hij ziet er afgetobd uit en is vergeetachtig. Soms weet hij niet of hij in Chicago is of in Boekarest en vraagt mijn moeder mee te gaan naar zijn geliefde tabakswinkel aan het universiteitsplein, waar zijn vriend Lucian met de na een treinongeluk geamputeerde benen sigaretten en pijpen verkoopt. Op andere momenten is hij griezelig helder en heeft het er verdrietig over hoe graag hij terug had gewild naar zijn eigen land om te zien wat de Roemenen met hun nieuwe vrijheid doen, om zijn vrienden van vroeger te zien. 'Mijn land, mijn land,' zegt hij telkens. 'Jij moet voor mij gaan, Mona. En ook voor jezelf,' bindt hij me op het hart. 'Je moet ernaartoe gaan om te zien hoe het met alles gaat.' Hij hoest soms verschrikkelijk 's avonds en loopt dan knalrood aan.

Op een dag in de zomer als ik met de kinderen in Chicago ben, roept hij me naar zijn kamer en begint me iets over een manuscript te vertellen. 'Ik heb in die tijd iets geschreven, weet je. Een soort boek, zeg maar... Kun jij voor me uitzoeken wat ermee is gebeurd?' Hij krijgt een hoestbui. Mijn moeder komt de kamer in om hem zijn medicijnen te geven, en hij steekt nog een sigaret op. Mijn moeder wordt woedend, maakt hem het pakje afhandig en knijpt het fijn in haar hand, maar mijn vader belt gewoon een van zijn vrienden van de Roemeense kerk en vraagt hem een nieuw pakje Merit te komen brengen. Hij vertelt niets meer over zijn mysterieuze boek, al ben ik verschrikkelijk nieuwsgierig, maar als ik aandring, krijgt hij weer een hoestbui. Ik laat het lopen. Misschien wil hij er een andere keer over praten, als hij niet zo hoest. Als hij minder lijdt. Uiteindelijk komt een van zijn vrienden hem het pakje sigaretten brengen, geeft het hem stiekem en komt bij hem in zijn kamer zitten. Ze hebben het erover dat de communisten het land kapot hebben gemaakt en dat alle Roemenen in Chicago bang zijn dat de Revolutie weinig heeft veranderd. 'Die nieuwe president, die Iliescu, was Ceauşescu's rechterhand,' doceert mijn vader in zijn kamer. 'Ik wil wedden dat de Securitate nu een wolf in schaapskleren is, die zich verstopt en dan in een andere gedaante terugkomt.'

De vrienden van mijn vader, van wie er een paar terug zijn geweest naar Roemenië voor een kort bezoek, zeggen dat hij gelijk heeft, en dat er nu kinderen lijm snuiven in de straten van Boekarest, en dat de inflatie zo hoog is dat mensen die vroeger professor, arts of ingenieur waren, nu amper het hoofd boven water kunnen houden en soms zelfs dakloos worden. 'Tel je zegeningen dat je hier bent, professor,' zeggen zijn vrienden. Op een dag zegt zijn vriend Mitica dat sommige mensen beweren dat het onder Ceauşescu beter was dan nu. 'Misschien hebben ze wel gelijk, Miron. Toen was er tenminste orde,' besluit Mitica. Mijn vader wordt er zo kwaad om dat hij begint te tieren en een hoestbui krijgt. Hij zegt tegen zijn vriend dat die hem met rust moet laten, dat hij weg moet gaan, hoe kan hij zo'n idioot zijn om iets dergelijks te beweren of te geloven, weet hij dan niet meer hoe Ceauşescu was, is hij het soms vergeten? 'Orde?' roept hij schor. 'Orde? Stalin heeft orde gebracht, en Hitler ook!' De vriend van mijn vader gaat gegeneerd weg. Hij zegt tegen mijn moeder dat hij wel terugkomt als Miron zich wat beter voelt.

Op de dag dat ik terugkom uit Chicago, kijk ik weer naar die foto uit Florida en zie mijn moeder met ogen zo blauw als de oceaan die zich achter haar uitstrekt, en een mysterieuze zeeglimlach. Zij heeft me mijn ongetemde liefde voor de zee gegeven, die diepe, onweerstaanbare liefde die zeelieden trekt voor nog een laatste reis. Mijn altijd kalme, ingehouden en fatsoenlijke moeder werd roekeloos als ze in zee zwom. Toen ik nog klein was, nam ze me mee op lange zwempartijen, zo diep dat het strand nog maar een smal geel streepje was. We zwommen op de gekste uren zij aan zij tot waar de fluit van de strandwacht ons niet meer bereikte: in de schemering, als de zee melkachtig koel en violet was, 's ochtends, als ze glad was en flonkerde, en 's middags, als ze ongedurig was. De geluiden van het strand werden een ver geruis en het water gleed in gladde rimpelingen over ons lichaam. Ik zie ons samen ver weg, glijdend naar de zonsondergang op het sprankelend groene water van de Zwarte Zee.

Ik pak onze koffers in, een voor mij en een voor Andrei en Ionica. We gaan voor het eerst met vakantie, naar de Atlantische Oceaan, ons eerste gezamenlijke avontuur aan de kust van North Carolina, in een plaats met een naam die we alle drie hilarisch vinden: Nagg's Head. 'Alsof er heksen wonen,' zegt Ionica. We ontbijten op het balkon, met uitzicht op zee. We rennen, zwemmen en wandelen uren op het strand. Andrei rent achter de meeuwen aan en doet hun gekrijs na, Ionica begraaft zich in het zand. Laat de golven rollen.

We storten ons op nieuwe pleziertjes: we kopen een Mexicaanse tegel met een droevige gitarist erop. We eten voor het eerst tex-mexgerechten in een specialiteitenrestaurant: scherp, kruidig, heerlijk. Andrei laat Ionica brownies met tabasco eten, en om zijn broertje terug te pakken, stopt Ionica een levende heremietkreeft in Andreis bed. We hebben schelpen, zand en levende zeewezens in onze hotelkamer. Ik geef de jongens lachend een standje en zeg dat ze moeten kalmeren.

Ik zwem in de Atlantische Oceaan en speel in de golven met mijn energieke, rillende zoons. 's Avonds lopen we over de boulevard langs de zee en doen alsof we op een van de grote, verlichte cruiseschepen wonen. We dromen van een zeereis naar Patagonië of Malta. Omringd door golven, schuim en algen die tegen me aan spatten, zoek ik diep naar alle bronnen van kracht en verstand in mezelf.

We komen goudbruin en ruikend naar zeewater terug in onze stad in het Midden-Westen. Ik knipoog naar mijn eigen gezicht in de slaapkamerspiegel. Op de dag dat ik goudsbloemen, petunia's, peterselie en tomaten plant in de eerste tuin die ik ooit heb bezeten, fantaseer ik over gekleurde scheuten. Draderige, kronkelende, spiralende ranken die uit mijn tenen en vingers groeien en een ragfijne koepel om me heen weven, om mijn kern, een web van turkoois, fuchsiaroze, geel, scharlakenrood en limoengroen. Aan de buitenkant van die bonte koepel groeien vlezige tomaten, ronde watermeloenen, volle kroppen sla en geurig basilicum. Ik zit binnenin als in een cocon, warm en veilig. Ik loop door de straten van onze stad, vrolijk toegejuicht door voorbijgangers, en advocaten in een zwart pak en met een schrille stem vallen dood neer als ze me zien, als lelijke vliegen.

Ik spoel alle antidepressiva door de wc. Ik plant alles waar ik zin in heb, zonder vooropgezet plan: tomaten en goudsbloemen, watermeloenen en sla. Ik werk zonder tuinhandschoenen, zodat ik aarde onder mijn nagels krijg en over mijn handen veeg. Mijn handen zinken diep in de zwarte aarde, tussen al die wortels, en ik mis mijn geboortegrond met de specifieke geuren. Ik besluit dat ik terug moet gaan om alles weer aan te raken, te ruiken en te proeven, om me ervan te verzekeren dat het echt is gebeurd, dat ik echt ben geboren en getogen in een land met zorgen, genesteld in de krul van de Karpaten en aan het groene water van de Zwarte Zee. Bij de ijzerwarenwinkel koop ik zaadjes, kunstmest en dat gereedschap dat ik bij zijn Roemeense naam ken, een van de veertien Dacische woorden: târnăcop, schoffel. De woorden van mijn vader, dat hij niet terug naar zijn land kan gaan voordat hij sterft, blijven in mijn oren klinken. Ik kijk naar de donkere aarde en de kronkelende wortels en word vervuld met verdriet bij de gedachte dat Mihai dood is. Hij moet op het kerkhof aan de voet van de berg liggen waar we Cristina hebben begraven. Ik moet zijn graf zien om ten volle te beseffen dat hij dood is, denk ik. Ik moet alles terugzien, alles zien, aanraken en ruiken. Ik wil terug.

De laatste dans

Mijn vader wordt zwakker en met de dag zieker. Hij is verdrietig en kan zich niets herinneren van wat er pas is gebeurd, terwijl hij zich zijn jeugd en kindertijd heel gedetailleerd herinnert. De jaren van ballingschap in dit vreemde land hebben hem geen geluk of voldoening geschonken. Hij heeft nooit afstand willen doen van de melodische woorden van zijn moedertaal en de vrijheid is voor hem te laat gekomen. Chicago is hardvochtig en koud, deze kerstvakantie op de grens van het nieuwe millennium, net als mijn eerste winter hier, toen ik wintertenen had.

Hij zegt tegen me dat ik de liefde van zijn leven ben, samen met mijn moeder. Hij is heel zwak, klein en broos. Ik houd hem lang in mijn armen terwijl hij huilt en zegt dat hij niet lang meer te leven heeft. Hij zegt dat ik ons land niet mag vergeten, 'daar ben je geboren en opgegroeid als papa's kleine meid. Ga erheen, Mona, ga naar Matilda's graf, vergeet niet alle graven te bezoeken,' zegt hij. En dan, als het nieuwe jaar een paar dagen oud is, sterft mijn vader in zijn slaap aan een hartstilstand, op een koude, winderige ochtend in Chicago.

Het is een slechte tijd, zo slecht als het jaar dat ik acht of negen was en het leek alsof iedereen in mijn familie stierf, alleen is dit erger, want het is mijn vader en we begraven onze dode in vreemde aarde, en deze keer kan ik me niet in de kleerkast van mijn tante verstoppen en mijn armen om mijn blote knieën slaan om mezelf te troosten. Het is erger omdat mijn vader verdrietig en verward is overleden.

We gaan naar Chicago voor de begrafenis. Andrei en Ionica begrijpen niets van dit overlijden, het eerste sterfgeval dat ze meemaken. Ze barsten op de gekste momenten in huilen of lachen uit. Ze hangen aan me. Ze begrijpen dat hun opa dood is en geen leuke verhaaltjes meer zal vertellen, verhaaltjes die hij voor het slapengaan verzon, over zijn jeugd in het dorp in het noorden van Moldavië. Hij zal hun geen aardrijkskunde- en geschiedenislessen meer geven over de landen in Europa, maar eigenlijk vooral over zijn eigen land, het kruispunt van alle invasies en rampen van de wereld.

Het is allemaal rauw, hard en genadeloos. De kou van Chicago, mijn vaders versteende, levenloze lichaam in de kist in het uitvaartcentrum, in zijn beste, marineblauwe pak. Zijn kamer in het appartement in Chicago, waar al zijn bezittingen keurig op hun plek liggen: de Pelikan-vulpen, de gedichten die hij ermee schreef, het piepkleine Engels-Roemeense woordenboek, de boeken met Roemeense poëzie, de gouden aansteker. Aan de wand de icoon van de Maagd Maria die bij zijn zus in Boekarest hing, die met het bloed op haar gezicht van de Griekse zeeman die er meer dan honderd jaar geleden zijn mes in stak.

Mijn moeder is ontroostbaar. Ze is slonzig van verdriet. Er belt iemand uit het ziekenhuis om over 'rouwbegeleiding' te praten, het enige wat ze nog een beetje grappig vindt. Ze snapt het niet eens, het is haar allemaal zo vreemd, die Amerikaanse woorden. Ze hangt zonder iets te zeggen op.

We regelen de uitvaartdienst in de Roemeense kerk in Chicago en doen alsof het allemaal correct en traditioneel is. Ik kan niets bedenken om mijn moeder te troosten, behalve dan dat het een zegen is dat hij in zijn slaap is gegaan. Iedereen wil altijd in zijn slaap gaan.

We hebben zelfs het speciale maal voor de doden, gemaakt van gerst en poedersuiker. Miruna, die ook is gekomen, huilt en houdt mijn hand vast. Ze zit met de kinderen te lezen terwijl mijn moeder en ik de laatste voorbereidingen voor de uitvaart treffen. We zijn nog nooit op zo'n manier bij elkaar gekomen in Chicago, met familie en vrienden, en nu snikken we allemaal. Ik ben blij dat Miruna er is, als een zuster, zodat ik me niet zo vervreemd en afgesneden voel. Ik vertel haar over de tijd toen ik nog klein was en er zoveel mensen in onze familie stierven, toen zij nog een mollige, roze baby was die de lippenstift uit de tas van haar moeder opat en er een verdwaald jong katje bij de deur miauwde. Haar lichtblauwe ogen geven me moed.

Andrei en Ionica zien er verdrietig en mooi uit in hun kleine mannenpakje. Ik kijk door een waas van tranen naar ze en voel me trots. Ze leven en ze zijn hier, vlak bij me. Ze zijn ontdaan als ze het levenloze lichaam van hun opa in de kist zien liggen. Ionica verstopt zich achter me en Andrei kijkt zorgelijk. Ik zeg dat ze nog een laatste keer afscheid van hun opa kunnen nemen. Ik omhels mijn vader en wil hem niet meer loslaten. Ik zou me rijp en volwassen moeten opstellen omwille van mijn kinderen, maar ik weet niet hoe dat moet. Ik wil mijn vader niet loslaten, mijn moeder wil hem niet loslaten. Ik wil het liefst in een kleerkast kruipen. De dood is altijd akelig, maar als je zover van huis bent, is het nog akeliger.

Ik zie mijn ouders dansen op een oudejaarsbal met gekleurde slingers en confetti, een van de mooiste stellen van heel Boekarest, zeiden de mensen. Ik zie ze dansen op hun zilveren bruiloft, het jaar voordat ik wegging. Ze stralen allebei, ondanks de tekorten, de verstopte typemachine en de arrestaties van mijn vader. Ze dansen in onze kleine woonkamer op muziek die zo goddelijk en ouderwets klinkt dat je de illusie krijgt van een luxueus, zorgeloos, gelukkig tijdperk.

De kist wordt in de aarde neergelaten. De januariwind blaast hard door onze jas en in ons betraand gezicht. Mijn kinderen klampen zich rillend aan me vast. Wij gooien de eerste handen aarde op de kist. De laatste gooien we ook. We staan in de wind, verscheurd door ons verdriet.

Mijn vader en Mihai zijn allebei dood. De twee mannen die de meeste invloed hebben gehad op mijn leven. Nu is het tijd om terug te gaan en met de spoken uit het verleden af te rekenen.

De weg terug naar huis

Ik ging naar mijn geboorteland terug met de echte trein naar Triëst, maar dan in omgekeerde richting. Ik vloog met mijn zoons Andrei en Ionica naar Italië, en vandaar volgden we mijn vertrekroute van twintig jaar eerder, maar nu terug. We drentelden door de straten van Rome en ik liet mijn kinderen het Colosseum zien, waar ik ooit voor had gestaan in een rode jurk en witte schoenen met zwarte strikjes en me zo los en licht als een rode ballon had gevoeld. We aten kleurige ijsjes en pizza margherita en ik dronk espresso en mijn zoons Italiaanse cassis in een café in een zijstraat bij de Trevi-fontein.

Toen namen we de trein, en tijdens de lange reis deden Andrei en Ionica kaart- en woordspelletjes, kietelden elkaar en spuugden naar elkaar, streng aangekeken door een oudere Italiaanse vrouw, terwijl ik gretig het voorbijrollende landschap in me opnam en probeerde de gevoelens van twintig jaar geleden terug te halen. De tijd terug te draaien. Op het station van Triëst nam ik mijn zoons bij de hand, gleed over de blinkende marmeren vloer van de voorname stationshal en probeerde de middag te herleven toen ik daar met Luciana, Letizia en Mario was geweest en smolt van verdriet bij het horen van Susanna's aria uit *Le Nozze di Figaro* uit de transistorradio van een oude man die me aan mijn vader deed denken. Nu waren er groepjes Italiaanse studenten die naar hiphop luisterden en de galmende hal vulden met hun luide, vrolijke stemmen.

We slenterden over het Piazza Unità d'Italia, waar Andrei en Ionica op de beeldengroep klommen die de eenheid van Italië voorstelt. We aten groene olijven en scampi in het *Café degli Specchi*, het café met de spiegels, en ik moest wel glimlachen om de ironie: ik zag mezelf weerspiegeld in een café in Triëst, twintig zomers na mijn gehaaste, angstige tocht door de stad, de andere kant op. Deze keer luisterde ik naar het hart van Triëst, een gestaag klinkend, laag kloppen, de regelmatige tred van de beheerste Triëstini en de zware, nerveuze voetstappen van de golven nieuwe vluchtelingen uit Albanië, Turkije en Roemenië.

De ochtendtrein stak de Roemeense grens over, de dageraad kroop door de vochtige dennenwouden van de Karpaten en wekte mijn lichaam met een schok van herkenning. Hoewel er geen borden langs het spoor stonden, geen aankondigingen van stations met een Roemeense naam, wist ik dat ik op mijn geboortegrond was. Ik voelde het aan de manier waarop het ochtendlicht door de hoge, symmetrische dennen viel en aan de manier waarop de zonnebloemen deinden in de warm-koele zomerlucht die mijn gezicht door het open raam streelde. Ik rook het aan de geur van natte boombast, dennenhars en de unieke geur van de bloem die koningin van de nacht wordt genoemd, die de hele zomer lang in de avondschemering opengaat en tot de dageraad de nachtlucht met haar duizeligmakende geur vult. Ik wist het omdat mijn ledematen goed aanvoelden en omdat ik de echo's van mijn naam, mijn gelach en mijn gekreun kon horen, voor altijd gevangen in de valleien.

Ik kwam verlangend naar de geuren en smaken uit mijn jeugd terug. De Roemenen hadden het communistische bewind omvergeworpen en de leider gedood. De douanebeambten waren beleefd en haalden onze bagage niet overhoop. Je kon zonder in de rij te hoeven staan en zonder voedselbonnen brood en boter in de winkels krijgen. Er werd nu mămăligă geserveerd in restaurants waar je met een creditcard kon betalen en waar mensen via mobieltjes louche zaakjes regelden. De 23e augustus betekende niets voor jongeren die zo oud waren als ik ruim twintig jaar eerder, toen ik verliefd werd op de jongen van wie de vriendin was verongelukt in de bergen, de jongen met rode, geurige lippen, groene ogen en zwart haar.

De dossiers van de geheime politie werden nu officieel vrijgegeven en bestudeerd, en het volk was opgedeeld tussen degenen die belust waren op onthullingen, wraak en gerechtigheid, en degenen die bang waren dat de nauwgezette *arbeid* die ze in de tijd van Ceauşescu hadden verricht, het verraden, bedreigen, intimideren en vernietigen van *vijanden van het volk*, aan het licht zou komen en dat ze hun positie binnen de nieuwe regering zouden verliezen.

De Roemenen vonden hun mobiele telefoons nog spannender dan de opening van dossiers van de geheime politie of de torenhoge inflatie. Zo spannend zelfs dat een familie een dode vader begroef met een mobieltje bij zijn hoofd, voor het geval hij niet helemaal dood was en nog iemand wilde bellen. Die nacht rinkelde de telefoon in het graf. Hij rinkelde een week lang elke nacht, en de bewaker van het kerkhof dacht dat het spookte op het kerkhof en nam contact op met de familie. Ze moesten het graf schenden, de kist openen en het mobieltje eruit halen. Het nummer werd nog steeds gebeld door mensen die niet wisten dat de man dood was. Na dat incident verzocht de overheid de mensen via de tv geen mobiele telefoons bij hun dierbaren te begraven. 'Mobiele telefoons zijn voor de levenden,' besloot de presentator.

Ik stapte in Braşov al uit de trein om naar het huis van mijn tante te gaan, zonder door te rijden naar Boekarest. Nu tante Matilda dood was en alle vrienden van mijn vader vertrokken of verdwenen waren, kon ik niemand opzoeken en ik zag ertegen op de stad in mijn eentje te bezoeken.

Na een paar dagen in Braşov, dat me nog mooier en kleuriger leek dan in mijn herinnering, bezocht ik onze witte rots hoog boven de stad. De klokken van de Zwarte Kerk luidden nog even obsederend als altijd en ik zag Mihai en mij in een omhelzing in de paarse schemering boven de rode pannendaken van de stad onder ons, zoals we elkaar al die tijd geleden op 23 augustus hadden omhelsd. We waren er door de jaren heen gebleven, betoverd, trouw. Ik riep onze namen over de weidse valleien en wouden: *Mona, Mihai.* Ze barstten aan alle kanten uit in wilde echo's, scherp als de rotsen, en vermenigvuldigden zich over de vallei en de stad. Deze keer wachtte ik. Ik wachtte tot ze zich zouden terugtrekken in de grote koepel van stilte die door de bergen werd omsloten. Opdat kinderen vredig kunnen slapen en geliefden niet langer vervloekt worden.

Watermeloen na twintig jaar

Ik ben twintig jaar ouder en zoals een Franse dichter ooit zei: 'Ik heb meer herinneringen dan wanneer ik duizend jaar had geleefd.' Ik beklim de trap naar Nina's appartement. Mijn lichaam is voller door het kinderen krijgen, ik heb fijne lijntjes in mijn ooghoeken en mijn ogen schitteren fel door mijn ontworteling en de ambities die ik heb getracht te verwezenlijken; mijn ledematen voelen sterker en mijn spieren strakker, mijn haar hangt los, zoals altijd, maar er zitten nu wat grijze draden in. Ik hoor de stemmen van Andrei en Ionica, die ergens buiten spelen waar ik vroeger speelde en waar ik naar Mihais gitaarspel luisterde op zomeravonden die zo geurig waren dat je op de grond wilde gaan liggen en het uitschreeuwen van vreugde. Ik struikel over een tree van de grijs-met-witte marmeren trap die ik zo vaak op deze manier heb beklommen, haastig en buiten adem. Zij zijn het, mijn eigen kinderen, zeg ik tegen mezelf. Nu heb ik een compleet leven in het Amerikaanse Midden-Westen.

Mijn kinderen spelen buiten met de kinderen van mijn speelkameraadjes van jaren geleden. Hun kreten in de zomermiddag weerklinken door de hele buurt en door de tijd. Ze vermengen zich met de geuren van petunia's en gegrilde paprika. Een pijnlijke herkenning flitst door me heen als ik de deur opendoe. Mijn oom staat op het punt een enorme watermeloen aan te snijden, net als toen we nog klein waren.

'Neem dit stuk,' spoort hij me aan, en hij reikt me een stuk watermeloen aan op zijn grote keukenmes. Ik eet de sappige meloen met een stuk brood. De kreten van mijn kinderen en de kinderen uit de buurt doorklieven de middag. Ik zie mezelf net zo rennen als zij, in de zomermiddag, de geuren met een niet te laven dorst opslokkend. Verstoppertje – hoe spannend het was om met ingehouden adem achter de kelderdeur van de gemene buurman te staan, waar het naar kool rook. Als een pijl uit een boog naar de dichtstbijzijnde boom schieten om de eerste te zijn, om te winnen, om niet gepakt te worden, terwijl de avondschemering langzaam neerdaalt en de moeders ons voor het eten roepen.

Mijn oom vraagt me met een ondeugende glimlach naar mijn liefdesleven. Mijn tante geeft hem een standje voor zijn nieuwsgierigheid.

'Wat gaat het je aan?' zegt ze.

'Ik voer een gesprek met mijn nichtje,' zegt hij met een lach.

Ik heb ze nog niet verteld dat ik van Tom ben gescheiden; mijn trouwfoto staat nog op hun mahoniehouten dressoir in de woonkamer. Ik zeg alleen dat Tom nog in Chicago werkt en dat hij voorlopig naar Indiana komt om de kinderen te zien en dat ik in de vakanties naar Chicago ga. Ik houd het vaag en schakel over op een ander onderwerp, zoals de benedenburen. Mijn tante glimlacht en roert in de koolsoep die mijn kinderen de lekkerste soep van de wereld vinden.

We aten altijd watermeloen voor het avondeten, net als nu. De maaltijden verliepen altijd chaotisch bij mijn tante. We beginnen met het toetje, dan eten we soep, en dan komt er een kind binnen dat alleen brood met boter wil, en dan een kind dat gebakken aardappels wil, dus gaat mijn tante aardappels schillen.

Er komt een buurvrouw aan de deur en mijn oom vraagt haar

binnen en biedt haar een glas *vişinata* aan, de zure kersenbrandewijn die alleen de Roemenen kunnen stoken.

'Je kunt er de doden mee tot leven wekken,' zegt mijn oom. 'Maar die kunnen beter dood blijven,' voegt hij eraan toe. 'Waarom zouden ze terug willen komen naar deze, deze...' Mijn oom Ion maakt een weids armgebaar dat de hele wereld omvat.

De buurvrouw gaat zitten en mijn oom schenkt vişinata. Al snel begint het me te duizelen. Ik tel vier gesprekken tegelijk: dat je je man beter alleen in het weekend kunt zien, want dan ruzie je niet over onbenulligheden, dat brood en benzine weer duurder zijn geworden, dat mijn kinderen schattig zijn en heel goed Roemeens spreken en dat we naar het kerkhof zouden moeten gaan om de bloemen op de graven van Vera, Victor en Paraschiva water te geven.

De buurvrouw vertrekt en mijn tante staat erop dat ze een kom soep meeneemt voor later. En dan, met een tollend hoofd van de vişinata, raap ik mijn moed bij elkaar en stel de vraag die me al kwelt sinds mijn aankomst op het station. Ik vraag naar Mihai.

'Is het echt waar dat hij is gestorven? Hoe? Wat was hij aan het doen?'

'Ja, het is waar. Zo'n zinloze dood,' zegt mijn oom.

Niemand weet er het fijne van. Niemand wil over Mihai praten. Het lijkt alsof het onderwerp taboe is. Ik hoor mijn kinderen buiten in de achtertuin gillen en lachen en heel even, roezig als ik ben van de zure kersenbrandewijn, in de vrijwel onveranderde keuken van mijn tante, met de vitrages die opbollen in de middagbries, heb ik de illusie dat het allemaal een droom was en dat ik net ben ontwaakt uit een dutje. Straks vertel ik mijn middagsmoesje om een paar uur naar Mihai te kunnen, ik zeg dat ik een afspraak met Cristina heb in het centrum of dat een groep jongelui uit de buurt een volleybalwedstrijd houdt bij iemand thuis. Ionica's doordringende stemgeluid van buiten roept me terug.

Ik wil meer vragen, maar mijn kaken zitten op elkaar geklemd en de gedachte dat mijn eerste liefde op straat is geraakt door een verdwaalde kogel tijdens de lukrake schietpartijen van de Revolutie verlamt me. Ik zit aan de tafel van mijn tante en herinner me mijn droom van de twee manen. Ik zie Mariana heel duidelijk voor me. Ik zie haar tandeloze glimlach uit mijn droom, ook al is het meer dan twintig jaar geleden.

Nadat we de watermeloen, de gebakken aardappels en de koolsoep in de verkeerde volgorde hebben opgegeten, verkondigt mijn oom dat hij iets voor me heeft. Hij gaat naar de provisiekast met de weckpotten, de zuurkool, de blikken en de appels voor de winter. Hij komt terug met een dikke bundel brieven en foto's van mij die mijn moeder hem heeft gegeven om te bewaren voordat ze met mijn vader naar Amerika ging. Ik neem het pak aan, druk het aan mijn hart, bedank mijn oom keer op keer en veeg de tranen uit mijn ogen. Ik ga naar de slaapkamer en maak het pak met bevende vingers open.

De eerste brief is van september 1979. Mihai beantwoordt een brief van mij waarin ik hem moet hebben toevertrouwd dat iemand, een jongen, belangstelling voor me had. Hij schrijft dat ik niet bang moet zijn, dat hij me vertrouwt, dat niemand echt kan begrijpen wat we willen, hoe we denken en hoe we onze toekomst zien, dat we nog vijf jaar moeten wachten tot ik na het begin van mijn studie dan ben afgestudeerd, en dat hij weet dat ik jong ben en wil dansen en naar feesten gaan, maar wat wij hebben is zo kostbaar... Kan ik wachten, ben ik in staat om te wachten? vraagt Mihai me in zijn brief. Er is een tekening waarop ik door een treinraam huil, dikke stripverhaaltranen die op het perron vallen. Hij staat op het perron om ze te vangen, ze vallen als grote bollen op zijn hoofd, waar een barst in zit. Ik moet erom lachen.

Ik vind een brief die nooit is geopend. Er zitten een paar vetvlekken op de vergeelde envelop. Mijn naam en adres zijn er klein op gekalligrafeerd. Ik maak de envelop nieuwsgierig open en lees een vreemd sentimentele liefdesbrief van een man die opsomt wat hij allemaal met me zou willen doen en op welke manieren hij allemaal van mijn lijf en mijn gezicht houdt. Het neigt naar het obscene. Tot slot belooft hij me een leven vol verrukkingen naast hem in de provinciestad waar hij geboren is, waar ik zijn vrouw zal zijn en zal werken als lerares. De handtekening op de achterkant doet me ergens aan denken: Stefan Dumitriu. Mijn securitateman van de rode anjers! Mijn schaduw. Hij hield echt van me, op zijn eigen, ranzige manier.

Mijn kinderen hollen bezweet en rood de kamer in, zeuren om iets te eten en kijken nieuwsgierig naar de bundel in mijn hand. Ze vragen wat ik zit te lezen. Oude brieven, zeg ik. Oude brieven van oude liefjes, zegt Andrei, en hij lacht. Mijn tante vraagt of ze zin hebben in koolsoep, gebakken aardappels en watermeloen. Dat hebben ze.

Ontmoetingen onder een andere maan

Ik probeer sporen van Mihai te volgen. Een aantal van zijn vrienden is geëmigreerd, maar zijn beste vriend Radu woont nog in hetzelfde huis. Op een geurige, maanverlichte avond loop ik door de klinkerstraat naar zijn huis, het huis met de ommuurde tuin waar we zo vaak hebben gedanst en gekibbeld, en alsof de tijd krimpt, word ik weer een meisje van zeventien. Mijn haar danst wild in de zomeravond, mijn hart bonkt mijn borst uit, ik ren voor Mihai uit over de keien en het geluid van mijn sandalen weerklinkt als een trommeltje in de fluweelzachte lucht. Ik fluit een zelfbedacht wijsje, een liefdeslied, zeg ik tegen hem. Ik wacht tot hij vlak bij me is en ren dan lachend door. Hij kan me niet vangen, maar dan doet hij het toch en we blijven staan en kussen elkaar midden op straat, net op het moment dat Radu de deur opendoet.

Nu klop ik op diezelfde, dikke, houten deur en een zware man met een rood hoofd en grijze baardstoppels doet open. Hij houdt een Amerikaanse sigaret in zijn hand. Ik was mijn Amerikaanse verleden vergeten toen ik over de klinkers rende, maar nu ik die zware man zie roken, dringt de realiteit van mijn Amerikaanse leven weer tot me door. Een echtgenoot, een geliefde, advocaten, snelwegen onder de maan, maatschappelijk werkers, verschroeide dorre maïsvelden, overstroomde maïsvelden, teer en whisky op warme, drukkende zomeravonden, onbeteugelde vrijheid... De maan is hetzelfde, maar de geuren zijn anders, en ik ben anders en hetzelfde. Maar wie is die man met zijn stoppelbaard die een Amerikaanse sigaret rookt in vredesnaam?

'Is Radu thuis?' vraag ik.

'Radu!' roept hij over zijn schouder. 'Bezoek!' Hij kust mijn hand zoals veel Roemeense mannen nog steeds doen, en zegt dat hij Radu's neef is, Dan. Ik glimlach en voel me iets meer op mijn gemak.

In deze tuin hebben Mihai en ik gedanst en geruzied over de vraag of we wel of niet het land zouden verlaten. In Radu's huis dansten we alle dansen van de wereld op die krankzinnige oudejaarsavond, waarna Mihai met me vrijde in de sneeuw op de heuvel achter het huis en waarna Anca Serban me de stuipen op het lijf joeg door me midden op straat aan te houden, die koude winteravond, en me te vertellen dat Mihai bij de geheime politie zat.

'Wie is daar?' vraagt een stem die heser is geworden, maar me vertrouwd in de oren klinkt. Radu doemt uit het duister op, ook met een Amerikaanse sigaret in zijn mond. Kennelijk zijn de Roemenen al die jaren sigarettentekort aan het inhalen. In zijn ene hand houdt hij een glas waar zo te zien whisky in zit, en zijn andere arm is om het middel van een vrouw geslagen. Haar zwarte jurk zit zo strak en heeft zo'n diep decolleté dat ik haar borsten wil instoppen uit angst dat ze er anders uit springen. Ik heb tijdens deze reis overal vrouwen gezien die zich zo kleedden. De vrijheid blijkt gepaard te gaan met uitpuilende borsten, lijm snuiven en veel, heel veel Amerikaanse sigaretten.

Radu is blijkbaar niet echt verbaasd me te zien.

'Ken je me nog?' vraag ik.

'Hoe zou ik je kunnen vergeten?' antwoordt hij. 'Mona Maria Manoliu. Wat leuk je te zien! Wil je iets drinken?'

Mijn verlangen om over Mihai te praten, is sterker dan het onbehagen dat ik in de donkere woonkamer voel. Ik wil wel iets drinken. Whisky, waarom ook niet? Radu neemt me van top tot teen op en ik herinner me hoe hij twintig jaar geleden lang naar mijn geruzie met Mihai keek, met een geslepen glimlach op zijn gezicht. Waarschijnlijk dronken we die avond ţuică. De warmte van de drank verspreidt zich door mijn aderen.

Het is een lieflijke, geurige avond. Er klinkt muziek in de tuin. *Are you lonesome tonight?* We zijn van de donkere woonkamer naar de tuin gegaan, waar het koeler is en we de sterren kunnen zien. De vrouw in de strakke jurk is binnen gebleven.

Ik vraag Radu uiteindelijk me over Mihai te vertellen. Ik wil meer weten over de Mihai die ik nooit zag, hoe hij was als ik er niet bij was. Wat deed hij de andere maanden van het jaar, als ik in Boekarest op school zat? Wie waren zijn vrienden? En de rest: de jaren na mijn vertrek, de Revolutie. Hoe is hij precies gestorven?

Radu's hoofd schiet met een ruk omhoog. 'Wie heeft je gezegd dat Mihai dood is?' vraagt hij.

'Mijn nichtje Miruna, toen ze kort na de Revolutie naar Amerika kwam. En mijn tante en oom, hier, nu, ze hebben het allebei bevestigd. Wist je het dan niet?'

Radu schudt zijn hoofd en pakt nog een sigaret. 'Hij is niet dood,' zegt hij. 'Hij is springlevend. En hij heeft een zoon.'

Een briesje verkoelt mijn voorhoofd. Ik hoor voetstappen achter de stenen tuinmuur, op straat. Het glas whisky beeft in mijn hand en de ijsblokjes tinkelen. Ik laat het glas bijna vallen. Radu neemt het van me over en zet het op het ijzeren tafeltje tussen ons in. Ik kijk ongelovig naar hem en hef mijn blik op naar de oranje, onverschillige maan. De tranen stromen over mijn gezicht. Radu leunt naar me over en pakt mijn hand. Ik moet me inspannen om iets te zeggen.

'Is dit een grap?' vraag ik. 'Dit klinkt als een slechte Amerikaanse film waarin de hoofdpersoon wordt geacht dood te zijn, maar dan weer komt opduiken met geheugenverlies. Als je dit verzint, ben je verschrikkelijk wreed.'

'Het leven kent soms meer clichés dan de film,' zegt hij schouderophalend. Hij dooft zijn sigaret in de messing asbak.

'Waarom zegt iedereen dan dat hij dood is?' vraag ik korzelig.

'Wie is iedereen? Je familie, toch? Wat weten die er nou van? Ze hebben altijd in een soort isolement geleefd. Het klopt dat Mihai op eerste kerstdag gewond is geraakt, de dag dat ze de Ceauşescu's hebben gefusilleerd. Dat is waar. Hij is in zijn been geraakt. Ja, Mihai ging die dag als een duivel de straat op.

Je weet dat de geruchten hier als een lopend vuurtje rondgaan. Er was zoveel verwarring, het was zo'n krankzinnige toestand. Er waren toen zoveel valse geruchten in omloop... We wisten niet wie wie was en wat wat. We wisten niet eens wie er op wie schoten.

Iemand moet hem hebben zien vallen en ervan uit zijn gegaan dat hij dood was.' Een schim van verdriet en moeheid trekt over Radu's gezicht. 'Het spijt me echt, Mona, maar ik heb hem in geen tijden gezien,' besluit hij.

Radu steekt nog een sigaret op en het gebaar herinnert me aan Mihai en de manier waarop hij altijd een sigaret opstak in onze gespannen momenten of tijdens een ruzie. Ik neem zijn gezicht aandachtig op in het maanlicht. Ik heb er een jaar of tien aan moeten wennen dat Mihai dood was, tijdens mijn huwelijk met Tom, de komst van mijn tweede kind, de juridische strijd, het aanleggen van mijn tuin en mijn werk als docent en toneelregisseur. Ik heb mijn best gedaan om het feit dat Mihai dood was en dat de mogelijkheid hem ooit nog te zien of te spreken niet meer bestond, ten volle tot me te laten doordringen. Stel dat Radu me voor de gek houdt? Stel dat Mihai echt dood is, opnieuw?

'Hij heeft een zoon, zei je? Is hij getrouwd?' vraag ik.

'Hij is weduwnaar. Zijn vrouw is een paar jaar geleden aan kanker gestorven. Ze waren naar het noorden verhuisd, naar Făgăraş. Mihai woonde met plezier aan de voet van de bergen. Het was een goed huwelijk. Hij was helemaal van de kaart door haar dood.'

'Bewijs het maar!' zeg ik zo hard tegen Radu dat ik de echo van mijn stem bijna in het tuintje aan de voet van de bergen kan horen.

'Het bewijzen? Wat moet ik bewijzen? Ben je gek? Waar zie je me voor aan?' zegt Radu, die boos zijn glas in één teug leegdrinkt en het met een klap op de ijzeren tafel zet.

'Ja, bewijs het maar, laat me iets zien waaruit blijkt dat hij echt nog leeft,' houd ik vol. Ik schuif mijn glas tegen het zijne.

Hij lacht en komt uit zijn stoel.

'Je hebt erom gevraagd, Mona! Pas op, met zulke dingen moet je niet spotten!'

Hij loopt het huis in en komt terug met zijn mobieltje en een adresboekje. Hij slaat het open, kijkt er even in, toetst een nummer, geeft mij de telefoon en zegt met een triomfantelijke glimlach: 'Alsjeblieft, jij je bewijs, Mona!'

Ik weet me geen raad met het toestel dat hij me in de hand drukt en wil het loslaten alsof het in brand staat. Ik hoor het toestel twee keer overgaan, drie keer, en dan hoor ik een stem, een mannenstem die zegt: 'Hallo, met wie spreek ik?' Ik laat het toestel op de klinkers van het terras vallen, stoot het glas whisky om en krijg vlekken op mijn rok. Ik buig wanhopig naar voren om het toestel te pakken en de verbinding te verbreken. 'Hallo, is daar iemand?' zegt de stem. Een stem van ver weg, diep, laag, vertrouwd, een beetje hees, een stem die ik uit miljoenen zou herkennen: het gesyncopeerde ritme met de verlengde klinkers en dan opeens de gehaaste medeklinkers aan het eind van de woorden, en dat schorre randje dat me vroeger gek maakte van verlangen. Ik wacht tot hij ophangt en ik de ingesprekstoon hoor.

Radu houdt me vast terwijl ik een minuut of tien uithuil, iets waar ik al die tijd naar heb verlangd. Ik heb nooit de tijd of de kracht gehad om het mezelf toe te staan. Ik heb altijd gedacht dat als ik eraan toegaf, ik nooit meer zou kunnen stoppen en de rest van mijn leven niets anders meer zou kunnen: werken, mijn kinderen opvoeden, leven. Wanneer Radu vraagt of ik nog een keer wil bellen, schud ik alleen mijn hoofd om te zeggen dat ik het niet kan, niet nu.

'Goed. Laten we opnieuw beginnen. Ik geloof je. Je hebt het onomstotelijke bewijs geleverd,' zeg ik met een lach. Ik wil alles weten over Mihai, wie hij al die jaren was. Het geluid van zijn stem weerklinkt nog in mijn hoofd als een lage echo in een diepe vallei: *hallo, hallo, wie is daar...*

'Hoe bedoel je, wie hij was? Heb je er twintig jaar over gedaan om dat te vragen?' snauwt Radu alsof hij mijn gedachten kan lezen. 'Mihai was een goed mens. Een soort held, zou je kunnen zeggen, maar... dat wist je toch wel?' zegt hij oprecht verbaasd. 'Jij was toch verliefd op hem? Niet dan?'

Ik hoor verdriet in zijn stem. Hoe heb ik het niet kunnen voelen, begrijpen, weten? Was mijn intuïtie zo afgestompt door angst en wantrouwen dat ik niet meer begreep wat Mihai dreef? Ik zie hem weer voor me in zijn zwartleren jack, met zijn indringende, groene ogen en zijn gehaaste gebaren. Zijn plotseling oplaaiende drift wanneer we het over politiek hadden.

Ik kijk Radu recht aan. 'Ik had geen idee wat er toen speelde; ik wist alleen dat ik van hem hield; dat mijn vader allerlei gevaarlijke dingen deed en... op een avond vertelde Anca, een vriendin van Mihai, me dat hij bij de geheime politie zat. Ze klonk heel oprecht, en heel beangstigend.'

Radu kijkt me met een ironische blik aan, alsof hij me tart hem van iets te overtuigen. De maan, die nu recht boven ons staat, ziet er kil en onromantisch uit. Een andere maan. Ik herinner me huiverend die koude winteravond toen Anca me doodsbang maakte met haar woorden.

Radu slaat zijn armen over elkaar. 'Dus jij had meer vertrouwen in een gek mens op straat dat je voor Mihai waarschuwde dan in alles wat Mihai en jij samen hadden?' zegt hij.

'Loop naar de hel, Radu, loop toch gewoon naar de hel,' zeg ik. 'Vertel me het hele verdomde verhaal nou maar, vertel me maar hoe het precies is gegaan.'

'Goed, ik zal het je vertellen, ook al ben je gemeen en vloek je als een ketter,' zegt Radu met een lach. 'Mihai zat in dezelfde groep als je vader. Ik weet niet of ze het al van elkaar wisten voordat jullie verliefd op elkaar werden, of dat Mihai zich later heeft aangesloten. Het doet er niet toe. En ja, in tegenstelling tot je ouders en jou en de kringen in Boekarest waarin jij verkeerde, was Mihai een soort marxist, al denk ik dat hij vaak genoeg zijn twijfels had. Hij vond het socialisme op zich niet slecht. Hij dacht gewoon, nou ja, dat de terreur en de censuur en de geheime politie en zo slecht waren en dat hij daar iets aan moest doen. In dat opzicht had hij iets weg van de communisten uit de begintijd, die oprecht in hun ideaal geloofden. Maar hij wist hoe jij over die dingen dacht, dus durfde hij die kant van zichzelf nooit aan jou te laten zien. Zo kan hij de indruk bij je hebben gewekt dat hij in het geniep voor de Partij werkte.

Iedereen wilde je beschermen: je vader, Mihai en zelfs Cristina. Anca ook; indirect heeft ze je uiteindelijk beschermd, al wist ze het zelf niet.'

'Waarom had ik al die bescherming nodig, verdomme!' tier ik. 'Ik was toch geen eierschaal of zo?'

'Dat zeg je nu,' zegt Radu terwijl hij nog eens voor zichzelf inschenkt, 'maar je bent blijkbaar vergeten hoe het toen was. Hoe belegerd we ons allemaal voelden. Dat we de hele tijd onze verdenkingen hadden en dingen voor elkaar moesten verzwijgen.

Het is waar dat ze manifesten schreven,' vervolgt hij. 'Ze probeerden zoveel mogelijk informatie en nieuws over schending van de mensenrechten door te spelen aan contactpersonen bij Radio Vrij Europa. Toen Mihai eenmaal inzag dat de Partij zelfs het proletariaat bedroog, de arbeidersklasse voor wie de regering zogenaamd opkwam, werd hij een felle dissident. Wist je van het manuscript van je vader? Het was een soort verslag waarin hij had opgetekend wat hij en anderen die hij kende, hadden moeten doorstaan. Een soort getuigenverslag. Hij wilde... nou ja, de Solzjenitsyn van Roemenië worden. En Mihai heeft geprobeerd dat manuscript naar Duitsland te smokkelen via een van zijn Duitse vrienden hier in Braşov die een paspoort had gekregen voor gezinshereniging in München.'

Radu lijkt het echt erg te vinden dat mijn vader is overleden, al heeft hij hem nooit ontmoet.

'Ik heb veel over hem gehoord van Mihai, ik heb bijna het gevoel dat ik hem ken,' zegt hij. Het ontroert me dat Mihai met zijn vrienden over mijn vader praatte alsof hij een van zijn naaste familieleden was.

'Ja, ik heb mijn vader wel eens iets horen zeggen over een boek, een soort memoires... vlak voor zijn dood,' zeg ik. Ik herinner me dat moment in zijn kamer in Chicago toen hij zichzelf aan het doodroken en -hoesten was. Ik vraag Radu door te gaan, me meer te vertellen, me alles te vertellen wat hij weet.

Het verhaal zweept hem op en hij lijkt het graag te vertellen. Zijn gezicht gloeit, zijn ogen stralen en zijn wijkende haargrens geeft hem een bijna nobele uitstraling.

Ik verwerk het allemaal onnatuurlijk kalm. De eerste dauw daalt vochtig op mijn armen neer.

'Nou, je snapt het wel. Die Duitser bedacht zich op het laatste moment en moest het manuscript aan Mihai teruggeven. De Securitate wist dat er een compromitterend boek in omloop was, maar kon er niet echt vat op krijgen. Na Pacepa's afvalligheid waren ze het spoor een beetje bijster. Op andere momenten werden ze gewelddadig en duivels, ter compensatie. Daarom zijn ze die keer bij jullie thuis binnengedrongen en hebben ze jullie appartement overhoopgehaald. We hebben er alles over gehoord, Mona. Maar op de een of andere manier hadden ze geen vaste koers meer.' Ik sta er versteld van dat Radu zo goed op de hoogte was van mijn leven en onze dagelijkse kwellingen. Het is duidelijk dat mijn leven van toen heel anders was dan ikzelf dacht.

'Mihai is uit Boekarest vertrokken om jou te beschermen, niet omdat hij het er niet uithield. Oké, het was niet de stad waar hij het liefst zou willen wonen, en hij miste de bergen, maar de werkelijke reden voor zijn vertrek was dat hij zich van je vader en jou wilde distantiëren om het gevaar dat jullie toch al liepen niet nog groter te maken. En rond de tijd dat jij wegging, deed hij een tijdje alsof hij voor de Securitate werkte. Hij vertelde ze dingen die ze al wisten, maar op een manier alsof het nieuw was. Waar het om ging, is dat hij de illusie wilde wekken dat ze op hem konden rekenen, zodat ze hem met rust zouden laten. En jou. Ik geloof dat hij vrij vaak contact had met Petrescu, de vroegere student van je vader. Mihai kon soms uitstekend acteren.'

'Waar is dat manuscript gebleven?' vraag ik. Ik trek mijn rok over mijn benen, want ik krijg het koud in de nachtlucht. Ik kan me niet voorstellen dat het boek tot de val van de regering had kunnen leiden, maar ik weet dat het belangrijk was voor mijn vader; ik ben er vrij zeker van dat hij het verhaal van onze beproevingen in die tijd heeft opgetekend, de angst, de honger, de kou in de winter en de algehele wanhoop. Ik weet het omdat ik de verwilderde blik in de ogen van mijn vader heb gezien toen hij het er tussen de hoestbuien door over had.

'Mihai heeft het een tijdje bewaard. Hij heeft het uit Boekarest mee teruggenomen naar Braşov. Toen heeft hij het aan Anca gegeven, die hem had beloofd dat ze het over de grens naar Joegoslavië zou smokkelen. Anca had contact met de vrouw die jou heeft helpen ontsnappen, Bielna, Baljina... hoe heette ze? Ik heb geen idee wat er verder mee is gebeurd, dat kan ik beter aan jou vragen, denk ik, jij hebt die Servische vrouw ontmoet, heeft ze het jou niet verteld?'

Mijn mond zakt open van schrik. 'Biljana?' zeg ik. 'Hoe bedoel je, Anca en Biljana? Hoe heeft dit allemaal kunnen gebeuren, hoe kenden al die mensen elkaar? Hoe was dat mogelijk?'

'Nou, het was gewoon zo. Wij Roemenen mogen dan soms hoeren zijn, maar stom zijn we niet. De Roemenen waren op geen stukken na zo goed georganiseerd als bijvoorbeeld Solidarność in Polen onder Wałęsa, maar er gebeurde wel het een en ander. Er zijn mensen gepakt, dat is waar, sommige mensen verdwenen of werden gedood, anderen werden zwak en verlinkten elkaar, maar niet iedereen. De echt slimme doorzetters niet, denk ik. Daar was Mihai er een van. Hij heeft ook geluk gehad. Zoals in november 1987,' zegt hij met een bijna dromerige glimlach.

'Hoezo, november 1987, wat is er toen gebeurd?' vraag ik.

Radu vertelt me dat in november 1987 de arbeiders van de grootste fabrieken in Braşov de mededeling kregen dat ze die maand geen loon zouden krijgen, waarop ze een soort minirevolutie zijn begonnen. Ze gingen de straat op, stormden het stadhuis binnen, vernielden de portretten van de leiders en gooiden stoelen door de ramen. Toen kwamen de tanks. Mihai was in het stadhuis, maar wist ongedeerd uit de chaos te ontsnappen. Eind jaren tachtig, ten tijde van Gorbatsjov, waren er zelfs sovjetdelegaties die plotseling in fabrieken opdoken, een tijd bleven en de arbeiders ophitsten om in opstand te komen, waarna ze weer verdwenen. De grote Revolutie werd langzaam voorbereid, zowel van binnenuit als van buitenaf, schijnt het.

'Het moest een keer samenvallen,' zegt Radu. 'De wanhoop en de wil van het volk, de bundeling van dissidente organisaties en een zeker revolutionair elan, samen met de wens van de sterkere machten en het klimaat in de wereld. Het speelde allemaal mee, denk ik. Zelfs wat je vader deed, alles...'

'Mijn vader?' herhaal ik verbaasd.

'Ja, natuurlijk, je vader. Al was hij soms een gevaar voor zichzelf, zo vurig en impulsief als hij kon zijn. Anderzijds is dat juist zijn redding geweest, want ze hebben hem nooit helemaal serieus genomen; ze hebben altijd gedacht dat hij een literair, poëtisch type met een grote mond was, veel geschreeuw en weinig wol. Maar hij probeerde veel te doen, je vader. Alle beetjes hielpen, uiteindelijk.'

Ik gaap Radu aan terwijl ik alle informatie laat bezinken. Hij beantwoordt mijn blik, neemt een slok whisky en glimlacht naar me. Mihais stem met de schorre randjes weerklinkt in mijn hoofd. Kon ik de klok maar terugzetten, alles opnieuw beleven met de kennis die ik nu heb, maar gedane zaken nemen geen keer. Twintig jaar geleden, toen ik Susanna op het station van Triëst hoorde zingen over de genoegens van de liefde in de tuin, had ik nog zoveel in het verschiet, zoveel hoop en zoveel om voor te leven. Susanna was met haar Figaro op maar een paar passen afstand, terwijl hij wachtte om haar beet te nemen, maar alleen om haar zijn liefde te verklaren. Voor Susanna loopt het allemaal goed af, maar wat moet ik nu doen?

Wat is er nu werkelijk gebeurd met het manuscript van mijn vader, met al die mensen en de chaotische groep dissidenten in de jaren tachtig, met al die uitlopers en kronkelpaden? Misschien heeft Biljana dat rottige manuscript nog steeds in haar appartement in Belgrado liggen, of misschien heeft ze het inderdaad naar Radio Vrij Europa gestuurd en hebben ze er daar niets mee gedaan. Misschien hebben ze passages gelezen, maar was het al te laat: de Revolutie kondigde zich al aan.

Radu lijkt mijn gedachten te lezen en vervolgt: 'Ja, het is mogelijk dat iemand, Anca misschien zelfs wel, Biljana op het station van Belgrado dat manuscript heeft gegeven. Anca was trouwens smoorverliefd op Mihai, ze had alles voor hem over. Maar hoe geschift ze ook leek, ze was een taaie. Ze behoorde tot de weinigen die echt een tijd dubbelspel hebben gespeeld zonder gepakt te worden. Ze was eerst in de Securitate geïnfiltreerd en gaf de mensen in Mihais groep vervolgens informatie over hun plannen. Dat ze je zo aan het schrikken heeft gemaakt die avond toen ze je voor Mihai waarschuwde, was zowel een politieke zet als een daad uit liefde en jaloezie. Ze wilde je om persoonlijke redenen bij hem weg hebben, maar eigenlijk iedereen, ook Mihai zelf, wilde jou van hem vervreemden, omwille van je veiligheid. Hij ging eraan kapot, hoor, te weten dat jij hem verdacht. Hij liet het maar op zijn beloop, denk ik, hij heeft nooit geprobeerd je verdenkingen te ontzenuwen, hij deed zijn best. Die student van je vader, Petrescu, is zijn redding geweest. En de jouwe. In alle krankzinnigheid hebben jullie min of meer geboft. Jullie hadden een gelukkig gesternte, zoals dat heet,' besluit Radu wijsgerig, en hij lacht.

Ik herinner me Biljana's elegante, bruinleren tas, die ze achteloos naast zich had gezet, en ik herinner me hoe ze de conducteur op het laatste moment iets vroeg, iets in het Servisch, en hoe melodieus die Servische woorden uit haar mond klonken. Ik herinner me ook dat ik me eraan ergerde dat ze de boel ophield, dat ze het vertrek van de trein vertraagde door haar praatje met de conducteur. Ik herinner me de schreeuw van de vrouw plotseling heel duidelijk. Ik dacht dat ik zou flauwvallen van angst, maar toen klonk die schreeuw, en de conducteur liet mij en mijn jas los. Ik draaide het raam open en zag de vrouw in de lichte zomerjurk over de rails rennen. Kan het allemaal zo uitgedacht zijn door die mensen die op de een of andere manier een vreemde band met elkaar hadden zonder dat ik er ook maar een vaag vermoeden van had: Mihai, Anca, Biljana, Petrescu, een mysterieuze vrouw die over de rails rent? Zat het manuscript van mijn vader in Biljana's bruine tas, vlak voor mijn neus? En waarom zoveel riskeren voor iets wat waarschijnlijk niet meer was dan een emotioneel verslag van de dagelijkse onderdrukking? Maar misschien heeft Radu wel gelijk en was het allemaal belangrijk, ook dat alles bekend werd en ergens werd opgetekend. Al die jaren dat mijn vader na mijn vertrek in Roemenië bleef, moet hij fanatiek naar Radio Vrij Europa hebben geluisterd, piekerend over zijn manuscript en hopend dat hij op een avond zou horen dat ze er passages uit voorlazen. Geen wonder dat het eerste wat hij wilde hebben toen hij in Amerika kwam, een radio was waarop hij kortegolfzenders kon ontvangen.

'Begrijp je het nu? Waarom Mihai er niet voor je was op de ochtend van je vertrek?' vraagt Radu als een rechercheur die zijn onderzoek afrondt.

Ik ben terug in Mihais kamer, die ochtend tegen het eind van de zomer. Zijn kamer is ongewoon netjes, zijn Karpaten-broek en wandelschoenen zijn nergens te bekennen en mijn rode onderjurk ligt onder het bed. Mihai weet dat ik van plan ben weg te gaan en heeft zich uit de voeten gemaakt. Hij weet dat als we elkaar deze ochtend zien, ik hem in een moment van zwakte alles zou kunnen vertellen, en dat hetzelfde voor hem geldt. Ik zou al mijn plannen kunnen verwerpen en weigeren weg te gaan.

De Securitate zou hem kunnen pakken omdat hij mij eigenlijk helpt het land te ontvluchten; ze zullen begrijpen dat hij hen misleidt. Hij is medeplichtig aan het schrijven en verspreiden van een paar manuscripten en hij helpt mijn vader. Een man uit het dorp Vulcan bij Braşov is zojuist voor onbepaalde tijd gevangengezet omdat hij een familielid het land uit heeft geholpen. Mihai kent de gevaren maar al te goed. Links en rechts worden mensen opgepakt. We zouden alles op het laatste moment kunnen bederven. Want als we elkaar deze ochtend zien, zullen we vrijen zoals op onze eerste ochtend, enkele jaren geleden. Naar de hel met alles, zouden we kunnen zeggen, dan laten we ons maar hier samen in dit bed betrappen, dan worden we gepakt en sterven we samen.

Radu biedt me nog iets te drinken aan. 'Het is bijna twee uur 's nachts, hoor,' zegt hij. 'Ik kan de bank in de woonkamer wel uitklappen, als je hier wilt blijven slapen,' vervolgt hij vriendelijk. Ik ben in lange tijd niet zó wakker geweest en smeek Radu verder te vertellen. Wat doet Mihai tegenwoordig, waar is hij, wat is er met Anca gebeurd en waarom werd Cristina vermoord?

'Hij hield heel veel van zijn land, dat weet je,' zegt Radu. 'Maar soms, als het nodig was, kon hij als de beste doen alsof hij er niets om gaf. Nu helpt hij de waarheid te distilleren uit de geheime dossiers vol leugens die openbaar worden gemaakt,' vertelt Radu. 'Ze gaan achter alle voormalige leden van de Securitate aan, ze hebben iets opgericht dat de Nationale Raad voor de Studie van de Archieven van de Securitate heet.'

Mihai gaat op gezette tijden naar Boekarest om de dossiers te bestuderen en met mensen van deze 'raad' te spreken, en tussendoor verstopt hij zich in zijn 'hol', diep in de provincie. Hij heeft nu een lijfwacht. Hij reist onder een valse naam en leeft onder nog een alias, Mihai Munteanu. Altijd alliteraties op de letter m, denk ik. Net als mijn eigen naam, Mona Maria Manoliu.

Ik vind het grappig dat de organisatie een 'raad' wordt genoemd. Alsof je er raad kunt krijgen. Het is bijna net zo grappig als het verhaal over die mensen die hun vader met zijn mobieltje bij zijn hoofd begroeven.

'En wat Anca betreft... Wat wil je verder nog weten? Ik dacht dat het je koud liet. Je hebt na je vertrek uit Roemenië nooit geprobeerd contact op te nemen met Mihai of met ons.'

'Dat kon niet, Radu. Ik moest overleven, zie je. Ik moest het allemaal achter me laten om verder te kunnen gaan. Het kon niet anders. Maar ik ben nu toch terug? En natuurlijk wil ik het weten, ik vergeet nooit iets.' Ik vertel hem niet over mijn jaloezie achteraf, of dat ik hier tot de ochtend zou kunnen blijven zitten om meer te horen over het verleden, over Mihai, over ons allemaal zoals we twintig jaar geleden waren.

'Zoals ik al zei, was Anca nogal een vreemde vogel. Ze was op een abortus betrapt. Je weet hoe het werkte: eerst betrapten ze je op iets illegaals en dan boden ze aan je met rust te laten als je iemand anders zou verlinken. Anca was ze een tijdje te slim af, maar voor die arme Cristina pakte het anders uit. Ze werd van alle kanten in het nauw gedreven vanwege haar relatie met die Tunesische jongen, omdat ze het land uit wilde en omdat ze ook had geprobeerd dingen te doen voor Mihais groep. Ze was bevriend met die jonge arts uit Vulcan die zich ertegen verzette dat staatsgevangenen in psychiatrische klinieken werden opgenomen. Ze wilde met die Tunesische student trouwen en weggaan, maar ze was te... te broos om het allemaal aan te kunnen, er speelde te veel tegelijk. Ze stortte in. Mihai kon uiteindelijk niets meer voor haar doen. Ze was er te diep in verstrikt geraakt. Ze is of tot het uiterste gedreven om zelfmoord te plegen, of ze is vermoord en ze hebben het op zelfmoord laten lijken. Ik neig naar het idee dat het zelfmoord was. O, er waren er toen zoveel... Het gebeurde vaker dan je je had kunnen voorstellen.

Het was een zootje. Niemand wist hoe het zat,' vervolgt Radu, 'maar één ding staat vast, Mihai heeft de zaak nooit verraden. En hij was door en door slim. En,' voegt hij eraan toe terwijl hij een sigaret opsteekt, 'hij is je trouw gebleven, al zat Anca altijd achter hem aan, en ze was de enige niet! Met Anca is het slecht afgelopen,' vervolgt hij. 'Ze is met iemand uit de groep getrouwd die een undercoveragent van de geheime politie bleek te zijn. Hij sloeg en mishandelde haar. Ik heb geen idee wat er van haar is geworden.'

Ik had dus een beetje gelijk met mijn uitzinnige fantasieën, die zomer toen ik midden op straat een haren-trek-gevecht hield met Anca. Radu heeft één andere mogelijkheid niet genoemd: dat mensen zich bij een politieke beweging aansluiten om dichter bij iemand te komen van wie ze houden. Liefde en politiek raken altijd met elkaar vermengd, en de liefde moet meestal het onderspit delven. Mijn lieve Cristina was zowel de verliezer als het slachtoffer.

Ik denk aan de mierzoete brief van Dumitriu die ik pas tussen mijn oude brieven heb gevonden. Goddank heeft de liefde in zijn geval niet overwonnen. Misschien heeft Dumitriu me ook wel geholpen door te verliefd op me te zijn om in te grijpen en me aan te geven toen ik wilde vluchten. Misschien wilde hij alleen seks en een huwelijk in een Roemeens dorpje, maar dat lijkt me te makkelijk. Dit waren mannen die je bewusteloos sloegen wanneer ze je ervan verdachten dat je een manifest had verspreid, ze overreden je zonder aarzelen op straat, zelfs zonder vaart te minderen.

Mijn lot hing aan een zijden draad. Een Amerikaanse bom die een paar centimeter te ver naar links inslaat. Een vergeelde briefkaart uit de gevangenis met een paar in haast gekrabbelde woorden erop. Een steen die uit zijn holte wordt geschopt en over een heuvel rolt. Een student die de poëzie van de symbolisten bestudeert. Een vrouw die gilt op een perron. De trein die langzaam doorrijdt. Ik voelde me die avond zo avontuurlijk en dapper, maar zonder dat ik het wist, bestond er een heel netwerk aan krachten die mijn leven voorgoed hadden kunnen vernietigen.

Radu vertelt me dat Mihai altijd een foto van me heeft bewaard waarop ik lachend op een bergtop sta. Zijn vrouw werd er gek van, en op een dag heeft ze hem verscheurd. Mihai was ziedend, zegt Radu, hij was dol op die foto. Maar Radu kan het die vrouw niet kwalijk nemen.

Ik weet precies welke foto Radu bedoelt. Op een keer nam Mihai het fototoestel van zijn ouders mee toen we de bergen in trokken, een oude Leica met een enorme lens. Hij maakte tientallen foto's van me: liggend op een bed wilde bloemen, achter een boom weggedoken, tegen onze witte rots geleund en naar de top van onze rots klimmend. Mihai had het filmpje niet goed ingelegd, zodat alle beelden over elkaar heen waren genomen, behalve het laatste, waarop ik lachend onze rots beklom. Ik lachte omdat ik mijn evenwicht bijna niet kon bewaren en dacht dat ik door de bomen heen naar de voet van de berg zou storten.

Radu vertelt dat Mihai kort na zijn huwelijk zoveel literatuur en filosofie begon te lezen als hij maar te pakken kon krijgen.

'Het was alsof hij je wilde bereiken,' zegt hij, 'alsof hij je wilde begrijpen.

En wat die communistische klootzakken betreft, die heeft hij op hun eigen terrein verslagen,' besluit hij trots.

Had ik die kant van Mihai maar gekend. Waarom hadden we niet samen verzetswerk kunnen doen? We hadden twee revolutionaire geliefden kunnen zijn. We hadden samen revolutionaire manifesten kunnen typen met de tekst: *Roemenen, wordt wakker, Roemenen, de vrijheid is nabij, weg met de tiran!* We hadden het Volkspaleis binnen kunnen lopen met de oude Roemeense vlag, Mihai en ik als aanvoerders van een grote groep boze revolutionairen, gevolgd door opstandige horden die *weg met de tiran, vrijheid, vrijheid, weg met de Securitate!* schreeuwden. We zouden door de menigte naar voren zijn gedragen, en dan had ik voor de *Vader van de Natie* kunnen staan in een glanzende, paarse jurk van zijde, met een donkere zonnebril op, en dan had ik een van de geweren uit het arsenaal dat onze dissidente organisatie had vergaard, midden op het duistere hart van die ongeletterde Nicolae Ceauşescu gericht, Kameraad, Zoon en Vader van het Volk. Mihai en ik zouden in de geschiedenis hebben voortgeleefd als verlossers van het volk.

Tijdens mijn revolutionaire fantasie staar ik Radu wezenloos aan. Alsof hij weer raadt wat er in me omgaat, zegt hij: 'Nee, Mona, hij had gelijk. Hij heeft er goed aan gedaan jou er niet bij te betrekken. Besef je niet hoe hij voor je leven vreesde? Je was een makkelijk doelwit. Ze hadden je zó' – hij knipt met zijn vingers – 'kunnen afmaken.'

De muziek klinkt nog steeds en ik proef mijn eigen tranen. Ik ben doordrenkt van tranen, zweet, goedkope whisky en de dauw die zich op het gras neervlijt. Deze nacht in augustus, zo geurig, zo verwarrend, blijkt mijn liefde toch echt te zijn geweest.

Ik omhels Radu en bedank hem voor alles. Ik voel warmte en dankbaarheid voor die oude vriend van Mihai, die me heeft geholpen de laatste stukjes van mijn verhaal in elkaar te passen. Voordat ik wegga, besluit ik nog één ding te vragen.

'Nu we het er toch over hebben, wat is er eigenlijk gebeurd tijdens die trektocht, toen Mariana is omgekomen, in het jaar van de aardbeving? Jij was er toch bij?'

'Nu we het wáár over hebben?' zegt Radu, en zijn gezicht, dat de hele avond een ontspannen, ironische uitdrukking heeft gehad, verraadt plotseling een diep verdriet. 'Dit staat toch overal los van, Mona? Gek word ik van je,' voegt hij er met een wrange glimlach aan toe.

Die omslag maakt me nog nieuwsgieriger. Er lijkt een bodemloze zak met geheimen te zijn die ik nu mag uitpakken.

Radu neemt bedachtzaam een slok whisky. 'Ik hield van Mariana, weet je. Ze was mijn grote liefde, en tijdens die tocht kwam Mihai erachter, hij hoorde dat ik haar over mijn gevoelens vertelde en hij werd woest.' Radu's ogen glanzen in het maanlicht en er trekt weer verdriet over zijn gezicht.

'Je weet nog wel hoe kwaad hij kon worden,' vervolgt hij aarzelend. 'We gingen op de helling op de vuist. Mariana wilde bij ons weg, ze zei dat we gek waren en ze rende huilend de helling af. Al vechtend vielen we... Een van ons moet die verdomde steen hebben los geschopt die haar heeft geraakt. Ik was bang dat Mihai of zichzelf, of mij van kant zou maken.'

'En...' begin ik.

'Dat was alles, Mona,' zegt Radu. 'Er is niets meer te vertellen, niets. Laten we elkaar nog eens zien, als je langer blijft, maar voor vanavond is het mooi geweest.'

Ik houd mijn mond in het besef dat ik te ver ben gegaan met al mijn vragen. Het laatste wat ik verwachtte toen ik naar Radu ging, was wel dat ik zijn geheime liefdesverhaal zou ontdekken. Ik had hem altijd voor een cynische versierder aangezien, maar dat was de dekmantel die hij altijd gebruikte om zijn liefde voor Mariana te verbergen. Mihais sombere stiltes wanneer hij aan Mariana dacht, zeker die eerste zomer van onze liefde, komen nu ook in een ander daglicht te staan. Hij voelde zich inderdaad schuldig en hij was boos op zichzelf vanwege de vechtpartij op de berg, en misschien heeft hij het zichzelf nooit kunnen vergeven. Misschien heeft dat hem ook aangezet tot al zijn roekeloze daden van daarna. Ik omhels Radu nog een laatste keer en haast me de stille, verlaten straat in.

Ik ren over de klinkerstraat vanaf Radu's huis de heuvel af. De nieuwe maan gaat onder en mijn haar danst woest om mijn hoofd. Ik ben zeventien en veertig tegelijk. Mijn hart bonst, mijn wangen zijn nat en ik weet niet of het tranen van verdriet, woede of blijdschap zijn. Alle drie. Mijn geliefde was geen held, maar ook geen slechterik. Hij was marxist in een mislukte marxistische maatschappij, maar hij was eerbaarder dan de zakelijke ondernemers van de kapitalistische maatschappij waarin ik nu leef. Hij gaf niets om mijn intellectuele passies, maar verdiepte zich in de wereldliteratuur toen het te laat was, toen het me niets meer kon schelen. Hij leerde me dansen. Hij leerde me de geheimen van de Karpaten en van mijn eigen lichaam. Hij had de foto waarop ik lachend op een bergtop sta altijd bij zich. Ik had de foto van ons tweeën, zwaarmoedig op een herfstdag in Boekarest, ook altijd bij me; hij zat in mijn tas toen ik in de trein naar Triëst de grens overstak.

Er waren gegronde redenen om van hem te houden. Ik was niet alleen 'verliefd op de liefde', zoals veel mensen tegen me zeiden. Ik hield van Mihai Simionu uit de stad met de Zwarte Kerk in de Karpaten, een ingenieur die gitaar speelde en in een zwartleren jack liep, net als de geheime politie, of als een doldrieste motorrijder. We waren allebei trouw aan onszelf en wat we wilden worden, we hadden dat moment van complete schoonheid boven de stad allebei verdiend; we kwamen als andere mensen terug na die stormachtige middag, met regen op ons gezicht.

Terwijl ik over de klinkers hol, blijft een uitspraak van Radu door mijn hoofd spelen: 'Rond de tijd dat jij wegging, deed hij een tijdje alsof hij voor de Securitate werkte.' Ik blijf het maar herhalen, en pas nu dringt de mogelijkheid in volle omvang tot me door dat Mihai wist dat ik wegging. Het is een soort openbaring. Mihai voelde op de een of andere manier aan dat ik van plan was het land te ontvluchten. Hij was gevoeliger voor mijn innerlijke onrust dan ik dacht. Ik spoel de hele film nog eens terug tot de avond voor mijn vertrek uit Braşov, twee dagen voordat ik in Boekarest op de trein stapte.

Ik val in een diepe tunnel, net als Alice in Wonderland, en alles trekt in omgekeerde volgorde aan me voorbij. Beelden van mezelf en de mensen in mijn leven flitsen me van alle kanten tegemoet in die diepe tunnel waar ik in een ademloze vrije val doorheen suis. Het gaat allemaal steeds sneller en ik weet dat ik straks met een grote klap de grond raak en in miljoenen stukjes tussen de sterren verstrooid word.

Misschien is Mihai die ochtend weggegaan omdat hij het makkelijker voor me wilde maken. Of omdat *zíj* niet mochten zien dat we nog samen waren. Wilde hij de schijn wekken dat we uit elkaar waren, zodat ze meer vertrouwen in hem zouden hebben? Had hij het op zich genomen me te volgen en hun wijs te maken dat *híj* me aan de grens zou tegenhouden, of dat hij iemand zou sturen om me tegen te houden? Misschien heeft hij ze al die tijd in de waan gelaten dat hij informatie van me kreeg, en vertelde hij hun alleen wat ze al over mijn vader wisten. Hij hoorde van hen dat ik een paspoort had aangevraagd, en dat ze van plan waren me tegen te houden. Of misschien had mijn eigen vader het hem wel verteld en deden ze allebei hun uiterste best voor zo veel mogelijk afleidends te zorgen, opdat ik veilig over de grens kon komen. Daarom glimlachte Mihai zo verdrietig toen ik tegen hem zei dat ik eerder naar Boekarest moest om uien en aardappels te sorteren. Hij wist dat ik niet meer in verwarring en angst kon leven. Bovenal had hij voor mijn leven gevreesd, en na Cristina's dood had hij me weg willen hebben van al het gevaar, ook als dat een definitief afscheid betekende. Hij had mijn gedachten gelezen voordat ik ze zelf kon verwoorden, die oudejaarsavond toen hij tegen me zei: 'Op een dag ga je bij me weg.' Hij was zowel roekeloos als nauwgezet voorzichtig. Mijn Mata Hari-minnaar had iedereen voor de mal gehouden, iedereen een rad voor ogen gedraaid zonder betrapt te worden. Had hij mij maar een hint gegeven.

Nu iets van de mist rond Mihai is opgetrokken, kan mijn hart rusten na alle beroering van de afgelopen twintig jaar. Misschien wordt mijn eigen land het land dat ik ooit zo hevig miste, in dat opstel van meer dan dertig jaar geleden. En misschien zal ik eraan gewend raken twee landen te hebben, geen land te hebben, mijn eigen land te zijn en me uit te strekken over de Atlantische Oceaan, met één voet in de maïsvelden van Indiana en de andere in een wei vol bessen in de Karpaten, als een enorme apenbroodboom.

De ontmoeting

De volgende dag bel ik Radu weer en stel hem de vraag die al op mijn lippen brandde zodra ik wist dat Mihai nog leefde: of hij een ontmoeting met Mihai voor me kan regelen.

'Wil je Mihai zien?' vraagt hij verbaasd. 'Waarom?'

'Niet vragen, doe het nou maar gewoon, alsjeblieft. Als je kunt. Het is belangrijk. Ik moet hem zien.'

Ik hoor hem zuchten. 'Goed dan, maar je weet dat zijn huis in de rimboe moeilijk bereikbaar is. Je zult er een hele dag voor moeten uittrekken.'

'Al was het een jaar,' zeg ik.

'Ik zal mijn best doen, maar dan ben je me heel wat verschuldigd!'

'Ik weet het. Ik zal je in Amerika moeten uitnodigen en alle whisky van de wereld voor je moeten kopen.'

'Daar doe ik het voor. Ik bel je terug. Wat een lastpak ben jij, Mona!'

Drie dagen later belt Radu. Nog eens drie dagen later ga ik terug naar Amerika, maar wanneer Radu zegt dat Mihai ons verwacht, kan ik alleen nog maar aan de komende paar uur denken.

Ik kleed me zes keer om voordat ik besluit wat ik zal aantrekken. Roze is te vrolijk en meisjesachtig, rood te verleidelijk. Als ik een broek aantrek, ziet hij mijn enkels niet, als ik me te elegant kleed, zou hij kunnen denken dat ik met mijn garderobe wil pronken, maar als ik iets te ouds en onopvallends draag, zal hij weer denken dat ik mislukt ben in Amerika. Ik trek uiteindelijk een witlinnen jurk aan, met daarbij blauwe oorbellen en een parelcollier. Een beetje make-up, maar niet te veel. Fuchsiaroze lippenstift en rode sandalen die er niet bij passen. Een vleugje Frans parfum.

Andrei en Ionica vinden het eng dat ik twee hele dagen wegga en smeken me of ze mee mogen. Ik beloof dat we iets geweldigs gaan doen als ik terug ben, zoals de grote berg opzoeken die ze vanuit de stad kunnen zien. Ionica zegt dat hij helemaal naar de top van de hoogste berg wil klimmen om zwarte geiten te zien. Mijn tante en oom zwaaien me vanaf het balkon uit, zeggen dat ik me geen zorgen hoef te maken en dan stap ik in Radu's auto, een aftandse donkerblauwe Dacia, de klassieke Roemeense auto.

We rijden over kronkelende, gevoorde wegen door dorpjes met stenen huizen en dikke stenen tuinmuren. De elkaar overlappende Karpaten wachten geduldig op ons in een lichtblauwe nevel. Radu zet de autoradio aan en we luisteren naar Roemeense muziek tot er alleen nog maar geknetter klinkt.

De muziek en het landschap overspoelen me in golven. Het diepgroene landschap, de zandweggetjes, de vrouwen met omslagdoeken over hun hoofd die bij hun tuinhek naar de passerende auto's kijken. Rode en gele bloemen in de vensterbanken. Rode pannendaken met witte ooievaars op de schoorstenen. Ik strijk mijn witte jurk glad. Ik kijk naar buiten. Ik kijk in mijn zakspiegeltje en werk mijn lippenstift bij. Ik kijk op de klok op het dashboard en tel de uren.

Radu kijkt naar me. 'Het is een heel eind,' zegt hij. 'Heb je honger? Wil je even stoppen?' Ik schud mijn hoofd. Hij rijdt gestaag door, met iets dichtgeknepen ogen.

De blauwe bergen lijken maar niet dichterbij te komen. We

rijden langs eindeloze tarwevelden, golvend in de wind. De zon valt warm en sussend op mijn schoot. In de velden werken mensen in bontgekleurde kleren. Ik loop ertussendoor en ze verwelkomen me met geschenken: oorbellen, halskettingen, sjaals, appels en krakelingen.

'Nog een halfuur,' zegt Radu. 'Je hebt een hele tijd geslapen.'

Ik veeg het zweet van mijn voorhoofd en de lippenstift van mijn mond, drink de hele fles water leeg en wacht de rest van de rit zwijgend, met mijn handen op mijn schoot.

Het landschap is ruiger geworden, primitiever, alsof we in een mythisch tijdperk zijn beland, tussen de rotsachtige, onbewoonde bergen. Ik denk aan de Smoky Mountains. Ik denk aan mijn witte huis tussen de maïsvelden. Ik wil een huis in Amerika en een in Roemenië hebben. Ik kijk naar mijn rode sandalen en gelakte teennagels. Mihai hield van de vorm van mijn tenen en kuste ze soms een voor een, maar toen waren de nagels nooit knalrood gelakt.

Radu haalt een papiertje uit zijn borstzak en kijkt naar de routebeschrijving die hij erop heeft gekrabbeld. Hij rijdt een dorpje met stenen huizen en waterputten in de voortuinen binnen. Hij rijdt erdoorheen en slaat een zandweg in. Aan het eind van de weg, aan de voet van een majesteitelijke top, staat een flesgroen, stenen huis met een houten veranda en een tuin vol rode clematis en druivenranken. Mihai zit op een stoel op de veranda te roken en kijkt naar de bossen. Ik stap uit de auto en loop langzaam naar het huis. Een waterval langs de berg overstemt alle geluiden, ook die van mijn voetstappen op het grind.

Elke stap lijkt een enorme sprong over de tijd en grote afstanden. Ik loop over het smalle grindpad naar het huis en de contouren van de man op de veranda worden bij elke pas scherper. Ik heb altijd gelachen om in slow motion opgenomen cruciale ontmoetingen in films, maar nu voel ik me alsof ik in zo'n scène speel. Alleen is dit geen film. Dit ben ik, Mona, en ik loop naar Mihai, die op de veranda van een groen huis aan de voet van een besneeuwde top diep in de Karpaten zit. Zijn droom is uitgekomen. Hij heeft altijd op zo'n plek willen wonen.

Langs het grindpad groeien wilde, rode en blauwe bloemen. Mihai heeft een blauw overhemd en een groene broek aan. Ik heb hem nog nooit twee uitgesproken kleuren bij elkaar zien dragen. Zijn haar is kortgeknipt en hij heeft het begin van een baard. Er zitten grijze plukken in zijn korte haar. De waterval klinkt hier luider en Mihai heeft ons nog steeds niet gezien. Ik kijk naar hem met alle aandacht die ik in me heb en zie ook mezelf, als in een spiegel: mijn kraaienpootjes, mijn haar dat alle kanten op wappert, mijn ogen, waarin Mihai ooit sterren zag, nu iets fletser maar ook feller dan vroeger. Ik struikel over een kiezel en zie een bijna onmerkbare verschuiving in de houding van zijn schouders. Ik weet dat Mihai zich eindelijk bewust is van mijn aanwezigheid, maar zichzelf de tijd gunt.

Als ik vlak bij het huis ben en de houten treden op loop, krijg ik een idee. Ik zou ook zo'n huis moeten kopen met een houten veranda, clematis en druivenranken, hier midden in het Roemeense niemandsland. Voor mijn kinderen en mij, als we volgende zomer terugkomen. Mihai blaast een kringel blauwe rook uit en kijkt op. Hij kijkt me aan.

Woord van dank

Om mijn verhaal tot een goed einde te kunnen brengen, hebben drie fantastische vrouwen de rol van goede fee op zich genomen: op de eerste plaats komt mijn agente Jodie Rhodes, die me ontdekt heeft en me heeft bijgestaan. Met haar buitengewone toewijding voor haar schrijvers, haar inzicht en integriteit zou zij een voorbeeld moeten zijn voor eenieder met hetzelfde beroep. Zonder haar niet-aflatend geloof in mijn schrijverstalent en haar energie zou mijn boek nooit het licht hebben gezien.

De begenadigde auteur Sandra Cisneros heeft met haar bezielende en prima aanwijzingen mijn lot op een betoverende manier beïnvloed en heeft mij daarmee mijn eigen grenzen doen overstijgen. Zij is de goede fee die me begeleid heeft op de weg naar een afgerond en volledig verhaal.

Mijn talentvolle redacteur Robin Desser is de goede fee die me geleerd heeft in het bouwsel van een duidelijk verhaal te blijven en me er niet uit te laten jagen door uitvoerigheid en overdrijving. Met onuitputtelijk geduld, toewijding en inzicht heeft ze me de weg gewezen om dit boek perfect te maken.

Dennis Mathis verdient veel dank voor zijn waardevolle opmerkingen, suggesties en redactionele begeleiding. Onze vele gesprekken staan liefdevol in mijn herinnering gegrift.

Ellen Mayock ben ik zeer dankbaar voor haar betrouwbare, deskundige hulp.

Ik ben veel dank verschuldigd aan mijn goede vriend Paul Friedrich voor zijn langdurige, morele hulp en aan mijn geliefde moeder, Stella Vinitchi Rădulescu, voor haar waardevolle adviezen en geloof in mijn werk.

Le camion bleu foncé parut enfin sur le dessus de la côte et poursuivit son lent chemin malgré les signes déjà que Marie-Ange et son mari lui adressaient.

Toujours impassible, Bédard demeurait sans bouger. Il perçut la présence de Solange et la surveilla dans sa vision périphérique sans poser sur elle son regard et en évitant qu'elle se rende compte qu'il la savait là.

Médusée, mais capable de raisonner, elle soliloquait :

« N'était-ce là qu'un accident ou bien cet homme étrange avait-il un maléfique pouvoir de provoquer les choses et d'agir sur les événements de manière à les rendre néfastes et monstrueux ? »

Et Simone aussi s'interrogeait, là, fixant le corps inerte accroché à son destin et à sa rigidité.

« Je lui ai parlé quelques secondes avant l'accident, c'est donc ma faute. Si je n'avais pas été là, il serait vivant. Il est vrai que l'étranger aussi est coupable... coupable de présence quand passa le spectacle horrible de la mort s'emparant d'une âme et d'un homme pour l'emporter dans son royaume insondable. »

Le camion arriva enfin. Ils étaient trois dans la cabine. L'un vit aussitôt ce que l'on sut aussi vite être un cadavre. Ils descendirent et Béliveau prit une longue gaffe, tandis que l'autre s'approchait avec une échelle à rallonge en aluminium. On aurait pu grimper sur éperons mais il y avait risque, et surtout, on ne pourrait pas descendre le cadavre à moins de le jeter en bas, sans une échelle et au moins deux paires de bras.

Marie-Ange vint se lamenter :

– Mon mari a voulu monter pour l'aider, mais monsieur, icitte, nous a dit qu'il était mort, que ça servirait à rien...

Solange entendit cette phrase qui mit un peu d'huile sur le feu constant de son doute quant à l'infernal angélisme de ce personnage fumeux qui avait l'air de si bien s'entendre avec la foudre et avec la mort.

Puis une phrase de Simone l'inquiéta davantage :

– J'ai vu une boule de feu autour de sa tête pis c'était fini.

Alors Solange quitta furtivement son poste d'observation… Elle ne vit pas l'étranger la suivre du regard jusqu'à ce qu'elle disparaisse derrière la maison.

Il aida aux opérations de récupération du cadavre que l'on ne tenta pas de ranimer vu la raideur installée et après la prise de son pouls – inexistant – par le contremaître.

Une Pontiac noire parut sur la côte tandis que des voisins ayant écouté sur la ligne téléphonique venaient satisfaire leur curiosité morbide.

– Quin, c'est monsieur le vicaire qui arrive, annonça Marie-Ange qui marcha vers la montée de la maison afin d'être la première à lui raconter ce qui s'était passé, ce qu'il savait déjà par les grandes lignes du drame qu'elle avait déjà racontées par téléphone à Esther Létourneau.

Bédard s'esquiva doucement. Il s'éloigna sans qu'il n'y paraisse tandis que le prêtre arrêtait sa voiture et que l'attention de tous était prise par lui et par le mort. Et il partit le long de la maison où quelques minutes auparavant Solange marchait pour s'en aller il ne savait où.

Néanmoins, il savait qu'en observant avec vigilance, il la trouverait quelque part dans les environs de la maison, sans doute pas à l'intérieur, car il l'aurait aperçue à une fenêtre, mais plus probablement avec les veaux derrière la grange. Nul doute qu'elle serait traumatisée, bouleversée, vulnérable…

Il vit les veaux. Personne là. Il entra dans l'étable. Que des poules rares sur des paniers à pondre, les autres sorties dehors. Tout de même, elle ne devait pas se trouver avec les porcs qu'il entendait sans les voir. Contourner la grange à moins de le faire par l'enclos des veaux, c'était à coup sûr être vu par les gens autour de l'accident ; alors il gravit une échelle intérieure qui menait dans la grande grange où étaient les tasseries de foin et la batterie.

En y débouchant, il entendit une voix qui chantonnait. Silencieux, précautionneux, il ne fut pas ressenti par la jeune fille, qui s'occupait tout entière à flatter un chiot. Il la regarda faire.

Solange avait le dos appuyé à une poutre basse servant à retenir le foin d'une des tasseries. Mais puisque les réserves de l'année précédente étaient épuisées et que les animaux brouteurs s'alimentaient tous à même les pacages, on se trouvait dans une grange qui semblait vide. L'éclairage provenait de deux losanges vitrés dans les pignons et d'un portillon ouvert percé dans une des deux grandes portes.

C'est en noir et blanc que l'étranger pouvait voir, et ce sont les couleurs qu'il préférait. Quant aux odeurs, c'étaient celles de la poussière de balle et de paille humide qui prévalaient.

– Dodo, l'enfant do, l'enfant dormira bientôt. Dodo, l'enfant do, l'enfant dormira bientôt…

Bédard put apercevoir une cage aux pieds de la jeune fille ; et pour la première fois depuis la veille, il pensa que la ferme de la famille Boutin ne comportait pas de chien. Chose rare. Ou bien la chienne, mère de ce chiot, se trouvait-elle quelque part là, le long du mur bas, en un lieu qu'il ne pouvait apercevoir ? Non, elle l'aurait flairé, l'aurait entendu, l'aurait signalé…

– Solange, dit-il à mi-voix.

Elle sursauta et marmonna en se retournant vers lui :

– Hein !

– C'est Bédard, l'étranger.

– C'est que vous voulez ? dit-elle vivement.

– Parler.

– De quoi ?

– De ce qui est arrivé…

– Pourquoi ?

– Parce que ça te fait peur.

– Ça me fait pas peur.

Il se rapprocha. Elle demeura sans bouger, gardant le chiot dans ses bras comme s'il s'agissait d'un bouclier.

– Et moi aussi, je te fais peur.

– Pas vrai!

Il la détailla de la tête aux pieds. Une robe pâle qui lui moulait la poitrine. Des yeux brillants capables d'exprimer l'amour ou bien la haine, et sans doute les deux à la fois, capables aussi de dire la peur et le désir de s'abandonner à une force protectrice ou bien les deux à la fois.

– Explique-moi donc pourquoi t'es pas restée là-bas.

– Et vous?

– J'ai eu le premier l'idée de te poser la question. Réponds pis ensuite, je vas répondre à mon tour.

– Parce que j'avais tout vu ce que y avait à voir là, c'est tout.

– Ça, c'est ma réponse, pas la tienne. La tienne, c'est que t'avais peur même si y avait plein de monde pis aucun danger pour toi. Peur. Peur. Peur.

– J'suis pas une peureuse…

– J'ai pas dit ça. J'ai dit que t'as eu peur.

– Quelqu'un qui a peur, c'est une peureuse.

– Tout le monde a peur, pis ça veut pas dire que c'est des peureux.

Il se fit une pause. Elle baissa les yeux et flatta son animal. Il soupira, reprit:

– T'es venue icitte en pensant que ton chien chasserait ta peur. Ça commençait à marcher, mais j'suis arrivé. Pis là, t'as peur encore plus que tantôt quand tu regardais le mort à côté de la maison.

– Qui c'est qui vous a dit ça? Vous m'avez même pas regardé.

– Ah! j'ai des yeux pour voir.

– Vous avez pas des yeux dans le dos.

– Oui, j'en ai…

– Allez-vous-en ! Laissez-moi tranquille.

Il lui prit un bras dans sa main et serra.

– Moi, j'sais pas lire dans un livre, mais j'ai appris à lire dans les faces. Pis ça, ça en dit pas mal plus long.

Elle faillit se mettre à pleurer mais se ressaisit. Il lui fallait dissimuler sa peur, le tromper comme il trompait les autres. Elle lança, l'œil défiant :

– Ben montrez-moi à lire dans les faces pis moi, ben j'vas vous montrer à lire dans les livres.

Il relâcha son étreinte et passa son doigt recourbé sur la tête blanche du petit chien en disant sur un ton doucereux :

– C'est un contrat signé sur la tête de cette petite bête.

Elle chercha à comprendre le sens profond de cette parole tandis que l'homme faisait demi-tour et s'en allait vers le portillon arrière sans dire un mot de plus.

***

Chapitre 18

Fernand prit par sa poignée de bois un long crochet de broche. Il en introduisit l'extrémité recourbée à l'intérieur de la boîte la plus basse sur laquelle se superposaient cinq autres boîtes, sans couvercle elles non plus. Il devait faire glisser la pile sur le plancher depuis l'arrière de la cloueuse des fonds jusque devant la grande roulette de bois couverte d'un papier sablé de huit pieds de diamètre. Il refit le trajet une vingtaine de fois jusqu'à être entouré d'une centaine de boîtes prêtes pour le sablage avant de passer à la prochaine étape, le paraffinage de l'intérieur, suivi de la phase finale de fabrication : le clouage des couvercles.

Alors, il enfila un tablier d'un cuir épais et très rigide qui permettait de pousser sur la boîte avec le ventre, sans douleur, échardes ou risques d'accident. Quand il fut prêt à commencer l'opération, il leva un bras et fit un signal à Dominique en désignant Marie Sirois qui travaillait sur la botteuse.

L'industriel, qui œuvrait près d'elle derrière une machine à embouveter, lui donna un ordre par signes et sourires. Car pour s'entendre parler, deux personnes devaient se trouver à quelques pas seulement et crier tant le bruit était intense dans la manufacture.

Il y avait en effet un mélange de bruits ponctué et haché par les sons stridents des déligneuses et la recipeuse sur laquelle Marie travaillait depuis le matin puisqu'elle avait pris une grande avance la veille derrière l'étampeuse. Le vacarme général, semblable à un vrombissement d'avion, était constitué du bruit des courroies sur les différentes poulies, de la monteuse, des cloueuses, des bouveteuses.

Et de temps en temps, environ une fois toutes les deux heures, la machine à tenons se mettait en marche, opérée soit par Dominique, soit par Pit Roy en l'absence de son patron, mais à l'occasion aussi par Marcel quand il manquait de morceaux à la monteuse. Et le drôle de chant de cette puissante machine à bois surpassait la rumeur générale. Et pourtant, son bruit ne possédait aucune onde perçante ou criarde, c'était le résultat de multiples couteaux superposés qui entamaient le bois sans frottement comme des scies ordinaires, et donc sans notes aiguës.

Dans tous les coins, mais bien plus en d'aucuns qu'en d'autres, c'était le règne de la poussière de bois. La plus vicieuse parce que la plus fine, celle qui s'infiltrait dans les nez, les bronches, les poumons et jusque dans les cheveux sous les casquettes, c'était celle que produisaient les sableuses, la botteuse et les deux déligneuses. Les bouveteuses et la machine à tenons généraient plutôt des petits copeaux que l'air ne transportait pas.

Marie fit signe que oui. Elle prit un dernier lot de quatre morceaux délignés sur un banc et les mit en ordre sur sa table coulissante puis les enserra d'une main contre le rebord de la table et poussa de l'autre entre les deux scies dont la fonction consistait à égaliser les morceaux dans le sens de la largeur. Puis elle classa chacun sur une pile différente, les uns destinés à servir de couvercles et de fonds, et les autres qui deviendraient des côtés de boîte.

On avait besoin d'elle au paraffinage. Un travail moins dur. Qui ne générait pas de poussière, mais chaud et humide, et surtout, aux côtés de Fernand Rouleau, qui lui tendrait les boîtes tout juste sablées pour en faire disparaître toutes les aspérités.

Elle s'y rendit. Déjà, une pile de cinq boîtes l'attendait. Sans regarder Fernand, elle se mit à l'œuvre après avoir enfilé des gants. Et plutôt que d'accepter une boîte qu'il lui tendait, elle prit la plus haute de la pile et la mit sur la table de paraffinage devant une fenêtre. À côté, un bac rempli de paraffine liquide dégageait une vapeur odorante mais pas déplaisante ni dangereuse pour la santé. Du moins, disait-on.

Elle y plongea un pinceau large tenu de manière lâche entre le pouce et le reste de la main pour qu'il frotte aisément toute la surface du fond d'abord puis un côté intérieur. Un autre trempage du pinceau dans le bac l'enduisait de la substance pour couvrir les trois autres côtés. Là, elle plaçait la boîte dans une coulisse glissante et descendante, et lui donnait une poussée à l'aide du manche du pinceau pour qu'elle se rende près de la cloueuse des couvercles opérée par un travailleur manchot.

Chaque fois qu'il posait une boîte sur le plancher ou sur une autre, Fernand souriait à la femme, mais elle ne le regardait jamais. Et lui ne se décourageait pas. Elle rattrapa l'avance qu'il avait et alors dut prendre les boîtes de ses mains. Pas plus qu'avant, elle ne lui adressa le moindre coup d'œil au visage. Et lui y trouvait un avantage, interprétant son attitude comme de la peur. Une peur qui la rendait vulnérable. Mais c'était du ressentiment et un certain mépris.

Elle pouvait apercevoir tout véhicule passant sur la grande rue en bas, mais pas lui. L'arrivée de Pit Poulin dans sa voiture officielle de policier provincial l'intrigua, d'autant que l'auto fut garée dans la cour du moulin de l'autre côté de la rue. Deux hommes s'y trouvaient, mais le second ne portait pas d'uniforme. Pit seul descendit et il attendit un moment

Pit Saint-Pierre, qui conduisait une grosse charrette attelée d'un cheval noir transportant un lot de planches sèches. Il les emportait à la manufacture pour l'alimenter en bois nécessaire à la fabrication des boîtes.

Et les deux hommes se parlèrent.

Le policier retourna à sa voiture. Il resta debout à côté, les deux pieds dans la molle terre noire, mains appuyées au véhicule, légèrement penché en avant, s'entretenant avec l'autre homme par la vitre abaissée. Marie crut qu'il tuait le temps en attendant quelque chose à se produire par Pit Saint-Pierre qui déjà traversait la rue avec son attelage.

Quand la boîte suivante fut paraffinée, elle obtint une partie de la réponse qui n'était encore qu'une question. Pit Saint-Pierre se présentait dans la porte et faisait des signes à Dominique, qui se fit remplacer derrière la bouveteuse et se rendit auprès de celui qui l'appelait, et qui lui cria quelque chose à l'oreille. Une grande surprise apparut dans le visage de l'industriel qui suivit aussitôt son vieil employé.

Marie resta à l'affût. Elle vit Dominique traverser la rue sur un pas décidé et s'entretenir avec le policier. L'incident prit fin par le départ de la voiture de police. Quant à Dominique, elle ne le revit pas dans la manufacture. Alors pour la première fois depuis le matin, elle parla à Fernand :

– As-tu vu Pit Poulin qui vient de parler à Dominique ?

Il lui lança une moue incrédule, menton projeté en avant.

– Est venu hier, il vient aujourd'hui. Pour moi, il fait une enquête sur un employé de la manufacture, tu penses pas ?

– Moi, ça me dérange pas une miette, crâna-t-il.

Une fois encore, elle put se rendre compte qu'il était fort troublé par la présence policière dans les parages. Qu'avait-il donc à se reprocher ? Qu'est-ce qui lui travaillait la conscience au point de le faire ainsi blêmir ? Quelque chose s'était passé en Ontario, ça ne faisait pas de doute.

Le papier sablé commençait à se trouer. Fernand lui présenta un coin de boîte pour qu'il se déchire : la manœuvre réussit. Des morceaux volèrent et l'un d'entre eux resté accroché se mit à claquer sur la tablette. Marcel délaissa la monteuse et s'amena. À l'aide d'une longue manette, il délogea la courroie de la poulie de sorte que la roulette cesse de tourner. C'est lui qui avait l'habitude de remplacer le papier. Il envoya Fernand travailler à la bouveteuse à la place de son frère parti, une fois encore, il ne savait où.

Avant de commencer à dévisser les écrous retenant un cercle de fer qui fixait le papier sur la roue, Marcel tourna sa casquette à l'envers et se mit à danser devant Marie pour la faire rire. Elle sourit. Il ajouta les grimaces comiques de son visage très maigre. Elle éclata de rire. C'est à ce moment seulement que l'homme rit à son tour. Connaissant la misère morale de la veuve, il ne craignait pas, tout patron qu'il soit, de faire le pitre pour la dérider un peu.

En terminant le paraffinage de quelques boîtes, elle put à trois reprises jeter un œil vers Fernand. L'homme ne cessait de lever la tête pour regarder avec inquiétude à travers les machines et les courroies vers la porte menant sur un dehors de grisaille…

Peu de temps après, le bruit décrut. Chacun délaissa aussitôt son travail pour la pause du milieu de l'avant-midi. Fernand ne prit pas la direction de la porte comme les autres employés, mais celle de l'escalier intérieur. Marie pensa qu'il s'en allait passer son temps de repos dans une pièce voisine de la chambre de la bouilloire afin d'éviter une rencontre indésirable aux alentours du bureau où tous les autres allaient boire un Coke.

Dès qu'elle eut mis les pieds dans la cour, Marie fut interpellée par Pit Saint-Pierre qui lui parla de ce qu'il considérait de plus en plus comme une guérison miraculeuse.

– Dis ça à personne, ma petite fille, mais il s'est passé quelque chose d'extraordinaire hier soir… Tu me croiras pas, mais j'ai perdu la carte tandis que j'étais rendu su' ma voisine, madame Lessard. J'ai tombé à terre comme une poche. Sans connaissance. La broue à bouche. J'ai vu toute ma vie passer devant moi. Ben la petite fille, elle a mis sa main sur moi, sur mon front, pis j'ai retrouvé mes esprits… Si c'est pas une guérison ça, j'sais pas c'est quoi une guérison miraculeuse. Ça fait que, si t'as un enfant malade ou quelque chose… ou toi-même, va les voir.

– C'est dur à croire.

– Pourquoi c'est faire que je te dirais ça, hein ?

– Vous en parlez à personne ?

– J'veux pas que ma femme s'inquiète avec ça. Pis j'ai encore besoin de travailler icitte…

– Pourquoi c'est faire que vous m'en parlez à moi ?

– Parce que ton petit gars, si t'avais pu le faire toucher par les enfants… Ça, c'est trop tard, mais si t'as d'autres malades chez vous. T'as eu assez de misère dans ta vie, c'est le moins que je te dise que c'est qui se passe sur le cap à Foley, ça vient direct d'en haut, direct d'en haut…

Marie vint les yeux plein d'eau. Bouchés par l'amertume laissée par les événements récents. Mais elle oublia vite ses propres malheurs lorsque l'homme fit un coq-à-l'âne :

– Tout un accident dans le Dix, ma petite fille. Le Léonard Beaulieu, il s'est fait électrocuter dans un poteau… Cuit comme du boudin, il paraît. Mort raide.

– Comment ça se fait que vous savez ça, vous ?

– Pit Poulin tantôt. Il est venu avertir Dominique d'aller chercher le corps en ambulance pour le faire embaumer.

– Une autre veuve dans la paroisse, fit Marie comme si elle se parlait à elle-même.

– Elle est enceinte, sa femme, sur le bord d'accoucher.

Pit résuma en quelques mots ce qu'il avait appris du drame.

Au bureau, Marie s'acheta un Pepsi. Tous parlaient avec horreur de l'accident mais elle avait mieux à faire que d'entendre le récit morbide des détails concernant le décès tragique. Et elle s'empressa de s'en aller là où elle croyait pouvoir trouver Fernand Rouleau. Il était dans la pièce, seul, la tête basse devant lui, l'esprit rendu loin de là.

– Ouais, ben c'est ben vrai qu'ils font une enquête...

Il coupa:

– Ben qu'ils la fassent pis ça vient de s'éteindre.

Restée debout, elle but une gorgée.

– Toi, t'as quelque chose sur la conscience, hein?

– Pourquoi c'est faire que tu dis ça?

– La police a l'air de t'énerver pas mal.

Il feignit la surprise.

– Es-tu folle?

– En tout cas, on dirait.

– Il t'en passe, des idées par la tête, toi.

– Pourquoi c'est faire que tu vas pas boire un Coke comme tout le monde?

– Mais parce que j'ai pas soif de boire un Coke. Toi, tu bois ben du Pepsi...

Elle esquissa un sourire énigmatique en disant:

– Ouais, moi, je bois un Pepsi...

Et elle se dirigea vers l'escalier.

Il lui lança en la comparant à l'engin à côté duquel elle se trouvait:

– Marie, ouvre la soupape que t'as en dedans pis la pression va pouvoir sortir...

Elle poursuivit en se disant: « Toi, tu m'auras pas, mais tu vas peut-être te faire avoir par exemple... »

***

Chapitre 19

Depuis des mois, Gilles Maheux évitait de se trouver là où pouvait être Paula Nadeau. Depuis l'hiver précédent, depuis ce qu'il avait perçu comme étant un refus de sa part d'être sa blonde, il restait gêné, embarrassé, mal à l'aise à l'idée de devoir la croiser sur la rue, et il faisait tout pour éviter cela. Mais un village où tout le monde doit passer tous les jours sur la rue principale, c'est petit…

Quant à elle, la jeune adolescente avait du mal à comprendre une pareille attitude. Pourtant, elle l'avait bien soigné quand il avait failli se casser le cou contre leur maison et elle aurait aimé qu'ils se parlent comme des amis. Mais pour le garçon, il n'y avait pas de juste milieu : ou bien elle était sa blonde à lui ou bien elle était une étrangère.

Ce jour-là, il vendait des objets de piété de porte-à-porte et avait l'intention de faire tout le village dans la semaine sans toutefois se rendre chez les Nadeau dont la maison était la première d'un rang et non la dernière du village. Le Cook lui avait préparé une valise à compartiments et l'enfant en connaissait par cœur le contenu et les prix. Et il était capable de dire une phrase ou deux sur chaque objet, sa valeur, sa capacité de ramasser de solides indulgences pour ceux qui le portaient ou s'en servaient, selon qu'il s'agisse d'une médaille, d'un scapulaire de tissu ou d'une statue en plastique représentant la Vierge ou saint Christophe, patron des voyageurs.

Personne ne lui fermait la porte au nez. On l'aimait. On aimait sa marchandise. On aimait l'esprit religieux attaché à l'opération. Et surtout, on aimait l'entendre dire que les enfants Lessard avaient touché à chaque chose, chaque médaille, la moindre image à trois pour cinq cennes. Souvent, on faisait semblant de ne pas croire, mais on voulait croire en ce qui se passait sur le cap à Foley.

Les ventes allaient bon train et la tournée progressait malgré l'humeur indécise du ciel qui dispensait parfois quelques gouttes de pluie, mais guère plus que pour picoter un peu sur les bras nus du jeune représentant en pieuseries de pacotille vendues bon marché.

Beaucoup avaient déjà acheté quelque chose sur le cap à Foley le samedi précédent, stimulés par la foule de croyants et la situation sacrée de ce soir-là, par les appels du ciel et ceux de la race, mais on l'encourageait tout de même et c'est avec assurance tranquille et un fier enthousiasme qu'il se présenta chez les Lachance, une famille semblable à la sienne, quoique plus âgée, vivant à mi-chemin entre chez lui et la manufacture de boîtes.

Ces gens habitaient une longue maison à quatre logements qui avait servi de sacristie naguère et qui était enveloppée des mêmes carreaux d'amiante gris que le couvent. Une femme potelée, joufflue et portant des lunettes à corne noire lui ouvrit.

– Ah! mais si c'est pas le petit Maheux, lui dit-elle avec bienveillance.

– Si le Bon Dieu vous intéresse, vous serez contente de voir mon stock que j'ai là, dans ma valise…

– Veux-tu dire ça encore une fois?

– Si le Bon Dieu vous intéresse, vous serez contente…

– Ben sûr que le Bon Dieu m'intéresse, pis ton stock itou. Viens, rentre dans la maison.

– Fait chaud aujourd'hui, hein, madame Lachance?

– Si y'en a une qui le sait, c'est ben moi. C'est pas moi qui vas mettre le mois de septembre à porte quand il va venir nous visiter en tout cas…

Le garçon la suivit en jaugeant de son regard connaisseur l'ampleur du derrière de la dame. Elle le conduisit à la table de cuisine où il put poser sa valise qu'il ouvrit aussitôt. Il y avait des personnes dans une pièce contiguë à demi fermée par une arche. Sans avoir vu, il devinait qu'il s'agissait du salon. Quant à ses occupants, ce devaient être les grandes filles de la maison, ou bien Carmelle, qui avait un peu plus que son âge à lui.

– Montre-nous ce que t'as de beau, mon garçon.

C'est à ce moment même que se produisait le drame du rang Dix. Un destin funeste qui endeuillerait cette maison, puisque Léonard, marié à Lucille Lachance, était donc un gendre dans la famille.

Gilles fit grêler sur la table le contenu d'un sac brun froissé rempli de médailles d'aluminium léger.

– Des médailles de Fatima… c'est marqué dessus. Pis de Lourdes, c'est marqué ça itou…

– C'est combien chaque ?

– Deux cennes.

– Mais… c'est donné, mon garçon.

– À Sainte-Anne pis à l'Oratoire, ils les vendent dix cennes.

– C'est certain.

– Pis y'a une commission qui va pour le perron de l'église.

– Ça, c'est louable de ta part. Hé, le beau chapelet que t'as là !

– En pierres du Rhin, madame.

– Tu le vends quoi ?

L'enfant se racla la gorge. Il était un peu embarrassé à cause du prix. Mais il fonça.

– Trois piastres et demie. C'est cher, mais vous pouvez en dire des chapelets avec ça, madame. Pis comme je vous disais, là-dessus, y a trente-cinq cennes qui vont direct au perron d'église.

Elle douta :

– Trente-cinq cennes ?

– On donne dix pour cent.

– Pis tu sais compter ça, toi le pour cent…

– Ça fait longtemps.

La femme cria aux occupants du salon et ils vinrent. Un jeune homme portant à l'oreille un appareil pour suppléer à sa surdité parut avec une jeune femme enceinte. Gilles les connaissait depuis ses premiers pas dans la vie. C'étaient le frère et la sœur. Lui travaillait dans un moulin de laine du village voisin et elle était une jeune mariée.

Le garçon jeta un œil sur son ventre et elle lui dit :

– C'est un petit bébé qu'il y a là-dedans. Pis dans une semaine ou deux, il va sortir, pis on va aller le faire baptiser.

La mère objecta :

– Parle donc pas de ça aux enfants. Il est un peu jeune…

– Maman, les enfants, faut leur dire les choses comme elles sont. Même si vous vous appelez Régina, on n'est plus au temps de la reine Victoria…

Femme dans la haute cinquantaine qui avait eu son dernier enfant, Carmelle, à l'âge de 45 ans, Régina était de la vieille école. Elle hocha la tête comme pour mieux se débarrasser du sujet.

– Sa mère va s'en occuper. Bon, regarde le beau chapelet.

Gilles l'avait pris dans ses deux mains et le montrait dans toute sa splendeur.

– Avec ça, la Sainte Vierge va exaucer toutes vos prières, dit-il avec dans le regard la brillance de la pierre du Rhin.

Les deux femmes se mirent à rire, émerveillées par tant de candeur, mais le jeune homme demanda ce qui s'était dit. Sa mère lui parla distinctement devant le visage. Elle ne put finir sa phrase que le téléphone sonnait. Elle se rendit à l'appareil mural situé près de la porte et répondit, tandis que les deux autres poursuivaient avec le vendeur en herbe.

Une voix de femme dit gravement à l'oreille de Régina :

– C'est madame Boutin du Dix. Faut que je vous dise quelque chose de pas drôle, à matin. Y a un accident qui est arrivé icitte… pis c'est assez important. C'est votre gendre, le petit Beaulieu…

– Dites c'est que vous avez à dire parce que… j'peux pas trop parler comme c'est là, moé…

– Votre fille Lucille serait-il chez vous ?

– Justement…

– Vous devriez venir… Y a monsieur le vicaire qui s'en vient pis la police. On prie le Bon Dieu pour Léonard… pour qu'il se réveille, mais…

– C'est quoi qui s'est passé ?

Régina poussa sur le récepteur afin que la voix forte de son interlocutrice ne se rende pas jusqu'à sa fille et elle recueillit le récit de la mort de son gendre, cherchant en elle-même quoi faire, quoi dire à Lucille.

– Vous pourrez lui dire rien qu'une fois icitte. Venez avec Lucille pis avec votre mari. Monsieur le vicaire va être là… Comme ça, ça va mieux se passer…

La meilleure méthode pour annoncer à quelqu'un la mort d'un être très cher, c'était de passer par des étapes, et non de jeter la personne frappée par le destin en plein dans l'eau glaciale de la tragédie. Et le prêtre arrivait à point nommé au bout du processus, y agissant comme ultime consolateur et parlant au nom de Dieu lui-même.

– Jean-Marie, dit Régina à son fils, tu vas nous monter chez monsieur Georges Boutin dans le Dix.

– C'est qu'il se passe donc ? demanda Lucille, qui flairait un malheur.

– Un accident… à Léonard, mais il est pas mort, là…

Le garçon commença de ramasser ses objets. La femme pensa que la présence de l'enfant dans l'auto rassurerait un peu Lucille.

– Voudrais-tu venir faire un tour de machine avec nous autres ? Laisse tes affaires là ! Y a personne qui va venir.

Gilles n'était pas préparé pour faire face à une telle situation et son choix fut d'obéir et de suivre. De plus, quelque chose lui disait qu'il assisterait à un événement de mémorable importance.

– Maman, s'il y a quelque chose de grave, vous feriez ben mieux de me le dire tu suite.

– Non que je te dis, mais on est mieux d'y aller.

Elle poussa tout le monde dehors en disant à son fils :

– Par chance que t'es dans ta semaine de vacances !

Elle barra un gros cadenas noir et courut derrière les autres.

Ils montèrent tous dans l'auto, une Ford blanche flambant neuve et qui sentait la colle et le cuir. En même temps que le moteur se faisait entendre, Lucille insista encore :

– Y'a quoi au juste ? On va-t-il chercher papa ?

– Albert, il est parti à Saint-Georges voir le dentiste Thibodeau. Tu le sais, je te l'ai dit à matin.

– Ouais, ben on va salir la machine sur la Grande-Ligne, pis dans le Dix, ça doit être plein de trous d'eau pis de vase, dit le conducteur pour qui cette voiture était aussi précieuse que son âme et qui la frottait au point de se mirer dans son ouvrage des demi-journées de temps.

– On va te la laver comme il faut, dit Régina.

Mais le jeune homme n'entendit pas et continua d'afficher sa contrariété.

Assis à l'arrière avec la femme enceinte, le garçon jubilait. Il montait pour la première fois dans une auto de l'année. En fait, c'était une 49, et les modèles 50 n'arriveraient sur le marché que dans plus d'un mois. Pour ce plaisir et pour la tension qui régnait autour de lui, Gilles s'attendait à vivre un des grands moments de sa jeune vie.

Sur la côte des Talbot, on vit une auto entrer dans le rang Dix. Puis une autre qui la suivait de près. Il n'y avait pas de poussière sur la route à cause de l'humidité, ni beaucoup d'ornières, la Grande-Ligne ayant été recouverte d'une nouvelle couche de gravier plusieurs années de suite. Mais le Dix était affreux et Jean-Marie s'y engagea à très basse vitesse. Sa mère le toucha au bras et lui ordonna d'aller plus vite.

Quant à Lucille, elle ne cessait de gémir et de répéter ses questions bourrées d'angoisse à sa mère qui continuait de se faire évasive.

On parvint enfin sur le dessus de la dernière côte avant la maison des Boutin. Lucille s'avança du mieux qu'elle put sur le siège afin de voir entre les deux têtes en avant. Il semblait y avoir tout un tohu-bohu là-bas. Trente, quarante, personnes peut-être se trouvaient là, et une douzaine de voitures au moins, sans compter le camion de la Shawinigan.

– Il est mort, il est mort, je le sais, se mit à répéter la jeune femme.

Et elle pleurnichait un court moment pour reprendre:

– Vous m'avez conté une menterie, maman, il est mort, je le sais, je le sais…

Le cadavre gisait toujours au pied du poteau en attendant le fourgon ambulancier qui viendrait le prendre. Georges reconnut la voiture de Lachance et la signala au vicaire, qui se rendit près de la montée et attendit qu'elle se stationne.

L'image du prêtre acheva de mettre Lucille dans tous ses états. Gilles commençait à regretter d'être venu. Il se sentait un intrus dans un drame dont il ne saisissait encore que les grandes lignes.

Régina se tourna et dit :

– Mon petit Maheux, tu vas débarquer pour laisser ta place à monsieur le vicaire. Pis toi, bouge pas de là, monsieur le vicaire a quelque chose à te dire.

Déjà Jean-Marie s'éloignait. Au bout de quelques pas, ayant dépassé le camion garé, il aperçut le corps maintenant recouvert d'un drap gris et il pressa le pas. Gilles courut pour le rattraper, tandis que la mère quittait la voiture à son tour.

Le vicaire monta. Lucille releva ses genoux et prit une sorte de position de fœtus contre le dos de la banquette. Elle croisa les bras, ferma les yeux et continua de gémir. À quoi bon écouter ce que le prêtre avait à dire puisqu'elle le savait déjà ? Cent fois depuis qu'elle avait commencé de sortir avec Léonard, il lui avait dit que l'électricité ne pardonnait pas et que si un jour, il devait être victime d'un accident, ce serait le seul. La plus belle mort qu'on peut faire, disait-il aussi. Instantanée. Bang. Pouf. *Out*.

– Voudrais-tu qu'on fasse une prière ensemble, Lucille ?

– Pourquoi c'est faire ? marmonna-t-elle.

– Pour avoir de l'aide du Bon Dieu, de la Vierge Marie…

– Peuh !

Gilles arriva près du corps un court instant après Jean-Marie qui lui, sans rien demander à personne, souleva le drap. La face noircie apparut, la bouche un peu entrouverte, les dents visibles, un réside d'écume à la bouche…

L'enfant, qui avait ouvert le couvercle du cercueil du père Jolicoeur et qui avait dû se cacher au salon funéraire pour camoufler un larcin, n'avait jamais contemplé la mort à nu, sans le décorum et le maquillage de l'embaumement et de l'exposition du corps dans une tombe. Le mort qui arrive au bout d'une longue maladie comme celle d'Emmanuel Jobin épargnait de son horreur les proches du défunt en leur montrant son visage hideux à petites doses, mais celle d'un homme de pleine force et de pleine vie imprime toujours une marque indélébile dans l'âme de ses témoins, ceux-là qui la regardent dans son insolente absence, dans son effrayant néant.

Le garçon se retourna et promena un regard de reconnaissance sur les curieux nombreux. Le Cook Champagne, qui lui parut encore plus bas sur pattes, parlait avec Jean Béliveau. Gilles se sentit un peu mal à l'aise à la pensée qu'il ne faisait pas de porte-à-porte, et surtout, qu'il avait laissé sa précieuse valise chez les Lachance. Puis il aperçut l'étranger qu'entouraient plusieurs personnes, Georges Boutin, des hommes du rang. On lui parlait non seulement comme premier témoin de l'accident mais pour essayer d'entrer dans son mystère et pour s'en faire un allié.

Au coin de la galerie, deux adolescentes se parlaient. Le cœur du garçon bondit. L'une était Paula Nadeau qu'il n'avait pas vue d'aussi près depuis plusieurs mois. Il aperçut plus loin la voiture de son père. S'il avait seulement su qu'elle serait là, jamais il n'y aurait montré son nez. Par chance, il la voyait de profil et la jeune personne ne l'avait sans doute pas vu. Il fut sur le point de prendre une autre direction, mais quelque chose le retenait sur place.

Qu'avait-elle de différent ? Et tous ces gens qu'il connaissait mais qui lui apparaissaient soudain sous un autre jour, comme s'ils avaient fait partie d'un nouvel univers ? Il resta là à regarder les uns et les autres, et il revenait à l'image de l'adolescente qui parlait et parlait sans jamais s'arrêter...

Galbant sa personne, sa robe pâle sur le fond gris du mur de la maison révélait une poitrine pointue sur laquelle il riva ses yeux. Paula se sentit observée et tourna la tête en sa direction. Elle cessa de parler, sourit, puis se rendit compte qu'il regardait dans le vague, et aussitôt, sut qu'il était fasciné par ses seins auxquels ces quelques mois trop courts depuis leur apparition ne l'avaient pas encore habituée.

– Salut, Gilles ! dit-elle sans se gêner.

– Salut !

– Ben... viens nous parler !

Il s'approcha, cherchant désespérément quoi dire.

Il fut sauvé de l'embarras par Marie-Ange qui, montrant un chapelet noir au bout de son bras, lança à tous le plus haut qu'elle put pour être entendue, sans toutefois que la voix ne dépasse les limites du respect qui s'imposait dans les circonstances :

– Attention tout le monde, attention tout le monde... Je voudrais vous dire que ça serait une bonne idée, je pense, si on disait une dizaine de chapelet pour le repos de l'âme de notre pauvre Léonard...

Personne ne se trouvait plus loin que Gilles, Paula et son amie dans cette direction qui était celle de la grange;,et un mouvement de foule rapprocha même les gens du cadavre. Le garçon pencha la tête en avant. Ce ne fut pas la prière qui capta son attention, mais plutôt l'image de la poitrine de la jeune fille qui trottait en lui, et surtout, l'odeur exquise qu'elle dégageait, une senteur fine et fraîche de fleurs dont il ne connaissait pas le nom.

Au *Gloire soit au Père*, sans raison, il tourna lentement la tête vers l'arrière, et l'image qu'il aperçut alors le fit frissonner de toute sa substance profonde. Ce fut comme si son âme, pour quelques instants, s'était évadée de son corps pour exister par elle-même, sans lui, seule, sans sa volonté, sans même sa permission. L'étranger se tenait debout, les bras croisés, l'œil intense, à trois pas, seul, droit et insondable...

Le garçon se sentait coincé. La mort d'un côté. De l'autre, une femme enceinte l'empêchait de chercher refuge dans l'auto qui l'avait emmené là. En arrière, ce personnage bizarre qui le regardait. Et, à côté, Paula qui l'effrayait tout en le troublant comme jamais. Tout cela paraissait d'une étrangeté incompréhensible et tout à fait bouleversante.

Une curieuse chaleur se promenait en lui, semblable à celle qu'il connaissait de ces moments où il soulageait sa vessie trop pleine et que le jet chaud de son urine sortait de son corps...

C'était cela, il devait aller uriner quelque part dans un lieu hors de la vue de tous. C'était le refuge dont il avait besoin. Il passa entre Paula et Bédard. L'adolescente comprit où il allait. Elle fut sur le point de lui dire de revenir pour lui parler de l'école ou bien d'autre chose, mais se contint et retourna à son propos avec son amie, sans même lever les yeux sur l'étranger.

Gilles contourna la maison, puis la soupente, et s'en alla derrière la glacière dans une encoignure où on ne pouvait le voir autrement qu'en le surprenant sans faire de bruit.

Il défit les boutons de sa culotte et en touchant à son sexe, il le trouva durci, comme enfiévré. Et le seul fait d'y toucher faisait augmenter considérablement son rythme cardiaque. Quelque chose d'immensément plaisant tournoyait dans sa poitrine. Et une grande sensibilité bourrée de sensations terriblement agréables s'exprimait à chaque frôlement. Il se toucha plus fort et ce fut plus important encore. Il recula la peau du prépuce en se demandant pourquoi il n'urinait pas même s'il voulait le faire. Le plaisir s'accrut. Il la recula une seconde fois, puis une autre plus vite. Il se produisit alors une explosion inattendue. Son corps évacua un jet de liquide blanc, épais et visqueux qui s'écrasa contre le bois gris de la bâtisse et y coula bien plus lentement que ne l'aurait fait de l'urine.

Alors, désarçonné, il se boutonna et retourna devant la maison. L'étranger avait disparu et Paula s'en allait avec son père vers leur auto.

Devant lui, les événements se précipitèrent, mais son esprit demeurait accroché ailleurs. Dominique Blais arriva bientôt dans un fourgon ambulancier, et avec l'aide d'un autre homme, on y mit le corps. On se mit en route et le vicaire suivit avec la veuve. Gilles retrouva sa place sur la banquette arrière de l'auto puis, alors que les curieux se dispersaient, la Ford blanche reprit à son tour la route vers le village.

Le garçon retrouva sa valise de colporteur et poursuivit sa tournée. Mais plus rien n'était pareil pour lui.

Et rien ne serait jamais plus pareil…

***

Chapitre 20

Il était midi.

Rose s'en allait au magasin.

Elle ne faisait plus les portes depuis quelques jours. La tournée de sa clientèle était complétée pour la saison. Elle avait bien perdu des clientes après sa séparation, mais les avait remplacées par de nouvelles, et ainsi, ses ventes se consolidaient à nouveau.

Il lui avait semblé, cet avant-midi-là, par le bruit de la circulation des véhicules, qu'elle pouvait entendre par les fenêtres ouvertes, que quelque chose de pas ordinaire s'était produit. Elle avait fini par penser que rien maintenant n'était plus habituel et normal dans le village en raison de ces apparitions récentes. Il venait beaucoup plus d'étrangers, et à tout bout de champ, on pouvait apercevoir des inconnus sur le cap à Foley. On était jeudi et le prochain rendez-vous de la Vierge avec les enfants Lessard était pour samedi à la tombée du jour. Déjà, l'hôtel était rempli. Jusqu'à Ovide Jolicoeur qui avait téléphoné pour annoncer sa visite.

Le temps restait lourd, épais, menaçant. L'air humide continuait de sentir l'orage et la foudre, quelque part dans un monde inconnu, rebâtissait l'éclat de sa puissance.

La femme entra. Elle avait besoin d'une boîte de poudre à laver. Personne. Freddy pouvait être à fumer sa pipe au bureau de poste ou bien se trouvait-il dans l'entrepôt et arriverait-il dans les prochaines secondes. Elle marcha jusqu'au local de la poste qu'elle trouva désert.

Elle portait une robe de coton à fines fleurs vert pâle qui la découpait bien. Peu de femmes possédaient une devanture aussi plantureuse. Que Ti-Noire Grégoire et Noëlla Ferland en fait, et le hasard voulut qu'elles se rencontrent toutes les trois quelques instants plus tard.

Ce fut d'abord Ti-Noire qui arriva de la cuisine en croquant dans une branche de céleri.

– Bonjour, madame Rose, comment c'est que ça va aujourd'hui ? dit-elle à l'autre qui attendait, assise à un banc du comptoir de l'épicerie.

– Comme toujours.

– Et toujours bien, je gage.

– Oui.

– Je mange du céleri. C'est Thérèse qui m'a envoyé un nouveau régime en vogue aux États. Ben du céleri pis des concombres.

– Où c'est que t'as eu ça, de ce temps-citte, du céleri ? Il est ben trop de bonne heure dans la saison pour ça !

– Ça vient de Bergeron Fruits et Légumes. Le camion est passé avant-midi. Paraît que c'est de la culture de serre. Ils disent que dans pas trop d'années, on va en avoir à l'année.

– T'as rien à perdre, toi.

– Mais regardez-moi le châssis !

Et la jeune femme se redressa derrière le comptoir de sorte que sa poitrine apparaisse dans toute sa splendeur et une robe blanche à bretelles étroites qui laissaient ses épaules à nu.

– Mais regarde-toi la petite taille de guêpe. Tu me fais penser à la belle actrice là... tu sais, la femme à Mickey Rooney... une grande brune...

– Ava Gardner.

– C'est ça.

– J'ai ben des pieds de céleri à manger avant d'être belle comme elle.

– Mais non, t'es belle comme tout. Avoir ton âge, moi, pis ton allure, je m'en irais aux États. Directement à Hollywood.

– Quand je m'en irai aux États, ça sera à New York. J'y pense de plus en plus parce que la vie est courte.

– À qui le dis-tu, que la vie est courte !

– En tout cas, y a notre Léonard Beaulieu qui doit s'en rendre compte…

– Comment ça ?

– Vous savez pas la nouvelle ?

– Voyons donc, sa Lucille serait-il morte en accouchant ?

– C'est pas elle qui est morte, c'est lui.

– Hein ?

– À matin. Électrocuté dans le Dix.

– Où ça ?

– Dans le Dix, proche de chez monsieur Georges Boutin. Quasiment sur son terrain. En allant réparer la ligne électrique…

– J'en reviens pas. Vingt-cinq ans pas plus. Il est de l'âge d'un des miens. Je m'en rappelle quand il est venu au monde.

Ti-Noire tira un tiroir bas et s'y accrocha le pied en finissant son morceau de céleri.

– Mort raide sur le coup. Une décharge pour tuer un éléphant, qu'ils ont dit. C'est les gars de la Shawinigan… le grand Béliveau, qui sont allés le décrocher du poteau. Pas beau à voir. Cuit comme du boudin, qu'ils ont dit.

On entra dans le magasin et les deux femmes se tournèrent la tête pour savoir qui arrivait. Rose ressentit un grand embarras, son pouls s'accéléra et il lui semblait que son visage rougissait. Venaient vers elle Noëlla Ferland et son fils Jean d'Arc. Le garçon avait-il parlé ? Sa mère avait-elle deviné ? Venait-on pour la confronter ? Elle avait eu beau se préparer mentalement à cela, la réalité montrait un tout autre visage. Il fallait qu'elle se raidisse et prenne le taureau par les cornes.

Des trois, Noëlla était celle qui affichait la plus grosse poitrine et surtout le décolleté le plus osé, en carré, et qui laissait aisément voir la naissance des seins. Voilà qui donnait des munitions à Rose. Qu'elle soit plus décente, cette femme-là, et elle pourrait donner des leçons aux autres !

Rose fut d'un contrôle exemplaire. Son regard croisa à peine celui du garçon qui gardait un sourire figé sur le cramoisi de son visage. Et elle salua l'arrivante avec un empressement exagéré.

– Si c'est pas la belle Noëlla, bonjour, comment ça va ?

– Ça va chaud pis humide, dit la femme sans sourciller.

– Ça, vous pouvez le dire, enchérit Ti-Noire.

– Mais je me console à l'idée que c'est trois fois pire à Montréal. Pis, mon garçon, comment que vous le trouvez ?

– Ben avenant pis ben beau. Hein, madame Rose ? répondit aussitôt Ti-Noire.

Rose se pressa d'enterrer la question de chacune par un autre sujet :

– T'oublieras pas ma boîte de Rinso, Marielle, s'il te plaît.

Ti-Noire leva la tête vers l'étalage de savon à lessive et n'en vit pas. Elle annonça qu'elle se rendait en quérir dans la chambre de réserve entre les deux étages du magasin et elle partit aussitôt.

Fière de son fils, Noëlla aimait qu'on lui dise qu'il avait été bien élevé autant par elle que par la grand-mère de l'adolescent. Mais Rose restait sur le qui-vive, ne sachant si la femme avait la puce à l'oreille à propos de l'événement du samedi précédent, ou même peut-être savait-elle et ne voulait-elle pas en faire un scandale qui s'opposerait à ses propres intérêts.

– Pis toi, ma chère, quand est-ce que tu repars pour la grande ville ?

– Une couple de semaines. Pis mon grand gars, ben, il reste par icitte encore un an… pour finir sa neuvième année, vous comprenez.

– Tu vas en faire un homme instruit.

– Après la neuvième, ça sera la dixième à Montréal, pis ensuite la onzième…

– Pis la douzième commerciale, ajouta le jeune homme avec fierté.

Rose le regarda à peine et poussa ses lunettes sur son nez.

Gilles Maheux entra dans le magasin. Il venait acheter une boîte de jus de tomate pour sa mère. À son heure de dîner en ce moment, il reprendrait sa vente plus tard. Son pas fut si mesuré que Ti-Noire, le voyant venir alors qu'elle redescendait le fit remarquer :

– Quin, mon petit Gilles. De coutume, t'es plus pressé que ça. Un coup de vent pis te v'là dehors d'habitude…

Le garçon sourit. Il abaissa son regard mais au passage, ses yeux léchèrent la poitrine de la jeune femme. Il en fut troublé et embarrassé, comme si les autres, là, savaient ce qu'il venait de faire.

– Pis, comment que ça va dans tes ventes ? s'enquit Jean d'Arc.

– Ça va ben…

Rose lui dit :

– Ta mère m'a dit que tu faisais du porte-à-porte. Trouves-tu ça plaisant ?

– Ben… oui…

Et cette fois, le regard du nouvel adolescent accrocha le buste de cette femme qu'il avait déjà vu nu, mais sans en être aussi troublé que maintenant. Rose y songea quand il baissa les yeux, et malgré sa nervosité inapparente toujours aussi importante, elle dit :

– Tu viendras me voir avec ta valise. J'ai un chapelet qui est tout cassé pis il m'en faudrait un beau. Ta mère m'a dit que t'en vendais en belles pierres du Rhin…

Le garçon sourit et acquiesça d'un signe de tête.

– Ah, lui, c'est le mien ! s'exclama Ti-Noire. C'est le plus fin chez eux. On l'aime assez qu'on voudrait l'emprunter pour aller se promener.

Une fois encore, la porte du magasin s'ouvrit, et voici que Jos Page fit son apparition dans ses hardes puantes, sa barbe de quatre jours et son pas de quêteux fatigué.

Pendant qu'il s'approchait, que Ti-Noire revenait derrière le comptoir et y posait la boîte verte à lettres blanches, Noëlla dit à Rose qui se sentit pénétrée jusqu'au fond de l'âme :

– Le malheur avec les petits gars, c'est que ça devient des hommes trop vite. Une vraie mère aimerait mieux les garder tout le temps dans l'enfance, pas vous, madame Rose ?

– C'est naturel.

Gilles vit le décolleté de Noëlla. Et il baissa à nouveau les yeux, se sentant encore plus troublé par sa poitrine que par celle des deux autres femmes. Et cette même chaleur qu'il avait sentie le matin sur les lieux de l'accident monta en lui. Son sexe raidissait. Il avait peur que sa voix tremble et le trahisse. Ti-Noire prit les devants. Elle savait d'avance ce qu'il venait chercher puisque sa mère envoyait un enfant ou un autre tous les midis pour acheter la même chose.

– Pis toi, mon petit Gilles, tu viens chercher du jus de tomate.

L'enfant ne put répondre. Jos Page déclarait de sa voix morveuse à lèvres battantes :

– Y a l'gars à Igziar Boldjeu qu'est mort raide su' Ti-Georges Boutin.. jhuwa, jhuwa, jhuwa, jhuwa…

Ti-Noire fit les grands yeux.

– Mais c'est pas drôle, ça, Jos.

– Non, c'est pas drôle, jhuwa, jhuwa, jhuwa, jhuwa…

Noëlla s'étonna:

– Léonard ou ben Léopold?

– C'est vrai, c'est deux jumeaux, dit Rose.

– Pis ils travaillent tous les deux sur les lignes électriques, ajouta Jean d'Arc.

– Léonard, dit Ti-Noire. Électrocuté dans un poteau à matin de bonne heure.

– Ça vient d'jenque d'arriver, jhuwa, jhuwa…

Gilles intervint:

– Non, non, c'est arrivé à huit heures et demie.

– Tu sais ça, toi? fit Ti-Noire avec un sourire sceptique.

– J'sus allé dans le Dix avec madame Lachance pis la femme à Léonard…

Gilles devint le véritable centre d'attraction. Il avait été témoin d'une terrible douleur, du déchirement d'un cœur de femme, et on lui posa toutes sortes de questions, oubliant les commissions, l'odeur du vieux Jos et la boîte de Rinso.

«Comment ça se fait que t'es allé là?»

«Lucille, elle a-t-il fait une crise de nerfs?»

«Le corps, il bougeait-il encore?»

«As-tu vu l'étranger qu'a loué la maison à Polyte?»

«Est-il mort sur le coup?»

«Comment qu'ils ont fait pour le décrocher?»

«Elle a dû brailler toutes les larmes de son corps, la pauvre Lucille?»

«Pis madame Lachance, elle?»

Tout cela calma Rose qui se leva et paya sa boîte en déposant la monnaie sur le comptoir. Quand il eut sa chance, Jos Page entra dans la conversation, mais par une question posée à Jean d'Arc, et qui n'avait rien à voir avec la tragédie du rang Dix.

– Coudon, s'rais-tu allé corder du bois dans la cave à Jolitcheur l'autre soère, toé? J't'ai vu rentrer là quand c'est qu'tout le monde était su'l cap à Foley, jhuwa, jhuwa, jhuwa, jhuwa…

Noëlla regarda son fils, sans avoir l'air de comprendre. Rose tomba dans une chaudière d'eau bouillante. De qui viendrait le miracle qui la sortirait de ce mauvais pas ? De Jos Page, lui-même, qui dans sa naïveté ne donnerait pas le temps à l'adolescent de répondre ? De Jean d'Arc, qui saurait lui servir une opposition, un mensonge de première classe ? De Noëlla, qui, comprenant la vérité, chercherait à sauver la face et à éviter le scandale ? De Ti-Noire, qui ferait un de ces coq-à-l'âne dont elle avait la joyeuse habitude ? De Gilles Maheux, que Rose chercha à distraire en redressant les épaules pour que ses seins pointent davantage devant ses yeux, et dise quelque chose pour enterrer son malaise ? D'elle-même, qui se trouverait dans la seconde à venir un alibi et une raison justifiant le geste que Jos attribuait à Jean d'Arc ? Ou bien la solution viendrait-elle du ciel ? Ou même de l'enfer ?

Ce fut Hitler qui vint à son aide. Mais elle ne le saurait jamais, et le führer non plus, puisque les dernières parcelles de ses ossements maléfiques achevaient de se décomposer après cinq ans d'action de la chaux vive quelque part au cœur de Berlin.

Entrèrent dans le magasin deux personnages volubiles qui, par leur simple présence noire, firent taire tout le monde. Deux Juifs hassidiques portant chapeau et cheveux boudinés et qui se parlaient en anglais. L'un d'eux avait vécu plusieurs mois à Auschwitz. Et à la libération, il avait mis entre lui et la vieille Europe tout le kilométrage qu'il avait pu afin d'échapper aux préjugés qui tuent après avoir échappé à la mort. À Montréal, il avait trouvé un bon filon dans le textile. Maintenant associé avec l'autre, un grossiste en chemises et chandails, il rêvait de tisser tout un réseau de manufactures qui emploieraient une main-d'œuvre féminine bon marché profusément disponible dans ce Canada français docile et servile où il suffisait de se déclarer Juif de Montréal et montrer un portefeuille bourré de billets verts pour obtenir les mêmes génuflexions qu'extorquait la Gestapo des curés en brandissant les menaces de faire brûler les âmes dans le four crématoire éternel.

– Ah! ah! mes eumis... *do you know... mister...* euh... Billaoudô?

La plupart ne comprirent pas, mais Jos oui. Il dit:

– Hô Bilodeau, le vendeux de guenilles, c'est de c'te bord-là du chemin à quatr' maisons d'icitte, jhuwa, jhuwa, jhuwa...

Les Juifs le regardèrent avec le même étonnement que celui qu'on avait à les voir, eux et leurs cheveux à ressorts ainsi que leurs chapeaux noirs sur le pignon de la tête.

Ti-Noire comprit qu'ils n'avaient rien compris et dit dans un anglais tordu:

– *Mister Jos Bilodeau... over there... three, four houses...*

– *Ah! thank you, thank you,* dit un Juif en saluant vivement comme s'il était à prier devant le mur des Lamentations.

Il fit un grand geste de la main pour désigner tout le monde et reprit:

– *You are very good, very good...*

On les vit s'en aller. Quand la porte fut refermée, Rose déclara, les yeux agrandis:

– Mon Dieu, ils se forcent pas pour trouver, eux autres... Ils avaient rien qu'à faire un arpent de plus et ils auraient ben vu par eux-mêmes... Ben là-dessus, je vous salue...

On la regarda partir à son tour. Personne ne se souvenait plus de la question de Jos Page à Jean d'Arc, excepté l'adolescent lui-même... et Gilles Maheux, à qui elle revint en mémoire quand il partit en courant avec sa boîte de jus de tomate.

***

Chapitre 21

Les Juifs stationnèrent leur Studebaker bourgogne au pied d'un escalier à cinq marches devant le magasin de J.-A. Bilodeau. Ce n'était pas la première fois qu'ils y venaient et leur arrêt au magasin Grégoire pour demander des renseignements leur avait servi de prétexte promotionnel. Ils désiraient se faire voir un peu partout afin que les gens de jasette fassent connaître leur présence dans la paroisse. Derrière cela, il y avait leur intention de pousser le fils Bilodeau à ouvrir une manufacture de chemises. Nul n'étant prophète dans son pays, on croirait bien plus aisément en son projet si on le savait soutenu par des étrangers.

Les deux hommes avaient entendu parler par les journaux et par les Bilodeau de l'affaire des apparitions de la Vierge en laquelle la gent moutonnière croyait dur comme fer, disait-on. Eux aussi feraient des apparitions ici et là dans le village et leur éclat serait l'image que les gens se feraient de leur puissance et de leur richesse.

Mais tout cela devait commencer par les Bilodeau eux-mêmes. Puis, par cercles concentriques, on répandrait la conviction, afin que la population en vienne à financer elle-même l'infrastructure puis à fournir la main-d'œuvre bon marché, et qu'elle le fasse avec ces sourires de reconnaissance qui caractérisent les enfants obéissants et heureux. Un camp de concentration jovial quoi !

Ils descendirent de voiture et discutèrent devant, afin qu'on les aperçoive de chez les voisins, de la Caisse Populaire, du magasin Boulanger… Leur plus grand problème serait d'enjôler le presbytère, mais ils étaient sûrs d'y arriver sans trop de mal; après tout, ils n'étaient pas des vendeurs de mithridate, et grâce à eux, des dizaines de jeunes femmes trouveraient de l'ouvrage dans leur patelin, et les Bilodeau et eux-mêmes, beaucoup de profit. Juste répartition selon les mérites de chacun!

Entre eux, ils se parlaient dans un mélange d'anglais, de yiddish et d'allemand.

– C'est de l'otorrhée que tu fais, mais tu ne te laves pas bien les oreilles, mon cher Pierre.

– Ah! mais non! Ah! mais oui, je me lave correctement!

– Tu dois te savonner jusque dans le canal auditif pour déloger la sérosité…

À l'intérieur, on les avait aperçus, et vite reconnus, car on les attendait ce jour-là. Et c'est pourquoi Laurent et son père restaient à la maison, fébriles, heureux et inquiets.

Ce fut la mère, Gracieuse, femme adipeuse et souvent migraineuse, qui s'empressa de se rendre à la cuisine derrière le magasin afin d'avertir les hommes de l'arrivée des Juifs. Personne. Il lui fallut sortir dans la cour arrière pour les retrouver qui jasaient avec Claudia dans la balançoire couverte entourée d'arbres à lilas.

– Ils sont là, *they are there*, leur cria-t-elle.

On tâchait de communiquer le plus possible en anglais dans la maison et le magasin, mais le père ne s'y entendant pas du tout, on répétait le plus souvent une phrase dans les deux langues quand il se trouvait là.

Les deux hommes endimanchés, veston, cravate, se levèrent aussitôt et Claudia demeura seule à rêver dans ce décor romantique, enchanteur et parfumé. Elle connaissait d'instinct son rôle. Car si les Juifs, eux, savaient qu'ils venaient prendre quelque chose dans ce milieu, ils laissaient aux Bilodeau et à tous l'image de bienfaiteurs, dispensateurs de travail donc d'argent. Il fallait donc les séduire, les convaincre. La part de la jeune fille dans cette entreprise consistait à être elle-même : belle, silencieuse, mystérieuse. Et un peu mélancolique. Sous les lilas fleuris, l'illusion était divine.

Jos dit à son fils d'aller au-devant d'eux, tandis qu'il ferait semblant de classer des habits. Et Gracieuse retourna au rayon des dames en attendant qu'il se passe quelque chose. On était déjà au courant du deuil qui frappait les familles Beaulieu et Lachance et cela pourrait vouloir dire des ventes importantes de vêtements noirs avant la fin de la journée.

Laurent attendit devant la porte. Il ne fallait pas interrompre ses visiteurs, et ce n'est qu'au moment où ils se tournèrent vers lui qu'il sortit en s'exclamant en anglais :

– Monsieur Pierre, monsieur Samuel, bienvenue chez nous. Le temps est gris, mais le cœur est limpide.

– Nous étions à discuter au sujet de ta vitrine. Peut-être que tu devrais songer à te faire installer une enseigne au néon, là, toi.

L'autre Juif enchérit :

– Peut-être un tube qui ferait le tour pour attirer l'attention de la clientèle le soir. Souvent, on fait plus d'argent le soir que le jour, mon ami, tu sais…

Laurent mentit :

– On a justement parlé de ça, hier, mon père et moi. Quelle belle idée !

– Et si tu nous disais avant d'entrer dans la maison qui sont ceux qui vivent là, là et là…

– À moins, suggéra l'autre, qu'il nous fasse faire une petite tournée du voisinage un peu plus tard.

Laurent consulta sa montre dorée.

– À l'heure qu'il est, messieurs, j'imagine que vous devez avoir faim? Arrivez-vous directement de Montréal? Vous avez une belle Studebaker flambant neuve…

– Mon jeune ami, tu es capable de mener plusieurs idées de front et je dois t'avouer que j'aime ça. Oui, j'aime bien ça. Dans une manufacture, le patron doit agir comme un général et penser à dix, vingt choses différentes en même temps… ou presque. Un général d'armée, c'est cela…

– Entrez! Ma mère a fait mijoter quelque chose de bon. Mais je ne sais pas ce que c'est, elle vous le dira elle-même.

Ils le précédèrent puis s'arrêtèrent, et ensuite, le suivirent dans l'allée entre les étalages d'habits et autres vêtements que ni l'un ni l'autre Juif ne regarda puisqu'ils connaissaient par cœur cette marchandise, Goldberg étant le fournisseur principal des Bilodeau.

Il y eut salutations, échange de banalités avec Jos et Gracieuse, puis les arrivants furent conduits dans la maison, au salon sombre où l'on entamerait la discussion en attendant de passer à table.

Pendant que Samuel s'intéressait aux photos en noir et blanc suspendues aux murs, et que Pierre égrenait sur le piano quelques notes tristes lui rappelant une mélodie simple et lente que chantaient les condamnés à Auschwitz, dans les chambres à gaz et quand ils faisaient la ligne pour y entrer, Laurent leur servit une coupe de vin blanc chambré qu'il prit à même une bouteille, cadeau de Noël de Samuel lui-même, et qu'on avait précieusement conservée au réfrigérateur depuis lors.

On trinqua debout, puis les Juifs déposèrent leur coupe sur une table et leur chapeau sur le piano avant de s'asseoir, l'un sur un divan brun et dur et l'autre dans un fauteuil profond. Laurent prit l'autre fauteuil et on ne tarda pas à renouer avec des idées déjà brassées qu'il suffisait maintenant de finaliser.

Le plan était simple. D'abord, on avait besoin d'un lieu qui puisse recevoir le nombre de machines voulu. La bâtisse existait déjà, mais les Juifs ne l'avaient pas encore visitée. Et ils étaient là pour ça aussi. Et puis de l'argent. Il fallait vingt-cinq mille dollars. Une somme importante en une époque où un habit se vendait entre quinze et vingt-cinq piastres. C'était pour l'aménagement des lieux, l'achat de machines et le fonds de roulement.

– Dire que ça sera facile à trouver, ce serait exagéré, fit le jeune homme songeur.

– C'est pas mirobolant pour une aussi belle paroisse, dit Pierre, un homme bedonnant à gros nez rouge et qui dispensait de la sympathie par chaque muscle de son visage.

– Mon père a trois mille, moi mille et ma sœur Claudia mille : ça fait vingt pour cent de la somme totale.

– Et nous trois mille, dit Pierre, le regard agrandi comme s'il venait d'annoncer une apparition de la Vierge. Ce qui veut dire déjà huit mille en tout, donc près du tiers de la somme requise.

– Mademoiselle Claudia partagera-t-elle quelques moments avec nous aujourd'hui ? demanda Samuel, un homme de 40 ans que l'image de la jeune femme avait laissé pantois chaque fois qu'il l'avait aperçue lors de ses quelques visites en Beauce.

– Elle se repose à l'extérieur, mais elle va venir nous rejoindre au repas, peut-être avant.

– Sa santé est bonne au moins ?

– Excellente.

– Et le mariage, c'est pour bientôt ?

– L'année prochaine, c'est à peu près sûr.

Gracieuse vint vernousser dans la cuisine tandis que son mari tenait le magasin. Il y eut discussion brève sur les détails du repas et à cause du temps lourd et du manque d'appétit des visiteurs, on s'entendit pour un lunch aux sandwichs à l'extérieur où on pourrait poursuivre les entretiens d'affaires en tout agrément.

Mais le charme de Claudia empêcha les choses de se dérouler comme prévu. Pierre la pria de rester où elle se trouvait tant le spectacle lui plaisait, et ce furent Laurent et sa mère qui servirent les sandwichs et les breuvages sur une table étroite posée sur le plancher de la balançoire. Et il ne fut question que de culture, littérature, peinture, sculpture... Laurent promenait son regard d'un Juif à l'autre et à sa sœur, il écoutait et pensait hockey, Cadillac et argent.

Il avait déjà un rendez-vous pour le milieu de l'après-midi avec Fortunat, dont il espérait un investissement de cinq mille dollars. Quant aux douze mille qui manqueraient encore, il les trouverait à la Caisse populaire, peut-être à la Banque Nationale à sa petite succursale à Saint-Honoré. Et en dernier ressort si nécessaire, à travers une collecte de fonds publics.

Pour le jeune homme ces jours-là, le rêve et la réalité constituaient les deux chevaux d'un même attelage, celui qui le conduirait vers des lendemains qui chantent.

L'heure venue, on se rendit visiter la bâtisse vide, propriété de la Caisse populaire depuis la faillite de son précédent occupant. Laurent avait eu la clé pour la journée par madame Bureau. C'est dans l'automobile des visiteurs qu'on effectua le court trajet. Jos et Laurent occupèrent la banquette arrière et demeurèrent silencieux. Les Juifs semblaient se faire des commentaires en yiddish à chacune des maisons de la rue jusqu'à la bâtisse en blocs de ciment.

– Magnifique! s'exclama Pierre. Magnifique!

Cette fois l'homme prit un cartable et, tout au long de sa visite des quatre étages, il dressa des schémas, situant chaque machine comme elle devrait l'être, dessinant les espaces pour les bureaux, prévoyant des gicleurs automatiques, les aires d'entreposage.

Ensuite, on se rendit à l'hôtel où Fortunat les emmena dans le bar à tuer, le meilleur endroit de l'établissement à part les chambres pour être tranquille en plein cœur de jour. Tout d'abord les Juifs furent déçus d'apprendre qu'aucune chambre ne serait libre avant le dimanche. Ils devraient donc se faire héberger à Saint-Georges les trois prochaines nuits. Qu'importe, peut-être pourraient-ils faire de la prospection là-bas !

– On en refuse au moins dix par jour, vous comprenez, vu les apparitions.

L'entretien fut long et laborieux. Fortunat, pas plus que J.A., ne connaissait un traître mot d'anglais et Laurent devait traduire du mieux qu'il le pouvait dans les deux sens. Pour l'essentiel, tout fut exposé. L'hôtelier savait pourquoi on était venu et il reçut leur demande avec bienveillance. Et pourtant, sa décision était prise à l'avance. Il n'investirait pas d'argent dans une manufacture. Ce n'était pas du tout son rayon. Et Jeannine possédait des dons pour l'hôtellerie pas pour l'industrie textile.

On était à la croisée des chemins. Il pouvait acheter un hôtel de Saint-Georges avec cinq mille dollars de comptant ou bien investir l'argent dans le projet de Laurent.

– Donnez-moi vingt-quatre heures pour voir à tout ça.

– Vos actions dans la compagnie vont doubler leur valeur chaque deux ou trois ans, lui fit dire Pierre.

– J'en doute pas une seule seconde, lui fit répondre Fortunat.

– Cinq mille de toi plus ce qu'on a réuni, nous autres tous ensemble, plus un montant de la banque pis c'est parti, dit Jos entre deux rires de colporteur.

– Demain matin, t'as ta réponse. Comme ça, tu vas pouvoir établir ta demande à la banque dans la même journée, vu que ça va être vendredi pis que lundi prochain, c'est fermé à la banque pis à la Caisse…

Il restait à Fortunat à connaître mieux le véritable fond de la pensée de sa fille. Certes, elle voudrait que son père choisisse le projet de Laurent plutôt que le sien à elle, mais en son for intérieur, là où seul un père peut aller explorer sans se laisser aveugler par le sentiment, que trouverait-il ?

Dès la fin du souper, il la conduisit à la chambre d'Émilien après avoir demandé à l'adolescent de ne pas y venir tant qu'ils ne seraient pas de retour en bas. Et sans cesser de marcher de long en large devant la jeune femme assise sur le lit, il lui résuma la situation. Elle donna son opinion.

– Je l'aime, Laurent, mais j'me vois pas travailler dans une manufacture, encore moins rester à la maison pis élever des enfants et faire rien que ça. Non. S'il choisit d'aller de son côté, qu'il le fasse ; moi, je vas pas le suivre. S'il veut venir du mien, ça va marcher. J'y pense depuis quelque temps, depuis que vous parlez de nous acheter un hôtel, pis encore plus depuis que lui me parle de sa *shop*. Mon idée est faite. Je reviendrai pas là-dessus…

– J'sus ben content de voir que t'es raisonnable de même pis que tu sais ce que tu veux pis où que tu vas. Y a pas beaucoup de filles de ta génération qui sont capables de ramer par eux-autres même dans la chaloupe de leur vie. Félicitations, Jeannine ! Je vas l'appeler au téléphone pis comme ça, personne va perdre de temps.

À la table de cuisine des Bilodeau, on continuait de planifier. Il avait été question d'un stage de Laurent en ville pour apprendre à travailler sur chaque machine et mieux connaître la manière de gérer une telle entreprise. C'est la mine déconfite que le jeune homme revint auprès des Juifs et de sa mère après l'appel de Fortunat.

– Il achète un hôtel à Saint-Georges. L'argent qu'il a de disponible va tout là au complet. S'il avait un autre moyen, il me l'aurait dit…

Gracieuse s'emporta, pesta dans les deux langues. Fortunat était un mauvais citoyen ; un hôtel à Saint-Georges, ça n'apporterait pas de gagne à Saint-Honoré. On se rabattit sur l'idée de la banque.

– La bâtisse appartenant à la Caisse, il serait surprenant que la banque prête, réfléchit tout haut un des Juifs.

– Il reste à sortir douze mille piastres de la Caisse populaire, dit l'autre.

– Pas une petite affaire, même si on connaît le gérant depuis belle lurette et si Claudia va se marier avec le futur gérant. C'est un comité de crédit qui décide. Sont échaudés par la faillite à Ronald Nadeau…

– C'est maintenant que notre aide vous sera la plus précieuse, déclara Pierre en ouvrant son cartable à une page vierge et se mit à tracer les grandes lignes d'une stratégie…

– Qui sont les membres de ce Comité de crédit ? Que font-ils ? Où vivent-ils ?

– Y a Joseph Bellegarde, un homme qui a une petite *shop* à bois mais qui est pas facile pour autant. Y a Poléon Boucher, un cultivateur à sa retraite. Mais le plus dur des trois, ça va être Lucien Boucher, un cultivateur qui aime pas trop le monde du village, les étrangers, les Anglais pis les… Juifs.

– Les plus récalcitrants ne sont pas toujours ceux-là qu'on pense !

***

Chapitre 22

Rachel pleurait souvent, mais elle ne sombrait pas.

L'optimisme des Grégoire, cette confiance en l'avenir et en la vie, qui s'exprimait par le rire copieux de Bernadette et son sens profond de l'empathie, par cette ouverture aux autres de Freddy, même quand il se montrait bourru, et par ce côté bon enfant de Ti-Noire, qui aimait les gens sans pour cela se laisser écraser les pieds par qui que ce soit, mais qu'elle savait habiter aussi les autres de ce nom, Berthe, Raoul, Armand et tous ceux-là de la famille du frère à Freddy, Pampalon, parti s'établir dans la paroisse voisine quelques années auparavant, ne l'abandonnait pas dans le drame.

Combien de fois dans sa vie n'avait-elle pas vu Freddy assis près de la grille de la fournaise, fumant sa pipe et pleurant à grosses larmes, et, le moment d'après, lui parler d'elle-même ou accueillir un client comme de la visite rare ?

Un cœur dont le bilan sentimental est positif s'attire les bonnes nouvelles et les confidences heureuses. Malgré un chatouillement à son sens de la fidélité envers son patron, Pit Veilleux prit la décision non point de se rendre lui-même au Petit-Shenley, à la cabane à sucre de Freddy pour y chercher Jean-Yves s'il s'y trouvait, comme il le croyait fermement, mais de pousser Rachel à le faire puisqu'elle était sa fiancée.

Il se rendit à la boutique de forge. Et parla avec Ernest, un de ses amis, quelqu'un avec qui il communiquait tout à son aise.

Mais cette jacasserie ne fut qu'un prétexte à rencontrer Rachel. Car c'est à elle et à l'écart qu'il livrerait ses appréhensions et ses doutes. Encore faudrait-il qu'elle sorte de la maison. En attendant, il poursuivait son entretien avec le forgeron, qui n'avait pas allumé son feu de forge, en manque d'ouvrage par cette journée trop lourde.

Ernest travaillait au fond de la boutique sur ce qu'il appelait son établi à bois pas loin de son établi à fer où il besognait plutôt sur du métal : fers à cheval, fer forgé, fer ornemental, fer à bandages de roues, fers d'outils.

L'acier, c'était son gagne-pain, le bois, son passe-temps.

Ce jour-là, il finirait de tourner, gosser et chantourner les divers morceaux nécessaires pour fabriquer un petit meuble de rangement servant aussi de support à deux cendriers sur pied. C'était pour Rachel. Son cadeau de noces qu'il lui offrirait quand même malgré les événements. Et les deux hommes, Ernest, penché sur son morceau, et Pit, debout plus loin, finissaient de parler du temps qu'il faisait. Un commencement d'été pas comme les autres, leur semblait-il à tous les deux. Sans se le dire, on mettait l'affaire des apparitions de la Vierge en arrière-plan de l'échange.

– Sais-tu qu'on voit des chalins depuis la nuitte passée ?

– Les éclairs de chaleur, ça annonce les orages.

– De coutume, la dernière semaine de juin, c'est du soleil pis encore du soleil.

– Une année à sauterelles que ça me surprendrait pas pantoute. C'est drôle pareil, c'est qu'il se passe c't'année…

– Drôle, ça, ouais, tu peux le dire, Ernest. Pis toi, avec ton chapeau sur la tête, tu devrais ôter ça.

Le forgeron cessa de sculpter et se tourna lentement.

– J'sais pas si tu l'sais, mais j'ai la tête comme un genou asteure. Pus un maudit poil… quin…

Et l'homme pencha la tête en avant tout en ôtant son chapeau cabossé.

– Ah! je l'sais, j'en ai entendu parler. Le quêteux Labonté…

– C'est vrai que j'aurais pas dû le mettre dehors, mais asteure que c'est fait… J'sus allé à Mégantic voir quelqu'un qui est supposé guérir ça. De la marde! Le quêteux m'a dit qu'il a levé son sort. De la marde pareil!

– Ça a d'l'air que les enfants à Maria Lessard, sont capables de guérir ben des affaires.

– Ouais?

– C'est ça que j'ai entendu dire.

Ernest remit son couvre-chef et il fouilla dans la poche de ses *overalls* pour en sortir une découpure de journal qu'il déplia et mit devant le nez de son interlocuteur.

– Ça, c'est une lotion pour faire repousser les cheveux. Ils appellent ça du NIL-O-NAL. J'en ai fait venir par Freddy. Quin, lis ça!

– Si tu veux me le lire, lis-moé le. J'ai pas mes lunettes pis j'vois pus rien de proche…

– Tu dois voir ça, c'est écrit assez gros, fit Ernest en désignant le titre.

Pit voulait cacher qu'il ne savait pas lire et il dit:

– Envoye, envoye, lis toé-même.

– C'est écrit: *Avez-vous déjà vu un mouton chauve?*

Et il y avait sur l'annonce la tête dégarnie d'un mouton dessinée à la main, entourée de quatre têtes humaines tout aussi chauves et brillantes.

– *Vous, hommes et femmes, qui lavez vos cheveux… plus de douze fois par année… vous, hommes et femmes, qui pré… prétendez faire tellement mieux que Dame nature, vous, mes amis, qui avez plus de cheveux sur votre peigne et votre brosse que sur la tête… vous, mesdemoiselles, dont les cheveux ont été teints, décolorés, brûlés, desséchés, ondulés à la per… permanente, pero…*

pero… peroxydés, tordus et torturés jusqu'à ce… qu'ils ressemblent à du spaghetti cuit… oui, vous qui pensez que des cheveux longs, brillants et sains sont une chose… ma… magnifique, vous avez avantage à utiliser NIL-O-NAL…

– Ça a l'air d'un maudit bon produit en tout cas.

– Ça coûte pas cher d'essayer même si ça coûte cher la bouteille. Ils vendent ça dix piastres pis t'en as pour deux mois.

– J'vas parler de ça à mon frère Adjutor. Il se lamente qu'il perd ses cheveux, lui itou.

– Quin, prends l'annonce !

Puis Ernest chassa le propos par un autre qui lui permettait de se consoler de son sort, un sort bien moins effroyable que celui du jeune Beaulieu.

– Parlant de cheveux, le petit Léonard, dans le haut de son poteau à matin, il les avait raides comme de la broche piquante sur la tête. L'électricité, faut pas toucher à ça trop trop, hein !

– Ah ! c'est ben maudit ! J'ai déjà pris un choc, moé, dans la grange à Freddy…

Pit prit le ton de la confidence et poursuivit :

– C'est pas les cheveux qui sont restés raides mais d'autre chose… pis trois quatre jours de temps. Si tu me crés pas, demande-le à Rosée.

Ernest s'esclaffa. Son rire gras et lent remplit la boutique. Il fit un symbole du ciseau qu'il tenait dans la main pour mieux dire :

– Louis Grégoire, il se vante d'être de même les trois quarts du temps. C'est trois fois par jour avec sa bonne femme. Il peut ben lui pousser du poil sur le nez, celui-là…

– Aura beau dire, aura beau dire… on voit pas c'est qu'il se passe dans leur chambre à coucher.

Il y eut une pause et on se parla des foins.

– Ah ! tout est prêt, nous autres, déclara Pit. Les *racks* à foin sont réparés. Les voitures itou. Les lames du faucheux sont affilées. Les petites faux sont coupantes comme des rasoirs.

Il s'approcha d'une fenêtre arrière par laquelle on pouvait apercevoir au loin sur le flanc de la colline qui terminait l'horizon une partie de la manufacture de manches, fermée, et dont Ernest le pessimiste avait si souventes fois prédit la faillite et la fermeture. La grange verte cachait l'autre moitié.

– Coudon, as-tu entendu parler qu'ils vont rouvrir la *shop* de *peanuts* ?

– Non.

– Y a des Juifs de Montréal qui sont par icitte pour ça.

– Si c'est des Juifs, ça va marcher.

– Y en a deux par icitte avec le portefeuille ça d'épais.

– L'argent, ils sont capables de faire virer ça, eux autres. Dans le bois, les grands boss, c'est tous des Anglais. Nous autres, les Canadiens français, on est bons pour bûcher pis forger, pas pour brasser de la grosse argent. Leurs *peanuts*, ils vont les vendre, y'a pas de soin.

– Ça sera pas des *peanuts*, ça sera des chemises.

– Ça se vend encore mieux que des *peanuts*. C'est pas tout le monde qui se promène avec une mope dans les mains tandis que c'est tout le monde qui porte des chemises sur son dos… à part que les femmes, ça, c'est ben entendu…

Au magasin d'Éva, la mère de Rachel et une cliente s'échangeaient des confidences. Et la jeune fille pouvait les entendre par la porte entrebâillée et la grille à air chaud entre les deux étages.

– Ben moi, le dernier, si mon mari avait voulu attendre un soir de plus, il serait pas là, hein. Quatorze que j'avais déjà eus. Neuf de vivants. J'avais fait ma part. Mais les hommes, ça veut pas se retenir. Toi, Wilhelmine, t'en as rien que cinq, c'est pas trop pire...

– Mon mari, il pense rien qu'à ça. C'est deux, trois fois par jour, des fois quatre. Endurer ça, c'est pire que travailler. J'aime ben mieux tirer trois, quatre vaches...

Rachel retourna dans sa chambre un moment et s'assit devant sa commode pour se parler à elle-même devant le miroir. Elle avait beau les raisonner, les chasser impitoyablement, ses doutes sur le mariage lui revenaient souvent en force, surtout quand elle se mettait mentalement à la recherche de femmes pleinement satisfaites et heureuses dans leur vie de ménage. En plus d'observer les femmes qui ne se parlaient qu'entre elles, les exemples de Rose et de Noëlla Ferland lui revenaient chaque fois qu'elle les voyait, donc tous les jours que le Bon Dieu amenait.

Une fois de plus, elle voulut aller voir Esther et lui demander le sempiternel conseil, l'éternelle rassurance, comme si l'autre avait été une fontaine de sagesse.

Elle essuya son front humide et son visage avec un mouchoir, ajusta les bretelles de son corsage et descendit puis sortit. Elle s'en alla à la boutique pour y prendre sa bicyclette qu'elle laissait la nuit au bord de la porte à l'abri des intempéries et des emprunteurs indésirables.

Une fois dehors, elle allait monter sur le vélo quand elle vit venir de son pas largement ouvert le joyeux Pit Veilleux qui venait de couper court à sa conversation avec Ernest.

– Salut Rachel, j'te demande pas comment ça va parce que ça doit aller comme ci comme ça, hein ?

– Ouais.

– Toujours pas de nouvelles ?

– Non.

– Ben moé, j'en ai à te dire. Marche avec moé un peu...

Le cœur de la jeune femme fit un bond. Pit devait savoir quelque chose par Freddy ou autrement. Elle avança à côté de la bicyclette.

– La première affaire, faudrait que ça reste entre nous autres. Parce que Freddy, il aimerait pas que je te parle de ce que je vas te parler... Sais-tu, moé, j'pense que le Jean-Yves, il se cache au Petit-Shenley à la cabane à sucre à Freddy. Pis j'pense qu'il est revenu au village pour se prendre des provisions dans les hangars. De la fleur pis du cannage pis de la graisse pis des œuffes.

Rachel sentit son regard s'embuer.

– Si il a connaissance de la vie autour de lui, pourquoi c'est faire qu'il se manifeste pas carrément ?

– Parce que... il connecte avec la réalité pis il déconnecte tu suite... Comme un fil électrique cassé pis que les bouts se touchent pis se touchent pus...

– Pourquoi que Freddy envoye pas quelqu'un voir à la cabane ?

– Il veut pas l'envoyer à Saint-Michel-Archange pis il dit qu'il faut que la maladie fasse le temps qu'il faut. Moé, j'dis qu'il pourrait être dangereux pour lui-même. Ça serait pas mieux, le retrouver pendu dans la cabane ou après un arbre dans la sucrerie, hein !

Rachel eut un sursaut d'horreur.

– Pourquoi c'est faire que vous me dites ça ?

– Parcq que c'est comme ça. Moé, à ta place, j'irais voir à la cabane. C'est pas dur à trouver, tu montes...

Elle le coupa, mais sa phrase fut songeuse :

– Suis déjà allée, j'sais où c'est.

– C'est à peu près ça que je voulais te dire. Le pire qui pourrait t'arriver, c'est d'aller là pour rien. C'est toujours pas ça qui va te faire mourir, hein. Salut ben, pis bonne journée !

– Bonne journée, fit-elle distraitement.

Elle demeura là un bon moment à questionner ses sentiments profonds, ses craintes, ses espoirs, ses douleurs et même son avenir. Sur le point de monter sur la bicyclette, elle se demandait quelle direction prendre une fois dans la rue ? Celle du presbytère pour puiser à Esther ? Ou celle du bas de la Grande-Ligne et du Petit-Shenley pour peut-être sauver son fiancé et son cœur de femme à la fois ?

Une heure ou deux de réflexion lui étaient nécessaire, à elle, l'éternelle indécise. Et elle retourna sur ses pas et remisa son vélo sous le regard inquisiteur de son père, qui toutefois ne lui adressa pas la parole. Puis elle rentra à la maison et regagna sa chambre.

Une heure plus tard, vêtue d'un pantalon bleu et d'une blouse de coton imprimé de motifs tournoyants, elle ressortait de la maison et enfourchait à nouveau sa bicyclette sans rien dire à personne, et prenait la direction du bas de la Grande-Ligne, en croyant de plus en plus fort que Pit Veilleux avait raison dans ses supputations.

***

Chapitre 23

C'est sous le regard inquiet de Freddy Grégoire que Rachel Maheux s'éloigna du cœur du village en pédalant comme une forcenée.

Dans son cœur, en ce moment, l'espérance occupait le plus large espace et son œil brillait sous une grisaille qui n'avait pas l'air de vouloir démissionner de sitôt. Son fiancé serait là, il serait là. Et en bonne santé physique. On le ferait soigner. Il retrouverait son âme, son cœur…

Quoi de vilain, quoi de honteux à être victime d'une maladie de l'âme ? Son propre père, Ernest, voilà une dizaine d'années sombrait dans une profonde dépression nerveuse. On l'hospitalisait et on lui administrait des chocs électriques à répétition. Ça l'exposait, elle, à la même chose par son hérédité, tout comme Jean-Yves souffrait d'un mal venu de sa lignée maternelle.

Les maisons défilaient de chaque côté. Elle ne les voyait guère et fort peu que dans une vision secondaire alimentant une de ses mémoires distraites. Aux abords de la cour du moulin à scie, elle faillit se heurter au cheval noir conduit par Pit Saint-Pierre et qui s'engageait en travers de la rue avec son banneau de planches.

L'attelage s'arrêta à temps. Elle dut bifurquer brusquement pour éviter un désastre. Mais l'incident ne fut pas plus grave qu'un sursaut. Toutefois, il ne devait pas échapper à Pit Roy qui, devant sa cloueuse, surveillait toujours les environs en espérant des nouvelles à glaner pour pouvoir les placoter à sa façon aux heures de répit. Cette fois, peut-être avait-il empêché l'accident par des signes adressés à Rachel, alors que l'impact lui semblait imminent. La jeune fille avait aperçu son geste. Comment analyser dans leurs moindres composantes les tenants et aboutissants d'un destin ? Qui saurait jamais ?…

Et, par sa fenêtre, à côté du bac de paraffine, Marie Sirois la vit passer. Et ça lui remit en mémoire ce fameux appel à l'au-delà qu'on avait fait durant l'hiver lors d'une séance de spiritisme. Heureusement que Rachel et Ti-Noire s'y trouvaient. Et bien sûr, monsieur Dominique aussi que la soirée avait rendu fort prudent à propos de Fernand et quant à sa conduite bizarre.

Et plus loin, elle aperçut son jeune frère qui promenait son courage, son toupet et ses pieuseries bon marché d'une porte à l'autre comme s'il avait été Placide Beaudoin de Saint-Éphrem en personne avec son surprenant assortiment de produits Watkins.

– Gilles, lui cria-t-elle.

– Quoi ?

– Salut.

– Pourquoi tu me dis ça ?

– Parce que je te connais.

– T'es-tu folle ou quoi ?

– Oui.

– Où c'est que tu vas ?

– Tu le sauras pas.

– Ça me fait rien, t'as embelle à y aller à ton école…

Elle lui dit quelque chose en retour, mais déjà les mots étaient trop loin dans l'air humide qui transportait malaisément les sons.

Puis ce fut Arthur Quirion qui, penché sur un moteur de Ford à pédales, tourna la tête pour la voir aller. Et ça lui rappela qu'il avait travaillé pour Ernest à bâtir sa grange du village. Pour son ouvrage, il avait touché le salaire faramineux de cinquante cents par jour. Mais c'était ça, le prix des deux bras d'un homme en ce temps-là...

La bicyclette quitta le macadam et s'engagea sur la chaussée en gravier. Rachel cessa de pédaler pendant un moment afin de reposer un peu ses mollets. Et elle poursuivit sa route sur son erre d'aller jusque devant le premier cultivateur de la Grande-Ligne, Ildéphonse Dubé. Alors, elle dut reprendre l'effort qui durerait jusque sur le dessus de la côte des Talbot. Mais avant cela, elle passa devant la maison de Marie Sirois. Les trois filles de la veuve étaient assises dehors dans les marches de l'escalier. Elle les salua de la main. Les orphelines lui répondirent timidement.

Et enfin, Rachel atteignit le dessus la côte des Talbot. Lui apparut l'horizon lointain qui portait le cône du mont Adstock avec en biais la flèche de l'église de Saint-Évariste et beaucoup plus bas, celle presque neuve de l'église de Notre-Dame-de-la-Guadeloupe, anciennement Saint-Évariste-Station, là où passait le chemin de fer et où se trouvait une gare bourdonnante depuis l'autre siècle. Tout ça, c'était sa patrie bien-aimée, son coin de pays, comme le village qui s'effacerait bientôt derrière elle, comme la Grande-Ligne devant, route bordée de maisons dont celle de son école et, plus loin, celle de la terre appartenant à son père, mais qu'habitait toujours Clodomir Lapointe et sa bande d'enfants.

Toutefois, au pied de la côte des Talbot, presque en face du rang Dix, il y avait une autre maison qu'elle ne pouvait se permettre d'ignorer afin de mieux l'ignorer justement, celle où habitait le Cook, son père et ses frères. Facile de passer vite dans ce sens-là, il suffisait de pédaler malgré la descente afin que la vitesse maximale soit atteinte. Il faudrait un miracle pour qu'Eugène l'aperçoive, lui qui devait gratter quelque chose quelque part pour se trouver quelques cents de plus. Il avait maintenant son teuf-teuf à faire vivre et au train où le bazou allait, il lui faudrait remiser sa boîte de tabac à rouler pour subvenir à ses besoins en réparations.

Elle connaissait par cœur chaque bosse du chemin, chaque ornière, quasiment chaque piquet des diverses clôtures s'étirant devant les terres juxtaposées tous les quatre arpents et demi. Maintenant, l'air qui frappait ses yeux obtenait de l'eau comme réponse, et Rachel devait fermer les paupières et les rouvrir pour que sa vue ne soit pas noyée. Derrière elle, sur le dessus de la côte, une voiture foncée apparut. C'était le Blanc Gaboury qui descendait à la gare avant son heure habituelle. Il reconnut la jeune fille de dos et de loin, et il parla d'elle avec son passager, Victor Drouin, qui paraissait encore plus petit ainsi assis dans une voiture et surtout sur la même banquette que Blanc, un homme d'assez bonne stature.

– La petite Maheux qui s'en va à son école.

– Où ça?

Victor portait des lunettes à verres très puissants et malgré cela, il avait du mal à distinguer clairement les choses à plus d'une centaine de pieds.

– Là, en bas.

– Les écoles, c'est fermé.

– Oui, mais elle aura encore de l'ouvrage à faire.

– Ou ben c'est son veuvage qui la travaille pis elle se paye de la fraîche.

Blanc ouvrit la bouche pour répondre, mais le vieux chatouillis indésirable attaqua ses bronches comme si des centaines de poules microbiennes avaient commencé soudain à picorer toutes à la fois aux abords de ses poumons. Éclata une quinte de toux qui s'annonçait longue et violente et il ralentit l'allure en même temps qu'il prenait soin de se tasser pour contourner la cycliste. Le bruit du moteur s'en trouva diminué.

Rachel ne l'entendit pas venir. Il y avait dans la trace qu'elle suivait un amas de pommes de route qu'elle voulut éviter en fourchant d'un coup sec vers le milieu du chemin. Sans cette attaque de sa tuberculose, Blanc aurait fort bien pu l'éviter, mais à moitié étouffé, il ne réagit pas à temps et le pare-chocs de sa voiture heurta l'arrière de la bicyclette, projetant la jeune fille et son vélo dans le fossé.

Alors seulement, le conducteur freina puis arrêta l'auto à courte distance de la jeune fille empêtrée dans son étonnement, ses roues de bicyclette et peut-être des blessures qu'elle ne ressentait pas encore.

Quelqu'un l'ayant vue passer chez les Champagne, on avait averti le Cook. Le jeune homme, qui la surveillait par une fenêtre, se précipita dehors sans rien dire à personne. Et la rouleuse dont il cherchait à se débarrasser tout en courant lui restait clouée au bec. Et c'est le visage écarlate qu'il arriva près de la victime en même temps que Blanc qui, lui, avait la face jaune tandis que Victor l'avait blanche comme de la farine.

Abasourdie, cherchant à replacer ses idées dans sa tête et ses cheveux dessus, Rachel commençait à s'examiner quand on l'entoura.

– T'as rien de cassé, toujours ? demanda Blanc d'une voix à peine audible.

– C'est pas de notre faute, s'empressa de dire Victor. T'as crampé dans le milieu du chemin.

– Grouille pas. Pour tu suite, ça serait mieux, dit Eugène.

Son pantalon était sale et percé à un genou. Du sang apparaissait à travers le tissu. Elle bougea les deux jambes pour se rendre compte qu'il n'y avait ni luxation ni cassure.

– Ta roue de bicycle est crochie, annonça Victor. Mais c'est pas de notre faute…

– On va mettre ton bicycle dans la valise pis on va te rendre à l'école, si tu veux, dit Blanc.

– Je m'en vas pas à l'école, je m'en vas dans le Petit-Shenley, dit-elle sans penser.

– Je peux te passer mon bicycle, proposa le Cook.

– Bon, ben, ça aurait pu être pire, dit-elle en se, levant tandis que le Cook simulait un empressement inutile dont il usa comme prétexte pour la prendre par la main.

Encore une fois Victor intervint pour défendre Blanc:

– T'as coupé raide en avant de nous autres…

Elle l'interrompit:

– Ben non, c'est pas de la faute à monsieur Blanc. Pis je l'ai pas fait exprès non plus. Dans le fin fond, c'est la faute au cheval qui a lâché son tas de crottes dans le chemin là… J'ai voulu faire le tour…

Eugène dérougit à moitié. C'était leur cheval, le responsable qui s'était soulagé là le matin même tandis qu'il le conduisait vers une entrée de champ plus loin.

– Si tu veux, Rachel, j'peux te reconduire où c'est que tu voulais aller. Tu sais que j'ai mon char asteure. Hier, il marchait mal, mais aujourd'hui, il va mieux. Pis ensuite, je te remonterai au village avec ton bicycle. Tu pourras le laisser à Campeau pour le faire arranger.

– Je vas te payer.

Il réussit à se défaire de sa cigarette et une plaque de papier lui resta collée sur la lèvre.

– Pas question que tu me payes!

– C'est ça ou je retourne à pied au village.

– D'abord, tu me paieras le prix que je demanderai.

Victor échangea avec Blanc un regard de complicité, chacun pensant que l'accident pourrait avoir des conséquences pas du tout fâcheuses.

– Tout est-il correct de même?

– Oui, monsieur Blanc. D'abord que c'est de ma faute, j'ai aucun reproche à vous faire.

– Dans ce cas-là, salut ben !

Rachel salua de même que Victor, mais Eugène ne s'intéressait plus qu'à la bicyclette qu'il remettait sur roues et dirigeait vers chez lui.

– Peut-être qu'elle pourrait marcher pareil.

– Jamais de la vie ! Regarde comme la roue baraude.

Le Cook avait le cœur qui baraudait aussi mais quel agrément de se sentir ainsi.

À travers les banalités qu'ils se disaient, Rachel réfléchissait fort. Elle venait de s'embarquer dans une galère en acceptant la proposition du jeune homme et n'avait pas soupesé les conséquences de sa décision. Quoi lui dire quand on arriverait à la montée du bois menant à la cabane à sucre des Grégoire ? Il aurait des doutes sérieux. Plus qu'un doute, il aurait une certitude qu'elle-même n'avait pas encore. Mais changer d'avis et retourner au village, ce serait devoir faire le voyage avec quelqu'un d'autre et avoir à fournir des explications mensongères au jeune homme. Elle regrettait de n'avoir pas accepté sa première offre concernant sa bicyclette à lui encore que…

– Va falloir que tu rentres pour mettre quelque chose sur ton genou, là. Du mercurochrome pis un *plaster*.

– C'est rien : juste une goutte de sang ou deux.

– C'est ça le pire pour les empoisonnements du sang. De la poussière, une plaie qui saigne pas beaucoup…

Elle se dit qu'elle gagnerait du temps et accepta de se soigner. Il y avait déjà deux frères du Cook et son père qui les regardaient venir. On se dit des riens et elle suivit le jeune homme qui la devança à l'intérieur en lui tenant les portes ouvertes, puis courut préparer un plat avec de l'eau et un linge propre ainsi que la bouteille rouge et de la ouate. Puis il s'éloigna de l'évier et retourna dehors par l'arrière pour conduire son auto en avant. Pendant qu'elle procédait, Rachel se souvint des paroles de Pit Veilleux: Jean-Yves pouvait être dangereux pour lui-même. Le surprendre impliquerait-il des risques? Plutôt de traiter Eugène en ennemi, ne devrait-elle pas s'en faire un allié? Une sorte de complice. Il jouerait le jeu. Il se tairait si elle lui demandait de se taire. Et puis, si on trouvait le jeune homme à la cabane, les choses ne pourraient pas en rester là. Elle devrait rencontrer Freddy pour en discuter…

Puis on se retrouva dans l'auto où, dit-il, il mettrait la bicyclette sur le chemin du retour.

– Partons pour le Petit-Shenley, je vais te dire pourquoi c'est faire que je m'en vais là…

Il ne broncha pas quand elle avoua la vérité, mais l'auto fut contrainte à sa place, ayant du mal à gravir les quatre paliers de la grande côte. C'est que le Cook manquait d'expérience au volant et n'utilisait pas assez la première vitesse. On traversa le plateau boisé puis on redescendit une côte bien plus abrupte au pied de laquelle se trouvait une maison de cultivateur. Et devant, en biais, l'entrée de champ au bout duquel se trouvait l'érablière à Freddy et dans laquelle s'engagea le bazou gris.

– As-tu vu le Clopha Quirion qui nous regardait comme si on était des fantômes?

– Penses-tu qu'il nous a reconnus?

– Je te dis qu'il va nous guetter quand on va revenir.

Pendant qu'ils progressaient lentement le long du bois et des champs entre lesquels s'étendait le chemin, pas une fois, ils ne se parlèrent de Jean-Yves, comme si chacun redoutait de le faire. Puis on entra sous le couvert de la forêt.

– Elle est loin du chemin, la cabane à Freddy, dit-il. Suis venu ce printemps pour ramasser de la râche.

– C'est pas de mes affaires, mais ça te fait-il rien que je te dise quelque chose…

– Envoye, gêne-toi pas.

– T'as un morceau de papier à cigarettes sur la lèvre, là.

Il se la nettoya avec l'humidité de la langue et à l'aide de ses doigts, content du souci qu'elle avait mis à l'informer de cela. Puis la cabane commença à laisser voir des brillances de tôle. C'étaient des tuyaux sortant du soupirail et coiffés d'un chapeau métallique. Le toit cependant était en bardeaux.

– Arrête icitte, je vas faire le restant du chemin à pied.

Il fit ce qu'elle voulait.

– Veux-tu que j'aille avec toi?

– Non, c'est mieux pas, je pense…

– Si t'as besoin, fais un signal…

– C'est ça que je ferai.

Puis elle descendit et marcha sans se retourner, la mort dans l'âme et pourtant toujours mue par son grand espoir.

Toutes les fenêtres avaient été bouchées à l'aide de poches de jute et Jean-Yves n'en débloquait une parfois que pour plonger son regard dans les vagues images de l'érablière le jour ou la profondeur de la nuit. À voir celles d'en avant, Rachel présuma que les autres ne lui permettraient pas plus de voir à l'intérieur.

Aucun son ne lui parvenait, pas même celui du vent dans les grands arbres puisque l'air de ce jour-là ankylosait toutes choses, et ce silence s'approfondit encore quand elle aperçut le cadenas noir posé sur une porte intacte. Elle s'arrêta à quelques pas, regarda inutilement dans diverses directions et aussi quelques détails de la sombre bâtisse en pensant que ce pauvre Pit Veilleux avait déraisonné.

Alors elle tourna les talons pour repartir. Le Cook avait fait un bout de chemin derrière elle malgré son interdiction. Il fit semblant de vernousser, hésita sur ses pas, arracha une écorce d'un arbre, sortit son paquet de tabac et s'appuya une épaule à un érable pour montrer la pureté de ses intentions. Mais la jeune femme se ravisa. Un sentiment inconnu la chicotait. L'intuition lui soufflait à l'oreille. Une autre fois, elle tourna les talons et se dirigea d'un pas assuré sur le chemin contournant la cabane. Si Jean-Yves s'y trouvait et s'il avait entendu le véhicule arriver, il se cacherait dans l'immobilité et le silence.

Elle passa sous l'appentis contenant les hautes rangées de bois de cabane destinées à la prochaine saison des sucres, y vit un autre cadenas bien en place sur la grande porte coulissante et poursuivit jusqu'à l'arrière, où se trouvait la dernière porte, petite et quasiment dissimulée par un autre appentis beaucoup plus petit et aux trois quarts rempli de bois aussi bien plus petit que du bois de cabane, donc du bois de poêle. Pas de cadenas sur la double porte qu'elle ouvrit. Non plus sur l'autre qui pouvait très bien être barrée de l'intérieur par un morceau de bois glissé sur le loquet. Elle sonda. La porte obéit. Et elle put entrer.

Il faisait trop sombre pour qu'elle puisse y voir quoi que ce soit avant que ses pupilles ne se soient adaptées. Et même alors, tout ne lui apparut qu'en ombres chinoises et mezzo-tinto. Elle recula de quelques pas, laissant les deux portes ouvertes et les bloqua pour qu'elles le demeurent et qu'un certain flot de lumière puisse entrer.

Ce qu'elle vit en premier lui donna le frisson. La grosse panne de l'évaporateur était retournée à l'envers et couverte de madriers et au-dessus, une grosse broche noire accrochée à une poutre était suspendue et finissait par une boucle. Une image sinistre.

« Il pourrait ben être dangereux pour lui-même », avait dit Pit Veilleux. Était-ce là une mise en scène pour un suicide ? Lui revinrent alors des souvenirs de cabane après les sucres. Partout, on avait l'habitude de retourner les pannes pour éviter que des petites bêtes des bois n'y soient prises au piège, y meurent et pourrissent là. Et pour protéger le fond, on mettait des madriers. Quant à la broche, elle servait à attacher une couenne de lard quand on faisait bouillir, empêchant les bouillons de trop s'énerver par feu fort, et de déborder.

Ce court épisode lui suggéra de ne pas s'inquiéter outre mesure, de ne pas sursauter si une feuille sèche devait craquer sous son pas, si un mulot venait à passer dans son champ de vision. Elle ne bougea plus et appela :

– Jean-Yves ?

Rien.

– Jean-Yves ?

Silence.

– C'est moi, Rachel…

Elle avait l'impression de se trouver dans un néant profond, dans ce que la religion appelait limbes, un lieu où il ne se passe rien, où tout est statique, froid, figé dans le temps et l'espace. Elle vivait dans un autre monde où la lumière ne sert plus qu'à nourrir les ombres. Quelque chose lui dit que si elle ne se remettait pas à bouger bientôt, elle aussi deviendrait un objet inerte, intégré au décor comme sur la pellicule d'un film ou la toile d'un peintre. Immuable à jamais.

Comme il n'y avait pas de cabanon extérieur susceptible de servir de refuge aux travailleurs des sucres mais seulement une petite bâtisse servant d'écurie comme en témoignait un tas de fumier sur le côté, la pièce intérieure dont elle pouvait apercevoir la sombre embrasure de porte lui apporterait sûrement la réponse qu'elle était venue chercher. Elle s'y dirigea d'un pas ferme et y entra. Capable de discerner la fenêtre à travers les poches de jute superposées devant, elle s'y rendit et souleva ces tentures improvisées qui l'obstruaient. Personne dans deux lits superposés recouverts de courtepointes en patchwork. Mais ça ne signifiait rien puisque Jean-Yves était homme d'ordre, soigneux, toujours impeccable. S'il se trouvait là et couchait dans un lit, le lit serait fait et bien fait. Et de l'autre côté, contre le mur, la table. Rien dessus… Elle accrocha les poches à un clou qui les fixait au mur et se rendit à une armoire à côté de la table. Et l'ouvrit. Son sang ne fit qu'un tour. De la vaisselle mais aussi des provisions : farine, œufs, graisse, sucre. Et divers cannages. Restes du printemps peut-être ?

Non, elle n'avait pas encore sa réponse finale. Le petit poêle à deux ponts lui parlerait peut-être. Il se trouvait dans le dernier coin. Elle se rendit le toucher. Froid.

Alors il ne restait plus aux paroles de Pit Veilleux que de prendre leur envol comme des mainates ou des outardes en emportant sur leurs ailes déployées tous sentiments et intuitions qu'elle avait jusque-là entretenus. Et elle quitta les lieux à la fois soulagée et profondément triste. Elle referma la porte sous le petit appentis puis entra sous le grand dont le fond était recouvert d'écorces exhalant une odeur de bois en train de sécher et de végétaux en décomposition. Au milieu, elle s'arrêta. Un écureuil lui grimpa presque au nez contre une poutre et elle le suivit du regard jusqu'en haut, jusque sur les rangées de bois, jusque…

Il s'en fallut de peu qu'elle ne s'écroule. Une bûche de bois l'aurait frappée par la tête que le choc eût été moindre. Jean-Yves était là-haut, assis sur les rangées. Il suivait la progression du petit animal. Son regard paraissait terne et vide, pourtant l'écureuil entraînait dans sa course son âme égarée.

– Jean-Yves ?

Il ne répondit pas. Ni de la voix ni des yeux.

– Jean-Yves, c'est moi, Rachel.

Nulle réponse encore.

Elle attendit et répéta son appel en injectant à sa voix tout l'amour qu'elle put :

– Jean-Yves, Jean-Yves, c'est Rachel. Je viens te chercher pour te ramener à la maison.

Il ne réagit toujours pas. Alors elle réfléchit un moment sur la façon de l'atteindre physiquement. Comment grimper jusque là-haut ? Comment l'avait-il fait, lui ? Pas d'échelle, donc il avait escaladé la rangée la moins abrupte en s'aidant plus haut d'une poutre transversale. Elle s'engagea sur la partie basse de la cordée sans plus attendre et progressa tant bien que mal sur des souliers bas mais sans aucune souplesse.

Il ne la regarda pas venir et sans doute ne la voyait-il même pas. Toute son attention restait sur le petit écureuil à la queue majestueuse qui avançait sur la longue poutre en multipliant les escales et les poses gracieuses. Comme si n'avait vécu en lui qu'un enfant perdu dans un monde imaginaire en lequel ne pouvaient entrer que des scènes lui en rappelant d'autres d'un lointain passé.

Elle grimpait sur la corde étroite en s'aidant de l'autre, tâchant d'affermir chaque pas, se disant que si elle parvenait à le toucher, la communication se ferait, et il sortirait de cette torpeur, impénétrable à distance.

Au milieu de son escalade, un quartier de bois lâcha, entraînant les autres sous lui et la jeune fille, qui lança un cri et déboula avec les bûches non seulement à son point de départ mais en bas de la rangée où elle s'affala à quatre pattes.

Alerté, Eugène accourut, craignant le pire. Le fracas fit émerger Jean-Yves de son univers. Agile comme l'écureuil maintenant disparu, il descendit et se mit devant Rachel qui se relevait.

– C'est qu'il se passe icitte ? s'écria le Cook avec un regard appréhensif dans la direction de l'autre jeune homme.

– Rien, j'ai déboulé.

Les bras pendants, Jean-Yves tourna la tête avec lenteur et regarda en haut des rangées comme si ce geste eût pu expliquer tout ce qui venait de se dérouler. Et il posa à nouveau son regard vide sur elle.

Rachel le toucha au bras gauche qui demeura sans vie.

– C'est Rachel... Jean-Yves, c'est Rachel...

Il ne réagit pas.

– On devrait le ramener au village chez Freddy.

Cette fois, il réagit :

– Papa, y est pas à cabane ?

– Non, il est à la maison, au magasin. Veux-tu venir le voir avec nous autres ? Tu me reconnais pas ? C'est Rachel.

Jean-Yves portait un pantalon gris et une chemise carreautée. Du linge de semaine mais parfaitement propre. Ses mains, son visage étaient impeccables ainsi que ses cheveux, un peu longs mais peignés et en ordre.

– Papa, y est pas à cabane ?

– Non, il est à la maison.

– Ah !

– Te rappelles-tu de moi ? demanda le Cook.

Jean-Yves ne le regarda pas. L'autre reprit :

– Te souviens-tu de Ti-Noire ?

– Ti-Noire est pas à cabane ?

– Non, elle est à la maison, au magasin, au bureau de poste, dit la jeune femme pour tâcher de lui faire voir mentalement tous ces lieux.

– Viens, on va aller voir ton père, ta mère…

Elle se dit que peut-être les notions de père et de mère ne voulaient pas dire grand-chose pour lui en ce moment.

– On va aller voir papa… maman… Ti-Noire, Solange, on va aller voir Bernadette…

– Ma tante Bernadette, elle est pas à cabane ? Ma tante Berthe est partie à Québec. Ma tante Alice est à Mégantic… Raoul, y est pas à cabane ?

L'aîné avait quitté la maison depuis nombre d'années déjà et Rachel ne pouvait dire qu'il serait au magasin.

– Viens, on va aller voir Ti-Noire.

Elle l'entraîna. Il suivit comme un petit chien docile.

***

Chapitre 24

L'homme avait le visage bruni par le soleil, ce qui n'était pas là un signe de santé. Au sanatorium, il s'était fait bronzer à souhait depuis le printemps tout en mirant son âme dans les brillances du passé et du lac Etchemin.

Le personnage était depuis fort longtemps affligé par deux maladies graves : la tuberculose, dont il avait cherché plus ou moins à se débarrasser par des séjours prolongés à l'hôpital, et l'alcoolisme, qu'il chérissait depuis l'adolescence. Les deux vilaines compagnes en lui complotaient contre sa vie, s'aidant l'une l'autre pour outrager son visage, sillonner son front et moucheter sa peau. Depuis des décades aussi, il lissait soigneusement ses cheveux sur sa tête pour les priver de leur propension à friser et du même coup priver sa mère du temps de son vivant du plaisir qu'elle aurait eu de voir son benjamin avec une tête bouclée.

Rebelle, indépendant, solitaire, renfermé. Tel était le frère de Freddy et Bernadette qui avait franchi le cap de la quarantaine mais annonçait volontiers qu'il n'atteindrait pas la cinquantaine. Et s'en fichait éperdument.

Arrivé la veille en soirée, en plein orage, il s'était réfugié dans son petit camp derrière les granges à Freddy, sans s'annoncer à quiconque. Et personne ne l'avait vu ni n'avait remarqué la lueur dans la minuscule bâtisse. En voyant de la lumière par les fenêtres de la cabane, Bernadette et Freddy auraient su aussitôt qu'il s'agissait de lui, mais les gens du voisinage eux, auraient fort bien pu se fourvoyer et croire que l'occupant soit plutôt Baptiste Nadeau, homme manchot qui y avait vécu plusieurs années, grâce à la générosité du propriétaire hospitalisé, avant de s'en aller mendier à Montréal à un coin de la rue Sainte-Catherine.

Il entra au magasin, un lieu érigé six ans avant sa naissance donc qu'il connaissait depuis toujours et qui lui était aussi cher qu'à Freddy ou Bernadette puisque lui-même avait grandi là, dans ces bâtisses à n'en plus finir.

C'était une heure tranquille. Freddy travaillait au bureau de poste sur de la paperasse officielle, le gouvernement se faisant plus exigeant depuis quelque temps quant aux rapports à devoir être remplis par le maître de poste.

L'homme marcha lentement, regardant tout cet univers de son enfance et de son adolescence. Les comptoirs en chêne, les étalages de boîtes de conserve, les céréales, les tabacs, les chocolats, les caisses de biscuits, le pain cordé, puis de l'autre côté, les pièces de tissu empilées dans les tablettes, les armoires vitrées contenant des produits de beauté, savons et parfums, les planches de dentelle, les fuseaux de fil... Et devant, le grand escalier, le premier escalier de chez lui qu'il avait pu grimper enfant, puisque les marches en étaient si basses, mais aussi qu'il avait dégringolé tant de fois et pas seulement par ses gaucheries enfantines mais par ses beuveries de l'âge adulte.

Maudite boisson ! disaient les gens. Quant à ça, pensait-il, maudit verre qui la contient ! Et maudit bras qui tient le verre ! Et maudit homme qui se tient au bout du bras ! Il avait commencé à boire vers 16 ans et ça ne l'avait jamais lâché jusqu'à ce jour, jusqu'à ses 43 ans. Vingt-cinq ans de gin, ça vous met un homme en ruines. S'il ressentait de la nostalgie, il ne nourrissait aucun regret.

Assis, Freddy lui faisait dos. L'arrivant dit, de sa voix faible et profonde :

– Salut, mon frère !

Freddy tourna la tête et regarda au-dessus de ses lunettes.

– Armand !

Tout était dans ce simple mot. Toute la générosité et toute la compassion que Freddy avait pour ce frère si mal en point, ce frère perdu, vieux prisonnier de sa recherche de liberté, rebelle pacifique et silencieux, Armand qui n'avait jamais patiné mais avait organisé et dirigé des équipes de hockey, Armand qui allait souvent sur le cap à Foley parler avec la nature et discuter avec le fantôme du chien Chasseur qu'on y avait enterré en grande pompe à la suite de son assassinat à coups de planche cloutée par des gens sans cœur, Armand à qui la maladie avait imposé l'oisiveté mais pas les vices, Armand, un Grégoire qui avait eu mal à l'âme bien plus que tous les autres de la famille.

– Y a les gars à Pampalon qui sont venus me voir au sanatorium. Je leur ai demandé s'ils resteraient là, eux autres. Ils m'ont dit non. J'ai pensé à ça un bout de temps pis je me suis dit que moi non plus. Je dérangerai pas personne, ni Bernadette non plus, je vas rester dans mon camp. Y a un *bed*, une toilette à l'eau courante pis l'électricité là-dedans, le confort moderne… Je vas me sentir mieux dans mon petit pays pour finir mes jours…

– T'as embelle de faire c'est que tu voudras !

– Ouais… Pis ton gars, au bout du compte…

– Toujours dans la nature. Ça me surprendrait pas de le voir arriver avec sa blonde… J'dis ça comme ça mais…

On ne se parla plus de la décision d'Armand de quitter pour de bon le sanatorium, advienne que pourra. Et il fut surtout question de cette histoire incroyable d'apparitions de la Vierge.

– Je l'ai toujours pensé que le cap à Foley, c'était un endroit sacré, dit malicieusement Armand.

– Ils attendent dix, quinze mille personnes pour samedi soir. Va quasiment falloir qu'on engage une police municipale. Ça vient de partout au Canada pis aux États. Y a Fred Pomerleau, le beau-frère à Ernest Maheux qui est venu samedi passé. Quand qu'il est reparti, il se sentait ben mieux, qu'ils ont dit.

– C'est que tu penses de tout ça ?

– Souvent, j'vas à messe le matin. J'pratique ma religion. Je crois dans le Bon Dieu pis dans ses saints, mais ça, j'ai de la misère un peu.

– Ça serait-il une affaire organisée, et si oui, par qui ?

Freddy se leva et ferma son dossier.

– C'est ça le mystère. Si c'est organisé, par qui ça l'est ? J'ai pensé à tout ça. J'ai repassé tout le monde dans ma tête. Il me reste rien qu'un nom, mais ça me surprendrait…

Freddy ne put terminer. On venait d'entrer et la personne avait bon pas. Une femme. Il reprendrait le sujet avec Armand après son départ. C'était Rose Martin. Il l'avait presque deviné. Il anticipa aussi l'air qu'elle prendrait en apercevant Armand, elle qui fuyait comme la peste tous les tuberculeux de la paroisse. Et ils étaient nombreux.

Le réduit près du bureau de poste où se trouvait Armand étant sombre, la femme s'imagina que le personnage à côté d'elle était le père Lambert venu au courrier comme deux fois par jour. Elle posa une lettre sur la planche puis réalisa que ce n'était pas l'heure de la malle. Elle tourna la tête, aperçut Armand et eut un mouvement de recul qu'il remarqua sans pour autant s'en offusquer.

En même temps, quelqu'un d'autre entrait dans le magasin. Et venait…

– Salut, Rose !

– Salut, Armand !

– T'as l'air de bonne humeur pis en pleine santé.

– Mais ben occupée pis ben pressée…

Elle choisissait des mots la justifiant de s'éloigner sans attendre. Il l'aida.

– Salut ben, là !

Mais elle fut retenue par l'arrivée du vicaire dans ses habits de travail et qui prit vite tout l'espace.

– Madame Rose, bonjour… Tiens, si c'est pas monsieur Armand qui nous visite…

Et il tendit la main à l'autre qui la serra.

– Revenu *ad vitam æternam* ! fit Armand.

– Voyons donc, des bonnes nouvelles ? s'étonna le prêtre.

Rose n'osait partir encore, mais elle se tenait à l'écoute un peu en retrait.

– Si on veut. Paraît que le cap à Foley, ça guérit mieux que le sanatorium.

– Y aurait eu au moins une guérison la semaine dernière. Ça reste à vérifier, à authentifier.

– Comme j'sus pas assez méchant pour mériter l'enfer, mais que j'serais pas un bon citoyen au ciel, le Bon Dieu voudra peut-être me laisser ici-bas plus longtemps que le monde, ils voudraient, eux autres…

Rose ravala. Les deux hommes poursuivirent et Freddy n'intervint pas sauf quand le vicaire annonça qu'il se préparait à couler du ciment.

– Vous ferez mieux de le couvrir parce que le temps est à l'orage.

– Ça regarde pas trop ben pour à soir, enchérit Armand.

– Pas de danger voyons. L'orage, c'était hier. Le beau temps s'en vient tranquillement. Qu'est-ce que vous en pensez, madame Rose, vous ?

Elle rit nerveusement :

– Sais pas trop, là… peut-être que si on invoque la Sainte Vierge, il va faire beau. D'un autre côté, si l'orage passe aujourd'hui jeudi, les chances sont meilleures pour qu'il fasse beau samedi… pour la soirée de la prochaine apparition.

– Ah ! mais quelle sagesse ! s'écria le vicaire. Mais le mieux, ce serait qu'il fasse beau le reste de la journée aujourd'hui, que je puisse couler mon ciment, et aussi samedi, que les gens puissent être au rendez-vous de la Sainte Vierge.

– Pensez-vous qu'elle va pouvoir faire quelque chose pour moi, la Sainte Vierge ? demanda Armand avec un petit œil teinté de scepticisme.

– Sa bonté dépendra de la vôtre.

– Ah ! ça, c'est ben dit ! lança Freddy.

– Moi, j'ai pas le choix de couler aujourd'hui. Faut que le ciment soit sec pour dimanche, et marchable, si je peux dire.

– C'est-il Saint-Veneer ou ben Dal Morin qui va vous baratter ça ? demanda Armand.

– Monsieur Saint-Veneer… je veux dire monsieur Blanchette, c'est notre homme vu qu'il est de la place. Monsieur Dal est un bon garçon qui fait beaucoup de livraison et de déménagement, et qui est marié avec une fille d'ici, mais il habite ailleurs, vous comprenez.

– Ah ! le curé a parfaitement raison là-dessus. On encourage d'abord le monde de la place.

– Je m'ennuie pas avec vous trois, mais faut que je retourne au perron. J'aurais besoin de clous, monsieur Grégoire… du deux pouces, un bon cinq livres…

– Je vous sers ça, monsieur le vicaire.

Rose profita de l'occasion pour s'éclipser en saluant. Chacun lui répondit et elle marcha le plus vite qu'elle put pour quitter le magasin.

Tandis qu'il retournait vers les lieux de son travail, le vicaire fut dépassé par un cycliste qui tourna dans la rue de l'hôtel. L'homme ne le regarda point et le prêtre ne le connaissait pas. Ce devait donc être lui l'étranger dont il avait entendu parler sur les lieux de l'accident mortel survenu dans le Dix mais qu'il n'avait pas vu là-bas, ou pas repéré parmi les curieux. Il est vrai que la pauvre veuve avait réclamé sans rien dire tout son temps de prêtre à part les onctions d'usage sur le corps de la victime.

Grand-Paul Blanchette attendait, appuyé contre le malaxeur à ciment tout aussi immobile que lui-même, et il fumait sa grosse pipe noire bourrée de tabac pétillant et boucaneux.

À son ton le plus ordinaire, l'homme possédait une portée de voix unique, et même l'étranger, qui, après avoir remisé sa bicyclette, s'apprêtait à monter les marches de l'escalier donnant sur la galerie du bar à tuer de l'hôtel, put entendre son propos :

– Vous avez toujours pas peur qu'il mouille ? Ça regarde pas trop ben pour ça. Si je coule, moé, pis que le ciment part à l'eau, j'coulerai pas deux fois pour rien…

Un simple avertissement porté par une voix pareille avait allure de menace. Et le vicaire en fut mis sur un qui-vive déplaisant. Il répliqua sèchement :

– Monsieur Blanchette, contentez-vous de faire ce qui vous est demandé et tout ira bien. Et puis vos toiles pour protéger le ciment, c'est pas des mouchoirs de poche, ça.

Grand-Paul se décolla de la baratte et il menaça de la pipe et du ton mâté :

– Minute, là, monsieur Toine, c'est pour des solages, pis des trottoirs, pas quelque chose de grand comme le perron de l'église. Je vous l'offre encore une fois, j'peux attendre demain matin pour couler le ciment pis je vous chargerai rien pour aujourd'hui, pas une véreuse de cenne.

– On coule, on coule… on coule. Point final !

– Comme vous voudrez.

– Puis notre monsieur Georges Champagne, il n'est pas encore venu ?

– Parti aux toilettes dans la sacristie.

Georges, un simple d'esprit, serait le cinquième homme requis pour procéder au malaxage, au brouettage et au nivelage du béton, les deux autres à part Blanchette et le vicaire étant un bûcheron blondin de 20 ans, dénommé Réal Poulin, et son collègue de chantier, lui aussi désœuvré pour quelque temps par l'été, et qui avait pour nom Luc Bégin. Ils attendaient assis, adossés au muret du perron, l'un fumant un petit cigare et l'autre une cigarette.

– *Hurry up*, les *boys*! lança le vicaire à leur endroit. C'est le temps de nous montrer ce qu'un bon bûcheron canadien-français est capable de faire avec sa musculature généreuse et solide. Et vous, monsieur Blanchette, faites virer la baratte, on coule.

Alors même que le malaxeur commençait à tourner, Georges Champagne accourait, la braguette encore ouverte, ce qui lui valut le rire des deux jeunes gens. Il se tourna vivement en pestant contre son ennemi juré, l'automobile, et en attachant les boutons.

– Maudites machines à poil, on va tout vous faire brûler dans le milieu du chemin…

Personnage maigre plus qu'Armand Grégoire, voûté plus que Saint-Veneer, souvent il se raclait la gorge pour en extirper des humeurs qu'il rejetait avec colère dans des crachats historiques.

Il se tourna et regarda sa montre comme il aimait le faire cent fois par jour. Et marmonna:

– L'orage s'en vient pis ça me fait rien, en wing en hen…

– Non, non, Georges, y aura pas d'orage, dit le vicaire. Là, viens t'occuper du boyau à eau.

– C'est pour pelleter, moé…

– Ça prend des bons bras pour pelleter…

– Pis toé, t'as des bonnes bottes à tuyaux, enchérit Grand-Paul.

– J'sus capable de pelleter moé itou, baptême.

– Je sais que t'en es tout à fait capable, Georges, mais t'es meilleur pour l'eau et ensuite sur la brouette.

Le simplet ne protesta pas davantage et il s'empara du boyau dont il dévissa le gicleur pour permettre à l'eau de jaillir. Et il le mit dans la cuve où il le tint tandis que les deux jeunes gens se crachaient dans les mains en attendant de pouvoir pelleter le gravier. Grand-Paul était à déboucher un sac de ciment pris sur une pile d'une cinquantaine d'autres dissimulés sous une toile noire.

Le chantier s'activait.

Le vicaire surveilla les opérations un moment puis il se rendit finir de clouer quelques formes destinées à recevoir le ciment qu'il aplanirait à l'aide d'une planche manœuvrée par deux paires de bras, puis il finirait le nivelage à la truelle.

Le prêtre se sentait fier avant même de commencer. Mais tous ces prophètes de malheur du temps qu'il ferait avaient fini par donner quelques coups d'épingle dans sa belle quiétude. Il s'arrêta un moment et leva la tête avec appréhension afin d'interroger le coq de l'église juché au bout de la flèche, fidèle météorologue dont on disait qu'il n'errait jamais. Vent sud-ouest: aucun danger d'orage. Et il se mit à fredonner *Ave Maria*. Mais le chant prière fit bientôt place à un chant profane que lui suggérait l'image de l'étranger arrivant sur sa bicyclette.

Dans l'rang d'Saint-Dominique,
Par un beau soir comme ça,
S'en allait Majorique,
Un vrai beau gars comme ça,
Voir mad'moiselle Phonsine
Qu'il chérissait comme ça...

– Baptême de baptême de maudit baptême…

Le bonheur du vicaire venait de se faire interrompre par cet amas de jurons blasphématoires qui lui écorchaient les oreilles. Quelle qu'en soit la raison et qui que soit le sacreur, voilà qui risquait d'éloigner les bénédictions du ciel de leur ouvrage et invitait le diable à s'en mêler.

Par chance, ça venait de Georges, sur la jambe de qui Réal avait jeté une pelletée de gravier pour qu'elle coule dans sa botte. Un tour que n'appréciait guère le gobe-mouche obligé de s'asseoir sur les sacs de ciment et d'ôter sa chaussure pour la vider du sable et des cailloux. Mais alors apparut un vieux bas troué, mangé par les mites et percé par le gros orteil. Tous se mirent à rire, à part le prêtre et la victime. Humilié, isolé, Georges remit sa botte et partit en grommelant :

– J'sacre mon camp d'icitte, moé, maudit baptême…

– Georges, cria le vicaire de sa voix la plus autoritaire, prends la brouette pis emporte du ciment… tout de suite !

Malgré ses mouvements de rébellion, le pauvre homme finissait toujours par obéir à la volonté de quelqu'un d'autre, sachant d'instinct qu'il était incapable de se diriger lui-même.

Et pendant que le chantier se poursuivait, quelqu'un en observait les ouvriers. Germain Bédard, assis sur son lit, s'imaginait une baratte à ciment à la place du cerveau et il l'empiffrait de tout ce qu'il apercevait devant l'église : le prêtre, qu'il avait vu sur les lieux de l'accident – il l'associa au magicien d'Oz ; le grand efflanqué – qui opérait le malaxeur devint, dans son imagination, la vieille sorcière ; et les trois autres personnages – qui furent le lion, l'homme de tôle et l'épouvantail…

Fut-ce une réponse du ciel que la venue sur le chemin du presbytère d'une petite fille et de son chien ? Arrivait-elle pour soustraire les autres à cet œil caché dans une chambre du troisième étage de l'hôtel ou bien intervenait-elle pour sauver les meubles de quelqu'un à la demande de quelque protecteur céleste. Ou protectrice…

Le vicaire aperçut la fillette. Cela le troubla pour deux bonnes raisons. La vieille raison, si souvent dure comme du fer entre ses jambes, d'autant que l'enfant était Nicole Lessard, la petite qui, sans le savoir, l'excitait tous les jours en passant sous sa fenêtre du presbytère, et qui, surtout, depuis que la Vierge semblait lui apparaître, devenait encore bien plus bouleversante à ses yeux. Mais il luttait fermement contre ces mouvements spontanés de sa chair en feu en l'arrosant copieusement par ces douches froides du travail manuel et de la prière la plus fervente. Et la deuxième raison, ponctuelle celle-là, c'était le souci qu'il continuait de se faire à propos de cet orage annoncé par tous. Inspirée, elle saurait.

Il lui fit signe de s'approcher.

– Nicole, viens…

Le chien fut le premier rendu. Il frétillait de la queue, car cent fois caressé déjà par cet homme qui lui donnait même de temps en temps des bouts de saucisse.

– Où t'en vas-tu comme ça ?

– Au magasin.

– T'as pas peur qu'il pleuve ?

– Non.

– Ah ! Et penses-tu qu'il va pleuvoir ?

– Sais pas…

– Ferme tes yeux, pense à la Sainte Vierge et dis un *Je vous salue Marie*…

La fillette obéit. Puis rouvrit les yeux.

– Penses-tu qu'il va pleuvoir ? redemanda-t-il.

– Oui.

– Une p'tite pluie ou une grosse pluie ?

– Grosse.

– Bon ! Ben tu peux t'en aller. Tu diras à ta maman que je vais aller la voir demain.

De son point de surveillance, Bédard plissait maintenant les paupières sur des pupilles brillantes. Comme il semblait aimer les enfants, ce prêtre !

Mais le vicaire fronçait les sourcils en ce moment même et c'était de contrariété. Et comme pour mettre le comble à son malaise, il entendit dans son dos :

– L'orage s'en vient pis ça me fait rien en wing en hen…

Le prêtre tourna les talons. Les poignées de la brouette de ciment, pesantes comme du plomb, tirant fort vers le bas les bras de Georges, il était forcé de se tenir droit et ça le rajeunissait. Mais ce qui intéressait l'autre, c'était le rajeunissement du perron, et il fit déverser le contenu en plein là, devant la porte de l'est à travers les armatures de grosse broche noire.

– Georges, mais t'es fort comme un bœuf !

– Le beu à Nôré, y'est fort en baptême. Y arrache des souches grosses de même.

Pour montrer la grosseur, Georges dut lâcher les poignées et la brouette se renversa, mais sans dommages. Il la reprit en mains et repartit tandis que le prêtre, armé d'un pieu de bois, commençait à fourrager dans le béton pour le tasser.

Sa conviction serait plus forte que toutes les prévisions : non, il ne pleuvrait pas. Ou s'il pleuvait, ce seraient des ondées sans conséquence. Et pourtant, un peu plus tard quand Grand-Paul vint lui parler, il lui demanda s'il ne se trouvait pas d'autres grandes toiles chez lui.

– J'en ai pis j'peux en trouver itou su' Roland Campeau pis y'a Freddy Grégoire qui en a des saudites belles… Mais pourquoi c'est faire, des toiles, d'abord qu'il mouillera pas ?

– C'est vrai, c'est vrai. Je disais ça comme ça…

Et le prêtre se remit à fredonner :

– *… par un beau soir comme ça…*

Bédard descendit et se rendit au restaurant en passant par l'intérieur. Et il demanda à Jeannine de bien vouloir écrire une lettre pour lui. Serviable, elle accepta, d'autant qu'elle n'avait rien d'autre à faire que de ruminer sur ses relations avec Laurent. Il lui dicta les idées de base puis sortit avec l'intention d'aller le voir de plus près, ce chantier du perron de l'église, et peut-être d'y provoquer certaines choses sans que ça ne paraisse trop…

Le prêtre n'était là qu'un homme ordinaire sans ses saintes huiles ni hostie consacrée : plus vulnérable.

– Qui que t'es, toé ? demanda Georges sitôt que le visiteur fut là.

– Un chien qui ronge l'os, dit Bédard en riant.

On rit. La question brutale ne pouvait obtenir qu'une réponse évasive et drôle. Mais d'une certaine façon, Grand-Paul rôda lui aussi à sa manière autour de la même question d'identité du personnage :

– Vous devez venir pour voir monsieur le vicaire, ben il est là sur le perron. Étant donné que vous restez à l'hôtel, vous devez venir de loin… des États que ça me surprendrait pas pantoute, là…

– Je vis dans la paroisse.

Et l'homme dit ce que d'autres savaient déjà à son sujet. Qu'il avait loué une maison. Qu'il était là à la mort de l'électricien. Mais surtout, il posa des questions sur la façon de faire du ciment, sur les quantités de gravier, de ciment et d'eau qu'il fallait mélanger et quel temps il fallait baratter. Une telle curiosité apprivoisa Grand-Paul qui devint loquace. Il tomba sous le charme de ce diable d'étranger qui, en quelques minutes, montra plus d'intérêt envers lui que la plupart des gens durant toutes ces années de coulage de ciment pour faire des trottoirs, des planchers d'étable et surtout des solages de maison.

Le vicaire levait parfois un peu la tête pour voir les hommes travailler et parce que la bouche de Grand-Paul constituait un porte-voix de première qualité, il pouvait deviner toutes les questions par les réponses entendues.

Puis Bédard demanda s'il pouvait prendre part aux travaux durant une heure. Il désirait tout faire : actionner les leviers du malaxeur, y verser l'eau, y pelleter le gravier, y insérer le ciment, brouetter jusque sur le perron, fourrager, niveler… tout.

– On demande pas mieux que d'avoir deux bras de plus, dit Grand-Paul, sans voir les grimaces des hommes qui verraient ainsi leurs heures réduites.

Mais Bédard voulut les rassurer et il reprit :

– Écoutez, c'est pas pour vous ôter le pain de la bouche. Quand je vas faire quelque chose, celui que je remplace va se reposer. Pis c'est pas non plus pour montrer que j'sus meilleur, c'est pour savoir comment ça marche…

Les sourires revinrent sur les lèvres des deux pelleteurs. Et Georges suivit la vague. Et il voulut lui aussi se faire valoir aux yeux du visiteur. Considérant que le maître d'œuvre suprême était encore le vicaire, Grand-Paul crut bon lui envoyer Bédard ; et quand l'homme fut rendu en haut de la passerelle en pente, il dit de lui :

– On dirait que c'est un maudit bon homme, ça !

L'étranger entendit. Il pensa au « maudit » que contenait la phrase et ça le fit sourire.

– Je ne vous donnerai pas la main, mes gants sont tout pleins de ciment, dit le vicaire à l'homme qui arrivait auprès de lui.

– C'est mieux, certain.

– Vous étiez sur les lieux de l'accident, ce matin. Un terrible drame n'est-ce pas ?

Bédard montra de l'étonnement :

– Je vous ai vu là-bas, monsieur le vicaire, mais je ne pensais pas que vous m'aviez vu parmi la foule.

Fier d'avoir misé juste et bien flairé, le prêtre dit:

– Je ne vous y ai pas aperçu non plus, mais comme on a parlé du jeune étranger qui a vu mourir Léonard comme de quelqu'un qui a loué la maison à Polyte Boutin mais qui vit à l'hôtel et que tout à l'heure, je vous ai vu arriver à l'hôtel à bicyclette, j'ai additionné tout ça en vous voyant venir visiter nos travaux.

– Je vous félicite à plein. Comme on dit, vous avez du nez comme ça se peut pas. De bonnes antennes!

– C'est ça qu'on dit, mais... faut bien dire que c'est plus une question de raisonnement que de nez.

– C'est vrai, ça, c'est ben vrai!

– C'est comme pour la pluie. Tout le monde ici pense qu'on va avoir encore de l'orage, mais moi, je dis que non. Le temps est bas, c'est vrai, mais le vent n'est pas si mauvais que ça. Et puis, comme on a eu plusieurs orages hier, on a toutes les chances de n'en pas avoir aujourd'hui. C'est logique, parfaitement logique. Et vous, qu'est-ce que vous en dites? Croyez-vous qu'on aura de l'orage?

– Non, dit Bédard sans aucune hésitation.

Le prêtre sourit, réconforté, heureux, et même joyeux et désireux de blaguer comme cela se fait si souvent sur les chantiers de construction. Bédard reprit la parole.

– J'aimerais, si vous voulez, toucher à toutes les *jobs* de coulage de ciment. Monsieur en bas, je ne sais pas son nom...

– Saint-Veneer, dit le vicaire avec un clin d'œil et sur un ton un cran plus bas.

– Comment?

– Saint-Veneer... C'est Paul Blanchette, mais tout le monde l'appelle Saint-Veneer... ça l'agace, mais dans le fond...

– Saint-Veneer?

– C'est ça, Saint-Veneer…

– Bizarre, bizarre…

– Y a une brouettée de ciment qui s'en vient. Voulez-vous commencer ici ou en bas ?

– Je vais aller en bas et je reviens. Je veux faire les choses dans le bon ordre.

– Un homme d'ordre est un homme d'honneur… et vice versa, plaisanta encore le vicaire.

Pour Grand-Paul, se faire appeler Saint-Veneer constituait une véritable insulte. Malheur à celui qui osait lui servir l'injure. Il se ferait lapider sur-le-champ.

Bédard se fit d'abord montrer la manipulation de la baratte et Blanchette, tout heureux du respect que cet homme avait pour son travail et sa dextérité, le laissa opérer tant que l'autre le voulut. Et il lui arriva même de dire en tutoyant maintenant Bédard :

– Mon ami, tu t'en viens meilleur baratteux que Jos Page, jhuwa, jhuwa, jhuwa…

Tous rirent. Qui ne se moquait pas du rire de Jos Page dans la paroisse ? Et de son métier de brasseux de beurre…

Puis Bédard s'occupa du ciment. On observait sa force physique. Elle n'épata personne. Il avait le dos large et soulevait aisément un sac, mais quand venait le temps de faire porter la charge par ses bras pour mettre la gueule ouverte dans celle du mélangeur, il lui fallait tout son petit change. Fort du dos, moins des bras. Mais il le fit au besoin pendant vingt minutes tout en remplaçant Ti-Georges à l'occasion au boyau à eau.

Par la suite, il remplaça à tour de rôle chacun des pelleteurs, travaillant comme s'il y mettait de sa personne et questionnant l'autre sur son métier de bûcheron et sur les filles qu'il fréquentait. Au chapitre des plus belles de la paroisse, il entendit nommer Ti-Noire Grégoire, Jeannine Fortier, Solange Boutin et Rachel Maheux. Étonnant, il les connaissait déjà toutes les quatre, et pourtant, il n'était là que depuis quatre jours à peine…

Ce fut ensuite le travail le plus ardu. Mettre la brouette en position devant la gueule du baril à malaxer puis, une fois remplie, la conduire vis-à-vis la passerelle, se donner un élan et monter jusqu'en haut en gardant l'équilibre malgré le poids. Il voulut le faire six fois. Puis six autres. Puis encore six autres.

Le moment vint de travailler aux étapes finales en compagnie du vicaire. Il lui arriva de s'interroger sur les enfants mêlés à l'affaire des apparitions de la Vierge.

– Justement, la petite Nicole Lessard était dans les environs tout à l'heure. Si je la vois, je vous la ferai voir…

– Je crois que je l'ai vue de ma chambre d'hôtel. Vous lui avez parlé ?

Le prêtre rit.

– Je voulais savoir si elle prévoyait de l'orage.

– Pis ?

– Elle en prévoit. Mais là-dessus, j'aime autant me fier à vous.

– Ah ! mais j'suis pas le Bon Dieu, monsieur le vicaire. Pis ben loin de l'être, vous savez…

L'abbé lui montra la meilleure manière de tasser le ciment et Bédard questionna à nouveau sur les apparitions de la Vierge.

– Comment c'est que ça a commencé tout ça ?

– Les deux enfants sont allés faire un pique-nique sur le cap à Foley, là-bas, un vendredi soir et ils auraient vu la Vierge. Ce que je crois. Ils n'étaient pas seuls, il y avait le petit Gilles Maheux avec eux autres, mais lui n'a rien vu… Ça se comprend vu que c'est pas un petit gars très très pieux : il n'a jamais servi la messe et ne s'est mis au chœur qu'une fois ou deux, vous voyez…

– Je comprends, oui, je comprends, fit Bédard en esquissant un bien mince sourire.

Le charme prenant de l'étranger agissait sur tous maintenant, même s'il subsistait quelques réserves à son endroit en l'esprit du vicaire. Pourvu que cet homme ne soit pas une menace pour les enfants…

Puis Bédard remercia et salua le prêtre. Et il redescendit la passerelle pour aller dire à Grand-Paul:

– Je vous remercie beaucoup, monsieur… Saint-Veneer…

Les pelleteurs éclatèrent de rire. Ti-Georges les imita. Grand-Paul devint rouge comme la crête d'un coq effarouché. Bédard poursuivit:

– Paraît que ça vous agace de vous faire appeler Saint-Veneer, mais moi, j'pense que dans le fond…

Blanchette mâchouilla le bouquin de sa pipe et rajusta ses épaisses lunettes en regardant en direction du vicaire. Malgré sa colère noire, il comprenait que l'étranger n'était pas coupable, que le vicaire avait ri de lui dans son dos et avait fait diminuer le respect de cet inconnu envers lui. Alors il se sentit parfaitement impuissant, tout à fait bâillonné. Impossible de jurer contre Bédard et incapable d'assommer le vicaire de mots injurieux aux allures de coups de fouet.

Il se tut et laissa Bédard s'en aller. Parce que retenu au fond de lui, le dépit aurait une existence lente et longue, plusieurs heures au moins, sinon quelques jours… Et Grand-Paul se tut pour le reste du coulage du perron.

Dès que la dernière brouettée fut emportée, il nettoya la cuve avec le boyau à eau puis éteignit le moteur du malaxeur. Alors il lança au vicaire:

– Là, je m'en vas chez nous.

– C'est ça, on fera le ciment de finition demain matin.

– Ça serait mieux demain après-midi.

Le vicaire admira toute cette étendue plane, lisse et brune et sa quiétude fut à nouveau troublée. Il dit:

– Les toiles, on ferait mieux de les poser…

– Non, d'abord qu'il mouillera pas d'après vous.

– D'après monsieur Bédard non plus.

– En tout cas, mes toiles sont dans la voiture qui est décrochée de mon char pis que je laisse du long de l'église pour la nuitte. Vous pouvez les mettre si vous voulez…

– Sont pas assez grandes.

– Non, sont pas agrandies tu seules après-midi…

Le vicaire ayant le nez dans la stupidité de sa propre question et surtout dans l'évidente mauvaise humeur de son interlocuteur le laissa partir sans rien demander de plus.

Une fois dans son véhicule, une douteuse Plymouth 1937, Grand-Paul bourra sa pipe et l'alluma. La fumée bleue qui en sortit exhalait une odeur d'amertume.

Il fit démarrer le moteur. Le son ressemblait à celui de la bagnole du Cook. Le tabac grésilla dans sa pipe et l'homme marmotta :

– Ben qu'il s'arrange donc avec ses maudites toiles d'abord qu'il mouillera pas d'après lui. Pis il mettra du *veneer* sur son ciment.

Pour manger, Bédard s'installa à une cabine avec vue sur le temple paroissial. Jeannine lui servit des sandwichs aux œufs frits et du café instantané. Elle lui lut la lettre qu'elle avait composée pour lui et lui demanda l'adresse d'expédition.

– Bernard Bédard, route rurale 3, Arthabaska.

– C'est votre chez-vous, ça ?

Il sourit sans répondre. Finalement, elle lui remit son enveloppe avec la lettre. Il ne lui resta plus qu'à coller le rabat.

– Si je te donne une piastre, c'est-il assez ?

– C'est gratis. Un service qui va avec la chambre et les repas.

– Je te donne une piastre pareil.

– C'est vous autres le pire…

– Non… le mieux…

Le vicaire quitta le dernier le chantier. Il jeta un coup d'œil vers le ciel et disparut par la porte de l'église. Le ciel déjà sombre parut se transformer en plomb.

L'étranger se dit qu'il ferait mieux d'aller mettre sa lettre au bureau de poste immédiatement pour éviter la pluie qui s'annonçait. Il sortit. Un regard vers le ciel sur l'horizon ouest lui révéla de noirs présages. Il se tourna vers le perron et alors on put entendre au loin les premiers grondements du tonnerre. Un quart d'heure pas plus et l'orage frapperait. Voilà qui était inévitable, car le vent déjà l'emportait rapidement vers Saint-Honoré.

Il marcha sans se presser et entra dans le magasin. Quelle rencontre profitable y ferait-il ? Ti-Noire peut-être ? La sensuelle Ti-Noire qui pourtant ne pouvait cacher tout à fait une certaine faiblesse dans son œil profond… Freddy sûrement, qui esquiverait les questions. Ou bien sa sœur, la vieille demoiselle de pas cinquante ans qui chercherait à tout savoir ce qu'elle savait déjà de l'accident mortel. À tout prendre, c'est cette madame Rose qu'il espérait rencontrer là. Une femme séparée de fraîche date et qui joue à la Mae West devant les jeunes gens pourrait hautement le servir dans ses entreprises particulières…

Mais ce fut Armand Grégoire qui s'entretenait avec son frère du vieux passé qu'il rencontra et dont il fit la connaissance. Il lui fallut poser sa lettre à côté de l'homme assis sur la planche mobile séparant le bureau du vestibule et qui lui faisait dos.

– Monsieur Grégoire, ça va-t-il partir à soir ?

– Ouais.

Armand crut bon justifier la réponse de son frère.

– Le Blanc Gaboury va venir prendre la malle dans à peu près une demi-heure. Je dis ça, mais vous devez pas le connaître encore…

– Oui, je le connais. J'ai voyagé avec lui…

– Vous avez pas peur de…

– D'attraper sa maladie ? Non…

Armand eut un bref éclat de rire :

– C'est tant mieux parce que j'vaux pas mieux que lui.

– Vous êtes parents, vous deux, constata Bédard.

– C'est mon frère.

– Ça se lit sur votre visage.

– Vous lisez dans les faces ?

Bédard reprit sa lettre et la montra.

– Oui, mais pas la vraie écriture. Ça, c'est mademoiselle Jeannine qui l'a fait… Moi, j'sais pas écrire…

Et l'entretien se poursuivit sur le même ton. La communication se faisait aisée entre eux. Bédard trouvait fascinants ce visage ravagé et cette âme navrée…

Le bruit du tonnerre se rapprocha.

– L'orage s'en vient, prévint Armand.

– C'est certain, approuva Freddy.

– Et moi, je m'en vais, même si l'hôtel est pas loin…

Bédard salua et repartit. Et se rendit tout droit à sa chambre où il s'assit sur son lit pour regarder dehors par la fenêtre. Quelques instants plus tard, l'auto du vicaire passa vivement devant l'église…

Pressé par toutes ces évidences inscrites au fond de l'horizon, le prêtre venait d'appeler chez Grand-Paul pour réclamer qu'il vienne l'aider à installer des toiles sur le ciment, mais l'homme amer fit dire par sa femme qu'il était absent, parti dans le Neuf pour une heure ou deux au moins. L'abbé accourait donc chez Freddy pour quérir toutes les toiles disponibles et peut-être y trouver de l'aide d'urgence afin de protéger le perron sacré qu'il avait lui-même béni à maintes reprises chaque fois que Réal, Luc, Ti-Georges et l'étranger étaient venus vider leur brouettée à l'intérieur des coffrages.

L'abbé stationna à l'envers du chemin devant le magasin et entra en coup de vent à l'intérieur. Il résuma en quelques mots sa crainte d'anticiper les dommages qu'une pluie forte pourrait faire à son ouvrage et demanda les toiles dont avait parlé Grand-Paul.

Armand et Freddy se portèrent aussitôt volontaires pour aider non sans s'échanger des sourires de complicité devant l'imprudence de l'abbé, qu'ils avaient eux-mêmes averti des problèmes que le ciel n'épargnerait pas au perron, qu'il fût béni par le Bon Dieu ou bien maudit par le démon. Ou vice versa…

Les trois hommes se rendirent aussitôt dans le *back-store* et en rapportèrent toutes les toiles disponibles, sept en tout, qui selon Freddy pourraient couvrir la moitié du perron. On les emporta dans la valise de l'auto du vicaire et Freddy dut rentrer pour avertir Ti-Noire de le remplacer. Peu de temps après, les trois hommes commençaient à installer les couvertures protectrices. Mais aussitôt l'orage éclata. Un déluge de clous qui dardaient la surface du ciment. Il fallut vite se réfugier dans le tambour principal, une porte laissée ouverte pour permettre au prêtre de se lamenter sur les dégâts et de blâmer Grand-Paul pour son insouciance.

Trempé jusqu'aux os, le pauvre Armand avait fait du zèle sous la pluie malgré les appels de Freddy.

De sa chambre, Bédard pouvait voir l'eau, malgré l'épaisseur du rideau de pluie, diluer le béton et l'emporter par-dessus les coffrages. Il hochait la tête et souriait ; la catastrophe lui apportait de l'agrément…

Sur leur chemin, Eugène, Rachel et Jean-Yves s'étaient arrêtés pour ramasser la bicyclette puis la laisser chez Campeau qui la réparerait. On arriva près du magasin au plus fort de l'orage. Le conducteur mena son véhicule jusque sous le punch du hangar qui les protégea des éléments tourmentés, vent, pluie et ruissellement.

Le jeune homme malade continua de se faire docile et de suivre ses deux escortes. Ti-Noire l'aperçut par la vitre du bureau de poste ; elle se mit à pleurer de joie et courut avertir sa mère. Les retrouvailles eurent lieu dans le *back-store*. Jean-Yves demeura absent par l'esprit. Amanda riait comme une enfant. Solange éclatait de rire et Ti-Noire continuait à pleurer. Soudain, elle s'écria :

– Je vas chercher papa.

Sans attendre, sans se vêtir de quoi que ce soit, la jeune femme courut entre les comptoirs et quitta le magasin sous la pluie dans sa robe rouge et noire qui fut aussitôt trempée de même que ses cheveux. Maintenant, les éclairs et les coups de tonnerre coïncidaient.

Quand l'étranger l'aperçut qui entrait sur la passerelle, son cerveau se mit à travailler comme une mécanique efficace et rodée, mais il ne trouvait pas la raison d'une pareille attitude. Que s'était-il donc produit ? Il put la voir qui annonçait quelque chose d'important à son père et aux deux autres. Puis la jeune fille, comme retombée en enfance, se suspendit à un câble tombant. Un son de grosse cloche se fit entendre. Alors Bédard sut que le jeune homme disparu était revenu. Il ne pouvait s'agir d'autre chose.

Aussitôt que la pluie diminuerait, il sortirait à nouveau et retournerait au magasin sous prétexte d'attendre la malle du soir, afin de chercher à savoir si était vraie sa déduction.

La pluie se calma. En quelques endroits du perron, le ciment avait moins souffert que partout ailleurs où il faudrait reprendre l'ouvrage à zéro. Et même plus, car on aurait à vider les coffrages des résidus privés de leur liant. En ces espaces qui avaient commencé à durcir parce que remplis les premiers, l'impact des gouttes y avait créé une multitude de petits cratères qui feraient dire au vicaire le lendemain matin, lorsque l'eau qu'ils contenaient serait partie, qu'il avait inventé un motif qu'on devrait tâcher de reproduire sur une surface verticale afin de rendre l'utilisation du béton moins ennuyeuse.

Mieux vaut faire contre mauvaise fortune bon cœur. Surtout quand c'est la paroisse qui paye pour les dégâts.

***

Chapitre 25

L'étranger sortit à nouveau de l'hôtel quand le gros de l'orage fut passé. Et traversa la rue pour se rendre au magasin. À travers le muret de la terrasse, des jets d'eau gros comme le bras continuaient de se déverser sur le trottoir. Il marcha dans le chemin en regardant ses pieds et, entendant venir une voiture, il sauta sur le perron et y resta un moment.

C'était le Blanc Gaboury qui, pour la troisième fois de la journée, s'apprêtait à se rendre au village voisin. Entre les deux malles du matin et du soir, il avait fait le taxi pour Victor Drouin, ce qui avait failli coûter la vie à Rachel Maheux.

En descendant de voiture, le postillon regarda le coq de l'église et dit à Bédard :

– Le coq est fou comme la girouette su' notre grange. Pas moyen de savoir si le mauvais temps va sacrer son camp ou ben s'il va rester avec nous autres pour une journée de plus.

Et il cracha dans l'eau qui ruisselait à ses pieds.

– Même monsieur le vicaire s'est trompé pis ça aura coûté son perron…

– Comment ça ?

– Tu te feras conter ça par monsieur Grégoire.

L'étranger, qui avait à peine parlé à Blanc lors de son arrivée quelques jours plus tôt, donnait maintenant l'impression, par le ton et le tutoiement, d'être une vieille connaissance.

– C'est quoi, ton nom, déjà ?

– Germain Bédard.

– J'ai su que tu t'installais par icitte à demeure.

– La clé sous le paillasson, comme on dit.

Et il ouvrit la porte devant l'autre.

– Les Blais, ils ont des hommes tant qu'ils veulent pis v'là qu'ils se mettent à engager des femmes dans les boîtes à beurre. Mais paraîtrait qu'il s'ouvrirait une *shop* de chemises. Les Bilodeau… Eux autres vont peut-être prendre des hommes pour travailler à travers des femmes couturières, on sait jamais, le monde, ça s'en vient de plus en plus à l'envers du bon sens…

Ils s'arrêtèrent à l'intérieur derrière l'étalage des balais. Là, le Blanc reprit :

– Des fois, j'essaye de m'imaginer c'est qu'il va se passer dans cinquante ans d'icitte. Mettons en l'année 2000. J'pense que le monde dans ce temps-là, ça va courir d'un bord pis de l'autre comme des chiens fous à demeure, pis que ça va s'haïr pis se garrocher des roches, pis que ça va barrer leurs portes jour et nuitte. L'eau va être pleine de marde pis il va y avoir de la boucane partout. L'enfer sera pas pire.

– J'ai hâte de voir ça, dit l'étranger, l'œil brillant.

– Ben pas moi, pantoute. Leur année 2000, je leur laisse. Pis je leur laisse 1980 avec, pis 1970 itou…

Cette vision métaphorique et cauchemardesque de l'avenir par Blanc intéressait Bédard au plus haut point. L'œil piqué d'une lueur étrange, il dit :

– D'abord que j'ai pas grand-chose à faire, j'ai quasiment envie d'aller avec toi à la gare, comme ça, on pourra placoter sur la vie d'aujourd'hui pis de demain.

– Si c'est rien que pour l'agrément, j'te chargerai pas une vieille cenne noire.

– On verra. J'paye toujours mon loyer…

Blanc fut estomaqué d'apercevoir Armand à moitié enveloppé d'une couverture de laine et assis au bureau de poste là où était toujours Freddy à cette heure-là.

– J'me sus quasiment noyé dans l'orage sur le perron de l'église, dit l'homme avant même de saluer. Là, je remplace Freddy parce que son gars est revenu pis ils sont tous à la cuisine.

– Jean-Yves est revenu.

– Oui, le temps qu'on essayait de poser des toiles au-dessus du ciment du vicaire Gilbert.

Derrière Blanc, Bédard entendit. Cela confirma ce qu'il avait déjà deviné par l'attitude de Ti-Noire dans le tambour de l'église sous son œil d'observateur. L'échange entre les deux hommes lui apprit qu'ils souffraient de tuberculose, lui fit comprendre que de plus, Armand était un buveur et qu'enfin, ils étaient tous deux bourrés de cynisme devant l'idée de la mort tout en partageant des vues pessimistes sur le futur, sans doute pour se consoler de devoir quitter ce monde prématurément.

Quand, un peu plus tard, l'auto se mit en marche en direction de la gare, Blanc demanda à son passager si la tuberculose lui faisait peur.

– Pas plus que les grands orages, répondit l'autre avec une voix lointaine.

– Les orages tuent moins de monde.

– Y a des bons remèdes contre la tuberculose asteure pour ceux qui veulent se faire soigner.

– Les antibiotiques ? Trop tard pour d'aucuns. Le gars à Maheux, là, il est obligé de se faire ouvrir deux fois pour s'en faire couper des morceaux. Il passerait par le *back-store* à Boutin-la-viande que ça serait pas pire…

Le voyage aller-retour permit à l'étranger d'en apprendre sur pas mal de monde de la paroisse. Car une fois le village franchi, il posa diverses questions sur les habitants de diverses maisons.

Il en sut donc sur les Dubé, sur Marie Sirois, Fernand Rouleau, les Champagne, Clodomir Lapointe et plusieurs autres.

En passant devant chez le Cook, Blanc lui raconta l'accident de l'après-midi. Et puisqu'il fut question de bicyclettes, l'étranger parla de celle qu'il avait achetée du jeune commerçant. Le postillon alors éclata de rire en plaignant son passager de s'être fait avoir, puisqu'il aurait pu obtenir bien mieux pour moins cher chez Campeau. Puis fit un coq-à-l'âne:

– C'est la Rose Martin qui va vouloir mourir quand elle va savoir que le bon Armand est revenu pour rester dans les parages. Elle a peur des microbes pour en tomber malade. Armand va être sa bête noire…

On était sur le chemin du retour. Même que le village apparaissait maintenant au pied de la dernière colline et non seulement la flèche de l'église. Germain Bédard sauta sur le sujet pour le retenir comme le chat qui contrôle la souris.

– J'ai entendu dire que c'est une belle femme pour son âge, la madame Rose.

– Tu la connais pas encore?

– Je connais les Maheux, les Grégoire, les Fortin, les Fortier, les Bureau, les Bilodeau, les Lachance, le vicaire, Dominique Blais, le Cook Champagne, Fernand Rouleau, les Boutin du Dix, j'ai vu la petite Lessard qui a des visions, je connais monsieur Saint-Veneer, pis pas mal d'autres déjà, mais pas elle. L'adon s'est pas présenté…

– Ça retardera pas… Elle passe son temps à courir les chemins avec ses produits Avon. Saint-Veneer, il reste justement là, là… mais j'te conseille pas de l'appeler de même parce qu'il va te chanter une poignée de bêtises.

– Je l'ai fait et il m'a rien dit.

– Le diable t'a protégé, mon ami.

L'œil de Bédard émit une lueur mystérieuse:

– Ça se pourrait…

Après une courte pause, il revint à sa question :

– Pis, madame Rose, comment que tu la trouves… j'veux dire du physique ?

– T'as pas envie de fréquenter une bonne femme de cinquante ans, toujours ?

Bédard répondit sur un ton indiquant la blague :

– On sait jamais…

Sur le même ton, Blanc demanda sans sourire :

– Es-tu un dégénéré ou ben un dénaturé ?

– Ni un ni l'autre. J'sus rien qu'un homme… quelconque… un gars ben ordinaire…

– Ben… elle prend soin de sa personne, ce qui fait que… ben c'est une belle femme, oui. Elle sent le propre pis le parfum même si elle change de bord de chemin quand elle me voit. Mais des fois, je le fais exprès pour la surprendre au bureau de poste. Là, elle vient blanche comme un drap, pire que moi dans mon pire, pis elle s'en va chez eux…

– Pourquoi c'est faire qu'on t'appelle Blanc plutôt qu'Albert ?

– Enfant, j'avais les cheveux blonds quasiment blancs. C'est pas trop un signe de santé, ça. Tandis qu'un homme comme toi, noir comme un corbeau pis poilu comme un singe, c'est bâti pour durer cent ans. Tu vas être encore là, toi, en 2000.

– Et… les apparitions de la Vierge ? demanda Bédard tandis qu'on passait devant la maison des Jolicoeur.

Blanc répondit à une précédente interrogation de l'autre :

– C'est icitte qu'elle reste, madame Rose.

– Je le savais.

– T'as qu'à aller la voir si tu veux la voir.

– Ouais…

Blanc ricana puis faillit s'étouffer.

– Les apparitions ? De la bouillie pour les chats. L'histoire aurait été organisée par le vicaire que ça me surprendrait pas pantoute. Pour financer le perron de l'église… pis se faire valoir…

– Pourtant, les gens ont l'air d'y croire.

– Moins qu'on pense. Ils attendent que l'affaire soit démasquée, pis là, ils vont tous dire qu'ils savaient ça, eux autres, que c'était de la marde de chien.

– Comme ça, t'irais pas prier sur le cap à Foley… pour ta santé… on sait pas…

Blanc rit.

– Ni sur le cap à Foley ni là-dedans non plus, répondit-il en désignant l'église.

On s'arrêta devant le magasin où le postillon se stationna à l'envers du chemin. Et l'étranger entra avec les deux sacs de courrier tandis que Blanc repartait chez lui sans rien dire de plus, appelé par une sieste propre à diminuer sa lassitude.

Le décor humain avait changé dans le bureau de poste et plutôt d'un homme malade et détrempé, Bédard y découvrit Ti-Noire qui arborait un air simple et radieux.

– Tiens, mais on a un nouveau postillon ! s'exclama-t-elle.

– Je t'ai vue de l'hôtel durant l'orage.

Elle éclata de rire.

– J'allais avertir mon père de quelque chose.

– Des plans pour prendre un coup de mal.

– Le mal, ça prend pas sur moi.

L'aveugle, qui se trouvait là comme tous les soirs depuis des décades, voulut se mêler de la conversation.

– Dis pas ça, Ti-Noire ! Le mal, ça prend sur tout le monde sans exception.

– C'est vrai, ça, approuva l'étranger.

– En attendant, c'est pas le mal qu'il me faut, c'est la malle… pour la dépaqueter. Donne-moi les sacs…

Bédard les mit sur la planche et se recula d'un pas pour attendre face à l'aveugle qu'il examina de pied en cap tandis que la jeune femme s'occupait de sa tâche.

– Vous, c'est monsieur Lambert, hein ?

– Pis toé, t'es le nouveau dans la paroisse.

On se parla d'un peu tout, des sujets à la mode du village, des apparitions bien entendu, et parfois Ti-Noire, entre deux lettres insérées dans des cases, ajoutait son grain de sel sans rien prendre au sérieux. Le retour de son frère la rendait heureuse même si son père avait décidé par la force des choses de le faire hospitaliser. Mais aussi cette présence imprévue de Bédard l'excitait.

Le moment venu, la jeune femme vida la case du presbytère et toucha la main de l'aveugle avec son contenu en disant sans ton :

– Malle du curé.

Puis elle répéta l'opération.

– Votre malle, monsieur Lambert.

– Pis moi, j'ai rien, mais j'me décourage pas, ça va venir comme dirait la Bolduc.

Fofolle, Ti-Noire maintenant vêtue d'une robe bleu pâle se mit à fredonner.

Ça va venir, ça va venir, découragez-vous pas,
Moé j'ai toujours le coeur gai, pis j'continue à turluter...

L'aveugle éclata de rire. Et l'étranger donna la réplique à la maîtresse de poste d'exception.

Pis d'l'ouvrage, y va n'avoir pour tout le monde, cet hiver ;
Il faut ben donner le temps au nouveau gouvernement...

D'autres personnes se trouvaient dans le magasin maintenant et attendaient de voir le père Lambert passer entre les comptoirs pour aller à leur tour prendre livraison de leur courrier du soir. Bédard se mit en retrait durant la distribution, apprenant tout ce qu'il pouvait des visages, des noms entendus… Cyrille Beaudoin, Pit Roy, Georges Mercier, Louis Grégoire, Jean-Louis Bureau, Jos Bilodeau, Florian Morrissette… Par chance, Ti-Noire nommait tout haut les personnages comme pour satisfaire la curiosité de Germain sans qu'il en ait fait la demande.

Le dernier à venir fut Gilles Maheux, qui arriva à toute vapeur et freina au dernier moment en imitant avec sa bouche un bruit de pneus sur le macadam, s'attendant à voir Freddy comme de coutume. La vue de la jeune femme le calma net et celle de l'étranger le figea dans de la glace.

– Si c'est pas mon beau p'tit Gilles! lança Ti-Noire qui se pencha aussitôt au-dessus de la planche. Viens que je t'embrasse…

Elle avait conscience de lancer à Bédard une sorte de message à connotation sensuelle. Mais c'est surtout le nouvel adolescent qui le reçut et plus encore quand il plongea son regard sans le vouloir dans le décolleté de la robe et qu'il y aperçut la généreuse poitrine recouverte d'un soutien-gorge tout rose.

Il lui resta une marque de rouge sur la joue et, la devinant, il s'essuya quand il reprit sa course avec le journal *Le Soleil* dans les mains.

– Il est assez fin, ce petit gars-là, dit-elle à l'étranger. Il apparaît toujours à l'improviste… Vif comme un écureux…

– Il apparaît? répéta l'homme.

– Une manière de dire… c'est pas la Sainte Vierge, hein!

– Comme ça, ton frère est de retour?

– Qui c'est qui t'a dit ça? Tu le connais pas.

– Je le connais plus que tu penses…

Cette fois, elle devint plus réservée. Il lui apparaissait que cet homme était trop nouveau dans le pays pour en connaître déjà certaines intimités navrantes. Certes l'histoire de la maladie et de la disparition de Jean-Yves était de notoriété publique, mais de là à en parler publiquement, non.

C'est toutefois lui qui fit dévier la conversation sur le drame du matin. Toutefois, il n'en dit que deux ou trois phrases puis salua et se retira. Une fois dehors, il marcha de long en large en attendant le retour de l'aveugle du presbytère. Et quand, pas longtemps après, le petit homme apparut au bout de la sacristie, il se frotta les mains d'aise. C'est par lui qu'il pourrait en apprendre encore plus à propos de cette invisible madame Rose…

L'aveugle tâtait son chemin et le mur de l'église avec sa canne. Il en vint à s'empêtrer derrière la voiture que Grand-Paul avait laissée près du perron. Mais comme toujours, il retrouva sa direction sans chuter et reprit le chemin de gravier jusqu'à atteindre un autre long repère, la terrasse qu'il longea jusqu'au trottoir puis suivit vers chez lui. Mais, en même temps, ce soir-là, vers l'étranger qui se proposait de lui extraire bien des images de son nez tout rouge…

– Monsieur Lambert, c'est moi, Germain Bédard. Je peux vous raccompagner chez vous ?

– J'ai pas besoin d'un guide, là, mais là… bon si tu veux me raccompagner, c'est pas de refus.

Le petit homme trouva le bras de l'autre et s'y accrocha en riant de bonheur. Bédard se composa une voix pleine de prévenance :

– Étant donné que j'suis nouveau dans la paroisse, j'aimerais ça vous entendre me parler des gens qui restent dans les maisons des alentours. Pas les Maheux, eux autres, je les connais un peu, mais ensuite.

L'aveugle se fit très volubile. En quelques instants, il traça les grandes lignes dépeignant les habitants de chacune des maisons. Raoul Blais, sa femme Marie-Anna et sa mère à elle qui restait toujours avec le jeune couple. Puis il parla de Bernadette, dont la maison avait été celle des Foley, des gens venus d'Irlande au siècle dernier… Et puis il y avait Jean Martel, son voisin, un retraité qui avait vendu sa terre du bas de la Grande-Ligne à son garçon.

– Pis de c'te bord-là, c'est la maison des Jolicoeur. Le père Gédéon est mort l'hiver passé pis sa femme reste toujours là, mais elle est malade au lit, la pauvre vieille. Y a quelqu'un qui s'en occupe…

Il se fit une pause. L'aveugle semblait ne pas vouloir en dire davantage sur madame Rose. Et l'étranger dut questionner sans ambages :

– Madame Martin, c'est elle ?

– C'est ça, oui. Ben, c'est madame Poulin, mais son nom de fille, c'est Martin. Ah ! on peut pas dire que c'est pas une bonne personne…

– Mais ?

– Ouais…

– Mais quoi ?

– Hein ?

– Vous me dites : « On peut pas dire que c'est pas une bonne personne. » C'est-il tout' c'est que vous pouvez en dire, de madame Poulin ? C'est elle, la femme qui a laissé son mari, ça fait pas lontgemps ?

– Ben… ouais… Là, c'est le temps de traverser le chemin parce que v'là ma maison de l'autre bord.

– Il vient une machine…

– Je le sais, oui. J'pense que c'est le Cook Champagne. Il a acheté la machine à Thodore Gosselin pis je r'connais le bruit du moteur.

– On peut dire que vous avez l'oreille à ça.

– On peut en lire pas mal quand on écoute comme il faut.

– On dirait ça.

L'étranger se demanda si cet homme risquait de pénétrer en lui à cause de son sixième sens. Un semblant de sourire apparut à ses lèvres. On traversa la rue.

– Veux-tu rentrer connaître ma femme ?

– Pourquoi pas ?

Bédard trouva l'intérieur immaculé. Pieux, mais ordonné. Des signes de religion sur tous les murs et en abondance.

Anna-Marie apparut, venue d'une chambre. Courte et lourde, elle possédait une voix forte et ronde qui disait les mots clairement et ses phrases sortaient sans ambages. Napoléon parla le premier toutefois.

– Ce monsieur-là, c'est un nouveau dans la paroisse. Un monsieur d'homme.

– Ah ! c'est vous ça !

Bédard hocha la tête.

– C'est moi, ça...

– Je veux dire l'homme qui fait jaser tout le monde. Y a madame Rose en face qui voudrait ben vous connaître, on dirait. Moi, c'est normal que je sois curieuse parce que j'sus correspondante au journal régional, *L'Éclaireur* de Beauceville...

Bédard fit l'admiratif.

– Vous écrivez comme ça tous les jours...

– Faut ben si j'veux garder ma chronique. J'annonce les baptêmes, les mariages, les décès, les funérailles... Les départs de la paroisse, comme celui du docteur Savoie v'là pas longtemps, pis les arrivées, comme la vôtre...

– Ah ! c'est pas nécessaire, c'est ben pas nécessaire ! J'sus pas un homme ben important, vous savez. J'aime mieux que le monde me remarque pas trop. Pas que je veux cacher quoi que ce soit…

Napoléon commenta.

– J'vous comprends. Vous êtes quelqu'un qu'a de l'humilité, ça s'entend.

L'aveugle accrocha sa canne près de la porte, il trouva une chaise et invita l'autre à s'asseoir.

– J'serai pas longtemps, rassura Bédard en acceptant toutefois.

La femme prit place à table et ouvrit un calepin de journaliste tandis que son mari se trouvait une autre berçante dans laquelle il s'enfonça et qui, à cause de sa petite taille, le rapetissa encore plus.

– Comme ça, vous venez de Victoriaville, vous, comme Jean Béliveau qui travaille pour la compagnie Shawinigan ? dit la femme.

– Moi, c'est Arthabaska, voisin de Victoriaville.

– Ah ! le pays de Sir Wilfrid Laurier !…

Napoléon intervint.

– J'oublierai jamais le jour de sa mort en 1919. Une des journées les plus tristes de ma vie. C'est comme si j'avais perdu un troisième œil. Cet homme-là, c'était l'âme du peuple canadien…

– Un peu comme monsieur Duplessis, risqua Bédard.

L'aveugle devint rouge comme une tomate.

– Bout de branche ! comparez pas Laurier à Duplessis, là, vous !

– Deux nationalistes pourtant…

Pour éviter que son mari n'entre dans une colère aveugle, Anna-Marie rentra dans l'entrevue.

– Pis vous venez faire quoi par icitte ?

– Rien.

– Vous êtes pas un rentier, pas un invalide…

– J'suis un peu rentier même si mon âge le dit pas. Je vis sur un petit pécule.

– C'est quoi qu'on pourrait dire sur le journal ?

– Mon métier ?

– Oui.

– Chercheur.

– Chercheur.

– C'est ça.

– Vous cherchez quoi au juste ?

– Tout. Des réponses. Des questions. Des idées. Du temps. Des âmes… nouvelles. De la paix. Du repos. De la santé. Des témoins. Des événements…

– Comme la mort à Léonard pis les visions des p'tits Lessard ?

– Entre autres.

– Le Bon Dieu, lui, vous le cherchez pas toujours ?

– Lui non… parce que je sais où le trouver.

– Nous autres itou, dit Napoléon en riant. Comme vous pouvez voir, il est pas mal avec nous autres, dans la maison…

– Pas mal, ouais.

– Mais chercher comme ça, ça paye pas. Allez-vous vivre de la charité publique comme Marie Sirois avant qu'elle commence à travailler à la *shop* de boîtes à beurre ?

La femme le dévisagea un moment, mais l'étranger soutint aisément son regard et dit :

– Changez le mot « chercheur » pour… « prospecteur ». Comme ça, le monde vont comprendre, vous comprenez.

– Ben, c'est mieux de même.

Et elle se mit à écrire à nouveau.

– Je vous trouve chanceuse de savoir écrire, vous.

– Vous le savez pas, vous ?

– Non.

– Faites-vous le montrer, vous avez pas l'air d'un fou…

L'aveugle intervint.

– C'est pas un fou certain, c'est un monsieur d'homme qui vient de la même place que l'honorable Laurier.

Normalement, Napoléon avait du flair quant à la valeur des gens, mais cela ne convainquait pas tout à fait sa femme qui, elle, sentait une sorte de brouillard à l'odeur étrange autour du personnage, de son esprit, de ses réponses évasives et fumeuses.

À l'évidence, il cachait quelque chose. Elle en savait déjà beaucoup à son sujet. D'abord son nom, qu'il avait voulu cacher. Puis qu'il était présent le matin même sur les lieux de l'accident mortel dans le rang Dix. Qu'il avait mis la main à la pâte en fin de journée quand on avait coulé le perron dont le béton s'était ensuite désagrégé.

L'aveugle rit.

– Je suppose que la lettre que vous avez mallée, c'est quelqu'un d'autre qui a écrit ça…

– Jeannine Fortier.

Anna-Marie portait ses cheveux gris en chignon. Il s'en échappait des mèches molles qu'elle relevait parfois pour les ôter de sa vue, mais elles revenaient toujours et cela intéressait le visiteur qui se demandait pourquoi elle ne les retenait pas mieux avec des pinces.

Elle soupira et ferma son calepin.

– J'pensais pas de passer en entrevue en venant icitte, fit Bédard en se levant.

– C'est la Rose Martin qui va vouloir tout savoir, dit Napoléon en donnant un coup de chaise vers l'arrière pour se bercer un peu.

– Comme de coutume, elle saura rien avant de lire son journal, assura la femme, les yeux durs.

– Ma femme, elle dit qu'une chronique, c'est des nouvelles pis que personne doit savoir ça avant le temps.

– C'est une professionnelle. Comme René Lévesque…

– Connais pas, dit-elle.

– Moi non plus, dit Napoléon.

– Il a fait un article sur les apparitions. Il est venu sur le cap à Foley samedi passé.

– Ah ! lui ? Ah ! oui ! Je l'ai lu, son article. Hein, Poléon, je t'en ai parlé, c'était dans *Le Soleil*. On dirait qu'il croit pas dans le Bon Dieu, cet homme-là...

– Non, c'est pas ça. C'est qu'il est objectif. Lui aussi, il cherche les questions pis pas rien que des réponses faites d'avance.

– En tout cas, ce qu'il se passe sur le cap à Foley, si c'est pas miraculeux, j'me demande ben ce que c'est, moi.

– Y croyez-vous, vous ? demanda l'aveugle.

– J'crois qu'il se passe quelque chose là, c'est sûr.

– Oui, mais c'est-il la Sainte Vierge ?

– On m'a dit que même monsieur le curé Ennis était pas trop chaud pour croire à ça.

– C'est vrai.

– J'attends pour voir c'est qu'il va en dire à son retour de voyage.

– C'est sage, dit Anna-Marie.

– Ce fut tout un plaisir de vous rencontrer tous les deux...

– Fumez, fumez, dit Napoléon.

– Une autre fois...

Bédard jeta un œil par la vitre de la porte vers la maison des Jolicoeur et ajouta :

– En tout cas, y a du monde ben intéressant par icitte.

– Entre gens intéressants... répliqua la femme.

Ce furent les dernières salutations et l'homme sortit.

L'aveugle dit de lui :

– À part que son opinion sur Duplessis, c'est un bon homme.

– Pourquoi c'est faire qu'il est venu icitte ?

– Me reconduire.

– Y a plus que ça... Peut-être ben qu'il voulait faire parler de lui dans le journal. Il aura satisfaction.

L'étranger descendit les deux marches et resta immobile sur le trottoir. On l'observait à la dérobée et il le sentait. Il leva brusquement les yeux vers les fenêtres de la maison Jolicoeur, mais n'y vit rien d'autre que des toiles à moitié baissées et des rideaux gris.

Depuis un bon moment, Rose était assise devant son miroir à réfléchir tout en se maquillant comme cela lui arrivait si souvent. Elle se leva avec l'intention de finir de descendre la toile pour assombrir le plus possible la pièce, car elle aimait la pénombre et l'éclairage électrique. Cela rajeunissait son image, réduisait ses rides, allumait son visage. Mais elle changea d'avis au dernier moment et se rendit à la chambre de bains.

Bédard tourna la tête vers le haut du village puis vers le bas. Là, il aperçut un homme portant un chapeau sur l'arrière de la tête et qui, à moitié embusqué derrière un arbre, regardait vers lui. Il avait une mine à la Duplessis, ce personnage, et le nouveau venu saurait plus tard son nom de Pit Roy, l'homme le plus belette, le plus fouine de toute la paroisse, et peut-être du comté de Beauce au grand complet…

Le temps vira au beau ce soir-là. Les nuages se raréfièrent puis remirent la nuit aux étoiles. De sa chambre, l'étranger regarda la lune monter derrière la flèche de l'église. La lumière jaune de l'astre de la solitude étalait sur son regard un voile de dureté qui paraissait composé de haine et de souffrance. Il demeura longtemps dans la pénombre, assis sur son lit au milieu de ses souvenirs secrets, l'esprit jongleur et les pensées ardentes comme les braises du feu de forge d'Ernest.

Soudain, on frappa discrètement à sa porte. Il tourna la tête et supputa par le son qu'il s'agissait d'Émilien. Qui d'autre aurait pu faire montre d'une telle retenue coupable ? Il lui paraissait de plus en plus évident que ce jeune homme avait des tendances homosexuelles qu'il combattait en vain et que ses efforts ne lui permettaient pas de freiner ses passions et pulsions. Le fait d'habiter dans un hôtel offrait à l'adolescent toutes les opportunités de vivre avec des voyageurs de passage ses rêveries les plus brûlantes sans encourir les risques de se faire démasquer et stigmatiser. Cette théorie demandait à être vérifiée, car l'étranger, malgré toute l'acuité de son observation des humains, possédait les mêmes limites que tout le monde. Malgré tout son pouvoir et tout son vouloir, il ne possédait pas la faculté de voir à travers les portes.

Il se rendit ouvrir. Ce n'était pas Émilien, mais le grand Béliveau qui resta debout dans le couloir.

– Euh… tu dormais pas toujours ?

– Non, non…

– Si t'as vu dehors, il va faire beau… euh ! demain…

– Oui pis ?

– Ben… demain soir, on pourra jouer au tennis.

– Sais pas si j'vas revenir coucher icitte demain.

– Ah !

– Pis ça devrait.

– Euh… si tu veux rencontrer les plus belles filles du village, vont être à l'O.T.J. c'est certain.

– Ou ben au salon funéraire…

Ils se reparlèrent de l'accident mortel. Béliveau était venu autant pour ça que pour se trouver un partenaire de tennis. Une mort aussi bête l'avait ébranlé et il voulait savoir comment un témoin direct pouvait réagir lui. Ça lui permettrait de mieux dormir.

– La mort ne regarde pas les dents.

Le jeune homme sourit un peu.

– Tu parles, euh… comme une fable de La Fontaine.

– Pis comme ça, la belle jeunesse… disons, la belle volaille, va se retrouver au terrain de jeux demain soir.

– Ça, c'est certain.

– Dans ce cas-là, tu me prêtes une raquette pis on joue au tennis. Je t'avertis, je ne joue pas fort fort…

– Ce qui compte au tennis… euh! comme au hockey… pis dans tout, c'est de faire son possible, comme dirait mon père. Les championnats, c'est pas important.

Bédard fronça les sourcils.

– Mais être le meilleur, le plus fort, ça compte itou.

– Euh! ouais… C'est certain qu'il faut pas jouer pour perdre non plus…

– C'est ben beau, mon ami. Je vas revenir à l'heure du souper de ma maison demain.

– Salut ben, là!

– Salut!

Et l'étranger referma la porte. Et il retrouva son air obscur dans la nuit pâle à regarder l'église et à imaginer sa construction cinquante ans plus tôt. Qu'est-ce que cinquante ans? Qu'est-ce que le temps quand on a, comme lui, une conscience aiguë de l'éternité? Une simple allumette et le temple paroissial brûlerait en deux heures, emportant avec lui dans les mystères de l'au-delà des morceaux d'âme de ceux qui y avaient été baptisés, confirmés, mariés, qui s'y étaient tant de fois dans leur vie agenouillés, humiliés, rapetissés…

En restait-il, de ces constructeurs d'église? Des hommes de plus de 70 ans, il n'en avait pas vu un seul depuis qu'il se trouvait là; et elles étaient nombreuses les épitaphes du cimetière qui portaient des âges inférieurs à celui-là. Même le père Lambert n'était pas rendu là. Il y avait à moissonner auprès de ces gens-là aussi et pas seulement les jeunes; il glanerait des noms au terrain de jeux avant ou après le tennis, il en glanerait…

***

Chapitre 26

Freddy se leva à la barre du jour ce vendredi qui marquait déjà le milieu de l'année sainte. Il se rendit au magasin et s'assit sur une chaise brune à bras à côté de la grille de la fournaise endormie où il alluma sa pipe pour mieux réfléchir. Comme il le faisait au moins une fois par jour l'hiver pour réchauffer son corps et ses souvenirs.

D'abord, il se sentit coupable. Coupable de délai. Avait-il voulu repousser devant lui la décision de faire hospitaliser son fils ? Avait-il pelleté de la neige en avant et la situation avait-elle empiré pour Jean-Yves, pour lui-même, pour Ti-Noire, pour la famille et pour Rachel Maheux ?

Pourquoi ce malheur, pourquoi cette douleur ? Pourquoi cette autre douleur ? Quoi de plus précieux qu'un enfant ? Amanda était revenue de là-bas, mais de larges morceaux de son esprit avaient trouvé la mort à l'hôpital, et cela était peut-être pire que la mort, la vraie, pleine et définitive. Chirurgiens de l'âme ou charcutiers, ces psychiatres ?

Il ne devait plus larmoyer ni atermoyer, non. Il avait toutefois besoin d'une forme de certitude, d'une force au-dessus de la sienne pour le soutenir en ce jour de désarroi et de misère. Non, le ciel ne l'éclairerait pas, pas plus qu'il n'avait sauvé le perron du vicaire même si l'ouvrage était béni ; mais il confierait sa décision au ciel après avoir fait de son mieux avec les quelques lumières à lui être dévolues.

Ce n'était pas une idée bien brillante que d'envoyer le jeune homme dans une institution, mais c'était sans doute la moins mauvaise, et il l'adopta. Alors des larmes lui vinrent aux yeux et roulèrent avant d'autres qui les entraînèrent vers les lèvres et le menton. Il les laissa tomber d'elles-mêmes. À six heures, il se rendrait à la messe du matin et mettrait entre les mains du Seigneur Dieu cette pénible décision.

Comme son père, Ti-Noire n'avait dormi que d'un œil de crainte que Jean-Yves ne quitte sa chambre pour s'en aller une autre fois et sans doute fuir son âme elle-même. Elle ouvrit discrètement la porte de la cuisine menant au magasin, sachant toutefois que le bruit du ressort suffirait à alerter son père. Car elle ne voulait pas le surprendre au milieu de l'expression de son chagrin. Elle fit quelques pas et s'adressa à lui de loin, à travers les barreaux fins de l'escalier.

– Je peux te parler, papa?

– Ah! ouais…

Elle s'avança en silence, à pas feutrés, espérant que lui, plutôt qu'elle, dise quelque chose, mais l'homme avait un étau serré autour de la gorge.

– On va-t-il le reconduire aujourd'hui à l'hôpital?

– Ça va aller à lundi. On va lui laisser du temps avec sa mère, avec toi, sa blonde, Armand, Bernadette… On sait pas ce qui pourrait survenir, on sait pas.

Elle dit d'une voix assurée et, en même temps, remplie de crainte:

– J'pense que c'est une bonne décision que tu prends, papa.

– Comme on dit, ça sera à la grâce de Dieu quand on aura fait pour le mieux.

– Vas-tu avoir besoin de moi toute la journée? Je voudrais monter sur le cap à Foley pour une heure ou deux.

– Ça va être mieux si tu peux être icitte après-midi parce que le monde étranger, ça va commencer à venir.

– Je vas revenir à midi.

– C'est beau.

– Penses-tu que je devrais emmener Jean-Yves ?

– Tout d'un coup qu'il veut partir pis que toi, t'es tu seule pour l'empêcher…

– OK ! Je vas y aller sans lui.

– Tu vas faire quoi sur le cap à Foley ?

– Prendre du soleil

– Si tu veux prier, tu serais mieux dans l'église.

– On peut prier partout, même en prenant le soleil sur le cap. La preuve, c'est la Sainte Vierge qui aime mieux, on dirait, apparaître là plutôt qu'à l'église.

Freddy oublia sa souffrance morale et se mit à rire.

– Mais pas en costume de bain à ce qu'il paraît.

– Ça, faudrait demander aux petits Lessard.

– Ouais…

Ti-Noire était contente. Son père retrouvait un peu de bonne humeur malgré les événements. Il dit :

– Pas de nouvelles de tes chums des États ?

– Lesquels ? J'ai pas de chum aux États…

– Le neveu à Ernest Maheux.

– Bah ! j'y ai parlé un peu comme ça, le temps qu'il était chez monsieur Maheux, mais c'est tout.

– Ah ! Pour en revenir au cap à Foley… pis si c'est le diable qui apparaît là, ça te fait pas peur ?

– Ça, pantoute !

Le marchand s'esclaffa.

Une des fenêtres de la chambre du vicaire donnait sur le cimetière et par-delà, sur le cap à Foley. Le prêtre s'étirait les muscles devant les vitres et paraissait troublé par quelque chose de particulier. Ces pistes du diable dans le roc du cap, produit de l'imagination superstitieuse des gens d'avant son arrivée à Saint-Honoré, sans doute les Grégoire qui un jour de leur jeune temps avaient voulu jouer à quelqu'un un autre de leurs tours pendables, devraient être effacées. Une légende infernale ne devait pas côtoyer une réalité céleste comme celle des apparitions. Comment n'y avait-il pas songé plus tôt au lieu d'essayer de les faire passer pour de possibles manifestations d'un esprit sanctifié comme il l'avait fait la semaine précédente. Et quelle belle occasion en ce jour de recommencement…

Son visage s'éclaira. Il comprenait pourquoi l'orage avait emporté le perron. Les forces divines avaient permis et voulu qu'il y ait recommencement. Et pour qu'entre-temps, il lui soit donné de penser à cette tâche presque sainte d'effacer les pistes, de les oblitérer en les remplissant de ciment. Une demi-brouettée étendue cet avant-midi-là et le produit serait durci le jour même, *a fortiori* le lendemain, jour de la prochaine apparition.

Il prit ses lunettes sur la commode et les enfila sur son nez en hochant la tête. Et il parla tout haut.

– Comment puis-je passer si souvent à côté des signes du ciel ? Ils m'ont tous dit qu'il y aurait de l'orage… Freddy, Armand, Grand-Paul, Ti-Georges, la petite Lessard… et je n'ai pas voulu les écouter. Que je suis aveugle, que je suis donc aveugle ! Et vous, mon Dieu, vous avez dû faire parler votre ciel, votre tonnerre, vos éclairs et votre pluie pour que je comprenne. Alléluia ! Pour que je comprenne, oui, qu'une tâche noble et nécessaire m'attend sur le cap à Foley ! Alléluia ! Alléluia !

Quand Grand-Paul serait là, il lui ferait concocter le meilleur mélange pour recouvrir les pistes de façon que le diable lui-même ne puisse jamais les dégager. Et tiens, il ajouterait de l'eau bénite dans le ciment pour que si Lucifer voulait revenir dans les parages du cap, il se brûle les pieds comme il faut sur le recouvrement, si tant est qu'il puisse brûler encore plus sur le cap à Foley que dans son volcan de l'enfer…

Et cet étranger, ce Bédard, pourquoi donc avait-il annoncé, lui, qu'il n'y aurait pas d'orage ?

– Bizarre, bizarre ! Et en plus, il a aidé tant qu'il a pu à couler le ciment du perron… Bizarre !

Après la messe et le déjeuner, le prêtre retrouva les hommes devant le perron. On se salua. Ti-Georges grogna, comme si c'était sa manière de fredonner :

– Y a eu d'l'orage pis ça me fait rien en wing hen en…

Grand-Paul dit en frappant sa pipe contre la baratte à ciment :

– Ça va faire un perron qui va coûter le double à couler. Vous auriez dû nous écouter quand on disait qu'il mouillerait fort…

Germain Bédard émergea de la rue de l'hôtel sur sa bicyclette et salua d'un geste de la main. Il lui fut répondu par Grand-Paul seulement.

– Lui aussi pensait qu'il ferait beau, opposa le vicaire pour se justifier.

– C'est un ben bon homme, on l'a vu hier, hein, les gars, mais c'est pas le Bon Dieu en bicycle, reprit Grand-Paul en bourrant sa pipe à neuf.

– C'est le Bon Dieu qui a permis que le perron se défasse, croyez bien ce que je vous dis là.

Ti-Georges les interrompit :

– Vous allez-t-il nous pedjyer pour not' ouvrage, là, nous autres, d'hier ?

Le vicaire eut une idée qu'il émit tout haut.

– Ça serait bien et le Bon Dieu vous en serait reconnaissant si vous acceptiez une heure de moins pour aider à la reconstruction du perron.

Grand-Paul blêmit :

– Ben moé, icitte, « Saint-Veneer », comme vous dites, j'vous dis pantoute. Le Bon Dieu, il va avoir sa facture pleine. C'est vous, son vicaire, qui a voulu couler pareil malgré l'orage qui s'annonçait pis c'est lui en haut qu'a envoyé la pluie. Ma femme pis mes enfants, ils mangent pas du ciment pour souper, eux autres, pis moé non plus…

– J'disais ça comme ça, fit le vicaire penaud.

– Là, on part la baratte pis on coule du ciment. Pis celui-là, y va tenir.

– Faudrait pas ôter les restants d'après l'orage sur le perron ? questionna le prêtre.

– Si c'est resté, c'est que c'est bon.

– Bon, ben à l'ouvrage !

Ti-Noire serra la ceinture de son peignoir gris pâle. Elle prit sa couverture de laine à bras le corps et quitta la maison rouge pour se diriger vers le cap à Foley qui se trouvait en droite ligne à trois arpents. Un moment, elle regretta d'avoir mis ses sandales américaines qui ne la protégeaient pas assez de l'humidité du foin et du crachat de couleuvre.

Elle rajusta ses lunettes de soleil en jetant un coup d'œil du côté du perron, mais le chantier y était déjà si animé que personne ne la vit. De toute façon, qui aurait pensé qu'elle se rendait jusque sur le cap pour s'y faire bronzer ?

Rendue là-haut, elle repéra le meilleur endroit qui se trouvait justement à côté même des pistes du diable sur une plaque herbue servant d'agenouilloir aux enfants miraculés. Déjà, le soleil plombait, et passé midi, il deviendrait insupportable. Par bonheur, l'air n'avait pas gardé grand-chose de l'humidité de la veille et il faisait un bon petit vent frais venu de l'est par l'arrière du cimetière. Elle étendit sa couverture puis regarda aux alentours afin de s'assurer que personne ne soit en vue, surtout des petits garnements trop curieux comme le Gilles Maheux, dont elle se rappelait qu'il avait mis sur elle une grande feuille de rhubarbe pendant qu'elle dormait dehors derrière la maison. En fait, il s'agissait de rapace puisque la rhubarbe n'avait pas encore poussé à cette époque de l'année.

Il y avait quelque chose de changé chez l'enfant depuis peu de temps. Peut-être que son occupation de vendeur itinérant modifiait les choses en lui ? Ou bien avait-il été fortement impressionné par ces apparitions dont il avait été en fait le premier témoin là même à quelques pas ? En tout cas, il devait être occupé par son porte-à-porte et ça l'empêcherait de jouer des vilains tours.

Elle ôta son peignoir et apparut dans un costume rouge feu qui aurait pu lui valoir l'agressivité du taureau si la bête n'avait été en ce moment même à l'autre bout de la terre avec le troupeau de vaches. De toute façon, une broche de fil de fer barbelé avait été posée le long du sentier des vaches dans le bocage en contrebas et cela la mettait à l'abri.

Elle ne tarda pas à somnoler et à sombrer dans les brumes du rêve. Ce ne fut pas un beau voyage mental puisqu'elle se voyait prisonnière d'un hôpital tandis qu'au loin, par-delà les montagnes, se faisait entendre l'appel de la liberté. Trois voix lui parvenaient, celles d'Hélène, de Monique, d'Yvette, qui l'invitaient à les rejoindre aux États là-bas dans des villes vibrantes, vivantes, excitantes…

Des bras forts s'emparaient d'elle par-derrière et la reconduisaient dans une petite cellule sans fenêtre et sans air… sans air… Elle se mit à hocher la tête et reprit conscience. Alors elle fit glisser son maillot et dégagea sa poitrine généreuse mais blanche comme du lait. Et tourna la tête. Le rêve devint doux et agréable, et son beau visage exprima la paix et le bonheur.

Grand-Paul retira sa casquette pour se gratter la tête. Il regardait aller Ti-Georges, occupé à rouler une brouette à moitié remplie de ciment devant le vicaire, qui lui avait indiqué la direction du presbytère.

– De quoi c'est qu'il a encore dans le derrière de la tête, celui-là ? Mais je vas le savoir même si y veut pas le dire…

– On aura rien qu'à tirer les vers du nez à notre Ti-Georges, approuva un des pelleteurs.

On contourna le presbytère et Georges dut s'arrêter pour faire reposer ses bras. Il poussa la pelle de côté dans le ciment liquide et grogna :

– Baptême, ça pèse comme d'la roche… Pis you c'est qu'on s'en va avec ça ?

– Prends le chemin à côté de la grange…

– Pis après ça ?

– Tu vires du côté du cap à Foley…

On se remit en marche et le prêtre se tint à plusieurs pieds derrière l'autre, truelle à la main et jouissance dans l'œil. Il surveillait les environs en se disant que le diable, mis au fait de son intention, chercherait peut-être à dresser des embûches sur la route de leur entreprise. Ils avaient emprunté le chemin le plus long mais le plus sûr car le plus plat et parce qu'on arrivait directement au lieu des apparitions et des pistes redoutées sans même l'obstacle de la clôture dont on avait défait une pagée voilà quelque temps pour livrer passage aux visiteurs.

Quand Ti-Georges s'arrêtait pour se reposer quelques secondes, le vicaire faisait de même. Mais lui, c'était pour y voir plus clair en ouvrant bien les yeux. Georges aperçut quelque chose de rouge sur le cap, mais il s'en fichait et n'avait qu'une idée en tête : arriver au but. Eût-il réalisé qu'il s'agissait d'un corps de jeune femme qu'il n'aurait pas réduit sa marche bougonne pour autant.

Enfin, il passa entre les pagées et s'arrêta sans déposer sa charge. Le vicaire lança :

– Encore un peu plus loin jusque sur le roc…

– Maudit baptême, on doit s'en aller su'l'yab' comme ça, marmonna le pauvre journalier qui reprit le collier et avança.

Parvenu presque à la jeune femme, il fourcha net et sec, et la roue s'engagea dans la descente du cap vers les sapins, et il s'arrêta là en retenant sa charge. Ainsi, il bouchait la vue au prêtre qui le rejoignit en disant :

– Eh bien, mon ami, Satan n'est pas au rendez-vous…

Ti-Noire entendit des voix dans le vague et bougea une jambe tandis que Georges, hébété et embêté, restait les yeux figés sur la poitrine opulente.

Le prêtre reprit :

– Pose la brouette, on va maintenant guérir à tout jamais le cap à Foley.

Il leva la truelle en l'air, fit deux pas pour contourner Georges, et son bras resta haut, accroché à la surprise… Mais aussitôt la colère envahit le personnage qui se mit à rougir. Quoi donc, Dieu du ciel, on était à l'endroit même où la Sainte Vierge daignait apparaître à l'humanité, on venait pour en chasser définitivement le Malin et ses signes, et voilà que l'image de l'impudicité et du péché se jetait à son visage. Qui donc était cette femme à demi nue et qui donc l'y avait envoyée pour se mettre en travers de son projet ? Il réalisa soudain qu'il ne pourrait pas savoir qui c'était s'il ne dérivait pas ses yeux de ces seins si… si…

Ainsi couchée et affublée de ses lunettes, Ti-Noire n'était pas reconnaissable à la seconde près ; et cette seconde suffit pour lui faire reprendre ses esprits et ouvrir les yeux. Elle se redressa, échappa un cri. Oublia son costume de bain. Sa poitrine rattrapa alors les pupilles brillantes du prêtre et celles du pauvre Georges qui ne se sentait plus les bras.

– Cache ces… que je ne saurais voir! dit le vicaire en se mettant la vue en biais. Qu'est-ce que tu viens faire ici dans une tenue pareille, la Ti-Noire Grégoire? Quel scandale!

La jeune fille remonta les bonnets de son maillot puis se cacha avec son peignoir en disant, l'épaule coupable:

– Ben, me faire bronzer…

– Devant tout le monde.

– Y avait personne…

– On est là…

À son tour, la jeune femme fut envahie par la colère.

– Coudon, là, vous, j'suis chez nous, moi. Vous faites quoi, vous, ici? C'est pour faire quoi, la brouette pis le ciment?

– Pour boucher les pistes du diable, si tu veux savoir.

Georges avait de plus en plus de mal à retenir la brouette dont le pneu bougeait sans cesse d'avant à l'arrière, mais surtout à l'avant, grugeant à chaque seconde un peu plus la descente abrupte qui donnait sur le bocage.

– Boucher les pistes du diable: c'est quoi ça? Avez-vous eu la permission de papa pour venir mettre du ciment ici?

– Heu… non… mais c'est un lieu de pèlerinage, c'est quasiment public… et c'est l'affaire des prêtres.

– Je vais vous en faire, moi, un lieu public…

Il coupa:

– Il est indéniable que prendre du soleil… nue comme tu le fais est une faute sérieuse. Des enfants pourraient se trouver dans les environs. Des visiteurs qui…

Georges coupa à son tour:

– Qui te prendraient pour la Sainte Viarge, Sainte Viarge…

– Toi, mêle-toi pas de ça, dit Ti-Noire, l'œil très noir.

Le pauvre Georges n'y tint plus et dut lâcher les poignées. Trop de poids avait son centre de gravité sur l'avant et la brouette prit la descente et de la vitesse. Il rattrapa les poignées qui lui échappèrent encore puis les reprit et s'y riva; mais il n'était plus le maître et le tout entra entre les sapins pour se terminer dans une invisible scène fracassante mélangeant un cri humain, du liquide qui frappe le sol et l'impact de quelque chose sur un arbre. Comble de malheur, un meuglement se fit entendre. La broche piquante ne se rendait pas jusque-là puisque la descente était trop raide pour permettre aux vaches et à leur taureau de grimper sur le haut du cap...

Ti-Georges reparut vite à quatre pattes, enduit de ciment, le regard fou et le blasphème à la bouche. Le vicaire se demanda si le diable l'habitait ou bien s'il habitait Ti-Noire ou s'il habitait le taureau qui mugissait encore; mais pas une seule fois il ne pensa que le diable se trouvait peut-être en lui-même.

Et c'est ainsi que Satan, ce jour-là, empêcha ses pistes de se faire effacer à jamais du cap à Foley.

Sur le chemin du retour au perron de l'église, le prêtre ne put se retenir et il entra au presbytère où il monta vite à l'atelier de bricolage. Et là, il se masturba dans un tas de bran de scie en fantasmant sur les seins à Ti-Noire.

Lorsque Grand-Paul Blanchette vit arriver Ti-Georges tout croche et cimenté d'un travers à l'autre, et qui égrenait les pas et les jurons, il s'écria:

– D'où c'est que tu sors, toé? C'est que t'as fait avec ma barouette?

– Mange de la maudite marde, toé, baptême...

– Ma barouette, c'est que t'as fait avec ma barouette?

– Va donc la *cri*, ta maudite barouette su'l cap à Foley, mon maudit Saint-Veneer...

***

Chapitre 27

– Que le diable emporte la France ! dit une voix sèche.

– T'es dur, Philias, t'es dur ! dit une voix enrouée.

Les deux hommes s'échangeaient des phrases lapidaires, l'un servant à l'autre des idées rocailleuses et Gustave Poulin les passant au tamis de son esprit de tolérance et de sa bonté divine.

Philias reprit :

– Vois-tu, y'a rien qui a pas une raison d'arriver… T'es-tu d'accord avec moé ?

– C'est clair.

– Pis c'te raison-là, elle a une raison d'arriver, elle itou… T'es-tu d'accord avec moé ?

– Ben certain…

– Ça fait que je vas t'expliquer c'est qui s'explique pas… T'es-tu d'accord avec moé ?

– Envoye, envoye…

Les deux hommes se trouvaient dans le *pit* du garage sous un véhicule militaire, éclairés par une lampe à fil extensionné, et un visiteur ne put que les entendre. De coutume le garagiste savait par le bruit des pas ou en voyant les pieds de l'arrivant qu'il n'était plus seul, mais cette fois, vu la longueur du camion et la présence de son nouvel assistant, il ne s'en rendit pas compte et l'homme qui entrait se montra discret.

– Vois-tu, mon Gus, reprit Philias en posant sa main sur le pneu gauche avant, ça, c'est la roue qui a tué Luc Grégoire, t'es-tu d'accord avec moé ?

– J'ai moé-même vu le cadavre dans la *shop* à Bellegarde v'là trois ans.

– Justement, c'est arrivé ces jours-citte en 47…

– J'sus d'accord avec toé…

– Pourquoi c'est faire que c't'accident-là est arrivé. Dis-moi donc ça en bon français, là, toé !

– Les *brakes* du *truck* ont *slacké*, c'est toute…

– On va remonter ça vite, t'es-tu d'accord…

– Envoye que je t'ai dit…

– Pas de *truck*, pas de *brakes* qui *slackent*… Pas de surplus d'armée, pas de *truck* vendu à Jean Nadeau pour sa *shop* de *peanuts*. Pas d'armée, pas de surplus d'armée. Pas de chicane en Europe, pas d'armée avec des surplus. Pas de Français qui se battent depuis des générations, pas de guerre…

– Wo, wo, wo, Philias, Hitler, Hitler, Hitler…

– C'est là que j'veux en venir. T'es le reflet de ton voisinage. Si les voisins de l'Allemagne avaient été moins cochons avec ce pays-là, Hitler aurait jamais, au grand jamais pris le pouvoir… Tout ça pour te dire que le diable emporte la France. On n'avait pas d'affaire à traverser la mer pour se battre pour les Français. Pis mauditement moins pour les Anglais. Si moé, j'me chicane avec Boutin-la-viande, vas-tu venir t'en mêler ?

– C'est pas pareil… si Boutin-la-viande, il veut m'abattre moé avec… comme un cochon dans sa boucherie… Fallait ben sauver l'humanité…

– Vieille viarge, mon Gus, Hitler aurait fini par sauter pareil su' une bombe allemande. On a payé pour les péchés des Européens… pis Luc Grégoire ben plus que nous autres… On a ben fait de dire non à la conscription. Pis toé, tu peux ben parler, t'as les pieds plus que plats pis tu ballottes de la semelle pis ils t'auraient pas pris pour t'envoyer au front... Luc itou, il avait des problèmes de pieds... Ça aurait pu être toé, sur le bicycle à côté de la *shop* à Bellegarde...

Incapable par nature de se mettre en colère plus d'une seconde ou deux, Gustave se résigna et changea le propos qui ne menait nulle part, lui semblait-il.

– Je ballotte pas rien que de la semelle...

Le visiteur fut sur le point de longer le camion, de se pencher et de faire un peu la leçon à Philias. Il avait dessein de lui dire que les Canadiens français avaient manqué un important rendez-vous avec l'histoire en refusant massivement la conscription au plébiscite du 27 avril 1942. Mais lui-même, en tant qu'aîné de famille et de professeur protégé par le curé Ennis, avait été exempté du service militaire, et ça le privait de substance convaincante.

Il continua d'écouter. Ce qui suivit le troubla davantage.

– Justement, ta Rose est partie parce que tu ballottes d'un peu partout, t'es-tu d'accord avec moé ?

– Non, j'sus pas prêt à dire ça. Une femme, c'est moins porté là-dessus que nous autres, les hommes...

– Ah ! ben vieille viarge, c'est parce qu'elles font semblant que ça les intéresse pas. Si un garage donne pas un bon service à son client, il perd le client. Si un homme donne pas un bon service à sa femme, il perd sa femme. As-tu déjà vu dans le monde une révolte anti-cul menée par les femmes ? Ben non, elles aiment ça plus que toé pis moé ensemble...

– Quand on peut pas, on peut pas, hein !

– C'est des vitamines que t'aurais dû prendre. Placide Beaudoin, il en vend des maudites bonnes... Avec ça, mon ami, tu viens franc dans le collier...

Sur le plancher de ciment, un pied du professeur Beaudoin bougea un peu. L'homme se remémorait les avances de Rose la semaine précédente chez elle, le soir de la soi-disant apparition de la Vierge. Il ne pouvait qu'être d'accord là-dessus avec le garagiste. Mais ça le mettait en désaccord avec lui-même. Au lieu de fuir comme un lapin, il aurait dû se laisser aller à connaître la femme comme dans la Bible. À 36 ans, il était temps. Et puis madame Rose avait rescapé des années ravageuses un éclat de jeunesse qui désertait presque toutes les femmes de cet âge. Rose au fond lui apparaissait une femme sans âge car une femme de tous les âges…

Il sortit un mouchoir et s'épongea le front. Que l'été serait chaud et long ! Il avait le goût d'aller boire une grande bière fraîche, mais tout le village le verrait entrer chez Fortunat. Ou chez Robert, le débit clandestin qu'il fréquentait trois fois par semaine passé la brune. La journée serait chaude et longue…

Philias dit :

– Donne-moi une clé trois quart pis tiens la lumière un peu de ce bord-là…

Le professeur vit la main desséchée de Gus tâter dans un coffre à outils posé sur le plancher et comprit que Rose n'ait plus voulu vivre avec un pauvre mort-vivant comme lui. Il fut sur le point de partir, mais il ne savait trop où aller…

– Vois-tu, mon Gus, avec un bon outil de la bonne mesure, y a pas un trouble que t'arranges pas, t'es-tu d'accord avec moé ?

Philias pencha la tête en avant et regarda Gustave par-dessus ses lunettes. À son tour, comme le professeur Beaudoin qu'il ignorait se trouver à quelques pas et penser la même chose, il comprit pourquoi Rose avait pris la décision de vivre seule. Et il eut pitié de ce pauvre Gus. Mais en même temps, le principe masculin étant ce qu'il est, le désir de la femme de l'autre vint se préciser en lui. Car il se trouvait déjà là à l'état latent depuis longtemps…

– Dis-moi donc, Gustave, parlant de Rose mais d'une autre manière, penses-tu qu'elle pourrait avoir ça, une crème qui soit bonne pour des mains d'hommes comme les nôtres qui travaillent tout le temps dans l'huile pis la graisse ? Parce que celle qu'on a des compagnies, ça vaut rien que ce que ça vaut, t'es-tu d'accord avec moé ?

À partir de cette conversation, quand Philias et le professeur Beaudoin entendraient le nom de Rose, une même idée, venue de l'arrière de leur tête se présenterait devant leur esprit et courrait comme de l'électricité par tous les fils nerveux de leur corps…

Rose décrocha le récepteur du téléphone et le posa sur son oreille tout en se léchant les lèvres fraîchement enduites de rouge. Une voix masculine se fit entendre, ce qui la troublait toujours.

– Madame Rose, comment allez-vous ? fut-il dit sur un ton franc et lent.

– J'irais mieux si je savais qui c'est qui m'appelle à matin.

– C'est Ovide Jolicoeur de Sillery.

– Ah ! Bonjour, comment ça va vous autres ?

– Très bien, Berthe, les enfants, moi-même… Savez-vous, on a l'intention de se rendre à la maison demain, ça serait-il trop d'inconvénients pour vous ?

– C'est à vous autres, la maison, Ovide, pas à moi. J'sus rien qu'une employée, moi.

– Mais non, vous êtes bien plus que ça. Et puis, vous connaissez Berthe, elle a toujours assez peur de déranger. Elle est ici, à côté de moi, je vous la passe.

Berthe parla de sa voix gentille et prévenante :

– En réalité, on va coucher chez Bernadette, mais on va aller une heure ou deux voir madame Jolicoeur… et on aura quelqu'un avec nous autres… C'est notre voisin ici… C'est un peu pour lui qu'on va à Saint-Honoré… il a lu dans le journal pour les apparitions et on en a parlé, et comme c'est un grand croyant, il voudrait être sur le cap à Foley demain soir à l'heure qu'il faut.

– Ben je vas vous préparer un bon souper.

– Non, non, c'est pas pour ça que je vous appelle…

Rose coupa:

– Que ça vous le dise, que ça vous le dise pas, y aura un repas de prêt pour cinq personnes, pis si vous le prenez pas, on va devoir le jeter. Ça fait que… amenez-vous… Vous allez voir que j'sus pas une mauvaise *cookeuse* pis que madame Jolicoeur est entre bonnes mains.

– C'est gênant que le diable, ça, là!

– Si vous venez pas, c'est ça qui va me gêner, moi.

– Attendez une minute, je vas en parler à Ovide parce qu'on avait pas prévu ça, on devait manger pis coucher chez Bernadette. Comme vous le savez, madame Rose, sa maison, c'est notre chez-nous aussi… Je vous reviens…

– J'attends…

Quelques secondes s'écoulèrent et Berthe revint.

– On accepte pour le souper, mais on va coucher chez Bernadette par exemple.

– Si vos voisins veulent coucher icitte, les chambres sont propres…

– Là… faut dire que le voisin est veuf… Il va être seul… C'est un homme dans la cinquantaine…

– Inquiète-toi pas, Berthe, il va rien lui arriver si y vient coucher icitte…

– C'est pour pas faire parler le monde…

– En tout cas, faites comme vous voudrez… C'est pas un homme malade comme…

– Comme Armand: ben non, Rose, inquiétez-vous pas…

On raccrocha bientôt après les salutations d'usage et Rose devint songeuse devant son téléphone.

Son intuition lui disait que cette visite pourrait peut-être changer quelque chose dans le cours de sa vie. Puis la raison lui dit que non. Car si cet homme était aussi croyant que son projet d'assister à l'apparition le révélait, il ne se préoccuperait pas du tout d'une femme séparée et, bien au contraire, comme trop d'autres, il lui jetterait probablement des regards de prédicateur.

En attendant, il lui fallait penser à préparer le repas. Ce serait bien, mais il fallait les bons ingrédients. Alors elle sortit le livre de la *Cuisine raisonnée* et l'ouvrit sur la table…

***

Chapitre 28

– Ces deux hommes-là sont une vraie bénédiction du ciel sur notre paroisse.

– Ha, ha, ha, ha, ha, ha…

Laurent et son père visitaient Napoléon Boucher, cultivateur à sa retraite qui habitait une petite maison grise et basse située dans le voisinage de la veuve Lessard.

L'homme était mafflu, pansu, fessu et il fumait la pipe, une pipe à grosse tête noire qui grillait en son fourneau du tabac épais, grésillant et puant. On l'avait trouvé assis sur son perron, qui regardait des horizons pas très lointains bornant la terre du curé, celle à Freddy Grégoire qui suivait puis, au fin fond, situées dans l'autre sens, les premières du rang Neuf et leurs maisons qui gratifiaient le gros personnage d'une heureuse nostalgie. Comme il avait aimé sa terre du rang Six qu'il avait travaillée toutes ces années à son gros rythme lent et comme il aimait le repos du guerrier maintenant qu'il touchait sa pension de vieillesse depuis quelques mois, qu'il n'avait personne d'autre à s'occuper que de lui-même et qu'il conservait sa bonne santé.

Jos redit en parlant des Juifs que Poléon avait vus depuis le magasin Boulanger la veille :

– Grâce à eux autres, la face de Saint-Honoré-de-Shenley va changer pour tout le temps…

– Ha, ha, ha, ha, ha… ça va-t-il être une bonne affaire ?

– Poléon, pense à ça: de l'ouvrage pour vingt, trente, cinquante personnes.

– Non, mais il va-t-il faire assez beau aujourd'hui, hein!

Jos et son fils étaient debout en bas de la galerie. Laurent avait son pied droit plus haut, accroché à une marche molle et il se taisait, se sentant trop jeune pour tâcher de réaliser des approches avec ce membre du Comité de crédit de la Caisse Populaire. Et le futur industriel farfouillait dans la terre noire avec son autre pied, pensant à la Cadillac gris bleu qu'il s'offrirait peut-être dans cinq ou dix ans, quand l'entreprise serait florissante et que le foin entrerait à la pelle.

Si seulement Fortunat avait pu… ou voulu. Comment poursuivre une relation avec Jeannine après une pareille désorganisation dans leur lien? Depuis la veille, il songeait souvent à cette jeune femme du village voisin, une blonde ultra-mince comme il les aimait, et dont le père possédait un magasin général important, un homme riche qui avait fait fortune au Klondike.

– Vous voudriez pas vous assire, là, vous autres? demanda le gros homme en reniflant pour mélanger de l'air frais à la boucane qu'il aspirait par la bouche et le bouquin de sa pipe dans le but d'en faire une composition plus piquante encore.

Jos avait l'habitude de tels coq-à-l'âne et il savait comment ramener vite le sujet important sur le tapis. Important pour lui… Il se mit à rire et dit:

– Là, t'es tu seul dans ta maison, toi? Faudrait te trouver une belle grosse veuve quelque part… Hey, Laurent, la madame Couët du quatrième rang à Courcelles, ça ferait une bonne femme pour notre Poléon, tu penses pas?

– En tout cas, elle a tout un avenir en avant d'elle, fit le jeune homme en adressant un regard complice à Poléon.

Ils venaient de miser juste. L'homme leur emboîta le rire mais soudain redevint à moitié sérieux.

– C'est pas une bossue toujours ?

– Ben non, ben non ! dit Jos. Le bossu Couët, y a rien que lui de même dans c'te famille-là.

– Pis quel âge qu'elle a, votre belle veuve ?

– Soixante-cinq ou un peu plus… pas mal dans ton âge à toi, Poléon.

– Pis de l'avenir en avant ?

– Un gros avenir, dit Laurent. Un double avenir itou…

– J'commence à trouver que le mien, mon avenir, il diminue, lança Poléon avec une poffe bleue et un gros rire gras.

– Avec une veuve de même, tu le retrouverais, ton avenir, pis plus…

– Pis pas mal plus, approuva Laurent avec un clin d'œil adressé au bedonnant personnage.

Le père et le fils sentaient qu'ils venaient de mettre leur homme en poche et il leur sembla qu'ils ne devaient pas dire un seul mot au sujet du prêt qu'ils demanderaient le jour même à la Caisse. Douze mille piastres, c'était pas des brins de foin.

La journée était fort bien orchestrée. D'abord, on visiterait les trois membres du Comité de crédit. Déjà, le gérant de la caisse, Amédée Bureau, savait qu'une importante demande de prêt lui serait faite dans les heures à venir par les Bilodeau, et le soir même, il présenterait le dossier au Comité de crédit qui siégeait tous les vendredis.

Claudia verrait Roger Bureau et, par lui, atteindrait madame Bureau qui exerçait, disait-on, une grande influence sur son mari, lequel en avait une importante sur les commissaires au crédit. Et le midi même, Laurent aurait Jean-Louis à manger avec lui au restaurant chez Fortunat… Mais il y avait encore de l'ouvrage d'ici là…

On quitta bientôt Poléon qui connaissait bien avant leur visite leur intention d'ouvrir une manufacture de chemises dans l'ancienne *shop* de *peanuts*. Le vieux cultivateur n'était pas dupe : il savait fort bien qu'on était venu pour le préparer à accepter une demande de crédit. En tout cas, ce n'était pas pour lui vendre un habit puisqu'il en avait un quasiment neuf pour le dimanche, en fait qu'il avait acheté des Bilodeau cinq ans auparavant. Et du linge de semaine, il n'en manquait pas puisque ses quatre grands gars en avaient laissé la moitié d'une armoire chacun en partant de la maison. Et puis il portait toujours le même vieux veston fripé, fabriqué d'un tissu que le temps aurait rendu gris s'il ne l'avait déjà été dans toutes ses fibres.

– Pour moi, le père Poléon, on l'a eu, dit Laurent à son père quand on quitta la rue pour entrer sur la rue principale.

– C'est comme une élection : faut jamais vendre la peau de l'ours avant de l'avoir tué, dit Jos qui voulait éviter à son fils de devenir trop confiant, comme ces soirs de hockey où il partait avec des certitudes trop grandes qui tournaient en désillusion très souvent.

– Asteure, c'est notre Lucien Boucher qu'il faut voir. Si on fait voir qu'on est pour la séparation de la paroisse, il nous croira pas pis il va nous voir venir avec nos gros sabots.

– Vous pensez ?

– Ben oui. Mais l'affaire, c'est que j'sais pas comment le prendre. Un homme de même, le bon bord, on sait pas trop c'est où…

Jos frotta une grosse tache de naissance qu'il portait à la tempe, signe qu'il se sentait peu sûr de lui pour affronter la prochaine étape.

– Peut-être qu'on aurait dû demander à monsieur Pierre de venir avec nous autres.

– Jamais de la vie ! Lucien Boucher aime pas les étrangers plus qu'il faut.

– Y est pas tout seul : la moitié de la paroisse est de même. Pis monsieur le curé itou. On devrait lui donner une chemise d'abord qu'on va en faire…

– Ça, il pourrait le prendre de travers…

L'inquiétude continua de remplir l'auto avec les habits accrochés à l'arrière où il n'y avait pas de banquette pour agrandir l'espace disponible. On entra bientôt dans le rang et une légère odeur de poussière entra dans les narines. Jos s'en plaignit. Il faudrait absolument faire examiner le hayon du coffre arrière sinon on en viendrait à devoir épousseter la marchandise à chaque demi-journée et plus encore.

On trouva Lucien Boucher sur une planche de labour près de la maison en train de herser. Il fit s'arrêter son attelage et marcha au-devant de ses visiteurs. Dès après les salutations, Jos en vint droit au but :

– Comme tu dois savoir, on veut se partir une manufacture pis il nous manque d'argent. Ça fait qu'on demande un prêt à la Caisse aujourd'hui pis on vient te demander de nous appuyer.

– Ça va être bon pour toute la paroisse, ajouta Laurent. Du gagne qu'on avait pas… qu'on n'a pas…

– Une fille va se faire à peu près quel salaire dans sa semaine ?

– Disons entre vingt et trente-cinq piastres, dit Laurent sans hésiter.

– Aussi bon que les hommes qui travaillent au moulin des Blais…

– Aussi bon, dit Jos. À part que les boss, c'est sûr…

– Pis les boss, vous autres ?

Laurent parla vivement :

– On va commencer sur le même pied que les meilleures filles pis ensuite, on va voir suivant les revenus pis les contrats qu'on aura.

Lucien rajusta une bretelle de ses *overalls* sur son épaule, il regarda au loin son labour pas encore assez sec pour générer de la poussière et déclara :

– D'abord que vous avez pas passé par quatre chemins pour me parler, je vas faire pareil, je vous dois ça. Je serais d'avis que vous leviez des fonds publics pour disons le tiers de ce que vous avez besoin, pis la Caisse pourrait vous prêter le reste. Comme ça, y aurait plus de monde d'impliqué là-dedans. Pis si jamais un jour vous avez des problèmes comme Jean Nadeau avec sa *shop* de *peanuts*, ça va être plus facile de vous faire épauler…

– Tu parles exactement comme les Juifs, mon Lucien, échappa Jos qui voulut aussitôt abrier sa phrase avec un rire un peu niais dont il se servait si bien pour vendre des habits.

– On fait affaire avec des Juifs pis ils nous donnent un coup de main dans l'organisation, dit Laurent pour aider son père.

Lucien soupira et dit en bougeant la palette de sa calotte grise :

– Les Juifs, c'est eux autres qui mènent la grosse *business* à Montréal. Faut apprendre d'eux autres pis ensuite prendre leur place. Pourquoi qu'on devrait continuer à être des porteurs d'eau ? C'est pour ça que je vous donne mon appui. Pis plus en vous disant de lever des fonds. Y'a pas de honte là-dedans. Demain, vous devriez ouvrir une table aux alentours de la salle vu que toute la paroisse va monter sur le cap à Foley avec ben des étrangers itou pis expliquer votre projet.

– C'est ça que les Juifs nous ont dit itou, s'écria Jos tout étonné de voir pareille communion de pensée entre Lucien et eux.

Puis on s'échangea des banalités. Jos parla de la terre qui l'avait vu naître et sur laquelle il avait grandi dans le rang Six de Saint-Benoît ; il voulait que Lucien le sente un gars comme lui. Ce fut une fructueuse rencontre somme toute.

On eut le temps de retourner au village et de se rendre chez Joseph Bellegarde, le troisième membre du Comité de crédit. C'était à trois maisons du magasin et on s'y rendit à pied. L'homme travaillait dans son atelier à bois. Ils furent reçus plus ou moins bien, car le personnage avait toujours la mine austère et on lui connaissait des sautes d'humeur et de l'instantanéité pas toujours rose. Occupé à tourner du bois, il ne s'arrêta que quand son morceau d'érable eut pris la forme finale désirée. Il fit s'arrêter le tour pour obtenir un certain silence.

C'était un homme de 60 ans et plus, peu enclin au progrès, conservateur et duplessiste. Une fois par semaine, il faisait un ménage complet de son atelier où il régnait un ordre impeccable, rigoureux comme son esprit.

Jos expliqua son cas.

Bellegarde fronça les sourcils.

– Jos, ces affaires-là, ça se traite pas dans une *shop* à bois. C'est pas la place pour ça…

– C'est sûr, monsieur Bellegarde, mais ça peut se préparer comme vous êtes à préparer des barreaux de chaise.

– C'est pas des barreaux de chaise, c'est des barreaux d'escalier. Tu parles à travers de ton chapeau.

Et l'homme s'adressa à Laurent:

– Pis c'est toé qui vas mener ça, une *shop* de même avec trente, quarante personnes à conduire. À ton âge, t'as du front…

– Il aura fait des stages à Montréal à Pink Lady…

– Les folies à Jean Nadeau, ça nous a coûté cher, ça…

Les deux Bilodeau se sentaient fort contrariés. Et chacun regrettait sa venue. Il fallait un vote unanime au Comité de crédit et ce vieux frappé risquait de mettre un bâton dans la roue. Comment les membres de la Caisse de Saint-Honoré avaient-ils pu se choisir un directeur aussi rétrograde?

Aussi bien ne pas lanterner dans un endroit pareil! Par un échange de regards, père et fils s'entendirent pour s'en aller. Quand ils furent rendus dans l'embrasure de la grande porte ouverte, le bonhomme leur lança, le ton sévère:

– Craignez pas, j'vas pas vous faire manquer votre coup si Médée Bureau nous recommande votre projet…

De retour au magasin, on aperçut la Studebaker des Juifs. Ils devaient se trouver à l'intérieur. Jos s'occuperait d'eux, de planification, compte tenu des événements du jour, tandis que Laurent se rendait au restaurant y attendre son ami Jean-Louis qui travaillait à son bureau du village voisin et serait là sur le coup de midi s'il tenait sa promesse.

Et il la tint puisqu'il arriva peu de temps après au volant de sa voiture noire. Laurent l'avait attendu dehors, préférant cela à une conversation embarrassée avec quelqu'un de l'hôtel, soit Fortunat, Jeannine ou même Monique.

Mais on ne rencontra qu'Émilien au restaurant, tous les autres étant partis à Saint-Georges pour un bon bout de temps. Ce fut donc plus aisé d'avoir un échange suivi d'autant que l'on choisit la cabine la plus éloignée du comptoir.

Laurent présenta son projet comme à un allié du futur puis il lui fit miroiter un bel avenir.

– Mon ami, le temps de Duplessis va finir par finir, et toi, tu vas te présenter aux élections provinciales ou fédérales comme t'en parles depuis un bon bout de temps déjà. Ben tu vas m'avoir comme organisateur du territoire que tu voudras me confier. Pis si faut de l'argent dans la campagne, on mettra ce qu'il faudra. On ira le reprendre ensuite. Si t'es du côté du pouvoir, les gros contrats du gouvernement, tu peux aller les chercher. De ton bois, il pourra s'en vendre à l'État… Pis moi, je vendrai des chemises à l'armée. Que tu te présentes au provincial ou au fédéral, on va avoir les mains dans la crèche. Pis ça sera plus une Chevrolet pis une Plymouth qu'il y aura là, en avant, mais deux Cadillacs flambant neuves. La tienne pis la mienne. Pour habiller une femme aussi éclatante que Pauline, c'est une Cadillac que ça va te prendre, qu'est-ce que tu dis de ça ?

– L'ambition, ça tue pas. T'en as pour deux, c'est tant mieux…

– T'en as autant que moi, pis plus. Moi, j'sus pas le gars pour monter sur un *hustings* pour faire un discours politique mais tu sais que pour faire de l'organisation, j'ai pas de misère…

– Un tandem gagnant, pour ainsi dire.

– L'avenir est aux gagnants… Gagner, gagner, gagner…

Ils avalèrent en vitesse des sandwichs et du Pepsi puis quittèrent les lieux. Sur la galerie, ils entendirent une voix qui leur criait :

– *Mutt and Jeff, Mutt and Jeff, Mutt and Jeff…*

C'était une diablerie d'enfant. Clément Fortin les attendait, caché sous les planches ajourées de la galerie et leur criait des noms entendus de la bouche de Gilles Maheux qui leur trouvait une ressemblance avec les deux personnages de bandes dessinées.

Les deux hommes se consultèrent à voix basse. Jean-Louis fouilla dans sa poche et prit quelques pièces de monnaie qu'il inséra entre deux planches et jeta sous la galerie tandis que son ami et lui-même se ramassaient de la salive plein la bouche. Et quand ils perçurent que l'on bougeait en dessous, ils crachèrent dans les interstices. Et recommencèrent… Une plainte de contrariété étouffée fut entendue. Ils s'échangèrent un clin d'œil.

– C'est ça, de la stratégie politique ! dit Jean-Louis en lissant sa petite moustache.

– Et ça peut pas être mieux que ça !

***

Chapitre 29

Bédard jugea bon s'arrêter chez les Boutin en montant à sa future demeure cet avant-midi-là.

Marie-Ange était une femme sur qui reposaient bien des responsabilités. Mariée à un homme faible et mère d'une trâlée de grandes filles, elle se devait par la force des choses de posséder un œil exercé quand un nouveau mistigri faisait irruption dans le décor. L'homme se disait qu'il devait en conséquence créer autour d'elle un tel écran de fumée que jamais elle ne puisse voir le feu s'il advenait un jour qu'il s'en produise autour de lui ou par son action. Ce qui par ailleurs lui apparaissait probable.

– Georges est déjà rendu à ta maison, dit Marie-Ange, les mains sur les hanches et les pieds sur la plus haute marche de la galerie. Voulais-tu le prendre comme engagé encore aujourd'hui ?

– Ben oui, je l'avais dit.

L'étranger était resté sur sa bicyclette et il conservait son équilibre avec son pied droit posé sur la marche la plus basse.

– Une vraie belle journée pour travailler dans les réparations de maison…

– Ça peut pas être plus l'été…

– Dans ce cas-là, on va vous attendre pour manger à midi.

Bédard n'aurait pas pu songer à meilleure perche.

– Savez-vous, madame Boutin, c'est vendredi aujourd'hui pis j'pense que j'vas peut-être jeûner aujourd'hui…

La femme grimaça, bien que cette réponse lui fasse bonne impression.

– Jeûner quand on travaille dur, le Bon Dieu demande pas ça. C'est monsieur le curé qui le dit souvent itou…

Il la pénétra jusqu'au fond du regard.

– Vous savez, c'est en forgeant qu'on devient forgeron, et surtout, qu'on le reste ensuite. C'est par l'exercice qu'on peut se faire du muscle et c'est par une autre sorte d'exercice qu'on peut se faire du muscle moral, du muscle de l'âme… Vous comprenez ?

Encore mieux impressionnée, elle dit quand même :

– Vous jeûnerez quand la grosse ouvrage vous pressera moins. Contentez-vous de faire maigre vu que c'est vendredi. Je vas avoir des bonnes bines pour dîner… Avec du sirop d'érable pis du pain de ménage, c'est pas trop pesant pis c'est ben nourrissant.

– J'sais que votre manger est pas piqué des vers mais… j'pense que pour à midi…

– C'est comme vous voudrez.

– Finalement, l'accident d'hier, avez-vous réussi à pas trop penser à ça pis à dormir pareil ?

– J'étais comme une morte, moé itou, hier soir. Pis vous, c'est pire d'abord que vous avez vu la mort passer… comme la Simone qui a fait des cauchemars… Elle vient de s'endormir pour de bon, là, pis je vas la laisser faire tant qu'elle voudra… Mais si vous avez besoin de quelqu'un, j'peux vous envoyer Solange… si elle veut ben y aller comme de raison. Vous savez, elle est pas mal indépendante… comme une maîtresse d'école, hein…

– Pour là, j'ai pas besoin, mais aussitôt que je vas avoir ma peinture, si elle veut venir pour peinturer les murs…

– On verra à ça dans le temps comme dans le temps.

– Justement!

– À part de ça, y a pas grand nouveau dans le village?

– Y a le perron de l'église de monsieur le vicaire que j'ai vu se faire emporter par l'orage hier soir.

– Non? Vous me dites pas! Contez-moi ça un peu!

Bédard profita de l'occasion pour planter un autre clou de *rassurance* dans l'âme de la femme, en lui présentant sa participation au travail de coulage comme sa contribution charitable à l'ouvrage.

– Quand on veut se faire adopter par une paroisse, faut pas avoir peur de se salir un peu les mains.

– Ça vous honore, monsieur, ça vous honore!

– Et pis il y a Jean-Yves Grégoire qui est réapparu...

– Bondance, mais c'est pas une paroisse qu'on a, c'est quasiment un monde! Un qui disparaît, un qui apparaît. Tout ça dans la même journée. Monsieur le vicaire, il va en avoir pas mal à conter à monsieur le curé. Je gage qu'il s'en passe moins à Rome que par icitte. Même si à Rome, y a le pape qui est le bras droit du Seigneur Dieu...

Bédard fit un regard mystérieux mais souriant et lança:

– Qui sait, peut-être que par icitte, y'a le bras droit du diable?

Marie-Ange rit, les épaules sautillantes. Quelque part en sa faculté de raisonner et de percevoir, ces mots lui disaient qu'ils ne pouvaient être prononcés que par quelqu'un du côté du bien. Et c'est précisément pour provoquer cette réaction que l'étranger les avait dits. Alors il s'excusa et partit, abreuvé de salutations chaleureuses et de nouveaux reproches affectueux à propos de son intention de jeûner.

Tout l'avant-midi, lui et Georges se parlèrent des nombreux et importants événements de la veille tout en progressant considérablement dans les travaux.

– Bon, on va s'en aller dîner asteure, dit Georges en consultant sa montre de poche. Il est pas loin de midi déjà.

– Pas moi, j'ai décidé de jeûner.

– Ben voyons, viens manger à maison.

– Pas aujourd'hui.

– Ben coudon, fais comme tu voudras…

– Je vas vous revoir après-midi ?

– C'est ça.

Et l'homme piqua à travers le bois droit vers la maison. Ainsi, il ne croisa pas sa fille Solange qui, envoyée par sa mère, allait porter du manger aux hommes. De plus, l'homme flâna un long moment dans une prairie pour voir l'état des foins, et plus loin, celui des pousses de pomme de terre.

Solange arriva à la maison à Polyte avec son panier qui contenait un chaudron de fèves chaudes, du pain et du beurre ainsi que du sirop d'érable. Soit le menu annoncé par Marie-Ange. Sûre de la présence de son père avec l'étranger, la jeune fille entra, confiante et légère, dans sa robe verte un peu serrée sur elle.

Personne.

Silence.

Fraîcheur.

– Pepa, dit la jeune fille à petite voix et en escamotant comme la plupart du temps le premier « pa » de papa par un « pe »…

Pourtant, elle n'avait pas vu âme qui vive devant la maison, et la porte arrière était fermée. De plus, du cœur de la cuisine où elle se trouvait, rien ne lui apparaissait sur la galerie arrière par la fenêtre y donnant.

– Pepa ? questionna-t-elle à voix moyenne.

Néant.

Les deux hommes devaient se trouver quelque part dehors à l'arrière. Elle fit des pas dans la direction de la porte. Mais soudain, elle crut entendre un plancher craquer du côté de la chambre dont la porte fermée se trouvait au pied de l'escalier menant à l'étage. Elle s'approcha, frappa au-dessus de la poignée.

– Pepa ? Pepa ?

Toujours rien. Alors elle ouvrit. Encore rien. Avança dans la pièce exiguë, regarda par une fenêtre donnant sur le côté de la maison. Rien de rien.

Comme une hirondelle qui sent son nid menacé, de l'anxiété vint la frôler subitement de ses ailes agressives et mit son cœur en accéléré. Depuis la veille, à force de se parler à elle-même, et, le ciel aidant par sa nuit étoilée et son matin ensoleillé, elle avait réussi à se rassurer quant à l'étranger, mais voilà que ce vide apparent dans la maison la remplissait d'un malaise indéfinissable que nourrissait l'inexpliqué.

Son côté fillette grandissait à chaque pas. Au pied de l'escalier, elle regarda vers le haut et cria :

– Pepa ! Hou hou… Monsieur Bédard…

S'entendre dire « monsieur Bédard » la calma un moment. Elle se dit qu'elle devrait monter à l'autre étage et de là-haut, regarder les environs. Une idée sans fondement logique. Et elle entreprit de gravir les marches jusqu'au moment où, en son cœur, l'hirondelle de l'anxiété fit place subitement au vautour de l'angoisse.

Et si cet homme était ce bras droit de Satan, dont il avait lui-même parlé à sa mère le matin, une parole que Marie-Ange avait répétée dans la maison après son départ ? Il avait eu l'air de commander à la foudre et peut-être même à l'électricité. Pourquoi cette mort effroyable de Léonard Beaulieu alors que l'étranger était tout près à lui parler ? Et pourquoi Simone avait-elle été harcelée par ces visions d'horreur toute la nuit? Et voilà que son père et ce personnage secret avaient disparu…

Maintes fois, elle était venue dans cette maison depuis son enfance sauf durant la période d'occupation des lieux par les conscrits et déserteurs durant la guerre; et toujours, elle avait senti une âme aux murs et aux choses laissées là. Mais pas maintenant alors qu'elle sentait une seule chose: l'absence. Elle se demandait s'il se trouvait là même une mouche ou le plus petit insecte.

Elle redescendit en vitesse. Ses pas l'emportèrent vers la fenêtre arrière où elle mit son nez. Ses yeux se remplirent d'effroi. En bas de l'escalier, elle aperçut des jambes velues depuis le mollet en descendant, avec les talons de chaussures tournés vers le haut. Le reste du corps était caché par une avance de la maison. Ce n'étaient pas les bottes de son père, mais des souliers de toile comme ceux de l'étranger. Rien ne bougeait. Elle faillit jeter son panier et prendre ses jambes à son cou, mais à nouveau, son intelligence vint modérer le ton de ses émotions.

Et elle sortit. Quand elle fut sur la galerie, la vision avait disparu. Son cœur fut à nouveau étreint par le silence des environs que pas le moindre souffle dans le feuillage ne troublait. Puis une petite voix pointue et infâme se fit entendre:

– Le petit chaperon rouge trottinait dans les grands bois quand soudain une ombre bouge…

– Monsieur Bédard?

L'étranger parut soudain en riant. Et fit glisser vers le bas les jambes de ses pantalons.

– Je t'ai fait peur, hein?

– Pepa, il est pas là?

– Parti dîner.

– Comment ça se fait que je l'ai pas vu?

– Il a coupé à travers le bois.

– Mais j'en apporte du manger dans mon panier.

– Ah! ta mère a pas voulu que je fasse jeûne, hein?

– Y a des bines, du pain pis du sirop d'érable.

– D'abord qu'elle veut que je mange, je vas manger.

Il s'approcha, prit le panier sans s'arrêter de la regarder droit dans les yeux, disant:

– Pis tant qu'à faire, tu vas t'asseoir avec moi, là, dans les marches et on va jaser le temps que je vas manger. Mais si t'as pas dîné, tu vas manger avec moi. Si y'en a pour ton père pis moi, tu mangeras la part de ton père.

Elle se pressa de répondre:

– Non, j'ai dîné, moi. Va falloir que je m'en retourne.

Il lui prit le bras et serra.

– Tu restes là, pis ensuite, tu vas ramener ce qui va rester à la maison. Assis…

Elle dut obéir tant le ton commandait. Il ôta le linge blanc dont il se fit une nappe sur la galerie et y déposa les trois éléments du repas: le pot contenant les fèves, le pain et la petite bouteille de sirop, de même que le beurre et les quatre ustensiles.

– Je t'ai vue venir pis j'ai décidé de te jouer un tour. T'as mangé des bines pour dîner.

– Non… oui… ben…

– Moi, j'sais que t'as pas dîné pis que t'as faim. Ça fait que tu vas manger en même temps que moi…

Elle dut décroiser les bras pour prendre la fourchette qu'il lui tendait. Il ouvrit le pot, la bouteille puis se regarda les mains en annonçant qu'il se rendait au puits afin de se les laver.

– En attendant, déchire le pain!

La jeune femme se sentait sous une emprise dont elle ne parvenait pas à se libérer, sans pourtant qu'elle n'arrive même à faire des efforts pour cela. Sur son bras, l'étreinte de la main de l'homme semblait durer. Mais elle obéit encore et rompit le pain tandis que l'étranger frottait ses paumes dans l'eau d'un seau posé au bord du puits.

Il revint en secouant ses bras.

– C'est froid, que c'est froid!

Un autre doute lui revint et c'est la maîtresse d'école en elle qui le soulevait. Comment quelqu'un qui ne sait pas écrire peut-il utiliser dans une même courte phrase une exclamation ainsi que le mot «froid» au lieu de «frette» comme le font tous les gens ordinaires.

Il reprit place dans l'escalier, assis face à la jeune fille et prit une fourchette.

– T'as pas mal au cœur de manger dans le même pot que moi toujours?

– N... non... ben non...

– Aimes-tu ça pas beaucoup sucré ou pas mal sucré?

– N'importe.

– Sûr?

– Hum hum...

– Dans ce cas-là, on va sucrer pas mal.

Et il vida toute la bouteille dans le pot où il fourragea ensuite avec sa fourchette pour que les cristaux se diluent et se répandent uniformément.

– Vas-y...

Elle se ramassa une fourchetée qu'elle porta à sa bouche. Les fèves glissèrent, tombèrent. Il lui en resta peu à se mettre sous la dent.

– T'as pas de cuillères? dit-il en cherchant dans le panier.

Et il en trouva tout au fond.

– Ben oui, en v'là...

– Je savais pas tout ce que y avait dans le panier.

– Tiens.

Elle prit l'ustensile qu'il retint une seconde ou deux pour rire. Mais Solange se sentait trop nerveuse et mal à l'aise pour réagir positivement ; elle demeurait froide comme l'eau du puits.

– C'est là que tu vas me donner ma première leçon d'écriture.

– Pour écrire, faut un crayon.

– C'est vrai, oui… Mais tu peux dessiner une lettre imaginaire là sur la nappe avec ta fourchette. Rien qu'une par jour ou par fois que tu vas me montrer, pis comme ça, je vas apprendre plus vite parce que plus lentement. En vingt-six jours, je sais écrire.

Cette fois, elle sourit devant cette pédagogie particulière qu'elle ne trouvait pas si bête. Mais c'est lui qui devint tout à coup sérieux. Il prit un morceau de pain, le trempa dans le liquide sucré qui baignait les fèves et le porta à la bouche féminine. Elle hésita puis, subjuguée, ouvrit la bouche et accepta le morceau comme si elle disait oui à bien plus sans pouvoir s'y opposer.

– J'ai envie de te regarder manger, dit-il.

– Pourquoi c'est faire ?

– Comme ça… j'ai envie, c'est tout.

– C'est gênant de manger tu seule pis en plus de se faire regarder de si proche.

– Ah ! je vas manger moi itou, tiens…

Et il plongea sa cuillère à soupe dans le mets puis ajouta à la fournée un morceau de pain sans beurre.

– Quel âge avais-tu quand tu t'es assommée ?

– Comment savez-vous ça ?

– Il y a une marque dans ton sourcil droit.

– Dix ans.

– Il me semblait que tu me disais tu, pas vous. Vous, ça me fait vieillir… trop…

– On a coutume de dire vous aux gens qu'on connaît pas.

– C'est correct.

Elle enfonça sa cuillère dans le pot. Il regarda sa main puis la suivit jusqu'à ce qu'elle mange. Et fit pareil…

Il finit par rompre la pause :

– On commence par quelle lettre pour la leçon ?

– Par le A, comme à l'école.

– Dessine-le.

– T'as déjà vu un A, voyons.

– Dessine-le.

Elle s'exécuta avec la cuillère.

– Il y a deux sortes de A. Ça, c'est une majuscule, et ça, une minuscule. Et puis, il y a les lettres moulées et les lettres ordinaires en écriture calligraphique.

– Minute, là, tu vas un peu vite, tu trouves pas. J'sus un enfant de première année, moi.

– Un enfant de première année possède un petit cerveau tandis qu'un homme de… mettons trente ans, en possède un plus gros.

Il hocha la tête et prit un ton de doute :

– Ah ! ça, c'est pas si sûr. Mais là, je parle de moi parce que… tiens ton père, ça, c'est un homme intelligent.

Rares sont ceux-là qui restent insensibles à la flatterie de leurs gènes et l'étranger le savait fort bien. La tension pénible diminua d'un cran chez la jeune fille, et l'autre, la tension heureuse monta un peu.

– Tu le connais même pas…

Elle savait pourtant fort bien qu'ils avaient travaillé et parlé assez longtemps pour faciliter pareil jugement de la part d'un observateur.

– Pas besoin de savoir lire dans les livres pour savoir lire dans les âmes…

– Dans les âmes ?

– Dans la tête si tu veux…

La jeune fille eut tout à coup une inspiration. Par un geste, elle saurait peut-être ce qui se trouvait à l'intérieur de cet étranger. Car si elle procédait par questions pour entrer dans sa tête, il se ferait évasif et empêcherait que l'on puisse voir ses vraies pensées et le fond de son cœur.

– On n'a pas dit notre bénédicité avant de manger. Je le dis toujours. Toi, tu fais le signe de la croix, et moi, je récite la prière.

– On va faire mieux que ça, chacun va se renfermer sur soi et se composer une prière personnelle, originale, pis on se dira quoi ensuite… Les yeux fermés… Les yeux fermés…

Elle obéit.

Une fois de plus, il avait éludé quelque chose et la jeune fille eut l'impression qu'il venait encore de lui confisquer un morceau d'âme.

***

Chapitre 30

Si Marie-Ange avait pu voir d'un coup tout ce qui se produisait en même temps dans son village, elle aurait lancé non pas «Bondance, mais c'est pas une paroisse, c'est quasiment un monde», mais plutôt «Bondance, ma paroisse, c'est pas une paroisse, c'est un univers...»

Il y eut Rose qui à l'heure du souper se rendit à l'épicerie. Au coin de la rue des Cadenas, voisin de l'atelier du père Bellegarde, on avait ouvert une épicerie-boucherie dans le sous-sol d'une maison que l'on avait surélevée à cette fin. Le père avait commencé à commercer les animaux sur sa terre puis était venu s'installer au village. Une jeune et grande famille. Du monde de six pieds en montant. Des Lacroix.

Pour Rose, c'était moins loin que le magasin chez Boutin-la-viande; et quand on emporte deux sacs à main remplis de boîtes de conserve, ça compte, une distance de quatre ou cinq maisons.

De retour chez elle, la femme rangea les divers éléments de sa commande. Après un coup d'œil à la vieille dame, elle se rendit à la cave pour y chercher des légumes blanchis contenus dans des pots hermétiques qui avaient été mis dans une armoire l'automne précédent par la généreuse voisine Bernadette Grégoire pour les vieux Jolicoeur quelques mois avant que Gédéon ne rende l'âme. Après avoir tourné le commutateur pour éclairer le sous-sol sombre, elle emprunta un escalier qui tournait à quarante-cinq degrés en son milieu, et, rendue dans l'angle, elle aperçut un rais de lumière blanche venant de la porte extérieure laissée entrouverte. Il lui semblait pourtant l'avoir refermée elle-même. Pourvu que ce ne soit pas le beau Jean d'Arc qui se soit fourré dans la tête de revenir sans sa permission, sans son appel clair et net.

Des rats avaient pu entrer, venus du ruisseau d'égout ou bien de la grange à Freddy là-bas dans le clos de pacage. Ou pire, une moufette ou quelque autre bestiole pas très désirable…

Elle soupira, s'y rendit, et ferma puis vérifia si la clenche était bien à sa place sur le mentonnet. Et rebroussa chemin. Alors il lui sembla qu'on la regardait, mais elle ne pouvait pas y voir nettement à cause de la faiblesse d'une seule ampoule jaune, de toutes ces choses qui remplissaient le sous-sol, cordes de bois, fournaise, parc à patates, armoires en hauteur, poutres de soutien, et parce que ses pupilles venaient de faire une saucette dans l'éclat du jour. Elle s'arrêta. Un bruit parvint à ses oreilles. Un frottement. Ou un bâillement humain.

– Y a quelqu'un ?

Silence.

– Minou, minou, minou…

Si c'était un chat, ça ne répondit pas.

– Pitou… pitou… pitou…

Si c'était un chien, ça ne répondit pas.

Un autre bruit lui parvint. Ou bien c'était un gaz humain ou peut-être un ouaouaron…

Peut-être des gamins jouant à cache-cache.

– Gilles ? André ? Clément ? Fernand ?

Sans être très nerveuse, elle avait le cœur qui remuait un peu plus que d'ordinaire. Mais le prénom de Fernand par lequel elle voulait désigner un petit Boutin, lui rappela celui de Fernand Rouleau. Et voilà qui n'était pas pour la rassurer.

Encore que s'il devait y avoir agression sexuelle, ce serait peut-être lui la victime et non pas elle...

Plus rien!

Personne n'avait jamais à faire face à une bête dangereuse dans sa cave pour la bonne raison qu'il ne se trouvait pas de bêtes dangereuses dans la région. Et les seuls hurlements de loups qu'on entendait une fois l'an dans la paroisse provenaient, disait-on, du bois des Breakey et ne parvenaient donc pas au village trop distant de la grande concession forestière qui commençait au fond des rangs Six et Quatre du côté sud.

Elle poursuivit une pause attentive. Plus rien. Une petite bête devait se cacher dans un coin. Elle verrait à ça et si la chose était fondée, Ovide Jolicoeur s'en occuperait le lendemain. Là, elle retourna vers l'escalier à côté duquel se trouvait l'armoire à pots de conserves de l'automne. Elle posa la main sur la poignée de la porte et une petite main molle se posa sur la sienne et lui arracha un cri de surprise. Un pas de côté, l'autre main retomba, un visage lui apparut dans la pénombre.

– Ahhhhhhhh!

Cette fois, la peur injectait le cri. Mais une peur de trois secondes pas plus. Aussitôt, elle jeta, sévère:

– François, c'est que tu fais là, toi?

L'homme au monstrueux visage ne pouvait exprimer, par son apparence extérieure, ni crainte, ni douleur, ni colère, ni pulsion sexuelle exacerbée. Sa laideur ne savait dire qu'une seule chose: sa profonde solitude. Il marmonna:

– Genè...t... anqeur... copan... dire allu in woçen...

– Ça fait-il longtemps que t'es là? Pis quoi c'est que tu veux?

– eudi... lamé... wouyé... haché... ougnun... tulip...

– Ah! je le sais, j'pense, pourquoi que t'es là... T'es venu chercher les oignons de tulipe pour ta mère...

Il hocha affirmativement la tête en disant:

– En… moua… jen… pam al taû…

– Mais pourquoi que t'es pas rentré en haut ?

– Mien oué… yé tsané…twâfoua…

Là, elle comprit qu'il avait sonné trois fois.

– J'étais partie à l'épicerie, je viens d'arriver. Bon, ben, coudon, je vas te les donner, tes oignons… Sont en haut sur le bord d'un châssis. Sont frais : je les ai sortis de la terre avant-hier. Ta mère va pouvoir les faire sécher tout l'été pis les remettre dans la terre au mois d'octobre. Viens en haut, monte…

Elle le précéda et le pauvre homme défiguré par la nature promena ses yeux sur sa personne tout le temps que dura leur ascension. La femme le devina et fit exprès de rouler encore plus les hanches comme pour le récompenser de son respect et peut-être nourrir un peu son plaisir solitaire de la prochaine nuit.

Elle trouva un sac dans une armoire et se rendit ramasser les oignons dits et mit le tout sur la table tandis que François attendait sagement debout à côté du réfrigérateur.

– Voudrais-tu un Nescafé ?

– Moué… yenpeu… malaillé… Yen dla choppe…

– Pis j'pense à ça, j'aurai pas le temps, j'ai pas mal d'affaires à préparer à soir… Ça sera pour une prochaine fois certainement.

L'homme fouilla dans sa poche et tendit un billet de deux dollars qu'elle regarda avec curiosité.

– C'est pour les oignons ?

Il acquiesça.

– Ah ! c'est pas de refus, je vas faire pousser d'autre chose avec ça. Merci beaucoup.

Elle le prit par le bras et le reconduisit à la porte. L'homme partit en marmonnant sans cesse des paroles pour la plupart inintelligibles mais qu'elle savait signifier de la bonne volonté timide et de la résignation devant le sort que la vie lui avait réservé.

Et elle retourna à la cave y quérir les pots désirés.

On frappa à la porte de Bédard à l'hôtel. Il ouvrit. Émilien montra deux raquettes de tennis.

– Y a Jean Béliveau qui nous attend sur la terrasse. Il dit que vous allez venir jouer avec nous autres.

– J'arrive dans deux minutes, pas beaucoup plus. Entre un peu pis assis-toi. Faut que je me change de pantalon pis de chaussures.

Le jeune homme fit ce que l'autre demandait après avoir refermé la porte. Et l'étranger, pendant ce temps, ôtait ses culottes qu'il jetait sur une chaise. Il sentait que l'adolescent lui regardait le postérieur quand il ouvrit une armoire contenant ses autres vêtements, et, tout comme Rose l'avait fait devant François, ça l'incita à se trémousser pour s'amuser et ulcérer la concupiscence du garçon dont il avait fort bien deviné les penchants.

Bédard avait le fessier plutôt étroit, mais ainsi penché vers l'avant pour délacer ses chaussures puis en chercher d'autres plus souples dans la garde-robe, il se l'infatuait quelque peu. D'autant que son slip blanc était plutôt serré sur sa personne.

L'adolescent avait pris place sur une chaise, et, d'une seule main, il roulait deux balles de tennis sur sa cuisse. Des lueurs apparaissaient dans son regard qu'il s'efforçait pourtant de promener un peu partout sans manquer d'accrocher à chaque balayage sur les fesses de Bédard tout en regrettant le départ de Rioux.

Bédard trouva le pantalon blanc qu'il cherchait suspendu à un cintre et se mit en position de l'enfiler; mais il perdit l'équilibre et recula sur une seule jambe vers Émilien qui réagit et le retint de tomber en lui appuyant les mains dont l'une contenant les balles sur le derrière.

– Non, mais as-tu déjà vu une affaire de même ? M'enfarger dans les fleurs du prélart.

Et l'homme se retrouva sur ses jambes puis vivement dans ses pantalons. Il retira la ceinture de l'autre paire et se l'enfila autour de la taille, tandis que l'adolescent lui racontait une de ses chutes dans les mêmes circonstances.

On ne tarda pas à se retrouver dans le couloir. Au bord de la rampe, Bédard jeta un coup d'œil en bas dans le puits de l'escalier. Il aperçut la tête de Jeannine levée vers eux, mais qui se retira aussitôt comme si elle avait été à l'affût de quelque chose. Il devinait pourquoi elle surveillait sans en avoir l'air…

Et on sortit tout droit dehors en s'échangeant des propos anodins. De la galerie de l'hôtel, on pouvait apercevoir le terrain de jeux déjà rempli d'enfants et de jeunes personnes. Deux équipes de ballon prisonnier s'étaient formées et jouaient en faisant le bruit d'un corps d'armée. Les deux croquets avaient leurs huit joueurs et Bédard put en reconnaître quelques-uns malgré le peu de temps qu'il se trouvait là. La plus belle animation provenait d'une série de balançoires au fond, occupées par des plus jeunes.

Toutes les flûtes noires accrochées aux poteaux de lumière chantaient des mélodies américaines. Il faisait doux. Il faisait encore soleil. Un soleil penché et qui avait commencé à se reposer après les grands efforts du jour.

Partout des jeunes filles regardaient tout autour sans en avoir l'air tandis que les gars s'échangeaient des blagues sur l'échancrure de certaines robes. L'insouciance de la jeunesse n'avait pour limite que la couronne mortuaire dont on pouvait apercevoir le profil sur le côté de la salle paroissiale, une couronne qui garderait deux autres jours en son cœur, pour le livrer à la réflexion de tous, le nom de Léonard Beaulieu et son âge de 25 ans…

Près du perron de l'église, le grand Jean Béliveau jasait avec le vicaire Gilbert venu pour la nième fois flatter le dessus du ciment afin d'en apprécier le fini et la prise. Malgré la chaleur du soir, on se parlait d'hiver, de glace et de hockey. Le vicaire parlait en connaisseur et sans savoir qu'il s'adressait à un As de Québec, et l'autre tâchait d'en apprendre le plus qu'il pouvait.

Une Studebaker rouge arriva et se stationna un peu plus loin, une roue sur le gravier du chemin et l'autre sur le semblant de pelouse qui recouvrait une étroite surface de terre longeant l'église. Les deux Juifs en descendirent ainsi que les deux Bilodeau, père et fils. Et tout ce beau monde forma groupe autour de Béliveau et du prêtre qui, au premier coup d'œil, fronça les sourcils à voir ces tenues noires et ces cheveux à ressorts.

Les présentations furent très rapides, comme si elles avaient été orchestrées par un instructeur invisible, et furent faites par Laurent, qui connaissait déjà Béliveau pour s'être un peu mesuré à lui en paroles au restaurant de l'hôtel un de ces jours derniers.

Dans son français tordu, Pierre Sussmann, le plus pansu des Juifs, dit au prêtre :

– Vouzavaé… une twè bô pèwon…

– On l'a coulé ce matin.

Béliveau jeta un petit coup d'œil du côté de l'hôtel et aperçut Germain Bédard et Émilien. Il s'excusa, annonça qu'il avait rendez-vous pour une partie de tennis. Tous le saluèrent et il fit un signe vers ses partenaires de jeu qui le rejoignirent.

Émilien aperçut les petits Maheux sur leur galerie. Il mit ses deux doigts dans sa bouche et les siffla en leur adressant des signes de venir. Les enfants comprirent qu'on les réclamait pour courir les balles de tennis : ils s'amenèrent à toutes jambes.[1]

Et alors que le terrain de jeux s'enrichissait d'un nouveau sport – nouveau pour ce soir-là puisque le sol était quadrillé de galons de toile qui servaient de lignes –, une autre sorte de partie commençait à se dérouler à côté du perron de l'église. Les Bilodeau, appuyés par les Juifs, étaient venus pour obtenir la permission et la bénédiction du vicaire afin d'installer une table « financière » au voisinage de la salle paroissiale le lendemain soir, quand il y aurait foule pour assister à la prochaine apparition, table suggérée par les Juifs et par Lucien Boucher, et qui permettrait de récolter de l'argent public, en fait des engagements individuels d'acheter des actions de la nouvelle compagnie, qui verrait le jour dans une semaine ou deux.

Le vicaire donnait des apparences d'empathie, mais à l'œil de l'observateur perspicace ne pouvait échapper une sorte de faux-fuyant derrière ses lunettes. Et Jos, fin vendeur et bon psychologue, eut tôt fait de le percevoir. Et Laurent qui se tenait aux aguets tout en parlant aux Juifs le saurait aussi à travers les paroles de son père et l'échange entre lui et le prêtre.

– Le moment est venu d'ouvrir la manufacture, dit Jos qui ajouta comme toujours un rire que les mots eux-mêmes ne justifiaient pas.

– Et c'est pourquoi nos amis juifs sont par ici ?

– En plein ça.

– Nos histoires d'apparitions de la Sainte Vierge, ça doit les faire sourire.

– Ah ! ben non, monsieur le vicaire. Ils sont pas comme ça. Ils nous respectent comme nous sommes.

1 Note de l'auteur : Je fus, dans mon enfance, parmi ceux qui coururent les balles du grand Jean.

– J'en doute pas, fit le prêtre avec un grand doute bien étiré dans le ton.

– Pis une manufacture, ça se part avec de l'argent. On en a déjà pas mal. Dans quelques minutes, notre demande va passer devant la Commission de crédit de la Caisse, mais il va probablement en manquer quand même. C'est pour ça qu'on a pensé, sur le conseil de Lucien Boucher, de mettre des actions en vente…

– J'espère que vous venez pas m'en offrir parce que je gagne, vous le savez, deux dollars par jour.

– Non, non, c'est pas ça, mais on voudrait votre permission pour ouvrir une table de souscription demain soir pas loin du cap à Foley…

– Ma permission ? Mais faites comme le Cook Champagne qui vend des objets de piété et louez un emplacement à monsieur Grégoire. Il va vous louer ça pour rien, lui, vous le connaissez.

– Ah ! on pourrait faire ça de même, mais si on avait votre permission et, automatiquement, la bénédiction du presbytère, le monde aurait pas mal plus confiance.

– L'idée dans le fin fond, c'est que je bénisse nos amis juifs et leur… insertion indirecte, pour ainsi dire, dans la vie de Saint-Honoré-de-Shenley.

– Ils ont quelque chose de bon à nous apporter, vous savez, quelque chose de très bon.

– Ah ! Sûrement !

– Des jobs, c'est de l'argent qui circule et qui profite à tout le monde.

– Vous savez, monsieur Jos, j'ai connu des personnes qui vivaient dans l'abondance et aussi pas mal de meurt-la-faim. J'sais pas pourquoi, mais les deux sortes font pitié, une autant que l'autre.

– Du gagne pour notre monde, on peut pas prendre position contre ça…

Et Jos ajouta un long rire de la gorge et des épaules, le visage encore plus rouge.

Laurent, pas loin, reconnut là un signe de difficulté. Son front se rembrunit et il changea brusquement le cours de son échange avec les Juifs. Il dit à ton modéré, sachant bien que le prêtre comprenait et parlait l'anglais :

– Mon père a un petit peu de misère à faire passer l'idée, disons…

– Est-ce que c'est question de raisonnement ou de sentiment ? demanda Sussmann.

– Dur à dire.

Le vicaire commenta les mots de Jos :

– Quand le cours de l'histoire d'une paroisse est changé trop rapidement, c'est comme quand on change le cours d'une rivière, ça ne se fait pas sans dommages. Et parfois des dommages considérables… Érosion des valeurs morales. Arrivée d'indésirables. Mœurs qui se relâchent… Toute médaille a son revers, vous savez.

– Une paroisse peut tout régler avec, à sa tête, des prêtres aussi vigilants et compétents que vous et monsieur le curé Ennis.

L'argument remua le vicaire.

– On a l'œil ouvert. Pour ça, monsieur le curé, on peut dire que pas grand-chose ne lui échappe.

– Ni à vous non plus !

Et Jos inséra un autre rire essoufflé et profond.

Les deux prêtres étaient des hommes de progrès, pourvu qu'ils en contrôlent les effets. Mais pour l'heure, seul devant diverses décisions à prendre, le vicaire se sentait un peu dépassé et il avait du mal à s'y retrouver dans les balises établies par la religion catholique et le curé lui-même. Chose sûre, l'abbé Ennis n'aimait guère les étrangers, surtout les Juifs, tout en jetant publiquement l'anathème sur l'antisémitisme. La froideur était de mise avec eux, et c'était cette nécessité qui guidait le vicaire en ce moment. Il cherchait des expédients pour n'avoir pas à dire oui ou non à la demande des Bilodeau et de leurs amis juifs.

Il consulta sa montre :

– Je vais devoir m'en aller. Il faut que je préside à ce qu'on a appelé le Comité des apparitions dont font partie Jean-Louis Bureau, sa blonde, et d'autres…

Jos se mit à gagner du temps en parlant du perron que l'orage avait emporté, du cimetière, des apparitions, de n'importe quoi, espérant lui-même une intervention divine afin de persuader le prêtre d'endosser le projet, ce qui, d'après lui et les Juifs, en garantirait la réalisation rapide.

Laurent maintenant parlait aux Juifs de Jean Béliveau que tous regardaient jouer et qui, dans son élégance du geste, semblait battre ses deux adversaires à plate couture tout en s'excusant souvent de gagner ses services, comme si ses efforts avaient été sans mérite. Le jeune homme jeta une balle en l'air et la frappa avec vigueur.

– Un as, bravo, fit Bédard en applaudissant avec sa main sur les mailles de sa raquette.

Le mot rappela à Laurent que Béliveau jouerait au hockey avec les As de Québec à la prochaine saison et il le fit savoir aux Juifs. Puis il parla de la véritable passion que le vicaire avait pour le hockey.

– Un chaud partisan des Canadiens. Il écoute toutes les parties qu'il peut à la radio…

Pierre tâchait de réunir dans sa tête les cartes d'une main gagnante. Et il trouva. Il vit dans son imagination le signe du dollar imprimé dans une rondelle de hockey…

Une partie de tennis s'achevant, il demanda à Laurent de faire venir Béliveau. Ce qui fut fait. Il le conduisit au prêtre et lui dit :

– Che fou pwésente oune futur star des Canadiens de Monwéal.

Comble de chance pour tous, le vicaire ignorait que Béliveau jouerait prochainement pour les As. Et Laurent s'adonna à le dire.

– À l'automne pour les As pis dans un an ou deux pour les Canadiens…

– Pour les As ? se surprit le vicaire.

– Heu… j'ai signé un contrat, ouais…

Et le Juif alors mit sur table sa carte ultime.

– *You know*, che possèd des *shares* dans la *company* qui possèd les Canadiens…

C'était un beau mensonge, et personne ne pourrait jamais le contredire ou le vérifier.

Le visage du prêtre s'illumina. Tout ça frisait le miracle. Il avait soudain devant lui en chair et en os un futur As de Québec et peut-être un futur Canadien de Montréal de même qu'un actionnaire des Canadiens. Maurice Richard apparaîtrait le lendemain au lieu de la Sainte Vierge sur le cap à Foley qu'il n'en serait pas plus surpris, pas plus ébahi.

Alors il se mit à parler en anglais pour se faire valoir aux yeux des Juifs. Et il accorda non seulement son approbation, mais sa bénédiction à la table de prospection d'argent qu'on ouvrirait le soir des apparitions.

Il dut partir quand même. Ce fut dans la joie et avec le sentiment d'être particulièrement choyé par le ciel…

Pendant un moment, Pierre s'isola pour regarder jouer le grand Béliveau. Ce n'était pas des balles qu'il voyait voyager d'un bout à l'autre du court, mais plutôt des rondelles noires imprimées d'un signe en or, le signe du dollar… Et qu'importe l'effigie du roi Georges VI !

Là-bas, au deuxième étage de la maison à Freddy, assis dans une berçante devant la fenêtre, Jean-Yves, lui aussi un bon hockeyeur comme Béliveau et Bilodeau, regardait dehors. Il voyait tout sans rien voir du tout…

***

Chapitre 31

– L'argent, l'argent, toujours l'argent. Tout coûte cher de nos jours. Le jus de tomate, douze cennes la boîte depuis quelques jours. Ça finit jamais de remonter…

Éva se lamentait tout en mesurant du matériel à robe pour sa cliente du Grand-Shenley, madame Poirier qui ne manquait pas de filles à habiller.

– Ah ! c'est pas Freddy qui vend cher, ça, c'est sûr, reprit-elle, mais faut ben qu'il suive le mouvement comme tout le monde.

Il y avait eu une hausse sur le matériel à la verge en général et la marchande faisait de son mieux pour la faire comprendre et accepter par sa clientèle.

L'autre femme, une personne subtile, possédait un fin sourire teinté d'une très légère touche d'ironie. Elle demanda doucement :

– Voulez-vous me dire que le coton va coûter un peu plus cher asteure ?

– Un peu plus, soupira Éva comme pour prendre sur ses épaules le désagrément qu'elle causait par cette nouvelle.

– On tombe à combien ?

– Cinquante cennes la verge.

– Pis c'était…

– Quarante-cinq.

– Je vas dire comme vous, ça remonte à plein. Quasiment dix pour cent d'augmentation.

Rendue à la bonne mesure, Éva garda le matériel entre le pouce et l'index et prit ses ciseaux dans l'autre main disant en attendant de commencer à couper:

– Si tu changes d'idée, j'ai pas coupé encore…

– Envoye donc, Éva. Quinze cennes de plus par robe, c'est pas la mer à boire. Après tout, ça fait longtemps qu'on est sorti de la crise…

– Y en a pour qui quinze cennes de plus par robe, ça compte pas mal, pis même que c'est trop, dit la marchande, qui fit mordre les lames sur le coton dans un bruit caractéristique.

– Depuis qu'on vit mieux, j'pense qu'on a tendance à oublier que y a encore du monde dans la misère de nos jours.

– Quand y a pas d'homme dans une maison ou ben que l'homme est malade pis pas capable de travailler…

– Y a pas trop de veuves avec des enfants dans la paroisse.

– Y en a deux en tout cas, j'sus ben contente pour elles. Madame Lessard, elle reçoit ben des dons à cause de ses enfants. Rien que mon frère des États, il leur a donné vingt piastres. Pis Marie Sirois, ben, elle travaille à la manufacture de boîtes à beurre. Pis là, ça se parle que y a une manufacture de chemises qui va ouvrir ses portes dans la *shop* de *peanuts* à Jean Nadeau.

– C'est ben tant mieux. Le progrès, nous autres, on est pour ça en tout cas.

Au même moment, à la Caisse populaire, la réunion de la Commission de crédit débutait sous la présidence du directeur Amédée Bureau qui n'avait qu'une seule chose à soumettre au groupe: la demande des Bilodeau.

– Douze mille dollars qu'il leur faut, annonça le gérant tout en oreilles.

– C'est pas rien, dit Napoléon Boucher en se frottant la bedaine sous sa large cravate à couleurs bigarrées.

– Faut ce qu'il faut, dit Joseph Bellegarde sur un ton grave.

Lucien Boucher parla à son tour :

– Mais ce qu'il faut, c'est plus que l'argent de la caisse pis le seul risque de la caisse, il faut itou la part du public. Je pense qu'ils devraient lever des fonds pour le tiers de la somme pis que la caisse leur prête le reste si c'est fait de même. Autrement, on verra ce qu'on pourrait faire à la prochaine réunion.

Les trois directeurs se tournèrent vers le gérant aux fins de connaître son opinion sur leurs opinions. L'homme, un être réfléchi et prudent, dit :

– J'ai analysé le dossier, tenu compte des mises de fonds, de la rentabilité prévue du projet, des coûts, etc. Comme dit monsieur Boucher, c'est pas rien, ce qu'on nous demande. Comme dit monsieur Bellegarde, il faut ce qu'il faut. Et comme tu penses, Lucien, une participation directe du public serait la bienvenue. Y a-t-il autre chose ? Y a-t-il du désaccord ? C'est beau. Adopté. J'écrirai la résolution après l'assemblée. Pis les foins cette année, Lucien ?…

L'argent ne fait pas le bonheur, affirment les riches. Aussi ceux qui n'en possèdent pas mais sont certains de n'en jamais manquer grâce à leur métier, à leur coffre à outils bien bourré de notoriété, de diplômes, de force physique, de force morale, de perspicacité, d'intelligence des choses et des personnes, cette race-là, même en prison, même dans les camps de concentration, est toujours la dernière à souffrir d'indigence.

Les oiseaux du ciel ne sèment ni ne moissonnent, et ils ne connaissent pas la famine, mais l'homme qui ne sème ni ne moissonne, lui, la connaît. Quoi que Dieu lui-même en dise !

Marie Sirois repoussa vivement ces pensées moroses. Car les cajoler eût été blasphémer. Et puis l'heure n'était pas à la morosité malgré cet affreux deuil à enterrer. À la sortie de la manufacture, elle avait reçu sa première paye dans une petite enveloppe jaune, et depuis ce moment-là, elle y songeait. L'argent se trouvait là dans sa poche de pantalon et elle n'osait ouvrir l'enveloppe de peur de perdre l'émotion qu'elle éprouvait à recevoir enfin dans sa vie un salaire pour son travail.

En réalité, elle n'aurait pas dû avoir de paye avant le samedi de la semaine suivante, mais Dominique Blais avait demandé au commis de faire un passe-droit pour elle et de lui payer ses premiers jours de travail sans attendre.

Elle était seule à table. Dès après le repas du soir, les filles étaient parties cueillir des petites fraises des champs comme elles l'avaient fait toute la journée. Dimanche, on se ferait des tartes et il en resterait pour fabriquer de la confiture à être empotée pour plus tard. C'était la première fois depuis la mort de son fils que la femme se retrouvait toute seule dans la maison. Elle prit enfin son enveloppe dans sa poche de fesse et la mit sur la table.

Les fins fonds de la tristesse sont féconds. Et souvent permettent à l'être humain qui les atteint d'émerger et de s'accabler un peu moins par la faute des mauvais coups du sort. Les plus vulnérables se croient souvent coupables par la faute d'une culture judéo-chrétienne dont le fondement principal est l'écrasement des cœurs sous le rouleau compresseur de l'automutilation morale.

La femme se sentait moins seule malgré l'absence temporaire des filles et le départ définitif de son fils. Les personnages de la manufacture meublaient son esprit. Dominique la protégeait. Marcel la faisait rire. Pit Roy la surveillait sans trop le montrer. Et le Fernand Rouleau non seulement était à perdre toute emprise sur elle, mais commençait à raser les murs malgré encore quelques velléités de fanfaronnade. Sa vie avait basculé en moins de trois jours.

La femme renouait avec l'espérance.

Les quelques dollars gagnés là dans cette petite enveloppe brune l'y aidaient. Elle la prit entre ses mains et la tâta. Il y avait des billets et de la monnaie. Elle fut sur le point de la déchirer pour l'ouvrir mais se ravisa et se rendit au comptoir y prendre un couteau à lame pointue qu'elle inséra sous le rabat.

Et descella l'enveloppe enfin tout en reprenant sa place à la table. Elle fit couler la monnaie puis sortit les billets : des neufs qui craquaient sous les doigts. Puis elle calcula mentalement le montant par rapport au nombre d'heures. Il lui apparut qu'elle avait touché plus que prévu. Le commis avait pris soin de préciser que sa paye portait sur son temps jusqu'au vendredi soir et n'incluait pas les heures du lendemain avant-midi. Elle découvrait un tarif horaire supérieur de cinquante cents à celui annoncé par Dominique. C'était peut-être une erreur du commis. Elle la lui signalerait le lendemain midi.

Tout était déjà dépensé dans sa tête, mais qu'importe. Yvonne avait besoin d'une robe pour finir l'été. Elle irait chercher du matériel chez madame Maheux le lendemain après-midi et s'arrangerait pour la coudre dimanche. On en ferait des choses ce dimanche-là. Et les autres par la suite. Car même si la fabrication des boîtes à beurre prenait fin en septembre, elle avait des chances autant que d'autres femmes de la paroisse d'entrer elle aussi à cette nouvelle manufacture dont on parlait quasiment autant que des apparitions de la Vierge. Pourvu que ça se fasse !

Les filles furent bientôt là. Elles avaient le visage rouge comme leurs fraises. Fières de leurs pots pleins. Et elles avaient composé un petit bouquet de fleurs sauvages pour leur mère.

Marie dut s'enfermer un moment dans sa chambre. Des larmes amères au souvenir de la couronne funéraire qui se trouvait dans une boîte de sa garde-robe. Des larmes douces à regarder le petit bouquet si joyeux et coloré sur son lit.

Alors, elle sortit la boîte de la couronne pour la faire brûler. Ce ne serait ni le souvenir de son fils qui s'en irait en fumée ni celui de sa mort, mais l'indicible chagrin s'y rattachant.

On ne renoue pas avec le passé, car le passé est devant soi, puisque dans quelques jours à peine ce qui est à venir sera déjà écoulé et formera un nouveau passé.

***

Chapitre 32

Une pièce de monnaie rebondit sur la table et rejoignit le pot qui se trouvait au centre.

– Vingt-cinq cennes, dit Dominique Blais.

– Trop pour moé, dit Fernand qui jeta ses cartes.

Le troisième joueur à parler regarda vivement dans les yeux du quatrième pour y trouver un indice sur ses intentions. Toujours dangereux au poker de se retrouver pris en sandwich entre deux joueurs qui se relancent. Mais Jeannine demeura impassible. Elle savait contrôler les muscles de son visage, que sa main comporte ce qu'elle voudra.

Le taxi Roy ferma ses cartes avec sa seule main et frappa la table avec le mince paquet de cinq, son visage devint plus rouge encore sous ses cheveux en brosse plus noirs que le dessin d'un as de pique.

– On va aller voir ça, dit-il en poussant lentement une pièce au centre.

Jeannine ouvrit son jeu à quelques pouces de ses yeux à la manière d'un vieux joueur professionnel. Et elle sourit intérieurement à son brelan aux valets. À quatre joueurs seulement, au simple bluff sans carte frimée, voilà qui constituait une main plutôt intéressante. De plus, elle avait perçu l'hésitation du taxi et supputa qu'il ne devait pas détenir plus que deux paires.

On était dans une des cabines du bar à tuer. Jeannine n'hésitait pas à participer à une partie lorsqu'il manquait un joueur. Ça gardait des clients dans l'hôtel et puis elle ne détestait pas ce jeu qui lui permettait de mesurer et sa chance et son flair, lesquels la servaient généralement plutôt bien. Mais dès qu'arrivait un quatrième joueur potentiel, elle cédait vite sa place et cette façon de faire lui évitait les qu'en-dira-t-on.

– Cinquante, dit-elle froidement.

Dominique tenait un brelan de dix. Il se croyait solide gagnant. Mais il se montra hésitant pour faire suivre le taxi et obtenir une autre relance de Jeannine.

– Ouais… faut pas tout croire ce qu'une femme nous dit… Soixante-quinze…

Il poussa les cinquante cents qui manquaient.

Le pauvre taxi ne put empêcher sa jambe de bégayer dans l'allée et de révéler plus encore son incertitude. Il suivit néanmoins malgré ses deux paires à l'as. Jeannine ne reculerait pas la première.

– Une piastre pour rire.

– J'ai ben fait de m'assire sur mon derrière, dit Fernand qui manipulait les cartes restantes.

– Ah! un dernier petit coup pour moi, dit Dominique qui monta la mise à un dollar et quart.

Le taxi se tut et jeta sa main à Fernand.

Jeannine se rendit à un dollar et demi. Dominique l'accorda. Elle montra ses valets. L'autre haussa les épaules et jeta ses cartes sans les retourner, signe qu'il concédait la victoire et le pot à la jeune femme. Elle réunit la monnaie devant elle et entreprit d'en faire des petites piles par sorte de pièces.

Une fois encore, elle jouait gagnante. Et espérait l'arrivée d'un joueur potentiel pour lui céder sa place et partir avec une dizaine de dollars de gains jusque-là depuis pas même une heure. Elle annonça qu'elle partait un moment et quitta la pièce.

– Est mardeuse, c'ta petite maudite-là, dit le taxi qui en était rendu à plus de cinq dollars de pertes.

– Elle doit prier la Sainte Vierge un peu plus fort que nous autres ! ironisa Dominique.

– Peuh ! la Sainte Vierge, elle se mêle pas de ça ! dit Fernand qui brassait les cartes.

– On sait jamais, on sait jamais, dit le taxi.

– Moi, c'est ma dernière brasse, fit Dominique.

– C'est pas le temps de partir, c'est elle qui fait l'argent, protesta le taxi.

Dominique consulta sa montre :

– Y a Gus qui a ouvert le salon funéraire, mais il faut que je sois là dans pas grand temps. Après tout, on est embaumeur ou ben on l'est pas.

Jeannine revint en s'excusant :

– A fallu que je sorte quelque chose du frigidaire pour que ça dégèle.

Soudain, la porte arrière s'ouvrit et un petit homme entra lentement. Il portait un sourire figé comme affligé et un nez tordu de pas trente ans. Aussitôt, il fouilla dans la poche de son veston froissé et en sortit un paquet de Player's dont il fit émerger prestement une cigarette qu'il alluma aussitôt.

Il restait planté debout sans rien dire, paqueton à l'épaule. Le taxi Roy s'adressa à Jeannine qui faisait dos au nouveau venu :

– Un client pour une chambre ou peut-être pour un dix-onces de gin…

Elle se leva et s'approcha.

– On peut faire quelque chose pour vous ?

– Je prendrais une chambre pour ce soir.

– On n'a rien de libre malheureusement.

– Pas même une chambre à débarras ?

– Tout est paqueté partout.

L'homme regarda tout autour et s'arrêta sur le dessus de la table des joueurs de poker. Son œil brilla.

– Connaissez-vous quelqu'un qui m'en louerait une ? Y a-t-il des maisons pas loin d'ici où la famille est pas trop importante ?

– Ben… y a le voisin d'à côté, monsieur Pelchat. Puis y a chez madame Jolicoeur… madame Rose si vous voulez… là, y a des chambres de libres.

Dominique lança de sa voix forte :

– Y a chez l'aveugle… c'est la cinquième maison d'icitte sur le même côté du chemin.

Trop intimidé pour parler à l'inconnu, le taxi mâchouilla une suggestion à son tour pour ne pas être en reste :

– Il peut essayer au presbytère, vu que le curé est parti à Rome.

– Voyons donc, opposa Fernand. Ils vont toujours pas prêter la chambre du curé à un étranger. Ils la prêtent pas à ceux de la paroisse qui sont partis rester ailleurs pis qui viennent pour les apparitions…

– Je viens moi aussi pour les apparitions, dit le visiteur en bougeant nerveusement la tête sur un dos qui paraissait volontairement voûté.

– C'est pas à soir, c'est juste demain, dit la jeune femme.

– Je sais, je sais. J'y étais la semaine dernière.

– La Vierge, l'avez-vous vue, vous, étant donné que vous vous trouviez là ? demanda Dominique en train de ramasser ses cartes.

– Le gentilhomme à la vierge noire, c'est pas moi, non…

Cette fois, on ne comprit pas le langage du personnage aux allures débonnaires, mais ça semblait drôle, et on rit de le voir ricaner avec son air de dire que sa farce était aussi allégorique qu'un char de la Saint-Jean-Baptiste.

– Il vous manquerait pas un joueur, toujours ?

Jeannine sauta sur l'occasion :

– Si vous voulez ma place, fallait que je parte justement. J'ai quelque chose à faire…

– L'affaire qu'il y a, c'est que je pourrai pas jouer ben ben longtemps, moé, annonça Dominique. J'ai un mort qui m'attend.

– Un mort, ironisa le visiteur, ça se plaint pas d'attendre.

– C'est parce qu'il est pas tu seul de sa gang.

– Ça serait-il *La promenade des trois morts*?

Fernand devint un peu nerveux. Qui donc était cet étranger qui parlait trop bien et qui semblait vouloir fourrer son nez dans quelque chose? Et voilà qu'il parlait de *La promenade des trois morts*… comme dans le livre de poésie à Marie Sirois…

Jeannine se rendit ramasser son argent. L'inconnu, qui pourtant rappelait quelque chose à Dominique et même au taxi Roy, prit sa place et se laissa tomber dans une attitude renfrognée qui avait pour but de rassurer ces gens modestes devant sa perspicacité qui faisait trop d'étincelles à son goût et qu'il ne pouvait donc toujours museler. Un cerveau rétif dans un corps chétif… Une sorte de négatif de Fernand Rouleau…

– Y en a-t-il de vous autres qui voudraient fumer?

Il jeta son paquet sur la table.

– Ouais, plaisanta Dominique, ça fait du bien de voir qui va en rester rien que deux qui fument en soldats autour de la table.

Mais aucun n'osa ouvrir le paquet bleu, surtout après cette remarque, et l'homme le rempocha vivement. Car s'il ne fumait pas en soldat, il avait appris à leur contact sur le champ de bataille, à fumer, lui, en journaliste. En offrir une sans donner le temps de la prendre: voilà la technique de l'homme économe qui veut passer pour généreux.

– J'me présente: Lévesque.

– Moé, c'est Blais, dit Dominique. Bienvenue dans le bar à tuer, c'est icitte qu'on plume les oies du Canada.

– Pis moé Fernand Rouleau.

– Moé, j'sus le taxi Roy.

– Pis c'est quoi, l'histoire des morts ? fit l'inconnu en ouvrant les cartes déjà servies à Jeannine.

– Ah ! moé, j'sus embaumeur, dit Dominique, y en a rien qu'un de mort : un jeune homme électrocuté.

– L'électricité, ça, c'est ben maudit, opina aussitôt le taxi qui commençait à se dégêner.

Lévesque hocha la tête et fit la moue.

– Ben, c'est maudit... mais si t'es au courant, ça se maîtrise comme il faut.

– Maîtriser l'électricité..., se mit à chanter Dominique en regardant ses cartes comme pour signaler qu'il possédait une bonne main.

Ce tableau un peu bizarre s'imprima en la tête de Lévesque. Et surtout cette envolée soudaine de l'embaumeur. Les notes utilisées pour chantonner *Maîtriser l'électricité* ressemblaient grossièrement à celles du *Kyrie eleison*, et cela suggéra au petit journaliste deux grandes idées : nationaliser l'électricité, et tant qu'à y être, nationaliser les mines d'amiante. Voilà ce que devrait faire ce peuple ignorant pour prendre ses affaires en main et montrer un peu aux Anglais de quel bois il était capable de se chauffer.

Il déposa sa monnaie sur la table et jeta une pièce de vingt-cinq cents dans le pot. Puis il trouva trois as dans ses cartes.

– C'est-il un bluff ordinaire que le brasseur a demandé ?

– Oui, dit Fernand.

Le taxi Roy contemplait deux rois. Dominique quatre sept. Et Fernand deux dames et une autre paire de deux...

Lévesque se dit qu'il ne devait pas assommer ses partenaires en partant et pour faire savoir qu'il détenait un brelan, il demanda deux cartes. Dominique ne demanda rien pour faire croire qu'il avait une séquence ou les couleurs, et le taxi en prit naturellement trois alors que Fernand se servit d'une seule.

Au poker comme dans la vie, quand la chance sourit à tous en même temps, elle porte en elle la malchance… Elle ruine les uns en les faisant trop risquer et perdre, et ruine tout autant les autres en leur faisant trop gagner.

Le taxi Roy ne put empêcher une montée fulgurante de sang à son visage quand il aperçut une autre paire de rois à côté des premiers. Un jeu qu'on a une fois sur des milliers. Lévesque laissa dormir ses cartes et Fernand leva une troisième dame. Sa main trembla un peu, mais personne ne le remarqua.

Dominique ouvrit à vingt-cinq cents. Le taxi Roy doubla la mise. Lévesque déployait alors ses cartes devant ses yeux. C'est avec la plus grande stupéfaction qu'il aperçut le quatrième as.

Une donne titanesque au poker. Quatre mains hautement gagnantes à une table de seulement quatre joueurs : une chance sur un million. De plus, il était clair que le taxi n'avait pas peur de l'embaumeur.

– Et qu'est-ce que vous faites dans la vie, vous, monsieur Fernand Rouleau ?

– Je travaille pour *mister* Dominique, là…

– Embaumeur aussi…

– Non, dans les boîtes…

– Ah ! les tombes…

– Non, les boîtes à beurre.

Lévesque cherchait à gagner du temps pour savoir quoi faire. Devait-il relancer à son tour ou ne faire que suivre ? Quatre as, c'était à peu près imbattable. Seules une quinte ou une quinte royale le pouvaient.

– Il a un moulin à scie, dit le taxi en parlant de Dominique. Ça se trouve à être un industriel…

– C'est pas dans un moulin à scie qu'on embaume les morts par ici, toujours ?

Et le personnage éclata d'un rire tordu et étouffé. Puis il reprit son air de fausse humilité que donne la certitude :

– Je suis, je suis…

S'il fallait que les relances se poursuivent, il risquait de tout avaler et on le croirait un parfait hypocrite, mais il était déjà trop tard; et maintenant, il était condamné à suivre son « air de rien ». Et pas question de jeter quatre as, pas même pour un pays…

Fernand jeta des pièces avec désinvolture.

– Bah! un petit coup moé itou.

Dominique relança de vingt-cinq cents. Le taxi aussi. Lévesque suivit. Fernand relança. Dominique. Le taxi. Lévesque suivait en ayant l'air de dire qu'il était trop tard pour reculer. Nouvelle ronde de relances. Une autre encore.

Comme inspiré, le taxi dit soudain:

– C'est lui qui va nous battre toute la gang.

Il désignait le nouveau venu.

Dominique l'interrogea du regard. Lévesque dit en faisant la moue entre deux poffes:

– On sait jamais. J'pourrais avoir quatre as. C'est rare, mais ça arrive.

Pour le sonder, Dominique relança de cinquante cents. Le taxi relança encore. Lévesque suivit encore. Fernand savait maintenant que sa main était battue, mais il suivit aussi sans toutefois relancer. D'ailleurs, à la ronde suivante, il se coucha faute de fonds et de courage, et le processus d'inflation se poursuivit sans lui.

– Une piastre de plus!

– Ta piastre plus une!

– Je suis, je suis!

– Deux piastres de plus!

– Tes deux plus deux autres!

– Je suis, je suis… kahu, kahu, kahu… Il me restera pas une maudite cenne pour ma chambre… Je vas demander au presbytère de me loger dans ce cas-là…

– Lui, il a une maudite *straight flush*, dit le taxi en parlant de l'embaumeur. Pis lui, il a quatre cartes pareilles…

Ni Dominique ni Lévesque ne cillèrent.

– Ah! madame Rose, elle vous logerait gratis itou. Les jeunes hommes, elle crache pas dessus, médit l'embaumeur.

Et il monta la relance à cinq dollars. Cette fois, le taxi blêmit. Il y avait maintenant quasiment une semaine d'ouvrage dans le pot. Si au moins cette tête de cochon de Lévesque avait lâché. En tout cas, il fallait mettre un terme à tout ça et il ne fit que suivre cette fois. Le nouveau suivit aussi. Dominique lança ses cartes en déclarant:

– Deux petites paires… de sept…

Le taxi blêmit d'une joue et rougit de l'autre, et son front se rida de plaisir. Il annonça sa certitude:

– Deux petites paires… de rois comme moé…

Lévesque hocha la tête, fit la moue, aspira une poffe…

– J'ai ben peur d'avoir un peu mieux, fit-il avec la plus évidente des désolations préfabriquées.

Et il lança ses as sur le pot comme pour se débarrasser d'une patate chaude. Et ajouta:

– Bah! j'ai pris un risque… disons un beau risque…

– Tabergère, j'ai jamais vu ça de ma vie! s'écria Dominique. Trois jeux avec quatre cartes pareilles en même temps… Le diable est dans ça!

– Ou ben la Sainte-Vierge, dit Lévesque en ramassant le pot avec ses mains en forme de grattoirs.

Le taxi avait la larme à l'œil. Il annonça son départ:

– Faut que j'aille chercher Bernadette Grégoire qui est dans le Dix su… su… Georges Boutin…

– On commence juste à avoir du fun, dit Lévesque. Partez pas pis tâchez de vous reprendre.

Mais le manchot s'en allait déjà en grommelant derrière ses dents:

– Avoir quatre as tandis que y'en a un qui tient quatre sept pis l'autre quatre rois, ça se peut pas ! C'est un tricheur, ça… d'abord que Dominique pis moé, on n'est pas des tricheurs… c'est forcément lui qui en est un, pis un beau maudit à part de ça…

– Va ben falloir arrêter ça là ! dit Fernand.

– Moé, fallait que j'parte pareil au salon funéraire, dit l'embaumeur qui à son tour quitta sa place.

– Comme ça, y a quelqu'un qui s'est fait électrocuter.

– Vingt-cinq ans, qu'il avait.

– Je pourrais aller avec vous ? Peut-être que vous pourriez me présenter à madame Rose ou à ce monsieur aveugle… s'ils sont au corps, bien entendu.

– Bah ! s'ils sont là, ça va me faire plaisir ! Embarquez, mon cher monsieur, on monte à pied…

Lévesque dit à Fernand :

– On va peut-être se revoir sur le cap des apparitions demain.

– Vous avez pas d'l'air de croire à ça, vous.

– Qu'une apparition soit réelle ou non, c'est en son pouvoir qu'il faut croire. Et le pouvoir, monsieur, ça ne ment pas… même si ceux qui l'ont entre leurs mains sont des menteurs… pour la plupart.

On sortit par-derrière. Sur les terrains de l'O.T.J., plusieurs se demandèrent, quand ils les virent passer, qui donc était ce bougon de jeune homme à nez tordu qui marchait à côté de Dominique Blais en se balançant la tête derrière un bougon de cigarette.

***

Chapitre 33

Au presbytère, on mettait la dernière main à la cérémonie qui aurait lieu à l'occasion de la prochaine manifestation de la Vierge Marie sur le cap à Foley, et prévue par la Bonne Mère elle-même pour le lendemain soir, samedi, premier jour de juillet 1950, fête du grand Canada qui, à force de chapelets et de rosaires, ne saurait devenir ce pauvre Canada de tous les malheurs annoncés aux enfants de Fatima en 1917.

Le comité était là au grand complet, maintenant que le vicaire avait pris place derrière le bureau de l'abbé Ennis à l'ombre de ses tentures, de ses livres et de son être astral. Car de Rome ou de Terre Sainte, le saint curé ne pouvait que s'évader souvent pour laisser voyager son cœur et son esprit au-dessus des Alpes, de la belle France, de l'Atlantique, du grand fleuve, pour ensuite remonter dans les terres de la Beauce à la recherche de son cher clocher…

Il était si fier, le bon vicaire.

Tout roulait dans l'huile dans la paroisse malgré l'absence sentie du prêtre principal. Le perron durcissait. La province avait l'œil sur Saint-Honoré, se préparant à syntoniser la prochaine vision des enfants miraculés. Des étrangers de bon cœur et de la meilleure allure, des saints pauvres et des riches tendres remplis de mansuétude et de sollicitude envahiraient le territoire dès l'aube du lendemain, tous en quête d'un mieux-être corporel et ou spirituel. La seule ombre au tableau, soit les pistes du diable, n'avait pas pu être effacée, mais cela viendrait. Il fallait en discuter maintenant puis faire pression sur Freddy Grégoire afin qu'il consente à laisser quelqu'un y voir de près.

Il y avait donc là le même groupe que deux jours plus tôt soit Jean-Louis Bureau et sa compagne Pauline ainsi que le vicaire, mais d'autres aussi, car on avait élargi les structures entre-temps. L'envergure de l'événement devenait si grande que cela nécessitait un véritable comité de coordination bien articulé, avec organigramme et responsabilités définies. Supra-comité qui en chapeautait d'autres. Comité du stationnement. Comité des aménagements sur le cap. Comité de la quête pour le perron. Comité du chant et de la musique. Comité de la prière. Et surtout, comité de la fête du Canada.

Cinq autres personnes donc, puisque Pauline et Jean-Louis avaient hérité de la charge du comité du chant et de la musique et de l'animation spirituelle. Laval Beaudoin était le responsable de la fête nationale et il avait plusieurs idées à soumettre pour que le Canada ce soir-là obtienne amour et respect de tout Saint-Honoré. Drapeaux, hymne, récitation d'un poème de Louis Fréchette ; il ne manquait plus qu'un orateur venu d'ailleurs pour confirmer les aspirations patriotiques d'un petit peuple choyé par le ciel au point d'avoir obtenu sa propre ligne directe avec l'éternelle patrie.

– J'inviterai maintenant chacun de vous à prendre la parole afin de faire le point sur la situation dans le champ de son attribution, déclara le vicaire de sa voix rapide qui alors mangeait les mots tout comme il dévorait les avés le soir à la prière publique du mois de Marie ou bien aux Vêpres. Commençons par le plus bel ornement de cette pièce, mademoiselle Pauline… On vous écoute.

– Tout est fin prêt quant à moi. On va avoir l'harmonium à monsieur Henri-Louis Poulin. C'est lui-même qui s'occupe de le faire transporter sur l'estrade. Le chœur de chant est prêt.

Pratiqué. Ça sera pas mal plus facile de même que... *a cappella* comme l'autre fois.

– Et les fidèles répondront mieux, soutint le professeur.

Pauline fit de grands yeux approbateurs :

– Je vous pense ! C'était quasiment nécessaire d'avoir de la musique. Et j'pense que la Sainte Vierge va aimer mieux... Si Marie-Anna, ça lui fait rien, je vas faire venir mon petit frère Charles de Saint-Martin. Il joue de l'orgue, de l'harmonium, du piano, de tout ce que tu peux toucher avec tes doigts...

– Un virtuose, supputa le vicaire.

– Aucun doute là-dessus, enchérit Jean-Louis.

Fortunat Fortier, Marcel Blais, Victor Drouin et un des frères Bélanger du deuxième magasin général de la paroisse complétaient l'organisation. Le vicaire les avait recrutés, enrégimentés ces derniers jours. Au départ, aucun n'avait été entiché de l'idée de faire partie de ce groupe car il y avait risque de faire rire de soi advenant que l'histoire des apparitions s'envole en fumée, mais le prêtre leur parla d'une approbation tacite du curé avant son départ ainsi que celle de l'évêque qui ne se prononçait pas contre.

De chez lui, Fortunat avait été un témoin privilégié de toutes les étapes de reconstruction du perron de l'église, de tous les efforts des journaliers pour mener leur tâche à bien, des heures dures et interminables accomplies par le vicaire pour assumer la direction des hommes. Qui plus expertement que lui eût pu se charger de la collecte pour le perron, cueillette de fonds dont la proposition avait été mise sur la table par Jean-Louis à la dernière réunion ? Il parla à son tour sur invitation du président.

– Les boîtes sont prêtes. Des boîtes à beurre coupées en deux...

– On les a faites spécialement, intervint Marcel. Disons sur mesure…

– Avec un couvert fendu pour que les gens puissent mettre leur argent dedans sans gêne. Pis ma femme les a habillées avec du satin noir à doublure avec un crucifix. Ça fait beau, ça fait… ce qu'il faut…

– As-tu des quêteux ?

Fortunat fit plusieurs signes de tête et, l'œil fier, il dit sur le ton du triomphe et de la confidence :

– Douze.

– Vous avez dit douze ? interrogea le vicaire.

– J'ai dit douze. Si chacun récolte cent piastres, ça fera douze cents piastres. On rénove un perron d'église avec ça, non ? Hia, hia, hia, hia, hia…

On l'applaudit. Chacun savait que la fierté de Fortunat s'apparentait au contentement de soi d'un enfant et n'avait rien à voir avec l'orgueil ou la prétention. C'était surtout cela qui le rendait cher à tous.

Et les autres exposèrent tour à tour leurs projets eu égard à l'objectif à atteindre. Tout parut à point à tous. Il ne manquait plus que cet orateur étranger dont rêvait Laval Beaudoin pour souligner avec brillance et brio la fête du Canada après le moment de l'apparition de la Vierge. Quelqu'un suggéra de faire appel au bon docteur Poulin, député fédéral de la Beauce. Trop sollicité, dit le vicaire. Il ne viendra pas faute de temps, s'entendit-on à croire. Fortunat parla du député provincial, le frère du docteur, Georges-Octave, un des meilleurs hommes de Duplessis.

– Monsieur Duplessis est un grand croyant, mais s'il croit en Dieu, il ne croit pas tant que ça au Canada, dit le prêtre. Georges-Octave ne voudrait jamais que le premier ministre aperçoive sa photo sur le journal tandis qu'il serait à livrer un discours patriotique le jour de la fête du Canada.

– Il resterait l'ancien député Ludger Dionne, suggéra Marcel.

– Il parle comme ses pieds, lança Fortunat.

– Ça, c'est vrai ! approuva Victor.

– Éliminé ! statua le vicaire.

Jean-Louis grimaça. Ludger Dionne aurait pu être un très bon choix après tout. Il aurait pu tout au moins servir de comparaison, de faire-valoir au fond pour lui-même qui agirait comme maître de cérémonie.

La discussion se poursuivit, mais on ne trouva pas de solution au problème si ce n'est de se passer de cet orateur venu vanter la patrie canadienne. On ignorait qu'en ce moment même, au salon funéraire de la salle paroissiale, un petit bougon d'homme derrière un bougon de cigarette parlait avec abondance de richesses naturelles, de pouvoir politique, de futur international tout aussi bien que de vin de pissenlit, de pommes de route ou de bœuf à la mode…

Mais comment donc le ciel, dans son imagination inégalable, aurait-il pu faire se rejoindre le besoin du super comité des apparitions et les capacités du journaliste Lévesque ? Le ciel ne pouvait tout de même pas se permettre trop de *deus ex machina*, sinon il aurait risqué que la foi devienne le seul guide des hommes qui pourraient alors en venir à ne plus croire en leur capacité de décision, de libre arbitre. Le ciel réfléchissait donc… Et encore… Et puis le ciel devait en finir avec les dernières pages de cette journée-là tout de même. Mais le pauvre ciel était fatigué et ne trouvait pas la solution… Peut-être devrait-il attendre au lendemain alors qu'il aurait les idées neuves et claires. Mais le ciel est dépositaire d'éclairs de génie qu'il fait toujours jaillir de la plus grande simplicité… Rien d'exagéré à reconduire Lévesque au presbytère, puisque la chose avait été conseillée au petit homme par les joueurs de poker du bar à tuer de l'hôtel. Aucun *deus ex machina* là !

On sonna à la porte. Les membres du grand comité se turent. La mère d'Esther se rendit ouvrir et on entendit sa voix basse mais inintelligible par la porte ouverte donnant sur le couloir central lui-même aboutissant au vestibule. Puis la veuve au visage ridé vint se tenir dans l'embrasure pour annoncer :

– Quelqu'un demande à se faire héberger pour la nuit…

– Un quêteux, je suppose, grimaça le vicaire.

– Le bossu Couët, glissa Marcel à travers deux ou trois simagrées parmi ses plus drôles.

– Ou ben le quêteux Labonté qui fait tomber les cheveux, relança Fortunat sur un même demi-ton.

– Il sent le petit mégot, souffla madame Létourneau au vicaire qui arrivait auprès d'elle.

– Je m'en occupe, merci.

La dame haussa les épaules et s'en alla. Elle se sentait bien moins utile depuis le départ du curé. Le jeune prêtre rognait dans ses attributions et cela dérangeait sa vie, ses routines, ses sécurités. Par chance que cela ne durerait pas trop longtemps…

L'inconnu s'introduisit donc lui-même :

– Mon nom est René Lévesque. J'suis journaliste…

– Ah ! mais je vous connais !

– J'étais là samedi dernier…

– Et je vous ai vu sur le cap à Foley.

– Et moi de même.

– Mais entrez, entrez, je vais vous présenter au grand comité des apparitions.

– Après vous, dit l'homme de plume à l'homme de robe.

– Mais non, après vous, dit l'homme de robe à l'homme de plume.

Finalement, ils entrèrent face à face et à une même hauteur. Le visiteur s'arrêta derrière les assis tandis que le vicaire retournait au siège du président.

– Mes amis, monsieur Lévesque, un journaliste de Montréal.

Le petit jeune homme fit une grimace qui plut à Marcel et se mit la tête en biais en voulant dire : « Eh ben oui, ce n'est que moi ! »

– Laissez-moi vous présenter. Tiens, d'abord, prenez la chaise qui se trouve là.

Marcel avança ladite chaise et le visiteur put s'y accrocher en travers en multipliant les sourires divisés. Le vicaire reprit :

– Je vous présente Marcel Blais, jeune industriel... Monsieur Fortier, hôtelier...

– Ah oui ? Je viens de jouer au poker dans... le bar à tuer...

Fortunat se sentit mal à l'aise. Le poker n'était pas très apprécié du presbytère. Il salua de la main et du menton...

– Monsieur Drouin...

Victor rajusta ses lunettes et ses yeux grossirent encore.

– Monsieur Boulanger du magasin général... Monsieur Bureau, jeune homme d'affaires et son amie Pauline...

– Plaisir !

– Et monsieur Beaudoin, professeur d'école et président du comité de la fête du Canada.

Tous se regardaient et savaient déjà sans se le dire qu'on demanderait à ce journaliste d'agir comme orateur invité.

« On lui trouve un lit pour la nuit pourvu qu'il nous le paye de retour avec des beaux mots sur le drapeau », se disait en lui-même le vicaire, qui ouvrit machinalement son paquet de cigarettes Sportsman et en offrit une à l'arrivant, qui ne se fit pas prier et en retour, fournit le feu depuis un briquet Ronson.

– Vous avez un grand presbytère...

– Surtout que le curé n'est pas là.

– Je sais, oui...

– On dirait quasiment que vous êtes un des nôtres, dit Fortunat, même si vous êtes un étranger.

– Étranger de Montréal, c'est pas vraiment étranger.

– Je voulais dire à la paroisse...

Le prêtre jeta un coup d'œil complice à Laval :

– Nous autres, on aurait besoin de quelqu'un qui voudrait parler du Canada demain soir... Du Canada en général...

Laval enchérit :

– Peut-être pas un grand discours patriotique comme à la Saint-Jean-Baptiste mais...

– Quelque chose de substantiel, je présume, glissa Lévesque.

– En plein ça, approuva le vicaire. Les émotions le 24 juin et la substance le premier juillet.

– Vous savez, j'suis journaliste, pas orateur.

– C'est tout comme, dit le vicaire.

– Tout comme ?

– Vous parlez ce que vous écrivez... Comme pour un sermon.

– Ouais... Moi... j'ai pas de fonction officielle... ni député, ni ministre, ni ecclésiastique... Rien... je ne suis qu'un nom comme ça au pied d'articles de journal...

– Mais vous venez d'ailleurs, et ça, c'est déjà un atout.

Le professeur enchérit :

– Et puis, vous avez des mots que les gens, ils comprennent pas trop, ça fait que ça impressionne... L'important, c'est pas de comprendre, c'est de saisir... D'ailleurs, les gens ont une plus grande confiance quand ils ne comprennent pas.

Les autres semblaient ne pas comprendre, mais l'idée émise les séduisait, et ils furent tout yeux tout oreilles à la réaction du petit visiteur.

– Écoutez, hébergez-moi quelque part pour la nuit, parce que y'a pas de place à l'hôtel, et je vous promets une allocution de cinq minutes sur le Canada.

– C'est tout ce qu'on veut, s'écria le vicaire enchanté. Asteure, on va vous trouver une chambre au village… Voyons, où peut-on en trouver ?

– Peut-être madame Rose, suggéra Laval.

– C'est un nom qu'on m'a donné à l'hôtel.

Le vicaire redevint sérieux. Il fut sur le point de s'objecter vu que la femme était séparée et que sa réputation n'était pas impeccable, mais il téléphona quand même. Pareille occasion ne saurait être manquée. Le presbytère pouvait loger et recevoir des appels à toute heure du jour ou de la nuit. Même chose pour le docteur, quand il s'en trouvait un. Une entente prise entre la compagnie de téléphone, les gens du central et les principaux intéressés y donnait droit. Un service public qui pouvait sauver des vies et des âmes.

Et pendant que le prêtre arrangeait les choses avec une Rose fort surprise de cette requête du presbytère vu que le visiteur était un homme seul, on questionna le journaliste.

– Êtes-vous venu par les gros chars ?

– Ben ouais… autrement, j'aurais pu aller me loger à Saint-Georges, où il y a plusieurs auberges.

– Les journalistes, de coutume, ils ont un Kodak ?

– L'homme du Kodak sera là demain, et je vais d'ailleurs m'en retourner avec lui. Si je viens avant lui, c'est pour bâtir mon article à partir autant des gens qui sont ici et qui font en quelque sorte l'événement que de l'événement lui-même.

– Vous y croyez, vous, aux apparitions ?

– Ainsi que je le disais voilà une heure dans le… bar à tuer, ce qui importe, c'est leur pouvoir. Qu'elles soient réelles ou pas, si elles transforment les personnes qui y croient au point de les guérir de leurs maux… pourquoi pas ? Il n'y a de bonne vérité que dans les bons résultats.

On le trouvait bien sympathique, ce personnage qui savait si bien doser l'inquiétude qu'il provoquait en un premier temps et la *rassurance* qu'il apportait ensuite…

– Tout est arrangé, dit le vicaire après avoir raccroché. Madame Rose vous prépare une chambre. C'est peut-être la maison la plus propre dans le village…

Comme pour prévenir tout événement incorrect, on informa le jeune homme en long et en large sur cette femme de 50 ans, séparée et gardienne d'une dame âgée.

***

Chapitre 34

Les membres du Comité quittèrent le presbytère. Le vicaire annonça à son visiteur qu'il l'accompagnerait jusque chez madame Rose pour le présenter et la rassurer tout à fait.

– Vu que c'est entendu déjà, je pourrais me présenter... Dérangez-vous pas pour ça. Dites-moi la maison, c'est tout... La deuxième après le magasin général, m'a-t-il été dit.

– De toute manière, je dois faire une ronde à l'O.T.J. pour voir si tout y est à l'ordre. Monsieur Gustave en a pas mal sur les bras de ce temps-là.

– Selon ce qu'on m'a confié, c'est le bedeau... et le mari...

– De madame Rose, oui.

– Il s'occupe des terrains de jeux.

– Parfois, quand je suis trop occupé pour le faire moi-même, il me remplace. En plus qu'il doit s'occuper aussi de la salle. La grande salle, les petites en bas, y compris le salon funéraire qui, comme vous le savez, est pas mal occupé de ce temps-là...

– Le pauvre jeune homme. On dit pourtant qu'il était habile et agile comme un singe.

– Les desseins du ciel sont connus de lui seul. Allons, monsieur Lévesque... J'ai envie de vous appeler René. Après tout, vous n'avez pas mon âge et dix bonnes années nous séparent.

– Quand vous voudrez.

Le clair de lune, les lumières des terrains de l'O.T.J., les lampadaires jaunes des environs du presbytère, tout cela créait dans les environs une pénombre qu'aimaient les deux hommes, car elle permettait de s'embusquer pour voir sans trop être vu.

On se mit en marche vers l'avant de la salle, là où le prêtre pourrait expliquer à son interlocuteur le projet entourant l'événement du jour suivant.

– À mon avis, il va venir deux fois autant de monde que la semaine passée, dit Lévesque. Peut-être trois.

– Pensez-vous ? douta le prêtre.

– Ah ! oui ! L'effet médiatique… un effet mouton qui agit sur les gens… Surtout, il y aura beaucoup plus d'éclopés, de malades graves… Je dois vous avouer que j'ai appelé certaines autorités de Sainte-Anne-de-Beaupré, du Cap-de-la-Madeleine et de l'Oratoire Saint-Joseph, et qu'aux trois endroits, on laisse planer de sérieux doutes sur ce qui se passe ici.

– C'est pas à eux de décider des lieux où apparaîtra la Vierge Marie, maugréa le prêtre.

– Chaque région de la province possède, pourrait-on dire, son « canal de miracles » et Saint-Honoré devient un lieu de concurrence pour ceux qui sont bien établis dans le domaine… pour ainsi dire.

Puis Lévesque bifurqua :

– Et c'est là que je ferai mon premier discours politique, dit-il en désignant l'estrade à côté du cimetière.

– Ah ! ceux qui se trouveront en arrière de toi vont pas applaudir trop fort, mais les autres…

– Ça va dépendre de ce que je vas leur dire.

Le vicaire regarda vers le terrain de jeux et proposa de prendre un raccourci pour se rendre chez Rose.

– On passe en arrière des deux petites granges à monsieur Freddy et le chemin nous conduit à la rue, à deux pas de notre destination.

– Savez-vous, j'aimerais ça passer par le terrain de jeux, histoire de parler un peu avec la jeunesse beauceronne.

– À ta guise, mon cher René… Allons-y.

On se rendit d'abord au chalet. Gustave se trouvait dans la pièce du centre dont la contre-porte était ouverte par le milieu et formait à l'aide d'une tablette une sorte de mini-comptoir sur lequel il posait les bouteilles de Coke ou d'orangeade, les tablettes de chocolat et les cigarettes à la cenne qu'il y vendait.

– Ah ! content de vous voir, monsieur le vicaire, parce que je dois fermer pour aller tenir le restaurant de la salle. Allez-vous me remplacer ?

– Pas maintenant, faut aller chez madame Rose avec monsieur Lévesque qui s'en va coucher chez elle…

Le visage de Gustave verdit sous la lumière jaune de la place et le vicaire se rendit compte qu'il venait de commettre une bourde. Lévesque devina qu'il s'agissait du bedeau, donc du mari de Rose et il intervint avec tact :

– On transforme sa maison en hôtel pour quelques soirs vu que l'hôtel est bondé.

– Qui que t'es, toé ?

– Lévesque, un journaliste…

– T'es venu par les gros chars ?

– Et le postillon depuis la gare.

– Bienvenue chez nous.

– Donnez-moi donc un paquet de Player's.

Gus était rassuré et le vicaire dégagé. L'attention de Lévesque fut attirée par les joueurs de tennis. Il posa des questions.

– Les deux qui jouent en ce moment, dit le prêtre, c'est des personnes d'ailleurs, pas des Beaucerons. Le grand vient de

Victoriaville, c'est lui qui a dépendu le corps du jeune homme dans le poteau d'électricité.

– Et l'autre ?

– Il vient du même bout. Région de Victoriaville. J'sais pas si y se connaissaient avant de se voir par ici…

– Il a l'air un peu… particulier…

– Veux-tu lui parler ?

– Non, non, je disais ça comme ça.

Mais les événements en décidèrent autrement. Une fois encore, Béliveau l'emporta et Émilien remplaça Bédard sur le court. Et celui que tous appelaient encore « l'étranger » s'amena au chalet pour s'acheter un Coke.

Le journaliste et le prêtre se déplacèrent pour lui laisser l'espace. Quand il eut payé sa bouteille, Bédard demanda au vicaire si le ciment du perron tiendrait bon cette fois.

– En tout cas, c'est pas l'orage qui va l'emporter.

Bédard regarda le journaliste qui promenait ses yeux sur tout ce qui bougeait sauf lui. Il parut au prêtre qu'il devait les faire se connaître.

Immédiatement, un courant d'antipathie s'établit entre les deux jeunes hommes. Pourtant, aucun n'avait de raison de jalouser l'autre ni du reste ne le faisait. Il s'agissait d'un sentiment profond et inexplicable qui s'installe de lui-même et se fonde sur la nature même des choses et des êtres en présence. Comme si chacun, d'emblée, avait été directement mis en contact avec un morceau empoisonné de l'âme de l'autre.

Ils se serrèrent la main et chacun à sa façon grimaça.

– Un homo sapiens de Victoriaville ! s'exclama Lévesque en riant, des épaules surtout.

L'autre le toisa du regard. Il évita de se mettre sur la défensive en passant lui-même à l'attaque :

– C'est pas tous les jours qu'une petite place comme la nôtre a l'honneur de recevoir des journalistes de la grande ville.

– Les événements se passent où ils se passent.

– Pourtant, c'est pas mal plus important ce qu'il se passe là, devant nous, que ce qui pourrait se passer demain soir.

– Vous minimisez l'importance des apparitions ? Vous n'y croyez pas ? Vous seriez porté à les ridiculiser peut-être ?

– Je veux dire que l'effritement du perron de l'église, c'est plus important et de loin que les soi-disant apparitions...

Le vicaire ne put s'empêcher d'intervenir :

– Comment ça, soi-disant ?

– C'est peut-être vrai, c'est peut-être faux.

– C'est pas ça que vous disiez hier...

– Ça revenait à ça.

Lévesque reprit la parole :

– Mon ami, le public à Québec ou à Montréal ou ailleurs, il s'en contrefout royalement du perron de l'église de Saint-Honoré. Ce qui l'intéresse, c'est l'histoire des apparitions du cap à Foley. Le divin intrigue tout le monde partout.

– Ça, c'est vrai, approuva le prêtre.

– Ce qui ne veut pas dire que le décor autour, l'esprit dans lequel baignent les événements sensationnels, soit négligeable. Et c'est la raison pour laquelle je suis venu un jour d'avance. Mais il faut que cela demeure en arrière-plan. Je voudrais bien refaire l'être humain, moi, mais je ne le peux pas... Je ne suis qu'un petit journaliste originaire d'un petit village de Gaspésie, pas un premier ministre encore moins un Dieu... ou un magicien...

Bédard se cabra :

– Les journalistes, ça se vante d'informer les gens... sans parti pris, mais dès que vous donnez de l'importance à une chose plutôt qu'une autre sous prétexte que le public veut ça, vous êtes biaisé...

– À vous de ne pas nous lire !

– Je le voudrais que je le pourrais pas.

– Ce qui veut dire?

– Que j'sais pas lire.

– Je ne vous crois pas. Impossible de bâtir des phrases comme vous le faites si vous ne savez pas lire, donc écrire. Vous êtes un imposteur, monsieur.

– C'est ben vrai qu'il sait pas lire, intervint le vicaire. Tout le monde le sait dans la paroisse...

– Fumisterie, que je vous dis! lança Lévesque avec une moue et des grimaces de ricanement. Ou alors vous êtes le diable...

– Justement, parlant du diable, qu'il vous emporte, dit Bédard qui tourna les talons et partit en rejetant la tête en arrière pour recevoir mieux une gorgée de Coke.

– Allons donc voir cette madame Rose avant que quelqu'un ne me saute au collet, dit le journaliste qui se mit aussitôt en marche.

Gustave ne put s'empêcher de crier:

– Soyez OK, là, vous!

Ces simples mots ravivèrent une certaine inquiétude chez le vicaire. Allait-il reconduire un loup à l'agnelle ou bien un agneau à la louve? Ou peut-être le loup à la louve...

Le journaliste se renseigna, chemin faisant.

– Le magasin à Freddy lui a été cédé par son père Honoré venu s'établir dans le village de pionniers en 1880 et mort en 1932 après avoir érigé ces bâtisses la même année qu'on avait construit l'église soit en 1900-1901.Là, c'est le camp à monsieur Armand, le frère à Freddy, un homme tuberculeux qui vient de revenir du sanatorium sans avoir été guéri... Et de l'autre côté de la rue principale, c'est la forge de monsieur Ernest Maheux, un homme taciturne et souvent en conflit avec le curé. Et voici la maison de mademoiselle Bernadette, une personne pieuse comme tout un couvent de bonnes sœurs. Là, y a un magasin de cadeau puis, la maison voisine, ce sont

des gens à leur retraite. Et là-bas, la petite maison grise, c'est l'aveugle et sa femme… elle aussi une journaliste.

– Et j'imagine que voici la grande maison Jolicoeur où vit madame Rose.

– C'était la maison du docteur Goulet avant. Mais il est mort et son fils, aussi un médecin, a préféré s'en aller pratiquer à Sherbrooke.

– Pas d'autre médecin ?

– Y en avait un jusqu'à voilà un mois. Parti dans l'ouest. À croire que les docteurs aiment pas notre paroisse. Pourtant, il n'y a pas beaucoup de paupérisme, de misère chez nous. C'est une paroisse avec des belles terres fertiles dans tous les rangs. Les gens paient leurs factures. En tout cas, pour le moment, on s'arrange comme on peut avec les médecins des paroisses avoisinantes.

De sa chambre, Rose avait vu les deux hommes venir et avait aisément reconnu dans la pénombre la soutane du vicaire. Dès qu'ils eurent emprunté l'allée de pierres plates, elle ouvrit et les accueillit avec chaleur.

– Monsieur le vicaire, monsieur le journaliste, comme vous le voyez, je vous attendais. Venez. Entrez…

Le prêtre précéda les deux autres à l'intérieur. Rose suivit et le visiteur referma sur eux.

– Madame Rose a de la visite, chanta Anna-Marie à son petit Napoléon non voyant.

– Qui ça ?

– Le vicaire avec un autre homme. Un p'tit bougon…

– Dis-moi donc ! Le vicaire avec un p'tit gars… c'est-il un p'tit Maheux ?

– Non, non, pas un p'tit gars, un p'tit homme. Bas sur pattes, si tu veux…

– Ça serait pas le bossu Couët toujours ?

– Il a une grosse tête comme le bossu Couët, mais il marche pas comme lui pantoute. Ah ! je le sais pas... Un étranger, ça, c'est certain, par exemple...

– Donnez-moi votre poche ? dit Rose à Lévesque.

L'homme tendit son paqueton et mine de rien, il renifla les odeurs de la maison. Il lui sembla que des relents d'iode, de mercurochrome ou autres substances de la pharmacopée d'un médecin de campagne flottaient dans l'air à travers des senteurs de fraises fraîches et de croûte de tarte qui dore...

– Savez-vous, je suis en train de faire cuire des tartes aux petites fraises des champs. C'est pour ça qu'il fait pas mal chaud dans la maison. Dans dix minutes, elles vont être prêtes. Si vous avez le goût... je vas faire infuser du thé pour aller avec ça.

Elle accrocha le paqueton au poteau de la rampe d'escalier et précéda les deux hommes dans la cuisine où elle les fit asseoir à la table.

– Vous trouvez le temps d'aller aux fraises des champs ! s'étonna le vicaire.

– C'est pas moi, c'est les enfants des alentours. Je les paie dix cents la canne de tomates. Pis avec une canne, tu fais deux tartes. Eux autres sont contents et moi itou.

– Astucieux ! déclara le vicaire avec un grand regard composé.

Le mot pénétra Lévesque, mais c'est surtout l'image de Rose qui le travaillait maintenant. Il la trouvait bien enveloppée, cette quinquagénaire mais pas toutoune, comme presque toutes les femmes de ces générations-là au corps massacré par les grossesses à répétition. Ainsi maquillée comme une star de cinéma, elle remuait quelque chose de très sensuel en lui. Qu'elle ne cherche surtout pas à le violer au cours de la nuit, car elle ne le pourrait pas faute de son refus... Non, il ne dirait

pas non… malgré une inclinaison au fond de lui-même vers le non… vers l'opposition devant les propositions… Mais dire oui à une telle femme, c'est à soi-même qu'on dit oui.

Rose finit de remplir la grosse théière blanche puis elle y jeta une poignée de feuilles de thé.

Lévesque observa ses mains. Souples, fines et très mobiles. Et il les imagina sur son corps…

Le vicaire, lui, pensait à son perron et Rose ne tarda pas à l'en faire parler.

– Finalement, vous avez pu couler à matin, monsieur le vicaire.

– Oui, madame, on a coulé à matin !

– Et ça durcit bien ?

– Numéro un.

– C'est notre bon monsieur le curé qui sera content.

– J'espère.

Lévesque crut par les mots, que la femme portait le curé dans son cœur, mais il se trompait, et même le ton et l'air qu'elle avait ne révélaient pas le fond de sa pensée.

Le vicaire tourna l'attention vers le jeune homme.

– Monsieur Lévesque est donc un journaliste de Montréal, mais ses articles passent aussi parfois dans *Le Soleil.*

– Vous venez voir ce qu'il se passe dans notre petite place.

– Bah ! vous savez, les plus grandes villes ne sont rien de plus que des agglomérats de petites paroisses collées les unes aux autres. La différence, c'est dans la tête, sans plus.

– En tout cas, c'est beau d'entendre parler deux hommes instruits comme vous autres.

Rose avait préparé ce mot d'avance. Et elle le jetait dans la conversation avant même de les avoir trop entendus pour stimuler en chacun l'esprit de compétition. Quand les hommes se font un peu coqs ou un peu paons, et se battent pour briller, les femmes ont moins d'ouvrage… surtout quand elles ont des tartes à surveiller, du thé à infuser, des assiettes et des ustensiles à mettre sur la table.

Mais le jeune Lévesque refusa de jouer à ce jeu. Au demeurant, il se savait trop fort, et toute confrontation visant à établir ses mesures avec quelqu'un tournait toujours à son avantage. Pas question d'indisposer le vicaire en train de devenir son meilleur allié dans la place. Son accrochage avec Bédard n'avait pas pris sa source dans l'orgueil de l'un ou de l'autre, mais dans le fait que chacun avait perçu de l'autre une image noire et s'en était fait le reflet et même le miroir.

Il sortit son paquet de cigarettes, en fit jaillir une qu'il offrit à Rose.

– Pas moi.

Et pendant qu'elle trouvait un cendrier dans une armoire, les deux hommes s'allumaient mutuellement.

Le journaliste désirait voir les apparitions à travers ses plus proches témoins indirects soit les concitoyens des enfants voyants. Et il ne tarda pas à mettre le sujet sur la table en même temps que Rose servait de larges pointes odorantes puis qu'elle versait le thé bouillant.

– La Vierge, madame Rose, vous l'avez vue, vous ?

Rose esquissa un mince sourire.

– Je dirais plutôt que j'ai vu les anges… Non, c'est une farce. Je filais pas trop bien samedi passé et j'suis restée ici à la maison avec madame Jolicoeur.

Le vicaire se surprit :

– Ah ! bon, j'étais certain de vous avoir vue sur le cap ?

– Vous voyez que les visions, ça arrive à n'importe qui.

Elle prit place à son tour et chacun alors mangeait et buvait tout en jasant.

– Et demain soir, vous serez là-bas ?

– Probablement ! Faut dire que j'ai du monde de Sillery à souper demain. Monsieur Ovide Jolicoeur, sa femme et quelqu'un de leur voisinage.

– C'est pour ça, les tartes. Mais si nous autres, on les mange…

– Y en a en masse pour demain, à moins que chacun en mange une au complet.

On devisa sur toutes sortes de petites choses sans jamais approfondir, puis le prêtre quitta et Rose conduisit son pensionnaire d'une nuit à sa chambre située à côté de la chambre de bains du deuxième. Au moment de quitter, elle dit avec un sourire figé :

– Besoin de quoi que ce soit, je suis dans ma chambre face à la salle de bains.

– Ce dont j'ai le plus besoin, c'est de sommeil, je pense. Merci pour tout… de toute façon, je vais vous rétribuer demain avant de m'en aller.

– On verra à ça…

Le journaliste étant fatigué et la femme préoccupée par la visite du lendemain, chacun se coucha et ne tarda pas à dormir. Au matin, elle lui servit un déjeuner amical et l'homme quitta la maison après avoir laissé sur la table un billet de cinq dollars. Une fois sur le trottoir, il consulta sa montre et se demanda s'il devait se diriger vers le bas du village ou vers le centre. Le temps lui permettrait bien de faire une virée vers le bas.

Anna-Marie resta loin de la fenêtre mais emmagasina ce qui se passait dehors. Et le dit à Napoléon :

– Ouais, ben j'pense que le p'tit nazi d'hier soir, il a couché chez madame Rose. Il sort juste avec son pocheton sur le dos.

– Ah ! on va le savoir, c'est certain que monsieur le vicaire va m'en parler aujourd'hui…

– J'pense que c'est un quêteux que monsieur le vicaire a fait héberger par madame Rose. En plus qu'il s'en va à pied vers le bas du village…

– Ah! ça se pourrait ben! Surtout s'il a un pocheton sur le dos…

***

Chapitre 35

Rachel était debout depuis avant l'aube et regardait souvent vers le bas du village, assise sur son lit devant la fenêtre de sa chambre. Elle aussi aperçut le petit homme qui sortait de chez madame Rose. Et le prit pour un parent venu d'ailleurs. De toute façon, une telle chose ne la préoccupait guère et tout son esprit et son cœur s'affairaient à construire à l'avance sa journée avec Jean-Yves.

Elle avait demandé à Freddy de le laisser avec elle tout ce samedi pour qu'elle puisse chercher à le ramener à la réalité. Mais par quel bout commencer une tâche aussi complexe et pour laquelle elle ne possédait ni connaissances préalables ni préparation adéquate. Il lui faudrait simplement laisser parler la voix du cœur.

Des éclats de voix lui parvinrent de l'intérieur de la maison. Il lui semblait que l'on frappait à la porte et que son père grognait en se levant pour aller ouvrir tandis que le chien silait. Elle prêta attention et pour mieux entendre, entrouvrit la porte.

Des mots énervés traversèrent le treillis métallique et frappèrent Ernest en plein visage. L'homme avait eu à peine le temps d'enfiler ses pantalons, et les grosses bretelles noires pendaient le long de ses hanches tandis qu'il boutonnait tant bien que mal sa chemise carreautée… Et pour le faire plus mal paraître encore, il avait revêtu trop vite sa moumoute, qui s'était retrouvée de travers sur sa tête avec des épis poilus qui pointaient sur les côtés.

– Monsieur Maheux, vous le saviez qu'on venait de couler le ciment du perron, vous auriez pu enfermer votre chien hier soir. Y a des pistes partout, pire que celles du diable du cap à Foley.

Le pauvre vicaire fulminait. Après la messe, il s'était rendu sur le perron et avait découvert avec horreur les traces canines non seulement d'un passage mais d'une sorte de chassé-croisé, comme si l'animal s'était plu à imprimer partout les empreintes détestables de ses pattes.

– Qui vous dit que c'est le Bum qui a fait ça ? demanda le forgeron sur la défensive.

Derrière le poêle, le chien sila à quelques reprises comme pour exprimer une sorte de *mea culpa*.

– Parce que des témoins l'ont vu faire et qu'ils me l'ont dit.

– Pourquoi c'est faire que vous avez pas appelé hier soir d'abord ?

– Parce qu'ils me l'ont dit ce matin.

– Comment qu'ils peuvent dire sans se tromper que c'est le Bum qui a fait ça ?

– Parce que les chiens, c'est comme du monde, y en a pas deux qui se ressemblent.

– Aurait fallu mettre des toiles sur votre ciment. Avant-hier, c'était l'orage… c'est pas un chien, ça… Avez-vous réveillé le Bon Dieu à six heures du matin pour lui faire des reproches ?

– Si le Bon Dieu a envoyé un orage, c'est pas pour rien, ça, vous pouvez en être certain.

– Si mon chien est allé piloter dans le ciment, c'est pas de ma faute, pis c'est même pas la faute du chien. Pis probablement que ça sera pas pour rien non plus. Tout c'est que j'peux vous dire, c'est de l'excommunier… Le Bum, le Bum, viens icitte… Pssss… pssss… pssss…

Le chien sila et s'approcha en reniflant le plancher comme un condamné à mort.

– Si c'était une belle bête au moins, marmonna le prêtre, l'œil rempli de sévérité noire.

Le chien aussi avait des épis de poils qui pointaient dans tous les sens.

– Écoutez, je vous le réparerais ben, votre perron, mais j'ai pas de ciment… Être capable, je vous referais toutes les gardes en fer forgé itou, mais ça me coûterait trois cents piastres…

– Trois cents piastres pour refaire les gardes, mais vous délirez, Ernest. C'est pas moins que douze cents…

– Ben… moé, à trois cents piastres, je les referais sans problème…

– Vous êtes sûr de ça, là, vous ?

– Aussi sûr de ça que vous êtes là, là, vous.

Le prêtre tourna la tête vers l'église et il imagina le perron avec des garde-fous tout neufs. Ses rêves inspirés par Fortunat quant au succès de la quête du soir parmi la foule accourue à la prochaine apparition s'ajoutèrent à sa confiance indéfectible en la Vierge Marie, et tout ça non seulement lui fit oublier les pistes du chien et celles du diable mais le mit sur celles de la fierté du curé quand il reviendrait et pourrait admirer un perron neuf mur à mur.

– Combien de temps que ça vous prendrait pour les faire d'un bout à l'autre ?

– Là, y a mes foins sur ma terre du bas de la Grande-Ligne qu'il faut que je fasse.

– Pour pourriez engager du monde… Comme monsieur Georges Champagne ou Zoël Poulin ou Paul Boutin…

– Il se trouve que ces trois-là sont déjà engagés pour les foins de c't'année: Ti-Georges par son frère Noré, Zoël par son gars Gérard, pis Paul par Pit Veilleux pis Freddy Grégoire.

Le vicaire fit une moue boudeuse et hocha la tête comme s'il cherchait d'autres noms à donner.

– Monsieur Jos Page…

– C'est dans le plus fort à beûrrerie de ce temps-là… En plus que Jos Page, c'est pas les chars en plein air pour faire les foins.

– Avec vos garçons, c'est pas assez pour faire ça vite en supposant du beau temps?

– Ah! si le Ti-Paul serait là, ça serait pas trop long, mais il a sacré son camp ce printemps pis il a jamais redonné de ses nouvelles directement. Quinze ans, pis ça s'en va travailler en ville. Où c'est qu'on s'en va dans un monde de même, allez-vous me le dire, vous?

– Quinze ans? Vous pourriez le faire revenir…

– Non, monsieur, s'il a eu le cœur de s'en aller, qu'il reste parti. Pis asteure, il a 16 ans… Il vient de les avoir, au commencement du moins de jhun…

Le vicaire pencha la tête et pensa aux boîtes qui circuleraient dans la foule pieuse ce soir-là et il vit des billets de banque entrer par les fentes, surtout quand la Vierge serait apparue pour la cinquième fois…

– Monsieur Maheux, si vous les faites final pour dans trois semaines, foins ou pas, je vous donne cent piastres de plus. Avec les cent piastres, payez des journaliers pour vous aider dans vos foins.

– Ah! si j'dis que j'vas les faire, j'vas les faire dans le temps dit. Mais y a Georges Pelchat pis son gars qui sont ben habiles itou. Ça s'rait peut-être moins cher là qu'icitte.

– Écoutez, le roi du fer forgé, c'est vous, Ernest.

Le forgeron fut piqué droit à la mœlle épinière par la tige de cette fleur, et la sensation se rendit tout droit à son front qui rosit sous sa crêpe de cheveux effilochés.

– Dans ce cas-là, je m'en vas vous dessiner trois motifs aujourd'hui pis vous les montrer d'main matin ou ben à soir si vous voulez.

– C'est ben beau, dit le prêtre, qui tourna les talons et descendit l'escalier.

– Pis pour votre ciment, lança Ernest, faites-le faire par Saint-Veneer pis je le paierai, moi, Saint-Veneer. Le Bum, c'est sûr, dans le fond, que j'aurais dû le renfermer dans ma boutique de forge le temps que le perron de l'église durcissait... Mais j'ai pas pensé à ça...

– C'est pas grave, oubliez ça !

– Je monterai vous montrer les motifs sur papier.

– Le plus tôt le mieux...

Et le prêtre s'élança de son pas le plus pressé, genoux battant la soutane qui claquait comme un drapeau.

Un des motifs serait sûrement le fleurdelisé, pensait le forgeron en se grattant le crâne sous la perruque... De ça, il ne doutait pas une seconde...

Il se rendit chercher une tablette à écrire sur la tablette de l'horloge et, suivi sur les talons par le Bum qui sans le savoir avait permis la signature tacite d'un contrat en or avec la fabrique, il se dépêcha de s'en aller à la boutique où il se rendit à l'établi à bois pour imaginer ses motifs et les tracer à la mine plate d'un crayon plat... Il mangerait plus tard, quand la faim le commanderait.

Le petit journaliste emprunta le rang Grand-Shenley sans trop savoir pourquoi, peut-être y ayant aperçu une côte assez importante pas trop loin et sur laquelle il pourrait avoir une vue en plongée du village pour en lire les habitations sous un autre angle. Depuis son départ de chez Rose, il n'avait pas rencontré âme qui vive, pas même un chien ou un chat. Les maisons matinales semblaient toutes dormir encore et pourtant toutes l'avaient observé avec leurs gros yeux de belettes. Et tous leurs habitants savaient déjà qu'un petit homme aux allures de quêteux fatigué arpentait le trottoir vers le bas de la Grande-Ligne.

Mais si c'était un quêteux, pourquoi ne quêtait-il pas? se demandait-on de porte-à-porte, chacun se sentant alors coupable de ne donner aux mendiants qu'une vieille cenne noire ou un *nickel* de petite misère. Peut-être qu'il avait déjà frappé à leur porte et qu'il connaissait maintenant les maisons moins généreuses?

Et on finissait par se dire qu'il ne s'agissait pas d'un mendiant puisque l'homme était trop jeune et ne portait pas une barbe en broussaille, et que la seule image de marque d'un quêteux chez lui consistait en son baluchon et le fait qu'il déambulait à petits pas en regardant partout.

Soudain, des chiens se mirent à aboyer. La maison des Dulac approchait et leurs bêtes en avertissaient les occupants. La vieille bonne femme à pipe s'approcha la capuche de la fenêtre et elle vit l'inconnu.

– Qui c'est donc? demanda Matthias qui se servait des flocons de maïs dans une grande assiette creuse en métal. Les chiens jappent pas de même quand c'est Jos Page qui s'en va à beûrrerie… Pis Jos Page est déjà rendu à son ouvrage comme c'est là.

– J'sais pas qui c'est, c'lui-là, dit la vieille en grinçant sur une voix pointue.

Alors Philippe se leva de table et se rendit voir à la fenêtre. Il réfléchit tout haut:

– Un étrange… Pour moi un quêteux…

Matthias se rendit à la fenêtre aussi.

– Trop jeune pour un quêteux. Ça doit être l'étranger qui a pris la maison à Polyte Boutin. Il pourrait passer au travers par la terre à Menomme Grégoire pour arriver chez eux par le bois.

– Non, non, je l'ai vu, l'étranger. Il est pas mal plus grand pis plus beau que celui-là…

– De la parenté à quelqu'un du Grand-Shenley. C'est pas d'autre chose que ça.

– En tout cas, si c'est un quêteux, il passe son chemin drette.

Le petit homme se savait observé cette fois. Il réagit en s'arrêtant pour voir les renards courir comme des perdus dans les cages derrière la maison. Et se demanda comment des bêtes sauvages pouvaient survivre ainsi privées de leur liberté. Une question que fort peu de gens se posaient alors. Il lui parut plus sécuritaire de ne pas s'attarder. Les gens de cette maison pourraient voir d'un mauvais œil un inconnu fouiner autour de leur propriété aux petites heures d'un samedi matin et, sait-on jamais, pourraient aussi bien *kisser* leurs chiens après lui.

Il poursuivit son chemin. De la fumée sortait d'un long tuyau noir au-dessus d'une bâtisse qu'il devinait être une beurrerie. Ça lui donna le goût de fumer lui-même et il s'alluma une Player's avec une allumette de bois dont il savait tenir la flamme à l'abri du vent à l'intérieur de ses mains en forme de panier. Néanmoins, un goût de soufre lui remplit la bouche et il lui fallut quelques grimaces et des crachotements pour parvenir à l'oublier.

Jos Page avait fait une bonne attisée afin de chauffer l'eau du réservoir, laquelle se transformant en vapeur génèrerait l'énergie nécessaire pour faire virer la grosse baratte à beurre qui tournerait à plein régime à compter de neuf heures, dès que le camion parti avant l'aube reviendrait rempli de bidons de crème. Et le vieil homme gris fumait sa pipe, assis dehors, sur le pas de la porte. Pas besoin de lunettes pour le voir venir de loin, ce petit personnage à baluchon. Le vieil homme s'en inquiéta un peu. Il avait eu des reproches la veille de son patron; et dans son cerveau enfantin, il s'imaginait qu'un nouveau pouvait venir afin de le remplacer à la bouilloire et à la baratte.

Lévesque avançait sans le voir. Jos se fondait, par ses culottes grises et sa veste à carreaux noirs et blancs, avec l'absence de peinture partout ailleurs qu'aux ouvertures de la bâtisse.

– Tchi que t'es, toé? graillonna Jos.

Le journaliste sursauta et aperçut finalement le vieil homme.

– Et vous? demanda Lévesque en traversant la rue pour s'engager dans la cour étroite.

– Ben moé, j'sus le chauffeur icitte. Pis ça fait vingt-sept ans que j'fais ça.

– Moi, j'suis rien qu'un passant.

– Un tchêteux?

Lévesque sourit.

– Oui, ça pourrait bien me définir en effet. Je suis en quête de quelque chose, oui…

– Toé, tu viens pas icitte pour te charcher d'l'ouvrage toujours?

– Faut dire que j'en ai déjà en masse.

– Ton nom, c'est quoi déjà?

– Lévesque. Et vous?

– Page, Jos Page.

Le visiteur vint poser le pied sur le pas de la porte. L'odeur de lait de beurre se mélangea en ses narines avec les relents de soufre et les senteurs du tabac. Un mélange qu'il trouvait bon pour la mémoire.

– Chauffeur, c'est quoi, ça?

– Ben j'chauffe le feu, je pars la baratte pis j'sors le beûrre d'la baratte quand c'est qu'il est prêt à mettre dans des boîtes. Sais-tu fére ça, toé-tou ?

– Non… ça prend un bon homme pour ça…

– Jhuwa, jhuwa, jhuwa, jhuwa, jhuwa… ouais, ben çartain, ben çartain…

Jos retrouvait son naturel bon enfant. La crainte était passée. Il l'aimait bien, somme toute, cet inconnu qui le questionnait sur son travail.

– Je grimpe sur la côte pour voir le village de là-bas. J'en veux une vue d'ensemble…

– Ah ! tu pourras pas aller plus haut que ça. Le clocher de l'église, là, ben c'est cent cinquante pieds jusqu'au coq. Mais sur la côte, là, tu vois plus haut que le coq.

– On va avoir une belle journée aujourd'hui.

– Ah ! oué, jhuwa, jhuwa. À côté, icitte, c'est Rosaire Nadeau, le connais-tu ?

– J'ai pas cet honneur…

– Tu veux savoir l'heure ?

Et Jos fouilla dans une petite poche de son pantalon dont il fit émerger une grosse montre argent.

– Là, il va su' six heures et d'mie.

– Les apparitions, vous avez vu ça ?

– C'est pas su' la côte icitte, c'est de l'autr' bord, sur le cap à Freddy Grégoire.

– J'pensais que c'était le cap à Foley.

– Ah ! ça, c'est l'vieux nom, jhuwa, jhuwa. La terre appartenait à un dénommé Foley avant que le bonhomme Noré Grégoire achète ça. Y en a ben qui disent encor' l'cap à Foley, jhuwa, jhuwa. C'est selon chatchun…

– La Sainte Vierge, vous l'avez vue, vous ?

– Tchi, moé ?

– Oui.

– Non, pas moé. C'est les enfants à Mardja Lessard qui l'ont vue. Eux autres, la Sainte Viarge, ils la voyent… pas moé, ben non, pas moé, jhuwa, jhuwa, jhuwa… J'dois être trop vieux pour la vouère, moé… Mais elle est là pareil, hein, elle est là pareil…

Jos lança un crachat de côté et appuya son pouce sur le tabac en feu sans se brûler. L'autre ne pouvait s'attarder ; il en avait trop à voir ce jour-là. Et il reprit son chemin.

– Tu r'viendras…

– J'y manquerai pas.

Lévesque fut épié aussi depuis la maison voisine. Il fit semblant de ne rien voir et continua son chemin jusqu'au point le plus haut de la colline d'où il s'imprégna à jamais du long ruban de maisons, granges et hangars qui s'étirait de chaque côté des bâtisses plus importantes du cœur du village : l'église, le couvent, la salle paroissiale, le magasin général et l'hôtel.

Il entra de quelques pas dans un champ labouré, mit son paqueton par terre et s'assit sur la perche tombée d'une clôture. Et il tâcha de réfléchir à son avenir lointain, celui de sa quarantaine et de sa cinquantaine. Comment seraient les années soixante, les années soixante-dix, les années quatre-vingt pour lui et pour le monde ? Guerre ou paix ? Abondance ou crise économique ?

Et la télévision, comment changerait-elle le monde ? Aurait-elle sur le pays le même impact que les apparitions de la Vierge avaient sur cette petite paroisse, aux alentours et ailleurs ?

Le premier à se poser la question, il serait probablement aussi le premier à y répondre…

Car en apercevant les automobiles qui déjà affluaient autour de l'église à ses pieds là-bas, il rêvait à l'immense pouvoir des apparitions que représentaient toutes ces images pieuses ayant meublé l'âme de toutes les enfances du monde occidental depuis tant de générations.

Ernest avait déjà travaillé plus d'une heure sur ses dessins qu'il recommençait encore et encore sans jamais arriver à quelque chose de satisfaisant.

Un véhicule s'arrêta dans la rue, près de la cour, face au magasin général. C'était le boulanger Audet du village voisin qui venait livrer des morceaux de pain. Avec le contrat qu'il avait en poche, Ernest pensa qu'on pourrait bien manger du pain de boulanger pendant quelques jours, même si ça revenait pas mal plus cher que le pain de ménage à Éva qui les faisait dures à s'en casser les dents, sa miche et sa mie. Et tant qu'à faire, on achèterait chez Freddy quelques livres de biscuits Whippet pour le dimanche. Tiens, il traverserait faire ces achats après le départ du véhicule.

Le boulanger, un homme de 40 ans, toussa à quelques reprises, la main devant la bouche. Et la quinte se termina en une sorte de cri de coq. Ernest, qui n'était pas lui-même exempt de tels assauts à cause de la poussière de bois et de charbon, n'y prêta guère attention, d'autant que ses dessins l'accaparaient toujours. Les gens ignoraient que les poumons du boulanger étaient gravement malades, attaqués par la tuberculose, irrémédiablement détériorés par le bacille de Koch. Lui-même connaissait son état, mais il n'avait pas voulu changer sa vie pour cela à l'instar du Blanc Gaboury et, plus récemment, d'Armand Grégoire.

L'homme ensuite corda plusieurs pains sans emballage sur son bras et traversa la rue pour aller les livrer au magasin général. Un des morceaux sur le dessus de la pile glissa au moment où il arrivait au trottoir et tomba par terre sur une plaque séchée de crottin de cheval. Audet le ramassa et le remit sur la pile.

Quand il fut à l'intérieur, il se rendit poser sa charge à côté d'une armoire vitrée posée sur le comptoir. Quelqu'un du magasin mettrait les pains dans l'armoire plus tard. Pour l'heure, personne ne se trouvait là. L'homme prit le morceau tombé dehors et le frotta avec sa main pour le nettoyer des brindilles de crottin. Et les résidus qui auraient pu rester se confondirent avec la croûte dont la couleur blonde était la même.

À nouveau, il toussa. Les veines de ses tempes devinrent apparentes tant la pression était forte dans sa tête pâle et décharnée. Un pas vint. Il releva la tête. C'était Armand qui lui dit à travers un petit sourire anxieux :

– T'aurais pas de quoi aux poumons, toé, toujours ?

– Jamais de la vie !

– Tu tousses comme moé des fois.

– Étouffé un peu, c'est pas grave.

– Enchifrené, commenta Armand.

– Ouais…

L'homme se fit payer et ne tarda pas à s'en aller. Beaucoup de clients l'attendaient. Sa tournée de deux jours passait par toute la paroisse. Bien des familles recevraient de la visite à cause des apparitions et c'est la raison pour laquelle il avait bien plus de pain que d'habitude dans son véhicule, une ancienne ambulance repeinte en couleur blanche.

Armand mit les pains à leur place. Il achevait quand Ernest se présenta. Le forgeron acheta deux pains. La chance voulut qu'il reçoive celui que le crottin avait sali. Ensuite, Armand lui pesa trois livres de Whippet qu'il prenait à poignées dans la caisse de biscuits en vrac.

Comme il en transporta chez lui, des bacilles, ce matin-là, le pauvre Ernest ! Bien plus de microbes que de nourriture pour sa famille… Mais quelle prise pouvaient donc avoir les bacilles sur des poumons protégés par tant de poussière de charbon et sur un homme autant pris par son projet de fabrication de garde-fous ?

Et toute la famille se régala ce jour-là et le jour suivant de bonnes rôties avec un petit goût d'acheté tout fait et surtout des inégalables Whippet à Freddy.

***

Chapitre 36

Peu après le passage du boulanger, ce fut au tour de Boutin-la-viande de se présenter chez Ernest. Car lui ne pouvait pas déposer du steak chez Freddy et il le vendait directement à chaque porte. Il se stationna dans la cour devant la porte du côté de la maison.

C'était un vieil homme encore vert, portant une chienne blanche tachée de rose et de rouge, au volant d'une petite camionnette dont on avait fait une glacière servant d'étalage. Tout un bœuf et tout un cochon s'y trouvaient en pièces détachées, accrochées ou enveloppées dans du coton. Quand il arrivait quelque part, il klaxonnait puis allait entrouvrir la porte arrière. Et quand la reine du foyer se présentait avec l'intention d'acheter quelque chose, il ouvrait les portes pour lui montrer l'étalage et la faire choisir. De plus, des couteaux et des scies à viande étaient accrochés contre la cloison au-dessus d'une balance, prêts à découper les morceaux, suivant le bon plaisir de la cliente, exceptionnellement du client.

L'été, la plupart des familles ne mangeaient de viande fraîche que le dimanche. Et cela était rendu possible par la méthode du père Joseph copiée sur ce qui se faisait partout dans les campagnes et les villes.

L'homme descendit. Caché par son véhicule, il appuya son pouce sur son nez et souffla pour le vider. Le morviat mordit la poussière de la cour et le bonhomme essuya au tissu de son tablier les résidus restés collés à ses doigts. Il releva ensuite un pan du sarrau et sortit une montre qu'il consulta. Il travaillait depuis plus de deux heures déjà et le moment de se rincer le dalot était venu ; il méritait bien ça.

Couchée derrière une cuisse de cochon, sa bouteille de gros gin reposait en attendant qu'il l'ouvre et se serve une ponce dans un petit verre qu'il traînait pour ça. Il expirait bruyamment sa satisfaction après avoir ingurgité l'alcool quand Ernest arriva derrière lui un peu à l'improviste.

– Ça, c'est de la bonne vitamine, dit le vieil homme moustachu, surpris d'être ainsi surpris. Veux-tu une p'tite ponce, Ernest ?

– Mes vitamines, moé, c'est de la bonne viande juteuse.

– J'ai ce qu'il te faut. Un beau bœuf abattu hier soir pis qu'a passé la nuitte sur la glace.

– Du lard, ça serait mieux pour aujourd'hui.

– R'garde-moé les beaux morceaux que j'ai encore.

Une mouche noire vint se poser sur la planche à découpage, mais aucun des hommes ne dérangea son séjour ; et si on la vit, on ne la remarqua guère. Pendant que les humains discutaient, elle mangea, pondit tranquillement puis s'en alla.

– T'en veux comment au juste ?

– Trois livres.

– Ce morceau-là est pas loin.

– Pésez-lé donc !

L'homme le fit.

– Deux livres trois quarts…

– J'vas le prendre pis vous mettrez une livre ou deux de baloné avec ça.

– Il te reste-t-il de la glace encore ?

– J'sus bon jusqu'au mois d'août.

– Achète-toé donc un frigidaire, ta femme aimerait ça en maudit.

– J'ai pas encore les moyens de ça.

– Ça finit par se payer tu seul avec tout c'est que tu sauves de manger qui se gaspille pas. Pis tu sauves du temps. Pus besoin de te scier de la glace l'hiver pis de conserver ça dans le bran de scie. Tu gardes ta viande dans la maison. Les restes de repas, tu peux garder ça longtemps.

– Ah ! ça fait longtemps que Marie-Anna veut m'en vendre un, mais c'est deux cents piastres, c'est pas donné.

– Un maudit bon placement pareil.

Ernest se mit à songer qu'avec l'argent des garde-fous, il pourrait en acheter un de ces réfrigérateurs qu'au moins la moitié des familles du village et déjà plusieurs de la paroisse possédaient déjà. Certes, l'argent sauvé constituait un bon argument en faveur de cet important achat, mais la fierté jouait fort elle aussi. Sitôt Boutin-la-viande payé, il se rendit de son pas le plus long au hangar de la glacière pour y déposer ses paquets, puis, sans hésiter, il passa à travers pour se rendre chez la voisine, Marie-Anna, marchande de meubles et cadeaux qui, étonnée de cette visite matinale, lui dit en ouvrant la porte d'un moyen appareil :

– Ah ! ça me surprend pas de vous voir, monsieur Maheux. Je savais que d'un jour à l'autre, vous viendriez acheter un beau frigidaire pour madame Maheux. Elle mérite bien ça, vous savez...

– Maudit torrieu, on passe notre temps à jeter de la viande par les châssis !

– Ah ! ça, c'est l'économie totale !

Pendant ce temps, Joseph Boutin décrottait la tête de sa pipe avec un couteau de poche. Il la chargea ensuite, l'alluma et se remit au volant pour s'arrêter pas beaucoup plus loin entre la maison de Bernadette et celle des Jolicoeur.

Marie-Anna l'aperçut par la vitrine et devina que son voisin venait de se faire convertir à l'idée du réfrigérateur par nul autre que Boutin-la-viande lui-même. Elle ne manquerait pas sa vente pour un steak, car si Ernest devait remettre ça au lendemain, ce serait raté pour au moins une autre année, peut-être plus. À moins qu'Éva ne se décide elle-même sans consulter son mari, ce que, du reste, elle était sur le point de faire. Pour éviter des problèmes de voisinage, mieux valait que le forgeron prenne l'initiative lui-même.

On commença la négociation…

Bernadette courut jusqu'au petit camion, croyant que le bonhomme était sur le point de partir. Et sitôt après, Rose vint à son tour et se dépêcha de dire :

– J'ai eu un pensionnaire pour la nuit. Un jeune homme de Montréal qui a pas trouvé de gîte à l'hôtel. C'est monsieur le vicaire qui me l'a amené.

– J'aurais pu le recevoir moi itou. J'ai deux belles chambres de libres.

– Armand ?

– Armand, il reste dans son camp là-bas en arrière.

– J'pensais qu'il couchait à maison.

– Ah ! je l'garde pas avant les frettes d'hiver, ça, c'est sûr. Y avait beau rester au sanatorium. Fou qu'il est ! Il va se cracher tous les poumons pis il va mourir.

Puis les yeux de Bernadette passèrent du rond au plissé et son désagrément se transforma en plaisir. Elle songeait à bien autre chose :

– Pis comme ça, t'as hébergé un beau petit jeune homme la nuit passée ?

– Jeune, assez, mais beau, pas trop…

– La nuit, ils sont tous beaux…

– Écoute, Bernadette, j'sus pas ce que tu penses, hein…

– Mon doux Jésus, c'est pas ça que j'ai voulu dire. Sens-toi pas visée, non, non, non…

– Coudon, vous autres, n'avez-vous besoin, d'la viande ou ben si vous êtes là pour placoter pis pas d'autre chose ? dit le bonhomme Boutin mi-sérieux mi-agaçant et qui remettait le bouquin de sa pipe fumante entre ses lèvres rouges.

– Moi, j'voudrais un beau morceau dans la partie de bœuf la plus tendre, demanda Rose.

– Tu reçois Berthe pis Ovide à souper… pis d'après ce que j'sais, il va y avoir un bel homme riche avec eux autres.

– J'sais que va y avoir quelqu'un avec eux autres, mais j'en sais pas plus… Pis Bernadette, arrête de dire des affaires de même. On croirait que t'oublies tout le temps que j'sus une femme séparée. Toi, t'es fille pis tu peux t'occuper des hommes…

Bernadette fit un clin d'œil, pencha la tête, éclata de rire en disant :

– J'aimerais ben mieux que ça soit les hommes qui s'occupent de moi, mais ils me trouvent un peu trop vieille.

Rose, qui portait sur son front et ses épaules quelques années de plus que Bernadette, fut à nouveau contrariée. Elle lança avec un vilain sourire :

– Un morceau de viande a plus de goût s'il est présenté de manière appétissante. Toi qui fais si ben la cuisine, tu devrais pourtant savoir ça.

Bernadette reprit son rire de fillette et approuva :

– C'est ben vrai ! Pis pour savoir si la viande est tendre, ben tu la tâtes avec tes doigts… comme ça…

Ce qu'elle fit en enfonçant son pouce dans le morceau que Joseph venait d'étaler sur la planche à découper.

– Ça, c'est un peu dur. Faut dire que de la viande, il faut que ça vieillisse un peu pour s'attendrir. C'est comme du monde…

Sur ce joyeux ton, chacune finit par se faire peser une belle pièce, mais le père Joseph dut oublier sa patience assoiffée en regardant à la dérobée la poitrine de Rose dont on pouvait apercevoir la profonde naissance par le décolleté de sa robe de coton fleuri.

Quand elles furent enfin parties, il déchargea sa pipe en la cognant sur le rebord de la boîte. Quelques particules de tabac calciné furent emportées par un coup de vent à l'intérieur de la glacière et se déposèrent sur la viande, mais elles étaient si petites que l'humidité sanguinolente absorba jusque leur couleur.

***

Chapitre 37

Lévesque approchait de la manufacture de boîtes dont il avait entendu l'appel sifflé un quart d'heure plus tôt, ce qui l'avait incité à quitter son observatoire pour rentrer dans le décor.

Pit Roy le vit venir de sa fenêtre ouverte au deuxième étage. Il se dépêcha de clouer quelques fonds de boîte afin de prendre de l'avance pour mieux suivre la progression de ce bizarre petit bonhomme inconnu qui, pour une raison inexplicable, lui rappelait son héros Duplessis.

Le journaliste s'arrêta dans la cour et promena son regard tout autour tandis que ses pieds calaient dans la terre noire sèche et moelleuse. Que d'odeurs à humer en ce lieu : le bois, la résine de bois, le jus noir qui croupissait dans le bassin de flottaison au pied du moulin et les lilas fleuris d'arbres entourant la grosse maison blanche ! Il pensa à tort que cette demeure aux dehors vénérables appartenait au propriétaire, Dominique Blais. En fait, c'était celle d'Uldéric, le patriarche mort l'année précédente, laissant en héritage la propriété commerciale à cinq de ses fils et sa maison au plus jeune, Marcel.

Le journaliste décida d'aller explorer à l'arrière de la bâtisse. Il y aperçut une entrée sans porte qui donnait sur l'espace de l'engin et du feu sous la bouilloire. Il n'eut pas à pencher la tête pour entrer et parmi les employés, seuls Marie Sirois et

François Bélanger n'avaient pas à le faire non plus en raison de leur petite taille.

Le bruit était énorme. Il s'approcha de la machine qui suait, sifflait, tournait à plein régime, sa roue d'acier propulsée sur son axe par un bras puissant au poignet excentrique. Devant lui se trouvait un escalier étroit ; et il en aperçut un autre sur sa droite. Le lieu inspirait un fumeur : il s'alluma une cigarette. Puis tourna la tête comme par un drôle d'instinct et il ne put alors retenir une grimace qu'il chercha à rattraper par une autre, laquelle demanda à son tour à se faire effacer par une suivante. Ça ne s'arrêtait pas…

Au-dessus de lui, appuyé à la rampe, penché en avant et qui l'observait, se trouvait François Bélanger, un personnage qui faisait toujours sursauter par sa laideur épouvantable, qu'on le connaisse depuis toujours ou depuis peu. Pour la première fois de sa vie, le pauvre homme se rendait compte que les grimaces qui le rendaient prisonnier pouvaient aussi s'emparer d'un autre visage que le sien, et surtout, bien moins dénaturé que celui dont le ciel l'avait gratifié à sa naissance. Il ébaucha un sourire et fit des signes par lesquels Lévesque comprit que l'homme voulait lui acheter une cigarette ou deux. Le journaliste lui lança son paquet. François en prit une et rejeta le paquet entre les mains de son propriétaire. Lévesque lui demanda par signes s'il pouvait le rejoindre sur la passerelle. Il obtint une réponse favorable, faite d'un rire grimaçant et d'un signe affirmatif.

Rendu là, il se fit dire à l'oreille :

– Oulé woè Nomini ?

Contre toute attente, le journaliste comprit. Il répondit dans le tuyau de l'oreille de l'infirme :

– Monsieur Dominique se trouve-t-il en haut ?

– Oué pæn Nomini vni pas tô leun…

Lévesque comprit encore et cela émerveilla François qui avait l'habitude de n'être décodé aussi aisément que par sa mère. Comment donc un pur étranger arrivait-il à le comprendre du premier coup ? Se trouve-t-il donc des êtres capables de lire chez quiconque sans avoir à entendre des mots clairs et nets ? Un don…

– J'pourrais l'attendre, mais j'aimerais mieux aller le voir dans la manufacture. C'est-il permis ?

– Mèmi aten… oué wa mné…

– Vous êtes ben *smart*. C'est quoi, votre nom, vous ?

– Venwè Méenjé…

– François Bélanger. Ben moi, c'est René Lévesque.

L'escalier pénétrait dans un endroit exigu. Le journaliste suivit l'infirme et se retrouva dans cet espace terriblement poussiéreux où un homme délignait des planchettes sans pour autant que son sourire plissé ne soit, lui, déligné par l'intense chaleur qui régnait en ce lieu communément appelé aux alentours « le trou ». Il le regarda faire un moment.

L'homme empilait quatre ou cinq morceaux puis les égalisait tant bien que mal sur une languette de métal. Ensuite, il les poussait dans la scie endiablée qui émettait un bruit strident, comme le cri d'un diable qui se noie dans un bénitier. Puis il répétait la manœuvre pour dégager le bon bois de la croûte inutile et nuisible pour la suite du processus.

Lévesque fit une moue désolée puis tira une poffe, ajoutant sa pollution à l'autre. Et se remit en marche à la suite de François, qui s'était immobilisé en l'attendant. L'on repartit…

Soudain, François s'immobilisa à nouveau au pied des quatre marches du dernier escalier. Il écrasa sa cigarette dans le bran de scie en tournant bien le pied pour qu'il ne reste aucun danger dans le mégot. Et, par signes, il fit comprendre au journaliste de faire de même, ce qui fut fait aussitôt.

On déboucha enfin à l'étage du gros de la fabrication des boîtes. Toutes les têtes se tournèrent vers les arrivants, sauf celle de Dominique, qui finit l'embouvetage d'un couvert avant de s'intéresser au visiteur qu'il savait là par les regards des employés et sa perception périphérique.

Il s'approcha enfin des deux hommes qui l'attendaient. On se salua du sourire. François lui grogna quelque chose à l'oreille puis s'en retourna à son feu et à son engin, content de sa rencontre.

L'industriel cria au visiteur:

– C'est de même que ça se fait, des boîtes à beurre.

– J'vois ben ça, là... Comment ça marche au juste?

– Icitte, c'est l'embouvetage. Moi, je donne à manger à la machine qui encolle les morceaux pis lui, là, il met les morceaux dans la coulisse que tu vois pis il donne le bon coup de masse pour que les planches se pénètrent.

Lévesque connaissait déjà le masseur par la partie de poker de la veille dans le bar à tuer de l'hôtel, et il le salua d'un geste tronçonné... Marie Sirois qui, en ce moment, travaillait derrière l'amancheuse à sabler le corps des boîtes et à boucher les trous de nœuds fut étonnée par l'attitude de Fernand devant cet étranger, lui que la peur de quelque chose rendait furtif devant l'inconnu... Ils avaient l'air de se connaître bien, ces deux-là, et il parut passer de l'amitié dans leurs gestes.

Dominique poursuivit tandis que le journaliste toussait:

– Là, on botte. Ensuite, au fond, c'est la machine à tenons... Viens voir...

À sa cloueuse, Pit Roy se sentait de plus en plus énervé. Qui donc était ce jeune personnage lui rappelant tant Duplessis? Peut-être un fils à Georges-Octave Poulin, le député bleu de Saint-Martin? Ou peut-être un fils du docteur Raoul Poulin, frère de Georges-Octave, député indépendant à Ottawa? Ou bien un gars à Jos-D. Bégin, ministre de Lac-Etchemin?

Car comment peut-on ressembler autant à Duplessis sans avoir du sang très bleu dans les veines ?

Le pauvre homme s'aperçut soudain qu'une des grosses seringues à injecter les clous ne produisait plus rien. Un manque de vigilance de sa part. Il dut vérifier les fonds de deux piles et à chacun, il manquait un clou. Pour réparer, il prit son marteau par la tête et alla fourgailler dans le panier de la tête de la machine qui basculait lentement de bas en haut pour permettre aux coulisses de recevoir les clous et de les guider vers les seringues. Tant mieux au fond, car il aurait bien plus de chances de parler à l'étranger qui devrait le frôler quasiment pour sortir par la porte extérieure donnant sur le grand escalier. L'exaucement dépassa ses vœux et Dominique s'arrêta à lui :

– Voudrais-tu montrer à monsieur Lévesque comment on fait des tenons avec la machine ?

Tout excité, Pit se précipita vers la grosse machine en riant et en se tortillant de bonheur. Il allait commencer quand la curiosité le ramena à ses spectateurs. Il dit à Dominique :

– Le petit monsieur serait-il parent avec nos députés ?

– Ah ! j'pense pas, c'est un journaliste de Montréal.

Lévesque tendit la main que Pit serra en criant :

– Vous ressemblez à un premier ministre, vous.

L'autre éclata de rire, un rire des épaules aussi haut que celui de la protestation de ses grimaces amusées.

– Il est venu voir les apparitions, dit Dominique.

Pit lâcha un grand rire de doute. Lévesque fit une moue qui s'accordait à cela et, grâce au moment de réflexion qui venait de lui être donné et parce que Pit lui rappelait Duplessis, il lança une phrase qui eût pu être interprétée de manière négative aussi bien que positive :

– Notre bon premier ministre est encore là, au pouvoir, pour des années.

Pit hocha la tête affirmativement puis il sauta près des piles de morceaux. Mesurant avec l'un d'eux, il en prit une vingtaine qu'il inséra dans la machine. Il tourna une manivelle pour les enserrer au maximum de sa force, et là, actionna un levier. La grosse mâchoire d'acier se mit à glisser par devant et ses crocs commencèrent à entamer le bois. L'énergie demandée par cette machine réduisait celle disponible pour le reste de la manufacture et toutes les autres virent leur cadence diminuer. Les mâchoires revinrent à leur place. Le journaliste se rendit toucher aux tenons encore chauds puis il tendit à nouveau la main à Pit qui la serra avec satisfaction.

La visite se poursuivit. Marcel les reçut avec quelques pitreries, mais il n'y eut aucun échange verbal. Puis le journaliste observa Marie Sirois qui maintenant travaillait sur la machine à estamper. Il prit un morceau et lut les mots en demi-cercle :

CANADIAN BUTTER
Registration no

Cet endroit étant un peu moins bruyant, il put converser un peu avec la travailleuse.

– Ça fait longtemps que vous faites ça ?

– Rien que quelques jours, dit-elle, désolée.

– J'sus content de voir une femme qui a pas peur de travailler parmi un groupe d'hommes.

Elle esquissa un sourire qui exprimait une pointe de tristesse. Il en déduisit qu'elle devait gagner la vie de sa famille et qu'il s'agissait probablement d'une veuve. Plus loin, derrière les grandes roulettes de sablage, Fernand ne perdait pas une seule image de la scène. Le petit homme demanda :

– Est-ce qu'on vous paye le même salaire qu'un homme ?

Elle regarda vers Dominique qui cependant n'avait pas entendu, et dit :

– Autant qu'un homme, oui... pis même autant qu'un bon homme.

– Aimez-vous ça, travailler ici ?

– Certain !

– Vous aimeriez pas mieux travailler en... couture ?

– Ben... peut-être...

Le jeune homme avait un peu de mal à faire tomber les barrières que cette femme tenait solidement érigées autour de sa personne et qui s'exprimaient par son embarras et son laconisme. D'autre part, le journaliste était ému par son courage. Tout ce bruit, toute cette poussière, tous ces yeux masculins autour d'elle et tant de calme dans son regard !

Mais le moment de partir était venu et le petit homme salua. Il se dirigea vers la porte ouverte, suivi de son hôte et on put se parler plus librement dehors.

– La petite dame, c'est une veuve qui vient de perdre son seul fils. Enterré v'là quelques jours.

Par sa fenêtre, Pit Roy entendait tout pourvu qu'il reste devant sa cloueuse. Ce qu'il faisait en procédant à des ajustements inutiles.

– Si mon photographe était donc là ! Écoutez, on pourrait-il faire une photo d'elle ce soir avant le souper, même si la manufacture est fermée ? Si elle veut, bien entendu. On va la payer pour ça. J'écrirais un article sur les difficultés pour une femme de vivre seule avec des enfants.

– Voulez-vous que je lui dise de venir ? demanda Pit qui sortit sa tête par la fenêtre.

Dominique fit un signe de tête affirmatif. Et bientôt, Marie fut là. Proposition fut faite. Dix dollars qu'elle y gagnerait. Elle accepta de suite. À son tour et à son insu, elle venait de se faire séduire par ce petit journaliste grimaçant. Et elle ne serait pas la dernière…

– Je voudrais poser rien qu'une condition.

Les trois hommes s'étonnèrent. Elle reprit :

– C'est pas grand-chose, c'est juste que ça reste entre nous autres pour un bout de temps. J'voudrais pas que ça se répande pis que Fernand Rouleau l'apprenne. Pas tu suite, pas avant que votre article passe dans le journal.

– Moi, j'ai personne à qui parler de ça par ici.

– Nous autres, dit Dominique en son nom et en celui de Pit, on est capables de se conduire comme des tombeaux fermés, hein, mon Pit ?

Pit affirma :

– Même monsieur Duplessis me ferait pas parler…

Marie s'en retourna. Dominique serra la main de Lévesque et rentra. Le journaliste dit alors à Pit :

– Ah ! ce monsieur Duplessis, quel premier ministre !

– Le meilleur de tous les temps… pis y'en aura jamais un meilleur à la tête de la province de Québec.

– Ça se pourrait… ça se pourrait très bien, ce que vous dites là. Vous connaissez ça, vous, la politique, vous connaissez ça à plein… à plein…

Quand Lévesque fut parti, Pit interpella Fernand qui accrochait une pile de boîtes pour la faire glisser sur le plancher.

– J'te dirai pas ce que j'ai entendu… c'est secret… mais… tu vas rester surpris quand c'est que tu vas le savoir… Ben surpris, mon p'tit Rouleau, ben surpris…

Fernand jeta un œil à Marie en passant derrière elle. Elle lui répondit par un sourire énigmatique. Il poursuivit son chemin, contrariété et anxiété croissant à chaque pas qu'il faisait…

***

Chapitre 38

C'était la grande invasion.

Elles arrivaient à pleines grandes lignes, les voitures tous azimuts venues de tous les horizons. Il en venait aussi par le rang Neuf, qui débouchait au tiers du village. Celles-là pouvaient survenir de n'importe où de l'autre côté de Saint-Benoît-Labre ou de Saint-Éphrem, leurs conducteurs avaient décidé d'emprunter des chemins de rang plutôt que les routes numérotées.

Des noires, des grises, des rouges ; des Buick, des Chevrolet, des Plymouth ; des Jeeps, des autobus ; et même des camions avec des places aménagées pour les passagers à l'arrière. Il en venait à bicyclette, il en venait à pied, il en venait par flots, il en venait par couples, il en venait seuls.

Et beaucoup de fauteuils roulants dans les véhicules. De la foi sur cannes, de l'espérance sur béquilles, et les cœurs ouverts à toutes les charités… pourvu qu'on obtienne d'abord une guérison des jambes ou de l'âme.

Ah ! qu'il faisait beau ! Ah ! qu'il faisait bon ! Ah ! qu'on faisait le bien ! Les bérets blancs affluaient d'heure en heure, bardés de chapelets noirs, qu'ils ne cessaient d'égrener en marmonnant des avés fervents, de drapeaux lourds, et naturellement, de bérets jaunis par le soleil et des années de prédication sous le même grand thème à deux embranchements : Dieu et l'argent.

On mangeait dans les voitures. On pique-niquait sur les terrains de l'O.T.J., sur ceux autour des granges à Freddy et derrière la maison rouge presque centenaire ou bien carrément dans le cimetière sur les lots les plus verts.

Les renseignements se transportaient d'un individu à l'autre, d'une famille à la suivante, d'une voiture à sa voisine. Personne n'ignorait où se trouvait le cap à Foley. On se montrait des découpures de journaux, des articles de *La Presse*, de *La Patrie*, de *La Tribune*, du *Soleil*, de *L'Action* et du *Vers demain*. C'est dans *La Patrie* que se trouvait la photo la plus percutante, qui montrait cette femme à canne criant sa guérison avec tous les muscles de son visage et un regard pathétique.

Toutes les cours des maisons furent bientôt encombrées après les deux de l'église, celle du presbytère et même l'arrière de la grange du curé. Chez Ernest, il ne resta qu'un étroit passage pour une seule voiture, mais on dut se résigner à le combler lui aussi en fin de compte.

« Ceuses du fond attendront que ceuses du bord partent pour s'en aller ! » avait déclaré le forgeron à tout venant.

Il se demanda trop tard s'il n'aurait pas dû collecter des frais de stationnement, comme dans les villes. La rue de l'hôtel, la rue des cadenas, la rue Champagne, la rue Bellegarde, toutes finirent par être paquetées de véhicules comme la semaine précédente.

Rose et Bernadette se relayèrent toute la journée près de l'étroite entrée de cour de la maison Jolicoeur pour en refuser l'accès aux étrangers afin qu'Ovide puisse trouver une place chez lui. On l'attendait avec Berthe et leur voisin plutôt tard dans l'après-midi.

Le comité de circulation automobile accomplissait un boulot formidable. Une vingtaine d'hommes portant des calottes de policier géraient le flot et multipliaient les conseils et avis aux automobilistes qui se cherchaient un endroit pour s'arrêter et se garer.

Armand Boutin, un personnage aucunement consomption mais plus maigre qu'Armand Grégoire, possédait une terre dans le bord du rang Neuf. Il avait prévu l'afflux et s'y trouvait pour accepter les véhicules dans un clos de pacage très grand qui permettrait de recevoir au moins trois cents voitures. Il perçut cinquante cents à chaque propriétaire. Mais chaque fois, il ne pouvait s'empêcher de servir une bonne excuse et toujours la même: « C'est pour les apparitions de l'hiver. » Par là, il entendait les apparitions des veaux qui nécessitaient l'achat maintenant d'un taureau reproducteur pour remplacer le vieux Van der Bull, viré en steak haché à la boucherie de son père et vendu de porte-à-porte par Boutin-la-viande en personne ces derniers jours. Van der Bull avait échoué dans tous ses devoirs envers aussi bien les vieilles vaches que les génisses, et c'est du bœuf honteux et penaud qu'Ernest, Bernadette, Rose et ses invités mangeraient ce soir-là ou le dimanche. Par bonheur, ce serait les renards des frères Dulac qui se partageraient les organes défaillants et ils ne s'en plaindraient pas puisqu'ils avaient déjà trop d'énergie à libérer, comprimés qu'ils étaient pour le reste de leur vie dans leurs cages étroites.

Ce midi-là, Fortunat Fortier fut confronté à un problème presque existentiel: devait-on commencer dès avant le souper la quête pour le perron afin de passer le chapeau, c'est-à-dire la boîte à beurre, devant le nez du plus de monde possible? Car comment atteindre tous ces visiteurs par seulement deux heures de collecte avant les apparitions? Demander conseil au vicaire, ce serait avouer la faiblesse de son jugement. Les hommes de la quête étaient mobilisés pour la soirée, pas pour l'après-midi. Et puis leur laisser de l'argent trop longtemps entre les mains, c'était rallonger d'autant la tentation. Comment contrôler les entrées de dons dans ces boîtes que quelque quêteux mal intentionné, à l'affût quelque part, pouvait toujours ouvrir puis reclouer après en avoir extrait une petite part intéressante pour lui-même.

C'est sous l'angle des affaires que l'affaire fut réglée. Pour toucher le plus de gens possible, il fallait commencer le plus tôt possible quitte à solliciter plusieurs personnes à plus d'une reprise. Après tout, vendre, c'est répéter. Un grand nombre, réchauffés par les événements, la température et le désir de voir la Vierge, donneraient deux fois plutôt qu'une. Pour diminuer les risques de vol, on viderait les boîtes au presbytère aux environs du souper. Il fallait procéder. Telle fut la décision de Fortunat qui se mit aussitôt à loger des appels téléphoniques à ses troupes.

Rachel Maheux vivait à des mondes de distance de l'énorme tohu-bohu dans lequel était entrée sa paroisse illuminée. Mais pourrait-elle se rendre dans un univers encore plus lointain à la recherche de son fiancé ? Fallait-il garder Jean-Yves chez lui dans son milieu d'enfance et se faire aider des choses, des meubles, de l'esprit des bâtisses, pour lui tendre la main comme à un naufragé et le faire sortir des profondeurs de son océan imaginaire ?

Une idée la séduisit. Elle le conduirait à son école dans le bas de la Grande-Ligne. Eugène s'empresserait de venir les chercher avec son auto. On pique-niquerait autour puis elle le conduirait à l'intérieur et les choses arriveraient alors d'elles-mêmes… Non, ce n'était pas la bonne façon de faire… Elle ne se sentait pas capable d'agir seule. Il lui fallait de l'aide. Mais pas de ses parents qui pourraient agir directement sur lui. Pas Ti-Noire non plus… Peut-être l'esprit des morts. Jean-Yves en parlait parfois. Il disait le rencontrer dans la maison rouge, cet esprit de ses grands-parents, celui d'Honoré et d'Émélie. Quand ils étaient morts tous les deux à quelques deux petites années d'intervalle, il était bien trop jeune pour les avoir connus, et pourtant, il en avait souvent parlé comme d'êtres vivants avec lesquels il entrait en communication. Rachel se demandait s'il n'était pas possible que, dans son sommeil ou dans un cas de psychose, l'esprit d'une personne vivante n'entre pas au royaume des morts pour en ressurgir au réveil avec seulement des résidus de souvenance.

Une seconde idée, un second plan. Elle demanderait à Freddy de passer la journée avec Jean-Yves dans la maison rouge mais en la présence d'Armand.

– Pourquoi Armand pis pas Bernadette ? demanda Freddy qu'elle rencontrait au magasin. C'est pas un reproche, c'est juste pour savoir.

– Je le sais pas trop. Peut-être que monsieur Armand est plus familier avec l'idée de la mort que Bernadette ?

– C'est certain qu'il est plus loin dans ce chemin-là que ma sœur Bernadette. Si tu penses que c'est la meilleure idée…

– J'pense que c'est une bonne idée… Mais la meilleure ? Ça, c'est une autre histoire.

– Fais ce que tu voudras. Y a personne qui va aller mettre son nez dans la maison rouge de la journée.

– Prenez-moi pas pour une folle !

L'homme la regarda intensément :

– Tu sais que j'sus mal placé pour juger de tout ça.

Il soupira et reprit :

– Armand, il a tenu le magasin une secousse tantôt, mais il est retourné dans son camp. Va le trouver là pis dis-y ce que t'en penses, pis venez chercher Jean-Yves…

Tout le temps qu'elle marcha dans le sombre *back-store* puis le grand hangar et ensuite en pleine clarté dans le champ jusqu'au petit camp, elle regretta amèrement d'avoir échappé cette monstruosité : « Prenez-moi pas pour une folle ! » Comment concilier la récupération d'un malade mental et un pareil propos à odeur de mépris envers ceux qui sont atteints de la maladie?

Armand tâchait de replacer sa chevelure quand il ouvrit la porte après avoir entendu les coups retenus.

– Veux-tu ben me dire, Rachel, c'est quoi qui me vaut l'honneur à matin?

– Je peux-t-il entrer? Je vas vous expliquer.

Il fit un signe et se recula. L'homme possédait des connaissances sur sa maladie. D'ailleurs, à l'instar de tous les Grégoire de sa génération, enfants d'Honoré et d'Émélie, il avait fait des études supérieures à la moyenne. Et sa réflexion l'avait conduit à penser que tôt ou tard dans la vie, tous venaient en contact avec le bacille de Koch, et que, finalement, les gens le portaient tous dans leurs voies respiratoires ou leurs poumons, mais le combattaient pour la plupart. En tout cas, Martial Maheux avait la consomption, et sa première pleurésie, il l'avait vécue chez lui, de sorte que toute la famille y compris Rachel avait respiré le bacille en suspension dans l'air ambiant.

Le spectre de la tuberculose faisait figure d'enfant de chœur en ce moment par rapport à celui de la psychose. Il la fit asseoir sur un canapé de cuir brun sans dossier et elle s'appuya contre le mur pour s'exprimer.

– Ce que je voudrais, c'est qu'on passe la journée avec Jean-Yves dans la maison rouge. Vous allez me conter tout ce que vous savez d'Honoré et d'Émélie.

– Ah! ma fille, ça prendrait ben un mois pour ça.

L'homme prenait place à une petite table pour deux au centre de la pièce unique excepté la chambre des toilettes.

– Ce qu'il y a eu de plus important dans leur vie. J'sais pas, moi… leur famille d'origine, leur arrivée par icitte, leur mariage, leurs enfants, leurs bonheurs, leurs malheurs…

– Ça, le chapitre sera long. Du monde frappé par le sort comme eux autres, c'est rare.

Il y avait l'eau courante dans le camp et un petit évier dans le coin près de la porte des toilettes. Armand y lavait sa vaisselle lui-même tous les soirs avant de dormir. Sur le mur en face de Rachel, on avait accroché un long fusil à baguette venu d'un autre siècle, et aux mécanismes internes soudés par le temps. Baptiste Nadeau avait dû s'engager à en prendre soin comme de son seul bras pour pouvoir demeurer là en l'absence de son propriétaire, hospitalisé au sanatorium, car Armand considérait cette arme décorative comme un meilleur reflet de lui-même que celui d'un miroir à cause de son air obsolète, de son inutilité, de sa puissance de feu morte.

« Déchargée à jamais, comme son propriétaire », ironisait-il quand on lui en parlait.

À part la lumière jaune d'une lampe, il n'entrait dans la pièce que des rais s'infiltrant de force par l'interstice entre les toiles brunes et le rebord d'une fenêtre perçant le mur d'en avant, à côté de la porte et celle même de la porte.

– Il commence à faire pas mal chaud, j'pense que j'vas ouvrir un peu…

Il se leva et se rendit à la porte tout en parlant.

– Vois-tu, mes parents, ils ont perdu des enfants en bas âge, mais c'est surtout la mort de mon frère Ildéphonse pis celle de mon frère Eugène qui les ont affligés. Le premier est mort en 1908. Appendicite aiguë. Dix-sept ans. Pis Eugène, lui, a péri à 16 ans en 1918 par accident… asphyxié.

– J'ai déjà entendu dire qu'Eugène était mort à cause d'un coup de pied au derrière…

Revenant s'asseoir, Armand déclara :

– Ça, c'est des gens méchants qui ont inventé ça. Nous autres, on était un peu plus riche que la moyenne, pis ça, ça fait toujours naître de la jalousie. Mais écoute, il va falloir que je te conte tout à partir des années 1880, quand ma mère est arrivée par icitte avec son propre père veuf, pis que mon père est arrivé, lui, quelques mois plus tard pis qu'il s'est engagé comme commis au magasin du père d'Émélie qui se trouvait là-bas, dans la maison rouge. C'est sûr que la maison rouge était au bord du chemin dans ce temps-là, mais quand ils ont bâti le grand magasin pis la résidence en 1900, ils l'ont déménagée où c'est qu'elle se trouve encore.

– Jean-Yves dit que l'esprit de ses grands-parents se trouve toujours dans la maison rouge. J'pense pas qu'il a tort. C'est même pour ça que je veux passer la journée là avec lui. Lui pis vous pour me conter le vieux passé devant lui… C'est ce qu'on peut faire de mieux pour l'aider, vous pensez pas ?

– J'trouve que c'est une ben bonne idée pis sois assurée de mon entière collaboration. Je vas le faire dans la foi, l'espérance et la charité, les trois vertus théologales, même si ça m'arrive de douter du Bon Dieu. Faut pas s'attendre à une espèce de miracle, de guérison spectaculaire, comme on dit, mais ce qui se fera par nous deux aujourd'hui pourra être énormément utile, autant pour lui que pour toi pis moi.

– Bon je vas aller préparer du manger pour nous trois.

– Non, laisse faire ! Laisse-moi aller demander à Bernadette de nous en faire. Est bonne dans popotte pis pour une cause comme ça, elle sera deux fois meilleure. Pis elle va venir nous en porter elle-même. Ça aidera Jean-Yves de la voir venir, de la voir avec nous autres dans la maison rouge…

***

Chapitre 39

Aidé de Georges et de ses deux plus vieilles, Simone et Solange, Germain Bédard vit tout l'étage du bas se transformer ce samedi-là grâce à une couche de peinture fraîche.

Au train où allaient les choses, il pourrait emménager dans quelques jours, en tout cas, aussitôt que ses meubles arriveraient de Victoriaville. Il attendait un téléphone à ce propos, et dès qu'il l'aurait, il dépêcherait Dal Morin là-bas afin de lui ramener depuis une grange où ils se trouvaient, un set de chambre au complet avec lit et matelas, un mobilier de salon antique et des coffres – plusieurs coffres contenant des secrets et des mystères –, aussi des cadres avec des toiles aux allures fantasmagoriques ou contenant des photographies de personnages d'un certain autrefois. Non, il ne saurait laisser Dal s'y rendre tout seul et il l'accompagnerait le moment venu.

Il avait l'intention d'utiliser le poêle déjà là, qu'il trouvait magnifique et vivant, et vibrant malgré son état d'hibernation. En fait, l'homme désirait que chaque chose, chaque meuble, chaque objet décoratif possède son âme propre, sa portion d'un esprit dont l'essence avait été naguère en contact plus ou moins prolongé avec la chose dite. Il ne serait pas seul. Non, dans un univers morne parce que mort, il serait avec ceux-là qui ne mourront plus… plus jamais et qui demeureront toujours… toujours…

Il paya ses aides, les remercia, les congédia. Puis il monta sur sa bicyclette pour retourner au village. Ainsi, il aurait tout le temps requis pour se débarbouiller, souper puis se rendre sur le lieu des apparitions. Toute la journée avec les Boutin, il s'était fait absent du cœur et de la pensée, si bien que son attitude avait semé l'inquiétude autant chez Solange que chez sa sœur. On le craignait un peu moins depuis qu'il avait mangé avec l'une d'elles et s'était bien conduit. Le temps faisait son œuvre, bien qu'il ne puisse se calculer encore qu'en heures. En fait, on s'habituait à lui et à l'idée qu'il serait dans les environs pour plusieurs mois.

Quand il fut à l'orée du bois et apparut dans la prairie, le long du chemin près de la digue de roches, il salua la maison d'un signe du bras et de la main. Il ne voyait personne, mais savait fort bien que des yeux le surveillaient derrière une fenêtre ou l'autre. Solange probablement. Peut-être Simone. Peut-être même Marie-Ange, la mère. Leur âme se modifiait en sa présence et leurs efforts pour le camoufler ne lui échappaient pas.

Dès qu'il fut sur la plus haute côte avec la grande ligne qui s'allongeait loin vers le village voisin, il put constater que les apparitions de la Vierge produisaient un effet énorme. Des voitures se suivaient pare-chocs à pare-chocs et toutes se dirigeaient vers Saint-Honoré. Le village mesurant plus d'un mille de longueur, un phénomène de reflux à plus d'un mille de sa sortie ne pouvait que garantir au moins des milliers de voitures déjà.

L'homme hocha la tête, reprit son souffle et remit de la pression sur les pédales afin de dévaler la côte encore plus rapidement. Il espérait ne pas être retardé par la circulation, encore qu'avec sa bicyclette, il pourrait se faufiler partout.

Et tout en progressant parmi les véhicules, il ramassait dans sa tête des images de visages qui le regardaient quand il passait.

Chaque fois, il pensait: « Qui es-tu ? Mais de quoi as-tu donc besoin ? Que viens-tu chercher ici aujourd'hui ? »

« Otages des grandes illusions, nourrissez-vous de lueurs anémiques, car quoi que vous fassiez, le joug du temps pèsera de plus en plus lourd sur vos épaules malingres. Faites encan de vos sentiments et de vos passions, jamais vous ne les épuiserez et ils reviendront vite mutiler vos élans divins. »

Les mots tournoyaient dans sa tête comme les rayons de sa roue, chacun brillant une brève seconde puis cédant sa place aussitôt à un nouveau qui jetait à son tour un reflet éphémère, et entraînait d'autres à sa suite, irrésistiblement…

Cercle de la vie, cercle de la naissance et de la mort, cercle des arrivées et départs, cercle qui n'a ni commencement ni fin, cercle du positif et du négatif, à chaque fois qu'il revoyait la valve de caoutchouc revenir dans son champ de vision directe, un cercle apparaissait dans sa tête. Cercle des bons et mauvais sentiments qui s'enfantent les uns les autres, cercle formé par le bien et le mal qui se superposent et s'entraînent, cercle des apparitions et des disparitions, cercles des pistes du diable du cap à Foley…

Toute cette épouvante et tout ce désespoir engendrés par les cercles. Univers courbe qui retient dans ses griffes. Cercle du soleil qui crée l'illusion. Anneaux olympiques qui se croisent au conditionnel. Et par-dessus tout, cercle du temps. Le futur qui traverse dans le passé sans jamais s'arrêter au moment présent. Inexistence du présent : le voilà l'enfer ! Cercle infernal, cercle infernal, cercle infernal…

À l'entrée du village, un policier obligeait les automobilistes à ne former qu'une seule ligne, et Bédard, qui progressait sans trop lever la tête, ne le reconnut qu'au dernier moment quand il posa le pied à terre à côté du pneu ballon de son vélo.

– Veux-tu me dire, Béliveau, c'est que tu fais avec ta calotte de police sur la tête ?

– Euh… comme tu peux voir, je dirige le trafic. Autrement, ça va, euh… ça va bloquer net. Si tu sors de la ligne, c'est pour aller te stationner, autrement, tu passes droit dans le village vers Saint-Georges.

– Un village en longueur, y a pas le choix.

– En plein ça !

– Tu vas manquer les apparitions. Je suppose que tu crois pas à ça pantoute…

– Ah ! je vas être sur le cap à Foley pour l'heure de l'apparition, crains pas. On peut pas manquer ça ! Il pourrait arriver des miracles comme rien, on sait pas…

– Toi, as-tu quelque chose à demander pour toi-même ? Jouer pour les Canadiens peut-être ?

Béliveau plaisanta :

– Ça… euh… j'ai pas besoin de le demander, ça va se faire sans miracle…

– Si tu joues au hockey de la manière que tu joues au tennis, Maurice Richard pis Gordie Howe sont mieux de se préparer à se tasser, hein !

– Euh ! Ces deux-là, ils vont être pas mal durs à tasser…

– Toi, tu vas les dépasser tous.

– Bah ! Ce que je veux, c'est de faire de mon mieux…

– Bonne chance dans le trafic, en tout cas.

– À plus tard !

Bédard repartit, contrarié. Chaque fois qu'il parlait à ce Béliveau, il se heurtait à son incontournable humilité. Un mur de modestie. Pas moyen de lui remuer l'orgueil, à ce jeune homme ! Ah ! mais ça viendrait bien un jour… Il finirait par se laisser prendre au langage des records à briser, au jeu du coude, à la loi du meilleur, du plus fort, à la brillance des trophées, des championnats, et il se laisserait bien enjôler un jour par les miroitements de la coupe Stanley. Quand la télévision serait là, lui aussi voudrait y briller… Comme une apparition de la Vierge ! Il accéderait bien à quelque Temple de la Renommée.

– Demain tu verras, mon Béliveau, demain tu verras…

Quelques heures avant cela, Bernadette se rendait à la maison rouge avec son petit panier sous son bras. Elle frappa, mit son nez dans le treillis mais ne vit rien à l'intérieur, puis entra tout en parlant, comme elle le faisait toujours.

– Je l'sais pas si vous allez aimer ça, mais je vous ai fait des sandwichs au jambon frais. Je viens juste de l'acheter du père Boutin-la-viande à matin. C'était pour Berthe pis Ovide, pour manger durant la veillée après l'apparition, mais ils mangeront autre chose…

Elle trouva Rachel, Armand et Jean-Yves assis à table sous les poutres basses de la pièce, tous trois silencieux. Jean-Yves avait toujours le regard vide tandis que les deux autres l'avaient sombre.

– Mon doux Jésus, mais vous avez des faces de Vendredi saint, vous trois. Avez-vous faim, toujours ?

– On a soif surtout, jeta Armand.

– Ah ! ben toi, t'auras pas une goutte de boisson de moi ! Pis j'espère que tu vas pas tomber dans l'intempérance une journée sacrée comme aujourd'hui. Y a ce que tu fais icitte, y a ta sœur qui vient de Québec, pis y a la Sainte Vierge qui va peut-être nous visiter encore à soir. Si tu prends un coup, j'pense que je vas t'assommer ben raide.

– Du Coke, ça ferait.

– Ça, j'vas aller vous en chercher au magasin.

Elle s'approcha de la table, y déposa son panier dont elle sortit d'abord une nappe qu'elle étendit, aidée par Rachel.

– D'après ce que j'peux voir, il est toujours pareil ?

– Il reste perdu… avec un mur épais autour de lui. Monsieur Armand lui a conté toute la vie à son grand-père Honoré pis celle de sa femme automatiquement, mais aucune réaction.

Bernadette s'arrêta, promena son regard sur la pièce, soupira :

– C'est pourtant icitte qu'ils ont commencé à s'aimer, vers 1880, quand lui était commis pour son père à elle pis que le bonhomme Allaire les laissait tu seuls pour s'en aller tout partout, surtout chercher des marchandises à Saint-Georges… Ah ! j'imagine leur premier baiser en arrière d'une pile de poches d'avoine ou de patates !

Armand sourit et se dérhuma. Rachel eut un rire dans un œil et une larme dans l'autre. Et enfin Jean-Yves bougea. Il leva la tête puis il promena doucement son regard autour de la pièce. Bernadette posa un sandwich devant lui en disant :

– Ton grand-père pis ta grand-mère, ils sont avec nous autres à table. Il manque rien que des chaises pour eux autres. Armand, va en chercher deux de l'autre bord.

L'homme accepta de jouer le jeu. Après tout, on avait affaire à une espèce de petit enfant muré dans son monde à lui. Il fallait donc, ainsi que Rachel l'avait dit, pénétrer ce monde et l'y prendre par la main pour le ramener dans la réalité de 1950.

Jean-Yves semblait revenir au monde des vivants quand le moment de s'alimenter arrivait – instinct de survie tout à fait primaire qui lui avait permis de ne pas dépérir à la cabane à sucre. Il prit donc le sandwich sans attendre et commença à manger, remuant ses mâchoires très lentement, comme s'il avait été l'acteur d'un film au ralenti.

– Moi, j'vas aller chercher du Coke au magasin. Parle-lui le plus que tu pourras, il va finir par t'entendre.

Rachel jeta un regard désespéré vers Bernadette qui lui répondit par une moue désolée. Quand elle fut partie et qu'Armand, lui, n'était pas encore de retour avec les chaises,

Jean-Yves parla pour la première fois avec des mots qui pouvaient avoir un semblant de cohérence :

– Mon grand-père Grégoire, je l'ai vu.

Pour un moment, Rachel demeura bouche bée puis elle s'empressa de lui tendre la main.

– Moi itou, je l'ai vu ; il était avec nous autres icitte.

Il parla encore, de sa voix longue et chantante :

– Il est assis là, à l'autre bout de la table. Ma grand-mère est debout à côté de lui.

– Armand est allé leur chercher des chaises…

Armand revint précisément à ce moment-là. Il eut du mal à passer la porte étroite qui, autrefois, menait au *back-store* du petit magasin. Le bruit et ses grognements de contrariété vinrent rompre le charme, l'enchantement tout neuf qui venait de se créer à la table. Jean-Yves retourna dans son univers et Rachel perdit sa main dans les brumes du mystère et de la nuit.

Des tentatives nouvelles furent faites. Patientes. Subtiles. On avança vers lui comme sur le bout des pieds dans un champ de tulipes. Bernadette revint avec du Coke pour tous. Elle-même s'attabla et prit son lunch.

– Ce qu'on a fait est pas inutile, mais va falloir qu'il sorte lui-même de son blockhaus, conclut Armand.

Et Bernadette dut quitter les lieux. Elle voulait attendre Berthe et Ovide sur la galerie des Jolicoeur. Cela permettrait à Rose de s'occuper de son barda et de la préparation de son souper. En même temps, elle empêchait les étrangers de boucher l'entrée pour qu'Ovide puisse y garer sa longue Cadillac noire 1947. Elle prit donc la place de Rose.

Et, moins de trois minutes plus tard, Germain Bédard passa à bicyclette. Une fois de plus, son destin l'avait fait manquer cette femme qui devenait plus présente en ses pensées à mesure que son absence se prolongeait.

Il salua d'un geste de la main. Bernadette lui lança en riant :

– Pas besoin d'attendre la Vierge pour assister à un miracle, hein ! Suffit de voir tout ce monde-là… Rien que ça, c'est tout un miracle !

Rose l'entendit de loin par la moustiquaire de la porte. Mais elle ne put saisir la réponse ni le son de la voix de celui qui parlait et qu'elle supposa être l'aveugle Lambert. Bédard s'arrêta, trop heureux de pouvoir se donner la chance d'apercevoir enfin la femme séparée.

– Ce qui est miracle pour d'aucuns l'est pas pour d'autres.

– Comment que ça va dans vos rénovations ?

– Je devrais emménager pas tard la semaine prochaine.

– Comme ça, vous allez résider tout le temps par chez nous avec nous autres, là ?

– Jusqu'aux neiges certain. Ensuite, on verra…

– Vous faites pas de projets à long terme.

– Ma devise, c'est « Demain, on verra »… Pis mon lendemain, ben c'est dans six mois à peu près. Ou beaucoup plus, ça dépend. Le temps compte pas beaucoup pour moi… pas beaucoup…

Le regard de la femme devint espiègle, mais aussi teinté d'un peu d'anxiété.

– Ah ! vous êtes spécial, vous, ben spécial…

– Vous savez, j'veux pas être spécial, j'veux juste être comme tout le monde.

– Comme ils disent, vous passez pas inaperçu.

– Excepté dans une foule comme celle qu'on aura tout à l'heure, après souper, autour du cap…

– Même là, même là…

Mais l'attention de Bernadette se détourna soudain de lui, tandis qu'il jetait un coup d'œil vers la porte d'entrée.

Son visage s'éclaira. Elle apercevait venir la Cadillac de Berthe et Ovide qui progressait lentement vers son but.

– Ma sœur arrive de Québec avec son mari…

– Peut-être qu'on se reverra sur le cap à soir? dit Bédard en renfourchant son vélo.

Trois paires d'yeux se posèrent sur lui quand il frôla la grosse voiture. Plus loin, quand il fut à la hauteur du magasin à Freddy, il se retourna et vit la Cadillac qui s'immobilisait dans l'entrée, puis trois personnes, dont deux hommes, en descendre.

Là encore, pas de madame Rose. Semble-t-il qu'elle ne sortait pas pour accueillir ses visiteurs.

Mais elle fut là pour leur ouvrir la porte après que Bernadette lui eut crié la nouvelle. On était à s'embrasser, à se serrer la main, à se présenter en bas de l'escalier.

– Pis ça, c'est vous, le monsieur qui voulait venir voir notre petit village reculé par le tonnerre du fin fond de la Beauce, sur le bord des montagnes américaines?

– Lourdes, Fatima, semble que la Sainte Vierge aime ça, les petits villages, dit l'homme à cheveux gris presque blancs, mais dont les traits du visage n'accusaient même pas la cinquantaine.

Pas grand, pas gros, pas gras, le front qui passait vivement au rouge dans des situations le plus souvent ordinaires, on pouvait déceler chez lui les émotions à fleur de peau.

– C'est ma sœur Bernadette, dit Berthe.

– Si j'ai entendu parler de vous… et toujours en bien.

Bernadette s'esclaffa et fit un clin d'œil.

– J'essaye de faire le mal, mais ça veut pas, ça fait que j'ai pas grand mérite.

– Ouais, pas mal plus facile pour les méchants de faire le bien que pour les bons.

Rose eut quelques secondes pour le détailler, cet homme encore inconnu. Ce qu'elle remarqua tout d'abord, ce furent ses cheveux frisés par ondulations non par boucles, et ses yeux qui devenaient une ligne quand il riait.

– C'est Albert Hamel qu'il s'appelle, dit Ovide.

– Et là, c'est madame Rose Martin…

– Que je connais déjà pas mal par Ovide et madame Berthe.

Bernadette remonta l'escalier par des pas de côté, et Albert l'accompagnait devant le couple. Rose ouvrit la porte au maximum et sortit. Déjà, la main du voisin des Jolicoeur se tendait vers elle.

Rose lui offrit la sienne.

Le contact fut à la fois doux et intense pour chacun.

– Vous avez dû avoir pas mal de misère à entrer dans le village avec tout ce beau monde. On a jamais vu ça, autant de machines en même temps par chez nous.

Bernadette enchérit :

– Ti-Noire Grégoire, ma nièce, qui est déjà allée à New York, dit que c'est pas pire là-bas.

– En tout cas, nous autres, on a jamais vu ça sur le boulevard Laurier, dit Hamel qui ne lâchait pas la main de Rose.

– Bon, ben moi, je vous laisse, pis je vous attends pour coucher, affirma Bernadette. J'ai deux chambres libres. Armand, comme vous le savez, nous est revenu, mais il va rester dans son camp au moins jusqu'aux neiges. Ensuite, comme dirait quelqu'un, on verra…

– Pourquoi c'est faire que tu viendrais pas souper avec nous autres ? demanda Rose. Quand y en a pour quatre, y en a pour cinq.

– Non, ça me gênerait trop.

– Ça fait trois fois que je veux t'inviter depuis hier, mais il arrive toujours quelque chose qui m'empêche de te le dire.

Berthe se mit de la partie :

– Ben oui, Bernadette, viens donc souper avec nous autres au lieu de rester tu seule chez vous.

– Ah ! si vous insistez tant que ça ! Je vas vous parler de ce qui arrive à notre Jean-Yves. Il est encore dans la maison rouge avec la petite Maheux, sa fiancée, pis mon frère Armand. J'pense que ça va finir par lui prendre des psychiatres… des vrais. Mon doux Jésus ! Souvent, j'me demande si notre frère Freddy aurait pas dû marier la fille à Tine Racine au lieu que la petite maîtresse d'école de Sainte-Marguerite. Soit dit sans dire du mal de personne, là…

Berthe et Ovide s'échangèrent un regard qui en disait long, mais ne firent aucun commentaire.

***

Chapitre 40

Pendant que les femmes veillaient à la préparation du repas, les hommes s'occupèrent des rares bagages qu'on avait apportés, puisque la visite prendrait fin dès le lendemain. Quelques affaires, des vêtements de rechange. Peu.

Albert Hamel était un homme à l'aise. Et veuf, ainsi que Rose le savait déjà. Un grand croyant que les apparitions amenaient en Beauce. L'image qu'il s'était déjà fait de Rose à partir des paroles de ses voisins lui apparaissait maintenant fort terne par rapport à la réalité. Elle produisait sur lui un effet très puissant, réveillait tous ses sens. Son odeur charmait. La chaleur de sa main restait imprimée dans la sienne. Et ses courbes plantureuses berçaient son imagination qu'il devait sans cesse museler. Des jambes nettes sans aucune trace variqueuse. Et un mystère, une magie au fond de son regard.

Très vite, il fut décidé que Berthe irait coucher chez sa sœur Bernadette tandis qu'Albert et Ovide resteraient dans la maison des Jolicoeur pour la nuit. Sans se le dire ouvertement, on savait qu'ainsi, les apparences seraient sauvées. Ovide serait auprès de sa mère. Albert serait avec Ovide. Et les deux sœurs pourraient se parler bien à l'aise du vieux passé des Grégoire et de choses féminines.

Et puis, ça restait plus frais dans la maison des Jolicoeur à cause de tous ces arbres qui la protégeaient des ardeurs solaires de plein jour tandis que celle de Bernadette était moins pourvue à ce chapitre.

Pour le moment, les deux hommes jasaient au salon, de construction. Un champ d'intérêt commun. Ovide était un entrepreneur et l'autre vendait des matériaux.

Dans la cuisine, les femmes achevaient de se parler de Jean-Yves et d'Armand. Berthe conclut :

– Ben moi, j'pense que la petite Maheux, elle devrait refaire sa vie autrement. Même si là, il revient à lui, ça sera à recommencer toute sa vie.

– J'pense pas mal la même chose, approuva Bernadette. Et toi, Rose ?

– J'ai une opinion, mais si ça vous fait rien, je la garde pour moi. J'voudrais pas influencer personne directement ou indirectement.

– Quant à ça, moi non plus, dit Berthe.

Elle s'affairait maintenant à dresser la table dans la salle à manger attenante à la cuisine, une petite pièce intime dont on ne se servait que dans les occasions spéciales et qui s'ouvrait par deux portes brunes vitrées maintenant ouvertes.

Elle fit un clin d'œil à Rose dans le dos de sa sœur à qui elle demanda à mi-voix :

– Pis, Bernadette, comment tu le trouves, notre monsieur Hamel ?

– Ah ! c'est un ben bel homme, répondit l'autre avec un sourire espiègle dans le regard.

– Tu devrais lui faire de l'œil, d'abord que tu le trouves de ton goût.

Rose sentit quelque chose la tirailler. Comme une pointe de jalousie tout juste perceptible. Elle secoua ses pensées pour les faire couler librement. Et dit sur le même ton que Berthe :

– C'est peut-être lui que ton cœur attendait depuis toutes ces années. Y a quelque chose en toi qui le savait de toute éternité qu'un jour, il viendrait… C'est ça, le destin…

La taquinerie toucha une corde un peu plus sérieuse chez la vieille fille, qui déclara:

– C'est vrai que mon destin est écrit dans les étoiles du ciel, mais y a pas de mariage là-dedans. Du célibat *ad vitam æternam.* J'pense qu'un homme, j'serais pas trop capable de m'occuper de ça.

– Voyons donc, Bernadette, t'as déjà gardé Armand! Tu fais ben à manger. T'es travaillante comme deux…

– M'occuper d'un homme… j'veux dire au complet…

Et elle éclata de rire à voix retenue tout en jetant un regard en biais vers le salon dont on pouvait entendre les propos masculins sans toutefois les saisir clairement.

Rose portait une robe blanche avec col marine échancré pour laisser voir, mais tout juste, la naissance de sa poitrine. Jamais Bernadette n'aurait osé en porter une semblable, et pourtant, le geste ne la scandalisait pas le moins du monde; elle trouvait ça plutôt amusant. Ça lui permettrait de surveiller les yeux d'Albert Hamel durant le repas qu'on était sur le point de prendre.

Berthe était vêtue avec une grande sobriété comme toujours. Une robe de coton noir et blanc, assez ample partout pour faire oublier son corps; en cela, sa minceur l'aidait. Et cette retenue vestimentaire lui conférait un air quelque peu solennel quand elle ne parlait pas et que ses traits n'étaient pas allumés par quelque propos chaleureux d'une des femmes présentes.

Les hommes décidèrent de sortir à l'extérieur à l'arrière, afin qu'Ovide puisse montrer à son ami les environs du lieu où, disait-on, la Vierge se manifestait à l'humanité à travers deux petits enfants innocents…

Ils passèrent près de l'entrée de la salle à manger.

– Allez pas loin, avertit Berthe, le souper, c'est pour dans deux, trois minutes pas plus.

– On va rester sur la galerie.

Albert ne regarda personne. Rose ne leva pas les yeux sur les hommes. Cela, Bernadette le remarqua. Il lui semblait voir une affinité certaine entre ces deux-là. « Pourvu que le feu prenne pas ! se disait-elle. Le scandale, le péché mortel… » Elle frissonna et chassa ces sombres pensées. Rose était solide. Depuis sa séparation, elle aurait pu se déranger, mais non…

La pauvre femme ignorerait toute sa vie ce qui s'était produit dans la maison, même une semaine auparavant. À moins que l'adolescent qui avait momentanément apaisé la chair de Rose ne se confesse publiquement… ou privément… Et il ne l'avait toujours pas fait.

Ovide montra les bâtisses propriété de Freddy et parla de leur construction, de leur apparition depuis le siècle dernier sur la terre pionnière de ce cœur de village.

– La cheminée de l'église, c'est du neuf, ça.

– L'année passée. Pis là, ils viennent de refaire le perron.

– Et le cap des apparitions, c'est là-bas, en haut, autour et dans le bocage, j'imagine.

– Exactement ! Un lieu ben spécial, fit Ovide en appuyant son pied sur la garde de la petite galerie.

Il parla de superstitions, de racontars, des pistes du diable, sans rien approfondir, sachant qu'on les réclamerait à table.

– Non, c'est pas un endroit comme un autre. La terre avait été ouverte par un dénommé Foley, un Irlandais venu des bas, et finalement, mon beau-père l'a achetée. Pis entre toi pis moi, j'pense que y a peut-être eu des petits péchés de la chair qui ont été commis là-bas dans le petit bois de sapins et d'épinettes. La Sainte Vierge viendrait peut-être pour nettoyer tout ça, on sait pas.

Albert sourit et ne put s'empêcher de jeter un regard vers l'intérieur de la maison. Berthe venait leur dire de revenir pour prendre le repas du soir. On se fit un commentaire favorable sur le temps qu'il ferait durant la soirée et on rentra.

Des courants d'air avaient évacué la chaleur excessive provoquée par la cuisson de la viande et du potage, et il faisait bon dans la maison. L'odeur des lilas entrait par la fenêtre de la salle à manger. Berthe et Ovide prirent place de l'autre côté de la table ; leur ami fut invité à s'asseoir à la gauche de son voisin, au bout ; Bernadette serait à sa gauche à lui, dos à la cuisine ; et enfin Rose occuperait l'autre extrémité face au veuf de Sillery.

Rose avait préparé des mets simples : soupe riz et tomates, rôti de bœuf, tarte aux fraises des champs. Mais elle s'était fait aider par la *Cuisine raisonnée* pour donner à chaque chose un zeste spécial, une touche capable de sortir la nourriture de la banalité pour l'inscrire dans les mémoires sensitives de ceux qui la goûteraient.

Rose Martin, c'était ça qu'elle avait toujours voulu avoir et donner : un petit quelque chose de différent qui pimente la vie sans qu'il ne soit nécessaire d'exploser dans les grandes passions, sans besoin de plonger dans l'océan à la recherche de trésors, sans avoir à creuser de plus en plus profondément en elle-même pour y trouver des oubliettes remplies de richesses insoupçonnées. Mais un petit plus chaque jour, une note juste un peu plus riche que les musiques ordinaires de la vie quotidienne.

C'était cela, sa séparation d'avec le banal Gustave !

Bernadette récita tout haut le bénédicité pour tous. La soupière étant déjà sur la table, elle s'empressa de servir Hamel. Rose s'occupa du couple Jolicoeur et d'elle-même. Le veuf montra de l'élégance, du raffinement dans le geste. À la simple façon de beurrer son pain, Rose put constater qu'il n'était pas homme à simplement s'alimenter, mais qu'il montrait du respect pour la nourriture. Chose rare au Québec…

– Et si on parlait un peu des apparitions de la Vierge ? suggéra Ovide, un homme qui posait des questions mais qui donnait peu de réponses, préférant écouter celles des autres pour mieux analyser tenants et aboutissants.

– Ben moi, j'pense qu'on est à la veille d'assister à des phénomènes ben importants, affirma Bernadette avec le plus grand sérieux. Peut-être à soir. Si on voit pas de miracles dans pas grand temps, ça sera peut-être que la Sainte Vierge attend que monsieur le curé revienne de Rome…

– Moi, j'ai envie de penser comme Bernadette, déclara Berthe sans élan. J'ai lu ce qui s'était passé. Comme dit souvent Ovide, le cap à Foley, c'est pas mal plus spécial que le Cap-de-la-Madeleine…

– Quant à moi, je suis un croyant. Je pense qu'il faut être là, mais qu'il faut quand même user de prudence comme notre Mère, la sainte Église, dit Albert.

Ovide cessa de manger. Il regarda Rose. Les autres firent de même de sorte que la femme se sentit questionnée par tous. Et pourtant, elle n'avait aucune envie de donner son opinion.

Ovide le sentit. Pour la libérer en même temps que pour sonder les âmes d'une autre manière, il dit :

– Supposons que dans un mois, on découvre que tout ça, c'est faux, que c'est une grosse supercherie, j'sais pas… une pure invention des enfants… J'dis pas que c'est ça, mais supposons… Ça serait quoi, votre réaction ? Toi, Berthe ?

– Bah ! on s'est fait avoir, c'est tout !

– Bernadette ?

Elle hocha la tête, grimaça :

– J'ai beau essayer, j'sus pas capable de penser de même. Pour moi, c'est vrai. Pis je veux qu'on élève une grotte en l'honneur de la Sainte Vierge sur le cap à Foley.

– Pis vous, madame Rose ?

– Toi, Ovide, dis-nous ton idée, coupa Berthe.

– Moi, je laisse venir. Et toi, Albert ?

– Ah ! je suis comme mademoiselle Grégoire, j'arrive pas à m'imaginer une fumisterie. C'est plein de gens intelligents par ici, et je pense que quelqu'un au moins émettrait des doutes ; il paraît que pas un bruit contraire ne court. C'est toi-même, Ovide, qui m'as dit ça.

Puis il fut question des enfants Lessard, de la misère de leur mère, de sa dévotion, de sa bonté.

– Impossible que du monde de même, ça trompe tout le monde, voyons donc ! dit Bernadette.

Rarement les yeux de Rose et ceux de son vis-à-vis ne se croisaient. Quand cela se produisait, les regards se faisaient discrets et glissaient furtivement vers la droite ou la gauche. L'homme aurait aimé recevoir son assiette contenant le plat principal de la main de cette femme, mais une fois de plus, l'empressement de Bernadette eut le dernier mot.

Il fut question de Jean-Yves. Albert fut alors amené à parler de ses enfants. Quatre filles âgées dans la vingtaine et toutes déjà mariées. Sa femme était morte d'un cancer cinq ans auparavant. Et son foyer naguère bourdonnant d'activité était entré dans le silence et la tristesse en seulement deux ans, puisque sa dernière avait quitté la maison pas longtemps après la mort de sa mère.

Rose fut émue par son récit, qu'il débita sur le ton de la résignation et de l'impuissance. Quelque chose en lui continuait pourtant d'appeler à l'aide et c'était la raison de sa visite au pays des apparitions. Le ciel pouvait encore quelque chose pour lui, il le savait. Mais voilà qu'une femme, qui n'avait même pas le droit d'y répondre, entendait elle aussi cet appel de détresse.

– Ben Rose, t'es une vraie championne dans les tartes aux fraises, s'exclama Bernadette au dessert.

– J'ai aucun mérite, c'est des fraises des champs ramassées par les gamins du village.

– Moi, j'voudrais pas exagérer, dit Albert, mais je pense que je pourrais accepter une deuxième pointe.

Depuis longtemps au-dessus des félicitations de cuisine, Rose sentit comme un petit velours de fierté lui passer par l'amour-propre. Et à travers d'autres propos badins, le temps du repas s'écoula, heureux, simple, généreux.

– Asteure, on va commencer à penser à monter sur le cap, parce que c'est déjà noir de monde et on verra absolument rien, prévint Ovide. Et puis, on va s'apporter des chaises pliantes pour pas passer trois heures debout.

Cette dernière suggestion ne recueillit pas les suffrages. Chacun préférait pouvoir circuler librement là-bas. Quand arriva l'ultime moment, celui de quitter cette table du partage et de la convivialité, les yeux de Rose et d'Albert se rencontrèrent enfin et les regards s'appuyèrent l'un sur l'autre un temps qui disait à chacun que les choses ne sauraient, ne pourraient s'arrêter là entre eux.

Pas même Bernadette, qui guettait tout, ne s'en rendit compte.

***

Chapitre 41

Pit Saint-Pierre n'avait pas pu retenir sa langue et même s'il avait confié à tous la chose comme un secret à ne pas dévoiler, toute la paroisse savait qu'il avait été guéri sur le pas de la porte de Maria, sa voisine, grâce à l'intervention des enfants voyants. Ranimé au plus profond d'une crise cardiaque, l'homme ne s'était pas rendu chez le médecin pour obtenir un diagnostic, car il devait travailler pour gagner son pain, et surtout, parce que maintenant, il y avait juste à côté bien mieux qu'un hôpital, il y avait l'usine à miracle.

Il avoua même à sa femme en toute humilité que le ciel l'avait gratifié d'une vie nouvelle. Et tout ce samedi après-midi, quand il eut à répondre au téléphone pour Maria, chaque fois il racontait ce qui lui était arrivé. Quand la femme venait répondre, on lui demandait un rendez-vous, comme si les enfants eussent été des ramancheurs à la Noël Lessard de Saint-Victor, célébrité dans son genre dont la réputation s'étendait jusqu'au Maryland.

C'est ainsi que devait commencer pour de vrai la carrière de guérisseurs de Nicole et Yvon. En soupant, Maria ne put s'empêcher de penser qu'à seulement cinq dollars la visite, les enfants gagneraient plus d'argent dans une seule journée qu'elle-même en quinze jours à trimer dur sur des planchers de bois franc et à laver les murs des bourgeois du cœur du village. Mais c'était surtout au soulagement de la misère humaine qu'elle songeait. Et des larmes lui vinrent aux yeux, des larmes de reconnaissance envers la Sainte Vierge. Au milieu du repas, alors même que chez Rose, on se gavait de tarte aux fraises des champs, elle dit aux enfants de se croiser les mains pour réciter un avé avec elle, puis on se priva de tarte afin d'en offrir le sacrifice à cette Bonne Mère du ciel qui avait daigné jeter son regard rempli de grâces sur une si humble famille.

Toute cette journée, Jean-Louis Bureau chercha un drapeau Union Jack pour le faire flotter au mât de l'O.T.J. afin de souligner comme il le fallait la fête du Canada lors des cérémonies entourant les apparitions de la Vierge. Sans succès. Pas d'Union Jack au presbytère, pas d'Union Jack aux deux magasins, pas d'Union Jack du côté des Blais. Non plus à la salle du Conseil. Il faudrait se contenter du fleurdelisé effiloché qui flottait déjà au grand mât près de la salle paroissiale. Sa recherche fut faite par téléphone et il eut aussi du temps pour recevoir son ami Laurent, qui l'entretint longuement de futures campagnes électorales à être faites ensemble, Jean-Louis comme candidat et lui comme organisateur en chef. À travers le flot de véhicules, ils se rendirent à pied à la salle, chacun désirant jeter un coup d'œil sur les installations le concernant.

À côté de l'estrade, on avait garé un fardier sur lequel la chorale prendrait place. Les gars de la Shawinigan avaient travaillé toute la matinée, eux, Béliveau excepté, à répandre l'électricité là où on en aurait besoin, soit sous forme d'éclairage ou bien pour alimenter les amplificateurs de son.

Puis on se rendit au kiosque de la future compagnie, dont le nom choisi pour l'heure était Bilodeau & Fils Ltée. Les Juifs en avaient eux-mêmes choisi l'emplacement en un point, avaient-ils dit, stratégique. Assez loin du lieu des apparitions par respect, déclarèrent-ils pour la Vierge, adossé à la salle, mais devant pour éviter que les voix dans les microphones n'empêchent les tenanciers du kiosque, soit eux-mêmes et les Bilodeau, de donner leurs explications aux actionnaires potentiels de la compagnie à naître.

L'assemblage était rustique. Des morceaux de deux par quatre formaient le corps du kiosque. On les avait recouverts de planches courtes non délignées offertes gratuitement par Dominique Blais avec l'accord de ses frères.

– Si vous aviez pu… *circulariser* le public…

– Ce qui veut dire ?

– Imprimer une circulaire et la distribuer. Faut répéter la même affaire plusieurs fois pour que les gens comprennent.

– On n'aurait jamais eu le temps, tu sais ben.

– C'est sûr. Faire imprimer quelque chose, c'est dans le petit moins dix jours.

Chacun s'était assis sur ce qui servirait de table, un comptoir en deux parties entre lesquelles les tenanciers et les futurs actionnaires pourraient passer et circuler au besoin.

On s'entendit pour que, toutes les dix minutes au cours des manifestations à venir, Jean-Louis incite les gens à visiter le kiosque et à se renseigner sur leur participation possible à une entreprise qui donnerait du gagne à beaucoup de monde, et dont les retombées monétaires sur la paroisse dureraient dix, vingt, cinquante ans peut-être.

Devant eux, les terrains de l'O.T.J. étaient noirs de voitures. On avait dû enlever les bandes des jeux de croquet et arracher les broches pour permettre le stationnement à la grandeur de la surface disponible. Les jeunes gens se parlèrent un peu de leurs amies de cœur.

– Ça ira pas loin avec Jeannine, avoua Laurent. Je commence à penser que je ferais mieux de me trouver une blonde en dehors de la paroisse… comme toi.

Jean-Louis se sentit flatté, d'autant que Pauline, il le savait déjà clairement, serait son épouse.

– Entre ci et un an ou deux, nous autres, on va aller voir monsieur le curé pour mettre les bans, je pense.

– Ah! Jeannine pis moi, on aime le commerce tous les deux, mais pantoute le même genre de commerce. Elle, c'est l'hôtellerie, pis moi, l'hôtellerie, c'est pantoute… Pis qui prend mari prend pays, c'est pas mal moins vrai qu'avant, ça. Les femmes, de nos jours, c'est rendu que ça fait ce que ça veut, hein! Nous autres, les gars, si on se serre pas les coudes pis si on les laisse faire, ça sera pas long qu'on va se faire monter sur la tête…

Et Laurent tâcha de replacer les flots ondulés de ses mèches blondes que le soleil descendant faisait miroiter de reflets rougeoyants. Son regard plongea dans le lointain d'autres pensées plus profondes et personnelles…

Une auto grise traînant une voiture à chevaux, dont on avait enlevé les menoires, déboucha de l'arrière des hangars à Freddy. On reconnut aussitôt le Cook Champagne, qui, à son tour, venait installer son kiosque. Mais il s'arrêta aussitôt, et après avoir détaché la voiture de son auto, il la poussa au bout du dernier hangar et la bloqua aux quatre pneus à l'aide de quartiers de bois qu'il avait apportés pour cela. Puis il mis son auto en retrait sur le côté du hangar, un lieu peu passant.

– En voilà un qui pourrait prendre des actions, dit Jean-Louis. Il est paqueté d'argent pour un gars de son âge. Il est ménager comme Séraphin, pis ça fait des années qu'il commerce tout ce qu'il peut.

– Penses-tu?

– Entre toi pis moi, il a un gros compte à la Caisse sans compter des obligations du Canada.

– T'es pas supposé savoir ça.

– Ça fait de tort à personne que je t'en parle… Attendons qu'il finisse de s'installer pis allons le voir.

Le Cook avait le cœur gai. Avant de commencer à disposer sa marchandise sur la plate-forme de la voiture, il se roula une cigarette tout en regardant aux alentours. Son regard tomba sur le kiosque et les jeunes gens qu'il salua d'un signe de la main. On lui répondit et Jean-Louis lui cria:

– On va aller te voir, ça sera pas long!

Il crut qu'on irait acheter des pieuseries et son bonheur augmenta d'un cran. Ce soir-là, il aurait deux employés: Gilles Maheux, comme d'habitude, et quelqu'un d'autre, dont il réservait la surprise au garçon. Il anticipait des ventes deux fois supérieures à celles de la semaine précédente.

Il répandit des boîtes qu'il sortait de sa voiture, banquette arrière et coffre, d'un bout à l'autre de la plate-forme, puis d'une d'entre elles, il sortit un fil d'extension et un adaptateur qu'il insérerait dans la douille d'une lumière sentinelle perchée haut dans le mur de la bâtisse. Il faudrait une échelle pour s'y rendre. Qu'à cela ne tienne, puisqu'il en avait une dans la voiture à chevaux! Non seulement elle serait utile à cette fin immédiate, mais par la suite, montée sur deux petits barils et recouverte de planches, il s'en servirait comme étal pour sa nouvelle marchandise.

En grimpant dans l'échelle, il calculait ses gains probables. Ventes. Coût de la marchandise. Coût de la main-d'œuvre. Commission du presbytère. C'est trois cents piastres clair et net qu'il lui resterait. Et il avait l'exclusivité…

Tout à coup, il tourna la tête. Mais que faisaient-ils là, ces deux-là assis dans une structure de kiosque. De la concurrence? Et en plus, installée sur le terrain de la fabrique? Une fois le fil réuni à l'adaptateur, il le laissa tomber en bas. C'est alors que Gilles Maheux arriva en trombe. Il avait vu l'auto et se présentait à son travail en quatrième vitesse. Si bien qu'il heurta l'échelle après avoir tourné le coin de la bâtisse.

Le Cook grafigna du mieux qu'il put pour se retenir, tâchant d'agripper quelque chose mais en vain. Et ce fut la chute avec l'échelle sur un grand cri qui se termina avec le choc du corps sur la terre à travers le foin long.

Sidérés, les jeunes gens de l'autre kiosque mirent plusieurs secondes à réagir. Le pauvre Cook pouvait s'être fait casser le cou, mais si c'était moins pire que ça, peut-être avait-il besoin d'aide.

Près de la victime, le garçon fautif se voyait déjà chômeur. Et son sentiment de culpabilité fit surface. Sans toute cette affaire d'apparitions qui avait germé dans son cerveau et qu'il avait montée avec quelques éléments de fortune toujours cachés sous une pierre du cap à Foley, cet accident ne serait jamais survenu. Et tant qu'à se faire du mauvais sang, peut-être même que Léonard Beaulieu ne serait pas sur les planches en ce moment. Car ces apparitions changeaient la vie de tout le monde, disait-on souvent devant lui. Sans elles, Léonard aurait agi autrement et sans doute ne se serait-il pas trouvé dans ce funeste poteau l'autre matin…

Eugène se releva péniblement. Il avait la calotte de travers et sa rouleuse était cassée entre ses lèvres. Gémissant, il paraissait blessé dans une épaule ou un bras. Laurent et Jean-Louis arrivèrent.

– Es-tu correct ? dit l'un.

– Ça fait mal en maudit…

– Où ?

– Dans l'épaule gauche.

En fait, il l'avait basse comme si la clavicule était cassée.

– Veux-tu monter chez Noël Lessard à Saint-Victor ?

– J'peux pas, j'ai trop d'ouvrage…

– Mais si c'est fracturé, tu peux pas laisser ça de même.

– Je vas me trouver quelqu'un pour me mettre le bras en écharpe...Pis toi, mon petit Maheux, t'es-tu fait mal quand t'as frappé l'échelle ?

– Euh... ben non... pas trop...

Le garçon passa sa main dans sa chevelure et n'en dit pas plus, toujours hanté par le spectre du chômage.

– J'ai ce qu'il faut pour mon bras dans mon char, dit le Cook qui rajustait sa calotte et rejetait sa cigarette inutile.

C'est qu'il avait l'intention de mettre le bras de Gilles en écharpe pour aider aux ventes, comme on l'avait dit devant lui en parlant de Baptiste Nadeau, qui faisait, lui, des miracles en matière de quête à un coin de la rue Sainte-Catherine à Montréal grâce à ce subterfuge attendrissant. Mais voilà que le ciel lui éviterait d'avoir à filouter, et plutôt que d'en vouloir au garçon, il lui en était reconnaissant.

Laurent avait l'habitude d'ajuster des vestons sur les clients, parfois même de leur prendre des poignées dans le dos pour qu'ils ne se rendent pas trop compte que l'habit était trop grand, et ce fut simple pour lui de transformer en attelage pour bras blessé le morceau de tissu blanc qu'Eugène lui présenta.

Les deux jeunes gens s'échangèrent un regard complice et Jean-Louis lança :

– Maudit, tu nous as fait peur ! On a pensé : « Il s'est cassé le cou, c'est certain... »

– T'es pas chanceux : l'hiver passé, te faire casser la margoulette par une *puck* au hockey, pis là, manquer de te la casser encore...

– C'est sûr que c'est ceux-là qui travaillent le plus qui ont le plus souvent des accidents.

– Ah ! si on tombait riche, hein !

Il les interrompit :

– C'est quoi, le kiosque où c'est que vous étiez ?

– Ça, mon ami, c'est pour permettre à des gars intelligents comme toi de faire de l'argent.

– Sans risquer de se casser le cou...

– Vous vendez pas des chapelets toujours?

– Ben mieux...

– Il veut dire pour ramasser de l'argent à pelle sans se forcer.

L'œil de chacun brilla, y compris celui du garçon.

– Des actions, mon ami, des actions dans la manufacture de chemises qui va se partir dans la *shop* à Jean Nadeau.

– Pas des parts de mines comme les bandits de Long Lac étaient venus vendre au pauvre monde; des vraies actions dans une vraie manufacture qui va donner du gagne au vrai monde de par icitte.

– Ça pourra rapporter dix, vingt, trente pour cent sur capital investi.

– Trente pour cent! Pas sérieux?

On l'invita à se rendre au kiosque durant la soirée. Des Juifs de Montréal seraient là pour lui donner des explications détaillées. Il promit d'y aller... Mais quand les deux autres partirent, il se disait: «Ouais, pis faire faillite comme Jean Nadeau, hein!»

– C'est quoi, des actions? lui demanda Gilles.

– C'est un papier qui te dit que t'es propriétaire d'un morceau de la compagnie. Ça te donne droit à des dividendes... des fois, pas toujours. Pis ça peut prendre de la valeur suivant que la compagnie en reprend elle-même... Tu regarderas dans *Le Soleil*. Ça, c'est des actions à la Bourse, mais la plupart des compagnies sont pas inscrites à la Bourse, comme celle qu'ils veulent partir.

Le garçon emmagasinait tout, tout dans sa tête...

Moins d'un quart d'heure plus tard, le Cook fut saisi par le regret. Tout d'abord, avec une seule main, il ne pouvait plus se rouler de cigarettes. Il tâcha de montrer à Gilles à le faire pour lui, mais ça lui coûtait pas mal cher de tabac et surtout de papier Zig-Zag. Et les chefs-d'œuvre de son employé avaient le ventre pas mal rebondi avec des extrémités twistées qui ne laissaient guère passer la boucane. Un produit pas trop fumable. Il lui fallut augmenter son train de vie et dépêcher le garçon au magasin pour acheter des Player's roulées d'avance par Imperial Tobacco.

Mais c'est surtout de n'avoir pas ouvert son commerce à midi qui le chicotait le plus. Dès que la marchandise avait été installée, des gens s'étaient mis à affluer; et à six heures et demie, il avait fait pour plus de cent piastres de ventes. On s'arrachait littéralement les images pieuses qui avaient été touchées par les enfants Lessard. À ce train-là, on vendrait pour mille dollars. Et s'il avait ouvert au milieu de la journée, peut-être aurait-il déjà une caisse de quelques centaines de dollars. D'autant qu'on disait que les collecteurs de dons pour le perron ramassaient l'argent à la pelle comme de la manne depuis le coup de midi.

La deuxième personne qu'il avait engagée pour la soirée arriva pendant que le garçon était au magasin. C'était Paula Nadeau. Pour la première fois de sa vie, la jeune adolescente s'était mis du rouge sur les lèvres. Pas épais mais assez pour paraître encore plus femme, surtout maintenant que sa poitrine neuve, venue au cours de l'hiver, l'avait fait entrer de plain-pied dans l'univers féminin. De plus, elle avait fardé quelque peu ses joues.

Gilles se mit à trembler et il faillit échapper le paquet de cigarettes quand il l'aperçut derrière la table longue. Avait-il perdu sa place en fin de compte ? Il promena son regard sur sa robe fleurie en coton mercerisé. Ce n'était plus la Paula qui l'avait soigné quand il avait atterri sur sa galerie avec son pite durant l'hiver, ce n'était même plus celle qu'il avait rencontrée sur les lieux de l'accident tragique survenu à Léonard Beaulieu, c'était une femme qu'il avait devant lui. Amie ou ennemie : il ne le savait pas…

– Salut, Gilles ! fit-elle aussitôt, pétillante.

– Salut !

Eugène prit son paquet des mains du garçon et il lui dit sur le ton le plus sérieux :

– J'ai une nouvelle pour toi… T'as perdu ta job comme vendeur…

Gilles garda la tête haute mais la pensée était basse.

– Ah bon…

– … pis tu deviens *foreman*. C'est toi qui vas dire à Paula quoi faire. Elle va être ton adjointe.

Le garçon était tout emmêlé à l'intérieur. La peur de perdre son emploi fut remplacée par celle d'avoir à diriger cette jeune personne, que le ciel avait dotée de grâces et qui lui inspirait toujours des sentiments qu'il préférait maintenant garder par devers soi. Eugène poursuivit :

– Pis tu peux commencer tout de suite, tandis que moi, je vas aller voir les Juifs de Montréal là-bas. Si t'as besoin de moi, crie ou ben envoye Paula me chercher… De toute façon, ça sera pas long parce que j'ai pas l'intention d'acheter des actions dans la *shop* de chemises. À tantôt là, pis… vendez, vendez, vendez !

Les deux adolescents se sourirent un peu mais ne purent se parler, car déjà, deux groupes de personnes s'approchaient, la spiritualité plein leur portefeuille. Tous des étrangers avec la flamme de la joie et de l'espérance dans l'œil.

Devant Paula et Gilles, la marchandise couvrait littéralement le moindre espace de la table, car l'échelle s'était en partie défaite à cause de la chute du Cook. Et le jeune homme avait décidé de tout étaler sur la plate-forme : des chapelets enroulés dans des branches sèches, des crucifix de plastique clair, des statues en grand nombre, des images pieuses en quantité industrielle, et parmi elles, une bonne moitié et plus signée par les enfants miraculés. Celles-ci valaient plus cher, presque le double des autres, en fait. Il avait fallu quasiment une journée à Nicole et Yvon pour les autographier et le Cook s'était montré généreux envers les enfants et leur mère, leur versant l'incroyable somme d'un dollar l'heure pour cela. Même un vieil employé fidèle et industrieux comme Pit Saint-Pierre ne gagnait que soixante-dix cents l'heure chez les Blais.

– *How much for this ?*

C'était une adolescente de l'âge de Paula qui demandait à Gilles le prix des médailles scapulaires en aluminium, dont il y avait au bout de la table un cruchon rempli ras du cou. Elle introduisait ses doigts dans le pot, laissait retomber les médailles, qui coulaient les unes sur les autres dans un bruit léger, et souriait de son visage mafflu.

Il ne s'attendait pas à une question en anglais et la réponse ne vint pas puisque de toute façon, il n'avait pas compris. Paula répondit pour lui en montrant ses dix doigts :

– *Ten cents.*

La jeune cliente était encadrée par deux adultes, visiblement ses parents qui n'avaient pas parlé jusque-là, se contentant d'examiner avec soin chaque item.

Le garçon se sentit embarrassé de n'avoir pas pu répondre à cette Américaine mondaine ; au moins ça, il le déduisait à partir des images déjà emmagasinées des filles à Freddy venues des États et portant des bermudas semblables l'été.

Le père, un homme dans la quarantaine avancée, qui portait ses lunettes sur le bout du nez et regardait par-dessus, prit un chapelet sur une branche et le montra au garçon en même temps qu'il sortait son portefeuille. Par chance, le prix de cinq dollars était écrit et il fut payé avec un billet de dix dollars américain. L'argent canadien ayant une valeur supérieure de dix cents, l'adolescent lui remit quatre dollars et cinquante cents. Quant à la jeune fille, elle montra cinq médailles et s'empara des cinquante cents dans la main de son père pour les donner à Gilles qui les mit dans la boîte à cigares servant de caisse.

Puis il y eut une accalmie. Et les deux adolescents se sentirent obligés de se parler.

– Penses-tu que la Sainte Vierge va apparaître encore à soir ? demanda Paula.

Il fut sur le point de dire non et de raconter que tout cela n'était qu'une machination de son cru, mais il se retint. Et il se chercha un prétexte qu'il trouva :

– Le temps que y a pas beaucoup de monde, je vas aller… aux toilettes…

Il partit aussitôt et tourna le coin pour se rendre dans un étroit espace entre les deux hangars où, souventes fois déjà, il avait pissé, comme bien d'autres, plutôt de retourner à la maison pour se soulager. Mais il ne se rendit pas et se heurta à sa sœur qui était près du hangar, bras croisés, debout derrière la voiture du Cook, pleurant doucement. Il s'arrêta.

– C'est qu'il y a ?

– C'est Jean-Yves… il est mort…

– Hein !

– Je veux dire… il est pas mort, mais c'est tout comme…

– Où c'est qu'il est ?

– Dans sa chambre.

– Pourquoi que tu dis qu'il est mort ?

– Parce que son âme est partie… loin de son corps… Il faudrait un miracle… Il faut qu'il arrive un miracle…

Le visage de la jeune femme se tordit de souffrance et elle réussit à poursuivre :

– Si le Bon Dieu existe, si la Sainte Vierge existe, si les apparitions sont vraies, il va arriver quelque chose… il va revenir, je le veux trop... pis son père le veut trop... pis Ti-Noire le veut trop...

Le garçon avait envie de crier que ces apparitions ne se produisaient que dans les têtes et pas dans la vraie vie, mais ce serait tuer le seul espoir qui restait à Rachel et ça finirait de lui démolir le cœur. Alors que lui dire ?

– Ben vas-y, sur le cap, si tu veux qu'il se passe quelque chose.

– Pas tu suite. J'veux rester icitte un petit bout de temps. J'veux pas brailler comme une Madeleine devant le monde pis j'veux pas que tu le dises à maman non plus. Icitte, y a personne pour me voir. Le monde, ça passe plus bas...

En effet, quelques personnes se rendaient sur le cap en passant sur la terre à Freddy depuis la rue principale, mais presque tous y accédaient d'abord par le terrain de la fabrique avant de franchir la ligne un peu plus haut, près de la salle paroissiale, tout juste devant le kiosque des Juifs. Ou bien tout à fait en haut de l'autre côté du cimetière.

– Pis pas besoin que je me rende sur le cap pour qu'il se passe un miracle. Ceux d'en haut, ils sont capables de voir ce qui se passe dans les cœurs...

Gilles baissa la tête. Il regarda d'un côté et de l'autre en biais en balayant le foin de ses pensées embrouillées puis releva ses yeux désolés.

– Retourne à ta table : tu sais qu'Eugène est proche de ses sous. Fais-le pas attendre...

– Y a Paula Nadeau qui m'aide...

Rachel sourit à travers ses larmes. Après tout, le Cook méritait peut-être bien moins qu'on pensait sa réputation de séraphin. En tout cas, c'est à cause de la flamme qu'il savait brûler dans le cœur du garçon qu'il avait engagé l'adolescente, de ça, elle ne doutait pas une seule seconde...

Et le garçon retourna derrière sa table en tâchant d'ajuster les sentiments et les pensées dans sa tête, le monde basculait à une telle vitesse pour lui, ce qui se passait dans son corps, cette fumisterie qu'il voulait dénoncer mais que la vie lui rentrait dans la gorge à chaque fois, et Paula qui, tout en ayant terriblement changé, l'attirait encore plus qu'auparavant. Tout ce qu'il devait apprivoiser. Son rire excessif qu'il cherchait à retrouver.

Il posa son regard sur tout ce fatras devant lui et une grande envie de tout jeter par terre lui vint. Paula perçut son extrême nervosité.

– C'est quoi qu'il se passe donc ?

– Ah ! rien…

– T'es blanc comme un drap.

– Ah ! ben, j'ai couru…

– C'est pas vrai : je t'ai entendu parler avec ta sœur. T'es même pas allé plus loin que la machine à Eugène.

Maintenant, le garçon avait la larme à l'œil. Tout ce surmenage, ce survoltage intérieur… Soudain, il éclata dans une phrase jetée avec colère :

– Y en a pas, des apparitions. Tout ça, c'est rien que des maudites folies. C'est un conte en l'air, c'est tout !

Dévote, la jeune fille s'opposa :

– Ben moi, je l'sais que c'est vrai que y en a, des apparitions…

– Tu l'sais pas, tu sais rien pantoute. C'est moi que je leur ai fait accroire, aux petits Lessard, qu'ils voyaient la Sainte Vierge, pis asteure, ils disent qu'ils la voient pour de vrai.

Paula sentit naître une sorte d'indignation au fond d'elle-même. Quand on lui avait proposé de travailler avec le garçon, elle avait accepté d'emblée, car elle l'aimait autant, peut-être plus même que son copain de classe André Veilleux. Mais pareille prétention de sa part la dépassait. D'autant que

Gilles avait le front de vendre des objets de piété associés aux apparitions non seulement là même mais aussi par les portes la semaine. D'un autre côté, ayant en partie entendu son échange avec sa sœur, elle comprenait son trouble.

– Pis les guérisons, hein? Ils ont même guéri monsieur Pit Saint-Pierre qui se mourait d'une crise cardiaque…

– Ça se peut pas…

– T'es tu seul à dire que ça se peut pas.

– Parce que je le sais.

– C'est ça, toi, tu sais tout pis personne sait rien…

– C'est justement ça!

– Crois c'est que tu voudras, moi, je crois c'est que j'veux.

– Veux-tu que je te dise comment que j'ai fait? J'ai pris une image de la Sainte Vierge, j'ai mis des morceaux de miroir autour pis je l'ai accrochée dans une épinette sur le cap. Pis j'ai mis une corde après. Pis quand les petits Lessard sont venus, je les ai fait prier les yeux fermés. Pis quand ils ont ouvert les yeux, j'ai fait bouger l'image de la Sainte Vierge. Pis ils ont regardé le soleil. Pis ils ont pensé que c'était vrai. De la maudite *bullshit* d'un boutte à l'autre…

Paula éclata de rire.

– Tu parles comme… Jos Page…

– Comment ça?

– Ben… de la maudite *bullshit*…

– Ben j'peux te les montrer, les affaires que j'ai pris… Sont dans une poche…

– Ceux-là qui s'en viennent, là, on leur vend pour cinq piastres.

– C'est Jean-Yves Grégoire qui m'a montré à tailler du miroir pis à le coller…

– Jean-Yves Grégoire…

– Oui, c'est lui…

– Ah!

Les clients arrivaient. Paula mit sa main devant la bouche et ne put s'empêcher de rire. Gilles savait qu'elle se moquait de lui. Les gens, eux, crurent que les deux adolescents s'amusaient à leurs dépens, mais ça ne les empêcha pas d'acheter plusieurs objets de piété…

– Si tou mè cineque mil piastr' pis que tou toutch oune dividande dé twente pour cengt, dangt twoua zan ton ajgent é ta toué… Pis tés actionnes, ils valent encor' cineque mil piastr'…

Sussmann s'époumonait à convaincre le Cook de réserver des actions, et les difficultés rencontrées le portaient à tirer sur ses boudins de cheveux qui reprenaient leur place dès qu'il les relâchait.

Eugène rétorqua en se moquant:

– Mais si tou perds trente pour cent par année, dans twazan, t'as pu une maudite cenne à toué…

Et il éclatait de son rire rubicond qui partait de sa cicatrice du menton pour aller faire bouger la naissance de ses cheveux sous la palette de sa casquette blanche.

Laurent s'approcha, négligeant les gens qui passaient tout droit, car ils étaient en ce moment plus intéressés par les apparitions que par les actions. Il mit sa main autour de l'épaule du Cook en disant aux Juifs en «franglais» avec son plein sourire:

– *He is a good guy: intelligent, good in business.* Il va y penser. *He will think it over…* Pis j'sus certain qu'il voudra pas manquer *such a good offer… Give him some more time…* Si les actions sont réservées au complet à soir, il va savoir où miser *his money… He is a businessman… a real one…*

Sans le vouloir, Gilles Maheux, au grand dam de Laurent, de son père et des deux Juifs, vint faire évoluer la situation dans une direction bien éloignée de la finance et des choses matérielles.

– Vous avez besoin de moi là-bas ?

– Non, mais je voudrais te parler.

– Je vas revenir, ça sera pas long, dit le Cook en s'éloignant à travers les voitures.

– Y a ma sœur qui est ben en peine, là, pis tu pourrais peut-être faire quelque chose.

– Hein ? Où c'est qu'elle est ?

– En arrière de ton char, l'autre côté du hangar…

– Bon, ben retournons là-bas.

Les Juifs les virent s'en aller.

– *He said he would come back*, dit Sussmann sur un air de grande désolation. *Oh ! la la la la…*

Quelque peu humilié, Laurent déclara aux autres :

– Laissons-le faire, c'est un séraphin qui pense rien qu'à ses vieilles cennes noires. Cet hiver, il s'est fait casser la yeule, trop ménager pour aller su'l docteur ; là, il s'est peut-être fait casser l'épaule pis y est trop ménager pour aller voir le ramancheur. Il voudra jamais réserver des actions de nous autres.

– On sait pas, dit Jos, on sait pas. Attendons voir…

– Elle voulait pas que je le dise à personne qu'elle est là, dit le garçon.

– Inquiète-toi pas, je vas faire semblant que j'ai affaire dans mon bazou.

Le Cook embrasa une cigarette faite avec une allumette de bois qu'il frotta contre sa cuisse puis il se mit en route pour aller voir celle des jeunes filles de son âge qui l'intéressait entre toutes et dont il avait juré en secret d'en faire sa femme.

Il marcha, se dandinant et chantonnant. Quand elle l'aperçut venir, Rachel voulut s'en aller. Mais au fond, ni l'un ni l'autre n'étaient dupes. Elle avait besoin de son soutien moral, sinon jamais elle ne se serait réfugiée si près de sa voiture pour tâcher de se vider un peu de son chagrin. Sa présence en cet endroit n'avait rien de bizarre en soi: elle se trouvait proche de la maison rouge, pas très loin du cap à Foley et en un lieu où pas grand-monde ne pouvait l'apercevoir.

Non, aucun d'eux n'était dupe. Ensemble, ils avaient trouvé Jean-Yves. Ils l'avaient ramené ensemble chez lui. Mais son esprit n'était pas revenu et le vide que cette absence créait en elle la poussait à rechercher sans le savoir une âme charitable qui éponge ses larmes fiévreuses.

Il mit la main sur une poignée et feignit la surprise:

– Rachel? C'est quoi que tu fais là?

– Mon petit frère a placoté…

– Pantoute, j'avais affaire dans ma minoune… Il m'a rien dit.

Pendant une seconde, elle esquissa un sourire à cause de l'expression minoune. Puis s'adossa au mur de bois chaulé, gardant la tête penchée vers l'avant. Il s'approcha.

– J'sais pourquoi c'est faire que t'as l'air de même pis j'vas pas t'en parler non plus. Tu devrais venir nous aider à vendre des chapelets. Juste pour passer le temps. Même à quatre, tantôt, on fournira pas. As-tu vu le monde que y a déjà? Pis les apparitions, c'est pour dans quasiment deux heures. Les gars qui quêtent pour le perron de l'église, ils parlent de trente mille personnes. À part de ça que tantôt, je vas envoyer souvent ton petit frère sur le cap pour faire toucher les articles par les petits voyants… Viens, viens avec moé…

***

Chapitre 42

Les miliciens relevaient de la coordination générale, donc directement du vicaire Gilbert. Le prêtre courait inutilement autour de l'estrade et du fardier servant de tribune aux gens de la chorale. De toutes les directions, on venait lui faire rapport. La circulation automobile coulait librement. Tous les gars du jour avaient été relevés par ceux de l'équipe du soir. La quête pour le perron allait sur des roulettes selon Fortunat et d'après les sourires lustrés de collecteurs qui passaient par là.

Quand le regard de l'abbé croisait celui de Pauline, elle lui disait sans parler qu'elle était fine prête et que sa chorale l'était aussi. Depuis un bon bout de temps déjà, Jean-Louis s'était raclé la gorge devant le micro et y avait récité les traditionnels « 1, 2, 3 » afin d'évaluer le volume du son et la portée de sa voix tout en affichant un air de conquête.

D'aucuns commençaient à parler de cinquante mille personnes. La partie déboisée du cap était noire de monde de même que toute la partie basse de la terre. Les têtes débordaient à pleines clôtures du côté ouest, vers le clos de pacage à Freddy, lieu que l'on évitait cependant, car il était boueux et bien gardé par le fier taureau bourré de soupçons envers l'humanité entière.

Un bon vent doux venait de se lever. La majesté du soleil s'agrandissait à mesure qu'il revêtait sa flamboyante robe du soir. Moins éclaboussées, les coloris du ciel, des champs, du boisé, des bâtisses devenaient plus vrais et, à cette heure, les visages exsangues se faisaient de plus en plus rares lorsque vus à plus de dix pas. Beaucoup de gens traînaient des chaises pliantes. Et on cédait le passage aux infirmes et aux malades que d'autres personnes aidaient à progresser vers ce petit hôtel-Dieu que devenait le cap à Foley.

– J'ai vu les deux députés, le docteur Raoul Poulin et son frère Georges-Octave, dit Pit Roy au vicaire, comme pour lui reprocher quelque chose.

– Y a pas d'invités d'honneur, monsieur Roy, parce que tous les honneurs sont réservés à la Vierge Marie.

Pit éclata de rire.

– Y a pourtant un jeune journaliste de Montréal qui va faire un discours à l'occasion de la fête du Canada.

– Oui, mais c'est pas un honneur qu'on lui fait, c'est un service qu'il nous rend parce qu'on l'a hébergé la nuit passée.

– J'sais pas, il me semble que le docteur Raoul aurait pu s'occuper de parler.

– Oubliez pas, monsieur Pit, que c'est un député indépendant.

– Ce qui l'empêche pas d'être un député du Canada, notre grand pays.

– Monsieur Lévesque est mieux placé pour parler du Canada vu, justement, qu'il est pas député.

– Ah! c'est un jeune homme impressionnant, c'est sûr, mais le docteur Raoul, c'est le meilleur homme qu'on a jamais eu dans le comté de Beauce. C'est un homme du coin, pas venu de Montréal.

– Excusez-moi, mais…

Et le prêtre s'approcha des miliciens qui faisaient de la drille au bout du fardier.

– Messieurs, le moment est venu de vous rendre chercher les enfants. Oubliez pas de donner le signal quand vous repartirez de la maison avec eux pour que le chant choral commence.

– Faut-il y aller avec le pas militaire ou pas de pas pantoute ? demanda l'un d'eux qui, en raison d'un énorme strabisme le rendant myope, donnait à tous ceux qui le regardaient venir l'impression qu'il marchait de travers.

– Non, non, y a trop de bosses et de trous dans le champ pour permettre de marcher comme des soldats en parade. Allez-y comme des soldats en campagne... Et n'oubliez pas le signal.

– Sans faute, dit l'autre qui se mit devant et sauta la clôture du cimetière afin d'éviter de se trouver pris dans la foule grouillante des vivants.

Maria versait déjà des larmes quand les miliciens se présentèrent pour escorter les petits voyants. Celui qui louchait entra dans la maison. La fillette portait une belle robe blanche immaculée tandis que le garçonnet était vêtu d'un petit habit à culottes courtes avec une chemise blanche à col de marin. Pas plus la Sainte Vierge que le diable n'aurait pu résister à leur charme. Ils suivirent leur guide. Maria leur emboîterait le pas dans quelques instants et, comme la semaine passée, elle se tiendrait en retrait. Elle hochait la tête de bonheur, de peur et de douleur quand un coup de pistolet la fit sursauter. On ne l'avait pas avertie et elle en conçut grande crainte. Mais aussitôt, le ciel la rassura quand elle aperçut le milicien qui rengainait son arme, tandis que les accents du *J'irai la voir un jour* lui parvenaient déjà par la porte à *screen* depuis les haut-parleurs nombreux installés dans la région du cap à Foley.

La foule forma une haie d'honneur et de protection aux enfants. Cela s'était produit spontanément. Parmi elle se trouvait Germain Bédard, qui montrait les signes de quelqu'un qui a très chaud. Il serait au premier plan pour assister à ce qu'il percevait comme un spectacle de folie collective.

Pas loin, une vieille dame adossée comme lui à la clôture du cimetière, vis-à-vis la partie enchaînée, c'est-à-dire non bénite et réservée aux enfants morts sans baptême de même qu'aux fidèles soupçonnés de n'avoir pas fait leurs Pâques l'année de leur mort, fonça devant, malgré son pas misérable et sa canne de soutien. Elle voulait absolument être la première à toucher les enfants pour en tirer le maximum d'énergie afin d'avoir toutes les chances d'obtenir une faveur, soit la guérison de son arthrite qui la maintenait en enfer tous les jours de sa pauvre vie. Nicole prit l'initiative et la toucha à la main. La foule se tut et on n'entendit plus que le vent de la foi et les notes brillantes qui sortaient de la gorge de Pauline comme de la limaille de diamants: *Au ciel, au ciel, au ciel...* accompagnées de la belle musique d'un harmonium.

Soudain, la vieille personne s'écria:

– Je me sens mieux, je me sens mieux...

Un murmure parcourut la foule comme un coup de vent sur un champ de blé. À l'autre bout, sur le cap, devant un microphone installé là pour la première fois, le vicaire cherchait à bien comprendre ce qui se passait. Si ce n'était un miracle, ça en avait tout l'air et, au moins, devrait-il parler de demi-miracle.

– Prions le Seigneur, quelque chose d'important vient d'arriver. On saura ce que c'est dans quelques instants...

Il se tut, car ses paroles et les voix de la chorale ne faisaient pas bon ménage et se pencha à nouveau sur les dessins que lui montrait Ernest.

– C'est celui-là le plus beau.

– C'est ce que je pensais itou, dit le forgeron.

– Ça fait que si vous pouviez commencer au plus vite. Étant donné les circonstances, je vous permets de travailler même le dimanche sur les garde-fous. Maintenant, je vous laisse partir : les enfants approchent.

Ernest avait du mal à retenir ses larmes sous ses airs bougons et brouillons. Comment ne pas croire que le ciel y était pour quelque chose dans ce contrat qu'il avait eu le matin même avec la fabrique, et surtout, dans ce duvet qu'il avait remarqué sur sa tête en se lavant après souper ? Se pouvait-il que les effets du sort du quêteux Labonté soient enfin conjurés, et que, déjà, ses cheveux recommencent à pousser en attendant la lotion miracle qu'il avait commandée grâce à une annonce du journal ?

Il s'éloigna en direction du boisé et se mit à côté d'un cèdre sec que deux sapins encerclaient comme des sentinelles, mais il y avait là une odeur qui lui rappelait l'huile de charbon, ce qui en plus des signes du vicaire, l'incita à remonter plus haut. Le prêtre lui dit :

– Vous étiez à l'endroit des apparitions. Il faut garder l'espace libre pour la venue de la Vierge Marie…

Ernest allait dire que ça puait le charbon là, et qu'il le sentait bien assez toute la semaine à la forge pour ne pas vouloir en humer les odeurs jusque sur le cap à Foley, mais le prêtre pourrait croire qu'il tombait dans le mépris, et puis cette senteur pouvait aussi bien provenir de ses propres vêtements avec lesquels il s'était rendu à la boutique de forge où il s'était attardé à modifier quelques-uns de ses dessins de garde-fous à peine une heure plus tôt.

En bas du cap, au coin de la salle paroissiale, près du kiosque des Juifs, René Lévesque et Jean Béliveau se parlaient. Le journaliste possédait une mémoire photographique, mais il n'en attendait pas moins son photographe qui retardait. Et pour dissuader son impatience de le pousser à fumer des deux mains, il se livrait à un échange avec ce jeune personnage impressionnant dont il voyait la tête avec le coq de l'église comme élément d'arrière-plan tout comme, la veille au soir, quand le joueur de hockey battait tout le monde sur le court de tennis et que Lévesque passait par là.

– Euh… j'ai fait la police toute la journée… Y a pas mal de monde au Colisée… euh, j'veux dire sur le cap à Foley…

La voix de Sussmann passa soudain entre eux comme une lame de patin :

– Si tou mè mil piastr' pis que tou toutch oune dividande dé twente pour cengt, dangt twoua zan ton ajgent é ta toué… Pis tés actionnes, ils valent encor' mil piastr'…

Natif d'Europe, mais élevé en Équateur à cause de ce maudit Hitler, incinérateur de mauvais goût, le Juif avait gardé l'accent espagnol parmi de nombreux autres accents du monde qu'il possédait, y compris celui, tout neuf pour lui, des Québécois… Il interpella Lévesque :

– Toué, tu aimeré pas awoir des actionnes dang la *company* de shirts à mister Bellodo ?

Le journaliste haussa les épaules et fit la moue en disant :

– Moi, j'sus cassé ben raide. J'ai rien que ma chemise, ça fait que j'peux pas acheter une compagnie de chemises…

– *Next time maybe…*

Lévesque se recula un peu et dit à Béliveau :

– C'est à se demander ce qui va mener le monde dans l'avenir. L'argent, c'est certain. La religion : moins qu'on pense. La politique : de plus en plus. Le sport, c'est sûr…

Béliveau approuva d'un sourire. Lévesque reprit :

– Sans oublier le cul, comme depuis que le monde est monde. Et puis la gestion de tout ça, ça va se faire par la télévision, comme ça se fait déjà aux États-Unis.

À quelques pas de là, Rose et Berthe marchaient doucement parmi les automobiles, suivies d'Ovide et Albert. Inquiétée par le sort de Jean-Yves et curieuse de connaître la suite des événements après son départ de la maison rouge, elle avait quitté le groupe pour aller voir Freddy au magasin général. Ce qu'il lui apprit n'avait rien de réjouissant.

Les deux hommes s'arrêtèrent au kiosque des actions, mais ni l'un ni l'autre ne voulurent prendre d'engagement en raison de la distance qui les séparait de Saint-Honoré, nonobstant toute la confiance qu'ils disaient accorder aux capacités de Laurent de mener l'affaire à bien.

Rose sentait le regard d'Albert dans son dos et l'homme ne se privait pas de la détailler. Un observateur s'en rendit compte quand il les vit passer. Jean d'Arc se recula sous l'escalier et se sentit laissé-pour-compte.

Debout, devant une fenêtre de chambre, la même pièce qui était restée vide durant vingt ans du temps de sa grand-mère Émélie qui n'arrivait pas à mettre un terme à son deuil d'un grand fils, Jean-Yves regardait sans la voir cette étenderie de voitures qui luisaient de tous leurs chromes sous le soleil déclinant. Il ne vit pas non plus un personnage qui se promenait à travers elles et leur donnait des coups de pied aux pneus ou carrément dans les portes sans trop faire de dommages heureusement, et qui ne cessait de les maudire. C'était Ti-Georges Champagne qui traversait une crise « d'automobilite aiguë », dont pas même la Vierge du cap ne saurait le guérir puisqu'elle était directement proportionnelle au nombre de voitures à se présenter à sa vue.

Sur le cap, les enfants Lessard arrivèrent à l'endroit habituel de leur agenouillement devant l'arbre béni des apparitions à côté du cèdre sec. Tout d'abord, ils regardèrent tous les deux le disque solaire, emmagasinant ainsi une forte douleur et un éblouissement certain. Ils fermèrent les yeux en même temps puis se tournèrent et se mirent à genoux dans la terre fraîche. Tout d'abord, ils baisèrent le cap encore très chaud à côté d'une piste du diable ainsi que Maria leur avait recommandé de le faire en signe d'humilité.

Et aussitôt, ils commencèrent à réciter des prières en langues. Le vicaire fit son signe de croix à deux reprises. Des éclopés pas loin se mirent à pleurer. La chorale se taisait, bouche bée, en attendant le signal sonore venu du prêtre et qui consistait simplement en le mot « Amour », dont il détachait les syllabes pour bien montrer que le mot portait un grand A.

On avait laissé le passage à des religieuses et il s'en trouvait pas moins d'une centaine dans tous les environs. Et dans un groupe d'entre elles, des sœurs grises de Saint-Georges, on pouvait apercevoir un monseigneur, l'abbé Beaudoin, maintenant curé là-bas et qui avait passé quelques années avant cela à Fortierville, le village de la petite Aurore, l'enfant martyre. En ce moment même, il se demandait comment la Vierge avait choisi de ne pas intervenir pour la petite fille abusée à en mourir et qui était pourtant d'une dévotion totale, tandis qu'elle visitait de beaux enfants en santé comme les petits Lessard. En rejoignant les mains comme il le faisait à la messe, il exhala un saint soupir en se disant à lui-même :

– Ah ! comme les desseins de Dieu sont insondables !

Plusieurs malades étaient étendus sur un grabat dans une aire en pente prévue exprès pour les recevoir. Ils étaient là une quarantaine à souffrir et à attendre la venue de la Vierge, tout yeux, tout oreilles, et pour la plupart pris de la courte haleine. Deux hommes à bout de souffle arrivèrent auprès d'eux. L'un portait un appareil photo et l'autre fumait à deux mains.

Ils n'étaient pas les seuls représentants des médias. *L'Action catholique* avait dépêché des hommes. *Le Devoir* avait envoyé un cadavre ambulant aux airs du grand Lustucru et qui priait parfois les yeux fermés et le bras gauche levé au ciel. Il y avait, dira-t-on plus tard, Albert Duquesne de Radio-Canada et Saint-Georges Côté de CHRC ; et plusieurs affirmeraient par la suite que l'homme à béret vert accompagnant le barbu père Ambroise Lafortune n'était autre que le nouveau cardinal

Léger de Montréal, prince de l'église déguisé en homme humble afin de passer incognito. Mais la machine à rumeurs fabrique vite les vedettes…

On avait encore pas mal de temps avant l'heure habituelle de l'apparition : une trentaine de minutes au moins. Intuitive, Marie Sirois savait qu'elle ne serait pas en retard, et en ce moment même, elle quittait sa demeure à bicyclette avec les deux plus jeunes de ses filles, l'une sur la barre, puisqu'il s'agissait d'un vélo d'homme, et l'autre assise sur le porte-bagages arrière. En pédalant aisément sur un trajet qui descendait jusqu'au cœur du village, elle serait rendue chez Freddy dans dix minutes. Et cinq minutes plus tard, après avoir caché son vélo dans un hangar, elle parviendrait au cap…

Depuis le fenil de la grange des Rouleau, une paire d'yeux la vit s'en aller. Fernand devina qu'elle se rendait elle aussi sur le cap à Foley où son nationalisme mêlé de bière et d'ivresse l'avait empêché de la conduire le samedi précédent. Mais puisque la veuve n'emmenait que deux enfants avec elle, cela voulait dire que la plus vieille des filles garderait la maison. Et seule…

La chorale entonna le *Laudate Mariam* et tous les yeux qui le purent se rivèrent sur le sapin sacré voisin du cèdre sec. On imaginait le cantique une sorte d'appel à la reine du ciel et de la terre, et dont elle pourrait peut-être suivre les accents. Les enfants Lessard récitèrent leur chapelet, Yvon répondant aux formules dites par sa sœur. Et à chacune, ils se mettaient les bras en croix ou le long du corps.

– Tant qu'ils se remettront pas à parler en langues, la Sainte Vierge apparaîtra probablement pas, affirma quelqu'un parmi les grabataires.

Lévesque alors jeta une de ses cigarettes et l'écrasa bien par crainte de mettre le feu. À l'autre bout des éclopés, un adolescent se sentait fier de lui. Il avait aidé le bossu Couët à se rendre jusque-là en le poussant parfois, car le petit bonhomme qui se déplaçait avec difficultés en dehors de son sulky n'aurait jamais pu escalader tout seul la pente raide menant sur le cap. Émilien de plus se disait que son bon geste devait racheter au moins quelques-uns de ses péchés mortels de la chair. Car être vu en la compagnie d'un quêteux bossu aussi laid valait quasiment une indulgence plénière en cette époque parfois cruelle et faiseuse d'exclusion.

C'était pourtant un bon bossu venu exprès ce soir-là pour demander pardon. Pardon d'avoir prié le samedi d'avant pour obtenir des faveurs pour lui-même. Tant de gens souffraient plus que lui, se disait-il. En fait, ce sont ceux qui ne souffrent pas beaucoup dans leur vie qui deviennent difformes du cœur et de l'âme. Et le plus bossu de tous se présentait maintenant au microphone sur l'estrade.

– Chers amis, dit Jean-Louis, qui avait un morceau de carton dans la main et la moitié d'un vingt-six-onces derrière la cravate, on peut affirmer que, déjà, un miracle s'est produit tout à l'heure. Touchée par la petite Nicole Lessard qui lui a imposé les mains, madame Jéroboam Labonté de Saint-Éphrem-de-Tring vient d'être considérablement soulagée de son arthrite rhumatoïde au point de pouvoir délaisser sa canne dont elle n'arrivait plus à se passer depuis nombre d'années.

– Ça pourrait-il être la mère du quêteux Labonté qui jette des sorts ? demanda quelqu'un à côté d'Ernest.

– En tout cas, si elle avait de l'arthrite, ça doit pas être à cause de lui, certain, hein !

Le forgeron frissonna un peu malgré la sueur qui le recouvrait et il s'éloigna. Et le maître de cérémonie poursuivit :

– Est-ce que ce serait là le premier miracle de la soirée ? Ça se pourrait bien, mesdames et messieurs. Et vous savez, mes bons amis, cela voudrait dire que la malédiction du ciel sur le Canada… vous savez tous comme moi que la Vierge aurait déclaré « pauvre Canada ! », eh bien, un miracle ici ce soir démontrerait que le Canada pourrait bien s'en sortir… Aujourd'hui, mes amis, c'est la fête du Canada. Un journaliste de Montréal viendra nous en parler plus tard, après les cérémonies – car on ne doit pas mélanger politique et religion, en tout cas, le moins possible…

Derrière les enfants, le vicaire était survolté. Troublé par l'image de la fillette et parfois par celle du garçon. Ah! qu'il les trouvait sournois, ses désirs secrets. Des loups indomptés qui surgissaient dans les moments les moins appropriés. Par chance, ce soir-là, il avait emprunté une soutane du curé, bien plus ample et qui protégeait l'insolence de sa chair de regards mal à propos.

Heureusement, le moment de son homélie arrivait. Il ne restait plus que dix minutes avant le temps habituel de la venue de la Vierge et pour en être bien certain, il consulta sa montre puis lança l'expression «Amour et gloire», qui constituait le deuxième signal pour faire savoir aux gens de l'estrade qu'il voulait prendre la parole lui-même.

Jean-Louis, qui n'arrivait pas à se retenir de parler de politique, fut soulagé et annonça:

– Voici, mesdames et messieurs… monsieur le vicaire… Il se passe des choses… il se passe des choses… écoutez-le…

À part les distraits, les sceptiques, les enfants, les vendeurs et les collecteurs d'argent, tous se turent. On savait que les minutes solennelles commençaient.

– Mes bien chers frères… nous voilà réunis une fois de plus pour rendre hommage… à notre bonne maman du ciel… Je ne vais pas vous parler *ex cathedra*, je ne vais pas entrelarder mon propos de citations célèbres, je ne vais pas exhiber de sentiments… comment dire… frelatés, je ne vais même pas ouvrer mon discours comme un ouvrier travaille son bois avec habileté, je ne vais pas non plus le forger comme le forgeron artiste façonne le fer pour lui donner des formes intéressantes…

Il jeta un regard à Ernest qui eut l'air de dire: «Ben marci ben!»

– Non, je vais simplement vous livrer quelques mots. Et je dis bien «simplement»... en toute simplicité. Car la voilà la clé du grand mystère de l'arbre de la science du bien et du mal: la simplicité. Dieu est simple et Satan est complexe. La Vierge, vous savez, s'adresse à des enfants et non pas à des savants. Jamais elle n'apparaît à des prêtres, des chanoines... ou à monsieur Einstein...

Monseigneur Beaudoin pencha la tête en signe de résignation.

– ... pas à des cardinaux non plus...

L'homme à béret et à fausse barbe brune accompagnant le père Ambroise recroisa ses deux index à travers un long chapelet noir entrelaçant des doigts sur son ventre.

– Elle ne se montre même pas au pape Pie XII.

Celui que Gilles appelait souvent le pingouin huileux, Philias Bisson, murmura à l'endroit du professeur qui se trouvait avec lui près de la clôture du cimetière:

– Elle s'est montrée au pape Pie VII pis elle en est jamais revenue...

Mais le garagiste oublia aussitôt sa plaisanterie un peu grosse et usée à la corde puisque son regard tomba sur Rose Martin, qui se tenait un peu plus loin près du fardier en la compagnie de Berthe Grégoire. Il fut aussitôt porté à chercher Ovide et ne tarda pas à l'apercevoir avec cet étranger... Contrarié, il murmura à l'oreille du professeur:

– La Rose s'est fait un chum, on dirait... C'est Gus qui va prendre ça mal...

Son interlocuteur demeura impassible.

Dans la grange, Fernand Rouleau restait immobile, le regard perdu dans une recherche qui le torturait. Jamais de toute son existence, une pareille chance ne se présenterait à nouveau à lui. La Cécile était seule à la maison. Elle avait 12 ans maintenant. Une poitrine qui pointait… L'homme fouilla en frémissant sous un petit mulon de foin près d'une poutre et trouva une flasque verte qu'il déboucha et porta à sa bouche. Il en avait déjà bu pas mal avant que la veuve ne parte pour le village et commençait à être éméché. Ses yeux s'injectaient de sang à mesure que les minutes s'écoulaient dans cette pénombre angoissante.

Il avait peur. Mais une partie de sa peur se transformait en rage, et cela donnait naissance à des idées enchevêtrées qu'il tâchait d'ajuster comme les pièces d'un puzzle compliqué dans un projet machiavélique…

Sur le cap, le prêtre poursuivait:

– Dieu est simple comme l'enfance. Le bonheur est simple comme l'enfance. La confusion appartient au diable. Dieu est un. Dieu est un tout. Dieu est un tout homogène.

Entouré de plusieurs cultivateurs venus des quatre coins de la paroisse et qui aimaient l'entendre s'exprimer sur l'idée de la séparation de la paroisse en deux parties, et sur lesquels il exerçait donc de l'influence, Lucien Boucher se tenait sur une seule jambe. Quelque chose l'opposait au discours du vicaire. Le monde matériel n'est pas homogène, pensait-il. Et ce n'est pas en travaillant à effacer les différences individuelles qu'on le simplifie, bien au contraire. Le monde matériel est constitué de cellules et chacune doit posséder son identité propre…

Le vicaire fut subitement interrompu par un cri de femme. C'était la même personne qui, deux semaines d'affilée, avait rejeté sa canne et marché en clamant sa guérison. On l'avait amenée par-dessous les bras. Et pour la troisième fois, elle s'écria:

– J'sus guérie, j'marche tu seule…

Sa canne tomba sur le roc et glissa jusqu'aux pieds du vicaire. Il se pencha pour la ramasser mais elle lui échappa, et cette fois, le bruit entra dans le micro pour sidérer des milliers de personnes, car il fut suivi du mot miracle répété trois fois par le prêtre.

Et ça ne faisait que commencer. Pendant tout ce temps, les enfants Lessard priaient en silence, toujours à genoux et les yeux fermés, comme s'ils avaient été emportés dans un profond autisme spirituel ou quelque coma sacré ne laissant que leurs lèvres bouger.

Voici que les familles de Georges Boutin et de Clodomir Lapointe s'étaient regroupées sur la droite entre deux sapins où il y avait un gros banc de pierre, espèce de dolmen construit jadis par Armand Grégoire du temps où il ne se savait pas encore atteint de consomption. Aucun endroit n'offrait meilleure vue sur tout ce qui se passait et sur les environs. De là, on pouvait voir le sapin sacré, les enfants voyants, le vicaire, la foule sur le cap, celle derrière le cimetière, le cimetière, la foule dans la montée, la salle paroissiale, la foule en bas, l'estrade et le fardier avec les gens dessus, le village, le disque solaire, tout. Seul le kiosque des Juifs échappait à leur vue.

Un endroit aussi privilégié excitait la convoitise des curieux et dévots qui auraient aimé se trouver en avant-scène, et c'est la raison pour laquelle, dès le matin, Clodomir en personne avait occupé cette table de pierre que le vicaire imaginait servir de maître-autel pour y célébrer la sainte messe avec l'approbation du curé dès son retour, et quand il aurait obtenu le consentement de Freddy Grégoire pour effacer les pistes du diable du roc du cap. Des remplaçants de la famille Boutin étaient venus plus tard et on avait donc gardé le poste. Tout cela s'était fait sur les conseils de Bernadette, qui y aurait elle aussi une place réservée pour elle-même et pour sa nièce Solange Grégoire. Mais comme souvent, voilà qu'elle arriva en retard après s'être frayé un chemin parmi la foule et surtout en longeant la clôture du clos de pacage de la même façon que le samedi précédent. C'était un devoir pour elle de conduire Solange sur le cap afin de la nourrir de spiritualité, et peut-être, qui sait, lui valoir une guérison miraculeuse…

Les filles à Clodomir fraternisaient avec celles à Georges qui avaient à peu près le même âge ; pourtant, Solange Boutin s'absentait souvent par l'esprit et cherchait à retracer Germain Bédard quelque part dans l'assistance. N'avait-il pas dit qu'il serait là et n'avait-il pas quitté sa maison plus tôt justement pour cette raison ? Parfois, sa crainte bizarre de l'étranger traversait à nouveau le champ de ses émotions ; il se montrait doux et affable, mais que se cachait-il derrière la brillance de son regard ? Du feu de l'enfer ou bien la flamme d'un buisson ardent allumée par le ciel ?

Germain avait bien vu les Boutin perchés, mais il ne voulait pas leur parler ce soir-là, puisque c'était Rose, la mystérieuse Rose, qu'il recherchait, croyant qu'elle serait aux côtés de Bernadette. Quand il aperçut Solange Grégoire, il comprit que son besoin ne serait pas comblé et cela lui fit serrer les mâchoires.

Éva Maheux était seule dans son magasin de coupons. Elle croquait des bonbons durs et mesurait le matériel de pièces empilées pour en vérifier la longueur. Sorte d'inventaire qui lui permettrait de commander de la nouvelle marchandise la semaine suivante alors que plusieurs voyageurs de commerce passeraient pour prendre les commandes de tissu pour l'automne.

Il y avait trop d'étrangers dans le village et Ernest voulait qu'une personne au moins se fasse le gardien des lieux. De toute façon, la femme ne se sentait pas assez d'énergie ce jour-là pour monter sur le cap. Catholique très pratiquante, elle ne croyait pas plus que ça aux miracles et son esprit hésitait devant cette histoire d'apparitions. Des fois, elle penchait d'un côté, d'autres, d'un autre.

Soudain, elle parla tout haut:

– En tout cas, si vous passez par chez nous, Sainte Vierge pis que vous avez des faveurs à faire, oubliez pas Rachel… Mettez un peu de lumière su' son chemin.

C'était déjà fait.

Et en face, de l'autre côté de la rue, dans le grand magasin vide et silencieux, Freddy songeait en fumant une pipée au fond du bureau de poste, les pieds accrochés à la table qui servait à dépaqueter la malle, en lisant *Le Soleil* de la veille et y découvrant plus d'idées sur les apparitions du cap qu'en se retrouvant là-bas à ne rien voir du tout. Et, en ce moment, il avait grand besoin de s'évader du monde réel en ne le regardant plus qu'à travers le prisme de son imagination et de son propre univers intérieur…

Ti-Noire et Jeannine se parlaient dans une cabine du restaurant. Ni l'une ni l'autre n'avaient le goût de se retrouver dans une foule compacte, car l'heure pour chacune était à la tristesse. Des moments qu'elles s'aidaient à traverser. Des moments qui passeraient. Toutes les deux savaient que le prix à payer pour réaliser leur rêve était inévitable et qu'elles possédaient toutes les ressources nécessaires pour s'en tirer, somme toute, à bon compte. À moins d'imprévus graves.

Armand Boutin, qui avait fini de remplir son champ de voitures et n'en accueillait plus depuis un moment, décida de quitter les lieux et de rentrer au village de son long pas à pieds ouverts dans le style Pit Veilleux. Il portait un long manteau semblable à ceux des cow-boys du siècle précédent et les pans lui battaient sur les genoux qui apparaissaient tour à tour et donnait l'air de vieux cailloux bosselés. Il fila droit au camp d'Armand Grégoire. Ayant frappé, il entra en même temps qu'il recevait une réponse positive de son homonyme. Alors, d'une poche intérieure, il sortit un quarante-onces de gros gin et la mit sur la table.

– Le plus court chemin pour se rendre jusqu'à la Sainte Vierge, c'est une bonne bouteille de gin De Kuyper, fit Armand aux airs de fantôme.

– Tu peux en être certain de ça, dit Armand aux airs de spectre.

En ce moment même, Fortunat et le père Boutin-la-viande se tenaient ensemble aux abords du kiosque des Juifs, plus intéressés par le commerce que par les apparitions. Même si l'hôtelier avait refusé de participer à l'effort de financement de la future manufacture, il n'en montrait aucun embarras devant Laurent et Jos. C'était la meilleure façon de leur faire croire qu'il ne le pouvait pas. Voilà pourquoi il ne se privait pas de leur parler malgré leur distance et une certaine froideur.

– Paraît que la récolte est pas mal bonne encore une fois pour le perron de l'église ? dit Joseph en secouant sa moustache blanche d'un côté et de l'autre comme s'il était pris de chatouillement sous le nez.

– J'en reviens pas. Avant souper, les boîtes débordaient déjà. On a tout vidé ça sur le bureau de monsieur le curé, pis c'est madame Létourneau, avec sa fille, qui va nous compter tout ça.

Plus loin, les frères Dulac se consultaient pour savoir s'ils devaient réserver des actions. Ils avaient beau agir comme des gens très pauvres, l'argent ne leur faisait pas défaut. Ils décidèrent d'investir mille dollars, à la condition que la chose demeure absolument secrète. Mathias retourna donc au kiosque et montra un doigt à Laurent et son père. Le fils dit à mi-voix :

– Un p'tit mille ?

Mathias sourit. Jos lui fin un clin d'œil.

– Entre nous autres, vous autres pis la boîte à bois ! siffla Mathias entre ses lèvres molles et le bouquin jaune de sa pipe.

– La tombe, assura Jos. La tombe.

Elmire et Jos Page priaient. Chacun à sa manière. Chacun dans son coin. Elle égrenait son chapelet sur le lot familial dans le cimetière tout en surveillant de loin les événements du cap, tandis que son frère circulait parmi la foule, cherchant quelqu'un qui lui ressemblât un peu, et à qui parler. Ce qui ne l'empêchait nullement de parler à n'importe qui. Mais on ne l'écoutait pas toujours. Et puis, il s'attirait souvent des réprimandes à cause de sa manière de rire sans raison suffisante… Il promenait sa petitesse pliée et son odeur de babeurre et finit par réussir à se trouver un interlocuteur à travers ses avés. Ce fut Germain Bédard, qui ne bougeait pas de son coin isolé près de l'enclos non bénit du cimetière.

– Tchi que t'es, donc, toué ? Ça fait une couple de fois que j'te vois à l'hôtel su' Fortunat ou ben en bicycle… Tu s'rais pas un gars à Archelas Nadeau toujours ? Ou bedon un gars à Stanislas ?

– J'sus pas de la place…

– Ah ! c'est toué qui vas rester dans la maison à Polyte…

– C'est ça…

Mais l'étranger préférait pour le moment surveiller ce qui se passait autour des enfants Lessard et il ne répondit guère que par des phrases laconiques, si bien que Jos finit par s'en lasser et s'en aller. Qu'importe, il le verrait bien une autre fois, ce drôle de petit personnage qui devait bien posséder lui aussi une âme…

Si la plupart des paroissiens, à l'exception des familles éprouvées par le deuil, se trouvaient quelque part dehors aux environs du lieu des apparitions, Dominique Blais et Blanc Gaboury, quant à eux, manqueraient le spectacle, car tous deux se trouvaient au salon funéraire. Devant la pénible réalité, ils n'avaient que faire de ce qu'ils considéraient comme des superstitions, des chimères. Blanc avait beaucoup de mal avec sa respiration et cela transparaissait dans ses yeux, plus injectés de sang que de coutume.

Dominique s'intéressait au plus haut point à la manufacture de chemises, dont on parlait presque autant que des apparitions de la Vierge, et le postillon, un homme parmi les premiers renseignés sur tout ce qui arrivait dans la paroisse, lui apprit tout ce qu'il savait sur la question. Ce qu'il n'avait pas dit, il ne le savait pas, parce que ça ne se savait pas…

Le docteur Raoul Poulin, homme sérieux et rempli de dignité, ne put s'empêcher d'aller faire un petit tour près de l'estrade. Aussitôt, Jean-Louis Bureau en descendit et lui serra la main tout en pensant, comme l'avait suggéré son ami Laurent dans la journée, qu'un jour, il se présenterait contre lui dans une campagne électorale fédérale.

– Tu es le garçon à Médée Bureau.

– C'est ben ça.

À l'autre bout du fardier, Pit Roy rajustait nerveusement son chapeau derrière sa tête et surveillait d'un œil avide ce qui se passait à l'estrade. Il avait eu l'occasion de serrer la main non seulement du député indépendant mais aussi de l'homme à Duplessis dans la Beauce, son frère Georges-Octave venu lui aussi chercher à récupérer une partie de la soirée miraculeuse en vue de sa prochaine élection en 1952.

– Si on avait su que vous étiez disponible, on vous aurait demandé de faire un discours à l'occasion de la fête de la Confédération canadienne.

– Bah ! D'autres bien meilleurs que moi s'en chargeront, dit le personnage qui connaissait aussi bien l'art de se montrer humble que celui de flatter le nationalisme des gens. Et puis, je ne vais pas à Ottawa pour dire oui à un parti politique, j'y vais pour défendre les intérêts supérieurs de mes électeurs de la Beauce, un beau comté pas comme les autres…

– Votre réputation est faite…

Jean-Louis était fort ému de parler à cette célébrité régionale. Le bon docteur jouissait d'une popularité hors du commun, et celui qui prétendrait le battre à une élection dans la Beauce devrait se lever pendant plusieurs années de suite de fort bon matin à tous les jours que le Bon Dieu le garderait en ce monde.

Le peuple adore se fabriquer des demi-dieux, mais pour Pit Roy, le docteur politicien signifiait probablement trois quarts de Dieu… Et la poignée de main que le vénérable personnage, mieux coté qu'un ministre, lui avait offerte avec des salutations empressées, resterait gravée dans toutes ses mémoires jusqu'au jour de sa mort.

– Le pire, dit Jean-Louis au docteur, c'est que les organisateurs n'ont pas voulu d'une brochette d'invités sur l'estrade.

– C'est très bien, mon bon ami, c'est très bien. Je suis venu en tant que citoyen, en tant que croyant, en tant que catholique.

– Ça, vous avez la réputation d'être un bon catholique.

– Qu'y a-t-il de vrai en ce monde, mon jeune ami, excepté sa foi et sa patrie ? Tout le reste… ou presque, n'est que vanité. *Vanitas vanitatum…*

– Tous les honneurs sont pour la Sainte Vierge, fit Jean-Louis avec un sourire un peu narquois.

– Ceux qui ont décidé cela sont des sages et je serai le dernier à les en blâmer.

Jean-Louis le regarda s'en aller du côté du fardier, sûr que Pauline et lui s'entretiendraient un moment. Et il se demandait pourquoi cet homme, qui possédait des biens, de l'expérience, qui gagnait gros comme docteur et pouvait en plus compter sur un salaire de neuf mille dollars comme député fédéral, ne se payait pas une Cadillac plutôt que cette Plymouth, pas des plus vieilles mais des plus ordinaires…

Pendant ce temps, le vicaire poursuivait son exposé qu'il avait mis sous l'enseigne de l'honnêteté bon enfant. En même temps, les petits voyants se mirent à parler en langues. Alors il s'interrompit ; et pour que les milliers de personnes soient comme lui témoins de la manifestation divine qui se faisait évidente, il leur mit le microphone devant la bouche.

– *Mater Christi tombaroum dan panum sirus mananha sortous.*

– C'est le signe que la Vierge s'en vient, glissa le vicaire avant de remettre le micro devant le nez des enfants.

– *Mater castissima moi sorum vai marium avé garum fridoune vobiscum.*

– Elle sera bientôt là, elle sera bientôt là…

– *Reginum Martyrum ora pro nobis cleminum fortune torpedo graniperum…*

Germain Bédard, qui entendait ce langage incompréhensible, même en latin, se dit en lui-même que le meilleur moyen de prendre un ascendant sur des individus ou sur une foule, est de semer la confusion mentale. Chacun comprend alors exactement ce qu'il veut comprendre et ça lui apporte une grande paix intérieure. C'est comme s'il apercevait tout à coup sa propre image dans un épais brouillard…

Bizarrement, il n'était pas le seul à saisir cela. La seule personne rencontrée depuis qu'il était arrivé dans la paroisse voilà près d'une semaine et qui lui ait été tout à fait antipathique, ce René Lévesque, comprenait exactement la même chose en ce moment même alors que le journaliste écrivait des notes dans un calepin. Il s'était déplacé et se tenait maintenant près du grand sec du *Devoir*.

Un véritable phénomène se produisit alors. D'un coup, trois éclopés du groupe étendu au sol se levèrent et marchèrent. Pas comme des athlètes olympiques, mais ils avancèrent. La pente les aidait et confortait leur foi. Le prêtre s'écria :

– Un miracle… un miracle double… un triple miracle…

Au loin, parmi la foule, le taxi Roy tâta son moignon pour voir. Et le bossu Couët toucha sa bosse pour voir. Et François Bélanger essuya son nez qui resta aussi gros et plat. Et l'aveugle Lambert dit à sa bonne femme :

– Je la vois venir, la Sainte Vierge, je la vois venir…

Et dans le flot d'automobiles, le pied de Georges Champagne ne cessait de frapper les pneus et les tôles. Et Marie Sirois parvenait à se rendre jusque dans le boisé du cap avec ses filles après avoir demandé aux Armand qui buvaient de surveiller son vélo. Et Cécile Sirois, chez elle, sortit à l'arrière de la maison pour promener sur les environs un regard inquiet… Et dans la grange, Fernand Rouleau buvait par petites gorgées à même sa bouteille.

Derrière l'estrade, Gustave, qui venait d'apercevoir Rose qui riait et touchait le bras de cet homme étranger, essuya une larme derrière le verre épais de ses lunettes. Dominique Blais suggéra aux familles en deuil de fermer le salon une demi-heure plus tôt pour permettre à tous d'aller assister à l'apparition. Supporteur de Georges-Octave et travailleur d'élections, Grand-Paul Blanchette s'entretenait avec le député provincial, et sa voix forte leur attirait maints regards, ce qui ne déplaisait pas à George-Octave.

– Oui, un triple miracle, répéta le prêtre.

Et un long silence s'étendit sur la foule entière. Seule une bouche d'adolescente ne parvint pas à rester fermer.

– Tu vois ben, là, que c'est vrai ! dit Paula Nadeau à Gilles Maheux.

L'adolescent ne put s'empêcher de lui répondre :

– *Reginum Martyrum ora pro nobis cleminum fortune torpedo graniperum...*

C'étaient des mots qu'il avait fait entrer quasiment de force dans la mémoire des enfants Lessard quand il avait machiné les apparitions. Mais l'adolescente ne l'écoutait pas.

– Elle est là, elle est là, elle est là, dit Nicole Lessard à travers ses petites mains jointes et ses paupières fermement closes mais qui bougeaient sans arrêt.

Le vicaire remit le micro devant eux.

– Elle est là, elle est là, elle est là, répéta Yvon.

Et les infirmes descendaient sur le roc, jalousés par les autres qui restaient cloués à leur croix tout en s'efforçant de se mettre debout eux aussi.

– Je vous salue Marie, pleine de grâces, le Seigneur est avec vous...

Tel que planifié et entendu, la chorale entonna le *Ave Maria* avec les micros éloignés pour ne pas enterrer les événements du cap et, au contraire, leur servir de support et de fond sonore.

Tout ça sonnait archi-faux à l'esprit de Lévesque. Mais que de puissance mise en branle ! Si on pouvait donc canaliser ces forces du peuple ! Que d'énergie ! Alouette !

Le plus grand sceptique parmi les milliers de personnes témoins de ces choses extraordinaires, de ces événements grandioses, regarda sa montre en hochant la tête. Et comme pour le défier, et comme pour lui répondre, et comme pour le sidérer, et comme pour l'écrapoutir, et comme pour l'enchaîner, tel ces misérables enterrés à trois pas de lui, une sorte d'éclair se produisit près du sapin sacré.

Un immense remous agita la foule. Le grand cadavre du *Devoir* fut saisi de crainte. Bernadette fit son signe de croix en répétant des « Mon doux Seigneur ».

Une flamme embrasa tout le cèdre sec qui se consuma en quelques secondes en crépitant.

Ils furent des centaines à tomber à genoux. Les mots restaient accrochés dans la gorge du vicaire. Et Pauline entamait la partie solo de l'*Ave Maria*. Car en bas, plusieurs ignoraient encore ce qui venait de se produire, quoique le feu fut aperçu par beaucoup de gens, y compris Paula et Gilles, qui en avaient la bouche bée comme tant d'autres. L'adolescent surtout.

– Eh bien, finit par dire le vicaire, plus de doute maintenant, tous, nous avons vu la Sainte Vierge.

Les miraculés reprenaient leur place sur le grabat.

– Maudit torrieu, lança Ernest, c'est vrai que c'est vrai, ça, c't'histoire-là !

Lévesque croyait à une supercherie montée par le vicaire lui-même, mais il ne lui appartenait pas d'en soulever la possibilité sinon la probabilité.

– Tous, vous avez entendu parler du buisson ardent. Eh bien, c'est dans un buisson ardent que s'est manifestée notre mère du ciel. Alléluia !

– Elle est là, elle est là, elle est là, redisait Nicole qui, avec son frère voyant, avait été une des rares personnes à ne pas voir le buisson ardent faute de garder les yeux ouverts.

Mathias Dulac était si impressionné qu'il courut quasiment jusqu'au kiosque des Juifs et montra deux doigts de la main.

– Deux p'tits mille piastres d'actions, lui dit Laurent à mi-voix.

Mathias fit signe que oui.

L'étranger quitta précipitamment l'endroit où il se trouvait et se dirigea tout droit vers le cap à Foley. Jos Page, qui n'était pas rendu loin, le regarda passer comme un bolide. Il pensa le suivre mais y renonça aussitôt.

Le tronc du cèdre était noirci. Des cendres se détachaient des branches. Voilà qui rendait encore plus plausible le passage par là d'une énergie puissante. Plus personne n'écoutait les enfants. La chorale achevait l'*Ave Maria*. Le vicaire ne disait plus que des bribes au micro, se dirigeant vers le sapin sacré, rebroussant chemin, tournant en rond, piétinant... Exalté, survolté, transporté... fou braque...

Bédard fut donc le premier assez courageux pour chercher une explication au phénomène. Ou assez incroyant... Ou peut-être que ce qui venait de se produire l'irritait-il au plus haut point. Il se pencha pour voir. Et aussitôt, il fouilla au pied de l'arbre avec sa main, comme si ses doigts avaient été immunisés contre les brûlures.

– Qu'est-ce que vous faites là ? vint demander le vicaire.

– J'voudrais savoir pourquoi c'est faire que le feu a pris à cet arbre.

– Homme de peu de foi ! Imagineriez-vous que c'est là un sortilège ?

– Et vous, monsieur le vicaire, vous devriez regarder où vous marchez. Vous êtes à pieds joints dans une piste du diable.

Comme s'il avait eu le feu sous les souliers, le prêtre sauta de côté. Lévesque arrivait, suivi d'autres personnes plus émues que lui, et dit :

– Vous ne devriez pas toucher à ces choses, monsieur. Si l'église devait envoyer des enquêteurs pour établir sur du solide le fait miraculeux...

– Il a parfaitement raison, clama le vicaire. Enlevez-vous de là au plus vite.

Bédard haussa les épaules et se releva. Il s'écarta lentement en se laissant traîner les pieds comme pour exprimer un certain dégoût. Il savait que Lévesque n'y croyait pas, lui non plus, à cette histoire, et son attitude le choquait d'autant.

Nicole Lessard ouvrit les paupières. Plus personne ne s'intéressait à elle et à son frère pour le moment. Elle se releva et entraîna Yvon à l'écart. Ils attendaient que les choses reviennent à la normale. Effrayée par le feu de l'arbre et le mouvement de foule, Maria accourut. Elle prit ses enfants sous son aile. Ensemble, ils entreprirent la récitation d'une dizaine de chapelet.

Des éclairs zébrèrent ce commencement de brunante. Cette fois, pas de miracle puisqu'il s'agissait de photographes qui fixaient sur pellicule la preuve du passage dans le voisinage du sapin sacré d'une énergie brûlante.

Quand il apprit l'événement, Jean Béliveau pensa que le Cap-de-la-Madeleine, Sainte-Anne-de-Beaupré et l'Oratoire Saint-Joseph venaient de se faire battre par la compétition et que c'est le cap à Foley qui remporterait la coupe Stanley.

– Nous allons tous quitter les lieux maintenant, dit le vicaire. Et nous allons nous réunir en bas du cap afin de souligner la fête du Canada. Mais n'oubliez jamais ce que nous avons tous vu ici ce soir et rendez en témoignage.

Les gens se mirent en marche, mais il se produisit un malencontreux accident. Un des trois miraculés du groupe des grabataires chercha à se remettre sur ses jambes à l'aide d'une canne et de son enthousiasme délirant. Il retomba à terre et roula dans la pente rocheuse, entraînant avec lui d'autres éclopés jusqu'aux pieds du sapin sacré et du cèdre en cendres. Plusieurs se firent du mal, mais cet événement aussi fut décodé et classé parmi les faits extraordinaires et peut-être surnaturels de ce soir-là.

Malgré sa hâte de passer des choses religieuses aux choses civiles, Jean-Louis dut donner la parole au vicaire qui expliqua par le long et par le large ce qui s'était produit sur le cap.

– Nous allons demander une enquête officielle par la sainte Église catholique romaine pour obtenir confirmation des faits miraculeux survenus chez nous, conclut-il.

Il fut religieusement applaudi. Le soleil rouge entrait lentement dans l'horizon mouillé. Plusieurs commencèrent à se plaindre des maringouins qui, semblait-il, avaient respecté les moments de Marie et les fidèles qui les avaient vécus, et on pouvait entendre au loin le chant joyeux des ouaouarons qui, dans leur mare quelque part au voisinage du clos de pacage à Freddy, rendaient un quelconque hommage à la reine des grenouilles.

– Mesdames et messieurs, comme vous le savez tous, c'est aujourd'hui la fête de notre grand et beau pays le C... Ca... Canada.

Il arrivait à Jean-Louis d'accrocher sur ce mot-là. Mais personne n'aurait eu le front de bœuf d'en rire, surtout en un soir pareil, en un lieu pareil et en de telles circonstances. Il reprit :

– Nous aurions pu aujourd'hui inviter notre député fédéral, qui se trouve ici et que je salue... Salut, docteur Raoul... ou notre député provincial, monsieur Georges-Octave, qui nous visite aussi ce soir. Nous aurions pu demander à l'évêque de Québec de nous adresser la parole, et même au cardinal Léger de Montréal, lui si fervent de la ferveur et du chapelet en famille. Nous aurions pu demander à monsieur Louis Saint-Laurent, un bon catholique, de venir chez nous pour souligner la fête du pays, et même à monsieur Duplessis, mais non, il fut décidé que le seul hommage qui devait être rendu ici ce soir le serait à la Vierge Marie, qui nous a fait l'honneur de sa présence une fois de plus. Et pour parler du Ca... Canada, nous faisons appel à un illustre inconnu, un jeune homme de Montréal qui fut correspondant de guerre, qui a vécu dans les vieux pays en des heures fort sombres et qui donc connaît mieux que plusieurs tout ce que signifie pour nous le… Canada… Voici monsieur René Lévesque, journaliste venu nous visiter…

Les gens avaient soif de l'opinion d'un étranger sur les apparitions, et surtout, sur eux-mêmes, et ils auraient écouté un ouaouaron en ce moment. Le petit jeune homme arrivait à point nommé pour être bien entendu. Il s'approcha du micro, écrasa sa cigarette sur l'estrade, ouvrit un carton d'allumettes pour y consulter des notes puis grimaça à gauche et à droite.

– Je suis fier…

Applaudissements. Grimaces.

– … comme jamais…

Applaudissements, ricanements.

– … je ne l'ai été. Si j'ai bien compris ce qui se passe ici, et j'pense que j'ai bien compris…

Applaudissements…

– … le Bon Dieu nous aime.

Applaudissements. Signes affirmatifs.

– Y a pus jamais personne qui va venir nous dire « pauvre Canada » parce qu'on va l'envoyer croasser dans la mare de la foutaise. Oui, oui…

Applaudissements. Comme c'était bien dit !

– C'est avec une immense fierté que là-bas, en Europe, j'entendais les tambours de la victoire venus des champs de bataille où s'illustraient les nôtres, ces fiers Canadiens qui se sont battus avec tant de courage et de vaillance sur les plages de Normandie, en Hollande, et partout où le dragon fasciste crachait son feu…

Applaudissements. Consultation du carton d'allumettes.

– J'ai des noms ici, mes bons amis, des noms importants. Non pas de nos héros nationaux, pas celui de Dollard Ménard, pas celui de Roméo Vachon, pas celui du soldat Lebrun ou de Ti-Coq, mais celui de Antonio Lachance, un petit gars d'ici qui fut ambulancier au champ d'honneur… oui, oui… et qui en a sauvé des vies humaines…

Applaudissements.

– … Et j'ai aussi celui de Réginald Boulanger, soldat qui s'est illustré un peu partout de Dieppe à Berlin en passant par Saint-Germain-des-Prés…

Approbations.

– … Et je lis aussi ceux de Roland et Maurice Pépin, de même que celui, ô combien glorieux, de Paul-Eugène Parent, mort au champ d'honneur. Cette paroisse, comme tant d'autres, a donné de ses fils pour défendre la liberté… et la démocratie…

– C'est quoi ça, « démocratie » ? demanda un de ses amis à Lucien Boucher.

– C'est la loi de la majorité…

– … Nous avons toutes les raisons d'être fiers de ce drapeau lamé de courage qui flotte au mât de la paroisse…

Beaucoup se redressèrent le corps en regardant le fleurdelisé sans trop savoir que le drapeau du Canada n'était pas celui-là. Mais comment résister à ce mariage formidable réussi en ce moment par le ciel, d'un décor bucolique et enchanteur baigné de spiritualité et de nationalisme avec cet appel à la fierté qui allait s'enraciner dans le sol sanglant de l'Europe !

L'orateur prenait conscience de plus en plus du fait qu'il pouvait, lui, en faire, des miracles. Et que pour ça, il lui suffisait d'ouvrir la bouche.

Jean-Louis se sentait un peu jaloux de n'avoir pas profité de l'occasion pour parler du passé militaire de Saint-Honoré. Qu'importe, la leçon porterait ses fruits.

L'orateur voulut être bref. Il avait un long chemin à parcourir avec le photographe, mais surtout, il savait que quelques phrases seulement resteraient marquées à jamais, tandis qu'un déluge de mots diluerait la portée de chacun.

– Le discours le plus éloquent que je puisse faire devant vous, en ce soir tout à fait spécial, c'est de vous laisser écouter et chanter notre hymne national.

Ô Canada,
Terre de nos aïeux,
Ton front est ceint d'un fleuron glorieux.
Car ton bras sait porter l'épée,
Il sait porter la croix.
Ton histoire est une épopée
Des plus brillants exploits.
Et ta valeur, de foi trempée,
Protégera nos foyers et nos droits.
Sous l'œil de Dieu, près du fleuve géant,
Le Canadien grandit en espérant.
Il est né d'une race fière...

Je laisse à mademoiselle la directrice de la chorale le soin de nous diriger tous avec de la musique et les chœurs dans les accents du plus beau chant qui soit, et je vous dis... à la prochaine fois.

Lévesque n'avait pas pris de risque et avait joué gagnant.

Ce fut un délire d'applaudissements.

***

Chapitre 43

Le jour suivant, dimanche, le 2 juillet 1950, l'euphorie baignait la paroisse. Parmi les heureux, il y avait le vicaire qui prêcha la bonté et l'amour du prochain, et qui proclama les résultats de la collecte pour le perron : une véritable quête miraculeuse.

Par l'imagination, Ernest voyait déjà les gens défiler sur le perron et admirer les garde-fous. « Ça, c'est le forgeron Maheux qui a fait ça : un homme ben habile de ses mains, hein ! »

Fortunat Fortier se sentait fier de son accomplissement. La quête du perron permettrait de repeindre aussi tout l'intérieur de l'église en plus de payer les garde-fous.

Le Cook rêvait en roulant ses yeux sur l'horizon et quelques cigarettes d'avance pour économiser les toutes faites achetées la veille. Il avait l'épaule un peu raide, mais se passait de l'écharpe. Que d'espoir il nourrissait maintenant quant à ses chances auprès de la belle Rachel !

Bernadette allait d'une porte à l'autre en clamant qu'il faudrait sans faute ériger une grotte sur le cap à Foley. « La Sainte Vierge est avec nous autres, faut pas la laisser dehors ! »

Paula Nadeau était contente des heures passées en la compagnie de Gilles Maheux qui lui paraissait plus mature…

« La Sainte Viarge, l'as-tchu vue, toué ? Ben moué, je l'ai vue comme j'te voué là ! » disait Jos Page à tous ceux qu'il rencontrait sur la rue.

Malgré son deuil récent, Marie Sirois passait des heures satisfaisantes à cause de son nouvel emploi et parce qu'elle avait pris la décision la veille de se mêler un peu plus au monde, et qu'elle était allée au cap avec courage. Mais il y avait quelque chose de bizarre dans le regard de sa plus vieille, une sorte de reproche de l'avoir laissée seule à la maison…

Pit Roy jubilait. Les deux députés lui avaient accordé au moins cinq minutes chacun.

«J'en parlais justement à G.-O. hier.»

«Justement, le docteur Raoul me disait ça hier…»

Pauline et Jean-Louis exultaient. Ils avaient eu cinquante mille personnes à leurs pieds.

Pit Saint-Pierre avait pu raconter des dizaines et des dizaines de fois sa guérison par les mains de la petite Nicole Lessard, et quoi de plus valorisant que de se savoir choyé par le ciel!

Les enfants Lessard reçurent des malades toute la journée, et tous repartirent bourrés de réconfort et en mesure d'utiliser à fond toutes leurs forces morales restantes pour peut-être s'autoguérir à leur insu même. «Si ça peut donc continuer!» ne put s'empêcher de penser Maria entre deux avés.

En comptant le contenu de sa caisse, Éva réussissait à oublier pour un moment les problèmes de Rachel et de Martial. Au moins, Ernest était de bonne humeur. Le Gilles ne se comportait pas comme d'habitude, mais il avait été drôlement secoué par la mort de Léonard Beaulieu. Ça lui passerait…

Les Bilodeau et les Juifs avaient réussi dans leur entreprise. Assez d'actions seraient vendues pour combler tous les besoins. Gracieuse, la mère de Laurent, déclara que la Vierge avait sûrement donné un petit coup de pouce.

Émilien avait fait la connaissance d'une grande jeune fille de Saint-Georges et le courant avait bien passé. Cela le réhabilitait à ses propres yeux.

Ému, revenu dans sa luxueuse résidence de Sillery, Albert Hamel prenait souvent le récepteur du téléphone dans ses mains, mais il raccrochait aussitôt en se disant que ça n'avait pas de sens d'appeler une femme séparée de son mari... Même par simple amitié.

Pit Veilleux et ses frères furent appelés à nettoyer les environs du cap. Ils trouvèrent plusieurs bouteilles vides qu'ils purent monnayer et trouvèrent aussi beaucoup de monnaie.

Un personnage rarement malheureux que ce Dominique Blais, trop occupé pour ça! À la manufacture, on était parti pour fabriquer beaucoup plus de boîtes à beurre que les années précédentes, et ça ne dérougissait pas non plus du côté des pompes funèbres. Chaque activité était entrecoupée de petits verres de gin et la vie allait tambour battant...

Il put même aller prendre quelques bières chez Robert ce dimanche-là et y discuter des événements de la veille avec le professeur Beaudoin et Ti-Georges Poulin dit Gabin, un jeune cultivateur qui buvait sa vie et sa terre.

Lucien Boucher avait parlé à plusieurs d'une séparation du village et de la paroisse, mais d'une séparation dans l'union. Et l'idée semblait plaire. « Même *truck* des pompiers. Pis mêmes pompiers. » Mais les services en commun s'arrêtaient là. Qu'importe, on sera solidaire dans la catastrophe, pensaient ses alliés politiques...

Mais pour plusieurs autres, les heures apportaient de l'angoisse ou carrément du chagrin.

Rachel Maheux ne savait plus où donner du cœur.

Jeannine Fortier se savait au bord de la fin avec Laurent.

Ti-Noire Grégoire sentait qu'elle tournait en rond.

Gustave pleura dans le sous-sol de l'église, dans la sacristie, dans sa chambre, et il négligea de s'alimenter.

Gilles Maheux ne quitta pas sa chambre après la basse messe. Depuis la veille, il se demandait s'il n'était pas en train de devenir fou. Rejoindrait-il Jean-Yves dans son monde perdu ? Ou bien le ciel punissait-il sévèrement ceux, Jean-Yves et lui-même, qui avaient trafiqué une image de la Vierge avec du miroir ? Non, Jean-Yves ignorait la chose en fait. Le nouvel adolescent ne savait pas que la chimie de son corps était en train de changer son esprit. Et il ne parvenait plus à retrouver le rire. Il repassa en sa tête plein de personnages qu'il appelait par des noms drôles. Ti-Noire, les fesses en farine. Le père Lambert, la canne de bines. Philias Bisson, le pingouin huileux. Le curé Ennis, Thomas, la grosse tête. Freddy, la bedaine qui rit. Blanc Gaboury, le ouaouaron cracheur. Ti-Georges Champagne, la gornouille qui court. Bernadette, la mangeuse de ciboulette. Solange, la pas parlante aux paparmanes. Rose, la bonne femme à gros tétons. Suzanne, sa besace de sœur…

Tiens, il irait à sa porte et lui crierait « besace » pour qu'elle hurle, et ça le ferait rire. Il se leva de son lit et alla se coller le bec au trou de la clé et lança :

– Besace, besace, besace…

Il n'entendit comme réponse que le silence et l'indifférence. Pourtant, elle était bien là…

Il retourna s'asseoir dans la pénombre à côté de son lit sur le plancher. Tant d'idées se bousculaient dans sa tête. Qu'est-ce qui s'était réellement passé sur le cap à Foley ? Pourquoi ce feu soudain dans un arbre ? Tous pensaient qu'il s'agissait de la Sainte Vierge, mais lui et lui seul au monde savait que ça ne pouvait pas être elle. Même Paula refusait de croire en la fumisterie. Mais si ce n'était pas la Vierge, c'était quoi, c'était qui ? Qui d'autre que le diable ? « Satan se cache derrière tout ce qui brille », avait-il entendu de la bouche d'une religieuse à la table des pieuseries la veille. « Il se déguise en ange de lumière », avait commenté sa compagne. Le Malin profitait-il de la situation qu'il avait lui, l'adorable petit venimeux, comme le désignait Ti-Noire, créée, et misait-il sur la crédulité des gens pour abuser tout le monde? Si cela était, lui qui avait simplement voulu jouer un bon tour, devenait complice du diable. Avait-il commis un péché mortel? Satan était-il aussi responsable de ces tentations brûlantes entre ses cuisses? Pas de doute, il était en état de péché mortel pour avoir touché à son corps comme il l'avait fait.

Et Paula si différente… Il ne la reconnaissait plus. Il ne se reconnaissait plus.

La visite de Rose était partie après la messe. La femme ne parvenait pas à se sortir d'un profond trouble intérieur depuis la veille au soir. Une sorte d'exaltation nouvelle tournoyait en son sein. Elle aussi, comme Gilles Maheux, se demandait si les événements du cap à Foley avaient pour origine le ciel ou bien l'enfer. Elle n'avait pas vu de près ce qui s'était passé là-haut, mais le bouche-à-oreille avait amplifié le phénomène, sa spontanéité, sa brillance, sa courte durée. Les enfants Lessard étaient-ils possédés du diable sans le savoir? Satan se cachait-il derrière tout ça? Le péché dit de la chair était-il vraiment péché mortel?

Pourtant, toutes ces questions ne l'angoissaient aucunement. C'est qu'elles baignaient dans une sorte de bien-être doux mêlé de désirs imprécis avec un sentiment qu'il allait se passer quelque chose d'important dans sa vie très bientôt, très très bientôt…

Quand Bernadette fit une saucette pour lui parler de son projet de grotte, elle se montra d'une bienveillance exceptionnelle. «J'y participerai dans la mesure de mes moyens et j'approuve. Pis je te prédis que tout le monde va dire oui comme moi…»

Puis elle prit un bon bout de temps pour classer ses produits dans son grand sac à épaule, sorte de *beauty-case* de forme cubique qui lui permettait de transporter tous ses échantillons plus des unités additionnelles aux fins de vente immédiate.

Rachel Maheux enfourcha une bicyclette qu'elle avait eue de Roland Campeau en attendant qu'il répare la sienne et prit la route en direction de la Grande-Ligne. Mais pas vers le bas pour éviter de voir le Cook, en fait pour ne pas qu'il se fasse des idées et pense qu'elle faisait cette randonnée pour le voir. Jean-Yves occupait tout son cœur et une partie de son âme. Elle prit donc la direction du haut de la Grande-Ligne avec l'intention de se rendre dans un rang jusqu'à la concession forestière de la John Breakey. Là, devant un monde mystérieux, celui du grand bois des ours et des loups, domaine préféré des Dulac et autres chasseurs et pêcheurs, elle le laisserait porter par les ailes du rêve sans plus se creuser les méninges pour changer le cours du destin.

Depuis sa fenêtre, Jean-Yves la vit s'en aller. Il leva le bras vers elle et lui dit mentalement :

– Rachel, reviens… je t'entends quand tu parles, mais… je ne peux pas te parler… je suis trop loin… trop loin…

Il la suivit du regard jusqu'à ce qu'elle disparaisse de sa vue quelque part vis-à-vis de chez Boutin-la-viande… peut-être plus loin…

Mais d'autres yeux l'avaient vue partir. Impénétrables et perçants. Germain Bédard se demandant où elle allait et limité par son enveloppe charnelle qui l'empêchait tout de même de voir à travers les bâtisses, se rendit sur le balcon le plus haut de l'hôtel et la suivit du regard jusqu'à la perdre lui aussi de vue là-bas, au bout du village. Il se dit qu'il pourrait la suivre à la trace à partir de la fin du pavage en asphalte et décida de se mettre en route à son tour…

C'est Rose Martin qu'il eût voulu voir la veille au soir. Et même ce matin-là, lors de sa marche, qui l'avait conduit tout d'abord vers le bas du village puis à travers champs dans un grand détour sur le cap à Foley, où il s'était adonné à des activités secrètes. Par la suite, il s'était rendu à la basse messe, mais en était sorti avant la consécration…

Il pédala avec vigueur pour gagner du terrain sur la jeune femme et quand le chemin devint graveleux, il repéra aussitôt sa trace. Un mille plus loin, au coin du rang Six, se doutant qu'elle avait tourné soit vers le nord soit vers le sud, il s'arrêta et n'eut pas le moindre mal à trouver la trace de pneu qui entrait dans le rang sud.

Sans y être jamais venu, il savait que cette route aboutissait à un cul-de-sac, c'est-à-dire comme le rang Dix où il vivrait bientôt, sur la grande forêt. Il n'avait plus qu'à progresser tant qu'il n'apercevrait pas la jeune fille ou son vélo, ou bien les deux quelque part chez un cultivateur, ou bien, ce qu'il espérait surtout, au fond du rang.

Rachel descendit une côte abrupte en bas de laquelle se trouvaient une rivière et un pont couvert puis elle remonta, passa devant les deux derniers cultivateurs du rang et poursuivit sa route sur un chemin de chantier jusqu'à une grange isolée à l'orée de la forêt. Elle descendit et s'assit par terre, adossée aux planches grises torturées par le soleil et par le temps.

Personne au monde ne la savait en cet endroit sauf Bédard qui la suivait de dix minutes pas plus. Quand elle l'aperçut, elle eut peur, d'autant qu'il était trop tard pour elle de renfourcher sa bicyclette. Sa frayeur venait de ce que la raison lui disait que cet homme ne se trouvait pas là par hasard et qu'il l'avait suivie à distance. Elle se remit sur ses jambes, arracha un brin de foin, se le mit dans la bouche en disant :

– Veux-tu ben me dire…

Il l'interrompit en riant alors qu'il sautait en bas de son vélo :

– Je t'ai vue partir et je t'ai suivie, mais j'pensais pas que tu viendrais te réfugier dans le bois.

– Je me réfugie pas, je prends l'air.

– J'pensais que tu venais visiter du monde dans le rang pis j'ai fini par me dire que j'avais pas suivi une bonne trace, que tu avais passé droit devant le rang ou pris le Six nord… Quant à faire, j'ai décidé de continuer jusqu'au bout mais j'pensais pas de te voir rendue icitte pantoute…

Cette explication avait l'air bien pesée et le ton était calme et souriant. Rachel se tranquillisa.

– J'espère que j'te fais pas peur. T'inquiète pas, j'sus pas un homme dangereux.

Elle mentit et il le devina par un tremblement dans sa voix :

– Surprise, mais pas effarouchée. Comme dit mon père, dans la vie si on passe notre temps à avoir peur des mouches, on va mourir de peur avant de mourir tout court…

– Un homme intelligent, ton père, un homme intelligent.

– Y en a qui vont trouver ça drôle de nous savoir icitte.

– Si t'aimes mieux repartir tu suite pis tu seule, c'est comme tu veux, hein !

– J'aime autant te dire que y en a qui te trouvent étrange.

– C'est normal : j'sus un étranger dans la place.

– C'est plus que ça…

– Dans un mois ou deux, tout le monde va m'oublier dans mon coin comme une vieille chaussette.

Elle rit. Il reprit :

– Assis-toi un peu, on va jaser, pis j'suis sûr que tu seras pas venue pour rien. C'est vrai que je t'ai suivie, mais y a un peu le destin dans ça aussi. J'aurais ben pu pas te voir partir. J'aurais pu me tromper de trace de pneus de bicycle. T'aurais pu arrêter quelque part dans le rang… Mais le destin voulait qu'on se rencontre icitte. Faut pas tourner le dos au destin…

Rachel s'assit en disant pince-sans-rire :

– La grange, c'est pas le destin, ça fait qu'on va lui tourner le dos, elle.

Et elle s'adossa. Il s'assit dans le foin court à distance éloquente, c'est-à-dire qui puisse rassurer tout à fait la jeune fille.

Ils se parlèrent de tout sauf de Jean-Yves, de sentiments ou des apparitions, de pêche, d'enseignement, de ce que serait la vie dans cinquante ans aux alentours de l'an 2000.

– Les gens vont vivre vieux mais malheureux, dit-elle.

– Pas trop optimiste.

– Réaliste.

– T'auras autour de 70 ans, moi autour de 80.

– Si Dieu me prête vie.

– Tu crois en lui ?

– Pas toi ?

Il devint songeur.

– Je voudrais nier son existence que je l'pourrais pas.

– Je t'avoue que certains jours, j'aimerais quasiment mieux croire au diable.

– Ah ! ça, c'est intéressant ! Parle-moi donc un peu de ces jours-là.

Il approchait cinq heures de l'après-midi.

Le téléphone sonna chez Rose. Elle se rendit à l'appareil, décrocha le récepteur :

– Allô !

– C'est Albert Hamel de Québec, comment allez-vous ?

– Heu… bien, très bien.

– Je vous appelais pour vous remercier de votre repas et de votre accueil.

– Ah ! mais y a pas de soin !

– Ce fut un séjour agréable et très impressionnant.

– C'est sûr qu'avec les événements pis tout le monde que y avait par chez nous…

– Impressionnant pour ça mais pour autre chose aussi…

Elle flaira ce qui suivrait et désirait l'entendre, tout en s'y opposant… Mais au même instant, il survint un incident qui interrompit la conversation. Des pas pressés se firent entendre sur la galerie et la voix de Bernadette lui parvint :

– Rose, Rose, es-tu là ?

– Une seconde, je reviens, c'est Bernadette qui me demande à la porte. Ça sera pas long…

– Allez.

Et Rose se rendit à l'avant où elle aperçut le nez de sa voisine collé dans la moustiquaire :

– Tu peux pas imaginer ce qui arrive, tu peux pas…

– Dans ce cas-là, dis-le.

– J'arrive du cap à Foley, ben sais-tu, l'arbre où c'est que la Sainte Vierge s'est manifestée hier soir, ben il sent la rose… oui, oui, oui, plus t'approches, plus ça sent la rose. Si tu me crois pas, viens avec moi.

– Écoute, reviens plus tard, là, j'suis au téléphone pis c'est un appel longue distance.

– De Québec ?

– De Québec, oui, c'est monsieur Hamel qui veut me remercier.

– Ben j'vas revenir. Mais j'te dis, ça sent la rose…

De retour au téléphone, Rose dit :

– Paraîtrait que ça sent la rose sur le cap, là où c'est que la Sainte Vierge serait apparue…

– Le parfum de la rose, il m'a suivi jusqu'ici à Sillery.

– Ben voyons donc, là, vous !

– Est-ce qu'il vous arrive de venir à Québec ?

– Tous les mois, s'entendit-elle dire. J'y vais justement la semaine prochaine.

– Dans ce cas-là, vous allez venir à la maison.

– Là, j'sais pas trop…

– Sans faute, sans faute. En toute amitié, j'insiste. Venez voir ma maison. Et vous en profiterez pour visiter celle des Jolicoeur. Ils auront grand plaisir à vous voir. Qui garde madame Jolicoeur en votre absence ?

– Je peux toujours compter sur Bernadette… Mais là, j'sais pas, elle est pas mal excitée par son projet de grotte à la Vierge… Ah ! ces apparitions-là, ça change le monde finalement ! En tout cas, notre petit monde à nous autres…

***

Chapitre 44

Le lendemain lundi, Ernest se leva à la barre du jour.

– Le temps regarde drôlement mal aujourd'hui, dit-il à sa femme qui déjà travaillait dans son magasin.

– Il va mouiller, on dirait.

Elle savait qu'il planifiait quelque chose et commençait à le dire en parlant de la température.

– Ben moi, j'pense que j'vas aller à Québec demain. S'il est pour mouiller aujourd'hui, on peut rien faire dans les prairies pis ça sera pas mieux demain non plus.

Elle dit en souriant :

– T'as pas assez de fer pour faire c'est que t'as à faire ?

– Jamais ! Tout le perron de l'église, pense à ça. J'aime quasiment pas toucher à mes réserves.

– Vas-y tu suite aujourd'hui, tu vas regagner une journée.

– Ah ! quasiment trop tard pour aujourd'hui. Le taxi doit être paqueté de monde déjà.

– Appelle, tu sauras.

– Le central ouvre pas avant sept heures.

Au même moment, Rose Martin, assise à table et sirotant un thé matinal, rêvait. Comment donc avait-elle pu confier à Albert Hamel qu'elle devait se rendre à Québec cette semaine-là ? Ses rapprovisionnements en produits lui venaient toujours par la voie postale : quel autre motif invoquer pour justifier ce voyage aux yeux des Grégoire, de Berthe et Bernadette ?

Elle appellerait son grossiste durant la journée et obtiendrait sûrement un prétexte et un rendez-vous. Peut-être de nouveaux produits en préparation ? Ou bien une leçon en vente ? Ou bien un cours de maquillage avancé ? Ou quoi encore ?

Mais oserait-elle visiter cet homme si affable et invitant chez lui ? Avec Berthe, pourquoi pas ? Visiter deux belles demeures de Sillery, ça serait formidable… Y a toujours pas de péché là-dedans ?

Le lendemain, au petit matin, le taxi Roy fit monter Rose chez elle puis il s'arrêta devant chez Ernest. Éva vit son mari partir et elle put apercevoir les autres passagers. Alors, elle pensa que durant son séjour aux États, quand elle avait visité son frère Fred, Ernest était allé réparer quelque chose dans la salle de bains de Rose. Ses paupières se plissèrent et elle regarda l'auto repartir, emportant cinq personnes dont trois sur la banquette arrière soit Louis Grégoire et Ernest qui encadraient Rose, assise entre les deux.

Louis Grégoire qui se vante tout le temps de faire la chose trois, quatre fois par jour…

Ernest Maheux qui ne veut pas toucher à sa réserve de barres de fer…

Mmmmmmmmmmmm…

– Ah ! y a plusieurs produits nouveaux de sortis, pis je vas me faire donner des leçons d'application à Québec, se dépêcha d'annoncer Rose que sa conscience travaillait.

– Ah ! moé, j'vas acheter du fer pis d'autre chose à Lévis, se hâta de dire Ernest qui s'inquiétait de se voir partir avec Rose. Pis après, je vas traverser sur le bateau pour faire des affaires à Québec. J'couche par là pis je vas remonter mercredi…

– Ah ! j'pensais que vous deviez revenir à soir, dit le taxi en le regardant, sourcils froncés, par son rétroviseur.

– Sais-tu, j'viens de décider ça…

Ainsi, Éva serait rassurée de voir qu'il ne ferait pas le voyage aller-retour avec la Rose.

Quant à Louis, il mâchouillait un bout d'allumette sans rien dire, se demandant s'il ne se passait pas quelque chose de peu catholique entre Rose et Ernest…

Lui se rendait à Pintendre pour se choisir un nouveau cheval parmi le troupeau du plus important maquignon de la province.

Et il pensa : « Ah ! non, pas Ernest, il est pas assez étalon pour deux bonnes femmes, naaaaaaaa… »

Rose se rendit chez son grossiste. Elle y passa quelques heures de l'avant-midi. Puis elle se rendit manger dans un restaurant du boulevard Charest. Quelle journée excitante ! Les odeurs de la ville, la circulation des machines et des autobus, les grosses bâtisses. Dans l'après-midi, elle irait dans les grands magasins, chez J.B. Laliberté et à la Compagnie Paquet, voir les beaux vêtements. Et probablement essayer quelque belle robe à la mode… Possible que Berthe vienne la rejoindre ; elle le saurait un peu plus tard quand elle lui téléphonerait.

De son magasin, Albert Hamel téléphona dans la Beauce à la maison Jolicoeur, et c'est Bernadette qui répondit. Elle lui annonça que Rose était partie pour la ville et qu'elle serait chez Berthe vers la fin de l'après-midi pour probablement y coucher.

Il y a de ces destins qui se tissent à mesure…

Ernest acheta tout le fer dont il aurait besoin. Livraison dans les jours prochains par train à la gare de Saint-Évariste.

Et il prit le traversier. L'air du fleuve l'enchanta. La dernière fois qu'il l'avait respiré, c'était à son retour de la clinique Roy-Rousseau, où il avait subi une douzaine d'effroyables chocs électriques, soi-disant pour remettre son génie à sa place. Et pour la première fois depuis les premiers signes de sa calvitie, il pensa que ces chocs pouvaient fort bien être la cause réelle de la chute de ses cheveux, bien plus qu'un sort du quêteux Labonté…

Paradoxalement, cette pensée le réconforta, car on pouvait sûrement mieux contrer et contrôler les effets de l'électricité qui choque que ceux d'un quêteux qui se choque…

Il se rendit tout droit à un magasin de quincaillerie et de matériaux de construction au nom de Hamel & Hamel. Il ne fut pas servi par Albert, mais leurs regards se rencontrèrent et chacun eut l'impression bizarre d'avoir vu l'autre quelque part voilà pas trop de temps. Mais ils ne s'étaient vus que dans la foule du cap à Foley. Ernest oubliait que l'homme se tenait alors avec les Jolicoeur de Sillery et Rose… Il oubliait même le lieu où il avait rencontré ce personnage. Quant à Albert, il cherchait dans sa mémoire où il avait bien pu apercevoir cette tête-là, lui qui avait pourtant la mémoire des visages et qui la pratiquait pour mieux s'attacher les clients.

***

Épilogue

Berthe rejoignit Rose. Les deux femmes prirent grand plaisir à magasiner puis elles s'en allèrent à la maison des Jolicoeur à Sillery en taxi.

Une spacieuse demeure dans laquelle on pouvait sentir une âme au premier pas. Ce fut un souper léger à la fin d'une journée chaude mais heureusement pas trop humide. Il fut vite entendu que Rose coucherait là. Et le taxi Roy, que l'on pouvait rejoindre par téléphone à une taverne de la rue Saint-Paul, en fut avisé. Il reprendrait la femme le lendemain. Et ça faisait bien son affaire de voir qu'elle et Ernest ne retourneraient dans la Beauce que le lendemain puisqu'il avait reçu plusieurs demandes d'un passage par d'autres personnes.

Il lui traversa une idée par la tête pourtant quand il songea que ces deux-là, par hasard, étaient montés en ville le même jour, et que, par hasard, ils retardaient d'une journée pour regagner leur domicile. La même idée traversa la tête de Louis Grégoire quand il reprit le taxi à Pintendre, mais elle se teinta de narquoiserie. Et elle atteignit Éva au fond de la Beauce, avec, cette fois, d'autres teintes bien différentes.

Si Ernest avait su que la malchance et les esprits mal tournés le surveillaient de fort près…

Après deux appels insistants et invitants d'Albert, Berthe, Ovide et Rose le visitèrent après souper.

Ce furent des moments délicieux. L'amitié coula joyeusement à pleines flûtes à champagne.

Pendant quelques minutes, Berthe et son mari se rendirent à l'arrière de la maison pour voir les fleurs nouvellement écloses et s'offrir le coup d'œil général du jardin qu'ils admiraient, enviaient et parfois même imitaient par certains côtés.

Vêtue d'une robe noire à décolleté léger, Rose occupait un fauteuil près de la cheminée. L'image de cet instant divin se grava dans toutes ses mémoires.

Albert vint poser sa main sur le dossier de son fauteuil et il se pencha légèrement au-dessus d'elle pour lui parler des vertus de l'amitié sincère.

La richesse et le bon goût occupaient toute la pièce. Un manteau de cheminée recouvert de bois sculpté à fioritures dorées portait des dauphins de marbre et une horloge grand style. Et plus haut, une peinture aux généreuses couleurs offrait à l'œil le talent d'un artiste de renom que mesurait un encadrement superbe en bois ciselé à la main et laminé d'or.

Albert décida de faire du feu dans la cheminée malgré le moment de l'année et les restes de la chaleur du jour.

– Un feu bien éphémère sur quelques brindilles de cèdre juste pour vous montrer, Rose, comme il fait bon s'asseoir devant ce foyer qui pétille quand l'hiver grésille dehors…

À plus de quatre-vingts milles de là, le mystérieux étranger se préparait à passer sa première nuit dans la maison à Polyte devenue la sienne pour quelques mois. Et peut-être plus selon la moisson qu'il pourrait faire dans ce milieu si catholique…

Bédard avait reçu des meubles durant la journée par Dal Morin qui s'était rendu les prendre à Victoriaville. Le lit était monté dans la chambre du premier étage. Le courant électrique était maintenant rétabli grâce à l'intervention de Parenteau et de son équipe de la Shawinigan Water and Power.

Mais Jean Béliveau n'était pas venu ; on l'avait délégué pour assister aux funérailles de Léonard Beaulieu.

Il commença à pleuvoir.

Le bruit des grains de pluie frappant la tôle du pignon lui parvenait jusqu'en bas par la trappe ouverte. Il s'imagina dans une maison fantôme de Val-Jalbert, visité par des spectres du voisinage, puis organisant avec eux une danse macabre sur les couvertures de bardeaux à moitié effondrées.

À quelque distance de là, dans sa chambre, Solange Boutin avait dans l'âme le regard perçant de l'étranger et ça la projetait avec violence sur le mur du désir, sur celui de la peur, sur celui de la colère et sur celui de l'impuissance angoissante.

Bédard éteignit les lumières et s'étendit sur son lit. Le soir opaque pénétrait par la fenêtre et dessinait avec peine les encoignures de la chambre et la commode.

Il se dit qu'il irait la voir chez elle, cette Rose fugitive, dès le lendemain, pour lui acheter n'importe quoi. Ils seraient alors bien obligés de se connaître… bien obligés…

À SUIVRE…

dans

Rose et le diable

{ ANDRÉ MATHIEU }

Rose

Lisez la série complète et suivez les aventures de la séduisante Rose Martin !

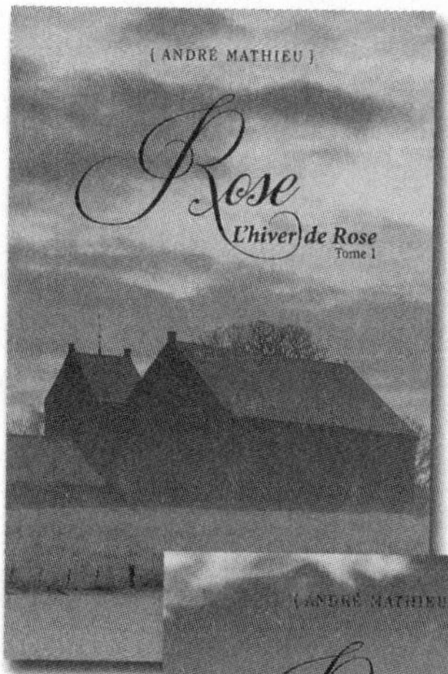

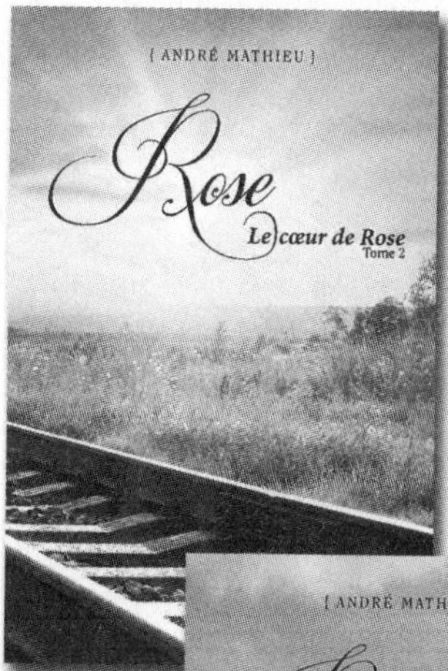

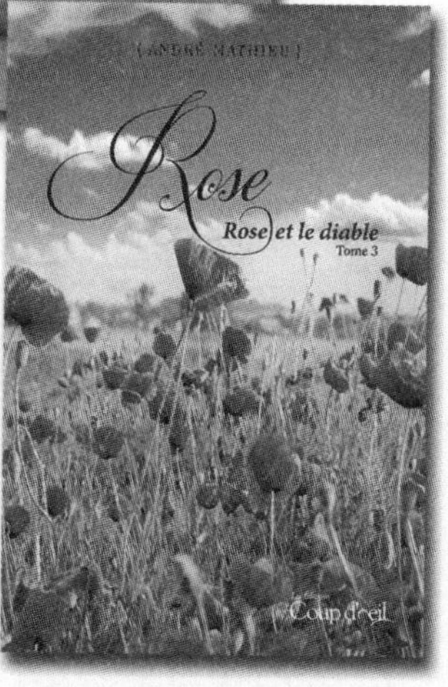

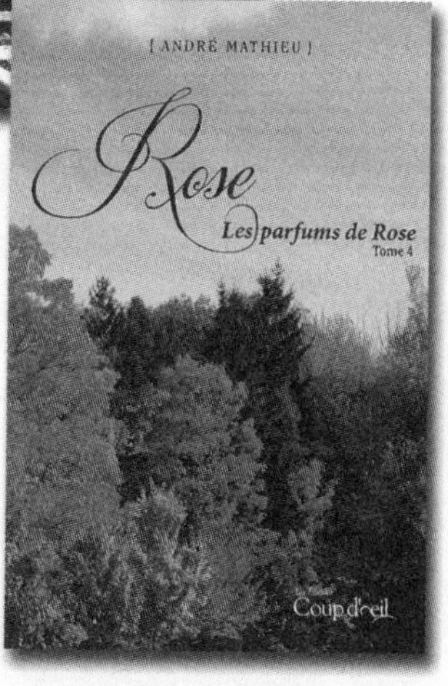

Découvrez les dessous de la vie au village beauceron de Saint-Honoré-de-Shenley à la veille de la Révolution tranquille.

Les Éditions
Coup d'œil

www.facebook.com/EditionsCoupDoeil